中国水利学会勘测专业委员会简介

中国水利学会勘测专业委员会（以下简称“勘测专委会”）是中国水利学会的主要专业分支机构，是由中国水利行业地质、测量、勘探、物探、岩土测试、监测等勘测专业科学技术工作者和团体自愿组成的全国性学术团体，是党和政府联系广大水利勘测企事业单位、高等院校、涉水组织和水利勘测科技工作者的桥梁和纽带，接受中国水利学会的业务指导和监督管理。勘测专委会挂靠单位为长江勘测规划设计研究院，秘书处挂靠单位为其下属的长江三峡勘测研究院有限公司（武汉）。

勘测专委会成立于 1987 年，经过 30 多年的发展，已成为拥有 67 个会员单位的大型科技社团，会员单位主要是各流域委员会水利水电勘察设计院、省（自治区、直辖市）水利水电勘察设计院，部分为大学和地市水利水电勘察设计院。专委会会员单位参与了长江三峡工程、黄河小浪底工程、南水北调工程、引大济湟工程、淮河入海水道工程、珠江河口综合峡工程等一批关系国计民生的重大水利工程的建设，并圆满地完成了相关勘测工作，积累了丰富的实践经验，创新发展了各类新技术和新方法，已成为发展我国水利勘测科技事业的一支重要社会力量。

勘测专委会始终秉承中国水利学会立会宗旨，坚持围绕水利中心工作，服务大局，积极践行新时期治水思路，充分发挥中国水利勘测行业联系广泛以及知识密集、人才荟萃的优势，不断开拓进取，在学术交流、技术咨询等方面开展工作。勘测专委会作为全国民间水利勘测科技交流的主渠道，每年组织召开学术年会和专题会议，开展形式多样的学术交流和技术合作。随着我国水利事业的发展，勘测专委会将一如既往服务水利勘测科技工作者、服务水利勘测科技创新发展、服务水利行政主管部门科学决策，将为推动我国水利事业繁荣和发展做出更大的贡献。

长江勘测规划设计研究院简介

长江勘测规划设计研究院（简称“长江设计院”）隶属于水利部长江水利委员会，是以水利水电勘察设计为主业，为工程建设全行业全过程提供技术服务的国有科技型企业和国际承包商，综合实力长期位居全国水利水电勘察设计单位前列、ENR 全国工程设计企业 20 强、全国工程勘察设计企业百强、全国企业科技创新 500 强。持有国家工程设计综合甲级、工程勘察综合甲级、工程咨询综合资信甲级、对外承包工程资格等一批高等级资质证书，是国家高新技术企业，拥有国家大坝安全工程技术研究中心、博士后科研工作站、院士专家工作站等近十个高端研发平台。

长江设计院现有中国工程院院士 1 人，全国工程勘察设计大师 7 人，首届全国创新争先奖状获得者 2 人，国家“新世纪百千万人才工程”2 人，全国杰出专业技术人才 1 人，湖北省有突出贡献的中青年专家、湖北省新世纪高层次人才、水利部 5151 人才工程部级人选等省部级人才近 90 人，享受国务院政府特殊津贴专家累计 7 人。在全院 2000 多名专业技术人员中，教授级高级工程师 280 人，高级工程师 1126 人，各类注册工程师 1100 余人。单位总部位于武汉，下设职能部门 11 个，院直属单位 2 个，子公司 12 个，所属单位分布在湖北、重庆、上海、北京、广东、西藏、福建、海南、云南、湖南、四川、浙江等省、区、市以及厄瓜多尔、秘鲁、巴基斯坦等国家和地区。

近 70 年来，长江设计院先后完成了以长江流域综合规划为代表的数百项长江干支流及湖泊治理开发与保护的综合规划和专业规划，承担了以三峡水利枢纽、金沙江乌东德水电站、南水北调中线、滇中引水工程、马来西亚沐若水电站为代表的一大批具有国际影响力的大型勘察设计工程，项目遍布国内以及世界 50 个国家和地区。同时，在工程总承包、生态环境工程、市政交通工程、轨道交通工程、建筑工程、新能源工程、输变电工程、病险治理工程、水利信息化以及工程建设监理等业务领域取得显著业绩。

近年来，长江设计院先后荣获 2 项国家科技进步特等奖，2 项国家科技进步一等奖，9 项国家科技进步二等奖，1 项国家技术发明二等奖，7 项国家优秀工程勘察设计金奖，共获得省部级以上科技奖励 440 余项，拥有各类专利、软件著作权 561 项，其中发明专利 196 项，主编或参编国家、行业标准 115 项，牵头承担“十三五”国家重点专项 8 项，承担政府科研项目 200 余项，是国家水利水电技术的核心企业。

长江设计院奉行“以科学管理、持续改进，奉献优质产品；用先进技术、诚信服务，超越顾客期望”的管理方针，拥有完善的质量、环境与职业健康安全管理体系。

在这个人才辈出、群英荟萃的团队，先后诞生全国劳动模范 5 人、全国五一劳动奖章获得者 10 人，获得省部级劳模、先进工作者、五一劳动奖章 30 余人次。2003 年，长江设计院以其卓越的业绩荣获全国五一劳动奖状。2017 年，长江设计院荣获全国精神文明建设领域的最高荣誉——全国文明单位称号。

新时代、新征程。长江设计院肩负“规划美丽长江、慧泽世界江河”的企业使命，竭力服务国家战略需求和长江大保护，加快勘测设计、高端智库、工程总承包、生态民生产业等业务总体布局，努力打造为全球水资源、清洁能源、生态环保、基础设施建设工程提供全生命周期服务的国际一流工程咨询公司，持续为人类社会发展进步奉献安全可靠、绿色环保、健康可持续的卓越工程和优秀设计产品。

地址：湖北省武汉市江岸区解放大道 1863 号

电话：027-82927792　　网址：http://www.cjwsjy.com.cn/

长江三峡勘测研究院有限公司(武汉)简介

长江三峡勘测研究院有限公司（武汉）（简称“三峡院”）隶属于长江水利委员会长江勘测规划设计研究院，是从事工程勘察、科研、咨询、岩土工程设计与施工、地质灾害治理、地震监测与研究、地热开发、地下水资源评估与开发等业务的高新技术企业，拥有工程勘察、工程测量、地质灾害勘查设计施工、岩土工程设计等多项甲级资质，综合实力位居全国同行业前列。

三峡院成立于1958年11月27日，始建地位于湖北省宜昌市，是为加速长江三峡水利枢纽工程前期勘测和研究工作而成立的。2005年12月总部从宜昌迁至武汉，注册成立“长江三峡勘测研究院有限公司(武汉)”。

三峡院现设有3个职能部门、6个直属生产单位、1个子公司、3个分公司。现有在职职工近500人，拥有各类专业技术人员300余人，其中在职教授级高级工程师24人，享受政府特殊津贴4人（水利部“5151人才工程”），副高级职称130余人。拥有各类注册资质人员65人次，其中注册土木工程师（岩土）12人、注册测绘工程师11人、注册监理工程师10人、注册质量工程师2人、注册造价工程师5人、注册一级建造师18人、注册安全工程师3人、注册会计师1人、注册评估师1人、注册咨询师2人，另有国际项目经理10人。

60年来，三峡院承接了数千项工程项目，足迹遍布全国，同时涉足欧、亚、非、拉等地区。在国内，完成了长江三峡、葛洲坝、清江隔河岩、高坝洲、水布垭、金沙江乌东德、旭龙、金沙银江、滇中引水、引江补汉等（特）大型水利水电工程的地质勘测和科研任务，完成了长江中下游堤防隐蔽工程11 000公里堤段的地质勘察任务，完成了近20座长江公路大桥的勘察研究工作；承担了长江三峡工程及库首、清江流域、南水北调丹江口水库、金沙江白鹤滩等水库及大坝的数字遥测地震台网的选址、设计、建管和监测分析工作；承担了万达集团西双版纳度假区和泰禾集团张家口的温泉开发项目；完成了张家口尚义县等地热资源勘查以及地质灾害的勘察、设计、施工及监测工作。

60年来，我院获得“全国科学进步特等奖”“国家优秀勘察金奖”等省部级以上奖励近100项，其中水利水电工程地质勘察可视化关键技术研究及其工程应用获中国大坝工程学会技术发明奖一等奖；长江三峡工程大江截流设计及施工技术研究与工程实践、湖北清江流域岩溶（喀斯特）及其资源环境效应的研究等30个项目获省部级以上科技进步奖；三峡工程大坝与电厂工程地质勘察、清江水布垭水利枢纽工程勘察、泉州湾跨海大桥测量等35个项目获得省部级以上勘察奖；港珠澳大桥岛隧工程宽海域高精度高程传递关键技术研究、三峡库区首段野猫面滑坡变形监测等多个项目获得测绘工程奖。

三峡院现拥有仪测成像可视化编录系统、便携式工程地质测绘系统、无人机航空摄影测量与遥感系统、测量机器人、GNSS设备、变形与监测检测系统、地质三维建模、电子测绘系统、多种高级分析计算机软件和大口径钻探、水上钻探、钻孔彩电摄像、岩土（水）试验与检测、地震遥测等先进的工程勘测设备及技术手段。三峡院在深厚松散层的可视化探测方法、大型洞室仪测成像可视化地质编录方法、便携平板式工程地质测绘工作方法等方面获国家多项发明专利13项，实用新型专利21项，计算机软件著作权24项。

三峡院以雄厚的技术实力、先进的设备、丰富的工程经验，奉行“以科学管理、持续改进，奉献优质产品；用先进技术、诚信服务，超越顾客期望”的质量方针，本着“用户至上，恪守信誉”的宗旨，竭诚为广大用户提供优质的技术服务，为用户创造品牌、创造价值，愿与国内外同行携手合作，共创新事业。

地址：湖北省武汉市东湖高新区光谷创业街99号
电话：027-87531520　　网址：http://www.cjwsxy.com.cn/

复杂条件下水利工程勘察与创新

——中国水利学会勘测专业委员会
2021年年会暨学术交流会论文集

FUZA TIAOJIAN XIA SHUILI GONGCHENG
KANCHA YU CHUANGXIN

主　编　司富安　蔡耀军　李会中
副主编　路新景　陈云长　高义军　杨春璞
孙　勇　彭鹏程　宋文搏　王兆云
赵永川

中国地质大学出版社
ZHONGGUO DIZHI DAXUE CHUBANSHE

图书在版编目(CIP)数据

复杂条件下水利工程勘察与创新——中国水利学会勘测专业委员会2021年年会暨学术交流会论文集/司富安,蔡耀军,李会中主编.—武汉:中国地质大学出版社,2021.9

ISBN 978-7-5625-5075-4

Ⅰ.①复

Ⅱ.①司… ②蔡… ③李…

Ⅲ.①水利工程-工程地质勘察-文集

Ⅳ.①TV22-53

中国版本图书馆CIP数据核字(2021)第149415号

复杂条件下水利工程勘察与创新

——中国水利学会勘测专业委员会2021年年会暨学术交流会论文集 司富安 **等主编**

责任编辑:韩　骑　　选题策划:韩　骑　张晓红　　责任校对:徐蕾蕾

出版发行:中国地质大学出版社(武汉市洪山区鲁磨路388号)　　邮编:430074

电　话:(027)67883511　　传　真:(027)67883580　　E-mail:cbb@cug.edu.cn

经　销:全国新华书店　　http://cugp.cug.edu.cn

开本:880毫米×1230毫米　1/16　　字数:1001千字　印张:31.25　插页:3

版次:2021年9月第1版　　印次:2021年9月第1次印刷

印刷:武汉市籍缘印刷厂

ISBN 978-7-5625-5075-4　　定价:268.00元

序

2021年是中国共产党百年华诞，也是“十四五”规划的开局之年，更是水利行业坚持以习近平新时代中国特色社会主义思想为指导，全面贯彻落实党的十九届五中全会精神和习近平总书记“十六字”治水思路，大力提升水利工程勘测质量保障水利工程高质量发展与高标准建设，实现“十四五”水利工程建设工作良好开局的关键之年。

回想建国之初，百废待兴，1952年“为广大人民的利益”，本着“蓄泄兼筹，以泄为主”的原则，中央调集30万军民，以75天的惊人速度建成荆江分洪第一期主体工程。随后的几十年间，水利设施建设不断加快，全国各类水库从新中国成立前的1200多座增加到近10万座，5级以上江河堤防达30多万公里，总长度是新中国成立初的7倍多，新中国水利建设取得历史性成就，发生历史性变革。近年来，随着三峡水利枢纽工程、南水北调中线工程等一批大型水利工程的建成并开始发挥效用，我国的水利事业发展已进入全新阶段，河湖生态系统保护与修复、水安全保障、水利基础设施网络总体格局与布局等水利发展战略性目标指引着未来水利工程的发展方向。

中国水利学会勘测专业委员会2021年年会暨学术交流会正是在上述背景下，定于2021年9月中旬在新疆维吾尔自治区乌鲁木齐市召开。为迎接本次会议，全国水利勘测专业技术人员围绕会议主题——“复杂条件下水利工程勘察与创新”，从“‘强监管’形势下水利工程勘测工作新机遇、新挑战”“长距离引调水(深埋长隧洞)工程地质勘察新技术、新方法”“(寒旱区)水利工程地质勘察经验与体会”“(寒旱区)水生态与环境治理理论与实践”等方面撰写论文，勘测专委会又将其编辑形成《复杂条件下水利工程勘察技术与创新——中国水利学会勘测专业委员会2021年年会暨学术交流会论文集》，不仅为学术交流提供了丰厚的工程案例与实战经验，也必将对水利工程勘测专业技术发展与水平的提升发挥积极促进作用。

勘测专业作为一门科学性、实践性相结合的基础专业，对水利工程前期科学论证与建设运行安全均具有举足轻重的作用。本次年会在中国大西北——新疆维吾尔自治区乌鲁木齐举办，其特殊的自然地理环境、复杂的地质背景条件为专业人员现场技术调研提供了好去处。新疆作为中国面积最大的省份，从气候温润的伊犁草原到干旱少雨的沙漠，从阿尔泰山、天山到昆仑山，从古尔班通古特沙漠到塔克拉玛干沙漠，从吐鲁番盆地到塔里木盆地，几乎涵盖了各类水文气象、地形地貌、地质背景等环境与地质条件，造就了新疆水利工程的多样性和复杂性，在这里既有如吉林台、阿尔塔什、乌鲁瓦提等在高山区、高地震烈度区等复杂地质条件下建成的控制性水利枢纽工程，也有如北疆供水工程这样的穿越山区、戈壁、沙漠、平原、河流等不同地形地貌条件下的长距离引水工程。

本论文集是勘测专业工作者近期从事工程勘察工作的技术总结、创新体现，是现阶段我国水利勘测行业整体形象的缩影，承载着水利工程勘测技术工作者的辛勤汗水与智慧结晶。它不仅是一笔知识财富，更是水利勘测人不忘初心、牢记使命为国家水利事业勇于开拓、甘于奉献的精神写照。

祝愿中国水利勘测行业能够持续蓬勃发展，预祝中国水利学会勘测专业委员会2021年年会暨学术交流会成功举办，感谢中国水利学会与新疆水利水电勘测设计研究院、新疆兵团勘测设计院(集团)有限公司领导和同志们的大力支持与友情帮助！

编　者

2021年7月

目 录

水库工程地质

枢纽工程地质

深埋长隧洞工程地质

抽水蓄能电站工程地质

勘查新技术

工程勘探

其他

水库工程地质

天津市于桥水库水体污染底泥勘察方案研究

王希科　田伟　李涛

天津市水务规划勘测设计有限公司,天津　300204

摘　要:现阶段,国家提倡建设生态友好型社会,河流、湖泊(水库)、坑塘等水体底泥污染和疏浚、污染底泥的处理成为了水环境污染需要解决的一大难题。水体污染底泥的勘察、取样、试验及污染程度评价是水环境治理的一个重要环节,勘察和试验的准确性、有效性深度影响治理效果。目前,国家和地方未有有效的相关规程规范对以上内容做出规定。在此基础上,为了完成于桥水库底泥污染清理项目的勘察,在广泛征求行业同仁意见的基础上,精心编制了本勘察方案。按照勘察方案的要求,取样采用我公司一项淤泥及淤泥质土取样装置的实用新型专利方法,结合试验分析成果,本文认为勘察方案客观、合理,对底泥取样点、间距布置适当,取样方法有效、可靠,除特殊要求外,以水体生物及生产生活污染为主要诱因的底泥,取样间距0.2m能够达到对底泥污染范围和污染程度的精确勘察。同时,本方案结合设计提供了污染底泥分类环保疏浚技术要求,对一般的河湖、水库底泥清理的勘察具有指导意义。

关键词:水环境污染　污染底泥　精确勘察　指导意义

1　前言

1.1　适用范围

本方案主要适用于河流、湖泊(水库)、坑塘等污染严重底泥的勘察、取样、试验及污染程度评价,如污染河流入湖口、城市污水排放下游水体、矿山废渣排放区、人工水产养殖区以及其他原因引起的河流、湖泊(水库)水体底泥重污染区等。

1.2　规范性引用文件

《疏浚与吹填工程技术规范》(SL 17—2014)、《水利水电工程地质勘察规范》(GB 50487—2008)、《水利水电工程钻探规程》(SL 291—2003)、《土工试验方法标准》(GB/T 50123—2019)、《土壤环境质量建设用地土壤污染风险管控标准(试行)》(GB 36600—2018)、《土壤环境质量农用地土壤污染风险管控标准(试行)》(GB 15618—2018)、《地下水质量标准》(GB/T 14848—2011)、《土壤环境质量标准》(GB 15618—2018)、《污水综合排放标准》(GB 8978—1996)、《危险废物鉴别标准浸出毒性鉴别标准》(GB 5085.3—2007)、《地表水环境质量标准》(GB 3838—2002)、《城镇污水处理厂污染物排放标准》(GB 18918—2002)及《生活饮用水卫生标准》(GB 5749—2006)。文中未注明版本的标准,皆以最新版为准。

作者简介

王希科(1982—),男,高级工程师,主要从事水文地质与工程地质相关研究. E-mail:xikewang@126.com

1.3 术语和定义

底泥：通常是黏土、泥沙、有机质及各种矿物的混合物，经过长时间物理、化学及生物等作用及水体传输而沉积于水体底部所形成。

河流、水库内污染源：是指通过入湖河流、水体养殖、旅游、船舶、水生植物残骸以及大气干湿沉降等方式输入及湖泊本身携带的污染物与泥沙结合在一起形成的污染底泥，通常称为“河流、水库内源”。

环保疏浚：一种重污染底泥的异位修复技术，是利用工程措施对水体中的污染底泥进行疏挖，以减少底泥中污染物向水体释放，为水生态系统的恢复创造条件。

2 环保疏浚工程设计的总体要求

2.1 环保疏浚工程设计原则与技术路线

污染底泥的环保疏浚应坚持局部重点区域重点疏浚的思想；以污染底泥有效去除和水质改善为工程直接目的，以疏浚后促进生态修复为间接目的。在设计环保疏浚方案时，应当同时考虑与其他相关工程措施的协调与配合，综合设计，分步实施。环保疏浚与安全处理处置并重，避免重疏挖、轻处理处置。同时，综合考虑工程效益与投资。

2.2 环保疏浚工程设计要求

(1)环保疏浚工程阶段划分。环保疏浚工程项目实施分为项目建议书、可行性研究、初步设计、施工图设计4个阶段。对于纳入中央财政支持范围的良好湖泊，在省级行政主管部门批复的总体方案中已有相关内容的，可不编制项目建议书。

(2)项目建议阶段报告编制主要内容。项目建议书一般应包括：项目名称；项目背景；项目实施的必要性分析；项目实施的可行性；污染底泥环保疏浚及初步勘察方案；结论；附件。

(3)可行性研究阶段报告编制主要内容。可行性研究报告一般包括：工程概况；自然、地理环境和社会经济概况；项目实施的必要性分析；项目区域工程地质条件；项目区域污染底泥成因和分布状况；主要勘察、试验方法；疏浚范围、疏浚工程量确定；结论和建议；附图和附件。

(4)初步设计阶段报告编制主要内容。初步设计报告一般包括：工程概况；自然、地理环境；气象资料；水文、泥沙资料；项目区域工程地质条件；项目区域污染底泥特点和分布；项目区域污染底泥成因和分布状况；主要勘察、试验方法；污染底泥疏浚工程量确定；结论和建议；附图和附件。

(5)施工图设计阶段的具体要求和内容。施工图设计报告一般包括：工程概况；设计依据和技术标准；平面和高程基准系统；气象资料；水文、泥沙资料；项目区域工程地质条件；项目区域污染底泥特点和分布；项目设计方案和主要参数；结论和建议；附图和附件。

3 底泥勘测与污染状况调查

3.1 底泥勘测与污染状况调查的主要内容

对工程区底泥进行物理、化学指标分析，查明工程区内底质土层性质。物理指标包括：底泥常规的物理力学性质。化学指标包括：底泥物理状态、营养盐、重金属及有机类污染物的含量及分布规律等。本调查以了解工程区底质的污染程度和污染底泥的分布情况为主要目标，为工程区污染底泥疏浚范围、疏浚深度，以及疏挖量等的确定提供基础资料。

3.2 底泥层次划分及特征描述

底泥从垂直方向根据污染程度一般分为污染底泥层(A)、污染过渡层(B)和正常底泥层(C)。

污染底泥层(A层)：污染最为严重的一层。一般情况下，在有机质及营养盐严重污染地区，该层颜色为黑色至深黑色，其上部为稀浆状，下部呈流塑状，有臭味。本层沉积年代新，为近年来人类活动的产物，是湖泊内源污染物的主要蓄积库。

污染过渡层(B层)：污染较轻的一层。正常底泥层到污染底泥层的渐变层。一般情况下，在有机质及营养盐污染地区，该层颜色多灰黑色，软塑—塑状，较A层密实。

正常底泥层(C层)：未被污染的底泥层。其颜色保持未被污染的当地土质正常颜色，一般无异味，质地较密实。

3.3 采样设备

目前污染底泥的采样方式一般分为人工和机械两种。对于工程区底泥物理力学指标测定所需样品的采集主要采用机械采样方式，采样设备包括工程钻机及污染底泥快速取土装置。对于工程区底泥物理化学指标测定所需样品的采集，在风浪较小，环境条件较好，而且水深浅、污染底泥厚度较薄的湖泊河流可采用人工方式采样，由采样人使用安装在连接杆上的采样器进行采样。人工方式底泥采样器主要有抓斗和柱状采样器两种。抓斗取样深度一般为表层10cm，主要用于疏浚工程区重点疏浚区域确定；柱状采样器可以采集不同深度底泥样品，主要用于底泥垂直污染特征研究，确定工程区污染底泥的疏挖深度。天津市水务规划勘测设计有限公司自行研发了一种淤泥及淤泥质土取样装置，在本项目中进行了实际应用，达到了准确取样的良好效果。

3.4 工程勘测与资料收集

(1)一般规定。①在全面了解工程建设项目的基础上，应根据工程性质、规模、重要性，结合具体情况制定相应的勘测与基本资料收集计划；②工程勘测工作应满足设计和施工阶段的要求。对于大型或复杂工程，可分可行性研究、设计和施工等阶段进行；③工程勘测应包括施工区地形测量、地质勘探、工程环境与施工条件调查等项内容；④基本资料收集应结合现场勘测工作进行，收集的资料应全面、详细、准确、真实，⑤基本资料应包括地形、地质、水文、气象、施工组织条件等项内容。

(2)地形测量。①绘制工程总平面图、地形图以及纵、横断面图等。②图纸比例尺根据项目建议书分别选用1/5000～1/10 000、1/2000～1/5000、1/1000～1/2000、1/500的制图比例，图例、图幅应按国家标准绘制。③图中除应绘制坐标及磁北方向外，还应标明控制点、水准点、助航标志、过江架空电力、通信线路，水底电缆、光缆、供水管路，水上建筑物及水下障碍物等。吹填工程应标明吹填区附近水系(河、湖、沟、渠及养殖、排灌系统)的分布与流向。④采用GPS系统定位测量时应符合《全球定位系统(GPS)测量规范》(GB/T 18314—2009)的要求。⑤GPS局域网的构成和布设应满足下列要求：a)GPS网应由一个或若干个独立观测基线边构成闭合图形或附和线路；b)布设GPS局域工程网时，应与原有地面控制网点重合，重合点不宜小于3个，且在网中均匀分布；c)当布设的GPS网点数众多，需在不同的时段依次进行观测时，为了消除闭合条件不符合值，并建立网的基准，应对由基线向量联结的局域工程网进行整体平差；d)求得的GPS-84坐标与工程使用的坐标系统的转换参数仅适用于公共点所圈定的区域；e)GPS工程网应按现行行业标准《全球定位系统(GPS)测量规范》(GB/T 18314)的要求给予精度衡量。⑥测量前应收集控制点、水准点等资料。若施工地区无控制坐标和水准点时，可就近引设，精度应达到四等三角网和四等水准技术标准。⑦永久测量标志必须布设在易于保护并便于引用的地点。

(3)地质勘探方法。①地质勘测除应符合《水利水电工程地质勘察规范》和《港口工程地质勘察规范》外，还要符合特殊地质要求。②工程现场的地质情况必须充分调查、全面收集，包括钻孔平面布置图、钻孔柱状图、地质剖面图和岩土试验成果等。查明疏浚区、清淤区或取土区以及吹填区的土壤类型、物理力学特性、储量及过程处理区的土壤类型和地基承载力情况、分布状况。当上述资料不能满足工程设计与施工需要时，应进行补充勘探。③勘探线、点的布置应满足下列要求：勘探点(包括钻孔、探坑、探井)的布置，应根据不同的勘察条件的要求和疏浚区的地形、地貌和岩土层的复杂程度确定。地质勘探剖面的布置宜与地形测量横断面一致，勘探点的布置应根据地形、地貌和地质复杂程度确定。可行性研究阶段，河流地区按线状布点；水库地区按网格状或交错梅花状布置；不规则状水域根据实际情况按上述间距确定原则布置。初步设计阶段和施工图阶段具体可按表 1 确定。④在疏浚设计深度内污染分布情况复杂，地形、岩土性质变化较大时应加密勘探点，小区域、孤立区域的勘探点不得少于 3 个。河流入湖口、湖湾区、水源地、重要旅游区域及水污染较重水域酌情加密布设勘探点。

天津市洪水淤积对底泥构成上为非直接原因，按地形地貌对场地界定为复杂、一般和简单 3 种场地。按上述原则对于天津市河流、水库底泥清理项目勘探点、线间距拟制定如表 1 所示。

表 1　污染底泥环保疏浚工程设计阶段勘探线、勘探点间距

勘察场地	地质条件	地形、地貌	勘探线间距/m		勘探点间距/m	
			初步设计阶段	施工图设计阶段	初步设计阶段	施工图设计阶段
河流	复杂	生产生活排污点、入库河口、流速较大且蜿蜒曲折的河流凹岸	50～100	20～50	50～100	20～50
	一般	除复杂和简单地段	300～500	150～300	300～500	150～300
	简单	水深较大且流速缓慢的平直河道	500～1000	300～500	500～1000	300～500
水库	复杂	居民生产生活聚居点、工业生产排污点、入库河口及泄洪建筑物闸口附加	150～300	100～200	150～300	100～200
	一般	除复杂和简单地段	300～500	100～200	300～500	100～200
	简单	库区除库岸带(100m 范围内)及入库、泄洪处	500～1000	300～500	500～1000	300～500

(4)勘探点的垂直采样间距。环保疏浚勘探采样要求全柱状采样，全柱状采样的底面应至正常层下 20～50cm。勘探孔钻进深度一般宜达到设计疏浚深度以下 1～2m。

采集样品的要求见表 2。

表 2　环保疏浚底泥勘测采样类别与采样要求

采样类别		取样间距/m	土样质量	说明
化学分析试样	A 层	0.1～0.2	扰动	
	B 层	0.5～1.0		
	C 层	0.5～1.0		
物理力学分析试样		1.0	原状	土样类别有变化时加密

3.5　分析测试项目

(1)底泥勘测物理力学指标。底泥勘测需测定的物理力学指标、测定方法和使用设备详见表3和表4。

表3　环保疏浚工程区底泥勘测物理力学指标

岩土类别	岩土名称	标贯击数	重度	颗粒分析	密度	天然含水量	界限含水量	抗剪强度	相对密度
有机质土及泥炭	有机质土及泥炭		△		△	△			
淤泥土类	浮泥		△	√	√	△			
	流泥		△	√	√	△	△	△	
	淤泥	△	△	√	√	△	△	△	
	淤泥质土	△	△	√	√	△	△	△	
黏性土类	黏土	△	△	√	√	△	△	△	
	粉质黏土	△	△	√	√	△	△	△	
粉土类	黏质粉土	△	△	△	√	△	△	△	
	砂质粉土	△	△	△	√	△	△	△	
砂土类	粉砂	△	△	△	√	√			△
	细砂	△	△	△	√	√			△
	中砂	△	△	△	√	√			△
	粗砂	△	△	△	√	√			△
	砾砂	△	△	△	√	√			△

注:△—必须做;√—根据情况选做。

表4　环保疏浚底泥勘测物理力学指标试验方法及设备

序号	试验名称	现场试验	室内试验	主要仪器设备	采用标准
1	含水量试验		烘干法	电热烘箱(控制温度为(105～110℃)、电子天平(最小0.01g)	
2	重度试验	灌水法(用于原状砂砾质土)	环刀法(用于黏性土)	环刀、电子天平(最小0.01g)	
3	密度实验	不适宜	根据颗粒大小采用密度瓶法、浮秤法、虹吸筒法	密度瓶、恒温水槽(±1℃)、砂浴电炉等	
4	颗粒分析实验	目测度量法(用于碎石土)	筛析法(粒径≤60mm)密度计法(粒径<0.075mm)	分析筛、电子天平(最小0.01g)、密度计等	
5	界限含水量	不适宜	液限(76克液限仪)、塑限(搓条法粒径<0.5mm)、液塑限联合测定法	液、塑限联合测定仪,电子天平(最小0.01g)	《土工试验方法标准》(GB/T 50123—2019)
6	相对密度试验	宜现场测取砂土的天然密度、含水量	用漏斗法或量筒法测,取最小干密度;用振动叉击锤测最大干密度	量筒、漏斗、金属圆筒、振动叉、击锤	
7	抗剪强度试验	不适用	应变控制式直剪仪(用于渗透系数<10^{-5} cm/s的黏性土),疏浚底泥分类一般可采用快剪试验	应变控制式直剪仪	
8	标准贯入试验	原位测试	不适用	标准贯入锤、贯入器等	《岩土工程勘察规范》(GB 50021—2001)

(2)底泥污染状况调查的物理化学指标。工程区底泥污染状况调查需测定的物理化学指标及分析方法详见表5。

表5 环保疏浚工程区底泥污染状况调查测定项目及方法

类型	类别	测定项目	测定方法	依据标准
上覆水	物理性状	水温	温度计法或颠倒温度计测定法	GB 13195—91
		溶解氧(DO)	便携式溶解氧仪法	《水和废水监测分析方法》
		pH	便携式pH计法	
		透明度	塞氏盘法	
		ORP	铂电极法	
		叶绿素a(Chla)	分光光度法	
	营养成分	TN	碱性过硫酸钾消解紫外分光光度法	GB 11894—1989
		TP	钼酸铵分光光度法	GB 11893—1989
		氨氮(NH_4^+—N)	纳氏试剂分光光度法	HT535—2009
		总有机碳(TOC)	非分散红外吸收法	GB 13193—91
间隙水	物理性状	pH	便携式pH计法	《水和废水监测分析方法》
		ORP	便携式ORP计法	
	营养成分	TN	碱性过硫酸钾消解紫外分光光度法	GB 11894—1989
		TP	钼酸铵分光光度法	GB 11893—1989
		TOC	非分散红外吸收法	GB 13193—91
		氨氮(NH_4^+—N)	纳氏试剂分光光度法	HT 535—2009
底泥沉积物	即测	氨氮(NH_4^+—N)	KCl提取-纳氏试剂分光光度法	HT 535—2009
	物理性状	含水率	烘干法	《沉积物质量调查评估手册》
		粒径	筛分析法与消光法	SL42—92
	营养成分	有机质	油浴外加热-重铬酸钾容量法	《土壤元素的近代分析方法》
		TN	半微量开氏法	GB 7173—1987
		TP	SMT总磷测定法	
	重金属	Cd	硝酸-高氯酸消解,火焰原子吸收分光光度法	GB 17378.5—2007
		Cu	硝酸-高氯酸消解,火焰原子吸收分光光度法	
		As	干水消解,原子荧光法	
		Pb	硝酸-高氯酸消解,火焰原子吸收分光光度法	
		Hg	硝酸-盐酸消解,原子荧光法	
		Fe	火焰原子吸收分光光度法	
		Ni	盐酸-硝酸-氢氟酸-高氯酸消解,火焰原子吸收分光光度法	
		Zn	硝酸-高氯酸消解,火焰原子吸收法	
		Cr	硝酸-高氯酸消解,无火焰原子吸收分光光度法	GB/T 17137—1997
	有毒有害有机物	有机磷农药	气相色谱法	GB/T 14552—2003
		有机氯农药	气相色谱法	GB/T 14550—2003
		PAHs	气相色谱-质谱法	《水和废水监测分析方法》
		PCBs	气相色谱-质谱法	

4　污染底泥分类及等级划分

4.1　污染底泥分类

根据底泥中污染物类型和含量情况，大致可以将污染底泥分为营养盐污染底泥、重金属污染底泥和有毒有害有机污染底泥3类。

4.2　污染底泥等级划分

(1)划分原则。工程区污染底泥的等级划分应与相关环境保护政策法规、技术导则和标准指标体系相结合；充分考虑我国环保疏浚工程的实际需求，在充分调查的基础上，重点解决关键问题，尽量保证评估结果的可比性；保证用于底泥环保疏浚的污染底泥划分技术方法具有科学性、合理性和可操作性。

(2)营养盐污染底泥环保疏浚控制值确定。高氮磷污染底泥疏浚控制值采用吸附-解吸平衡法。具体步骤为：测定工程区底泥中总氮、总磷、氨氮及易解吸无机磷含量，通过吸附-解吸实验求出底泥的吸附-解吸平衡点，在数据质量达到要求的情况下建立营养盐含量与平衡点之间的回归方程，根据工程区水质等级要求(如不劣于Ⅲ类)或水体功能区划，计算出水体达到相应地表水质标准或水体功能区划所要求水质时底泥中氮、磷含量，并与湖泊流域本底氮、磷含量做对比验证，进而确定工程区高氮磷污染底泥环保疏浚控制值。

底泥氮磷吸附-解吸实验步骤和方法为：研究现有情况下工程区水体中氮、磷污染现状，同时应包括富营养化阈值浓度。用磷酸二氢钾配制磷的系列浓度：0mg/L，0.01mg/L，0.02mg/L，0.025mg/L，0.05mg/L，0.1mg/L，0.2mg/L，0.4mg/L，0.8mg/L。按水土比100∶1加入底泥和不同浓度的含磷溶液。在25℃下恒温振荡48h，离心(10 000rpm，10min)，取上清液过0.45μm纤维滤膜后用钼锑抗分光光度法测定可溶性无机磷浓度。以上处理设3个平行，相对误差小于5%。用氯化铵分别配置氮的系列浓度：0mg/L，0.15mg/L，0.2mg/L，0.5mg/L，1mg/L，1.5mg/L，2mg/L，4mg/L，8mg/L。按水土比100∶1加入底泥和不同浓度的含氮溶液。在25℃下恒温振荡2h，离心(10 000rpm，10min)，取上清液过0.45μm纤维滤膜后用纳氏试剂法测定氨氮浓度。以上处理设3个平行，相对误差小于5%。

(3)底泥重金属污染等级划分。重金属污染底泥鉴别评估标准的制定可参照潜在生态风险指数法。

单个污染物潜在风险指数：

$$C_f^i = C_D^i / C_R^i \tag{1}$$

$$E_r^i = T_r^i / C_f^i \tag{2}$$

多种金属潜在生态风险指数：

$$\mathrm{RI} = \sum_{i=1}^{n} E_r^i \tag{3}$$

式中：C_f^i为单一污染物污染系数；C_D^i为底泥中重金属的实测含量；C_R^i为计算所需的参比值；E_r^i为单一污染物潜在生态风险系数；T_r^i为单个污染物的毒性响应参数；RI为多种金属的潜在生态风险指数。潜在生态风险指数计算所需沉积物毒性参数及其污染等级划分见表6和表7。

表6　计算潜在生态风险指数所需的重金属毒性响应参数

元素	Hg	Cd	As	Pb	Cu	Zn	Cr	Ni
沉积学毒性系数	40	30	10	5	5	1	2	5

表 7 污染指标和潜在生态风险指标等级划分

单一污染物污染系数 C_f^i		单一污染物潜在生态风险系数 E_r^i		潜在生态风险指数 RI(8 种重金属)	
阈值区间	程度分级	阈值区间	程度分级	阈值区间	程度分级
$C_f^i<1$	低污染	$E_r^i<40$	低风险	RI<150	低风险
$1\leqslant C_f^i<3$	中等污染	$40\leqslant E_r^i<80$	中等风险	150≤RI<300	中等风险
$3\leqslant C_f^i<6$	较高污染	$80\leqslant E_r^i<160$	较高风险	300≤RI<600	高风险
$6\leqslant C_f^i<9$	很高污染	$160\leqslant E_r^i<320$	很高污染	600≤RI<1200	很高风险
$C_f^i<9$	极高污染	$E_r^i\geqslant 320$	极高污染	RI≥1200	极高风险

4.3 污染底泥分类环保疏浚要求

1)营养盐污染底泥环保疏浚技术要求

营养盐污染底泥环保疏浚前需制定必要的环境监测方案,对全湖(库)底泥污染状况进行鉴别和勘测,确定该类底泥的疏浚区域、面积、深度。考虑到疏浚过程中污染底泥因扰动产生的再悬浮、泥浆输送过程中各种泄漏问题,应采取相应的防污染扩散的保护措施。

底泥堆场应采取隔离措施防止污染物质渗透而产生二次污染。采用绞吸挖泥船等泵类设备清淤时,堆场余水需进行收集处理,其处理工艺应简单可行,经济有效,适合大流量的泥浆操作,处理后余水需达到《污水综合排放标准》(GB 8978—1996)中规定的二级排放标准。

疏浚后的底泥经过脱水干化处理后,可用于农田、菜地、果园基肥,或用于道路、土建基土等资源化途径。疏浚后的底泥堆场可结合周边的整体景观规划,建设成景观绿地或湿地。

2)重金属及有毒有害有机污染底泥环保疏浚技术要求

重金属及有毒有害有机污染底泥环保疏浚前应当采取严格的环境监测措施。除营养盐污染底泥所必须注意的问题外,监测方案的制定应综合考虑,还应包括:堆场污泥余水下渗污染地下水问题,污泥中有害物质扩散及污染问题,堆场再利用中潜在的生态风险防范等。

环保疏浚前应进行细致、周密的调查和勘测,对污染物进行必要的现场调查、样品分析和室内外的模拟研究,确定污染物的种类、含量、特性(挥发性及溶解性)、准确分布范围及其可能的生态环境效应,并对其进行生态风险评估。疏浚时应采用先进的低扰动、高固含率的底泥疏浚技术进行疏浚。在运输过程中应采取严格的防泄漏措施,以避免重金属及有毒有害有机污染细颗粒物的扩散和底泥中这部分污染物的解吸。在环保疏浚底泥输送过程中,对于含有易挥发性污染物的底泥应采取必要的防护措施,全程密闭输送。

堆场应建在远离人类活动、不易发生地质灾害、远离水体的区域,同时要避免选址在地下水丰富的区域,以免对周围环境产生危害。堆场应采用严格的防渗措施及建造必要的防冲刷设施;对于有毒有害有机污染底泥,还要建造必要的防臭设施。同时,应设置明显的安全警示标志。余水经集中收集处理后水质应达到《污水综合排放标准》(GB 8978—1996)中规定的二级排放标准。脱水后底泥应迅速进行安全填埋或无害化处理处置,处理后底泥的毒性浸出值低于《危险废物鉴别标准 浸出毒性鉴别》(GB 5085.3—2007)中的相应规定。在可能的情况下,无害化处理技术与底泥综合利用相结合,但是不得用于农作物种植。疏浚后应采取必要的土壤修复办法对堆场进行快速恢复。

5 于桥水库底泥取样间距有效性分析

结合于桥水库底泥勘查项目的试验成果,按照本方案取样间距进行了取样,对底泥污染情况的有效性进行研究。取样勘探点分布如图 1 所示。

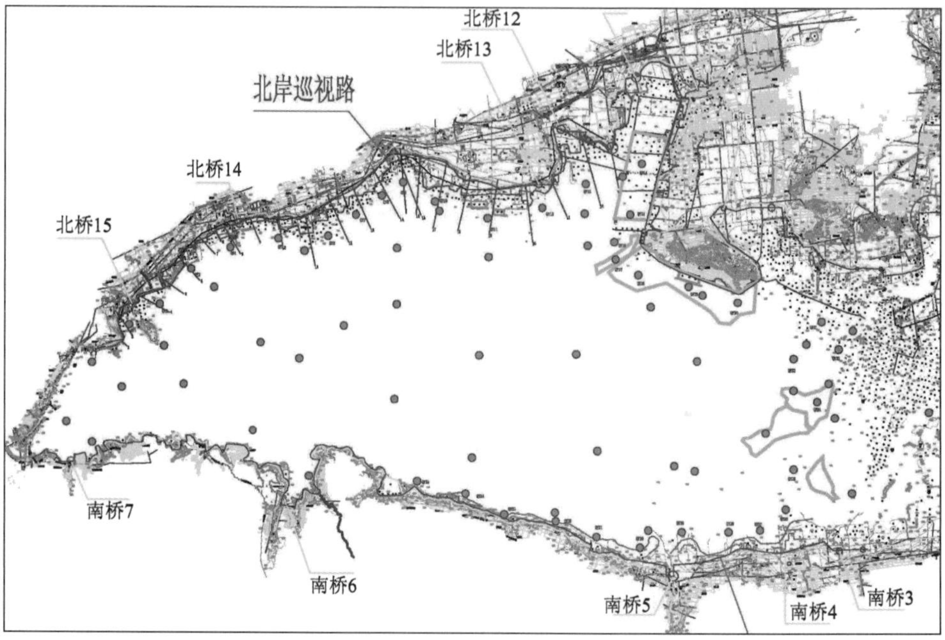

图1　取样探点分布

对同一地层按照取样间隔0.1m、0.2m、0.4m污染物数值差值进行统计，TP数据结果如下（图2～图5）。

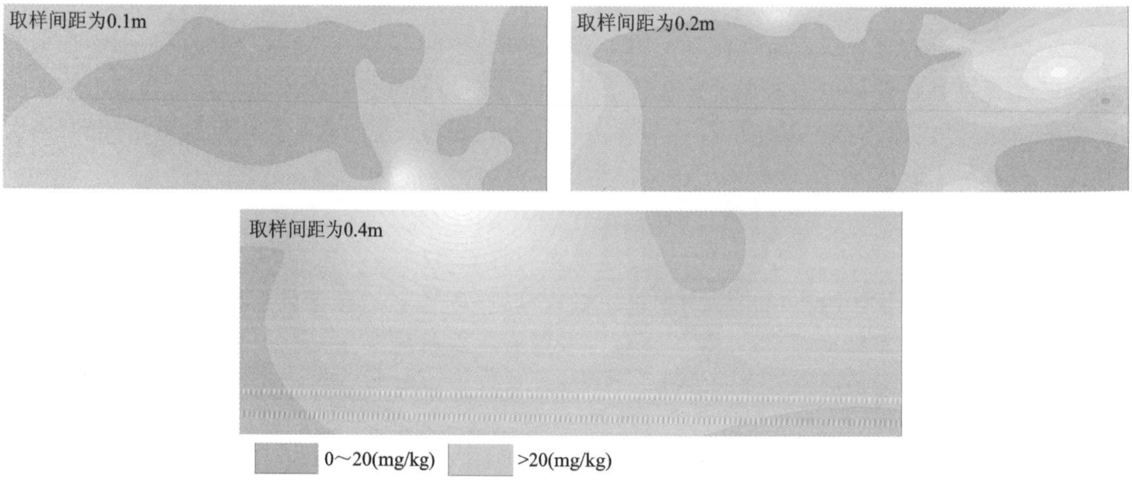

图2　不同取样间距面积占比图Ⅰ

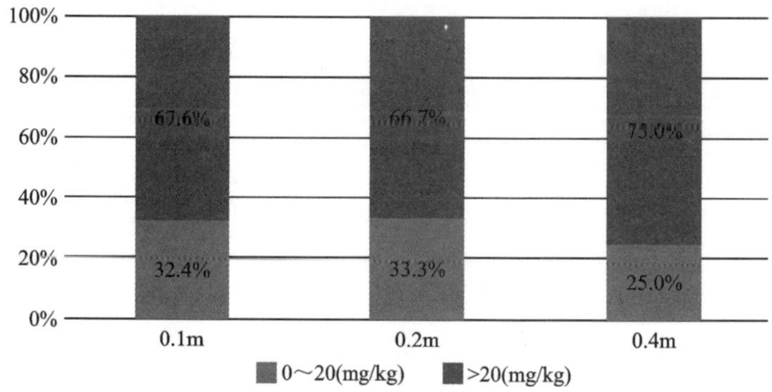

图3　不同取样间距频率占比图Ⅰ

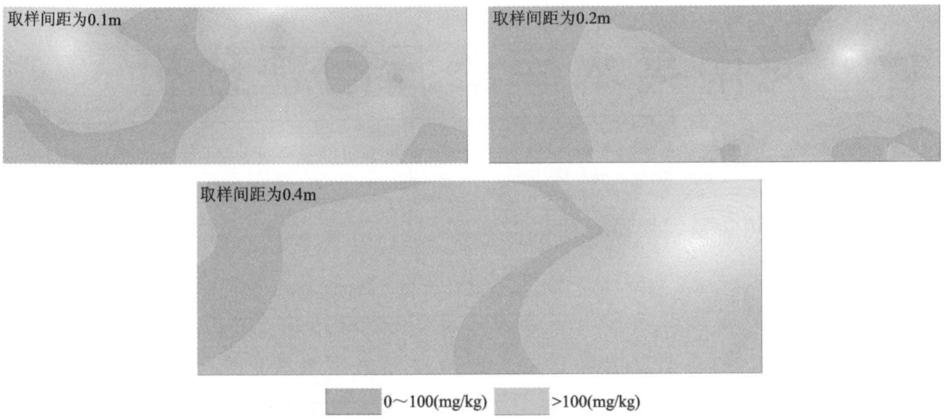

图 4　不同取样间距面积占比图Ⅱ

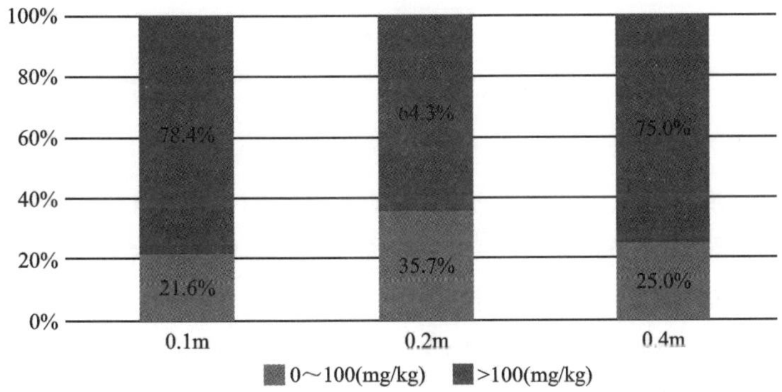

图 5　不同取样间距频率占比图Ⅱ

6　结论

对于河湖、水库污染底泥的评价标准，现阶段国内还没有相关规范。于桥水库底泥清理项目的勘察设计方案，结合项目实际情况和试验成果检验了本方案的有效性，得到了业主的认可和行业同仁的一致好评。本勘察设计方案客观、合理，对底泥取样点、间距布置适当。除特殊要求外，以水体生物及生产生活污染为主要诱因的底泥，取样间距 0.2m 能够达到对底泥污染范围和污染程度的精确勘察。对一般的河湖、水库底泥清理具有指导意义。

参考文献

环境保护部南京环境科学研究所. 土壤环境质量农用地土壤污染风险管控标准：GB 15618—2018[S]. 北京：中国环境出版社，2018.

河南某水库渗漏问题分析

程红涛　孙璐　张辉　惠寒斌

黄河勘测规划设计研究院有限公司，河南 郑州　450003

摘　要：水库建设中，渗漏问题关系到水库的成库、坝址的选择与水库建成后的经济效益等问题。河南某水库是峡谷河道型水库，笔者结合库区的工程地质与水文地质条件分别分析了库区、坝址区的渗漏条件及渗漏类型，并对其渗漏量进行了计算。本文从渗漏问题方面论证了水库的成库条件，为下阶段有效开展防渗处理提供了地质依据。

关键词：渗漏分析　库区渗漏　坝址区渗漏　渗漏量计算

1　引言

水库的功能无论是防洪、发电、供水都是通过水库蓄水来实现的，因此水库渗漏是水库建设前期必须研究的重要工程地质问题，其渗漏问题关系到水库的成库、坝址的选择与水库建成后的经济效益等问题。从水库渗漏的位置来看，渗漏问题包括水库的库区渗漏问题、坝址区渗漏问题。我国水库建设较多，每座水库的渗漏问题各不相同，不过渗漏型式无非是邻谷渗漏、岩溶渗漏、坝基(肩)渗漏、断层带及影响带集中渗漏等。本文通过河南某个水库前期勘察实例，结合水库地形地貌、地层岩性、地质构造、水文地质等因素，对库区渗漏及坝址区渗漏的工程地质问题进行研究分析。

2　工程概况

河南某水库位于太行山南段低山峡谷区，为河道型水库。库区地势由西北向东南倾斜，由北向南渐低，河道弯曲，河谷呈"U"形，库区河流总体上近南北向，坝址处河流近东西向。拦河坝采用碾压混凝土重力坝，设计坝高76.4m，坝长226.0m，建基面高程174.10m。水库控制流域面积3023km^2，总库容1638万m^3，正常蓄水位246.00m，设计总装机容量960kW，属中型水库。水库的功能是以农业灌溉、城市供水为主，兼顾防洪、发电和生态等。

3　水库地质条件

3.1　地形地貌

库区位于太行山南段低山峡谷型河道中，地貌单元为低山河谷。库区山地受强烈剥蚀切割，地形破碎，山势陡峻，土薄石厚，多深切峡谷，地势由西北向东南倾斜，由北向南渐低。河谷两岸为低山区，河床高程在214.0～246.0m之间，相对高差一般大于200.0m。河谷两岸山体基岩裸露，局部陡立，山顶及

作者简介

程红涛(1979—)，男，高级工程师，主要从事水利工程、地质工程等地质勘察工作。E-mail：chht12@163.com

斜坡地带局部为坡残积碎石所覆盖，河谷下部发育Ⅰ、Ⅱ级阶地，谷底宽一般 50.0～280.0m，河段比降约 6.3‰。库区河谷左岸因河流转向在近库尾段至坝址下游形成“Ω”形河弯地块，河道段长度约为 3.8km，弦长约为 1.0km。

3.2 地层岩性

库区地层结构简单，广泛分布寒武系、奥陶系及第四系。

奥陶系、寒武系岩性以白云岩、白云质灰岩、灰岩等为主，结构致密，强度高，一般强风化深度不大于 2.0m，表层多为弱风化，风化卸荷裂隙发育。库区整体岩溶发育较弱，多沿裂隙面发育溶隙、溶坑、溶穴等，其连通性不强，地质测绘结果及钻探成果显示，库水位附近及坝址区奥陶系中未发现大的溶洞、溶穴现象及宽大连通性溶隙，正常蓄水位以上奥陶统两个岩组交界部位发育有较大的溶洞、溶穴等岩溶现象。

第四系主要分布于山区边缘、河流河床阶地，岩性以冲洪积、洪坡积等成因的砾石、低液限黏土为主。砾石结构松散，分选性较差，多夹砂层，中等—强透水性；低液限黏土多为可塑—硬塑状态，微—弱透水性。

3.3 地质构造

库区区域上位于山西台隆南缘太行山拱断束内，拱断束内构造线为近南北向，整体为一宽缓的且长期发展、多次构造变形迭加的开阔大型复式背斜，区内断裂比较发育，各断层位置见图 1。对库区渗漏有影响的断层有 4 条（表 1），分别为断层 F_2、断层 F_3、断层 F_4、断层 F_5；坝址区对渗漏有影响的断层有 2 条（表 1），分别为断层 F_1、断层 F_6。库区岩层层面产状多为 93°～135°∠1°～10°，局部受小褶皱、揉皱影响，产状为 10°～67°∠1°～14°，未发现连通的长宽裂隙。

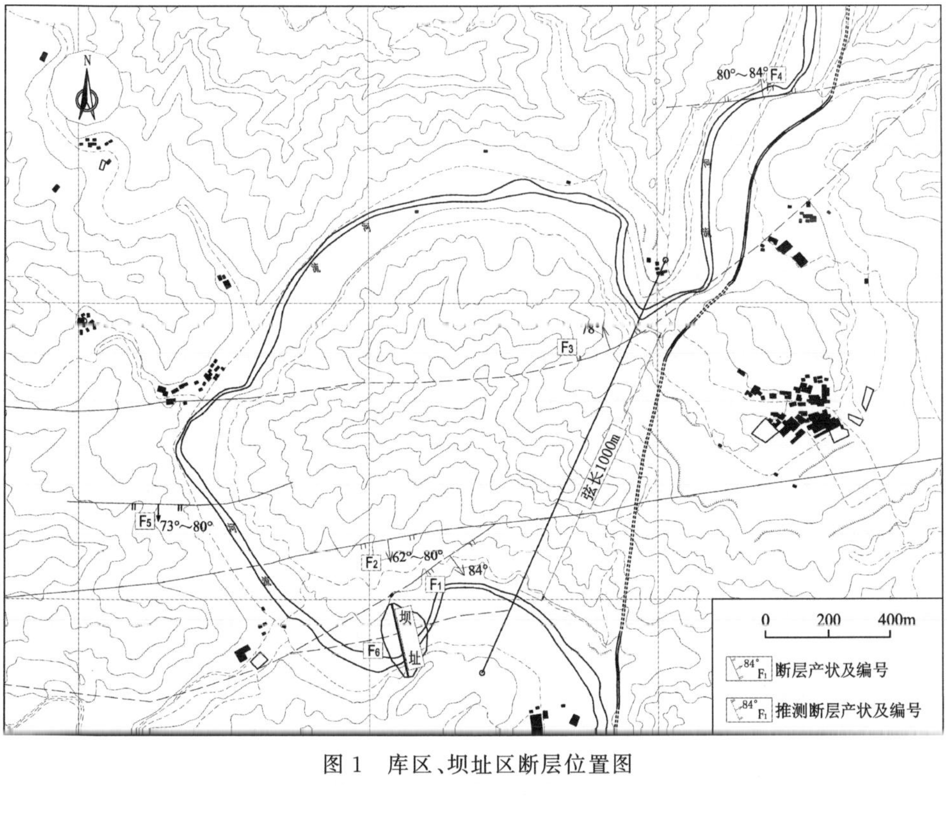

图 1　库区、坝址区断层位置图

表1 库区、坝址区断层一览表

位置	断层编号	断层性质	断层产状		断距/m	宽度/m		断层带物质及性质	渗透性
			倾向/(°)	倾角/(°)		断层带	影响带		
库区	F_2	正断层	175	67～80	100	3.0～10.0	30	断层带充填物为断层角砾岩，多夹泥质，表层为全强风化状态，断层影响带为碎裂岩，岩体较破碎	中等透水
	F_3	正断层	320～356	77～80	断距不明	1.5～5.0	20	断层带充填物为断层角砾岩，多夹泥质，表层为全强风化状态，断层影响带为碎裂岩，岩体较破碎	中等透水
	F_4	正断层	353～358	66～79	断距不明	1.5～2.5	10～20	断层带充填物为断层角砾岩，多夹泥质，灰黄色，多为钙质胶结，断层影响带为碎裂岩，岩体较破碎	中等透水
	F_5	正断层	190～195	73～80	7～8	6.0～8.0	10	断层带充填物为断层角砾岩，多夹泥质，表层为全强风化状态，断层影响带为碎裂岩，岩体较破碎	中等透水
坝址区	F_1	正断层	148～158或S	80～84	45	1.5～5.0	5～10	断层带充填物为断层角砾岩，灰黄色，多夹泥质且有钙质胶结，表层为全强风化状态，断层影响带为碎裂岩，岩体较破碎	中等透水
	F_6	正断层	330～360		50～55	5.0～20.0		断层带充填物为断层角砾岩，灰黄色，多夹泥质且有钙质胶结，断层影响带为碎裂岩，岩体较破碎	中等透水

3.4 水文地质

库区河流为常流河，流量受季节影响大，冬春流量5～7m^3/s，夏秋流量8～10m^3/s，洪水期增至数十个流量，多年平均流量11.1m^3/s。工程地质测绘及调查结果表明，库区地表无泉水出露点，地下水位埋深较深，低于河流水位60m以上，河流具有“悬托河”的特征。河流多年平均入库径流量为12 975万m^3；日平均入库径流量35.5万m^3。库区河流水位214.00～246.00m，坝址区河水位214.60m。

库区地下水有松散堆积层孔隙水、基岩岩溶裂隙水两个类型。松散堆积层孔隙水分布于河床卵石层中和Ⅰ、Ⅱ级阶地底部砾石层中，受大气降水补给，与河水呈互补关系。基岩岩溶裂隙水以网状、脉状及带状型式分布于基岩表层的风化带、构造破碎带、节理裂隙密集带及岩溶溶洞、溶蚀沟、溶蚀缝中，水量较小，受季节影响较大，受大气降水补给，库区未发现基岩裂隙水以泉水形式出露的出露点。

库区地层为奥陶系、第四系松散沉积物，坝址区不同的岩土体类型采用不同的水文地质试验方法获取其水文地质参数，第四系松散沉积物中采用注水试验，奥陶系岩层、断层带及影响带中采用压水试验。对试验资料进行分析、筛选和整理，并结合邻近工程类比分析，取得岩土体及断层带及影响带的渗透系数(表2)。

表 2　各层岩土渗透系数建议值表

岩性	卵砾石	强风化及弱风化上部岩体	弱风化下部及微风化岩体	断层带及影响带
透水率/Lu		30.55	4.60	15.51
渗透系数/$(m \cdot d^{-1})$	50.00	0.40	0.06	1.00

试验结果显示，奥陶系强风化及弱风化上部岩体厚度 25～55m，渗透性中等；弱风化下部及微风化岩体渗透性弱；断层带及影响带渗透性中等。

4　渗漏分析

根据本水库工程地质条件与水文地质条件，分别对本水库库区渗漏及坝址区渗漏分别进行分析。

4.1　库区渗漏分析

库区位于太行山南段低山峡谷型河道中，库区邻谷较少；对库区渗漏有影响的断层有 4 条；地层岩性主要为奥陶系白云岩、白云质灰岩、灰岩等，库区整体岩溶发育较弱，因此对库区可能存在的邻谷渗漏、断层带及影响带集中渗漏、岩溶渗漏问题进行分析，并对其渗漏量进行估算。

(1)邻谷渗漏

库区为低山地貌，库盆为峡谷型，河床高程在 214.00～246.00m 之间，河谷两岸山顶与谷底的相对高差一般大于 200.00m；库区所在河谷为区内最低沟谷，邻近河(沟)谷谷底最低高程为 296.30m，高于本水库正常蓄水位 246.00m，其他河(沟)谷底部高程多在 300.00m 以上，无单薄分水岭，亦不存在深切邻谷，因此不存在河间邻谷渗漏。

库区河谷左岸因河流转向在近库尾段至坝址下游形成“Ω”形河弯地块，河道段长度约为 3.8km，弦长约为 1.0km，弦长处最高高程为 588.00m。库区河弯地块基岩裸露，山前斜坡近直立，岩体风化卸荷裂隙发育，但延伸相对较短，未发现裂隙密集带及断层带，亦未发现溶洞、溶坑、溶穴等岩溶现象。因此，水库蓄水后河弯地块有沿弦长方向向下游渗漏的可能。采用水文地质试验取得的岩土体渗透性参数(表 2)，根据《水利水电工程地质手册》中渗漏量计算公式(1)对此渗漏型式进行渗漏量计算，计算结果见表 3。

$$Q = KB\frac{H_1 - H_2}{L}\frac{h_1 + h_2}{2} \tag{1}$$

式中，Q 为渗漏量(m^3/d)；K 为渗透系数(m/d)；B 为漏水段总长度(m)；H_1 为水库水位(m)；H_2 为邻谷水位(m)；L 为过水部分的平均距离(m)；h_1 为库边含水层厚度(m)；h_2 为邻谷含水层厚度(m)。

表 3　河弯地块渗漏量计算表

渗漏类型	渗透系数 K	正常蓄水位 H_1	邻谷水位 H_2	库边含水层厚度 h_1	邻谷含水层厚度 h_2	过水部分的平均距离 L	漏水段总长度 B	渗漏量 Q
	$/(m \cdot d^{-1})$	/m	/m	/m	/m	/m	/m	$/(m^3 \cdot d^{-1})$
河弯地块渗漏	0.06	246.00	211.00	36	25	1000	350	22.42

根据计算结果，河弯地块沿弦长渗漏量很小，仅为 $22.4m^3/d$，相对于总库容来说几乎微乎其微，可认为河弯地块沿弦长方向不会向库外产生渗漏问题。

(2)断层带及影响带集中渗漏

库区对渗漏有影响的断层有4条，分别为断层F_2、断层F_3、断层F_4、断层F_5。断层F_5规模较小，延伸较短，对库区渗漏影响不大；其他各断层走向多为东西方向，与丹河河谷垂直或大角度相交，延伸较长并通向库外。各断层带宽度为1.5～10.0m，断层带多充填断层角砾岩，多夹泥质，多为钙质胶结，渗透性微弱，断层影响带宽度多在5.0m以上，渗透性较强，为中等透水。河谷两侧山体雄厚，岩体存在地下分水岭，两侧河谷高程远高于水库正常蓄水位，无低于库水位的地下水低槽，因此库区不会产生沿断层带及影响带的集中渗漏问题。

(3)岩溶渗漏

库区局部存在岩溶现象，岩溶主要发育在奥陶系白云质灰岩、灰岩、泥灰岩中，寒武系岩溶基本不发育。库区河谷两岸奥陶系岩体裂隙较宽处可见串珠状溶坑溶穴，但发育规模小，深度浅，一般只有数厘米宽，连通性差，不会形成渗漏通道。库区岩溶出露高程多在250.00m以上，表现为直径较大溶洞，基本在水库正常蓄水位(246.00m)以上，不会沿溶洞、溶隙等发生渗漏。其次，库区所处的河谷区内最低沟谷，邻近其他河(沟)谷谷底高程均高于水库正常蓄水位，且水库周边有连续的相对隔水层分布，水库与邻谷间岩溶岩层的联系被隔断，不存在因岩溶问题向邻谷产生渗漏问题。因此，库区不存在岩溶渗漏的条件，不会产生岩溶渗漏问题。

4.2 坝址区渗漏分析

坝址区地层为奥陶系白云岩、白云质灰岩、灰岩等，整体岩溶发育较弱，裂隙较发育，坝址区发育2条断层，分别为断层F_1、断层F_6，因此对坝区可能存在的坝基(肩)渗漏、断层带及影响带集中渗漏问题进行分析，并对其渗漏量进行估算。

(1)坝基(肩)渗漏

坝址区地层为奥陶系白云岩、白云质灰岩、灰岩地层，钻探过程中发现岩芯发育有直径较小的溶坑、溶孔等岩溶现象，分布不连续，连通性不强，未发现大的连通性较好的溶洞、溶隙，坝基(肩)处因岩溶问题发生渗漏的可能性较小。奥陶系岩体结构致密，强度高，抗风化能力相对较强，一般强风化深度不大于2.0m，地表多以弱风化为主。左右岸风化程度受构造、卸荷影响明显，特别是靠近断层处岩层破碎，风化剧烈，风化卸荷裂隙发育，地表宽5.0～10.0cm，最宽可达50.0cm，充填物为砾石、黏土与岩屑，多无胶结，未发现密集性发育的宽大贯穿性裂隙带，因此坝址区也不会产生贯穿性裂隙带的集中渗漏。

坝址区压水试验成果表明，坝址区弱风化岩体上部透水率为12.2～67.5Lu，为中等透水性，厚度一般处于25～55m之间。弱风化下部及微风化岩体透水率在0.8～5.5Lu之间，为相对隔水层顶板，高程为153.92m。坝基渗流形式基本上属于隔水层深度有限的坝下渗流，主要是通过上部基岩自上游向下游绕坝基、坝侧渗流，坝基岩体中的节理裂隙为坝基主要的渗漏通道，水库蓄水后易产生坝基渗漏、绕坝渗漏。根据《水利水电工程地质手册》采用式(2)对坝基渗漏量进行计算，采用式(3)对两坝肩绕坝渗漏进行估算。

$$Q = KBH\frac{T}{T+L} \tag{2}$$

式中：Q为渗漏量(m^3/d)；K为透水层渗透系数(m/d)；B为坝基计算长度(m)；H为上下游水头差(m)；T为透水层厚度(m)；L为坝基宽度(m)。

$$Q \approx KH(H_1 + h_1) \tag{3}$$

式中：Q为渗漏量(m^3/d)；K为透水层渗透系数(m/d)；H为上下游水头差(m)；H_1为上游水深(m)；h_1为下游水深(m)。

坝基渗漏量及两坝肩绕坝渗漏量计算结果见表4。

表4 坝基渗漏及绕坝渗漏量计算表

渗漏类型		渗透系数 K	计算长度 B	上下游水头差 H	透水层厚度 T	坝基宽度 L	上游水深 H_1	下游水深 h_1	渗漏量 Q
		/(m·d⁻¹)	/m	/m	/m	/m	/m	/m	/(m^3·d^{-1})
坝基渗漏		0.40	210.6	31.4	20.18	47.76			785.68
绕坝渗漏	左坝肩	0.40		31.4			53.5	22.0	948.28
	右坝肩	0.40		31.4			31.5	6.5	477.28
合计									2 211.24

由计算结果可知，左坝肩绕坝渗漏量相对较大，右坝肩绕坝渗漏量相对较小，总渗漏量2 211.24m^3/d。

(2)断层带及影响带集中渗漏

坝址区发育两条断层，分别为发育左坝肩处的断层F_1，发育坝基处的断层F_6。两断层均为正断层，断层带充填物为断层角砾岩，多夹泥质且有钙质胶结，断层影响带为碎裂岩，岩体较破碎，为通过坝基、坝肩的集中渗漏通道。由压水试验结果可知，断层带及影响带透水率为15.6～29.2Lu，渗透性中等。渗漏量采用公式(1)进行计算，渗漏量计算时渗透系数采用1.0m/d，计算结果见表5。

表5 断层F_1、断层F_6渗漏量计算表

断层编号即位置		渗透系数 K	正常蓄水位 H_1	邻谷水位 H_2	库边含水层厚度 h_1	邻谷含水层厚度 h_2	过水部分的平均距离 L	漏水段总长度 B	渗漏量 Q
		/(m·d^{-1})	/m	/m	/m	/m	/m	/m	/(m^3·d^{-1})
F_1	左坝肩	1.00	246.00	214.60	109.30	109.30	45.36	11	832.28
F_6	坝基	1.00	246.00	214.60	64.21	64.21	58.52	20	689.06
合计									1 521.34

4.3 渗漏量计算结果分析

本水库规划总库容1638万m^3，日平均入库径流量为35.5万m^3/d。

库区渗漏分析结果可知，库区不会产生邻谷渗漏及岩溶渗漏问题；"Ω"形河弯地块在水库蓄水后有沿弦长方向向下游渗漏的可能，不过渗漏量计算结果仅为22.42m^3/d，相对于日平均入库径流量来说几乎微乎其微，因此可认为河弯地块也不会发生渗漏问题。

坝址区渗漏分析结果可知，坝址区会产生坝基渗漏、绕坝渗漏及断层带与影响带集中渗漏问题，渗漏量计算结果显示，坝基渗漏量、左坝肩绕坝渗漏量、右坝肩绕坝渗漏量相差不大，左坝肩绕坝渗漏量相对较大，坝基(肩)总渗漏量为2 211.24m^3/d；断层F_1、断层F_6渗漏量相差也不大，总渗漏量为1 521.34m^3/d。坝址区总渗漏量为3 732.58m^3/d，仅占日平均入库径流量的1.1%，占比很小，属轻微渗漏。

综合上述分析，库区渗漏、坝址区渗漏均不是制约水库成库的影响因素。

5 小结

水库建设中，渗漏问题关系到水库的成库、坝址的选择与水库建成后的经济效益等，是水库勘察中的关键问题。河南某水库是峡谷河道型水库，通过库区的工程地质与水文地质条件分析，库区不存在邻谷渗漏、岩溶渗漏、断层带及影响带集中渗漏问题，虽然库区"Ω"形河弯地块易产生渗漏，但渗漏量微乎其微。坝址区渗漏存在坝基渗漏、绕坝渗漏、断层带及影响带渗漏三种类型，根据坝址区的各种渗漏类型的渗漏量计算结果可知，水库、坝址区总渗漏量相对于日平均入库径流量来说仅占1.1%，水库蓄水后不会因为渗漏问题对水库成库、经济效益发挥产生不利影响。不过水库渗漏是长期的，为了保证水库运行安全及经济效益的正常发挥，水库建设过程中及建成后需要对渗漏问题进行必要的监测工作。

参考文献

彭土标，袁建新，王慧明.水力发电工程地质手册[M].北京：中国水利水电出版社，2011.

李会中，郭飞，潘玉珍.水库渗漏分类与处理措施研究[J].资源环境与工程，2017，31(4)：493-496.

吴浩，格闹河电站水库库区渗漏分析[J].河南水利与南水北调，2014，16：68-69.

潘立文，王宇驰.湖北省房县龙洞口水库邻谷渗漏分析[J].资源环境与工程，2012，26(4)：365-368.

吴蒙蒙，王永平，朱云法，等.湖北三里坪电站右岸渗漏地段防渗对策[J].人民长江，2011，42(22)：27-28+49.

杨光，袁彦超，乔东玉，等.万家寨水利枢纽库区岩溶发育规律分析与回顾[J].水利水电工程设计，2020，39(3)：11-14+30.

吴广平，杨良权，汪德云，等.天开水库渗漏计算及防渗研究[J].水利水电技术，2019，50：245-249.

王亮，罗崇宏，梁承运，等.江坪河水电站坝址岩溶水文地质特征及防渗可靠性分析[J].水力发电，2020，6：39-43+77.

阿尔欣•斯拉木江，杨晓军.巴喀勒克水库坝址渗漏分析[J].中国水运，2012，7：159-161.

廖方元.玉滩水库坝址渗漏对水库安全的影响研究[J].陕西水利，2019，9：224-226.

林涛，李成刚，曾威，等.石泉水库沿金鸡寺断层破碎带的分布渗漏可能性分析[J].中国水运，2016，7：164-165+170.

葛文军，李小超，赵善国.五道库水电站坝址右岸断裂带渗漏地质问题研究[J].黑龙江水利科技，2013，41(5)：128-129.

云南省宜良县新庄水库库坝区岩溶发育特征研究

周延国　王玉川　王耀军
黄河勘测规划设计研究院有限公司，河南　郑州　450003

摘　要：新庄水库工程位于碳酸盐岩分布区，岩溶现象较为发育，水库岩溶渗漏问题复杂，是制约水库建设的主要工程地质问题。本文研究了区域岩溶发育背景、分期特征，分析了库坝区岩溶发育现象及特征、岩溶发育层位及其可溶性和岩溶水文地质条件，得出了新庄水库库坝区岩溶发育的总体规律，为岩溶渗漏评价及防渗工程的处理提供了地质依据。

关键词：水库　岩溶　地下水　可溶性　岩溶发育特征

1　引言

新庄水库位于云南宜良县境内南盘江水系的二级支流马蹄河上，水库总库容 3742 万 m^3，最大坝高 66.00m。水库库盆位于可溶岩地层中，溶蚀作用强烈，河谷两岸岩溶洼地、落水洞、溶洞、岩溶泉等岩溶现象发育，水库岩溶渗漏问题复杂，是制约水库建设的主要工程地质问题。分析水库的岩溶发育特征，跟踪岩溶发育轨迹，研究岩溶发育的总体规律，可及时有效地采取工程措施，更好地解决水库所面临的渗漏问题。

2　基本地质条件

2.1　地表水文及侵蚀基准面

新庄水库所在的马蹄河主河道平均比降 9.8‰，河流冲刷作用较为强烈，河床覆盖层少且薄，多处河段基岩出露，在可溶性碳酸盐岩出露河段，常见小型石芽、溶沟、溶槽等现象，未发现有岩溶塌陷、漏斗、深坑和大的跌坎分布，马蹄河两岸的沟水、泉水均向马蹄河径流排泄，两岸的泉水均高于河床高程，马蹄河为工程区相对地下水排泄、侵蚀基准面。

2.2　地形地貌

库区地形相对高差 100～150m，岸坡多见悬崖陡壁。马蹄河主要沿北北东向发育，河谷基本上属“V”形谷，下陡上缓。河流弯道多，支沟发育，较大的支流均长年流水。库区右岸以侵蚀堆积的低中山为主，岚光山高程 2030～2080m，构成马蹄河与贾龙河之间的地形分水岭；左岸绝大部分夷平面受到后期切割破坏，只有在库区左岸上游分布有面积不大的夷平面零星残留于山地顶部，地貌形态以侵蚀溶

作者简介

周延国（1980—），男，高级工程师，主要从事水利水电工程地质勘察工作. E-mail：zygzyj1980@163.com

蚀的低中山为主。

2.3 地层岩性

库坝区主要出露古生界基岩地层，分述如下。

(1)下寒武统龙王庙组($\in_1 l$)主要分布于库区东侧，岩性主要为灰色、深灰色、微肉红色厚层状白云岩，与下伏地层为整合接触，总厚约160m，岩溶发育。

(2)中寒武统陡坡寺组($\in_2 d$)主要分布于库区东侧、坝址区河床段，按岩性可分上、下两段，下段($\in_2 d^a$)以土黄、橘黄、灰白色中厚层状石英砂岩夹泥质、灰质白云岩为主，厚47.3～63.5m；上段($\in_2 d^b$)为深灰色薄层状瘤状灰岩，底部有两层深灰色灰岩，厚27.0～38.6m。

(3)中寒武统双龙潭组($\in_2 s$)分布于大部分库区的东西两侧及河床岸坡两岸。总厚360～390m。根据岩性从下到上分为5层，第一层($\in_2 s^1$)为深灰、微肉红色薄层白云岩、泥质白云岩与灰黄绿色页岩互层，厚50m；第二层($\in_2 s^2$)为白云岩含硅质、中厚层状中粒石英砂岩、块状灰质泥质白云岩、砂质白云岩及团块状灰质白云岩，厚67m；第三层($\in_2 s^3$)为薄层状泥灰质白云岩、泥质白云岩夹中厚层状白云岩、砂质白云岩、泥灰质粉砂岩，厚115m；第四层($\in_2 s^4$)为中厚至厚层状灰质白云岩夹钙泥质白云岩、薄层状泥质白云岩，厚75～96m；第五层($\in_2 s^5$)以中厚层状灰质白云岩为主，夹薄层状白云岩并有两层鲕砾状白云岩，厚53～62m。

(4)中志留统马龙群组($S_2 m$)多分布于库区西侧，层厚640～695m。下段($S_2 m^a$)为薄—中厚层状泥质瘤状灰岩、厚层块状灰岩夹黄绿色页岩、泥岩、薄—中厚层状泥质白云岩、含砾泥质白云岩；中段($S_2 m^b$)以页岩、泥岩为主，夹钙质泥质粉砂岩；上段($S_2 m^c$)为中厚层状生物灰岩、厚层状泥质灰岩、泥质瘤状灰岩。

(5)上志留统玉龙寺组($S_3 y$)分布于芹菜塘—双龙潭一带，岩性为粉砂质泥岩、页岩、粉砂质泥岩，层厚214m。

(6)下泥盆统翠峰山组($D_1 c$)为砂岩、粉砂岩、页岩、中厚层状细—中粒石英砂岩，厚约50m。

2.4 地质构造

库区位于黄花塘向斜东翼的近向斜轴部地带，小江断裂从库区西部约20km通过。受区域构造的影响和控制，库区地质构造线方向以近南北向为主。库区内岩层呈平缓的单斜产出，局部软弱岩层中见有小褶曲，规模很小。岩层走向340°～30°，倾向250°～300°，倾角7°～30°。

3 区域岩溶发育特征研究

3.1 区域岩溶发育背景

(1)地貌发育史

区域内燕山运动造成的地形以山地占优势，古近纪(E)时地表剥蚀堆积作用强烈，最终形成了广阔的剥蚀平原，在不同岩性地层分布区域普遍形成砖红色厚层状富铁铝的残积风化黏土层，岩溶进入了以水平发育为特征的阶段，形成后期各种岩溶地貌。

上新近纪(N_2)时期，地壳运动又趋活跃，整个剥蚀平原开始上升为高原，使地壳的隆起具不均匀性，夷平面开始变形，形成了一些构造侵蚀和溶蚀盆地。碳酸盐岩地区溶蚀作用开始自地表开始垂直向下发展，形成了石芽原野，剥蚀面、石芽原野等地形。

下更新世(Q_1)一些盆地则受到河流的侵蚀堆积作用,如宜良、杨林盆地,下更新世晚期曾产生局部构造变动,使下更新世地层发生翘曲;中上更新世地壳运动除差异性以外,还表现了间歇性,在宜良盆地中有河流阶地形成;晚更新世(Q_3)牛头山隆起急剧发展,上升高度超过了当时的雪线高度,发育冰川和冰川地形。更新世岩溶的发育开始以垂直方向为主,形成垅岗洼地、峰丛洼地,继而向水平方向发展,形成峰林谷地乃至溶蚀平原。更新世夷平面、剥蚀面都受到不同程度的破坏。

全新世(Q_4)时期新构造运动继续发展,高原面继续上升,许多山地的高度都超过了牛头山。随着地形高差增大和南盘江支流向源侵蚀的深入,侵蚀作用极为强烈,晚更新世(Q_3)的冰川地形受到破坏,宜良盆地中的河流阶地被侵蚀殆尽,夷平面、剥蚀面主要只保留在河流上游地段。

(2)新构造运动

本区自古近纪(E)始,以大面积的抬升和隆起为主,形成了云南高原面;后自新近纪早期(N_1)以来仍表现为上升隆起运动,不过因升降幅度的差异,地形高差渐大,因而形成河流下切,溯源侵蚀作用加强,破坏了云南高原面的完整性,并表现出高原残山(如牛头山)以及一系列湖盆等。新生代的一些盆地多沿两侧断裂下降而形成,表现为断块运动形式(图 1)。间歇性则主要表现为阶地、剥夷面与水平溶洞成层发育等。

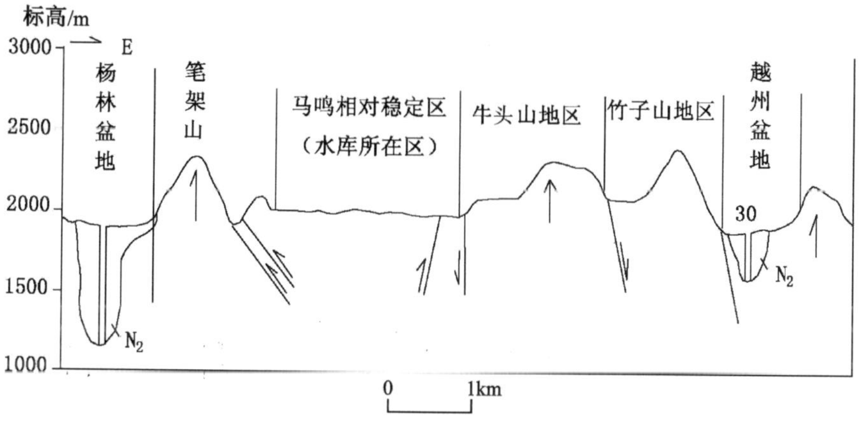

图 1　断块与隆起地形剖面图

新构造运动的控制因素主要受前期大断裂复活的严格控制,对地下水的形成与岩溶的发育起到了一定的控制作用,主要表现在:强烈隆起区,岩溶以垂直型发育形态为主,地下水垂直循环交替活跃;相对稳定区,地下水位相对较浅,垂直循环作用相对减弱,岩溶发育多以水平或者层状的溶洞、溶蚀现象为主;在下降区(盆地区)第三纪(古近纪+新近纪)及第四纪的岩溶相迭,富水均一。

3.2　区域岩溶分区、分期

(1)区域岩溶分区。工程区属南盘江高原峰林丘峰岩溶区中的南盘江高原丘峰亚区。该区岩溶发育总体特征:南盘江为区域地下水排泄基准面,控制了区域岩溶发育的深度,由西向东倾斜的高原期、石林期剥夷面上主要为丘峰溶原地貌景观,岩溶漏斗、洼地、岩溶湖发育,南盘江深切于溶原之下,常可见有三级阶地和四层溶洞。

(2)区域岩溶发育分期。区域岩溶的发育史与区域地质、地貌发育史密切相关,可以分为古近纪以前的古岩溶和古近纪以后的现代岩溶两个发育时期,现代岩溶发育期又可分为 3 个发育阶段(图 2)。

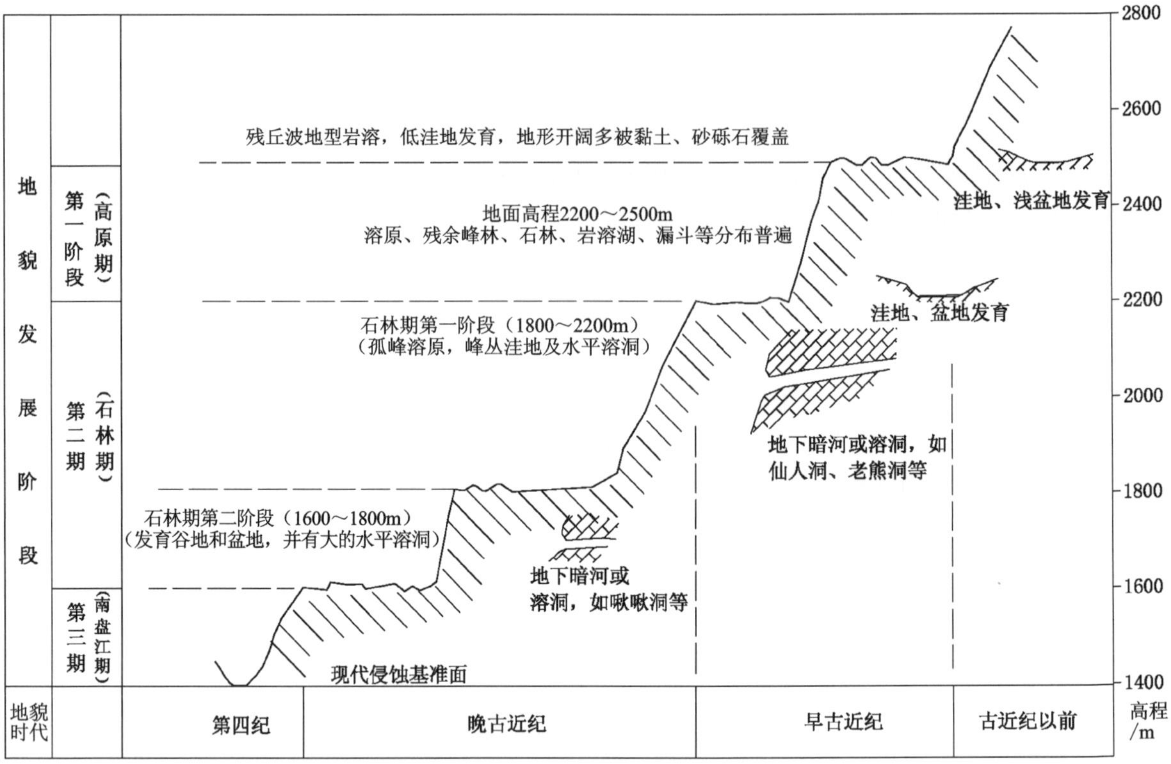

图2　区域岩溶发育阶段与地貌演化示意图

4　库坝区岩溶发育特征研究

4.1　岩溶发育现象及特征

库坝区岩溶形态主要为溶蚀洼地、漏斗、落水洞、水平溶洞和泉。溶蚀洼地和漏斗多分布在平缓山顶部位，地表覆盖残积黏土层，落水洞一般分布在洼地的边缘基岩出露部位，构成地表水下渗的通道。水平溶洞出露较少，一般位于洼地边缘沿岩层层面向河谷方向发育，溶洞底坡一般较缓，小于30°，宽度0.5～2.0m，溶洞多和溶蚀洼地内的落水洞构成过水洞，出口宽度最宽达10m，其坡度和岩层倾角基本一致。

(1)左岸区岩溶现象最为发育，以溶蚀洼地、落水洞和岩溶管道为主。

①岩溶洼地主要分布在近岸区，靠近河谷1km的范围，多呈串珠状分布，对5个集中片区46个溶蚀洼地的统计，洼地长轴发育方向主要为北东10°～20°(图3)，与区域主构造方向基本一致，其次为北西280°～310°及北东60°～80°。岩溶洼地、落水洞等岩溶现象主要分布在靠近河谷1km的范围内，与地下水位变幅较大关系密切，部分岩溶洼地分布在远离河岸的龙王庙组($\in_1 l$)强溶蚀带中。②岩溶管道是地下岩溶形态的一种，规模差异大，具有多层性，延伸方向受岩层层面、构造裂隙的控制，是地下水补给和径流的主要通道。较为典型的岩溶管道有仙人洞岩溶管道、恩觉岩溶管道、

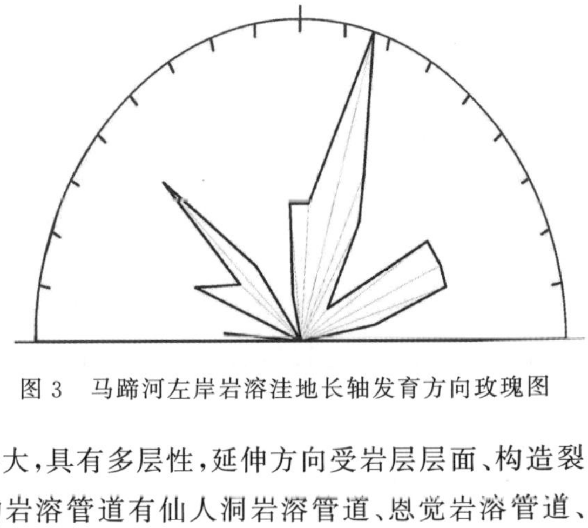

图3　马蹄河左岸岩溶洼地长轴发育方向玫瑰图

卧龙洞、吐司洞及啾啾洞岩溶管道等几处(图 4、图 5),这些岩溶管道均发育于下寒武统龙王庙组($\in_1 l$)白云岩中,延伸方向受岩层层面、构造裂隙的控制。

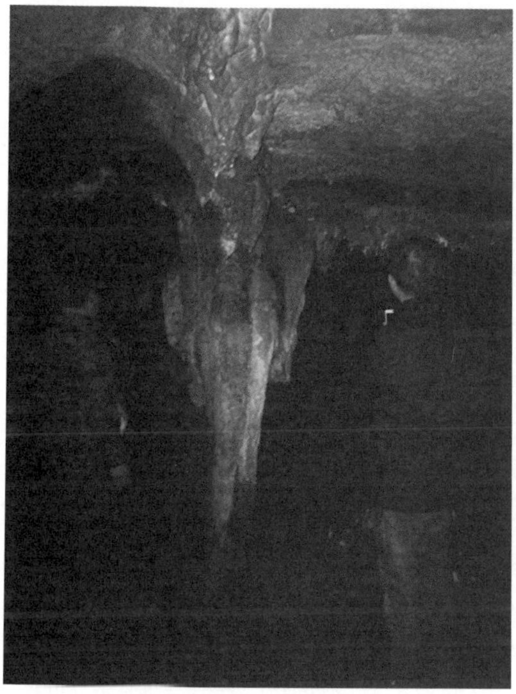

图 4 卧龙洞洞内石柱

图 5 啾啾洞岩溶管道

(2)右岸区由于地表大部分由马龙群中段(S_2m^b)非可溶岩覆盖,岩层产状整体反坡向,均不利于降雨入渗补给地下水,地下水补给来源较弱,同时受地层岩性控制,岩溶现象发育较弱,岩溶洼地和溶洞等均较为少见。发育的岩溶现象主要集中在库区上游芹菜塘马龙群上段(S_2m^c)质纯厚层碳酸盐岩地层中和近坝址区绿塘村寒武系双龙潭($\in_2 s$)组中。

(3)河床基底可溶岩主要发育溶沟、溶槽和溶塌型溶洞,在河床与相对剥蚀面之间的岸坡多见泉水出露,沿岩层层面流出。

整体来看,库区岩溶主要顺层面(图 6、图 7)和裂隙、断层影响带发育,不均匀性明显,规模差异较大,主要受岩性和构造裂隙控制,在地表上具带状分布的特点,垂直方向上具有成层性。

图 6 岩溶发育的成层性

图 7 河床岸边溶洞

库坝区共进行了 18 处 37 回次的连通试验，结果显示：库坝区泉水与洼地、落水洞存在对应关系，且一处溶蚀洼地分布多个落水洞，水平溶洞对应多个泉点，与落水洞相关的地下水均在河床以上以泉的形式排出。

4.2　岩溶发育层位及其可溶性

依据岩性特征、岩石结构、岩溶发育程度及酸不溶物等指标对工程区各主要地层进行岩组类型划分和岩溶化程度分类，分类结果见表 1。

表 1　工程区地层岩组类型及岩溶化程度分类

地层层位	岩性特征	岩石结构	岩溶发育强度	CaO/MgO		酸不溶物/%		岩组类型	岩溶化类型
				范围	平均	范围	平均		
$\in_{2}s^{3}$	砂质白云岩夹泥质白云岩、泥晶白云岩、粉砂岩	微晶、泥晶	地表岩溶形态由溶蚀型向侵蚀型过渡，由于该层处于地下水位变动带，易形成强溶蚀带，表现为漏斗或洼地的形态，呈串珠状或片状发育，发育密度约为 3.7 个/km²；地下有小规模溶洞、落水洞，地下局部有岩溶管道发育	1.23～60.3	14.65	34.46～91.38	58.67	不纯碳酸盐岩（碎屑岩与碳酸盐岩互层岩组）	中等岩溶化岩组
$\in_{2}s^{2}$	白云岩夹砂质白云岩	细晶、微晶		1.42～3.01	1.87	4.72～56.37	33.37	次碳酸盐岩类（碳酸盐岩夹碎屑岩岩组）	中等岩溶化岩组
$\in_{2}s^{1}$	砂质白云岩夹泥质白云岩、粉砂岩	微晶、泥晶		0.87～3.59	1.73	32.64～87.71	58.42	不纯碳酸盐岩（碎屑岩与碳酸盐岩互层岩组）	中等岩溶化（偏弱）
$\in_{2}d^{b}$	灰黑色、灰色瘤状灰岩	细晶、泥晶	地表和地下岩溶现象发育较弱且规模较小，岩溶洼地发育密度约为 2 个/km²，含水层内常见小的溶穴、溶槽、脉枝管道等	0.38～9.65	3.93	32.69～83.37	52.60	不纯碳酸盐岩（碎屑岩与碳酸盐岩互层岩组）	中等岩溶化（偏弱）
$\in_{2}d^{a}$	砂质、泥质白云岩与泥晶白云岩、粉砂岩互层	泥晶、微晶		0.86～5.28	1.83	9.71～83.78	46.58	不纯碳酸盐岩（碎屑岩与碳酸盐岩互层岩组）	中等（偏弱）—弱岩溶化
$\in_{1}l$	灰、深灰、微肉红色厚层状白云岩夹泥质灰岩、泥质白云岩，致密坚硬	细晶	地表岩溶洼地发育密度并不大，约 1.7 个/km²，但地下常见较大的岩溶管道、过水洞等					纯碳酸盐岩类（均匀白云岩层组）	较强—强岩溶化

从统计结果看，龙王庙组（$\in_{1}l$）地层强—较强岩溶化，双龙潭组二段、三段（$\in_{2}s^{2}$、$\in_{2}s^{3}$）为中等岩溶化地层，陡坡寺组（$\in_{2}d$）为中等偏弱—弱岩溶化地层，库区出露的其他地层为非可溶岩地层。

4.3　岩溶水文地质条件

工程区周围存在非碳酸盐岩弱透水地层、阻水断层及天然分水岭，形成相对独立的补给、径流、排泄系统，属一个相对独立、完整的水文地质单元。岩溶水主要赋存于上部白云岩、白云质灰岩等碳酸盐岩夹层中，主要接受大气降水补给，地下水径流方向受地形、岩性和岩溶发育程度的控制，总体上向河谷排泄，在河谷两侧多以泉水形式出露。最低排泄基准面为马蹄河及马蹄河、明月河交汇后的獐子坝河水系。

库区碳酸盐岩类可溶地层分布广泛，主要岩性为白云岩、砂质白云岩、泥质白云岩、白云质灰岩等，它们组成水量丰缺程度不同的含(透)水层组。根据岩性组合关系可分为碳酸盐岩类岩溶水和碳酸盐岩夹碎屑岩类岩溶水。根据地层成因及岩性分布情况,对库区周边出露各地层岩溶发育情况、富水强弱、地下水类型、及透水性进行统计、归纳,进而划分含水岩组(表 2)。

表 2 工程区含水岩组的划分及地下水特征

地下水类型		富水性指标			富水性	含水岩组地层代号	含(透)水性
主类型	亚类型	岩溶发育程度	枯季地下水径流模数(L/s·km^2)	泉水常见流量(L·s^{-1})			
基岩裂隙水	碎屑岩裂隙水	非岩溶、岩溶现象不发育	0.5～1	0.01～0.5	弱	$\in_1 c$、$S_2 m^b$	非岩溶化含(透)水层
碳酸盐岩岩溶水	溶洞水、管道水	岩溶化程度高,溶洞、暗河发育强烈—较强烈	>10	5～200	强	$Z_b dn$、$\in_1 l$、$S_2 m^c$	强岩溶化含(透)水层
	溶洞、溶隙水	岩溶化程度较高,溶洞、暗河中等发育	1～10	2～10	较强—中等	$\in_2 s$	中等岩溶化含(透)水层
	溶隙水	岩溶化程度较低,溶洞、暗河不发育	1～2	<2	较弱	$\in_2 d^b$、$\in_2 d^a$、$S_2 m^a$	弱岩溶化含(透)水层

陡坡寺组下段($\in_2 d^a$)中的砂岩、泥质白云岩、泥钙质胶结的砾岩等呈中厚层—薄层状交互分布,透水性较弱,相对隔水层共发育 6～8 层,单层厚度在 1.4～7.8m,占该层总厚度的 35.43%,因此,陡坡寺组下段具有一定的隔水效果。

受到陡坡寺组相对隔水层的限制,库坝区岩溶水主要发育在双龙潭组和龙王庙组地层中,构成了上部双龙潭含水层和下部龙王庙含水层的双层含水层特征,并且下部龙王庙含水层组易形成承压水。龙王庙组含水层在库坝区位于马蹄河河床高程以下,为较深含水层,含水介质岩溶程度发育较弱,上部有陡坡寺组相对隔水地层覆盖,区内断层等地质构造不发育,相对隔水层分布较完整,两层含水层间水力联系较弱,主要接受外围地下水的侧向径流补给,地下水运移缓慢,一般具有承压性特征,根据坝址区左岸 ZK21 钻孔水位观测资料,下部承压水水位高程约 1694m,承压水头约 34m。

4.4 库坝区岩溶发育规律特征

综上所述,新庄水库库坝区具有以下岩溶发育特征:①库区岩溶主要顺层面和裂隙、断层影响带发育,不均匀性明显,垂向上具有成层性;②岩溶洼地、落水洞等岩溶现象主要分布在靠近河谷 1km 的范围,与地下水位变幅较大关系密切;③寒武系陡坡寺组($\in_2 d$)岩溶发育相对较弱,为相对隔水层;④寒武系龙王庙组($\in_1 l$)为较深层含水层,其上部为陡坡寺组相对隔水层,区内地质构造不发育,相对隔水层分布较完整,龙王庙组含水层与上部双龙潭组含水层之间水力联系较弱。

5 结语

通过新庄水库库坝区岩溶发育特征研究,基本查明了水库库坝区洼地、落水洞、溶洞、岩溶泉等现象之间的连通特性,研究了不同岩性岩层岩溶发育的规模、特征,进行了岩溶化岩组的识别与分类,对库区岩体可溶性进行定量分析,确定了相对隔水层层位、厚度、分布连续性及可靠程度。该研究成果为新庄水库岩溶渗漏评价及防渗处理提供了地质依据,对探索水库岩溶渗漏这一复杂问题的前沿勘察评价方法及处理措施手段具有借鉴指导意义。

参考文献

周延国.云南省宜良县新庄水库成库条件论证报告[R].郑州:黄河勘测规划设计有限公司,2017.

彭土标,袁建新,王惠明.水力发电工程地质手册[M].北京:中国水利水电出版社,2011.

陈文理,王怀球,向能武,等.构皮滩水电站坝址区岩溶发育特征[J].人民长江,2006(3):11-13.

吴忠康,陈文理.乌江构皮滩水利枢纽下坝址岩溶发育特征及工程地质条件[J].中国岩溶,1994(2):141-150.

孙维兵.黄河羊曲水电站坝址岩溶发育特征及对工程影响研究[D].成都:成都理工大学,2008.

云南省地质局.云南区域地质志[M].北京:地质出版社,1990.

袁道先.中国岩溶学[M].北京:地质出版社,1993.

梁永宁.云南普者黑岩溶地貌特征及形成研究[J].昆明理工大学学报,1999,24(1):14-21.

万伟峰,周延国,周益民.云南省宜良县新庄水库岩溶渗漏问题分析[A].中国水力发电工程年会第六届地质及勘探专业委员会,2019:193-201.

周延国,宋红克,吴国宏.基于3S技术的库区岩溶地质研究:以云南新庄水库为例[J].水力规划与设计,2020,12(29):130-135.

新民水库清淤改造保护工程勘察实践

刘亚军

新疆兵团勘测设计院(集团)有限责任公司,新疆 乌鲁木齐 830000

摘　要:新民水库是一座以农业灌溉为主,兼顾防洪、水产养殖和城镇供水的小(Ⅰ)型水利工程,为砚山水源地之一,目前入库水源持续遭到周边村寨污水、农药、化肥等污染,导致库水出现不达饮用水标准的现象,为保证城区及周边村寨饮水安全,亟须对水库及周边环境进行整治,通过对疏浚区外源及内源污染特征分析及评价,对污染底泥进行分层、分区,确定了底泥疏浚范围、疏浚深度,通过清淤改造措施,使新民水库达到饮用水标准。

关键词:新民水库　疏浚　饮用水　外源污染　内源污染

1　前言

新民水库位于砚山县西南侧江那镇新民村旁,毗邻文山普者黑机场,地处红河流域泸江水系董金河上游,是一座以农业灌溉为主,兼顾防洪、水产养殖和城镇供水的小型水利工程,为砚山水源地之一,目前入库水源持续遭到周边村寨污水、农药、化肥等污染,导致库水出现不达饮用水标准的现象,为保证城区及周边村寨饮水安全,亟须对水库及周边环境进行整治。通过疏浚区外源污染特征分析及评价、疏浚区内源污染特征分析与评价及确定底泥疏浚区污染状况,提出新民水库达到饮用水标准的指导意见。

2　疏浚区外源污染特征分析及评价

2.1　疏浚工程区外部污染源调查

疏浚工程区外部污染源调查以点源、面源调查为主,主要对汇入新民水库的河流、水库周边村寨及周围耕地的用水及排放进行了详细调查(表1),初步判定新民水库外源污染主要以生活污水、农业灌溉污水及养殖污水为主。

表1　新民水库污染源调查表

点源编号	坐标	污染类型(生活、农业、工业污染)	排放方式	水质调查			污染程度
				颜色	气味	透明度	
X1	东经:104°19′42.76″ 北纬:23°34′22.75″	鱼塘养殖	明渠	灰黑色	鱼腥味	差	中度
X2	东经:104°19′39.63″ 北纬:23°34′18.00″	农业污染	管线	灰绿	腥味	差	轻度

作者简介

刘亚军(1988—),男,工程师,主要从事岩土工程勘察设计与水利水电工程勘察设计. E-mail:504209459@qq.com

续表1

点源编号	坐标	污染类型(生活、农业、工业污染)	排放方式	水质调查			污染程度
				颜色	气味	透明度	
X3	东经:104°19′36.16″ 北纬:23°34′17.27″	农业污染	暗渠	灰绿	鱼腥味	差	中度
X4	东经:104°19′32.09″ 北纬:23°34′15.29″	生活污染	明渠	灰黑色	粪臭味	差	中度
X5	东经:104°19′30.55″ 北纬:23°34′14.16″	生活污染	暗渠	灰黑色	腥臭味	极差	重度
X6	东经:104°19′38.66″ 北纬:23°34′29.79″	生活污染	暗渠	灰黑色	恶臭味	极差	重度
X7	东经:104°19′28.63″ 北纬:23°34′30.94″	生活、农业污染	明渠	灰绿色	腥臭味	差	中度
X8	东经:104°19′21.69″ 北纬:23°34′37.36″	生活、农业污染	明渠	灰绿	腥臭味	差	中度
X9	东经:104°19′15.34″ 北纬:23°34′44.56″	生活、农业污染	明渠	灰绿色	稍臭	差	中度
X10	东经:104°19′16.26″ 北纬:23°34′50.96″	生活垃圾	堆放	灰黑色	恶臭味	差	中度
X11	东经:104°19′03.55″ 北纬:23°35′03.17″	生活污染	明渠	灰黑色	稍臭	差	中度
X12	东经:104°18′52.30″ 北纬:23°34′50.60″	生活污染	闸门	透明	无臭味	中	轻度
X13	东经:104°19′02.14″ 北纬:23°34′46.50″	生活污染	明渠	灰绿色	稍臭	差	中度

2.2 疏浚工程区水样检测分析及评价

对工程区新民水库库水及入库河流的水样进行取样分析，其中XSY1、XSY2、XSY3为新民水库库水同一位置不同深度样品，XSY4、XSY5、XSY6为入库河水水样样品，如图1所示。

图1 新民水库水样采集点分布示意图

检测所取水样中 pH 值、总磷(TP)、总氮(TN)、重金属(As、Cd、Zn、Se、Cr、Cu、Hg、Pb)等指标的含量，水样化学检测指标汇总见表 2。

表 2　新民水库水样化学检测指标汇总表　　(单位/mg · L^{-1})

指标	XSY1	XSY2	XSY3	XSY4	XSY5	XSY6
	库水水样			入库河流水样		
取样深度/m	6.0	3.0	0.5	0.3	0.3	0.3
位置坐标	东经 104°20′30.16″ 北纬 23°34′35.97″			东经 104°20′01.52″ 北纬 23°34′02.01″	东经 104°19′45.15″ 北纬 23°34′18.43″	东经 104°19′41.29″ 北纬 23°34′29.18″
总硬度	137	136	137	127	152	163
溶解氧	6.74	7.33	7.35	8.34	6.96	2.96
化学需氧量(COD_{Cr})	60	43	42	35	32	57
生化需氧量(BOD_5)	11.2	8.2	7.8	7.2	6.8	10.7
硫酸盐(以 SO 计)	9	10	11	9	16	13
氯化物(以 Cl 计)	10	10	10	10	12	10
氨氮	0.251	0.226	0.203	0.287	0.589	2.51
硝酸盐(以 N 计)	0.08	0.08	0.08	0.08	0.12	0.08
总磷	0.04	0.04	0.03	0.04	0.22	0.22
总氮	0.70	0.86	0.78	1.00	2.70	1.30
铜	0.001 0	0.000 6	0.000 7	0.000 7	0.000 7	0.000 8
铅	0.001	0.002	0.001	0.001	0.001	0.001
锌	0.011	0.013	0.06	0.008	0.007	0.029
镉	0.000 1	0.000 1	0.000 1	0.000 1	0.000 1	0.000 1
铬	0.005	0.007	0.008	0.008	0.008	0.012
砷	0.003	0.003	0.003	0.003	0.003	0.007
硒	0.000 5	0.000 5	0.000 5	0.000 5	0.000 5	0.000 5
汞	0.000 1	0.000 1	0.000 1	0.000 1	0.000 1	0.000 1

根据《地表水环境质量标准》(GB 3838—2002)对库水及汇入水库的河流水的营养盐指标进行汇总评价，见表 3。

表 3　库水及入库河流水样营养盐指标分析表

序号	样品编号	指标评价	检测指标					
			pH	COD_{Cr}	BOD_5	氨氮	总磷	总氮
1	XSY1(6.0m)	检测指标值/(mg · L^{-1})	8.4	60	11.2	0.25	0.04	0.70
		评价	正常	劣Ⅴ	劣Ⅴ	Ⅱ	Ⅲ	Ⅲ
2	XSY2(3.0m)	检测指标值/(mg · L^{-1})	8.8	43	8.2	0.23	0.04	0.86
		评价	正常	劣Ⅴ	Ⅴ	Ⅱ	Ⅲ	Ⅲ
3	XSY3(0.5m)	检测指标值/(mg · L^{-1})	8.8	42	7.8	0.20	0.03	0.78
		评价	正常	劣Ⅴ	Ⅴ	Ⅱ	Ⅲ	Ⅲ
水库库水		指标平均值/(mg · L^{-1})	8.67	48.33	9.07	0.23	0.037	0.78
		评价	正常	劣Ⅴ	Ⅴ	Ⅱ	Ⅲ	Ⅲ

续表3

序号	样品编号	指标评价	检测指标					
			pH	COD_{Cr}	BOD_5	氨氮	总磷	总氮
4	XSY4(0.3m)	检测指标值/(mg·L⁻¹)	8.1	35	7.2	0.29	0.04	1.0
		评价	正常	Ⅴ	Ⅴ	Ⅱ	Ⅲ	Ⅲ
5	XSY5(0.3m)	检测指标/(mg·L⁻¹)	7.7	32	6.8	0.59	0.22	2.7
		评价	正常	Ⅴ	Ⅴ	Ⅲ	劣Ⅴ	劣Ⅴ
6	XSY6(0.3m)	检测指标值/(mg·L⁻¹)	7.8	57	10.7	2.51	0.22	1.3
		评价	正常	劣Ⅴ	劣Ⅴ	劣Ⅴ	劣Ⅴ	Ⅳ

根据《地表水环境质量标准》对库水及汇入水库的河流水的重金属指标进行汇总评价，见表4。

表4 新民水库库水及入库河流水样重金属指标分析表

序号	样品编号	指标评价	检测指标						
			Cr	Cu	Zn	Pb	As	Hg	Cd
1	XSY1(6.0m)	检测指标值/(mg·L⁻¹)	0.005	0.001 0	0.011	0.001	0.003	0.000 1	0.000 1
		评价	Ⅰ	Ⅰ	Ⅰ	Ⅰ	Ⅰ	Ⅲ	Ⅰ
2	XSY2(3.0m)	检测指标值/(mg·L⁻¹)	0.007	0.000 6	0.013	0.002	0.003	0.000 1	0.000 1
		评价	Ⅰ	Ⅰ	Ⅰ	Ⅰ	Ⅰ	Ⅲ	Ⅰ
3	XSY3(0.5m)	检测指标值/(mg·L⁻¹)	0.008	0.000 7	0.06	0.001	0.003	0.000 1	0.000 1
		评价	Ⅰ	Ⅰ	Ⅱ	Ⅰ	Ⅰ	Ⅲ	Ⅰ
水库库水		指标平均值/(mg·L⁻¹)	0.007	0.000 8	0.028	0.001	0.003	0.000 1	0.000 1
		评价	Ⅰ	Ⅰ	Ⅰ	Ⅰ	Ⅰ	Ⅲ	Ⅰ
4	XSY4(0.3m)	检测指标值/(mg·L⁻¹)	0.008	0.000 7	0.008	0.001	0.003	0.000 1	0.000 1
		评价	Ⅰ	Ⅰ	Ⅰ	Ⅰ	Ⅰ	Ⅲ	Ⅰ
5	XSY5(0.3m)	检测指标值/(mg·L⁻¹)	0.008	0.000 7	0.007	0.001	0.003	0.000 1	0.000 1
		评价	Ⅰ	Ⅰ	Ⅰ	Ⅰ	Ⅰ	Ⅲ	Ⅰ
6	XSY6(0.3m)	检测指标值/(mg·L⁻¹)	0.012	0.000 8	0.030	0.001	0.007	0.000 1	0.000 1
		评价	Ⅱ	Ⅰ	Ⅰ	Ⅰ	Ⅰ	Ⅲ	Ⅰ

对于营养盐污染方面，除氨氮、总氮(TN)、总磷(TP)指标为Ⅱ～Ⅲ类外，COD_{Cr}与BOD_5指标低至Ⅴ～劣Ⅴ类水平。从库水垂直方向上看，表层水质相较于底部指标稍好，整体呈现出越靠近底泥部分，水质就越差的现象。而入库河流样品指标多劣于库水各项营养盐指标平均值，对库水造成了营养盐污染。

对于重金属污染方面，库水表层至底层重金属含量相差变化不大，除Hg为Ⅲ类指标外，其余重金属检测项目多为Ⅰ类指标。而入库河流样品各项指标数值均劣于库水各项重金属指标平均值，是水库重金属主要来源通道之一。

综上所述，按照《地表水环境质量评价办法(试行)》规定，对于水库水质采用单因子评价法，即根据评价时间段内参评指标类别最高的一项判定，故新民水库为国家劣Ⅴ类水质。

新民水库主要体现为化学需氧量COD_{Cr}、BOD_5指标过高，而COD_{Cr}是体现水中还原性物质的重要指标，主要受有机物等还原性物质影响，指标越高，说明水体受有机物的污染越严重。BOD_5是表示水中有机物需氧污染物质含量的一个综合指标，是水中有机物由于微生物的生化作用进行氧化分解，使之无机化或气体化时所消耗水中溶解氧的总数量，指标越高，说明水体受有机物的污染越严重。这些有机物污染的来源可能为农药、肥料等，可对水生生物造成死亡，使水体水质恶化。

2.3 疏浚工程区外源污染判定结论

由于周围村寨污水管网和污水处理设施建设力度不足，新民水库很大程度上成为排污的主要受体，大量未经处理的生活污水和农田灌溉废水直接排入入库河流中，并最终汇入新民水库中，造成水库水质污染，污染物质进入底泥，形成不同程度的污染淤泥，通过现场调查、取样化验和对比分析对新民水库污染源判定主要为以下两项。

(1)生活及水产养殖污水入库。主要是粪便、生活垃圾、洗涤污水及水产饲料、鱼药直接或间接排放入库。污水中含有大量有机物、病原菌、无机盐类等。总的特点是含氮、含硫和含磷高，在厌氧细菌作用下，易生恶臭物质。在未经处理情况下直接或间接排入水库。与水库中固体悬浮物及生物作用富集沉积至水库底部，导致底泥上覆水营养盐污染程度高于上部水体，使 COD_{Cr} 及 BOD_5 达到Ⅴ类至劣Ⅴ类，反映有机物相对含量较高。

(2)农耕污水入库。高强度的农耕活动过程中使用的化肥及农药导致重金属 Hg、Cd 等元素在土壤中相对富集，随着农耕污水不加管制的肆意排放入库，在水土流失的作用下土壤中富集的重金属一部分通过地下径流进入水库，另一部分通过地表径流直接排入水库，导致新民水库库水相应指标偏高。

3 疏浚区内源污染特征分析及评价

3.1 疏浚区岩土物理力学性质

新民水库疏浚区经现场地质勘察工作揭露的地层岩性主要为：①第四系全新统新近堆积浮泥、流泥、淤泥及淤泥质土；②第四系全新统冲洪积黏土；③第四系全新统残坡积层黏土质砾。现依据土层受污染程度的不同，分为污染底泥地层与正常堆积地层，现分述如下。

(1)污染底泥物理力学性质

该层土体(新近堆积层和黏土层)为底泥污染的主要受体，一般为黑色—灰黑色，流塑—软塑状，有腥臭味，沉积年代较新。

①浮泥。浮泥层：灰黑色—黑色，呈悬浮状，以黏性土为主，具腥臭味。此层在场地内分布均匀，厚度在 0.1～0.2m 之间，平均厚度 0.15m。天然含水率范围在 205.4～329.7 之间，平均值 273.3；相对密度范围在 2.6～2.64 之间，平均值 2.61；液限平均值 63.5；塑限平均值 39.25；塑性指数平均值 24.25；液性指数平均值 8.4。

②流泥。流泥层：灰黑色—黑色，呈流塑状，以黏性土为主，具腥臭味。此层在场地内不连续分布，厚度在 0.2～0.8m 之间，平均厚度 0.50m。天然含水率范围在 86.5～125.1 之间，平均值 105.8；相对密度范围在 2.6～2.65 之间，平均值 2.63；液限平均值 53.0，塑限平均值 32.8，塑性指数平均值 20.15；液性指数平均值 3.8。

③淤泥。淤泥层：灰黑色—黑色，呈流塑状，以黏性土为主，具腥臭味。此层在场地内不连续分布，

厚度在0.1～1.3m之间，平均厚度0.84m。天然含水率82.7；相对密度2.65；液限平均值34.2；塑限平均值20；塑性指数平均值14.1；液性指数平均值4.4。

④淤泥质土。淤泥质土层：棕色—灰黑色，呈软塑状，中—高压缩性土，稍有光泽，稍有腥味。此层在场地分布较广，厚度在0.2～2.8m之间，平均厚度1.06m。天然含水率范围在28.4～52.5之间，平均值35.8；相对密度范围在2.62～2.68之间，平均值2.68；液限平均值43.43，塑限平均值27.37，塑性指数平均值16.04；液性指数平均值0.5。压缩系数0.535 MPa^{-1}，黏聚力15.67kPa，内摩擦角9.82°。

(2)原始堆积地层物理力学性质

该层（残坡积层）为未被污染的底泥层，其颜色保持未被污染的当地土质的正常颜色，一般无异味，质地较为密实，呈棕黄—橘黄色，野外现场编录中发现该层粒径10～60mm角砾含量占比多超过50%，黏土充填。中密状态。以黏土质砾为主，局部含黏粒含量较高。拥有较新鲜泥土味道。此层在钻孔中均有揭露，埋深一般3.1～4.6m，最大揭露深度7.6m，层厚未揭穿。

3.2 底泥总氮、总磷特征分析

底泥中氮、磷等营养元素是水域生态系统物质循环的重要元素，在水体中的含量及比例的变化会对水体中浮游植物和藻类群落的结构和生长产生重要的影响，同时这些营养元素进入水库水体的途径有内源和外源两种。外源主要是周边村寨生活、农耕及养殖活动使外源污染物进入水库水体，通过水生植物吸收转化、重力沉降以及水生生物的吸收代谢等作用下富集、沉积到水库底部，从而形成具有一定厚度的污染底泥层。此时底泥就成为水库污染的“内源”，会对水体造成二次污染，而底泥中的氮含量较高时是造成水体发臭的主要原因之一，当水体污染较严重时，底泥污染物释放对水体水质的影响并不明显；但当水体污染程度低时，水体中污染物浓度与底泥中污染物浓度的梯度加大，底泥中污染物就会向水体释放，对水体造成营养盐污染。

因此，对新民水库底泥中总氮、总磷含量进行分析，对疏浚工程具有重要意义。新民水库总氮、总磷统计分析见表5。

表5 新民水库总氮、总磷含量统计分析表

层	序号	取样编号	取样深度/m	试验结果及评价			
				总氮 TN/($mg \cdot kg^{-1}$)	总磷 TP/($mg \cdot kg^{-1}$)	评价	对应水质类别
A	1	XZK1-1	0～1.3	1247	467	中度污染	Ⅳ
	2	XZK6-1	0.1～0.8	1243	442	中度污染	Ⅳ
	3	XZK6-2	0.9～1.4	1485	517	重度污染	Ⅴ
	4	XZK11-1	0～0.2	3007	601	严重污染	劣Ⅴ
	5	XZK13-1	0～0.1	1857	408	严重污染	劣Ⅴ
	6	XZK18-1	0～0.1	2535	764	严重污染	劣Ⅴ
	平均值			1896	533	严重污染	劣Ⅴ
B	7	XZK1-2	8.1～8.3	886	521	轻度污染	Ⅲ
	8	XZK11-2	0.4～0.8	949	420	轻度污染	Ⅲ
	9	XZK18-2	0.2～0.8	708	506	一般污染	Ⅱ
	10	XZK18-3	1.0～1.5	742	489	一般污染	Ⅱ
	平均值			821	484	一般污染	Ⅱ

续表 5

层	序号	取样编号	取样深度/m	试验结果及评价			
				总氮 TN/(mg·kg^{-1})	总磷 TP/(mg·kg^{-1})	评价	对应水质类别
C	11	XZK1-3	9.5～10	539	436	健康	Ⅰ
	12	XZK6-3	1.6～2.0	486	288	健康	Ⅰ
	13	XZK11-3	1.4～1.8	473	295	健康	Ⅰ
	14	XZK13-2	0.2～0.6	455	262	健康	Ⅰ
	15	XZK13-3	1.2～1.5	557	274	健康	Ⅰ
	平均值			502	311	健康	Ⅰ

4 底泥疏浚分区及疏浚深度确定

4.1 底泥疏浚范围

经在水库水位变幅区勘察，污染层一般多小于 0.1m，结合考虑水库现状绿化情况，综合确定新民水库环保疏浚范围为现状蓄水位(1537m)回水线所圈闭的范围。考虑到水库“工程性安全指标要求”建议距离大坝、取水口等水工建筑物的安全距离不小于 50m，因此建议新民水库疏浚面积约 0.6km^2。

4.2 污染底泥分层

污染层在水库内分布广泛，沉积年代新，沉积发展速度快，主要是自新民水库 20 世纪 50 年代投入使用至今，人类活动产物的主要蓄积场所。

根据新民水库疏浚区现场底泥土芯与《湖泊河流环保疏浚工程技术指南》，将新民水库底泥从垂直方向划分为污染底泥层(A 层)、污染过渡层(B 层)和稳定层(C 层)，新民水库底泥污染分层如图 2 所示。

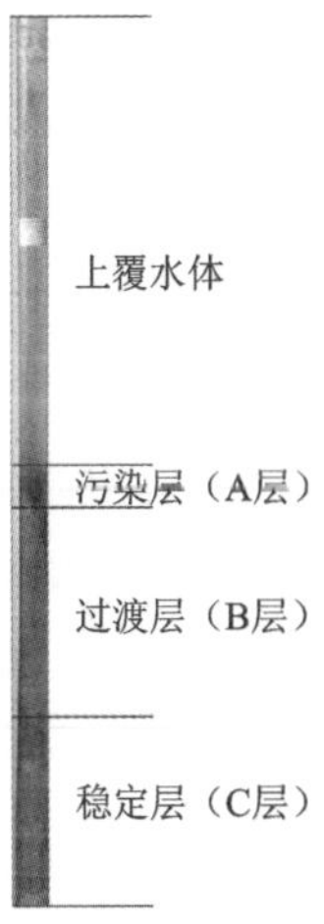

图 2 新民水库污染分层图

根据现场钻孔岩芯观测判别，综合确定新民水库底泥污染层(A 层)厚度为 0.2～2.5m，该层随着地形变化起伏较大，库区中部及近坝区较厚，过渡层(B 层)厚度为 0.4～0.6m，稳定层(C 层)埋深为 1.0～2.5m。污染底泥各层特征如下。

污染层(A 层)：表层 0.2～2.5m，浮泥、流泥及淤泥，黑色、灰黑色，呈流塑—软塑状，具有腥臭味。

过渡层(B 层)：污染层下 0.4～0.6m，淤泥质土，棕黑色、棕色，呈软可塑—硬可塑状，稍有腥臭味。

稳定层(C 层)：埋深 1.0～2.5m，黏土、黏土质砾，棕黄色、红褐色，硬可塑—硬塑，微腥味。

4.3 底泥疏浚分区

根据新民水库疏浚工程区底泥污染物特征分析，按照污染深度将水库分为五个疏浚工程区，分别为疏浚Ⅰ区、疏浚Ⅱ区、疏浚Ⅲ区、疏浚Ⅳ区和疏浚Ⅴ区。其中疏浚Ⅰ区和疏浚Ⅱ区污染程度较轻，疏浚Ⅲ区和疏浚Ⅳ区污染程度较重，疏浚Ⅴ区污染程度最重，新民水库疏浚工程底泥疏浚分区见图 3。

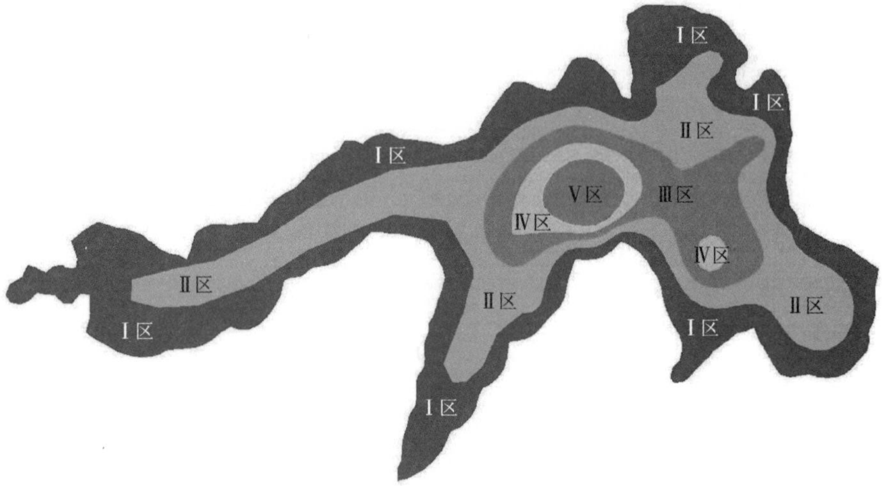

图3　新民水库疏浚工程分区示意图

4.4　底泥疏浚深度

疏浚深度确定的合适与否直接关系到环保疏浚的效果好坏及工程费用的高低。当疏浚深度过小时，不能去除污染较重的流泥层，达不到清淤的目的；疏浚深度过大，则有可能对湖泊底部生态系统造成难以恢复的破坏，对水体生态系统的生存发展构成严重威胁，并会削弱湖泊底泥对外源性污染物输入后的缓冲作用，对后期的水体生态修复造成困难。另外，疏浚深度的增大也意味着疏浚成本的增加。因此，确定合理的环保疏浚深度意义重大。

5　结语

新民水库疏浚工程区主要的污染源为周边农田灌溉废水、养殖废水和生活污水汇集径流入库，不仅要对已污染的底泥（内因）进行疏挖，还需对径流入库的污染源（外因）进行必要控制。

参考文献

王雯雯. 基于无机污染物风险分级的太湖污染底泥环保疏浚范围的确定方法研究[D]. 北京：中国环境科学研究院，2012.

金相灿，刘鸿亮. 中国湖泊富营养化[M]. 北京：化工出版社，1995.

袁旭音，许乃政，陶于祥，等. 太湖沉积物的空间分布和富营养化特征[J]. 资源调查与环境，2003，24(1)：20-29.

解读粗粒土判定为盐渍土的评价标准

袁道陇
新疆水利水电勘测设计研究院地质勘察研究所，新疆 乌鲁木齐 830000

摘　要：在《岩土工程勘察规范》中，盐渍土的评价是用土中易溶盐含量来判别，但未明确指明易溶盐是占全部土的含量，还是占所取土样的含量。而在做粗粒土的易溶盐含量试验时，一般是取粒径小于2mm的土样，其试验报告中易溶盐含量是占所取土样的含量，而不是占全部土的含量。这样就给我们的评价带来了困惑，在工作过程中见有好多同志，认为应该用实验值来判断是否为盐渍土。本文从易溶盐危害种类及破坏形式、易溶盐的分布、危害程度与易溶盐含量的关系，并结合实际经验，说明了粗粒土判定为盐渍土的评价标准。

关键词：粗粒土　盐渍土　易溶盐　腐蚀

1　前言

我国西北地区的青海、新疆、宁夏等地区分布许多面积较大的山前洪积扇，岩性以粗粒土（砂卵砾石）为主。由于当地气候干燥，蒸发量大于降雨量，使表层土中的盐分越聚越多。随着西部大开发的建设，这些山前洪积扇上要修建许多拦河闸、引水渠道、发电厂房、房屋、公路、桥涵等建筑物。这些建筑物的基础，大多位于含盐量试验值（粒径小于2mm土中的含盐量，下文同）相对较高的粗粒土层上。这就需要对基础的粗粒土层进行评价，判定是否为盐渍土，是否会给工程建设带来危害。

在粗粒土中，盐的粒径一般小于2mm，分布于粗粒土的孔隙中，故试验取样是取粒径小于2mm的颗粒来做试验。如果直接用易溶盐含量试验值来判断，大部分粗粒土会判定为盐渍土。而盐渍土具有易产生溶陷、盐胀、腐蚀等不良特性，需进行换填等工程处理，否则会给工程造成不必要的损失。

2　规范理解

《岩土工程勘察规范》(GB 50021—2001)(2009年版)的第6.8章节“盐渍岩土”规定，岩土中易溶盐含量大于0.3%，并具有溶陷、盐胀、腐蚀等工程特性时，应判定为盐渍岩土。根据广泛定义，规范中说的岩土中易溶盐含量，是指全部岩土的易溶盐含量；并且规范及条文说明未解释，是指粒径小于2mm颗粒中的易溶盐含量。故根据常规理解，在评价盐渍土时，易溶盐含量的试验值，应该加权到全部土中进行判定。

3　易溶盐危害种类及破坏形式

易溶盐的危害种类主要有溶陷、盐胀、腐蚀等破坏形式，威胁建筑物的安全。溶陷是指盐渍土浸水

作者简介

袁道陇(1977—)，男，高级工程师，主要从事水利水电工程、工程地质等勘察研究工作. E-mail:22110160@qq.com

后由于盐晶溶解或侵蚀作用产生沉陷，易溶盐的含盐量越高盐渍土溶陷性越强。盐胀指硫酸盐类在降温时硫酸盐吸水结晶，体积增大，促使土体膨胀；温度升高时，硫酸盐类又脱水，体积变小，致土体疏松；硫酸盐类含量越高其膨胀量越强。氯盐类吸湿保水性强，使土体软化；氯盐含量越高土体的软化性越强。碳酸盐类的水溶液有强碱性反应，使黏土胶体颗粒分散，引起土体膨胀；碳酸盐类含量越高，其膨胀量越强。

4 粗粒土中易溶盐的分布

根据在粗粒土中易溶盐的分布形式，可分为3种。第一种是盐比较均匀地分布于粗粒土孔隙周围的颗粒表面，这种比较常见。第二种是呈团块状或薄层状透镜体，大多分布在我国西部山前洪积扇表层，一般位于洪积扇的中下部或边缘，呈零星分布。第三种是卵砾石自身的成分里含有盐，这种卵砾石一般见于湖相沉积的中生界地层，如白垩系粉砂岩、三叠系泥灰岩及页岩等，但这种含盐的卵砾石比较少见。

5 易溶盐危害程度分析

从易溶盐对土的破坏形式来看，土体的破坏都是与易溶盐的含量有关系，而不是只要有易溶盐含量达到0.3%的土存在，就会引起连锁反应——引起它周围的土体发生破坏。现根据粗粒土中盐的分布形式，来分别分析其危害程度。

(1)粗粒土中盐分布在孔隙周围的颗粒表面时，粗粒土中起骨架作用的主要是卵砾石。当发生盐渍破坏作用时，仅是粗粒土中的盐发生膨胀、收缩等破坏作用，其作用范围在孔隙内，不会引起卵砾石的移动。由于盐是位于孔隙中，如果其溶解，也不会导致卵砾石产生移动。故粗粒土孔隙中盐的膨胀和收缩、沉陷是局限于孔隙中，不会影响到周围的卵砾石，也就不能引起整个土体的破坏，对工程没有影响，无需进行换填等工程处理。

(2)盐呈团块状或薄层状时，盐参与部分骨架作用。当发生盐渍破坏作用时，盐的膨胀和收缩、沉陷等，会影响到盐块周围的卵砾石，也就会引起部分土体的破坏。

(3)盐分布在卵砾石里时，盐参与部分或整个骨架作用。当发生盐渍破坏作用时，盐的膨胀和收缩、沉陷等，首先影响到含盐的卵砾石，也就会引起土体的破坏。

对于第二种及第三种分布的盐，如果盐的总含量小于0.3%，其产生的最大变形量小于0.3%，小于建筑物的地基变形允许值，是不会引起整体土体的破坏，对工程没有影响，可不进行处理，故也应判定为非盐渍土。如果盐的总含量大于0.3%，其产生的变形量可能会引起整体土体的破坏，根据规范应判定为盐渍土。

6 工程经验

在地广的新疆，分布许多由粗粒土组成的山前洪积扇，笔者长期在这些地方工作。在这些粗粒土上做了很多勘察，发现大部分的盐比较分散，分布在粗粒土中的孔隙内，仅局部有团块状或薄层状透镜体。每个工程勘察时，均在地表下0～5m不同深度进行了分层取样。

本文统计了8个基础岩性为粗粒土的工程，共352组易溶盐含量试验数据。据统计表明，盐分主要分布在表层1m，个别达2～3m的粗粒土中，易溶盐含量试验值一般在0.2%～0.6%之间，而粒径小于

2mm 的颗粒一般仅占全部粗粒土的 20%～30%，加权后易溶盐占全部土含量仅为 0.04%～0.18%，小于规范值 0.3%。表明粗粒土中的含盐量一般很小，其中在西部山前洪积扇上表层的粗粒土中含盐量相对较高，但易溶盐的总含量一般小于 0.3%，不属于盐渍土。目前在这些粗粒土上已经修建了许多建筑物，经过多年后，都没有发生由易溶盐溶陷、盐胀、腐蚀等基础破坏的情况。

7 结论

粗粒土判定为盐渍土时，其含盐量是指易溶盐占全部土的含量，应对易溶盐实验值进行加权。根据经验，我国西北某一山前洪积扇表层的粗粒土，虽然粒径小于 2mm 土中的易溶盐含量（即含盐量试验值）较高，但加权后，易溶盐占总土的含量很少，绝大部分是小于 0.3%，应判定为非盐渍土，对工程基本没有影响，不需进行换填等工程处理。

参考文献

中华人民共和国建设部. 岩土工程勘察规范：GB 50021—2009[S]. 北京：中国建筑工业出版社，2009.

中华人民共和国住房和城乡建设部. 建筑地基基础设计规范：GB 50007—2011[S]. 北京：中国建筑工业出版社，2011.

新疆青河县阿苇灌区盐渍化治理方向的研究

茹永生

阿勒泰地区水利水电勘测设计院，新疆 阿勒泰 836500

摘　要：本文阐述了两种导致的土壤盐渍化的成因，第一种是地下水位较高、由蒸发携带盐碱至地表形成的。第二种是长期滴灌、水中各种离子在土壤中形成积累导致。滴灌制度下，地下水位升高的原因，一方面为渠道渗漏、管网跑冒滴漏形成的水量浪费；另一方面是灌溉制度管理不严格，种植者无谓增加灌溉水量形成的。通过提升改造输水系统、加强灌溉制度管理，从源头上控制住了地下水的浪费，也控制住了盐渍化的发展幅度；对已经形成的盐渍化土壤，采取"压碱""排盐"的方式分区进行改良，健全灌区排水体系，将溶滤盐碱的地下水排出灌区。本文提议灌区规划中纳入具体的土壤洗盐改良的规划、实施配套管理，提倡精准节水、"三条红线"内，将"节余水量"循环用于改良土壤，在盐渍化防治、可持续发展方面有可取之处。

关键词：盐渍化　高效节水　土壤改良

1　基本情况

1.1　灌区布置

新疆青河县阿苇灌区位于乌伦古河上游，由阿克达拉镇管辖，规划灌溉面积20万亩(1亩≈666.66m^2)，引青格里河水进行灌溉。其中北干渠长21.365km，设计流量0.26～7.86m^3/s，通过干管供水，控制灌溉面积15.5万亩；南干渠长13.85km，设计流量1.34～5.81m^3/s，控制灌溉面积9.5万亩。整个灌区采用自压、加压的滴灌模式。灌区土壤以棕钙土为主，随改良熟化，土壤有机质含量逐年增加，灌区气候适宜，作物产量高，是全地区有名的高产种植区。

1.2　灌区水文地质条件

(1)地形地貌。灌区为山前倾斜洪积扇地貌，地势开阔、土地平整，洪积扇轴线方向NE40°，灌区贯穿上、中、下游，沿洪积扇轴线长度5～8km，轴线沿线纵坡5‰～30‰，中上游区地形坡度较大，下游区地形平缓。

(2)地层结构。上游区为轻壤砾质土，土层厚度达几十米不等，最厚50m左右，具有粗细相间的沉积韵律，中等透水。基底为花岗岩侵入体，属于相对隔水层；中游区为中壤含砾土，土层厚度十余米不等，沉积韵律明显，有砂层透镜体穿插沉积，中等偏弱透水，基底为第三系(古近系+新近系)泥岩，属于相对隔水层；下游区为重壤土，土层厚度0.5～5m不等，为弱透水，第三系泥岩埋深浅，为相对隔水顶板。

作者简介

茹永生，(1967—)，男，高级工程师，主要从事水利水电勘测工作. E-mail：1529839925@qq.com

(3)地下水垂直分布规律及水化学特征。灌区形成前的地下水分布:除大气降水补给测区外,再无水源补给。山前大气降水只有150mm,蒸发量达2400mm,灌区蒸降比悬殊。地下水在测区的分布规律是:在上游区埋深40~60m,中游区埋深20~30m,下游区隔水顶板高,地下水埋深浅,在融冰化学的春季、雨季,短期内有地下水连续分布,多数季节地下水分布较少。灌区形成后的地下水分布:上游区地下水埋深20~30m,水化学类型为$HCO_3 \cdot SO_4$-Ca·K+Na型,矿化度0.3~0.5g/L;中游区地下水埋深5~10m,水化学类型为$SO_4 \cdot HCO_3$-Ca·K+Na型,矿化度0.5~0.8g/L;灌溉后,下游区为地下水溢出区,地下水埋深普遍0.5~3m,水化学类型为$SO_4 \cdot CL^-$ K+Na型,矿化度1~2g/L,盐渍化现象较普遍,并存在逐渐向中游发展的趋势。灌区水文地质参数见表1。

表1 灌区水文地质参数一览表

分区	土壤容重/($g \cdot cm^{-3}$)	地下水埋深/m	田间持水率/%	渗透系数/($\times 10^{-3} cm \cdot s^{-1}$)	地下水矿化度/($g \cdot L^{-1}$)	土壤类型
上游	1.62	>20	18	3~5	0.3	轻壤土
中游	1.51	5~10	2	1~2	0.8	中壤土
下游	1.42	0~3	38	0.01~0.1	1.5	重壤土

(4)地下水补给、径流、排泄。补给:从灌区形成前后地下水的变化来看,灌区地下水主要靠灌区补给,其次为大气降水补给。灌区补给主要为渠道渗漏、管网跑冒滴漏导致的水量浪费和灌溉制度管理不严格,种植者超量用水导致。径流:垂直入渗的地下水,在汇入第四系孔隙潜水后,沿隔水顶板、顺洪积扇轴线、垂直等高线向下游径流,沿线水力纵坡3‰~10‰,中上游区水力纵坡较大,下游区水力纵坡较小。排泄:在洪积扇下游区积蓄的地下水,多数通过排渠排泄至灌区外径流散失或蒸发,埋深小于3m的地下水则在灌区内直接接受蒸发排泄。

总体看,洪积扇上、中、下游水文地质条件和土壤属性差异较大,从上游到下游,土壤颗粒由粗变细,土壤透水性由强变弱,地下水埋深由深变浅,显示出洪积扇特有的水文地质规律。洪积扇的下游,灌区内基岩隔水顶板高,地下水埋深浅,土层薄、透水性弱,毛细水上升蒸发强度大,存在现盐渍化现象是必然的。

(5)灌区下游的地下水。灌区形成后,由于管理粗放,全灌区地下水位明显升高,以灌区下游最为明显,据2018年水文地质勘察,灌区下游地下水埋深普遍0.5~1m,滴灌条件下,北干排排渠内地下水的排泄量0.5~1m^3/s。节水改造势在必行。灌区下游排渠中的地下水见图1。

图1 2019年灌区下游排渠中的地下水

2　问题的提出

2.1　土壤含盐前期和近期的对比

2010年灌区开发前，阿勒泰地区水利水电勘测设计院对阿苇灌区进行了大面积水文地质与土壤调查，从5cm、20cm、40cm建立土壤剖面，得出拟建灌区土壤盐渍化的结论为：除了下游低洼片区和中部片区基岩凸起的周边区域土壤含盐量为0.3%～1.5%之外(面积占总规划面积的3%)，绝大多数土壤含盐量在0.1%～0.3%之间，为非盐渍化土。

2019年，阿勒泰地区水利水电勘测设计院再次对阿苇戈壁上中下游不同区域的土壤取样，重新对典型土壤进行了剖面调查，从5cm、20cm、40cm土壤剖面的检测成果，得出以下结论：灌区上游土壤含盐量0.3%～1.0%，基本为轻度盐渍化；中游区大多数土壤含盐量0.5%～1.5%，为轻度—中度盐渍化；下游区大多数土壤含盐量1.0%～2.5%，为中度盐渍化，部分为强度盐渍化。

灌区运行7年，对比灌区开发前、后土壤调查资料发现，灌区上、中、下游各处，土壤的含盐量明显增高，表现为上游区盐渍化程度轻，下游区程度重。

2.2　盐渍化形成的危害

灌区运行6年，盐渍化范围遍布全区，以下游区为重。现状调查，轻度盐渍化遍布全区，中下游区中度盐渍化面积近3万亩，约占已开发土地的15%，下游低洼片区0.5万亩已形成强度盐渍化，约占已开发土地的2.5%。依据准噶尔盐盆地盐渍化分级标准(表2)，中度盐渍化土壤即使不缺水，作物也会出现生理干旱，影响养分吸收，强度盐渍化土壤作物会出现生理脱水、萎靡。如何控制盐渍化的蔓延，是摆在灌区管理经营者面前的当务之急，盐渍化的治理需要从源头入手深入研究，找出形成原因，再研究治理对策。

表2　准噶尔盆地盐渍化分级标准

盐渍化程度	非盐渍化	轻度盐渍化	中度盐渍化	强度盐渍化	盐土
土壤含盐量/%	<0.3	0.3～1.0	1.0～2.0	2.0～3.0	>3.0

3　土壤盐渍化的形成原因

经过灌区运行前后水文地质与土壤的调查，发现导致灌区土壤盐渍化的原因有两种：一是长期高地下水位的不断蒸发造成；二是滴灌水中盐碱在土壤中的不断积累，分述如下。

3.1　高地下水位与盐渍化

地下水入渗径流过程中溶解了土壤中大量的盐碱，矿化度升高，埋深浅的片区地下水蒸发后，水中离子被带到地表形成盐渍化。这种盐渍化集中在洪积扇下游溢出带片区，盐渍化的程度受地下水位的控制。造成地下水位升高的原因有以下两种。

(1)输水系统造成的浪费。渠道渗漏、管网跑冒滴漏是灌溉水浪费的原因之一，灌区形成后，由于施工质量、材料质量、管理运行中出现的问题，导致渠系、管道水利用系数偏低，输水过程中水资源浪费现象较严重。

(2)灌溉制度造成的浪费。灌溉制度执行不严格,种植者超出作物需求用水,无谓增加了灌溉水的浪费,是灌溉水浪费的另一个原因。由于上下游土壤田间持水率差异较大,推行的灌溉制度落地适用性差,各种植户对灌溉制度的认知不一,以种植经验为主实施灌溉,灌溉水量往往超出作物的实际需水量较多,导致田间水利用系数低。

总体评价灌区灌溉水利用系数不高,节水效率有待提高。灌区下游沼泽化、盐渍化的现象,均因以上浪费的水量引起,需要加强灌溉管理。

3.2 滴灌积累与盐渍化

土壤长期接受滴灌,水中所含的离子在土壤中形成积累,在灌溉湿团浸润的深度范围内,盐渍化就会逐渐形成,盐渍化达到一定程度后,会抑制作物的生长,这种盐渍化在灌区各处均有分布。土壤中的毛细水,通过蒸发,将盐碱携带到地表,滴头下,再由滴灌水带回到土壤中,循环往复,但盐碱总体在湿团范围内不断积累,影响着作物的生长。

3.3 灌区规划设计的缺陷

2010年灌区规划设计时,由于采用的是滴灌,灌区总体规划设计中没有布置排渠体系,导致下游区地下水无法及时排除,土壤盐渍化逐渐加重。在以后开展的洗盐、排碱改良土壤的方案中,需要重新规划设计,补充完善灌区排水体系,为土壤改良提供便利。

4 解决土壤盐渍化的办法

从盐渍化形成的原因入手,研究盐渍化的治理措施,得出两条有效的治理方法,阐述如下。

(1)加强灌区节水管理:从抓渠道、管道水利用系数入手,抓灌溉制度提高灌溉水利用系数入手,减少水资源浪费带来的地下水位的升高。

(2)洗盐、排碱:利用"节余水量"对盐渍化土壤分区淹灌改良,采用"洗盐、压碱"的方法,或将盐碱带至地下深处,或溶于地下水,通过排渠排出灌区。

4.1 加强灌区管理,控制地下水位

水资源浪费主要存在于输水系统保障率低、田间灌溉制度不合理两方面,如何治理完善,阐述如下。

(1)提高输水系统的保障率。渠道出现破损,管网跑冒滴漏,渠系、管道水利用系数偏低,与施工质量、管材质量、管理水准几方面有关,通过对破损渗漏渠道、破损管道段针对性持续开展提升改造项目,输水系统的保证率大大提升。

(2)提高田间水利用系数。随灌区开发,土壤腐殖质、田间持水率增大,灌溉制度也随之进行调整。大面积土地流转后,种植户凭经验自行种植,常常施灌超出作物实际需水量,不仅不利于作物生长,还造成了水资源浪费。一是配水监管不力,二是田间持水率的差异,在灌溉制度的执行上,存在一定难度。通过整改,将灌溉试验站建大田中,因地制宜推广灌溉制度,配套自动化、信息化系统,可解决这一难题,并为现代化灌区的发展打好基础。

(3)提升灌区管理效率。灌区提升改造后,增设了计量设施和信息化管控,近期通过水价改革的手段,推行灌溉定额,建立农业初始水权制度,推行分级、分类农业水价,实行节水有偿。远期通过现代化灌区改造,推行更加精准的灌溉制度,不仅适合作物生长,还能精准节水。

4.2 洗盐排碱改良土壤

(1)洗盐排碱的原理。长期滴灌会在土壤中形成盐渍化积累,在灌区石灰性土壤中尤为明显(碱性土壤 pH>7),本区为石灰性土壤,对土壤进行一次浸泡洗盐,将盐渍化水排出灌区,是较为有效的方法。

(2)洗盐排碱的布置。在灌区排渠体系健全后,可对盐渍化较重的土壤进行跳区淹灌,改良土壤。在淹灌的面积及水量安排上,以不要给下游带来明显的水位升高为标准。

(3)洗盐排碱的时段。秋后淹灌:淹灌可放在作物收割后的农闲时节,优点是无用水矛盾对种植影响小,气温不高蒸发强度弱,对下游形成盐渍化的影响小,又可以土地秋灌保墒,管理方便。缺点是两次用水,水量消耗偏大。种植地面灌:在安排好轮灌的前提下,依据灌溉定额对小片土地采用地面灌,地面灌面积以不要给下游带来明显的地下水位升高为原则。种植期淹灌会影响作物根系的通透性,造成减产,另一方面也会将液体肥料带到深处形成浪费。考虑到土壤改良的规模及给下游灌区带来的影响,推荐秋后淹灌。

(4)洗盐排碱的轮次。关于洗盐排碱的轮次,需要根据盐渍化的程度和重复达到盐渍化的时间来考虑。灌区下游盐渍化程度重,恢复盐渍化的时间短,淹灌频次可多安排一些,灌区上游盐渍化程度轻,淹灌一次可维持几年时间,频次就少。每年可通过对土壤盐渍化的监测,根据测试成果,进行淹灌布置。

(5)洗盐排碱的水量设计。淹灌水量含在灌溉总水量内,灌溉总水量总体受"三条红线"控制。随灌溉水利用系数的提高,"三条红线"范围内节余水量会逐渐增大,并最终稳定在一定的范围内,根据节余水量可灵活调整洗盐方案。对淹灌水量达到的效果要求如下。

①上游灌区,地下水埋藏深,土壤为透水性好、持水性差的砾质轻壤土。土壤盐碱被淹灌水溶解后,垂直入渗到土壤深部,形成深层悬挂,称为"压碱"效果。淹灌时一要考虑节水,二要考虑复盐的时间,在判定砾质轻壤土的毛细上升能力2.5m条件下,控制淹灌水垂直入渗深度以2.5~3m为宜。②中游灌区,地下水埋藏较深,土壤为中等透水、持水性中等的中壤土。淹灌仍然选择"压碱"效果。中壤土毛细上升能力为3m,淹灌地下水垂直入渗的深度以3~3.5m为宜。③下游灌区,地下水埋藏较浅,土壤为弱透水的重壤土。淹灌选择"排盐"效果。淹灌形成的重力水将土壤中的盐碱溶解带走,入渗至地下水中,由排渠将盐碱水排出灌区。

4.3 健全灌区排水体系

通过水文地质调查资料,可划定灌区内地下水浅埋深壅水影响的范围。依据《灌溉与排水工程设计标准》(GB 50288—2018),结合地形布置干、支、斗排渠体系,根据含水层的渗透系数,水力坡降,计算排渠开挖深度和排渠布置间距。

4.4 盐渍化的农业治理措施

在盐渍化区域种植耐盐碱的绿肥高杆作物,可减低蒸发强度,秸秆还田,改善土壤的通透性,可减轻盐渍化危害;对盐渍化较为严重片区,可通过磷石膏、硫酸亚铁等化学治理方案,减轻高盐渍化土壤的危害。

5 治理效果

5.1 提倡节水优先,加快灌区现代化改造

近两年来,阿苇灌区通过渠系、管网系统的巩固提升,渠系、管道水利用系数明显提高,大大减少了

渠道、管道水的浪费;灌区管理方面,配套了电磁流量计实行田间计量,配套信息化监管,控制灌溉定额,减少了灌溉水的浪费,下游排渠水量明显减小。

灌区管理制度上推行水价改革,以明晰农田水利工程产权和农业水权为前提,落实最严格水资源管理制度,提高农业用水效率,建立农业初始水权制度。推行分级、分类、分档水价,多用水多付费,节水有偿,加大了节水宣传,从种植者到管理人员,节水优先意识大大提高。

5.2 土壤盐渍化改良

2019 年北干渠部分盐渍化严重片区,通过盐渍化项目的设计、施工,完成了下游 2 万亩区域排渠体系的建设,利用节余水量对盐渍化片区洗盐排碱后,通过排渠将高矿化度地下水排出了灌区,实现了片区土壤第一次改良。现在该区土壤沼泽化、盐渍化现象明显减弱,治理效果十分明显。

5.3 土壤改良规划的提议

将土壤改良纳入规划,作为项目进行实施,是保护土壤的重要举措。在土壤的改良规划中,应该注重上、下游不同片区的改良方法,与灌区规划相结合,安排好土壤改良的水源配套方案,引导灌区土壤逐渐走向良性循环之路,是现代化灌区建设的课题。编制土壤洗盐改良的具体方案,作为续建配套去逐步落实,形成保护土壤免遭污染的健康地质生态环境,有利于土壤盐渍化防治和生态的可持续发展。

6 结论

(1)本文提出两种盐渍化成因,一种是地下水位升高引起的,另一种是长期滴灌在土壤中积累形成的。在治理方面,科学的灌溉管理制度可控制地下水位。已形成的盐渍化,可通过“洗盐、压碱”的治理方法,通过淹灌,或将盐碱带至地下深处隐藏,或溶于地下水,通过排渠排出灌区,达到治理、预防的目的。

(2)“三条红线”用水范围内,利用“节余水量”进行淹灌,是循环治理土壤、可持续发展的好方法。在理论研究与实际运用中,值得推广,让盐渍化防治由被动防御,变为主动治理预防。

(3)在淹灌水量的控制效果方面,本文在研究深度上有所欠缺。

参考文献

乔木,田长彦,王新平.新疆灌区土壤盐渍化及改良治理模式[M].乌鲁木齐:新疆科学技术出版社,2008.

薛新伟,杨恒山,张瑞富.半干旱地区滴灌对土壤水盐运动和次生盐渍化影响的研究进展[J].中国农学通报,2019(32):15-16.

缑倩倩,韩致文,王国华.中国西北干旱区灌区土壤盐渍化问题研究进展[J].中国农学通报,2011,27(29):246-250.

范王涛.土壤盐渍化危害及改良方法研究[J].农业与技术,2020(11):72.

杨春桥.对黑龙江省土地盐渍化的思考[J].商业经济,2012(7):25-26.

旱谷田危岩体稳定性评价

李会中[1,2,3] 梁梁[1,2,3] 王吉亮[1,2] 叶圣生[1,2]

1. 长江勘测规划设计研究院，湖北 武汉 430010；

2. 长江三峡勘测研究院有限公司(武汉)，湖北 武汉 430073；

3. 中国地质大学(武汉)，湖北 武汉 430074

摘　要：旱谷田危岩体扼于金沙江乌东德水电站库区金台子峡谷河段出口左岸，上距库尾攀枝花市167.8km、下距坝址46.1km，因规模巨大(1.29亿m^3)、成因机制复杂、大规模失稳影响严重而备受业内人士关注。本文以前期勘察成果为依据，简述了危岩体区基本地质条件，归纳了危岩体区岸坡结构特征与危岩体发育特征，深入分析了危岩体成因机制，宏观评价了危岩体稳定性，得出了特定岸坡结构、构造切割与临空条件是危岩体形成的重要基础，历史地震活动诱发、下游侧缘滑坡拉拽或牵动促使了危岩体现状的形成，水库蓄水运行将极大地改变危岩体地质环境、库水持续作用或反复升降将恶化危岩体稳定条件并可能最终导致危岩体整体滑移失稳的结论，为危岩体应急预案编制或防治对策研究提供重要依据，可供类似问题研究参考。

关键词：乌东德水电站　旱谷田危岩体　岸坡地质结构　成因机制分析　稳定性评价

1 引言

旱谷田危岩体位于金沙江乌东德水电站库区金台子峡谷出口左岸、四川省会理县新发乡鲁车村旱谷田一带，上距库尾攀枝花市167.8km，下距乌东德水电站坝址46.1km。

由于危岩体规模巨大(体积约1.29亿m^3)，所处地理位置特殊(紧扼于峡谷出口)，形成背景与三峡库区千将坪滑坡相仿，且乌东德水库蓄水后危岩体前缘近百米受淹，库水频繁升降对危岩体稳定影响明显，同时受地震、降雨等影响，亦会降低危岩体稳定性，危岩体一旦失稳将产生涌浪等次生灾害，可能对乌东德水电站工程运行、库周城镇基础设施与居民生命财产安全产生影响。因此，查明危岩体区基本地质条件、进行危岩体成因机制分析、稳定性评价、防治对策研究是非常紧迫的重要任务，而成因机制分析与整体稳定性评价更是重中之重。

2 基本地质条件

2.1 地形地貌

危岩体所处金台子峡河段金沙江自西流向东，江面高程约882m，宽110～220m，两岸第一岸坡坡顶高程1700～1900m，岸坡地形陡峭，左岸地形坡度30°～60°，右岸地形坡度45°～60°。

作者简介

李会中(1964—)，男，教授级高级工程师，主要从事水利水电、地质灾害防治等工程勘探、设计、研究. E-mail：lihz8@163.com

受金沙江及下游旱谷田沟切割，危岩体呈三面临空状态：前缘临江，从江边高程 882m 至高程 960m 之间分布冲洪积，地形坡度平缓，一般 15°～20°；高程 960～1170m 分布崩塌堆积，地形坡度较陡，一般 35°～40°；高程 1070～1170m 以上为基岩陡崖，高程 1070～1170m 至 1300～1360m 为高约 200m 近直立陡崖。后缘及东侧为陡崖，旱谷田自然村位于东侧高程 980～990m 崩坡积缓坡平台上（图 1）。

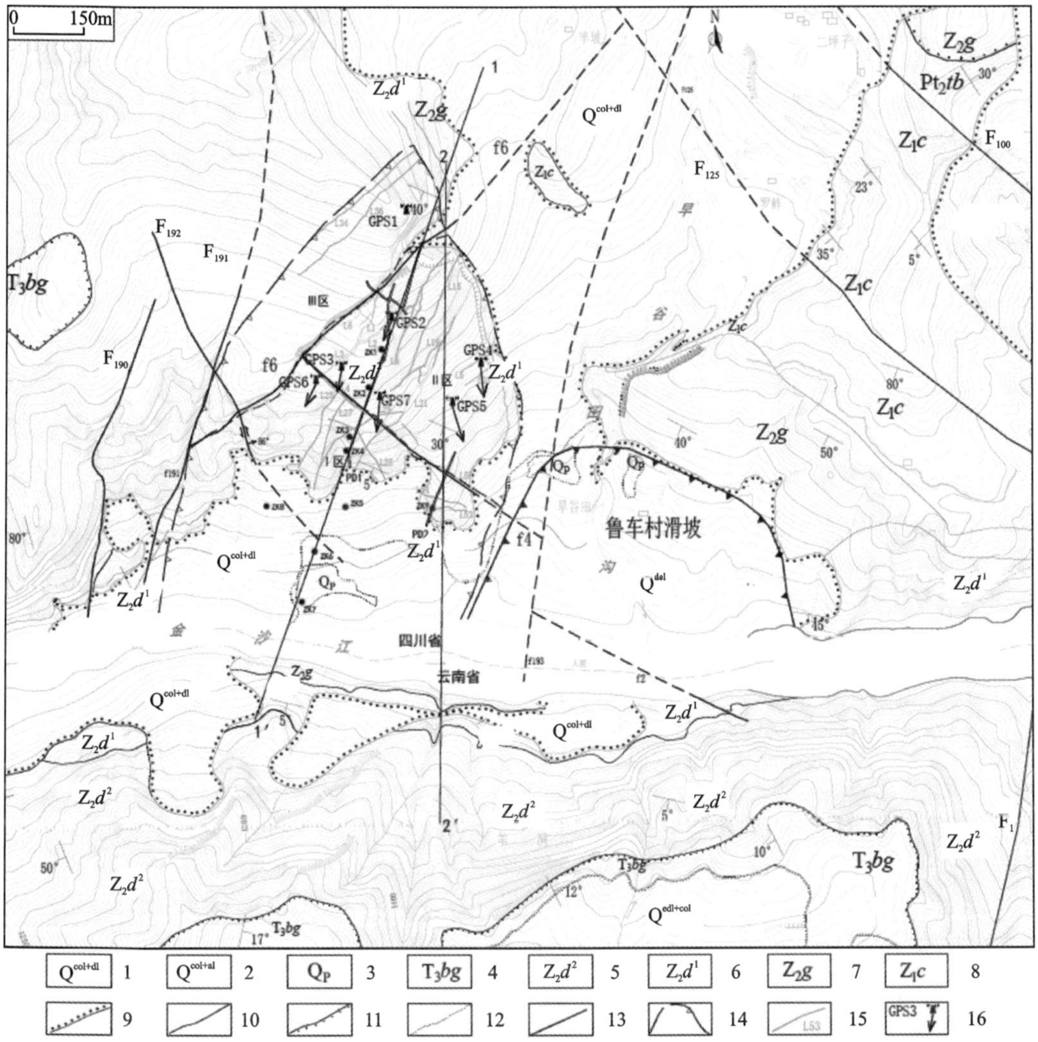

图 1 危岩体区工程地质图

1. 崩坡积层；2. 崩积夹冲积堆积层；3. 更新统静水沉积粉土；4. 白果湾组；5. 灯影组上段；6. 灯影组下段；7. 观音崖组；8. 澄江组；9. 第四系与基岩界线；10. 地层整合界线；11. 地层角度不整合界线；12. 岩性分界线；13. 断层；14. 危岩体边界；15. 主要裂缝及编号；16. GPs 监测点位置、编号及平面矢量方向

2.2 地层岩性

危岩体区由老至新依次出露震旦系澄江组（Z_1c）石英砂岩、观音崖组（Z_2g）白云岩与碎屑岩互层、灯影组（Z_2d）白云岩、第四系地层。

危岩体主要由灯影组、观音崖组地层构成：灯影组（Z_2d）分为上、下段，上段（Z_2d^2）分布于危岩体上部陡崖一带，厚约 800m，为灰白色、肉红色厚层—巨厚层白云岩；下段（Z_2d^1）分布于危岩体下部及坡脚一带，厚约 96m，为肉红色—深灰色中厚层白云岩夹浅黄色薄层泥晶白云岩等，夹层厚 0.2～1.5m，底部为灰黑色碳质白云岩。观音崖组（Z_2g）分布于危岩体底部、出露于危岩体后缘北侧陡崖坡脚、二坪子一带，厚约104m，为深灰黑色—灰褐色中—薄层白云岩、紫红色砂岩及页岩互层。

2.3 地质构造

(1)断层及褶皱

危岩体上距区域性活断裂F_2(汤郎-易门断裂)约1km，区内出露断层主要有汤郎-易门断裂南支、新铺子断层F_{100}及F_{125}。受断裂构造影响，左岸岩层发生台阶状褶曲——挠曲，岩层呈近水平—陡倾—近水平展布(图2)，挠曲轴向约300°，与金沙江夹角约30°。挠曲部位观音崖组层内褶皱较发育，灯影组地层未见层内褶皱。

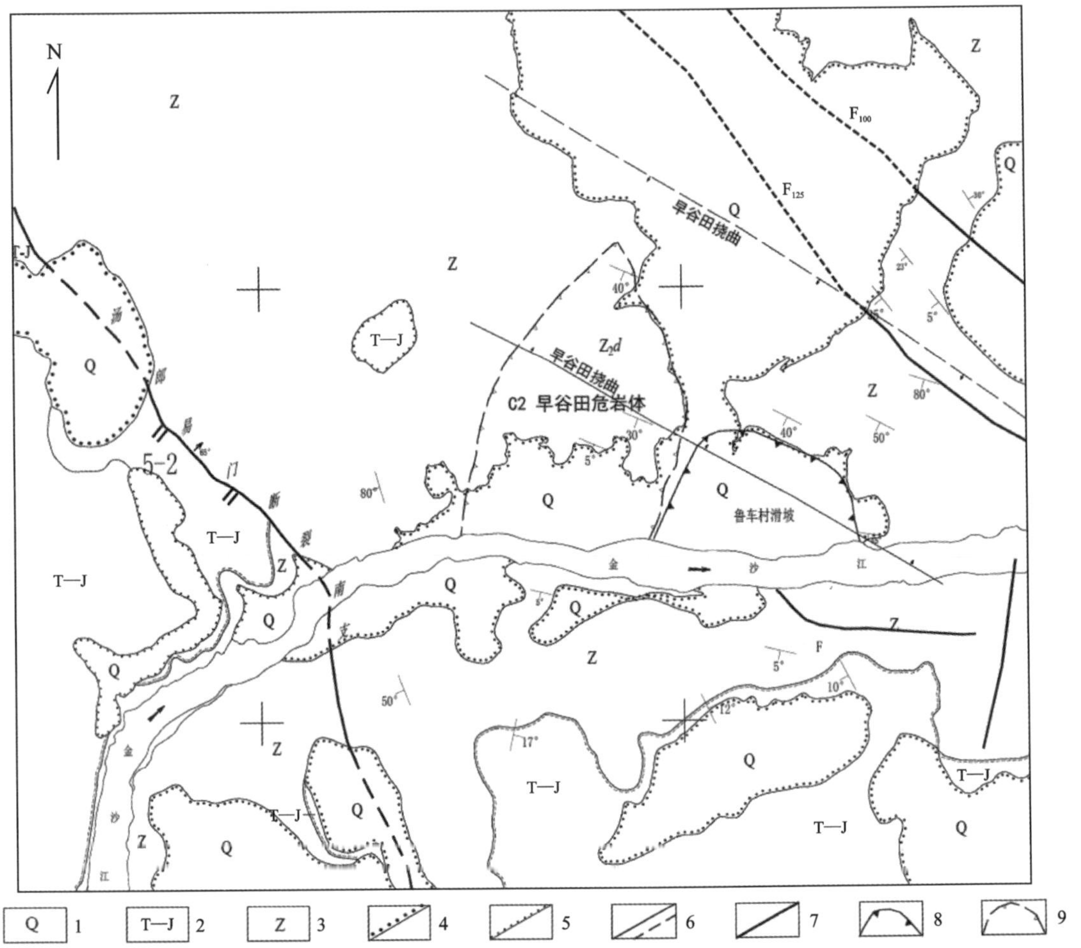

图2 危岩体区构造示意图

1.第四系；2.三叠系—侏罗系；3.震旦系；4.角度不整合界线；5.平行不整合界线；6.断层及推测断层；7.挠曲轴线；8.滑坡体边界；9.危岩体界线

危岩体范围内发育的断层主要为F_4、F_6、F_{191}及F_{192}共计4条，此四条断层均为陡倾角状，具一定的平移断层性质；其中断层F_4及F_{192}走向SE，与岩层走向基本一致，断层两侧地层错断明显；断层F_6及F_{191}走向NE，与岩层倾向基本一致，为危岩体的边界控制结构面。

(2)层间剪切带

区内震旦系地层曾经历了强烈褶皱作用，褶皱过程中地层沿层面或软弱岩层产生相对位错，使层间或层内原岩结构遭受不同程度破坏，形成规模不等、性状各异的剪切带。

旱谷田危岩体灯影组下段和观音崖组地层中发育有连续性剪切带，但性状分布不均。灯影组下段地层中相对软弱岩层为7层泥晶白云岩，并于7层泥晶白云岩顶底部发育12条层间剪切带。观音崖组地层中相对软岩为层间极薄层泥页岩夹层、底部连续页岩、层间构造破碎带及底部古风化壳夹层；经对比分析，在该组地层顶部层间构造破碎带及底部古风化壳内各发育1条层间剪切带。

通过对地表出露和平洞、钻孔揭露资料对比分析，旱谷田危岩体中共发育有14条层间剪切带，其中12条位于灯影组下段地层中，2条位于观音崖组地层中；这些剪切带经后期风化与地下水作用，工程特性进一步恶化，物理力学性质一般较差，按物质组成及工程性状分为A类（岩块夹岩屑）、B类（岩屑夹碎块、岩粉和少量泥）、C类（泥夹岩屑）三类。

（3）节理裂隙

构造作用下，灯影组（Z_2d）白云岩裂隙发育，主要有2组：第一组走向为NWW，即基本顺江方向延伸、倾N（倾向山里）最为发育，多为陡倾角；第二组走向为NNE，即基本垂江方向延伸、倾向东（倾向下游）较为发育，多为陡倾角。

2.4 水文地质

据勘探揭露，危岩体区地下潜水位埋深较大，大致与江水持平，但受灯影组（Z_2d）白云岩裂隙发育与灯影组下段（Z_2d^1）多夹层结构影响与控制，地表水（大气降水）沿裂隙（缝）入渗后，多在泥晶白云岩（相对隔水层）之上形成局部上层滞水。

3 岸坡地质结构

3.1 前缓后陡“锅铲”状多夹层顺向坡地质结构

危岩体所在的左岸岸坡前缘地层倾角约10°，受岩层挠曲影响，在L4裂缝一带岩层向上弯曲，地层产状逐渐变陡，倾向200°～210°、倾角35°～44°，加之观音崖组（Z_2g）、灯影组下段（Z_2d^1）又多软岩（夹层），故岸坡结构总体呈前缓后陡“锅铲”状多夹层顺向坡地质结构（图3）。

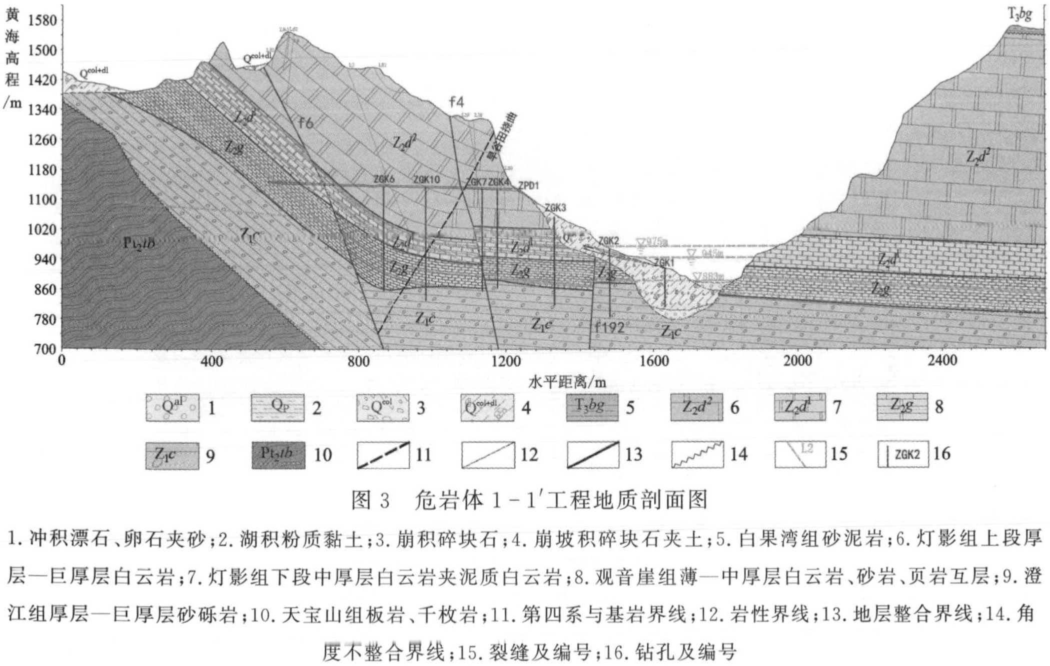

图3　危岩体1-1′工程地质剖面图

1.冲积漂石、卵石夹砂；2.湖积粉质黏土；3.崩积碎块石；4.崩坡积碎块石夹土；5.白果湾组砂泥岩；6.灯影组上段厚层—巨厚层白云岩；7.灯影组下段中厚层白云岩夹泥质白云岩；8.观音崖组薄—中厚层白云岩、砂岩、页岩互层；9.澄江组厚层—巨厚层砂砾岩；10.天宝山组板岩、千枚岩；11.第四系与基岩界线；12.岩性界线；13.地层整合界线；14.角度不整合界线；15.裂缝及编号；16.钻孔及编号

3.2　上硬下软“头重脚轻”不利岸坡地质结构

危岩体岩性组成：中上部为灯影组上段（Z_2d^2）巨厚层白云岩；下部为灯影组下段（Z_2d^1）中厚层—厚层白云岩夹极薄层—薄层泥晶白云岩，以及观音崖组（Z_2g）薄—中厚层白云岩、砂岩及页岩互层。因此，早谷田危岩体中、上部为巨厚层硬岩、下部则多泥晶白云岩、页岩等软岩分布，总体上构成了“头重脚轻”不利岸坡地质结构（图 3）。

4　危岩体发育特征

4.1　裂缝发育分布特征

（1）地表裂缝

根据地质测绘，地表发育较大的裂缝共有 82 条（主要裂缝分布见图 4）。危岩体前缘发育裂缝 26 条，顺江和垂江方向均有发育，裂缝陡倾下游或坡外，倾角 70°～80°，裂缝表面一般被崩塌块石覆盖，迹线最长约 440m（裂缝 L4）；危岩体中后缘发育裂缝 56 条，主要垂江方向发育，可见最大缝宽约 20m（L6），一般 1m 左右，迹线最长约 650m（L6），一般长度 150m 左右。

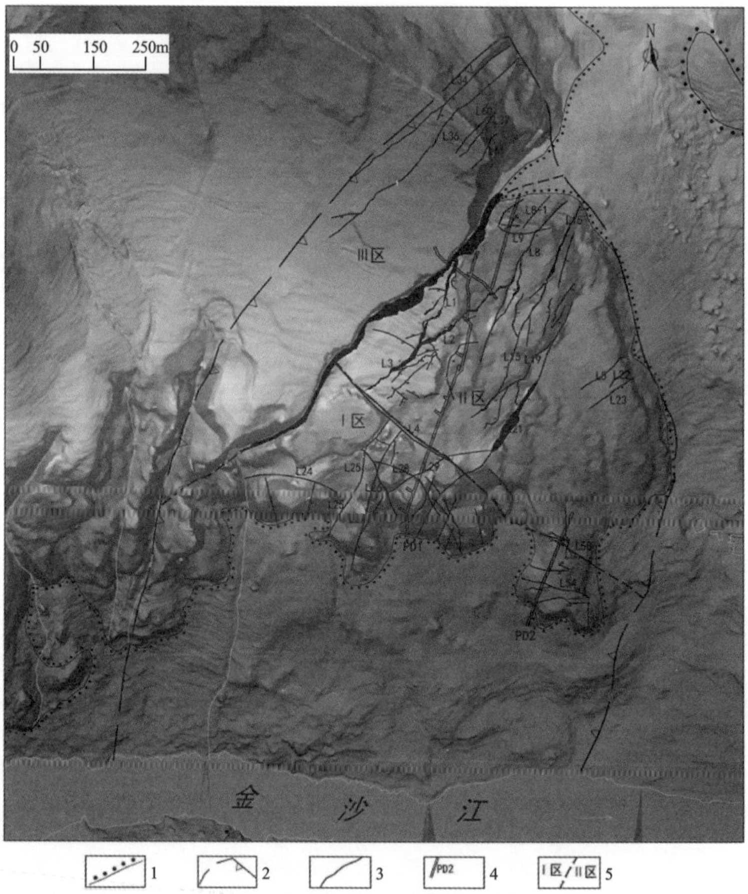

图 4　早谷田危岩体主要裂缝分布图

1. 第四系与基岩界线；2. 危岩体界线；3. 地表裂缝；4. 平硐位置及编号；5. 分区界线及编号

(2)平硐裂缝

ZPD1、ZPD2平硐共揭露开度(空隙宽度+充填宽度)大于或等于5cm的主要裂缝94条(其中ZPD1有82条),ZPD1平硐揭露裂缝大多出冷风,表明其与地表连通。

4.2 危岩体边界特征

(1)外部边界

危岩体前缘江面高程882m,河床基岩面高程约780m,而14条剪切带中最底部的高程约870m,在不考虑前缘覆盖层情况下,14条剪切带在前缘临空。危岩体下游侧缘方向为早谷田冲沟,该冲沟切割较深,在不考虑覆盖层情况下,14条剪切带中13条剪切带在侧缘具备良好的临空条件。危岩体上游侧缘边界控制结构面主要有断层F_{191}、断层F_6、裂缝L34,L34与F_{191}组合不构成完整的切割边界,而F_6与F_{191}相交,且为断层性质,两者组合可构成危岩体上游侧贯通的切割边界。

(2)底部边界

底部潜在滑移边界:危岩体底部共发现14条发育连续的层间剪切带,其中灯影组下段沿7层泥晶白云岩顶面或底面发育12条,在观音崖组顶、底部各发育1条;该14条剪切带在危岩体前缘呈近水平状分布,分布高程870~1010m,因受F_4和F_{192}断层错动影响,此14条剪切带在危岩体前缘被错断抬升,单条剪切带无法构成连续的底滑边界,但剪切带相互组合仍能构成追踪式潜在底滑边界。

4.3 危岩体分区特征

从危岩体结构和裂缝分布特征分析,可将危岩体分为3个区,早谷田挠曲轴线至前缘金沙江边为Ⅰ区,早谷田挠曲轴线以北、F_6断层以东为Ⅱ区,F_6断层以西至裂缝L34之间为Ⅲ区。

5 成因机制分析

5.1 特定岸坡结构、构造切割与临空条件,是危岩体形成的重要基础

(1)多夹层顺向坡与上硬下软岸坡地质结构决定了边坡岩体在重力作用下,既有整体沿软弱夹层或层间剪切带向临空方向蠕滑的趋势,又有近岸陡崖局部坡体因下部软岩受压剪作用而具倾倒或下座变形的态势,这是远岸以垂江裂缝发育为主,而近岸顺江裂缝较为发育的根本原因所在。

(2)近岸上游侧缘地层产状变化(由主体倾河床偏上游变为倾向上游,岸坡结构由顺向坡转为横向坡)阻滞了边坡岩体整体向最大势能方向(地层倾向)的蠕滑趋势,而调整为向势能、临空最优组合方向(金沙江)蠕滑变形(空间上,以近岸上游侧缘为铅直轴、以"锅铲状"地层挠曲轴为水平轴的"双轴"旋转蠕滑),这是垂江裂缝为张拉而非张剪成因与呈近岸端尖灭或近岸端窄、远岸端宽形态的缘由(图5)。

(3)NNE向、NWW向构造结构面(裂隙或裂隙性断层)的发育切割,以及金沙江、早谷田沟切割构成的三面临空,为边坡岩体整体沿软弱岩层或层间剪切带向最优方向蠕滑、近岸坡体局部倾倒或下座变形大开"方便之门",危

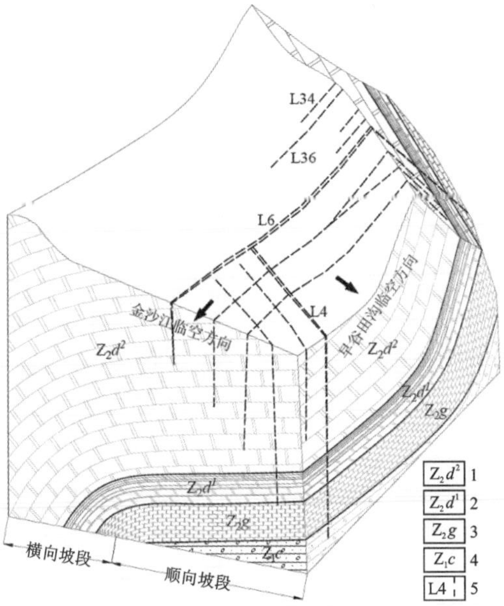

图5 侧缘阻滞效应示意图

1. 灯影组上段;2. 灯影组下段;3. 观音崖组;4. 澄江组;5. 裂缝

岩体区裂缝发育格局(方向、分布)均反映了这一点。

5.2　地震活动诱发、下游侧缘滑坡拉拽或牵动作用,促使或加速了危岩体现状的形成

(1)地震作用是诱发崩塌、滑坡等地质事件的重要因素之一,云南鲁甸、四川汶川等地震均诱发诸多岸坡崩塌、滑坡事件,甚至一度导致江河堰塞,造成重大社会影响。从旱谷田至普渡河口长约 80 余千米河段,发育于观音崖组、灯影组缓倾顺向坡部位就有鲁车村、白泥洞、龙潭、海子尾巴、金坪子、大石城等多处滑坡(图 6),多个滑坡规模在亿立方米级,并曾堰塞金沙江(库坝区金沙江岸坡 1000m 高程附近及以下多处分布有湖相沉积就是证明),可以推测这些滑坡的形成绝非偶然或个案,应与地震作用相关,加之旱谷田危岩体上游又紧邻汤郎-易门活动断裂,因而其形成应不是例外。

编号	灾害体名称	体积/亿m^3	发育地层	编号	灾害体名称	体积/亿m^3	发育地层
L1	鲁车村滑坡	0.40	Z_2	L7	大石城滑坡	2.00	Z_2
L2	白泥洞滑坡	1.20	Z_2、Pt	L8	大地堆积体	0.15	Z_2、Pt
L3	龙潭滑坡	1.10	Z_2、Pt	L9	杀威台子堆积体	2.50	Z_2
L4	海子尾巴滑坡	0.36	Z_2	L10	法期堆积体	5.00	Z_2
L5	金坪子滑坡	1.96	Z_2、Pt	L11	大岩脚滑坡	0.14	Z_2、Pt
L6	韭菜地堆积体	0.67	Z_2				

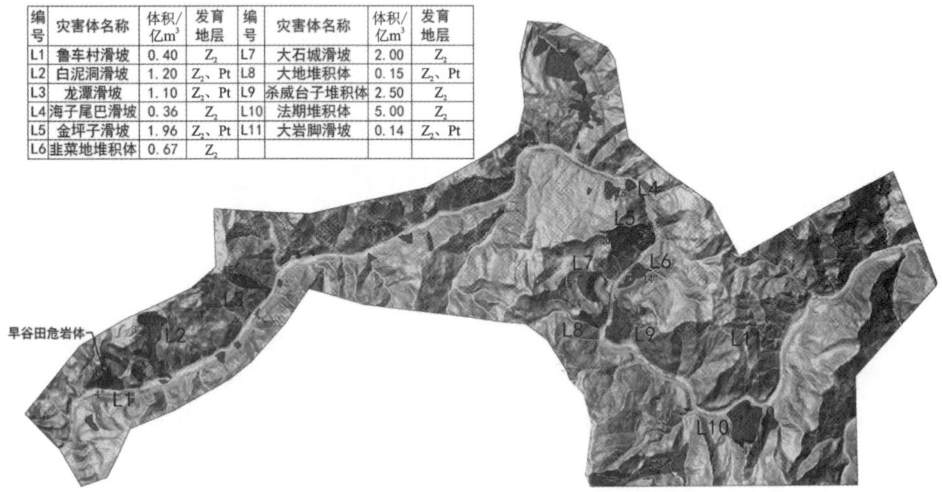

图 6　旱谷田至普渡河发育于灯影组、观音崖组主要灾害体分布示意图

(2)危岩体东侧旱谷田冲沟切割深,总体呈巨型凹槽状(东西向宽 1.5km、南北向长近 3km),沟内分布大量松散堆积,现今应为一低频泥石流沟,其成因与演化极其复杂,完全恢复已较为困难;但从旱谷田沟下游长约 1.2km 缓—中倾多夹(软)层顺向坡残留部分(潜在不稳定顺向坡)、鲁车村滑坡分布推演,早期与旱谷田危岩体相邻(连)的下游顺向坡曾发生过较大规模滑坡事件,并对旱谷田危岩体现状形成起到了助推作用(换言之,也可将旱谷田危岩体视为鲁车村大滑坡上游侧残留体)(图 7)。

图 7　下游侧滑坡拉拽或牵动作用示意图

6 整体稳定性评价

6.1 整体滑移边界基本明确

(1)下部或底部潜在滑移面:危岩体下部或底部共发现14条发育连续的层间剪切带,其中灯影组下段沿7层泥晶白云岩顶面或底面发育12条,观音崖组顶、底部各发育1条;这些剪切带在危岩体前缘呈近水平状,分布高程870～1010m,受F_4和F_{192}断层错动影响,在危岩体前缘被错断抬升,单条剪切带无法直接构成连续的底滑边界,但其组合仍能构成追踪式潜在底滑边界。

(2)上游侧(后)缘切割边界:危岩体上游侧(后)缘边界控制结构面主要有断层F_{191}、断层F_6、裂缝L34。L34发育深度有限、未延伸至F_{191},L34与F_{191}组合不构成完整的切割边界,而F_6与F_{191}相交且为断层性质,两者组合可构成危岩体上游侧(后)缘贯通的切割边界。

(3)前缘与下游侧临空边界:危岩体前缘江面高程882m,河床基岩面高程约780m,而14条剪切带中最底部的高程约870m,在不考虑前缘覆盖情况下,14条剪切带均在前缘临空;危岩体下游侧缘发育早谷田深切冲沟,天然露头即可见灯影组上、下段分界线(即τN1-1及τN1-2),据地质测绘与三维模型分析,在不考虑覆盖情况下,τN1-1～τg1共13条剪切带均连续分布、无侧缘阻隔,即14条剪切带中13条剪切带在侧缘具备良好的临空条件。

6.2 水库蓄水前危岩体整体处于稳定或基本稳定状态

(1)早谷田危岩体结构具前缓后陡的"锅铲状"顺向坡结构与上硬下软"头重脚轻"不利地质结构双重结构特点,危岩体下部或底部滑移边界、侧(后)缘的切割临空边界完备,前缘地层产状平缓段(阻滑段)尚有一定阻滑效果(图3、图8),加之地下水水位低平、灯影组下段及观音崖组软岩(层间剪切带)多位于地下水位以上,其软岩(层间剪切带)强度尚能维持危岩体的整体稳定、局部基本稳定,但从其发育特征、成因机制分析推断,危岩体稳定裕度不足。

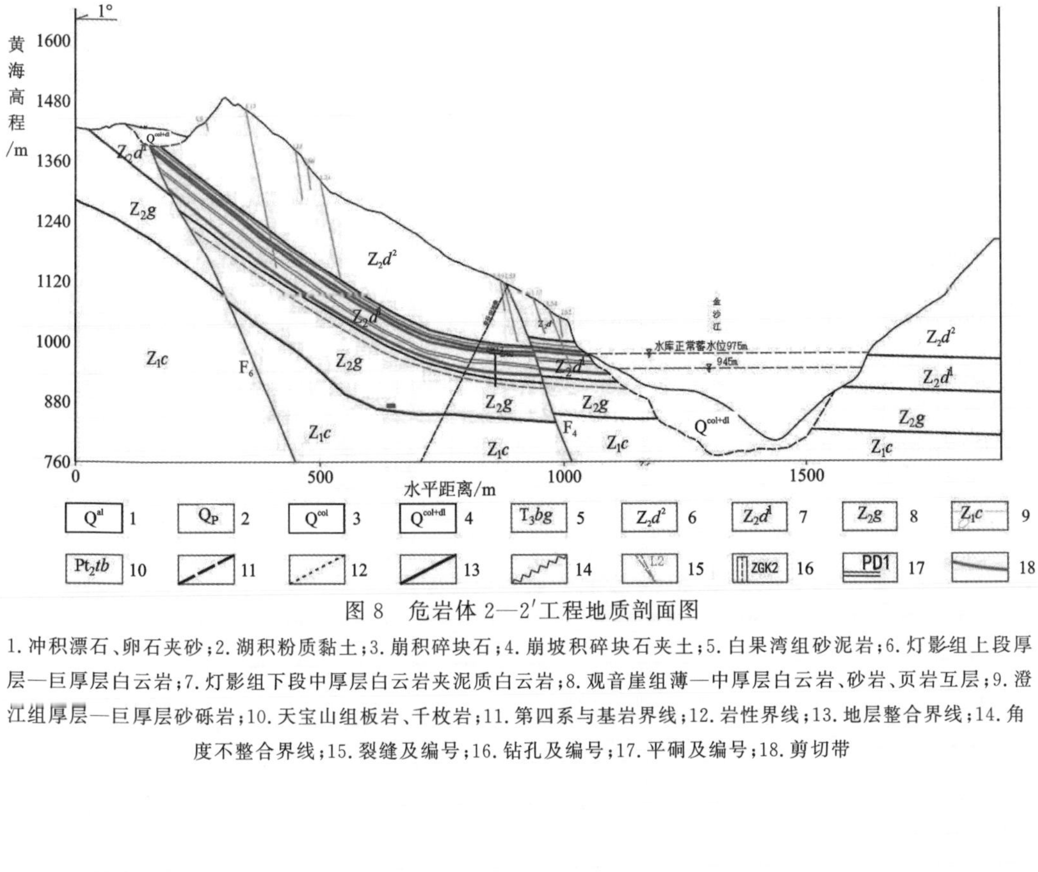

图8 危岩体2—2′工程地质剖面图

1.冲积漂石、卵石夹砂;2.湖积粉质黏土;3.崩积碎块石;4.崩坡积碎块石夹土;5.白果湾组砂泥岩;6.灯影组上段厚层—巨厚层白云岩;7.灯影组下段中厚层白云岩夹泥质白云岩;8.观音崖组薄—中厚层白云岩、砂岩、页岩互层;9.澄江组厚层—巨厚层砂砾岩;10.天宝山组板岩、千枚岩;11.第四系与基岩界线;12.岩性界线;13.地层整合界线;14.角度不整合界线;15.裂缝及编号;16.钻孔及编号;17.平硐及编号;18.剪切带

(2)早谷田危岩体变形监测最早始于2013年,水库蓄水前(2020年1月15日前)进行了多期次断续变形监测,危岩体地表位移、深部位移监测均未见异常,表明危岩体在蓄水前整体处于稳定或基本稳定状态。

6.3 水库蓄水运行后危岩体稳定条件恶化、整体滑移失稳迹象明显

(1)水库蓄水运行将极大地改变早谷田危岩体现状环境(这种改变不能简单等同于自然河道堰塞作用,从近期河道堰塞事件看,自然堰塞存在的时间往往较为短暂),前缘近100m将处于水库正常蓄水位975m高程之下、近70m将位于水库死水位945m高程以下,对危岩体稳定起支撑作用的阻滑段灯影组下段、观音崖组地层基本全部淹没;库水一方面将对阻滑段产生明显的浮托减重作用、降低抗滑力(阻滑效果),另一方面将对阻滑段灯影组下段、观音崖组软岩(夹层)、层间剪切带产生软化作用、降低其力学强度,从而促进危岩体的变形发展,对危岩体整体稳定与局部稳定造成不利影响。

(2)水库蓄水运行后,危岩体受库水作用——库水浮托与软化作用已经初步显现,已出现较为明显的整体滑移变形迹象,监测资料表明,危岩体已出现总体向金沙江临空方向的位移,地表与地下裂缝大有沿危岩体侧(后)缘滑移边界贯通趋势,库水持续作用或升降循环将进一步恶化危岩体地质环境,并可能最终导致危岩体整体滑移失稳。

2019年12月开始进行了系统的自动化监测,包括地表位移监测、裂缝宽度监测、深部位移监测、地下水位监测、强震监测、视频监测和雨量监测。监测资料表明(图9),2020年1月15日水库蓄水后,6月15日库水位上升至高程945m,期间地表位移变形不明显;之后,库水位继续抬升逐渐淹没阻滑段(即滑移面缓平段,分布高程940~980m),危岩体开始出现明显变形,整体变形速率0.1~0.2mm/d。至2021年4月2日,Ⅰ区、Ⅱ区累计变形量33~58mm,主体变形方向为金沙江临空方向(其中,靠近L6内侧顺岩层倾向方向、下游侧向金沙江及早谷田冲沟方向变形);Ⅲ区总体未见变形异常。同时,地表及平硐内混凝土衬砌均有新裂缝产生,地表新生裂缝主要发生在L6内的充填物与岩壁交界部位,共发现11条(图10)、最长可达50m,总体表现为张开1~6cm及下错2~10cm,或是充填的碎石土的局部松弛;平硐内混凝土衬砌在蓄水前整体未见开裂、挤压等痕迹。2021年1月25日及2021年3月21日的巡视发现,分区控制裂缝L4及L6附近可见明显的衬砌开裂、挤压错开及挤压脱落(图11),且两次巡视对比发现裂缝长度、张开宽度、挤压错开等均有所增长,裂缝长度由最初的最大2m左右发展为最大5m左右、裂缝张开宽由最大1mm左右发展为最大1cm左右、挤压错开有最初的轻微痕迹表现为最大错开2cm左右。

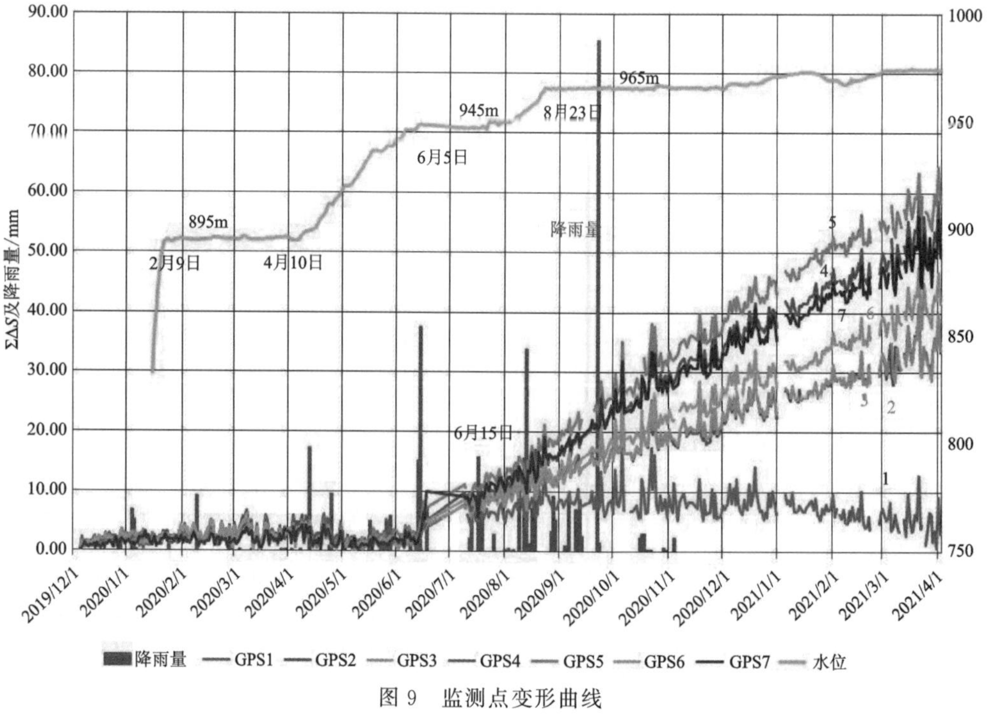

图9 监测点变形曲线

图 10　地表新增裂缝分布图

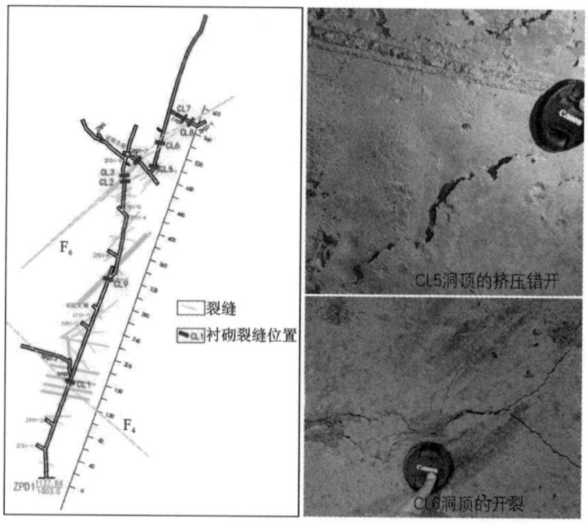

图 11　平硐新增裂缝分布图及典型照片

7　结语

(1)早谷田危岩体规模巨大、分布高差较大、成因机制极其复杂、失稳后果十分严重而倍受业内人士关注。

(2)早谷田危岩体成因机制或形成发展极其复杂，可归纳为两个方面：①“锅铲状”多夹层顺向坡、“头重脚轻”不利地质结构；②地震活动诱发、下游侧缘鲁车村滑坡拉拽。

(3)水库蓄水前，早谷田危岩体整体处于稳定或基本稳定状态，但稳定裕度不足；水库蓄水运行将极大地改变危岩体地质环境，库水持续作用或升降循环将不断恶化危岩体稳定条件并可能最终导致危岩体整体滑移失稳。

(4)早谷田危岩体虽非古滑坡，但因其位置特殊、规模巨大，一旦整体滑移失稳将危及上游及临近库周基础设施、居民生命财产、水上交通安全，因而除应持续强化变形监测预报外，还应及早编制应急预案、提出处理措施。

参考文献

李会中，潘玉珍，王团乐，等. 三峡库区千将坪滑坡成因与机制分析[J]. 人民长江，2006，37(7)：12-14+20.

王力，王世梅. 库水位骤降条件下动水压力型滑坡稳定性分析[J]. 水电能源科学，2018，36(12)：117-120.

张乐，邵兵. 某水电站古滑坡体滑速涌浪分析[J]. 水电能源科学，2019，37(5)：111-114.

李季，苏怀智，赵斌. 龙羊峡近坝库岸滑坡成因机理研究[J]. 水电能源科学，2008，26(1)：115-118.

某水电站坝址应力场特征及其稳定性初步评价

周春华 尹健民 董志宏
长江科学院水利部岩土力学与工程重点实验室，湖北 武汉 430010

摘 要：为了解某水电站坝址区地应力场的分布特征，以此进行工程区稳定性的初步评价，采用现场试验与地质分析的方法进行了研究。通过坝址区关键部位开展的水压致裂法地应力测试，结果表明：坝址区的地应力场在量值上属于中低应力水平，且右岸高于左岸；坝址区应力场中最大水平主应力方向为NNE—NE，与区域构造及地形地貌相符。同时，结合已有工程地质资料的分析发现，区域应力场有利于洞室围岩稳定，但顺河向构造对围岩稳定存在有限的影响，坝址区仍处于相对稳定地段。

关键词：坝址 地应力 水压致裂法 稳定性 评价

1 引言

随着经济发展的需要，世界各国对能源的开发力度也日益加大。水电作为一次能源中环保型的可再生能源，在电力系统中占的比重越来越大，尤以巴西、挪威和巴拉圭为典型，其水电比重接近于100%。中国作为水能资源丰富的国家，大陆水力资源理论蕴藏量在10MW及以上的河流共3886条，居世界第一位。中华人民共和国成立以来，我国水电事业已有长足的发展，如总装机容量达2250万kW，世界最大的水电工程——三峡工程，它具有防洪、防凌、减淤、供水、灌溉、发电、旅游等综合效益，是世界上运用调度要求最严格、最复杂的小浪底水利水电工程、装机容量达1260万kW，坝高达到278m。随着水电建设经验的丰富及工程技术的不断发展，我国已不断挑战在更为复杂的地质条件下开发大型水电工程，同时遇到越来越多的新的工程技术难题，如高坝高、高边坡、高应力、强震级等。水电工程作为建设规模庞大，投资额度巨大的重大工程，如何有效地解决上述问题不仅可以确保工程建设的顺利进行及工程建成后的安全运行，而且对确保工程建设的经济效益和社会效益至关重要，甚至对国民经济建设的稳定发展都具有重要意义。由于地壳深部地球物理环境与地壳表部的显著不同，在高地应力的客观环境下的深埋洞室工程建设中，准确了解和把握深部岩体地质力学特性，对于确保工程的顺利进行尤为关键，而工程区地应力场分布就是其中之一。

对于地应力的分布状况，目前比较直接而准确的方法是通过原地测量。本文在分析西南边陲梯级电站的某水电站坝址区原位水压致裂法地应力测试结果的基础上，研究了工程区的地应力场分布规律并进行了相应的稳定性初步评价，研究结果可为中国西南地区有关地震研究提供了一定的基础资料。

作者简介

周春华（1978—），男，高级工程师，主要从事岩石力学、地应力测量与工程方面的研究. E-mail：zhouchunhuajx@sina.com

2 工程地质背景

水电站坝址区河段分布于某干流拉太-茫童段，长约5km。工程区内山脉高程1000～1500m，呈近南北向展布，两岸山体高耸，峡谷及冲沟较为发育，地形总体上向恩梅开江河床降低，临江坡顶高程多为450～750m，对称性较差。

所经河流呈微向东弯曲的弧形自北向南流经区内，河段自然落差约6m，平均比降3.0‰，水面宽280～400m，属纵向河谷。

区内基岩为晚元古界的变质岩，岩性以斑状变晶花岗片麻岩、花岗片麻岩为主。

工程区处于喜马拉雅造山旋回的青藏复活造山带上，构造线方向以近南北向为主，次为近东西向。坝址区发育北北东向断裂F_4，表现迹象以裂隙(包括劈理)密集发育为主，分布于河床左侧。发育裂隙走向以近南北向为主，次为近东西向，主要为中陡倾角，部分为缓倾角，一般多有充填或呈闭合状。区内出露基岩片麻理走向10°～355°，以某江河床为界，左岸及河床左侧倾向近E，倾角60°～70°；右岸及河床右侧倾向近W，倾角70°～80°。

3 测试结果分析

本文的测试方法采用的是国际岩石力学学会(ISRM)推荐的水压致裂法地应力测试法，学会已在1987年提出的建议方法中做了明确阐述。该方法具有能在铅直钻孔中同时直接测定钻孔横断面的主应力量值及最大主应力方向，且不受开挖爆破的影响的优点，常常是水电工程、矿山工程、交通工程、核废料处理及油气储存等进行现场地应力测试的试验方法。本文研究过程中依据相关标准进行现场试验和数据处理，其原理和方法在有关文献已有说明，在此不再赘述。

地应力场主要是由自重应力场和构造应力场组成，在进行水压致裂法地应力测试过程中，主要是对铅直钻孔横截面处的二维平面应力进行了解，即对整个测区平面应力测初步了解。测试的结果中，自重应力即按其容重进行线性规律考虑，而构造应力则体现在水平主应力中。

本文旨在通过分析和研究坝址区左岸溢洪道ZK20钻孔和右岸地下厂房ZK25钻孔的两孔现场地应力测试结果，对该水电工程坝区应力场进行综合评价，测试结果见图1。

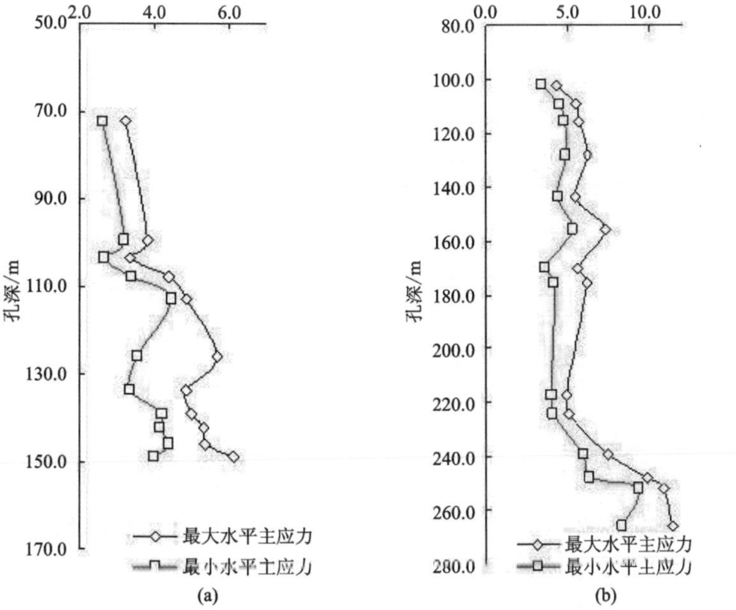

图1 最大(小)水平主应力与孔深的关系曲线

由图中可以看出，坝址区地应力场在量值上左岸较右岸低，其中左岸最大水平主应力范围为3.2～6.1MPa，岩性主要为片岩夹片麻岩，局部为花岗岩，右岸最大水平主应力范围为4.3～11.4MPa，岩性主要以花岗片麻岩主。主要由于左岸测孔测深（最大测深为148.9m）相对右岸测孔测深（最大测深为266.0m）较浅，从而受河谷地形影响较大，同时，左岸发育北北东向断裂F_4，受其卸荷影响，量值较右岸低。

坝址区地应力场的最大水平主应力方向主要为NNE—NE向，这主要受NS走向区域构造、区内发育的北北东向断裂F_4及区域地形地貌的综合影响。

由于坝址处河流流向基本为NS向，测试结果中左岸的最大主应力方向与之夹角较右岸大，故随着河流下切，更利于左岸应力场的卸荷回弹，从而进一步说明了左岸测试结果中应力量值较右岸低。同时，坝址区的河床左侧发育呈NNE—近NS走向沿江延伸的断裂，表现迹象为密集发育的裂隙（包括劈理），这也利于左岸地应力场的卸荷分带。

河谷地应力场是在区域应力场基础上随着河谷形成过程中地表侵蚀、河谷侵蚀等地质作用产生的长期卸荷的结果，这种卸荷作用破坏了河谷形成前岩体的相对平衡状态，导致岩体内应力场的重新调整，以达到新的平衡状态。受此影响，坝址区河谷地应力场通常表现出由表及里应力场分带的现象，即由地表地质作用控制带（应力释放带和应力集中带）、区域应力场控制带（即应力平稳带）。

工程实际中，应力场的分带范围是决定工程开挖方式的主要因素之一。为了能比较全面的了解坝区关键水工构筑物的应力环境，在此对左右两岸现场测试结果进行空间分布规律的分析。在深度上（图1），两岸的测试结果都具有随着埋深加大，应力量值增大的趋势。由于河谷高程约210m，ZK20孔孔口高程为473.98m，ZK25孔孔口高程为473.04m，在图2中两孔不同程度的表现出了应力场的分带规律。在图1(b)中，埋深超过220m时应力量值增大的比较明显，揭示了应力场已经进入应力集中带。而在图1(a)中，埋深超过130m时应力量值呈现稳定的递增规律（仅限于本次测试范围），可以大致认为该测试区可能进入了应力集中带。从地质角度分析，左岸测试部位尚未达到或接近河谷高程，故对于左岸的应力集中带深度暂作为估计。右岸最大测试部位已经超过河谷高程，应力场分带较明显，可以认为220m为右岸坝区应力场卸荷带与集中带的分界线。

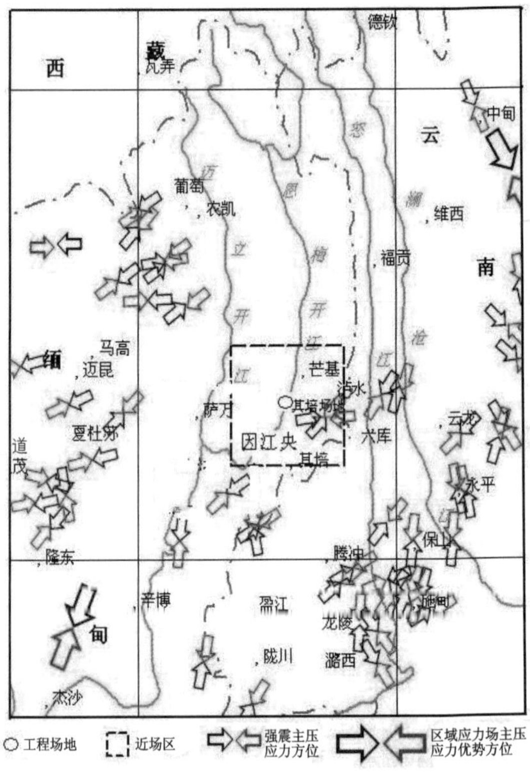

图2　区域地震主压应力方位分布图

4　坝址区应力场初步评价

结合前文分析，左右两岸的应力场在空间上呈现各自的分布规律。首先在量值方面，左岸较右岸低；再者就是最大水平主应力方向，右岸更接近或平行于河谷走向；最后就是在河谷地形的影响下，两岸地应力场的分带深度不尽一致，左岸较右岸浅。

从地质演化角度分析，由于测区大范围为沉积盆地所覆盖，系一南北向坳陷，其中发育着某江及其支流。随着河流下切,使得坝址河床面愈冲愈宽,加之两岸临近河谷岸坡高程 450～750m,使得两岸地应力场在该地质环境下应力储备条件较差。同时,由于该区处于喜马拉雅-地中海地震带,坝址夹于深源地震带与中国龙陵-腾冲-泸水地震带之间,其周围地区曾经有发生中强地震的记录,坝址附近在 20 世纪 30 年代前后曾发生过最强达 6.5 级的地震(图 2),受地质历史演化及后期构造运动影响,坝区地应力场水平不高,与国内类似地质环境的澜沧江上水电工程应力场相比,属于中低应力水平。

任何工程都是具有一定的地质环境背景,即处于一特定地质构造单元。本文所研究的工程场地处在冈底斯-念青唐古拉褶皱系一级大地构造单元中伯舒拉岭二级构造单元内的铜壁关褶皱束内。由工程近场区内的地震震源机制解可知(图 3),其等效释放应力场主压应力方位为北东—北东东向,仰角较小,接近水平,即工程区地震构造应力场主压应力优势方位应为北东—北东东向,以水平作用为主。

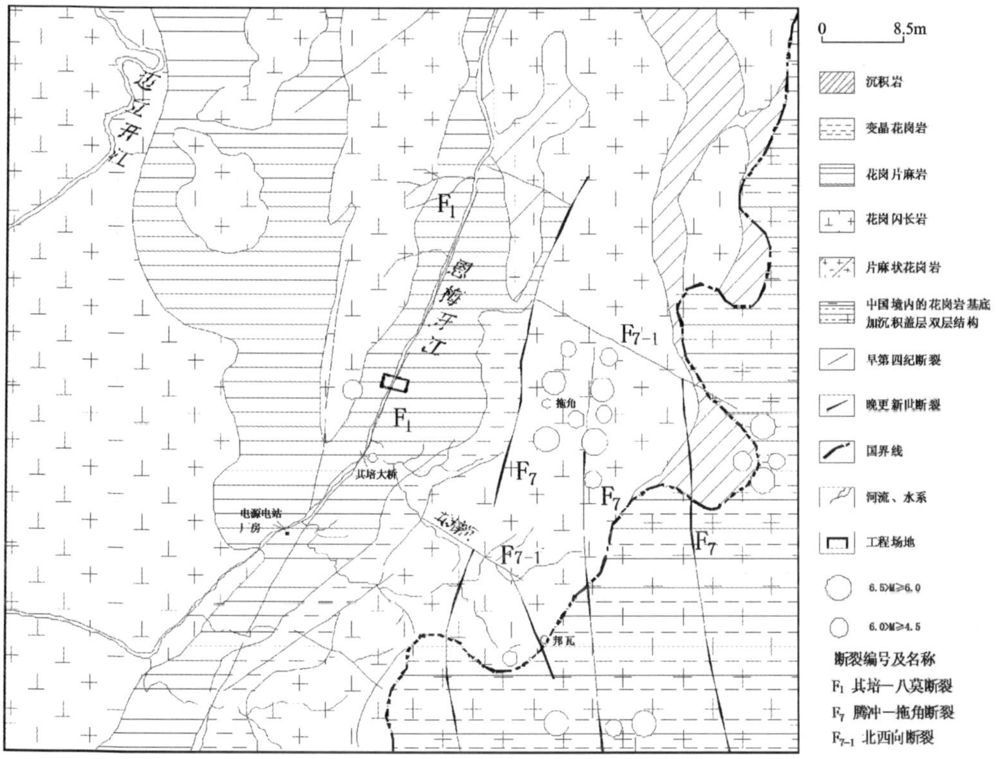

图 3　近场区地震构造图

本文所研究的坝区河谷应力场具有一般河谷谷坡应力场的分带规律,且地应力场中最大水平主应力方向与河流走向基本一致(即最小水平主应力与河谷几近垂直),从卸荷角度而言,不大利于河谷应力场的应力卸荷,换言之,利于地下洞室的围岩稳定。河床岩体发育顺河向构造及中缓倾结构面对大坝抗滑稳定不利。顺河向(近南北向)构造面可构成侧向切割面,中缓倾角结构面可形成滑移变形面,对坝基抗滑稳定不利,对坝基防渗具有影响。顺河向(近南北向)构造本身易形成库水渗漏通道,加之沿其风化深度会较其他部位加剧,形成囊状风化,导致顺河向构造带部位渗透性增大,深度也增加。构造破碎带、中缓倾角结构面对地下洞室围岩稳定性会产生不利。构造破碎带发育地段,围岩稳定性差;在不利结构面组合切割形成的不稳定块体中,中缓倾角结构面常为滑动面,由此易产生塌方。

工程区所处区域属于相对较稳定地段,F_4 断层最新活动发生在中更新世早期,坝址周围 8km 范围内无活动断裂,整个工程区应力场利于该区稳定,但在进行科学合理的设计和施工时,还必须综合考虑坝区顺河向构造、结构面及构造破碎带等不利地质因素。

5　结论

通过对坝址区左右两岸现场的地应力测试，并结合工程区区域地质，从地质角度和力学角度综合分析和解释了现场测试规律，并对坝址区稳定进行了初步评价，可得出以下结论。

(1)坝址区在测试范围内的地应力场量值上属于中低应力水平，且左岸水平较右岸低，受其发育断层及卸荷裂隙影响。

(2)坝址区地应力场的最大水平主应力方向为NNE—NE向，主要受NS走向区域构造和区内发育的北北东向断裂F_4控制，与近场区内的震源机制解相符。

(3)左右两岸河谷应力场具有分带规律，右岸较左岸明显。右岸在高程220m左右出现明显分界，地下厂房布置于右岸220m以下高程，较利于地下洞室围岩稳定。

(4)工程区处于相对较稳定地段，在进行科学合理的设计和施工时，必须综合考虑整个区域应力场的有利因素和天然赋存的不利地质条件。

工程设计中同时出现应力场有利和地质条件不利的2个因素，在进行坝区安全系数选取时，如何考虑两者的权重，这是个值得探讨的问题，限于篇幅，在此仅提出此问题作为探讨。

参考文献

A.Г.瓦西列夫斯基.世界各国水电工程发展的经验[J].水利水电快报，2004，25(5)：29-33.

马文亮，边慧霞，刘东常.中国水电工程的发展与展望[J].西北水力发电，2006，22(5)：97-99.

郑治.中国水电之最[J].贵州水力发电，2007，21(5)：1-5.

郭启良.重大工程建设中的地应力测量及其在设计中的应用[J].震灾防御技术，2006，1(2)：105-112.

中水顾问集团成都勘测设计研究院.工程岩体试验方法标准：GB/T 50266—2013[S].北京：中国计划出版社，2013.

刘允芳.地应力测量方法和工程应用[M].武汉：湖北科学技术出版社，2014.

王晓春，聂德新，冯庆祖."V"形河谷地应力研究[J].工程地质学报，2002，10(2)：146-151.

田玉中，李攀峰.两种典型河谷应力场应力分布特征对比分析[J].地质灾害与环境保护，2002，13(3)：60-63.

黄润秋.中国西南岩石高边坡的主要特征及其演化[J].地球科学进展，2005，20(3)：292-297.

枢纽工程地质

旭龙水电站拱坝抗滑稳定地质边界条件分析与研究

谭朝爽

长江勘测规划设计研究院有限公司，湖北 武汉 430074

摘　要：拱坝抗滑稳定是关键地质问题，在大坝前期勘察过程中，需要对拱座抗力体范围岩体存在的结构面调查清楚，从而为坝基抗滑稳定提供清晰的地质边界条件，为工程的顺利开展提供可靠的地质依据。本文以旭龙水电站为例，对大坝抗滑稳定问题的地质边界条件进行分析及研究。旭龙水电站拟建坝型为混凝土双曲拱坝，建基岩体主要为花岗岩夹混合岩，以块状结构岩体为主，岩体中断层、裂隙较发育，可能会对坝基抗滑稳定存在影响，因此，本文通过对拱座抗力体范围内岩体结构面进行分析，从而确定坝基抗滑稳定的边界条件，为设计计算提供详实的地质依据。

关键词：坝基岩体质量　地质边界　坝基抗滑稳定

1 概述

旭龙水电站位于金沙江上游，拟定坝型为混凝土双曲拱坝，正常蓄水位 2302m，坝顶高程 2308m，最大坝高 213m，坝顶上游面弧长 456.4m，弧高比 2.143，拱冠处坝底厚度 42m，厚高比 0.197。建坝岩体以花岗岩为主、间夹混合岩，块状结构。岩体中断层、裂隙较发育，大坝关键工程地质问题为坝基抗滑稳定问题。通过对坝基岩体中存在的断层、裂隙进行统计、梳理和分析，从而确定拱坝抗滑稳定的地质边界条件。

2 建坝岩体地质条件

坝址区河谷为深切的峡谷地形，横断面为典型的"V"形谷，河谷两岸地形对称性较好，两侧为高耸的走向与金沙江流向基本一致的多级山脊，坝址区河谷宽高比 1.82。

坝址区及其附近出露的基岩从老至新有中元古界雄松群三段（Pt_2X^3）斜长角闪（片）岩和混合岩、印支期侵入的花岗岩（γ_5^1），其中花岗岩及混合岩为大坝建基岩体。

左岸建基岩体主要为花岗岩（γ_5^1），以 $Ⅱ_A$ 类为主，约占 90.8%；高程 2245m 以上拱端下游段有部分弱卸荷花岗岩（γ_5^1），为 $Ⅲ_{1A}$ 类岩体，面积约占 1.8%；高程 2235～2270m 分布有未卸荷斜长角闪片岩条带，属 $Ⅲ_{2A}$ 类，面积约占 7.4%，不适宜直接作大坝建基岩体，须采取工程处理措施后利用。河床建基岩体主要为未卸荷花岗岩（γ_5^1），少量混合岩，以 $Ⅱ_A$ 类岩体为主，局部裂隙较发育部位，岩体完整性较差，可进行局部加固处理后作为大坝建基岩体。右岸建基岩体主要为未卸荷花岗岩（γ_5^1）夹混合岩，以 $Ⅱ_A$ 类为主，

作者简介

谭朝爽，（1977—），男，高级工程师，主要从事水电工程勘察工作. E-mail：79984593@qq.com

面积约占 98.8%；高程 2240m 以上拱端下游段主要为弱卸荷花岗岩(γ_5^1)，为$Ⅲ_{1A}$类岩体，面积约占 1.2%，断层带及两侧影响带岩体完整性较差，工程加固处理后可作为大坝建基岩体(图 1)。

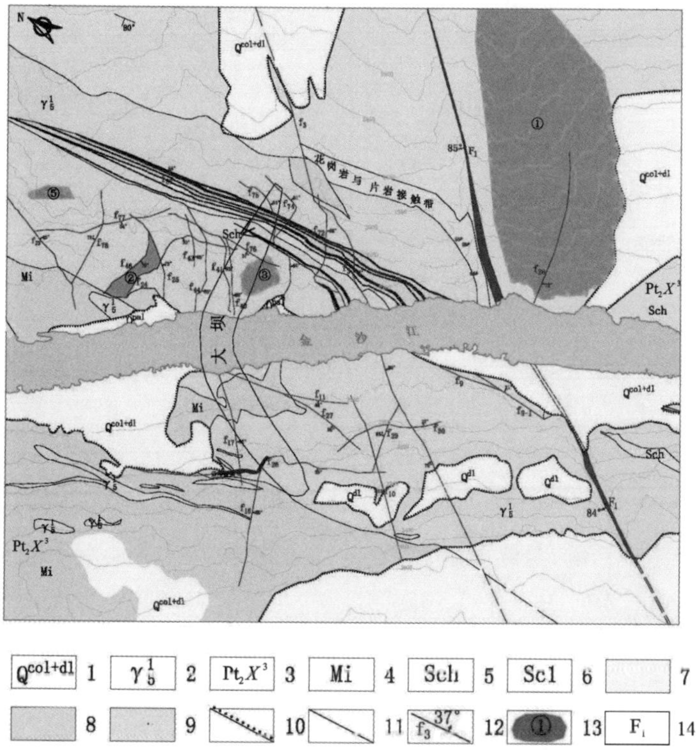

图 1 坝址区工程地质简图

1.崩坡堆积物；2.印支期花岗岩侵入体；3.雄松群第三段；4.混合岩；5.斜长角闪片岩；6.混合岩条带；7.崩坡积物；8.花岗岩；9.斜长角闪片岩；10.第四系与基岩分界

线；11.岩性分界线；12.断层及编号；13.危岩体及编号；14.区域性断裂

3 拱坝抗滑稳定地质边界条件分析

3.1 左岸抗滑稳定地质边界条件分析

(1) 地形影响分析。坝址区左岸岸坡较顺直，地形较完整，仅在拱座下游顺 f_{75} 断层发育一冲沟，在 2390m 高程以上断层上盘岩体崩塌，沿 f_{75} 断层形成一冲沟，该冲沟不在拱座抗力体范围。因此，地形条件对大坝抗滑稳定无影响。

(2)花岗岩/片岩接触带对拱坝抗滑稳定影响分析。花岗岩与斜长角闪片岩顶部接触部位的片岩接触带斜切岸坡，与岸坡夹角 32°，厚 15～30m，片理较发育，剖面呈上宽下窄状，其中发育 2～3 层连续性差的层间剪切带。片理产状 250°～270°∠60°～80°。与拱端切向夹角约 80°，与拱端距离 30～260m。花岗岩/斜长角闪(片)岩接触带在空间分布与拱坝关系见图 2。综上所述，斜长角闪片岩/花岗岩接触带性状较差，可能构成拱座抗力体的侧滑面。

(3) 断层对拱坝抗滑稳定影响分析。左岸拱座抗力体部位主要分布的断层有 f_3、f_{40}、f_{41}、f_{42}、f_{43}、f_{44}、f_{45}、f_{57}、f_{70}、f_{72}、f_{74}、f_{75}、f_{76} 13 条主要地表断层。对这 13 条断层逐条梳理并进行分析，其中 f_{40}、f_{41}、f_{42}、f_{43}、f_{44}、f_{45} 断层属横河向断层，且均置于拱端开挖范围，对拱座抗滑稳定不存在影响，f_{70}、f_{72}、f_{74} 断层切割深

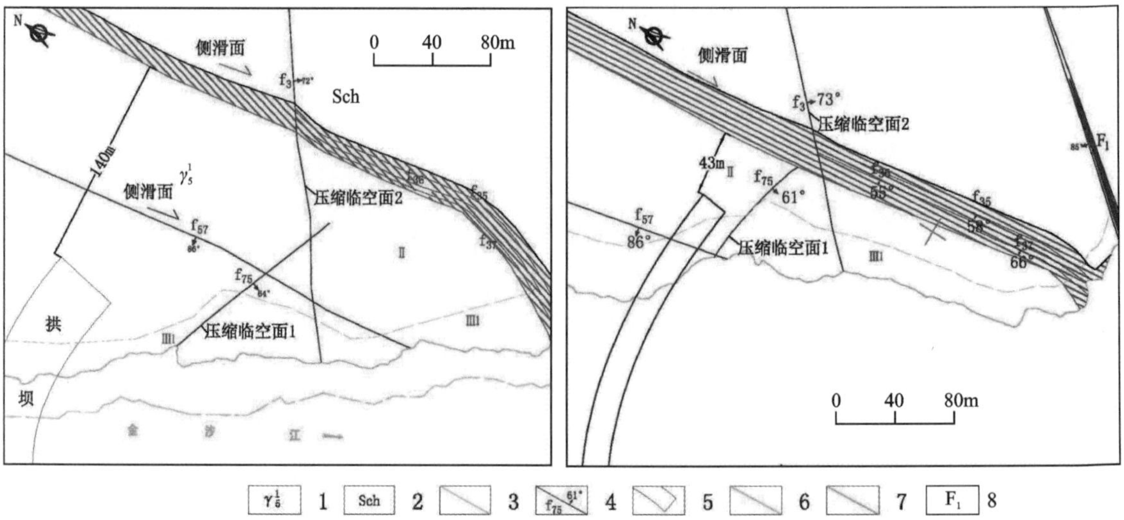

图 2　左岸 2195m 高程和左岸 2290m 高程平切示意图

1. 花岗岩；2. 斜长角闪片岩；3. 卸荷线；4. 断层及编号；5. 大坝拱圈；6. 水边线；7. 地形线；8. 区域性断裂

度较浅，亦对拱座抗滑稳定无影响，最终确定 f_3、f_{57}、f_{75} 三条断层对拱座抗滑稳定存在影响。

f_3 断层距离拱端约 40m，走向 33°～50°，属陡倾断层，与岸坡走向基本正交，断层带宽 10～30cm，充填碎粉岩，属张性断层，可能会形成拱座下游压缩性临空面。

f_{57} 断层位于拱端附近，断层走向与岸坡走向夹角 40°，断层端点地表起自拱端上游 2450m 高程处，在拱端下游 270m 处插入金沙江，断层倾角 86°，断层带内充填碎裂岩及碎粉岩，可能构成拱座抗力体的侧滑面(图 3)。

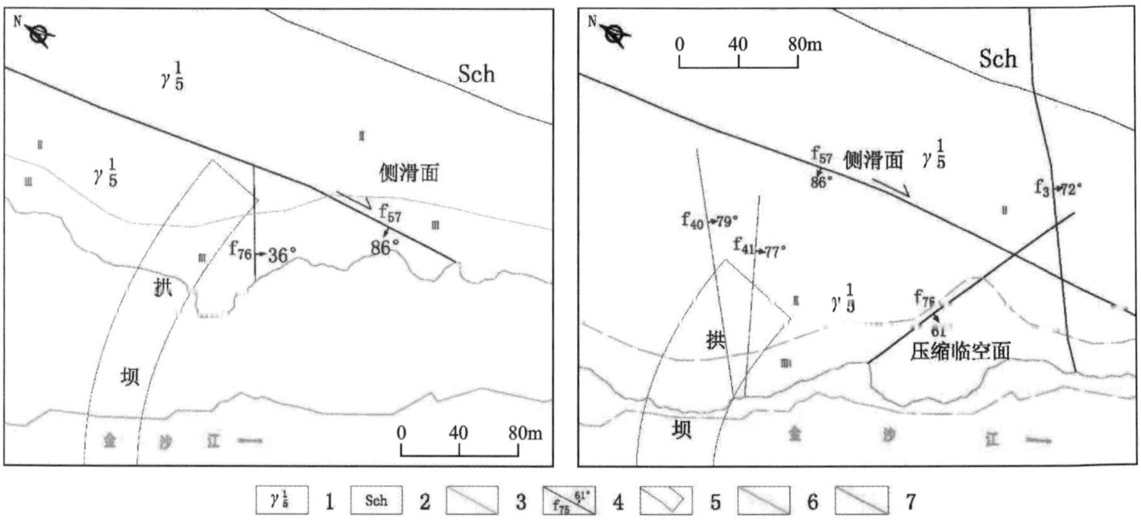

图 3　左岸 2245 高程和左岸 2170m 高程平切示意图

1. 花岗岩；2. 斜长角闪片岩；3. 弱卸荷线；4. 断层及编号；5. 大坝拱圈；6. 水边线；7. 地形线

f_{75} 断层走向与金沙江斜交，为高倾角张性断层，该断层位于拱端下游，断层带宽 30～60cm，充填碎裂岩，沿断面见 3～5mm 断层泥。因此，易构成拱座抗力体压缩性临空面。

(4) 缓倾角裂隙对抗滑稳定影响分析。根据拱座抗力体部位平硐内裂隙统计分析，缓倾角结构面主要以倾向 220°～240°为主，走向与金沙江流向近于平行，受岸剪卸荷作用较明显。缓倾角裂隙和岩桥组合可能会构成底滑面，对坝址区左岸拱座抗力体范围平硐内缓倾角裂隙分高程进行统计，统计结果见

表 1。

对坝址左岸拱座抗力体附近钻孔缓倾角裂隙进行统计分析，对统计结果综合分析并概化，左岸拱座抗力体范围内缓倾角结构面主要分布在 2120m、2190m、2220m、2290m 高程（表 2）。

表 1　左岸拱端抗力体范围平硐内缓倾角裂隙连通率统计成果表

统计部位					连通率/%		
岸别	高程/m	平硐编号	顺河向到拱端距离/m	洞长/m	左壁	右壁	平均值
左岸	2300	XPD15（横河向）	1.3	101.0	19.6	18.5	19.1
	2267	XPD17（横河向）	7.0	98.0	19.0	21.5	20.3
		XPD17-1（顺河向）	—	48.0	0	0	0
	2233	XPD19（横河向）	26.2	132.0	10.1	17.8	14.0
		XPD19-2（横河向）	51.2	26.0	0	0	0
		XPD19-3（横河向）	53.3	23.8	8.4	12.2	10.3
		XPD19-4（顺河向）	—	115.5	10.9	6.7	8.8
		XPD19-5（横河向）	4.5	25.0	14.4	3.5	4.1
	2187	XPD11（横河向）	19.2	130.5	25.5	17.5	21.5
		XPD11-2（顺河向）	—	128.0	5.2	8.6	6.9
		XPD11-3（横河向）	0.0	28.0	40.4	30.8	35.6

表 2　左岸拱座抗力体缓倾角结构面统计表

钻孔部位孔口高程/m		钻孔编号	缓倾角裂隙竖直线密度/（m·条$^{-1}$）			集中发育高程/m	代表性产状/（°）	
			一般值	较大值	平均值		①	②
左岸	2 238.25	XZK25	1.1～1.3	1.4	1.2	2 218.6～2 225.1	115∠15	340∠23
			1.1～1.4	8	4.2	2 188.3～2 202.2	190∠20	—
			1.2～2.5	4.1	2.1	2 124.4～2 141.1	219∠10	340∠16
			1.5～1.8	3.5	1.6	2 102.5～2 110.4	133∠24	35∠23
	2 299.56	XZK31	3.2～5.4	9.0	4.3	2 280.0～2 297.5	51∠15	—
	2 188.89	XZK45	0.5	0.5	0.5	2 117.7～2 117.0	97∠26	—
			—	—	—	2 094.9～2 092.8	发育一组近水平裂隙	
	2 269.216	XZK46	—	—	—	2 189.5～2 189.0	185∠27	—

根据岸坡地形、地层岩性、花岗岩/片岩接触带、断层、裂隙 5 个方面对拱座滑动边界进行分析，左岸拱座抗力体不存在定位块体，不存在贯通性底滑面。可能构成拱座抗力体滑动边界有：①左岸 f_{57} 断层可能构成拱座抗力体侧滑面；②左岸花岗岩/片岩接触带可能构成侧滑面；③左岸 f_{75}、f_3 断层可能构成拱座抗力体下游压缩性临空面；④缓倾角裂隙可能构成拱座抗力体底滑面；⑤自然岸坡可构成拱座抗力体地形临空面。以 f_{57} 断层、花岗岩/片岩接触带为侧滑面；以 f_{75}、f_3 断层、自然岸坡为临空面；以缓倾角裂隙为底滑面；据此进行组合，左岸块体共有 5 大类，17 亚类（表 3）。

表3　左岸拱座滑动模式边界条件一览表

模式编号	边界条件				次级块体及编号	结构面参数选取	三维模型
	侧滑面	临空面	底滑面(缓倾角裂隙)				
			高程/m	连通率/%			
L1	片岩/花岗岩接触带	自然边坡	2290	10.2	L1-3	花岗岩/片岩接触带抗剪断参数：$f'=0.38$，$c'=0.1$；缓倾角裂隙抗剪断参数：$f'=0.55\sim0.70$，$c'=0.10\sim0.2$	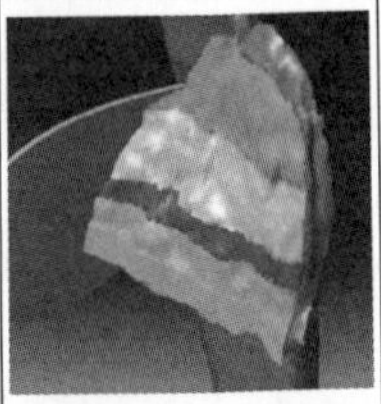
			2220	7.4	L1-2		
			2190	21.3	L1-1		
			2120	20.0	L1		
L2	片岩/花岗岩接触带	f_3断层	2290	10.2	L2-3	花岗岩/片岩接触带抗剪断参数：$f'=0.38$，$c'=0.1$；缓倾角裂隙抗剪断参数：$f'=0.55\sim0.70$，$c'=0.10\sim0.2$	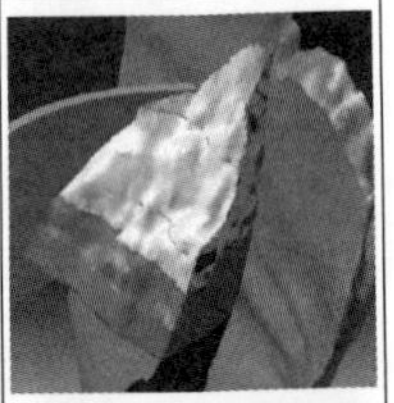
			2220	7.4	L2-2		
			2190	21.3	L2-1		
			2120	20.0	L2		
L3	f_{57}断层	自然边坡	2220	7.4	L3-2	f_{57}断层抗剪断参数：$f'=0.35\sim0.45$，$c'=0.02\sim0.05$；缓倾角裂隙抗剪断参数：$f'=0.55\sim0.70$，$c'=0.10\sim0.2$	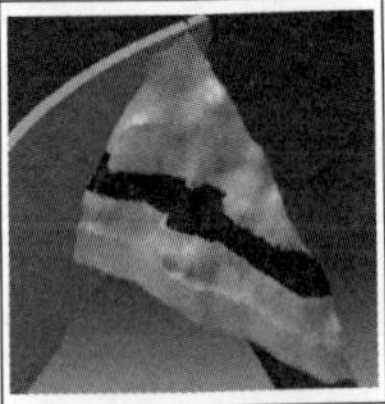
			2190	21.3	L3-1		
			2120	20.0	L3		
L4	f_{57}断层	f_3断层	2220	7.4	L4-2	f_{57}断层抗剪断参数：$f'=0.35\sim0.45$，$c'=0.02\sim0.05$；缓倾角裂隙抗剪断参数：$f'=0.55\sim0.70$，$c'=0.10\sim0.2$	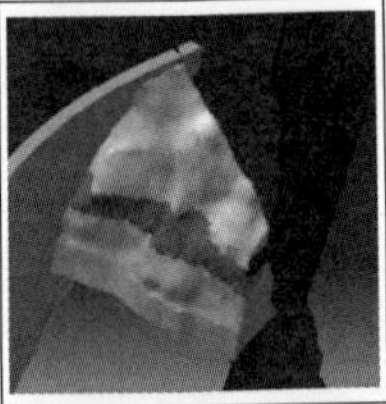
			2190	21.3	L4-1		
			2120	20.0	L4		
L5	f_{57}断层	f_{75}断层	2220	7.4	L5-2	f_{57}、f_{75}断层抗剪断参数：$f'=0.35\sim0.45$，$c'=0.02\sim0.05$；缓倾角裂隙抗剪断参数：$f'=0.55\sim0.70$，$c'=0.10\sim0.2$	
			2190	21.3	L5-1		
			2120	20.0	L5		

3.2　右岸抗滑稳定地质边界条件分析

(1)地形影响分析。坝址区右岸岸坡顺直，地形较完整，未见较大冲沟及地形缺失，因此，右岸地形对大坝抗滑稳定无影响。

(2)断层对拱坝抗滑稳定影响分析。f_3为陡倾角张性断层，断层带宽20～30cm，为岩块岩屑型结构面，走向与金沙江呈大角度斜交，斜穿右岸山体，不构成侧滑面；f_{10}属张性断层，属岩屑夹泥型，且距离拱端较近，可构成拱座抗力体下游压缩性临空面。

右岸拱座抗力体范围地表揭露中倾角断层为f_{11}和f_{26}，该断层属刚性胶结型结构面。倾向右岸山体偏上游，在一定高程范围可与顺河向长大结构面组合切割，构成拱座抗力体侧滑面，各断层与拱圈位置关系见图4。f_{11}断层倾向275°，倾角36°，断层带宽10～30cm，断面平直，构造岩为灰黄色碎裂岩，胶结一般，局部风化加剧呈蜂窝状；f_{26}断层倾向240°～270°，倾角36°，断层带宽20～30cm，断面平直，断面平直稍粗，断层内充填长英质角砾，胶结一般。断层下盘局部形成宽约10m的云母富集区，性状差，云母富集带主要分布于拱端上游。

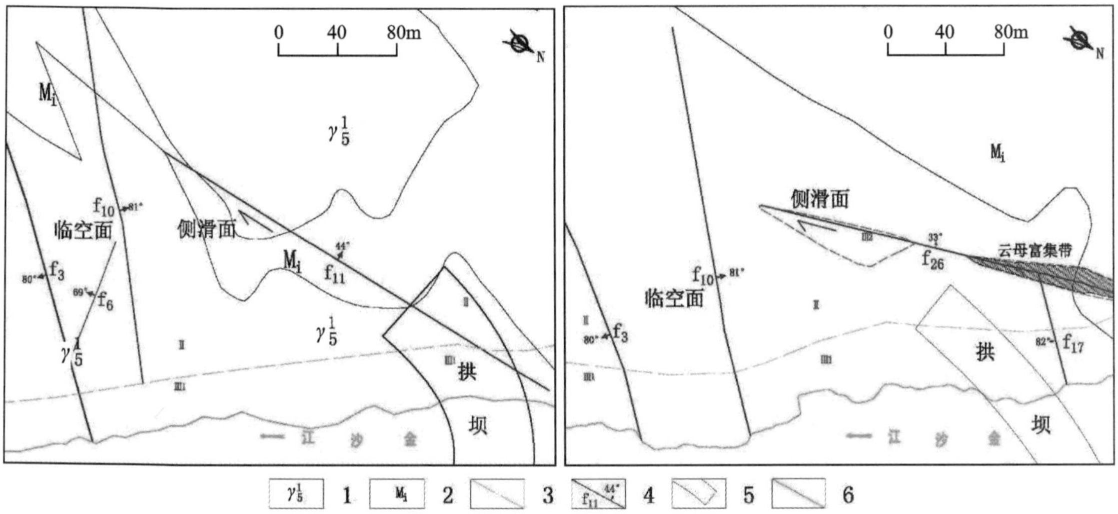

图 4 右岸 2245m 高程和右岸 2270m 高程平切示意图

1. 花岗岩；2. 混合岩；3. 卸荷线；4. 断层及编号；5. 大坝拱圈；6. 地形线

(3) 缓倾角裂隙对抗滑稳定影响分析。对坝址区右岸拱座抗力体附近钻孔缓倾角裂隙进行统计，统计结果见表 4。

表 4 旭龙水电站右岸拱座抗力体缓倾角结构面统计表

钻孔部位	高程/m	钻孔编号	缓倾角裂隙竖直线密度/(m·条$^{-1}$)			集中发育高程/m	代表性产状/(°)	
			一般值	较大值	平均值		①	②
右岸	2 220.27	XZK36	0.3	0.3	0.3	2 209.7～2 210.2	69∠20	—
			0.5～3	3	1.4	2 177.9～2 180.8	311∠18	—
			0.3～1	4	1.2	2 098.5～2 144.9	42∠19	139∠16
	2 259.72	XZK37	0.2～0.8	1	0.5	2 251.3～2 246.8	36∠24	—
			0.6～2.5	6	1.7	2 241.9～2 226.4	52∠29	98∠25
			4.1	4.1	4.1	2 209.6～2 205.5	51∠26	—
			7.9	7.9	7.9	2 129.0～2 121.1	183∠29	—
	2 181.94	XZK43	—	—	—	2 158.3	45∠17	—
			—	—	—	2 119.7	82∠29	—
	2 244.84	XZK44	—	—	—	2 154.5	近水平状	—
	2 344.66	XZK51	0.6	0.6	0.6	2 293.2～2 293.8	315∠21	—
			0.05	0.05	0.05	2 259.3～2 259.5	311∠27	—

由表 4 可以看出，右岸拱座抗力体范围缓倾角结构面主要分布在 2120m、2160m、2210m、2245m 高程。对坝址区右岸拱端附近各高程平硐缓倾角裂隙连通率进行统计，右岸缓倾角裂隙连通率统计成果见表 5。

表5 右岸拱端抗力体范围内平硐缓倾角裂隙连通率统计成果表

统计部位					连通率/%		
岸别	高程/m	平硐编号	顺河向到拱端距离/m	洞长/m	左壁	右壁	平均值
右岸	2256	XPD16(横河向)	16.1	101.5	0	2.2	1.1
		XPD16-2(顺河向)	—	64	12.4	20	16.2
		XPD16-3(横河向)	0.0	25.5	12.1	14.1	13.1
	2218	XPD20(横河向)	24.8	130	17.3	24.8	21.1
		XPD20-2(横河向)	0.0	26.5	24.9	25.2	25.1
	2180	XPD08-1(顺河向)	—	30	6	5	5.5
		XPD12(横河向)	22.4	115	7.6	4.8	6.2

根据地形、地层岩性、断层、裂隙4方面对拱座滑动边界进行分析，右岸拱座抗力体不存在定位块体，不存在贯通性底滑面。可能构成拱座抗力体滑动边界的有：①右岸f_{11}、f_{26}断层可能构成拱座抗力体侧滑面；②右岸f_{10}断层可能构成拱座抗力体压缩性临空面；③缓倾角裂隙可能构成拱座抗力体底滑面；以f_{11}、f_{26}断层为侧滑面；以f_{10}断层为压缩性临空面；以缓倾角裂隙为底滑面；据此进行组合，右岸块体共有2大类，6亚类，详见表6。

表6 右岸拱座滑动模式边界条件一览表

模式编号	边界条件				次级块体及编号	结构面参数选取	三维模型
	侧滑面	临空面	底滑面(缓倾角裂隙)				
			高程/m	连通率/%			
R1	f_{11}断层	f_{10}断层	2160	12.6	R1-1	f_{11}断层抗剪断参数：f'=0.70～0.80，c'=0.15～0.20；f_{10}断层抗剪断参数：f'=0.35～0.45，c'=0.02～0.05；缓倾角裂隙抗剪断参数：f'=0.55～0.70，c'=0.10～0.2	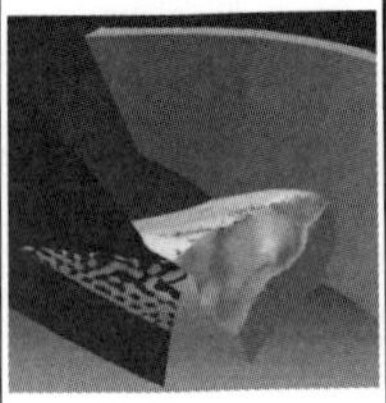
			2120	20.5	R1		
R2	f_{26}断层	f_{10}断层	2245	15.1	R2－3	f_{26}断层抗剪断参数：f'=0.70～0.80，c'=0.15～0.20；f_{10}断层抗剪断参数：f'=0.35～0.45，c'=0.02～0.05；缓倾角裂隙抗剪断参数：f'=0.55～0.70，c'=0.10～0.2	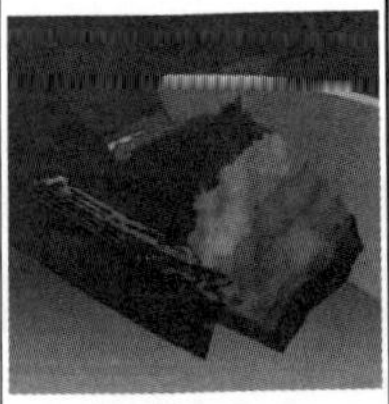
			2210	26.1	R2－2		
			2160	12.6	R2－1		
			2120	20.5	R2		

4 稳定性计算分析

(1)左岸抗滑稳定计算。取正常蓄水位温升/温降、设计洪水位温升，校核洪水位温升为代表工况。根据可能滑动体及边界的有关材料参数、所受荷载作用以及作用效应组合状况，按刚体极限平衡法计算拱座抗滑稳定结果见表7。

表 7　拱座抗滑稳定计算结果

主要块体	块体编号	工况(作用效应、结构抗力已各自计入分项系数,单位:10^9 N)											
		正常蓄水位+温升			正常蓄水位+温降			设计洪水位+温升			校核洪水位+温升		
		作用效应	结构抗力	比值	作用效应	结构抗力	比值	作用效应	结构抗力	比值	作用效应	结构抗力	比值
L1	L1	41.5	82.7	1.99	41.7	82.7	1.98	41.5	82.7	1.99	35.5	82.8	2.33
	L1-1	12.3	42.9	3.47	12.5	42.9	3.45	12.4	42.9	3.46	10.7	42.9	4.01
	L1-2	5.5	29.7	5.41	5.6	29.8	5.32	5.5	29.7	5.38	4.8	29.8	6.19
	L1-3	0.1	10.5	超稳	0.1	10.5	超稳	0.1	10.5	超稳	0.1	10.5	超稳
L2	L2	42.9	51.7	1.21	43.0	51.8	1.20	42.8	51.8	1.21	36.7	51.9	1.41
	L2-1	13.2	23.6	1.79	13.3	23.7	1.78	13.3	23.6	1.78	11.5	23.7	2.06
	L2-2	6.1	15.4	2.53	6.2	15.5	2.50	6.1	15.4	2.52	5.4	15.5	2.89
	L2-3	0.2	3.9	超稳	0.2	3.9	超稳	0.2	3.9	超稳	0.2	3.9	超稳
L3	L3	27.4	31.3	1.14	27.5	31.3	1.14	27.3	31.3	1.15	23.5	31.4	1.34
	L3-1	7.1	10.8	1.52	7.2	10.9	1.52	7.1	10.8	1.52	6.2	10.9	1.75
	L3-2	2.6	5.4	2.09	2.6	5.5	2.07	2.6	5.4	2.07	2.3	5.4	2.35
L4	L4	27.7	29.3	1.06	27.8	29.4	1.06	27.6	29.3	1.06	23.8	29.4	1.24
	L4-1	7.3	10.4	1.42	7.4	10.5	1.42	7.3	10.4	1.42	6.4	10.4	1.63
	L4-2	2.7	5.4	2.02	2.7	5.5	2.00	2.7	5.4	2.00	2.4	5.5	2.27
L5	L5	27.7	24.0	0.87	27.8	24.1	0.86	27.6	24.0	0.87	23.8	24.1	1.01
	L5-1	7.3	7.6	1.04	7.4	7.7	1.04	7.3	7.6	1.04	6.4	7.7	1.20
	L5-2	2.7	3.5	1.30	2.8	3.6	1.30	2.7	3.5	1.30	2.4	3.6	1.48

由表 7 可以看出,除 L5 块体外,各块体抗滑稳定均满足规范要求。L5 块体结构抗力与作用效应比值为 0.87,将其侧滑面 f_{57} 断层采用抗剪洞混凝土置换后,抗滑稳定性可满足要求。

(2)右岸拱端抗滑稳定计算。由于旭龙水库正常蓄水位、死水位、设计洪水位、校核洪水位相差不大,各工况下计算结果相近,取正常蓄水位温升/温降、设计洪水位温升,校核洪水问温升为代表工况。根据可能滑动体及边界的有关材料参数、所受荷载作用以及作用效应组合状况,按刚体极限平衡法计算拱座抗滑稳定结果见表 8。由表 8 中计算结果得出,各代表工况下,拱座块体抗滑稳定性均满足规范要求,块体安全裕度较高。

表 8　拱座抗滑稳定计算成果表

主要块体	块体编号	工况(作用效应、结构抗力已各自计入分项系数,单位:10^9 N)											
		正常蓄水位+温升			正常蓄水位+温降			设计洪水位+温升			校核洪水位+温升		
		作用效应	结构抗力	比值	作用效应	结构抗力	比值	作用效应	结构抗力	比值	作用效应	结构抗力	比值
R1	R1	8.8	12.0	1.37	8.8	12.0	1.36	8.7	12.0	1.38	7.5	12.0	1.61
	R1-1	0.4	1.8	4.51	0.4	1.8	4.51	0.4	1.8	4.51	0.3	1.8	5.31
R2	R2	36.7	42.5	1.16	36.8	42.6	1.16	36.6	42.5	1.16	31.6	42.6	1.35
	R2-1	20.8	29.1	1.40	20.8	29.2	1.40	20.8	29.1	1.40	18.1	29.1	1.61
	R2-2	6.2	10.9	1.75	6.2	11.0	1.76	6.3	10.9	1.75	5.5	11.0	1.99
	R2-3	1.1	3.9	3.61	1.1	3.9	3.70	1.1	3.9	3.59	1.0	3.9	4.06

5 结语

通过对坝址区两岸地形、构造等地质条件进行分析，旭龙水电站混凝土双曲拱坝两岸拱端抗滑稳定地质边界条件清晰。其中左岸 f_{57}、花岗岩/片岩接触带为侧滑边界条件，f_3、f_{75} 为下游临空边界，底滑边界条件根据钻孔及平硐揭示缓倾角裂隙概化形成；右岸以 f_{11}、f_{26} 为侧滑边界，f_{10} 断层下游形成临空边界，底滑边界根据缓倾角裂隙概化形成。通过计算，仅左岸 L5 号块体存在安全裕度不足问题，通过设置混凝土抗剪硐置换及传立柱方案得以解决该块体稳定问题。

参考文献

长江勘测规划设计研究有限公司，金沙江上游旭龙水电站可行性研究报告[R]. 武汉：长江勘测规划设计研究有限公司，2020.

澳门某工程落底式截水帷幕条件下的基坑涌水量预测

陈杰 曾伟国

中水珠江规划勘测设计有限公司，广东 广州 510610

摘 要：由于现行相关规范对在截水帷幕条件下基坑涌水量预测尚无统一的计算方法，使得落底式截水帷幕条件下基坑涌水量的计算成为一个有待解决的技术难题。为了客观准确地计算落底式截水帷幕条件下的基坑涌水量，本文以澳门某水闸基坑工程为例，针对落底式截水帷幕渗漏的不确定性，建立承压含水层中落底式基坑非完整井降水水文地质模型，基于达西渗流理论，结合动态平衡原理，推导基坑内外涌水量的计算公式，采用该计算公式对其基坑涌水量进行计算并评价截水帷幕的隔渗效果，该水文地质模型贴合工程实际情况，计算结果较为客观准确。研究结果可应用于指导工程设计，具有一定的实际应用价值，可为同类基坑工程涌水量计算提供参考。

关键词：落底式截水帷幕 基坑涌水量 预测 动态平衡法 渗流

1 前言

随着我国大型水闸、航电枢纽等水利工程的建设，河谷深厚砂层地段的基坑开挖面临的涌水量预测和排水设计的问题凸显出来。河谷地段的基坑开挖，由于岩土含水层被切割，地下水与河水均会向基坑涌入，必然引发基坑涌水量大、排水困难等问题。为了减少基坑涌水量，工程中常常采用防渗墙、截渗帷幕等工程防渗截渗措施，在此情况下，正确地预测基坑涌水量，进而有效控制地表和地下水的涌入，是保证水利工程安全高效施工的需要，也是制定防排水设计和施工方案的重要依据。

基坑涌水量的计算方法很多，如大井法、解析法、数值法和目标函数法等。其中，大井法原理易懂，方法易行，而在基坑降水设计时被广泛使用，大井法将场地水文地质条件概化成均值、等厚的含水层，再利用裘布依井流推导出来的计算公式进行求解。但大井法普遍应用于均值含水层当中，未考虑截水帷幕的隔水作用。在珠三角地区，软土层之下普遍存在深厚承压含水层，因此悬挂式截水帷幕、落底式截水帷幕在珠三角基坑工程中得到了广泛的应用，截水帷幕虽无法完全隔断坑内外承压水力联系，但能大幅度减少基坑的涌水量，导致大井法计算结果偏大，因此在基坑周边有截水帷幕的条件下，如何以相对简便且客观准确的方法来计算基坑涌水量，从而确定符合工程实际需求的降水方案，一直是岩土工程界广泛关注的问题。

目前，现行规范对落底式截水帷幕减压条件下的基坑涌水量预测尚无统一的计算方法。本文以澳门某大型水闸一期基坑工程为例，旨在探讨落底式截水帷幕条件下的基坑涌水量计算方法，以确定经济合理的基坑降排水方案。

作者简介

陈杰(1980—)，男，高级工程师，主要从事地质勘察管理工作. E-mail:22513411@qq.com

2 研究区背景

2.1 工程概述

澳门挡潮闸工程位于湾仔水道出口，属于澳门内港海旁区防洪(潮)排涝总体方案的一部分。主要任务为挡潮、排涝、航运等综合利用。工程包括泄水孔、通航孔、排涝泵站、应急船闸、连接段及管理区等，本工程属于Ⅰ等工程。

本工程采用分两期导流施工，以一期基坑为例，一期围堰采用双排钢板桩围堰型式，即外围以钢板桩作为围护结构中间筑堤的方式作为挡水围堰，围堰内基坑长度约550m，基坑宽度约300m。长度约1280m，围堰顶宽约15m，顶高程约4.91m，基坑开挖高程约－15.0m，钢板桩底高程－25m，钢板桩以下采用摆喷防渗帷幕，最小厚度0.4m，围堰高7～10m，中间主航道范围围堰高约10m(图1)。

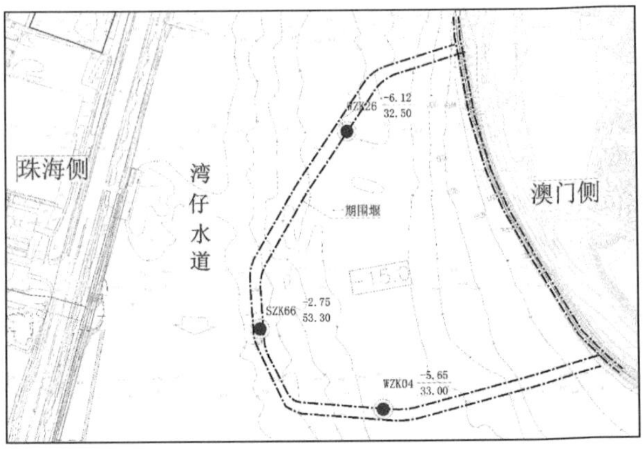

图1 一期围堰及基坑位置示意图

2.2 地层情况

围堰沿线覆盖层主要有：②-1淤泥层(厚度8.4～19.0m)，②-2夹砂淤泥、含贝壳淤泥质砂层(厚度5.1～6.5m)，③-1黏土—粉质黏土层(厚度5.0～7.4m)，③-2含泥粉细砂层(厚度1.2～3.6m)，③-3淤泥质土层(厚度2.0～6.7m)，③-4含泥中细砂(厚度1.3～7.5m)，③-5含砾粗砂(厚度2.2～5.8m)，④中粗砂—砾砂层组成(厚度3.1～24.0m)，⑤-1黏土—粉质黏土(厚度3.6～16.1m)，⑤-2含泥粉细砂(厚度1.6～2.1m)，⑤-3含泥中细砂(厚度2.4～5.1m)，⑤-4含砾粗砂(厚度7.6～12.4m)，⑥中粗砂—砾砂、角砾(厚度3.4～30.8m)，⑦花岗岩残积土(厚度2.0～16.2m)，下伏⑧-1全风化花岗岩(厚度3.4～12.0m)，⑧-2强风化花岗岩(厚度3.7～26.2m)。

2.3 工程区水文地质条件

闸址区地貌上属于海陆交互相冲洪积地貌，所揭露第四系地层为人工填土层，海陆交互相沉积层及冲积-洪积砂层，基岩为燕山三期花岗岩，根据钻探揭露情况，及现场水文地质试验分析，闸址区地下水可分为潜水和承压水，潜水主要分布在陆地填土区及河床表层，地下水埋深与涨落潮的河水位联系较密切。

根据闸址区土层的渗透性及含水特征可概化为8层。SW-1主要为人工填土；SW-2主要为灯笼沙组(三角洲相)的淤泥，夹砂淤泥或淤泥质砂；SW-3包括黏土、粉质黏土、含泥粉细砂；SW-4包括含泥中细砂、含砾粗砂及中粗砂—砾砂层；SW-5包括黏土、粉质黏土、含泥粉细砂；SW-6包括含泥中细砂、含砾粗砂；SW-7包括残坡积土、全风化花岗岩及强风化花岗岩；SW-8为弱风化花岗岩。以上土层从岩性及现场水文地质试验结果分析SW-1、SW-2、SW-3、SW-5 、SW-7及SW-8为相对隔水层，承压水主要分布在SW-4、SW-6的砂层含水层中。

工程勘察期间,勘察单位在河床部位分别针对 SW-4、SW-6 层承压水水位进行了连续观测(数据见图 2、图 3),根据观测数据,河床砂层承压水位基本随潮水位变化而变化。SW-4 层水位埋深一般 −2.0～−1.1m,高程一般 −1.36～−0.46m,以 SW-4 层顶板起算,承压水头 9.70～10.60m,该层承压水位与潮水位实时差值为 1.25～1.50m(承压水位低于潮水位)。SW-6 层水位地下水位埋深一般 −1.3～−0.2m,高程一般 −2.26～−1.16m,以 SW-6 层顶板起算,承压水头 17.00～18.10m,该层承压水位与潮水位差值为 2.00～3.00m(承压水位低于潮水位)。由此可见,上述两层地下水与河水位联系较密切,河水补给较充分。

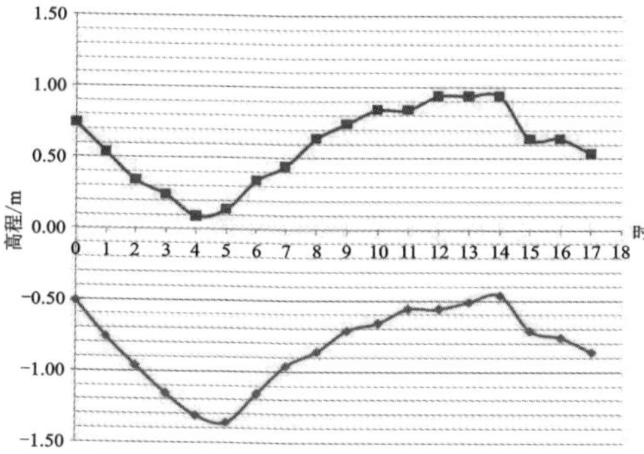

图 2　SW-4 层地下水位与河水位变化图

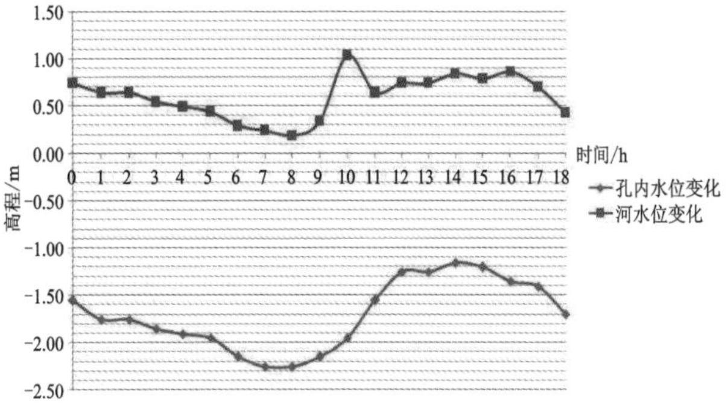

图 3　SW-6 层地下水位与河水位变化图

根据抽水及注水试验,工程各层渗透系数建议值见表 1。

表 1　各土层渗透系数及建议值汇总表

水文地质分层代号	岩土名称	渗透系数 K 建议值/(cm · s^{-1})
SW-1	人工填土	1.50E-03
SW-2	淤泥	1.00E-06
SW-3	黏土、粉质黏土	3.00E-05
SW-4	含泥中粗砂、砾砂	2.00E-02
SW-5	黏土、粉质黏土	3.00E-05
SW-6	含泥中粗砂、砾砂	2.00E-02
SW-7	花岗岩残积土	8.00E-05
SW-8	弱风化花岗岩	5.00E-04

3　基坑涌水量的预测

3.1　水文地质模型建立

由于本工程设计围堰使用双排钢板桩至高程 −25m,下采用高喷灌浆至残坡积层(基坑围堰及防渗措施见图 4),防渗帷幕渗透系数(K_f)不大于 1×10^{-5}cm/s,厚度不小于 0.4m。帷幕进入底部相对隔水层3m,由于落底式截水帷幕的存在,基坑渗流场的边界条件发生改变,实际降水运行过程中的渗流路径、基坑涌水量等均随之发生改变。

在落底式降水模式下,基坑外地下水须经过防渗帷幕渗流才能进入基坑降水范围(图4),根据达西定律,在坑内、外同样的水头差条件下,中间增加防渗帷幕就等于减低了原渗流介质的渗透性,从而减少了渗漏流量,意味着在落底式降水模式下,施工时抽出更少的水量就能达到基坑降水设计目标,而水量的减小意味着基坑内降水井负荷的降低和对坑外扰动的减小,对于基坑降水和沉降控制均有利。

经过对落底式降水影响机理的深入研究,从水源补给、汇水断面、各点势能及断面流网等方面分析,基于地下水渗流原理,将基坑落底式防渗结构的过渗流量与基坑降水抽水流量建立直接关系,推导出一种适用于工程实践中的在落底式防渗帷幕条件下的基坑涌水量计算方法。

帷幕需要建立一个水文地质渗流模型,以基坑上游围堰钻孔WZK26所处地层断面为例,基坑模型如图4所示。根据设计方案,防渗帷幕渗透系数(K_f)不大于1×10^{-5}cm/s,厚度不小于0.4m。本次计算取渗透系数最大值、厚度最小值。

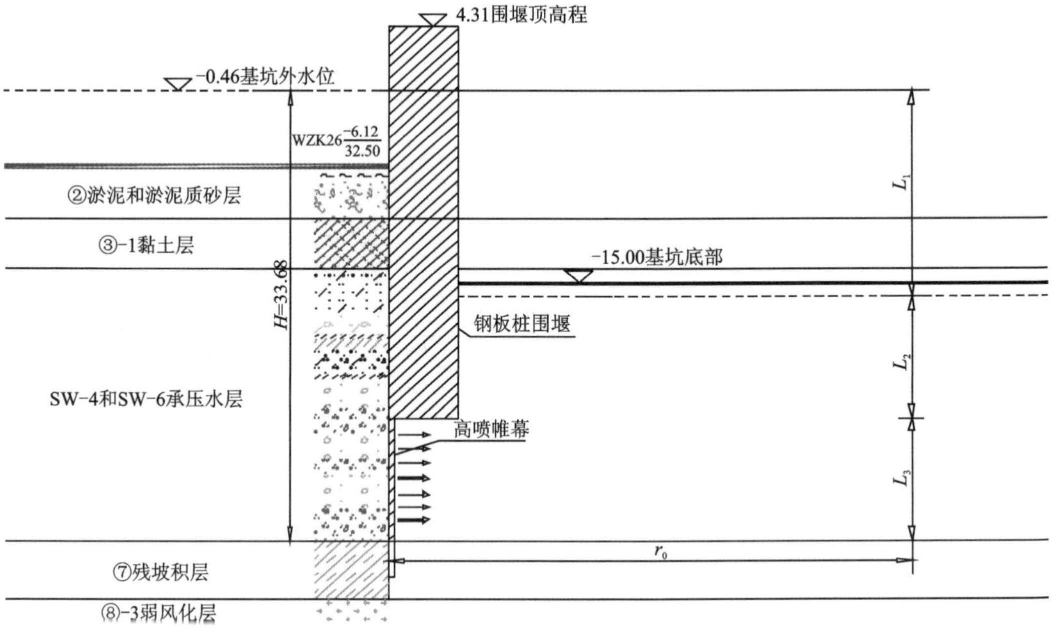

图4 围护条件下基坑模型(单位/m)

3.2 动态平衡法基坑涌水量计算

首先分析坑内流量,本基坑水文地质渗流模型及流网图如图5,工程区位于河道出海口,水域面积大,水量丰富,根据勘察期间对SW-4、SW-6两个承压水含水层水位的观测,其与地表河水位始终保持紧密的联系,证明两者水体有相通特性,基坑涌水来源能得到快速补充,基坑外水位应不受基坑内抽水影响,基坑内外水头差处于恒定状态,场地内落底式帷幕建立之后,由于上部双排钢板桩围堰基本位于相对隔水层,渗透性小,渗漏量对基坑涌水影响不大,下伏残坡积层到弱风化基岩基本可认为是隔水层,其渗漏量对基坑涌水影响亦不大,而中部摆喷帷幕由于工艺及成本考虑,厚度较薄(0.4m),存在一定的渗透性。因此,本基坑围护系统做好以后,在基坑内外水压力下,中部摆喷帷幕的渗漏为基坑涌水的基本来源,因此基坑内外流网图简化如图5所示。

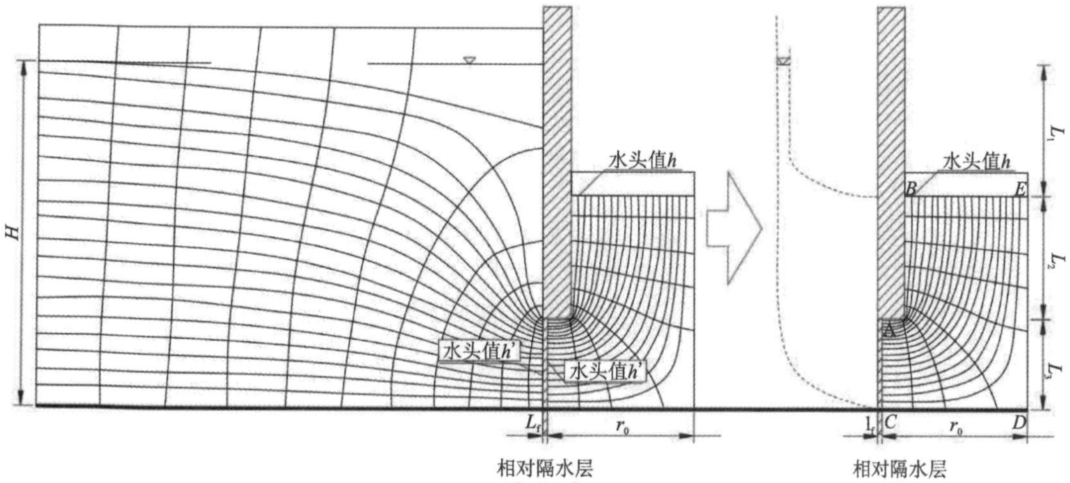

图 5 基坑水文地质渗流模型

假设基坑防渗帷幕内外地下水在水头差的作用下在防渗体及基坑内土体做一维流动，并且满足 Darcy 定律，其渗流公式如下：

$$Q=\frac{KA\ (h_0-h)}{L} \tag{1}$$

式中：Q 为渗漏流量（m^3/d）；K 为渗流介质渗透系数（m/d）；A 为渗漏截面积（m^2）；h_0 为基坑初始水头值（m），下伏相对隔水层顶部起算；h 为基坑内水位的水头值（m），下伏相对隔水层顶部起算；L 为渗径（m）。根据建立的渗漏模型断面，从防渗墙内侧往基坑底渗流的水流最短的渗流路径为沿防渗墙内侧渗流 A 至基坑底部 B，渗流长度 $L=L_2$；最长的渗流路径为 CDE，渗流长度 $L=r_0+L_2+L_3$，故可以推导出防渗墙内侧往基坑底渗流的水的平均渗流路径公式如下：

$$L=\frac{2L_2+L_3+r_0}{2} \tag{2}$$

式中：L_2 为防渗墙底部至基坑内水头面的高度（m）；L_3 为相对隔水层至防渗墙底部的高度（m）；r_0 为基坑等效半径（m），可按 $r_0=\sqrt{A_j/\pi}$，A_j 为基坑面积，根据一期围堰内基坑长度 $a=550$m，基坑宽度 $b=300$m，$r_0=229.17$m；渗流断面简化为渗流体积除以平均渗流路径，计算公式如下：

$$A=\frac{r_0(L_2+L_3)}{L} \tag{3}$$

由上述公式(1)—(3)可能推导出本工程基坑单位长度内防渗墙内侧往基坑底渗流的水流量计算公式如下：

$$Q_{坑内}=\frac{4k\,r_0(L_2+L_3)(h'-h)}{(2L_2+L_3+r_0)^2} \tag{4}$$

总的渗流量 $Q_{总}=Q_{坑内}\times L_W$（围堰长度）。

由公式(1)亦可以推导出通过防渗墙的流量计算公式如下：

$$Q_{防渗墙}=\frac{K_f\,L_3(h''-h')}{L_f} \tag{5}$$

式中：K_f 为防渗帷幕渗透系数（m/d）；h' 为防渗墙内侧水头值（m），下伏相对隔水层顶部起算；h'' 为防渗墙外侧水头值（m），下伏相对隔水层顶部起算，L_f 为渗径（m），即为防渗帷幕宽度，0.4m。

从水文地质渗流模型可知,基坑外地下水先通过防渗墙,再通过基坑内土体往上渗流至基坑底部,故 $Q_{坑内}=Q_{防渗墙}$,由公式(4)、(5)相等可以求出未知量 h',从而求出基坑总的渗流量,即基坑涌水量。

为了对基坑深度范围内的岩土层分布的不同情况进行综合考虑,本次选择围堰上游、中游、下游 WZK26、SZK66 及 WZK04 三个钻孔作为典型钻孔,进行计算动态平衡法基坑涌水量计算,计算结果见表 2,在考虑围护及防渗帷幕的条件下,基坑总涌水量 9387～11 846m^3/d,平均为 10 465m^3/d。

表 2　动态平衡法基坑涌水量计算一览表

代表钻孔编号	钻孔所在位置	H/m	h'/m	h/m	L_3/m	K_s/(m·d)	坑内涌水量/($m^3 \cdot d^{-1}$)	平均涌水量/($m^3 \cdot d^{-1}$)
WZK26	上游围堰	33.66	19.33	18.12	17.12	34.56	11 846.07	10 465.81
SZK66	坝轴线围堰	30.54	16.24	15	14.00	34.56	10 164.16	
WZK04	下游围堰	29.24	14.95	13.7	12.70	34.56	9 387.21	

为了研究防渗帷幕对基坑涌水量的影响,假设在基坑其他条件不变的情况下,将摆喷防渗帷幕的厚度增加一倍至 0.8m 再进行基坑涌水量计算,依然选择 WZK26、SZK66 及 WZK04 三个钻孔作为典型钻孔进行计算,其计算结果见表 3,在摆喷防渗帷幕的厚度增加一倍的情况下,涌水量计算结果为 4 881.35～6 167.79m^3/d,平均为 5 431.72m^3/d,基坑总涌水量大幅减少。

表 3　动态平衡法(防渗帷幕厚度增加一倍)基坑涌水量计算一览表

代表钻孔编号	钻孔所在位置	坑内涌水量/($m^3 \cdot d^{-1}$)	平均涌水量/($m^3 \cdot d^{-1}$)
WZK26	上游围堰	6 167.79	5 431.72
SZK66	坝轴线围堰	5 246.02	
WZK04	下游围堰	4 881.35	

3.3 大井法基坑涌水量计算

为了研究上述计算方法与常规基坑涌水计算方法(大井法)的结果对比,本次假设将基坑视为与外部(包括侧边和底部)有水量交换的补给边界,在基坑内群井降水时可按大井简化,根据基坑的地层分布情况及《建筑基坑支护技术规程》附录 E 基坑涌水量计算规定,对于均质含水层承压水—潜水完整井基坑降水涌水量估算,采用的计算公式如下:

$$Q=\pi K\frac{(2h_0-M)M-h^2}{\ln\left(1+\dfrac{R}{r_0}\right)} \tag{6}$$

式中:Q 为基坑降水总涌水量(m^3/d);K 为渗透系数(m/d);M 为承压含水层厚度(m);R 为降水影响半径(m);h_0 为承压水含水层的初始水头(m);h 为降水后基坑内的水位高度(m)。

本次模拟预测依然选择 WZK26、SZK66 及 WZK04 三个钻孔作为典型钻孔进行计算。通过大井法基坑涌水量计算,在不考虑基坑围护结构挡水的作用下,计算得出基坑总涌水为 40 143.61～42 292.48 m^3/d,平均涌水量 40 910.42m^3/d。计算结果列于表 4。

表 4 大井法(未考虑截水帷幕)基坑涌水量计算一览表

代表钻孔编号	h_0/m	h/m	M/m	K/(m · d^{-1})	R/m	涌水量/(m^3 · d^{-1})	平均涌水量/(m^3 · d^{-1})
WZK26	33.66	18.12	20.3	34.56	913.56	42 292.48	40 910.42
SZK66	30.54	15	20	34.5	913.56	40 295.17	
WZK04	29.24	13.7	20.7	34.56	913.56	40 143.61	

4 预测结果分析

通过上述对计算方法的分析,本工程基坑涌水量计算方法可分为大井法(未考虑截水帷幕)、动态平衡法(考虑截水帷幕作用)两种,为了研究防渗帷幕对基坑涌水量的影响,又将动态平衡法根据防渗帷幕宽度的不同进行了两次计算,各计算结果对比如图 6 所示。

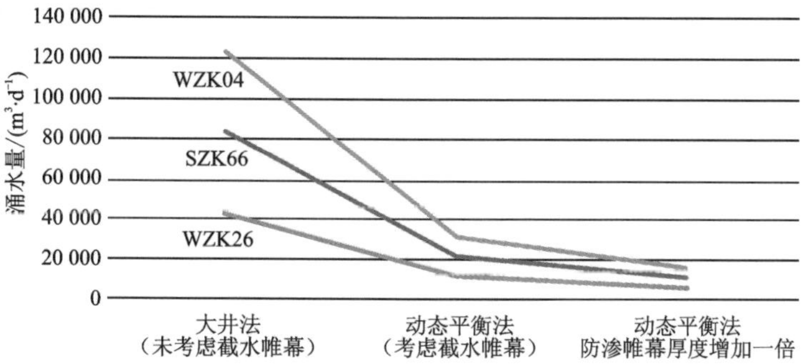

图 6 不同计算模型下的涌水量计算结果对比

由上述结果可得,运用未考虑基坑防渗帷幕作用的大井法计算出来的基坑涌水量最大,平均涌水量 40 910.42m^3/d;在考虑基坑防渗帷幕作用的情况下,用动态平衡法计算出来的基坑用水量迅速减少,平均涌水量 10 465.81mm^3/d,减少的幅度有 74%;假设将防渗墙厚度增加一倍,同样采用动态平衡法计算时,平均涌水量为 5431.72mm^3/d,比大井法计算结果减少的幅度约 86%,满足基坑涌水量与防渗墙厚度呈反比的客观规律。

由此可见,防渗帷幕的存在大幅减少了基坑渗、涌水量,本文采用的动态平衡法计算公式在基坑防渗厚度与基坑涌水量中建立了直接联系,基坑降水时可根据防渗帷幕的工程造价及基坑降水抽水费用来综合考虑帷幕厚度,从而找到一个较经济的基坑降水设计方案。

虽然上述大井法计算未考虑到基坑围护的防渗、截渗作用,但笔者认为其计算成果也有一定的代表性,代表的是基坑降水抽水初期的基坑涌水量,因为降水初期抽水时基坑内部各点水势能还是维持在防渗帷幕设置之前状态,此时用大井法计算基坑的涌水量是合适的。

随着抽水的增加,基坑外水进入基坑内需经过防渗帷幕,在围护及防渗帷幕的拦截下,渗流介质的渗透系数变小,透水量显著减少,此时用大井法计算就不合适了,用动态平衡法求得防渗帷幕过渗流量和基坑内部涌水相等时的水位势能,再计算出来的基坑涌水量较为科学和客观。

5 结语

(1)对基坑涌水量进行计算时,正确分析与概化水文地质条件是涌水量计算结果准确性的关键。

(2)防渗帷幕的截水效果是引起基坑涌水量变化的最关键因素，根据渗流理论推导，防渗帷幕质量越好、厚度越大，则渗漏性越小，基坑涌水量也越小。

(3)采用大井法计算时，未考虑到基坑围护的防渗、截渗作用，计算结果偏大，适用于降水初期的基坑涌水量计算。

(4)本文分析建立的水文地质模型比较符合工程实际情况，动态平衡计算方法综合考虑了防渗帷幕的影响，其计算的基坑涌水量为基坑降水稳定期的涌水量，适用于基坑降水中后期。

(5)本文建立的水文地质渗流模型基于澳门某水闸工程的水文地质结构，运用动态平衡法研究计算预测结果可应用于指导工程设计，具有一定实际应用价值。动态平衡计算预测方法也可为其他同类条件下的工程基坑涌水量计算提供参考借鉴，只是需要改变其中设定的边界条件。

参考文献

吕斌泉，冯晓腊，蔡娇娇，等. 落底式止水帷幕条件下基坑涌水量计算研究[J]. 岩土工程技术，2020，34(1)：18-23.

贺翀，金芸芸. 悬挂式降水基坑涌水量的源汇计算方法[J]. 隧道与地下工程灾害防治，2020，2(1)：91-96.

中国建筑科学研究院. 建筑基坑支护技术规程：JGJ 120—2012[S]. 北京：中国建筑工业出版社，2012.

某水库工程坝基花岗岩全风化岩体利用研究

梁为邦　杨建明
云南省水利水电勘测设计研究院，云南 昆明　650021

摘　要：某水库工程位于花岗岩地区，坝址两岸岩体全风化深度大，只适合修建土石坝。由于坝址区周边缺乏可供开采利用的防渗土料，综合比较后，选择坝型为沥青混凝心墙坝。沥青混凝土心墙土石坝对坝基和坝体变形适应性好，抗震性能较好，可以修建在中低压缩性的地基上。本文通过对坝基全风化岩体的渗漏及渗透变形、抗滑稳定、沉降及不均匀沉陷、砂层震动液化等工程特性研究，结合已建类似工程情况分析，提出利用花岗岩全风化岩体作为沥青混凝土坝坝基的可能性建议。

关键词：全风化砂　工程特性　研究　利用

1　引言

拦河大坝是水利水电工程中最重要的拦水建筑物，它拦蓄水流，抬高水位，承受着巨大的水平推力和其他各种荷载。为了维持平衡稳定，坝体又将水压力和其他荷载以及本身重量传递到地基或两岸的岩体上，因而岩体所承受的压力是很大的，岩体的稳定性常是坝体稳定的关键因素。不同坝型对地质条件的适应性有很大的差别，刚性坝（混凝土重力坝或拱坝等）对地质地形条件要求很高；土石坝由于体积庞大，传到地基上的荷载较低，坝体适应变形的能力较强，对地质条件要求较低。土石坝是利用当地天然建筑材料修建的挡水建筑物，由于土石坝比混凝土坝对地质条件要求较低，在不适于建混凝土坝的地方有时也可以建筑，一般来说经济方面也是有利的。

云南省某水库工程坝址区为花岗岩分布，由于花岗岩的不均匀风化，坝址区内河谷两岸岩体全风化深度大，岩体呈砂状，力学性质差。根据坝址地形、地质条件、坝高、筑坝材料的性质和储量、施工条件等，选择合适的坝型，如何利用全风化岩体作为建基面，降低工程造价，是工程勘察设计工作者需要研究论证的主要问题。

2　工程概况

水库位于云南省保山市龙陵县怒江右岸一级支流公养河的上游孟堆河，是一座以农田灌溉为主，兼顾集镇生活用水及农村人畜生活用水的中型水利工程。坝址控制径流面积 45.2km^2，年平均流量 7624×10^{4}m^3，设计水库正常蓄水位 2262m，坝顶高程 2 264.5m，坝轴线长 302.7m，最大坝高约 66.8m，总库容 1092×10^{4}m^3。水库枢纽主要建筑物为拦河坝、导流泄洪放空洞、输水隧洞、溢洪道组成。

工程区位于云南省西部横断山脉的南西端，为高黎贡山南延部分，位于冈底斯-念青唐古拉褶皱系福贡-镇康褶皱带芒市褶皱束内，地震动峰值加速度为 0.30g、地震动反应谱特征周期为 0.45s。工程区

作者简介
梁为邦（1967—），男，教授级高级工程师，主要从事工程地质勘察工作. E-mail：641513129@qq.com

内岩浆岩广泛分布，区域上称为平河岩体，面积约1200km^2，呈岩基产出。岩性主要为燕山晚期第三阶段侵入岩（$\gamma_5^{3(3)}$）中细粒二云母碱性花岗岩、加里东晚期—海西中期侵入岩（γ_3^3—γ_4^2）中粗粒黑云母花岗岩。

3 坝址区工程地质条件及坝型选择

3.1 工程地质基本条件

坝址区河床高程2194～2210m，两岸山顶高程2300m左右，河流呈"V"形河谷，左岸地形坡度约38°，右岸地形坡度约35°，坝顶高程以上较平缓，约15°，两岸基本对称。河谷底宽10～50m，谷内断续发育有Ⅰ级阶段，阶面宽15～40m，前缘高出河床1～2m。坝轴线上下游河谷两岸地形较为顺直段长约350m。

地表广泛分布第四系松散层（残坡积、冲洪积），一般厚度1～2m，局部厚度4m。下伏中粗粒黑云母花岗岩（γ_3^3—γ_4^2），呈块状构造。岩体呈不均匀风化、球状风化的特点，河床岩体风化较弱，有弱风化岩体出露，两岸岩体风化强烈，岸坡全强风化岩体厚度大。据钻孔、平硐揭示，河床段因水流冲刷，无全强风化岩体，砂卵砾石下即为弱风化岩体；两岸全风化底界埋深一般9～26m，局部可达38m；强风化底界埋深22～41m，局部达51m。

坝址区岩体风化带分布情况。①河床段高程2198m左右，为弱风化岩体分布。②左岸：高程2198～2225m，为强风化岩体分布；高程2225～2235m，全风化岩体分布，厚度由0m逐渐增加至10m；高程2235～2265m，全风化岩体厚度由10m逐渐增加至30m。③右岸：高程2198～2200m，为强风化岩体分布；高程2200～2220m，全风化岩体分布，厚度由0m逐渐增加至10m；高程2220～2265m，全风化岩体厚度由10m逐渐增加至18m。

左岸地下水位埋深9～44m，水力坡降约0.29；右岸地下水位埋深8～34m，水力坡降约0.35。钻孔压（注）水试验表明：全强风化及弱风化带上部岩体为透水层，透水率一般在5～40Lu之间，透水性弱—中等。弱风化中下部新鲜岩体，透水率q<5Lu，可视为相对不透水层，相对不透水层顶板埋深左岸为32～61m，右岸为38～90m。

3.2 风化岩体特性

(1)岩体性状。全风化岩体已风化为砂土状，属于砂类土—砾类土，具土的特性。强风化岩体有风化程度不一的岩块夹杂其中，裂隙发育，沿裂隙面风化严重，呈球状或碎块石夹杂砂土，岩体多为较破碎，岩石饱和单轴抗压强度15.6～30.0MPa，均值20.3MPa，属较软岩。弱风化岩体裂隙较发育，岩裂隙面风化较明显，岩体呈块状—次块状，岩石饱和单轴抗压强度32.5～58.1MPa，均值48.0MPa，属较坚硬岩。钻孔内声波测试成果统计见表1。

表1 钻孔岩体声波测试综合统计分析成果表

岩体代号	岩性	岩体风化系数 a	岩体风化程度	岩体纵波速 V_P/(m·s^{-1})		岩体完整系数/(K_v)		岩体完整程度
				范围值	均值	范围值	均值	
γ_3^3—γ_4^2	中粗粒花岗岩	0.19	全风化	710～1600	1150	0.01～0.07	0.04	破碎
		0.53	强风化	1800～4000	3180	0.09～0.44	0.28	破碎—完整性差
		0.77	弱风化	4000～5300	4680	0.44～0.77	0.60	完整性差—完整
		0.88	微风化	5000～5600	5300	0.68～0.86	0.77	较完整—完整

(2)岩体基本质量分级。影响工程岩体稳定性的诸因素中，岩石坚硬程度和岩体完整程度是岩体的基本属性，是各种岩石工程类型的共性，反映了岩体质量的基本特征。根据岩石单轴饱和抗压强度 R_b、岩体完整性系数 K_v、按计算式：$BQ=100+3R_b+250K_v$，确定岩体基本质量指标 BQ，从而确定岩体基本质量级别。坝基岩体基本质量分级见表 2，根据岩体基本质量级别确定各风化带岩体力学参数见表 3。

表 2　岩体基本质量分级

岩体代号	岩性	岩体风化程度	岩体结构类型	选用计算指标		岩体基本质量指标 BQ	岩体基本质量级别
				K_v	R_b/MPa		
$\gamma_3^3—\gamma_4^2$	中粗粒花岗岩	全风化	碎屑状散体结构	0.01～0.07	1.0	105～120	Ⅴ
		强风化	碎块状或碎裂结构	0.09～0.44	20.3	183～271	Ⅴ～Ⅳ
		弱风化	块状或次块状结构	0.44～0.77	48.0	354～436	Ⅲ

表 3　BQ 确定的各风化带岩体力学参数

岩体代号	岩性	岩体风化程度	岩体基本质量指标 BQ	岩体基本质量级别	抗剪断峰值强度		变形模量/GPa	承载力基本值/MPa
					内摩擦角/(°)	凝聚力/MPa		
$\gamma_3^3—\gamma_4^2$	中粗粒花岗岩	全风化	105～120	Ⅴ	<19.0	<0.10	<0.9	<0.35
		强风化	183～271	Ⅴ～Ⅳ	19.8～29.4	0.15～0.30	0.95～2.25	0.37～0.80
		弱风化	354～436	Ⅲ	39.3～48.4	0.72～1.39	6.3～14.6	2.1～3.7

表 2、表 3 显示：花岗岩全风化岩体呈碎屑状散体结构，岩体基本质量级别Ⅴ，岩体变形模量小、承载力低，抗剪断强度小，工程性质差；强风化岩体呈碎块状或碎裂结构，岩体基本质量级别Ⅴ～Ⅳ，变形模量、承载力、抗剪断强度指标较差，工程性质较差；弱风化岩体呈块状或次块状结构，岩体基本质量级别Ⅲ，变形模量、承载力、抗剪断强度较高，工程性质好。

3.3　料场情况

坝址区方圆 10km 内均是花岗岩分布区，花岗岩呈不均匀风化或球状风化，全风化花岗岩层呈砂状，广泛分布且厚度较大。经勘探查明：①石料场全风化砂储量最为丰富、强风化岩层储量亦丰富，而弱风化岩层埋深大，储量少。共勘查了 2 个花岗岩石料场，运距 3～4km；②防渗心墙土料场呈鸡窝状分布，厚度变化大，质量不稳定，储量小，先后共勘察了 8 个土料场，运距 1～21km 不等。

3.4　坝型选择

由于两岸坡风化强烈，全、强风化层厚度大，岩体强度低，若建刚性坝存在坝基变形及抗滑不稳定问题，清基(至弱风化岩体)开挖及处理工程量大，因此，不适宜建刚性坝，只适合修建土石坝。土石坝的型式有均质坝、分区坝和防渗面板坝等。

面板坝趾板建基面宜为坚硬基岩，中低坝可建基于强风化层下部，由于坝址区全带厚度大，趾板基础开挖工程量大。大坝主堆石区宜采用弱风化岩石填筑，强风化岩石可用于下游堆石区，石料场全风化砂土只能作为弃料，剥离量大。本工程不宜修建防渗面板坝。

均质坝一般用来修建低坝，在日本几乎只限于修建 40m 以下的坝，国内也多为 50m 以下的中低坝。坝址附近及石料场广泛分布的全风化砂土，但均值坝的坝坡要求较为平缓，填筑工程量大，而且坝址区较为顺直河段仅350m，地形条件不适宜均质坝布置，本工程不宜修建均质坝。

分区坝是土石坝的主流，其中防渗心墙坝占据了绝大多数，分区坝可根据筑坝材料特性和各部位的作用进行设计和施工，比其他坝型更能获得较高的稳定性，枢纽建筑物的开挖料、坝址附近的土石料都能满足防渗体外的筑坝料要求。就本工程而言，如果利用坝址附近及石料场广泛分布的全风化砂土作为筑坝材料修建分区坝，既减少坝基开挖量，又减少枢纽建筑物及料场开挖弃料，尽量做到就地取材和挖填平衡不仅经济而且还保护了环境。因此，本工程宜选择修建防渗心墙分区坝。由于难以寻找到储量丰富质量好的防渗土料，防渗心墙材料须选择其他材料替代，根据调查，距坝址运距约70km有碱性(灰岩)骨料可供利用，故选择采用沥青混凝土作为防渗心墙材料。

4 沥青混凝土心墙坝对坝基的要求

沥青混凝土心墙土石坝对坝基和坝体变形适应性好，抗震性能好。沥青心墙坝可以用低于以往要求的、较差的碾压堆石料成功修建。大多数已建沥青心墙坝建在基岩上，具有延展性和黏性的沥青心墙可以适应不均匀的基础变形而不产生裂缝，因而沥青心墙坝也可以修建在可压缩的覆盖层基础上。奥地利Eberlaste坝为建于砂砾石上的沥青心墙堆石坝(坝高28m)，国内建于覆盖层上坝高超过70m的沥青混凝土心墙堆石坝有：三峡茅坪溪防护大坝(坝高104m)、冶勒(坝高125.5m)、龙头石(坝高72.5m)、黄金坪(坝高95.5m)、下板地(坝高78m)。利用覆盖层建坝的主要技术问题：坝基渗漏及渗透变形、抗滑稳定、沉降及不均匀沉陷、砂层液化等，采取处理措施后，可以满足建坝要求。

因此，已建沥青混凝土心墙土石坝对坝基没有特别要求，甚至可以修建在可压缩的覆盖层基础上，本工程两岸坡全风化砂层厚度大，须研究论证全风化砂土层作为坝基的可能。

5 全风化砂土性状研究

风化砂随深度增加颗粒粒径变粗，颗粒形状一般为棱角状—次棱角状，花岗岩矿物成分主要为石英、长石，其中石英含量28.8%～39.2%、长石(主要有钠长石、正长石、钙长石)含量54.6%～64.5%，花岗岩化学成分主要为SiO_2、Al_2O_3，两者之和为83.5%～88.3%。颗粒相对密度2.61～2.68，吸着含水率3.8%～5.1%。最大粒径一般在20～40mm之间，P_5(>5mm颗粒)含量0～31.9%，均值9.8%；细粒含量(≤0.075mm)为6.5%～35%，均值19.5%；有效粒径d_{10}=0.003～0.15mm，不均匀系数C_u=16.6～133。按颗粒组成划分土的分类，属于砂类土—砾类土，具体可细分为黏土质砂(SC)、粉土质砂(SM)或含细粒土砾(GF)。全风化砂土原状样室内土工试验成果统计见表4。

表4 花岗岩全风化砂土原状样试验成果(均值)

天然状态			土粒相对密度	液限	塑性	塑性指数	固结		抗剪强度		渗透系数K/(cm·s^{-1})
干密度/(g·cm^{-3})	含水率/%	孔隙比					压缩系数$a_{0.1-0.2}$/MPa^{-1}	压缩模量E_s/MPa	内摩擦角Φ/(°)	凝聚力c/kPa	
1.67	24.1	0.643	2.64	31.2	21.1	10.1	0.112	14.6	30.6	24.4	3.0×10^{-4}

5.1 风化砂透水性及允许水力坡降

钻孔内全风化砂土进行注水试验，渗透系数范围值1.2×10^{-4}～7.1×10^{-4}cm/s，大值均值5.3×10^{-4}cm/s，透水性中等。

全风化砂属少黏性土—无黏性土，不均匀系数(C_u)大于5，其区分粒径(d)为0.04～0.91mm，大部分风化砂相应区分粒径的细颗粒含量(P)23%～32%，渗透变形破坏形式管涌—过渡型，允许水力比降0.15～0.35；少数风化砂相应的细颗粒含量(P)36%～46%，渗透变形破坏形式为流土型，允许水力比降0.50～0.60。

李思慎等(1997)对三峡二期围堰堰体填筑料风化砂的渗流问题进行了研究，二期围堰填料风化砂试样密度1.70～1.85g/cm³，均值1.78g/cm³，渗透破坏比降为1.25～1.9，属管涌—流土型破坏，若取2.5的安全系数来确定允许水力比降，则风化砂允许水力比降为0.50～0.76，与本工程采用的《水利水电工程地质勘察规范》(GB 50487—2008)所推荐方法确定的参数基本一致。

5.2 风化砂钻孔标准贯入试验及液化判别

钻孔内全风化砂土标准贯入试验成果统计见表5。

表5 钻孔花岗岩全风化砂土标准贯入试验资料统计

试验深度/m	标准贯入击数 N/击			力学指标		
	范围值	平均值	小值均值	允许承载力 R/kPa	压缩模量 E_s/MPa	内摩擦角 Φ/(°)
0～2.5	10～12	10.5	10.0	200	22	27.0
2.5～5	14～39	24.2	17.0	270	37	30.5
5～10	15～51	26.1	17.6	325	39	31.0
>10	21～42	31.7	25.8	380	57	34.5

注：力学指标系采用标准贯入击数 N 的小值均值根据经验公式计算所得。

全风化花岗岩砂土呈地表松散，随深度增加而变密实的特性。全风化砂土0～2.5m呈松散—稍密，土体强度较低；2.5～10m呈中密—密实，砂土强度较高；大于10m多呈密实，砂土强度高。

全风化砂的黏粒含量0～14.0%，细颗粒含量不满足地震动峰值加速度为0.30g不小于19%的要求，存在地震液化的可能性，采用标准贯入锤击数法进行复判，当$N_{63.5}<N_{Cr}$时判定为液化土，$N_{63.5}$为标准贯入试验贯入点的标准贯入锤击数，N_{Cr}为液化判别标准贯入锤击数临界值。在地面以下20m深度范围内全风化砂土层，液化判别标准贯入锤击数临界值按下式计算：$N_{Cr}=N_0[\ln(0.6Ds+1.5)-0.1dw]\cdot(3\%/P_c)^{1/2}$，其中$N_0$在地震动峰值加速度0.30g条件下，液化判别标准贯入锤击数基准值取16。

复判结果：①地面以下0～2.5m内全风化砂较为松散，密实度低，多为液化土层(80%试段为液化土层)，应全部清除；②地面2.5m以下全风化砂密实度较高，多为不液化土层，可以作为坝基利用。局部地段(钻孔ZK08埋深3.2～5.6m、8.0～9.9m，钻孔ZK10埋深8.7～12.0m，存在液化土层透镜体，透镜体厚度1.9～3.3m)，可采用挖除、置换、振冲挤密或固结灌浆等防液化措施处理后作为坝基。

5.3 风化砂物理力学建议参数

经对地质勘察资料、标准贯入试验、岩石力学测试资料统计分析，岩体基本质量分级，工程类比，权衡多种因素，提出全风化砂的物理力学参数建议值(表6)。

表6　全风化砂物理力学建议参数

干密度 r_d/(g·cm^{-3})	压缩模量 E_s/MPa	内摩擦角 Φ/(°)	凝聚力 c/kPa	渗透系数 K/(×10^{-4}cm·s^{-1})
1.60～1.80	10～20	24～30	20～30	1.0～7.0

5.4　风化砂沉降变形分析

坝址区左岸高程2235～2265m，右岸高程2200～2265m，为全风化砂层分布。沥青混凝土容重取值24.8kN/m^3，风化砂压缩模量取值15MPa，计算深度取至强风化岩体界面，根据岸坡上分布全风化砂层厚度进行沉降变形计算，左、右岸坝基高程与沉降变形量关系曲线分别见图1、图2。由图可知：①左岸坝基沉降变形量0～46mm，高程2240m附近沉降变形最大，沉降变形量46mm；其高程2230m附近沉降变形次之，沉降变形量36mm。②右岸坝基沉降变形量0～58mm，高程2230m附近沉降变形最大，沉降变形量58mm；高程2215m附近沉降变形次之，沉降变形量51mm。

花岗岩全风化砂作为坝基，沉降变形量0～58mm，相互间的沉降差5～36mm，沉降变形量及沉降差均远小于规范建议值。

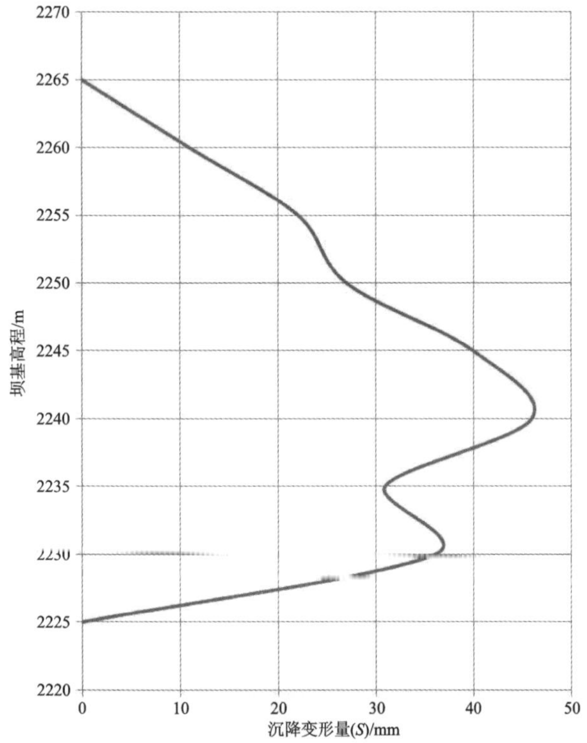

图1　左岸坝基高程-沉降变形关系曲线

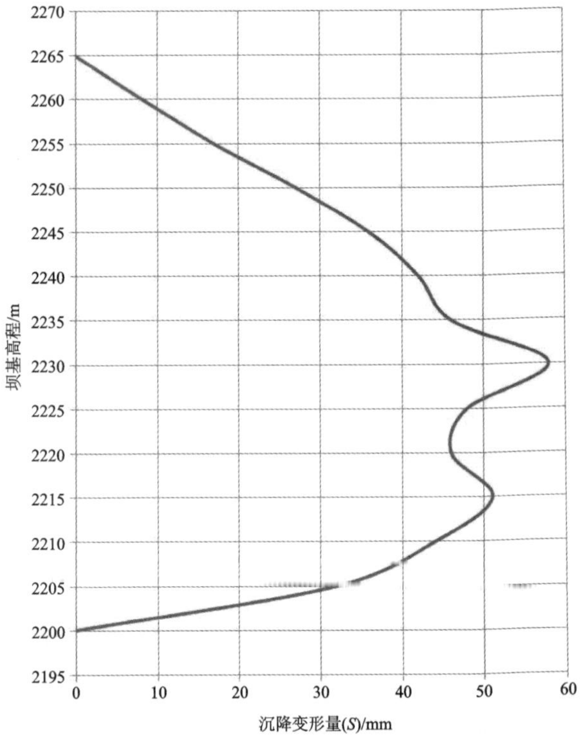

图2　右岸坝基高程-沉降变形关系曲线

5.5　风化砂坝基抗滑稳定分析

大坝稳定分析计算采用南京水准科技有限公司AutoBank软件计算，对于薄心墙坝的坝坡稳定分析采用满足力和力矩平衡的摩根斯顿-普赖斯方法分析。坝基全风化砂抗剪强度指标选用：Φ=28°、c=28kPa，稳定分析计算结果见表7。

表 7　沥青混凝土心墙坝稳定分析计算结果

计算工况		上游坡 F	下游坡 F	$[K_{允}]$
		摩根斯顿-普赖斯	摩根斯顿-普赖斯	
正常情况	1.设计洪水位	1.721	1.556	1.30
	2.正常蓄水位	1.734	1.572	
	3.正常蓄水位缓降至死水位	1.645	/	
	4.死水位	1.832	1.752	
非常情况Ⅰ	5.施工期	1.824	1.785	1.20
	6.校核洪水位	1.713	1.536	
非常情况Ⅱ	8.正常蓄水位+地震	1.299	1.178	1.15
	9.设计洪水位+地震	1.297	1.161	
	10.死水位+地震	1.302	1.185	

表 7 显示：上游坝坡最小安全系数 F(1.297)＞$[K_{允}]$(1.15)，下游坝坡最小安全系数 F(1.161)＞$[K_{允}]$(1.15)，拟定大坝的上、下游坝坡最小安全系数均能满足抗滑稳定要求，全风化砂坝基不存在抗滑稳定问题。

6　已建类似工程（风化砂坝基）情况

在花岗岩地区，河床可以看到坚硬岩石出露，两岸高程较高地方，会遇到一直到深处都风化成全风化砂状的情况，称为所谓“深层风化”，日本已建成许多以花岗岩风化砂为基础的土石坝，例如高濑（坝高176m）、七仓（坝高 125m）、南原（坝高 86m）、明神（坝高 89m）、广濑（坝高 75m）、水窪坝（坝高 62m）等。中国云南也建成许多以风化砂为基础建成的土石坝，例如刘家箐水库（坝高 74m）、止觉庵水库（坝高63.5m）、普西河水库（坝高 51.5m）、回龙河水库（坝高 49m）、花果山水库（坝高 38m）等。这些工程已建成长者达 40 年以上，短者已经 10 余年，均能稳定正常运行，未出现坝体或坝基破坏情况。由此可见，虽然花岗岩风化砂层承载力小而透水性中等，存在坝基渗漏及渗透变形、抗滑稳定、沉陷及不均匀沉降、地震液化等工程地质问题，但只要采取合适的工程措施，慎重加以处理，可以利用为土石坝坝基。

7　坝基岩体利用

根据钻孔、平硐地质勘察资料，对坝基岩体性状，岩体纵波速 V_P、完整性系数 K_v、岩石饱和抗压强度 R_b 等指标综合分析，进行了坝基岩体基本质量分级，坝基工程地质分类，对各风化带岩体作出坝基工程地质评价，综合考虑确定坝基建基面。研究了全风化岩体的渗漏及渗透变形、抗滑稳定、沉降及不均匀沉陷、砂层震动液化等，提出如何利用全风化岩体作为坝基的建议。

（1）弱风化岩体：河床段清除松散砂卵砾石层，坝基置于弱风化岩体上，建基面高程 2 197.7m 左右，坝基工程地质岩体分类为 $B_{Ⅲ1}$。弱风化岩体作为沥青混凝土心墙坝基，工程地质条件好，不存在沉降变形及抗滑稳定问题。

（2）强风化岩体：左岸高程 2 197.7～2 225.0m、右岸 2 197.7～2 200.0m，坝基置于强风化岩体上，坝基工程地质岩体分类为 $C_{Ⅳ}$。强风化岩体作为沥青混凝土心墙坝基，工程地质条件较好，不存在沉降变形及抗滑稳定问题。

(3)全风化岩体:左岸高程2225～2265m、右岸2200～2265m,坝基置于全风化岩体上,坝基工程地质岩体分类为C_V。全风化砂沉降变形量较小,抗滑稳定满足坝体稳定要求,清除地面以下2.5m松散的液化砂土层,局部地段进行挖除置换或固结灌浆等防液化措施处理后,可作为沥青混凝土心墙坝基。

(4)坝基全强风化及弱风化带上部岩体,透水性弱—中等,存在坝基及绕坝渗漏问题;全风化砂允许水力坡降小,存在渗透变形破坏问题,须采取防渗措施慎重处理,以满足水工建筑物渗控要求。

8 结语

通过对坝基全风化岩体的渗漏及渗透变形、抗滑稳定、沉降及不均匀沉陷、砂层震动液化等工程特性研究分析,结合已知类似工程情况,认为可以利用全风化岩体作为沥青混凝土坝坝基。充分发挥全风化岩体工程特性,慎重处理坝基存在的地质缺陷,做到设计严密合理,施工质量严格控制,利用全风化砂作为坝基,可以修建既经济安全又节能环保的水库大坝。

参考文献

崔冠英,朱济祥,陆兆溱,等.水利工程地质[M].北京:中国水利水电出版社,2008.

陈慧远,徐关泉,李鸿俊,等.最新土石坝工程学[M].北京:水利电力出版社,1986.

王为标,Kaare H.现代堆石坝技术进展[M].北京:中国水利水电出版社,2009.

党林才,方光达.利用覆盖层建坝的实践与发展[M].北京:中国水利水电出版社,2009.

李思慎,吴昌瑜,任大春.三峡工程二期围堰渗流问题研究[J].长江科学院院报,1997,36(9):27-29.

林宗元.岩土工程试验监测手册[M].北京.中国计划出版社,2005.

丹江口水利枢纽坝址区红层砾岩喀斯特及其工程地质意义

黄振伟[1,2] 张涛[1,2] 马力刚[1,2]
1.长江岩土工程有限公司,湖北 武汉 430010;
2.国家大坝安全工程技术研究中心,湖北 武汉 430010

摘 要:丹江口水利枢纽左岸土石坝坝基分布有白垩系红层,红层中底砾岩及其与下伏副片岩呈地层不整合接触关系,不整合面以上砾岩中的砾石多被溶蚀成"中空薄壳"大小不一的"蛋石"。对于这种不同于碳酸盐岩特殊喀斯特的现象,运用详细调查勘察、综合分析和历史比较法,从喀斯特形成条件和形态特征出发,构建溶蚀发育史,揭示出红层砾岩岩溶主要受山体形状、上覆岩层性状、阶地发育等因素控制,具有明显的水平分带性这一发育规律。如以砾岩作为坝基,可能发生沉陷变形、抗滑稳定、渗透变形问题,对水利水电枢纽工程建设存在一定程度的不利影响。本文为红层砾岩喀斯特勘察提供了有益借鉴,也可为红层砾岩上建坝主要工程地质问题分析提供新的工作思路。

关键词:喀斯特 沉陷变形 渗透变形 抗滑稳定性 红层砾岩

1 引言

丹江口水利枢纽作为南水北调中线的水源工程,是具有防洪、灌溉、发电、航运等综合效益的大型水利工程,挡水建筑物主要由混凝土坝及其左、右岸土石坝组成。坝址位于汉江与丹江汇合口下游1.5km的汉江干流上,为低山、丘陵地貌,其中左岸发育王大沟、张家沟、汤家沟、糖树沟等冲沟,冲沟之间分布张老岭、张芭岭、汤糖岭等山脊,尖山、天星庙岗是山脊最高处。

左岸土石坝坝址区分布上白垩系红层砾岩(图1),呈北东东向分布,并以8°～12°的岩层倾角倾向南东,与下伏元古宇副片岩为不整合接触。由于底砾岩中可溶盐含量很高,在地下水、地表水渗流溶蚀作用下,常形成不同类型的喀斯特现象,从而给土石坝建设造成不利影响,因此研究底砾岩的喀斯特现象和论证其对工程的影响有其现实意义。

2 岩溶形成条件与形态特征

2.1 岩溶形成的物质基础

坝址区内底砾岩为上白垩统第一段(K_2^1)内陆湖盆地边缘的冲积洪积堆积物,与下伏岩层元古宇变质岩为不整合接触关系,上覆岩层有上白垩统第二段(K_2^2)泥岩和第三段(K_2^3)砂岩、砂砾岩。根据岩性的不同,K_2^2可分为K_2^{2-1}～K_2^{2-7}7层,K_2^3可分为K_2^{3-1}～K_2^{3-5}5层。尖山一带出露齐全,张老岭和汤糖岭一

作者简介

黄振伟(1974—),男,正高级工程师,主要从事水利水电工程地质勘察工作. E-mail:434305107@qq.com

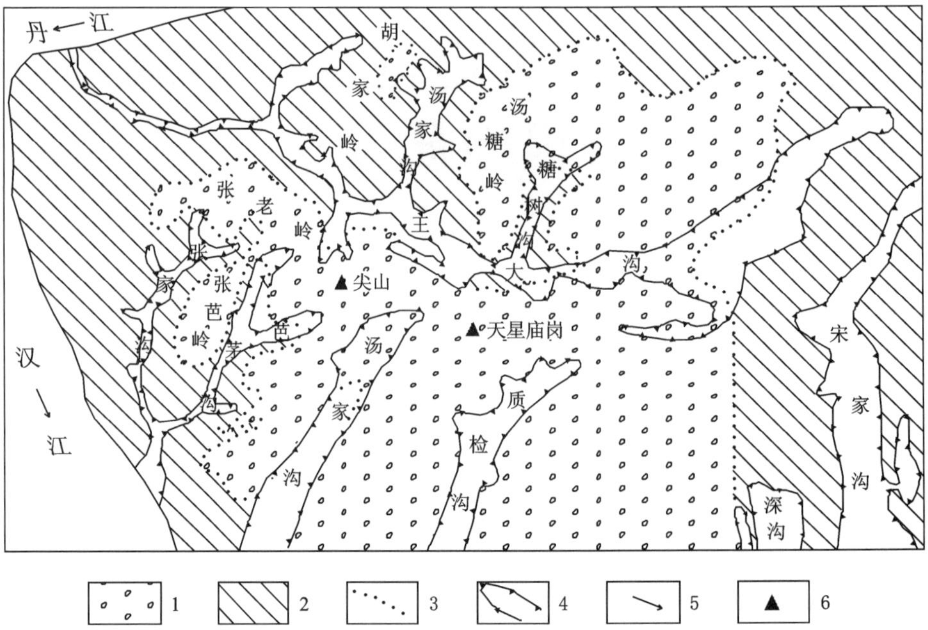

图1 丹江口水利枢纽坝址区上白垩统红层砾岩分布图

1.砾岩分布区；2.非砾岩分布区；3.岩层分界线；4.现代沟谷；5.河流流向；6.山丘

带仅出露 $K_2^{2-1} \sim K_2^{2-4}$。

砾岩为基底式钙质或泥质胶结，以钙质胶结为主。砾石成分主要为灰岩、脉石英，片岩、石英岩、燧石次之。汤糖岭一带底砾岩中砾石以片岩、脉石英为主，岩浆岩、灰岩次之。

由于砾岩胶结物以钙质为主，砾石中灰岩成分含量50%～70%(除汤糖岭分布的砾岩外)，因此岩石化学组分中可溶盐含量颇高，尤其碳酸钙平均含量可高达61.82%，这就为地表水、地下水对岩石产生溶蚀作用提供了物质基础。

2.2 喀斯特形态特征

根据现场调查与勘探成果，砾岩中呈现出不同类型的喀斯特现象，按照其形态特征可分为以下两类。

第一类为溶蚀裂隙、溶沟、溶槽，主要发育于山体边缘、上覆岩体单薄处和三级、四级阶地底部。在山体内部，喀斯特发育主要受北东东向、北西西向构造裂隙、原生裂隙的控制；在山体边缘，喀斯特发育受山体走向、地下水排泄方向的控制，因而溶蚀裂隙多垂直于山体斜坡走向。溶蚀裂隙长一般1～2m，最长10m，宽一般0.5～1m，最宽可达1.5m。

第二类为溶洞，根据其发育条件及特征，又可分为底砾岩与副片岩之间沿不整合面发育的溶洞和不同胶结类型砾岩之间沿层面发育的溶洞。

(1)底砾岩与副片岩之间沿不整合面发育的溶洞。溶洞主要发育于山体边缘，呈喇叭状向山体延伸直至尖灭(图2a)。它的形成主要受地表水顺裂隙向下渗流，在渗流过程中逐渐溶蚀砾岩。当水流下渗至不整合面时，下伏全强风化岩层透水性较强，水流急速下渗，为水流主要径流方向。因为不整合面接触带存在渗透水流，在漫长的地质年代内，不整合面以上的底砾岩被溶蚀。山体内部和边缘形成的喀斯特特征有所不同，在山体内部，地表水通过裂隙下渗至不整合面后向四周径流，溶洞向四周尖灭呈倒置的"碟"状，其内充填溶蚀残余物；在山体边缘，地表水补给量较大，下渗至不整合面后径流流速较快，形成长轴方向近垂直于山体地形的喀斯特，其中部分或全部溶蚀残余物被带走形成空洞(图2b)。

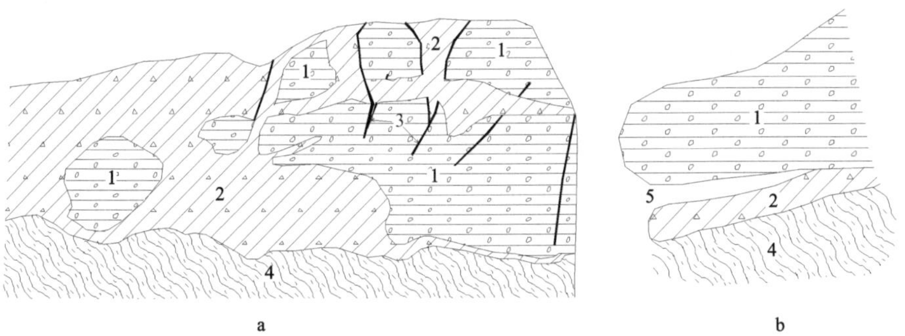

图 2 红层砾岩喀斯特形态示意图

1.砾岩;2.溶蚀残余物;3.溶蚀裂隙;4.副片岩;5.空洞

(2)不同胶结类型砾岩之间沿层面发育的溶洞。多发育于山体内部,沿钙质胶结的砾岩与其下部泥质胶结的砾岩间层面发育并逐渐向上扩张,呈扁豆状,规模大小不等,长可达高的数十倍。钙质胶结的砾岩为可溶盐岩,泥质胶结的砾岩中可溶盐成分含量甚微,为相对隔水层。一方面地下水顺砾岩裂隙下渗,形成溶蚀裂隙;另一方面水下渗至泥质胶结的砾岩顶面时受阻隔,顺层面径流对钙质胶结的砾岩继续产生岩溶作用。

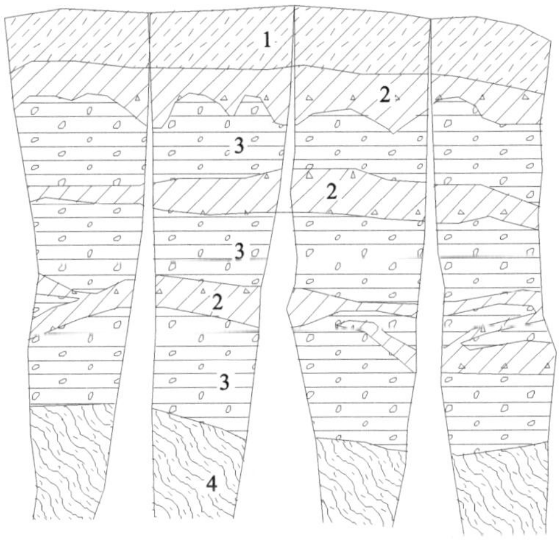

图 3 张芭岭地段竖井地质编录图

1.第四系粉质黏土;2.溶蚀残余物;3.砾岩;4.副片岩

除上述两类喀斯特形态外,砾岩喀斯特还具有以下 3 个显著特性:①砾岩上覆岩层单薄或无上覆岩层时,喀斯特现象更为发育;②砾岩由于地表水的长期溶蚀作用,表面分布一层厚 1~2m 的原岩溶蚀残余物(无外来物质充填),岩面凹凸不平(图 3),这些残余物往往与溶蚀裂隙、溶洞相连;③地表水或地下水多沿砾岩裂隙、层面运动,并逐渐向四周扩散溶蚀可溶盐岩,形成的岩溶亦是扩散状的,围岩由内而外分别为强、中等、弱、微溶蚀带。这种扩散溶蚀过程极为明显地表现在各带砾岩化学组分的变化上,即砾岩溶蚀越强,CaO 含量越小,SiO_2 含量越高(图 4)。

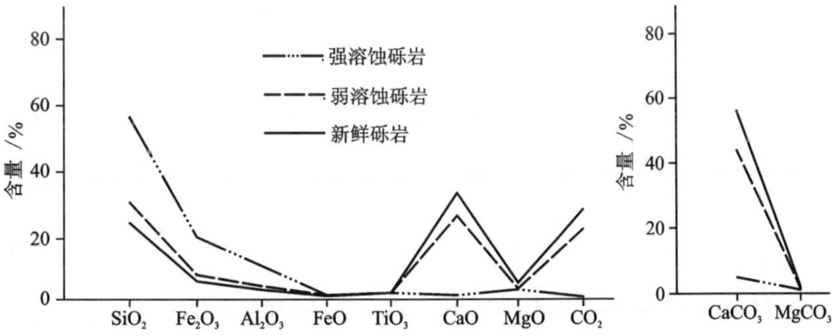

图 4 红层砾岩不同溶蚀带化学成分含量对比曲线图

3 喀斯特形成时期及发育规律

3.1 喀斯特形成时期

自红层沉积以来,本区地壳一直处于缓慢抬升阶段,汉江各级阶地、沟谷塑造了目前的地貌景观,地表水的渗流条件和地下水的补给排泄条件也随着发生剧烈变化，因而不同地质年代形成的喀斯特及其程度亦不同。根据本区喀斯特的形成条件和发育特征，可分为3个时期。

(1)汉江阶地形成之前，为较古老的喀斯特，该类喀斯特为上覆红层所覆盖，地表水垂直下渗受阻于上覆岩层，形成以水平溶洞为主的喀斯特。由于现代喀斯特的发育，使古喀斯特与现代喀斯特难以区分，目前仅在张老岭北坡见发育，溶洞发育于底砾岩下部，洞底以8°左右的角度向山体倾斜，呈喇叭状向内延伸，此方向恰与本区古水文系的排泄方向一致。因岩石透水性弱(仅沿裂隙和层面渗流)，地下水循环缓慢，本期形成的喀斯特不发育。根据尖山山体中心一带10余个钻孔资料，仅个别钻孔揭示有喀斯特现象。

(2)汉江阶地形成过程中，江水对阶地基座岩石产生冲刷和侵蚀，砾岩上覆岩层变薄或侵蚀无余，砾岩长期处于水下，加剧了喀斯特发育，阶地后缘地下水向汉江排泄亦使喀斯特化程度加深。因此，在各级阶地底部，基座岩石为砾岩或砾岩上覆岩层单薄时，喀斯特特别发育。以汤家沟、芭茅沟之间的三级阶地为例(图5)，砾岩中溶蚀裂隙纵横交错，主体方向50°～70°，与地下水向汉江的排泄方向基本一致。

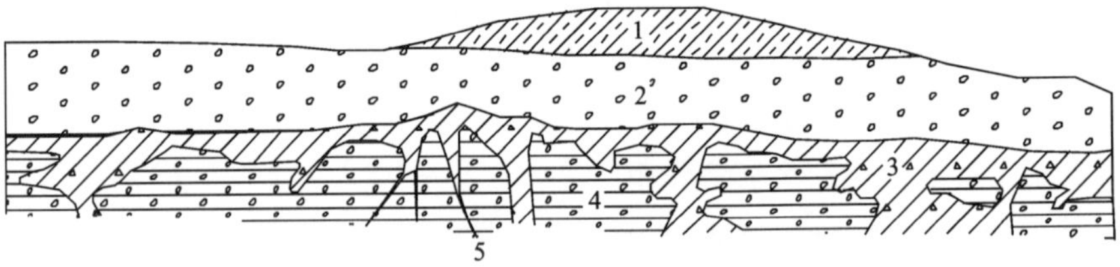

图5　阶地基座红层砾岩喀斯特形态示意图

1.第四系粉质黏土；2.第四系砂砾石；3.溶蚀残余物；4.砾岩；5.溶蚀裂隙

(3)沟谷切割后，地下水下降至红层下伏副片岩中，红层中仅有局部上层滞水存在。大气降水为其唯一的补给来源，但因地表长期遭受剥蚀沟谷纵横交错，大气降水一般难以下渗，而急速汇流入沟谷中，仅山体边缘平台或低洼处，底砾岩直接裸露地表或上覆岩层单薄，地表水下渗和地下水汇集较易，使该时期喀斯特的发育具有明显的水平分带性：山体顶部，水流下渗受阻于较厚的上覆岩层，喀斯特不发育，局部地带上覆岩层较薄，仍可发现规模较大的喀斯特；山体边缘，尤其是山体边缘地形平缓处，水流条件优于山脊或斜坡，喀斯特很发育，以溶蚀裂隙、溶沟、溶槽为主，纵横交错常与不整合面喀斯特相连通，垂直于山体斜坡走向的喀斯特多形成于该时期。

3.2　喀斯特发育规律

砾岩中喀斯特发育程度，具有明显的水平分带性，主要受山体形状、上覆岩层性状、阶地发育等因素控制。阶地砾岩基座喀斯特一般很发育，山体边缘又较山体内部发育。这种特殊喀斯特与通常碳酸盐岩喀斯特，具有明显不同的发育规律。

另外，砾岩中可溶盐含量不同，喀斯特化程度亦有差别。汤糖岭地形条件、水文条件与张芭岭、张老岭近乎一致，但汤糖岭砾岩中砾石含量以片岩、脉石英为主，其喀斯特化程度弱于其他两地。

4　喀斯特对建坝的影响

喀斯特的形成与发育，改变了原岩的性状，使半坚硬的砾岩变为松散的砾石土或含砾黏土，岩石的物理力学性质和化学组分发生了质的变化。在砾岩喀斯特发育地带建土石坝可能存在坝基沉陷变形、渗透变形、抗滑稳定等工程地质问题。

(1)沉陷变形问题。原岩为半坚硬岩石，承载力较高，单轴饱和抗压强度一般大于11.4MPa，而溶蚀残余物呈松散状，压缩系数大于 0.4MPa^{-1}，具中、高压缩性，导致坝基产生沉陷变形问题，表现在两个方面：其一，阶地底部砾岩表面一般分布有厚度不等的溶蚀残余物，以此为坝基，将会产生沉陷变形问题；其二，山体及其边缘喀斯特中充填溶蚀残余物，在上覆岩层厚度不够时，因坝基应力传递亦可产生沉陷变形问题。

(2)渗透变形问题。砾喀斯特蚀残余物在化学组分上其 SiO_2、R_2O_3 含量相对原岩较高，易溶盐成分显著减少。从颗粒级配看，原岩中粒径大于 2mm 颗粒占 43%～69%，而残余物中此粒径组颗粒含量 10%～25%，颗粒变细，物理力学性质变化更大(表 1)，其中天然含水率 23.5%、28.9%，孔隙比 0.90、1.103，且崩解性能较强，其崩解率达 62.2%。

表 1 坝基岩体渗透性分区表

土名	天然含水率/%	密度/(g·m^{-3})		孔隙比	崩解性			自由膨胀率/%	抗剪强度	
		干	天然		时间/min	崩解率/%	状态		黏聚力/kPa	内摩擦角/(°)
含砾黏土	23.5	1.48	1.83	0.90	71	23.4		1.31	15	20.4
黏 土	28.9	1.33	1.71	1.103	30	62.2	全崩解		18	15.8

针对残余物进行了野外机械管涌冲刷试验，结果表明：当总压力为 0.176MPa 时，软弱夹层产生机械管涌和冲刷，对应的临界水力梯度为 6.41，试验结果符合残余物特性。因此，砾岩喀斯特发育及其连通性，在一定压力水头作用下能导致机械管涌。因残余物中可溶盐成分含量极微，化学管涌的可能性不大。

(3)抗滑稳定问题。分布于张芭岭四级阶地底部砾喀斯特蚀残余物，呈层分布于整个山脊，坝体位于其上，残余物天然含水率较大，抗剪强度较低，其中黏土、含砾黏土黏聚力 15～18kPa、内摩擦角 15.8°～20.4°，下部为完整砾岩。通过稳定性计算，坝体有可能沿坝基残余物土层发生滑动。

5 结论

丹江口水利枢纽左岸土石坝坝基白垩系红层砾岩喀斯特有其独特性质，喀斯特形成是短暂的或间歇性的地表水、地下水作用的结果，地表水、地下水往往沿裂隙、层面、不整合面活动，因此形成的喀斯特具有一定的规律性。喀斯特发育程度一般于山体边缘较强，中心地带较弱，阶地砾岩基座喀斯特化程度最高。水对砾岩的扩散溶蚀作用，可溶物被带走，喀斯特中一般充填溶蚀残余物，可能存在沉陷变形、抗滑稳定问题，同时在一定压力水头作用下，将会发生渗透变形破坏，因此红层砾岩喀斯特现象对枢纽工程建设有一定程度的不利影响。

参考文献

徐瑞春，周建军. 红层与大坝[M]. 武汉：中国地质大学出版社. 2010.

李廷勇，王建力. 中国的红层及发育的地貌类型[J]. 四川师范大学学报，2002，25(4)：427-431.

林永生，裴建国，邹胜章，等. 清江下游红层喀斯特及其水化学特征[J]. 广西师范大学学报，2018，36(3)：113-120.

程强，寇小兵，黄绍槟，等. 中国红层的分布及地质环境特征[J]. 工程地质学报，2004，12(1)：34-40.

吴志才，彭华. 广东红层形成及其发育规律研究[J]. 热带地理，2006，26(3)：207-210.

郭永春，谢强，文江泉. 我国红层分布特征及主要工程地质问题 [J]. 水文地质工程地质，2007，34(6)：67-71.

贾龙，吴远斌，潘宗源，等. 我国红层喀斯特与红层喀斯特塌陷刍议[J]. 中国岩溶，2016，35(1)：67-73.

黄振伟. 丹江口水利枢纽大坝地基的渗流特性[J]. 资源环境与工程，2009，23(4)：419-424，446.

西藏拉洛大坝沥青混凝土心墙工程地质评价研究

黄振伟[1,2] 肖东佑[1,2] 雷明[1,2]

1.长江岩土工程有限公司,湖北 武汉 430010;

2.国家大坝安全工程技术研究中心,湖北 武汉 430010

摘 要:西藏拉洛大坝是已建海拔最高的沥青混凝土心墙砂砾石坝,坝址地质条件较复杂,河谷有河床、漫滩、阶地多种微地貌,覆盖层主要为砂砾石、砾卵石,下伏基岩为板岩,板理裂隙、层间挤压带中赋存脉状裂隙性承压水。沥青混凝土心墙是大坝重要的防渗结构,对地基要求较高。前期阶段对坝基覆盖层、承压水的工程地质、水文地质特征开展了深入勘察,合理选择了沥青混凝土心墙建基岩体,并从承载能力和防渗性能两个主要方面有针对性地进行心墙地基评价。本大坝心墙工程地质评价方法及相关勘察技术的创新性探索,是对现行相关标准进行的拓展和灵活运用,可作为类似工程的有益借鉴。

关键词:沥青混凝土心墙 承载能力 抗渗性能 脉状承压水 工程地质评价

1 研究背景

沥青混凝土心墙土石坝是一种较为新兴的当地材料坝,具有较多优点,自它出现以来,这种坝型越来越受到人们的关注,1988年第16届国际大坝会议就提出沥青混凝土心墙坝是今后高土石坝建设最有竞争力的坝型之一。20世纪中期以来,欧洲、北美等地修建了大量的沥青混凝土心墙坝,其中葡萄牙Vale de Caio坝建成年代最早(1939年),奥地利Finstertal坝高度最大(150m)。我国于20世纪70年代开始修建沥青混凝土土石坝,起步较晚,但发展很快,90年代后特别是本世纪以来,随着沥青质量和施工技术的提高,已建成了如坝高104m的三峡工程茅坪溪防护大坝、坝高125.5m的南桠河冶勒水电站等相当数量的沥青混凝土心墙坝。

沥青混凝土心墙坝主要由心墙和坝壳两部分组成,坝壳适应性强,一般地基均可满足要求,但作为防渗结构的心墙是沥青混凝土经碾压或浇筑而成,对地基的要求较高。现行标准体系中,对沥青混凝土心墙,尚未对其地基地质条件提出具体要求,尚未对其工程地质评价作出专门规定,导致勘察实践无据可依,主要工程地质问题分析尺度不一,工程地质评价针对性不强。

作者长期在西藏自治区从事水利水电项目的工程地质勘察工作,因特殊的生态环境、地形地质和天然建筑材料条件,沥青混凝土心墙坝已成为当地土石坝建设所采用的常规坝型,先后建成的拉萨河旁多、夏布曲拉洛水利枢纽最具代表性。其中,拉洛大坝是目前西藏海拔最高的沥青混凝土心墙坝,在前期勘察期间,采取综合勘察手段查明了坝基岩土物理力学性质,特别是创新提出并实施单孔压水、群孔观测的压水连通试验,查明了基岩承压水水文地质特征。以此为基础,合理选择沥青混凝土心墙建基岩体,并从承载能力和防渗性能两个主要方面有针对性地进行心墙地基评价,其工程地质评价方法及相关

作者简介

黄振伟(1974—),男,正高级工程师,主要从事水利水电工程地质勘察工作. E-mail:434305107@qq.com

勘察技术可作为类似工程的有益借鉴。

拉洛水利枢纽工程位于西藏自治区日喀则地区，是雅鲁藏布江右岸一级支流夏布曲上的控制性工程，主要任务为灌溉兼顾供水、发电和防洪，并促进改善区域生态环境。坝址主要建筑物由拦河大坝、左岸溢洪道、右岸泄洪洞、拉洛电站等组成，拦河坝坝型为沥青混凝土心墙砂砾石坝，最大高度 61.5m，坝顶高程 4305m，坝长 425.6m。水库正常蓄水位 4298m，总库容 2.965 亿 m^3。

2 拉洛坝址地质概况

坝址处于雅鲁藏布江南岸支流夏布曲中游萨迦县拉洛乡下游 6km 的峡谷进口河段，夏布曲总体流向南西，河道位于中部偏右，水面宽 38～50m，枯水期水深一般 0.5～1m。河谷呈不对称的“U”形，谷顶高程 4500～5000m，谷底高程 4240～4260m，谷底宽 240～280m；右岸山体斜坡地形坡度一般 40°～50°，左岸坡度一般 35°～45°。右岸分布Ⅰ级阶地，阶面高程 4262～4274m，拔河高度 6～15m。河漫滩宽 120～150m，滩面高程 4255～4259m。

坝址出露及下伏基岩为上三叠统涅如组(T_3n)灰色、深灰色板岩，顺板理充填有透镜状、条带状石英脉，厚 1～2cm。Ⅰ级阶地物质为第四系上更新统冲积(Qp^{al})砾卵石，勘探厚度一般 1.2～15.2m，基岩面高程 4247～4260m，呈顺河向的凹槽。河床、漫滩物质为第四系全新统冲积(Qh^{al})砂砾石，勘探厚度一般 0.9～13.5m，向下游侧有逐渐变厚的趋势，基岩面高程 4244～4254m。砾石、卵石母岩成分为板岩、石英砂岩、花岗岩、石英岩等，多呈次圆状、板状。其他地段第四系覆盖层按成因有洪积(Q^{pl})、崩积(Q^{col})、崩坡积(Q^{col+dl})等多种类型，物质主要碎石土、碎块石土。

在新构造活动上属于喜马拉雅强烈掀斜隆起区，坝址位于吉定-直岗复式向斜之南翼。板岩总体为单斜构造，倾向北东(上游)，倾角 65°～70°，板理走向与河流流向近正交，河谷属横向谷。基岩中分布少量层间挤压带，破碎带宽 3～160cm 不等，物质为多为碎屑夹泥，部分为片状岩及石英脉。板理裂隙和板理大角度相交的裂隙较发育，陡倾角，裂面平直，微张，延伸长度 1～7m。

夏布曲是最低排泄基准面，地表水通过坡表、冲沟汇集于夏布曲，冲沟仅有季节性水流。地下水按赋存介质可分为松散覆盖层孔隙水和基岩裂隙水，覆盖层孔隙水出露 11 个泉水点，流量 0.5～10L/min；基岩裂隙水出露 3 个泉水点，具微承压性质，流量 2～10L/min。

3 土石坝沥青混凝土心墙对地质条件的要求

3.1 心墙结构及其对地基的作用

根据《土石坝沥青混凝土面板和心墙设计规范》(SL 501—2010)，沥青混凝土心墙不与天然岩土地基直接接触，通常在心墙下端设置水泥混凝土板作为基座。拉洛大坝心墙顶高程 4303m，厚度 60cm；从上至下采用变厚度的阶梯式：高程 4290m 以上 60cm，高程 4290～4272m 为 80cm，高程 4272m 以下为 100cm，底部河床 5.0m、两岸 3m 高渐变扩大到最大厚度 200cm。心墙下设置混凝土基座厚 60cm，与弱风化板岩地基相连。

沥青混凝土心墙对地基的作用，实际上是混凝土基座的基底压力。基底压力又来自基座以上沥青混凝土和坝壳料的自重，考虑到心墙本身厚度较小，为计算方便，基座以上的荷载均可视为坝壳料的自重。根据土石坝地基应力分布(图 1)，$P_{max}=\gamma\times H$，其中 P_{max} 为建基面上最大应力，也就是心墙基座的基底压力(kPa)，γ 为坝壳填筑料重度(kN/m^3)，H 为大坝坝高(m)。

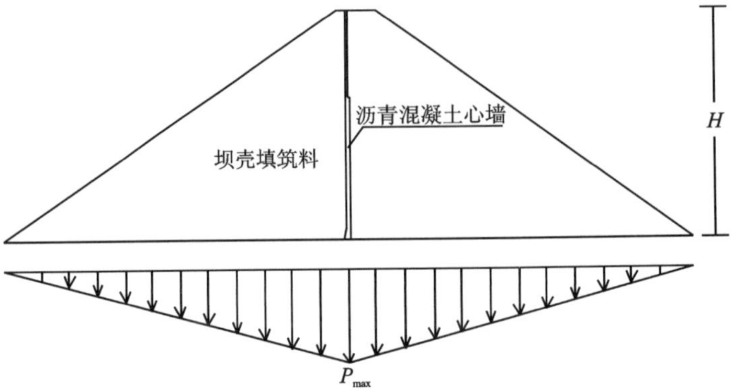

图1 沥青混凝土心墙土石坝坝基应力分布图

3.2 心墙对地基地质条件的要求

沥青混凝土心墙是一种弹塑性体，不同于混凝土重力坝刚性体，与土质心墙黏塑性体也有差别。因此，不能按照《水利水电工程地质勘察规范》(GB 50487—2008)和其他相关标准，对沥青混凝土心墙进行工程地质评价。

沥青混凝土心墙通过水泥混凝土基座对地基产生作用力，为满足标准及设计要求必须要求地基承载力大于基底压力。承载力只要足够大，地基就不会因强度不足而出现破裂(坏)，也不会发生过大的沉陷变形或不均匀沉降而影响心墙的防渗性能。同时，沥青混凝土心墙作为土石坝坝体的防渗结构，必须与其下地基和两岸岸坡防渗设施或措施共同组成完整的防渗体系，才能有效地进行渗流控制、确保大坝渗流安全。因此，心墙地基渗透系数宜小，抗渗性宜强，要特别防止心墙与地基接触带发生集中渗漏和渗透破坏。

沥青混凝土心墙对地基地质条件的要求，可概括为以下几点。

(1)高坝心墙基座宜置于坚硬、不冲蚀和可灌浆的弱风化至新鲜基岩上。如全、强风化带厚度较大，可部分挖除后以强风化下带岩体作为建基面，同时根据需要进行地基加固或防渗处理。因为强风化岩体可灌性较差，需要加强帷幕灌浆，或采取防渗墙、深层搅拌等其他处理措施。跷碛水电站坝基为碳质粉砂质千枚岩，弱风化岩体采用2排帷幕、排距1.2m，对强风化基岩则加强采用3排帷幕、排距1m，孔距均为2m，最大灌浆压力控制在3.5MPa以内，经检测帷幕质量满足要求。

(2)中坝、低坝心墙基座可置于冲积砂砾石地基上，因地基承载力一般难以满足要求需要采取加固处理措施，因渗透性较强需要进行防渗处理(一般采用混凝土防渗墙防渗)，对其中分布的厚度较大、连续的低强度、高压缩性软土及地震时易液化的砂层需进行专门处理。泸定大坝心墙地基为冲洪积砂砾卵漂石，为减少沉降变形，对河床范围的覆盖层进行深度8m、10m的固结灌浆，对岸坡粉土进行高压旋喷桩处理，桩径1m。大渡河龙头石电站大坝心墙地基为砂砾卵石，对建基面以下25m深度范围内的砂层进行振冲碎石桩加固防治液化，以减少坝基变形，提高力学性能。

(3)心墙地基基岩如有断层、破碎带和软弱夹层等不良地质条件时，应根据它们的产状、规模和组成物质，研究其渗透、渗透变形和溶蚀后对心墙的影响，进行防渗、加固处理。在喀斯特地区，应根据喀斯特发育情况、充填物性质、水文地质条件、水头大小、覆盖层厚度和防渗要求等设计铺盖、封闭、堵截、排水等处理方案。

4 拉洛大坝沥青混凝土心墙工程地质评价

4.1 心墙建基岩土体的选择

(1)地基岩土物理力学性质

河床、漫滩地面高程一般4256～4258m,横河向宽度分别为35～40m、90～110m。覆盖层为Qh^{al}砂砾石,勘探厚度0.9～13.5m,平均8.9m,底板高程4 243.29～4 257.73m。根据颗粒组成、密实程度,并考虑其中夹层成分及分布、渗透性,将坝基覆盖层分为上、下两部分。

上部砂砾石厚度0.9～5m,充填中细砂,局部夹砾砂、砾质土透镜体,表层分布厚0.3～0.5m的粉砂。颗分试验成果表明(图2),砂砾石不均匀系数59～1143,曲率系数为3～57.9,属于不良级配砾;粒径小于5mm颗粒含量为22.4%～76.2%,平均值43.8%,其中小于0.005mm颗粒含量为4%～21%,平均值9%。上部砂砾石相对密实度0.206～0.654,个别大者0.839,平均值0.50。动探击数小值4击,大值19击,平均值10击,呈松散—稍密状,局部中密状。从动探击数分布频率看,小于10击的试段占84%,总体结构松散—稍密。钻孔注水试验渗透系数8.8×10^{-5}～6.8×10^{-2}cm/s,平均值6.3×10^{-3}cm/s;钻孔抽水试验渗透系数1.3×10^{-2}～7.5×10^{-2}cm/s,平均值4.4×10^{-2}cm/s。

下部砂砾石厚度0～8.5m,充填中细砂,局部夹砾质土透镜体、漂石。颗分试验成果表明(图2),砾卵石不均匀系数700～1640,曲率系数多35～89,属于为不良级配砾;粒径小于5mm颗粒含量为71.2%～79.9%,平均值75.1%,其中小于0.005mm颗粒含量13%～24%,平均值18%。下部砂砾石动探击数小值6击,大值30击,平均值15击,呈稍密—中密状,局部密实状。从动探击数分布频率看,大于10击的试段占78%,总体结构中密—密实。钻孔注水试验渗透系数2.2×10^{-5}～5.8×10^{-2}cm/s,平均值3.6×10^{-3}cm/s。

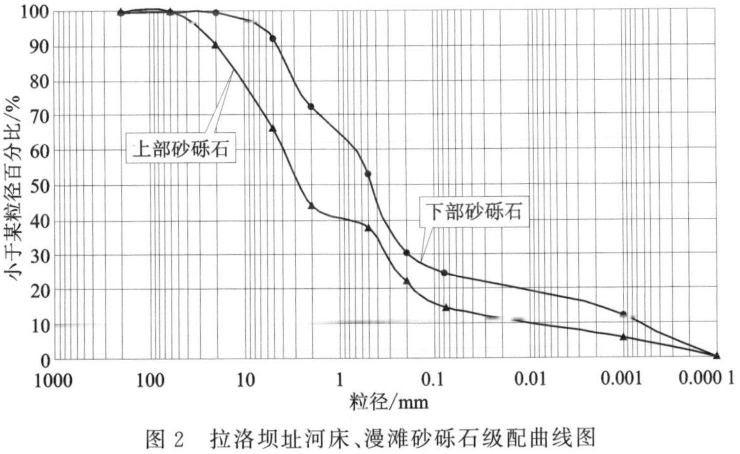

图2 拉洛坝址河床、漫滩砂砾石级配曲线图

Ⅰ级阶地分布于河床、漫滩右侧,地面高程一般4260～4264m,横河向宽度为60～120m。覆盖层为Qp^{al}砾卵石,勘探厚度0.4～15.2m,平均8.3m,部分地段表层分布厚0.5～1.0m的粉砂,底板高程4 247.69～4 269.14m。砾卵石多呈次圆状、板状,夹漂石,最大可见粒径50cm。颗分试验成果表明,砾卵石不均匀系数为37.5～47,曲率系数1.6～1.72,为级配良好卵石混合土;粒径小于5mm颗粒含量为13.7%～14.2%。相对密实度0.65～1.0,平均值0.83。动探击数小值9击,大值40击,平均值23击,呈中密—密实状,局部稍密状。从动探击数分布频率看,大于10击的试段占91%,总体结构中密—密实。钻孔注水试验渗透系数2.2×10^{-5}～7.2×10^{-3}cm/s,平均值1.6×10^{-3}cm/s;钻孔抽水试验渗透

系数 2.2×10^{-2}cm/s。

基岩为 T_3n 板岩，出露于两岸岸坡和分布于谷底覆盖层之下。根据试验成果，弱风化岩体饱和抗压强度 8～12MPa，变形模量 2～2.5GPa，泊松比 0.30～0.35，一般呈中等透水性；微新岩体饱和抗压强度 15～20MPa，变形模量 2.5～3.0Pa，泊松比 0.25～0.28，一般呈弱透水性。

(2)心墙建基岩土体选择

心墙所处夏布曲谷底覆盖层由河床、漫滩、阶地物质组成，两岸基岩出露。

河床、漫滩上部砂砾石厚度 0.9～5m，结构松散—稍密，承载力 200～250kPa，呈强透水性；下部砂砾石厚度 0～8.5m，结构稍密—中密，承载力 300～350kPa，呈中等透水性；阶地砾卵石厚度 0.4～15.2m，结构中密—密实，承载力 400～450kPa，呈强透水性。河床及漫滩上、下部砂砾石和阶地砾卵石层承载力较小，透水性中等—强，不能满足结构变形和防渗要求，不能直接作为心墙地基。板岩强风化岩体承载力与阶地砾卵石基本相当，具弱—中等透水性，如作为心墙地基，亦需要采取加固及防渗措施，且强风化板岩中进行防渗处理较为困难、效果较差。

鉴于心墙部位覆盖层和基岩强风化层厚度总体较小，经综合考虑后予以挖除形成截水槽，将沥青混凝土心墙从坝体延伸到截水槽，以弱风化板岩作为心墙建基岩体(图 3)。

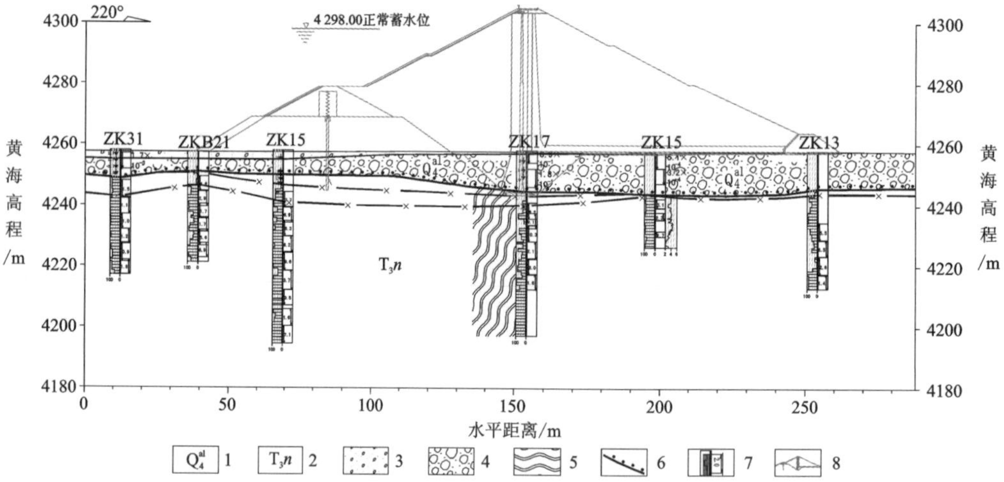

图 3　拉洛大坝河床、漫滩部位工程地质横剖面图

1.第四系全新统河床、漫滩冲积；2.上三叠统涅如组；3.砾砂；4.砂砾石；5.板岩；6.第四系与基岩界线；7.钻孔；8.人坝轮廓线

4.2　地基承载能力评价

大坝沥青混凝土心墙最大高度 60m，厚度 60～100cm，为上薄下厚的阶梯式，底部设置混凝土基座。河流谷底坝体最大断面处心墙基础的基底压力 $P=\gamma\times H=20\times61.5=1230$kPa $=1.23$MPa，其中砂砾石坝壳填筑料 γ 取 20kN/m³，H 为大坝最大坝高 61.5m。

心墙地基为 T_3n 灰色、深灰色板岩，板理倾向上游，走向与心墙轴线近于平行。左岸高程 4280m 以上斜坡和Ⅰ级阶地左侧局部分布有强风化带岩体，厚度 2.4m 左右，已全部清除，心墙建基岩体为弱风化带板岩。

河流谷底弱风化岩体厚度 6～16.20m，两岸斜坡弱风化岩体厚度 12～37m，其下为微新岩体。弱风化岩体饱和抗压强度 8～12MPa，根据地基与基础设计规范，折减系数取 0.3，则地基承载力 f 为 2.4～3.6MPa。沥青混凝土心墙基底压力小于地基承载力，且地基承载力约是心墙最大基底压力的 2～3 倍，地基承载能力满足要求。

4.3 地基渗透性评价

根据设计要求，拉洛大坝地基防渗标准为透水率<3Lu。心墙地基岩体总体具弱透水性，微、极微透水岩体约占11%，弱透水占80%，中等透水占9%。透水率<3Lu岩体顶板在基岩面以下埋深：左岸斜坡35～40m，河床、漫滩一带2～24m，Ⅰ级阶地一带3.7～32.5m；右岸斜坡18～20m。建议大坝防渗帷幕在基岩面埋深：左岸斜坡40m，相应底界高程4223～4300m；河床、漫滩一带20～30m，相应高程4220m；Ⅰ级阶地一带10～35m，相应底界高程4220～4226m；右岸斜坡20～30m，相应底界高程4240～4300m。

心墙轴线上有4个钻孔揭露裂隙性承压水，工作过程中创造性地实施了单孔压水、群孔观测的压水连通试验，并结合钻孔岩芯、钻孔电视资料进行综合分析。承压水赋存于板理裂隙、层间挤压带中，板岩在揉皱变质过程中，顺板理面局部或部分脱开形成裂隙，岩层之间相互错动形成挤压带，带内物质破碎，地下水赋存其间其上部封闭而具有承压性质，为顺板理走向的脉状裂隙承压水。承压水水头高度27～42m，但各出水点位于心墙基座基岩面以下5.5～21.5m，基槽开挖出现承压水的可能性小，对心墙地基稳定基本无不利影响，但防渗帷幕施工时会钻遇承压水，应加强渗控处理。在可行性研究阶段曾将基岩承压水作为坝址主要工程地质问题之一，认为承压水将对大坝稳定不利，设计相应采取了对承压含水层进行灌浆封闭、消压槽减压等措施。初步设计阶段对基岩承压水进行了专门勘探研究，查明了承压水性质、分布及埋藏条件、水位、流量、水力联系，认为其对大坝稳定基本无不利影响，与水库水也不会有水力联系，库水不会通过承压水赋存空间出现渗漏问题。设计根据地质建议取消了坝基消压槽设施，优化了帷幕灌浆方案，节省了大量地基防渗处理工程量。

5 结语

拉洛水利枢纽是国家172项节水供水重大水利工程之一和西藏自治区迄今投资规模最大的水利工程，对促进西藏经济跨越式、全面协调可持续发展，加快脱困步伐，保障边疆繁荣稳定具有重要意义。从2004年开始河流综合规划，到2013年完成初步设计，前期勘察设计工作历时近10年，我公司在高海拔高寒地区不断挑战生命极限，克服重重困难，创新工作方法，成功解决了大坝沥青混凝土心墙建基岩体选择、心墙地基承载能力评价、防渗性能及承压水对建坝的影响评价等主要工程地质及勘察技术问题。

2014年6月8日，拉洛水利枢纽工程开工建设；2019年9月，大坝封顶；2020年12月工程正式发电试通水。在基坑开挖和地基处理、帷幕灌浆过程中，前期勘察工程地质、水文地质条件与施工揭示情况一致，地质评价结论合理正确。目前大坝变形、应力、渗流等监测结果正常，运行状况良好。

参考文献

黄振伟，雷明，张玮鹏. 西藏拉洛水利枢纽沥青混凝土骨料质量评价及料场比选[J]. 长江科学院院报，2020，37(9)：149-153.

杨昕光，张伟. 软岩筑沥青混凝土心墙坝的应力变形特性研究[J]. 地下空间与工程学报，2016，12(Z1)：163-169.

陈慧远，施群，唐仁杰. 沥青混凝土心墙土石坝的应力应变分析[J]. 岩土工程学报，1982，4：148-160.

王廷学，刘拥，李英海. 黄河龙口水利枢纽坝基承压水问题分析与渗流控制[J]. 水利水电工程设计，2006，25(3)：37-39.

唐群刚，刘义. 跷碛水电站大坝帷幕灌浆试验[J]. 探矿工程-岩土钻掘工程，2009，36(Z1)：305-309+312.

郑远建，安亚梅. 泸定水电站黏土心墙堆石坝复杂地基处理[J]. 四川水力发电，2011，30(2)：83-85.

王道光，王克生. 龙头石水电站沥青混凝土心墙施工技术[J]. 四川水利，2015，36(3)：64-67.

黄振伟，杜胜华，雷明，等. 拉洛水利枢纽坝址承压水特征及其对建坝的影响[J]. 中国水利，2016，20：51-53.

坝基岩体结构面的特征及抗剪强度参数研究

唐万金[1,2] 龙三[1,2] 郭喜峰[3]
1.长江岩土工程有限公司,湖北 武汉 430010;
2.国家大坝安全工程技术研究中心,湖北 武汉 430010;
3.长江水利委员会长江科学院,湖北 武汉 430010

摘 要:引江补汉工程坝上方案观音阁水库拟建为混凝土重力坝,最大坝高为152m。岩体中发育缓倾角裂隙、软弱夹层等构成的块体可能对坝基抗滑稳定不利,为此对坝基岩体结构面进行了重点勘察,通过地质测绘、平硐勘探和直剪试验,对岩体结构面的性状、分布特征、控制性结构面的连通率,以及抗剪强度参数的研究,基本查明坝基岩体结构面的工程地质特性,提出了坝基岩体结构面的抗剪强度参数建议值供设计使用。

关键词:结构面 性状特征 抗剪强度 引江补汉

1 工程概况

引江补汉工程是南水北调中线后续水源工程,从长江三峡库区引水入汉江,以提高汉江流域的水资源调配能力。大宁河观音阁提水方案为其中规划方案之一,主要由观音阁水库、荆竹坝泵站及荆潘输水线路三部分组成。观音阁水库坝址位于大宁河万寿宫,拟建混凝土重力坝,坝顶高程352m,最大坝高152m,水库正常蓄水位348m。

坝基岩体为灰岩,岩层陡倾上游,为横向谷,坝基不存在确定性结构面构成的抗滑稳定问题。岩体中发育缓倾角裂隙,与软弱夹层、顺河向结构面等多种组合,具有不确定性,构成的块体可能对坝基抗滑稳定不利,为此对坝基岩体结构面的性状、分布特征及抗剪强度进行了重点研究。

2 基本地质条件

观音阁坝址位于大宁河万寿宫河段,属碳酸盐岩中山峡谷地貌,河谷狭窄,为基本对称的“V”形谷,两岸山体雄厚,临江峰顶高程1096～1400m,相对高差866～1170m。左岸下陡上缓,高程350m以下地形坡度62°～80°,以上坡度50°～55°,右岸相对较缓,地形坡度约50°。坝址区河床枯水位约230m,河水面宽50～80m,水深0.5～1.0m。正常蓄水位348m时河谷宽度约270m。河流从北向南流经坝区,坝上流向165°,坝下转向216°,向东弯曲,河流走向与岩层走向交角约60°,呈大角度相交,为横向谷。坝址区出露基岩为下三叠统大冶组(T_1d)和嘉陵江组(T_1j)灰色薄—中厚层灰岩、白云质灰岩、白云质角砾岩、含泥质灰岩及页岩。岩溶发育较弱。坝基岩体为嘉陵江组灰岩,单轴饱和抗压强度43.0～88.1MPa,平均值60.8MPa,属于坚硬岩。变形模量8.9～18.2GPa,平均波速约5550m/s,K_v值约0.79,RQD>75%。

作者简介

唐万金(1970—),男,高级工程师,主要从事水利工程相关工作.E-mail:154100368@qq.com

坝址位于梯子岩倒转向斜北翼近核部地段，呈单斜构造，岩层走向 98°～114°，倾向 8°～24°，倾角70°～85°。

3 岩体结构面性状及特征

坝区未发现缓倾角断层发育，结构面主要为软弱夹层和裂隙，为了研究坝基岩体结构面类型及特征，共布置了平硐 3 个。

3.1 软弱夹层

根据软弱夹层的成因类型、物质组成及性状将其分为 3 种类型。

(1)岩块岩屑型(Ⅰ类)：薄层灰岩、泥灰岩夹极薄层页岩，挤压破碎呈颗粒状、鳞片状，碎块间形成骨架，局部见溶蚀风化，附灰华，未见泥化，夹层总体性状较好，厚度 0.3～10cm，坝址区主要为该类夹层。

(2)岩屑夹泥型(Ⅱ类)：薄层灰岩夹薄层页岩，灰岩挤压呈碎块状，页岩呈鳞片状，局部泥化，泥化厚度 1～2cm，充填少量黏土。

(3)泥夹岩屑型(Ⅲ类)：薄层页岩夹薄层灰岩，受构造挤压、错动呈碎块及颗粒状，页岩断续泥化，充填于碎块骨架之间，泥化厚度 2～5cm，总体性状较差。

3.2 裂隙

(1)坝区裂隙分布特征

坝区主要发育有 3 组裂隙，裂隙基本特征见表 1。

表 1 坝区岩体裂隙基本特征统计表

裂隙编号	裂隙产状			占比/%
	走向/(°)	倾向	倾角/(°)	
第一组(NNE 组)	2～30	NWW/SEE	其中倾角 0～30 占 6.53%；倾角 30～60 占 9.30%；倾角 60～90 占 41.46%	57.3
第二组(NE 组)	31～60	NW/SE	其中倾角 0～30 占 4.02%；倾角 30～60 占 4.02%；倾角 60～90 占 8.29%	16.3
第三组(NWW 组)	340～360	NEE/SWW	其中倾角 0～30 占 3.02%；倾角 30～60 占 2.76%；倾角 60～90 占 9.05%	14.8

以上 3 组裂隙为坝区的优势结构面，也是较长且大的裂隙，以 NNE 组最为发育，NE 组和 NWW 组裂隙次之。坝基岩体中高倾角裂隙占统计裂隙总数的 59.4%，中倾角占比约 22.5%，缓倾角裂隙占比约 18.1%，以高倾角裂隙为主，中倾角裂隙次之，缓倾角裂隙较少。

缓倾角裂隙走向以 NE 为主，约占缓倾角裂隙总数的 71%，其次为走向 NW，约占缓倾角裂隙总数的 29%。

(2)坝基滑移控制性结构面及连通率的确定

根据缓倾角结构面与坝轴线的交角关系，将走向与坝轴线夹角小于 30°的缓倾角结构面视为坝基抗滑稳定的控制性结构面，大坝左岸坝轴线走向为 290°，与坝轴线夹角小于 30°走向范围为 80°～90°和

270°～310°；右岸坝轴线走向为263°，与坝轴线夹角小于30°走向范围为53°～90°和270°～293°。据平硐揭示资料，左岸缓倾角裂隙走向与坝轴线夹角小于30°共发育21条，右岸共发育31条。

结构面连通率分为结构面的线连通率和面连通率，面连通率一般难以直接测定，目前最常用的是测量结构面的线连通率，可通过投影法、统计窗口法以及基于结构面网络模拟等方法确定，本次采用投影法实测缓倾角裂隙水平向的连通率，工程意义较明确。计算公式如下：

$$K=\frac{\sum_{i=1}^{n}l_i}{L} \tag{1}$$

式中：K 为连通率(%)；L 为测线长度(m)；l_i 为第 i 条缓倾角裂隙投影长度(m)。

平硐的洞高为1.5～2m，选取底边以上0.75m为测线，采用0.5m投影距进行计算。经计算，坝址左岸控制性滑动面连通率约12.4%，右岸连通率约13.8%。

4　现场直剪试验

4.1　试验内容及方法

为研究结构面的力学性质，在PD3和PD4平硐中选取具有代表性的2条缓倾角裂隙和2条软弱夹层进行直剪试验。缓倾角裂隙直剪试验点距离PD3平硐洞口20～31m，产状220°～245°∠9°～11°；夹层产状19°∠85°，近垂直。试验方法采用平推法直剪试验，剪切方向为从上游指向下游或顺结构面方向，法向应力0.13～1.85MPa。

4.2　结构面剪切破坏特征及试验成果

(1) 缓倾角裂隙

缓倾角裂隙共进行了5点饱和状态下直剪试验(表2)，裂隙宽约5mm，裂面较平直，局部弯曲，起伏差较大，最大约8cm，充填破碎块石，附钙泥膜。

表2　缓倾角裂隙抗剪强度试验值

参数 类别	抗剪断试验			抗剪试验	单点摩擦试验
	峰值强度	屈服强度	残余强度	抗剪强度	抗剪强度
f	0.97	0.67	0.72	0.74	0.72(0.58)
c/MPa	0.79	0.49	0.65	0.65	0.64(0.18)
备注	括号中数据为缓 τ_{1-4} 试验点全部沿着裂隙面剪断破坏				

剪切试验结果表明，主要沿裂面及岩体剪断破坏，呈现弹塑性破坏模式，在低应力时表现出线弹性，裂隙面沿剪切方向的变形较小，随着应力的增大呈现出弹塑性的特性，裂隙面在经过屈服后逐渐破坏，破坏后压力瞬时剧降，位移迅速增大，抗剪断应力—位移曲线不规则(图1)，$\tau-\sigma$ 关系曲线规律性一般。缓倾角裂隙剪切过程中呈现出剪胀特性，主要与母岩较破碎，裂隙面起伏差较大，裂隙面局部存在胶结，沿岩体剪切破坏等有关。缓 τ_{1-4} 试验点完全沿裂隙面剪破坏，剪断面较平直，充填淡黄色泥膜，起伏差最大在1cm左右，呈现塑性破坏模式。

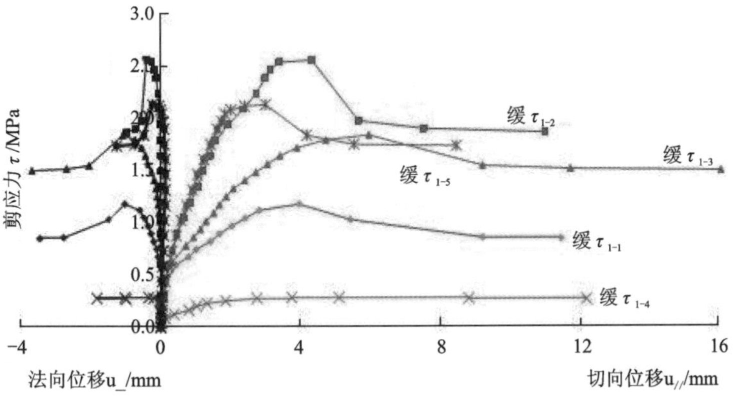

图 1 缓倾角裂隙抗剪断应力—位移曲线

(2)软弱夹层

在 PD3 和 PD4 平硐中分别对岩块岩屑型(Ⅰ类)和泥夹岩屑型(Ⅲ类)两类软弱夹层进行了天然和饱和状态下的直剪试验(表 3),剪切试验均沿结构面剪断破坏,剪切面较平直,夹层受构造挤压呈碎块及颗粒状,页岩局部泥化。

表 3 软弱夹层抗剪强度试验值

夹层类型	参数类别	抗剪断试验						抗剪试验	
		峰值强度		屈服强度		残余强度		抗剪强度	
		天然	饱和	天然	饱和	天然	饱和	天然	饱和
岩块岩屑型(Ⅰ类)	f	0.68	0.64	0.64	0.59	0.65	0.61	0.66	0.62
	c/MPa	0.17	0.07	0.11	0.04	0.14	0.06	0.14	0.06
泥夹岩屑型(Ⅲ类)	f	0.58	0.49	0.51	0.36	0.54	0.46	0.53	0.46
	c/MPa	0.07	0.04	0.03	0.03	0.06	0.04	0.06	0.04

根据直剪试验结果,两类夹层天然与饱和状态下试点均呈塑性破坏模式,在低应力时结构面沿剪切方向的变形较小,随着应力的增大,结构面进入屈服,并经历了较长屈服阶段,在应变积累到结构面抵抗极限后发生破坏,破坏后压力下降较小,位移迅速增大,抗剪断应力-位移曲线规则(图 2)。软弱夹层剪切过程中呈现剪胀特性,主要受夹层内充填的灰、页岩碎块的影响;同时呈剪缩特性,是由于充填的页岩泥化后较软在正应力作用下发生下压变形。试验结果受结构面含水状态的影响明显。软弱夹层直剪试验结果得到的 $\tau-\sigma$ 关系曲线规律性较好。

5 结构面抗剪强度参数建议

结构面抗剪强度参数建议值以现场原位试验成果为基础,按《水利水电工程地质勘察规范》(GB 50487—2008):硬性结构面抗剪断强度参数按峰值强度平均值取值,抗剪强度参数按残余强度平均值作为标准值。软弱结构面抗剪断强度参数按峰值强度小值平均值取值,抗剪强度参数按屈服强度平均值取值作为标准值的取值原则。综合考虑现场原位试验的地质代表性、含水状态、剪切破坏模式等各种因素的影响,以及工程规模和重要性,结合类似工程经验选取(表 4)。软弱夹层的抗剪强度参数的取值基本符合上述取值原则,缓倾角裂隙的试验结果受各种因素的影响较大。

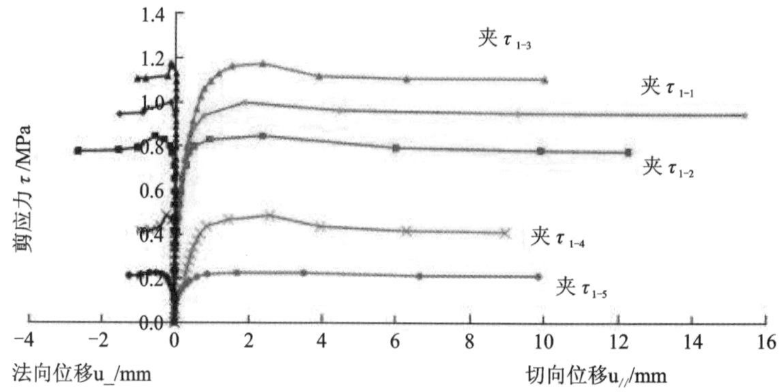

图2　软弱夹层(Ⅰ类)抗剪断应力-位移曲线

表4　坝基岩体结构面抗剪强度建议值

结构面类型		抗剪断		抗剪	结构面性状特征
		f'	c'/MPa	f	
缓倾角裂隙		0.35～0.45	0.05～0.10	0.30～0.35	面较弯曲,闭合充填小碎块石,附黄色泥膜,局部胶结
软弱夹层	岩块岩屑型(Ⅰ类)	0.40～0.50	0.05～0.10	0.30～0.35	面较平直,闭合,薄层灰岩及页岩挤压破碎呈颗粒状、鳞片状,厚5mm,附泥膜
	泥夹岩屑型(Ⅲ类)	0.30～0.40	0.03～0.05	0.25～0.30	面较平直,闭合,薄层页岩及灰岩挤压呈碎屑状,厚3～5cm,页岩泥化厚1～3cm

6　结语

(1)通过对坝基岩体结构面的特征、成因、充填物的性状和抗剪强度参数的研究,基本查明坝基岩体结构面的工程地质特性,提供了坝基滑移控制性结构面、连通率及其抗剪强度参数。

(2)结构面的特征及充填物的性状对抗剪强度影响较大,缓倾角裂隙呈现弹塑性破坏,软弱夹层呈现塑性破坏,通过对这两种典型破坏模式的结构面直剪试验及研究,积累结构面抗剪强度参数的取值经验。

参考文献

唐万金,龙三,易志伟,等.引江补汉工程可行性研究坝上方案工程地质报告[R],武汉:长江设计院,2020.

彭土标,袁建新,王惠明,等.水力发电工程地质手册[M].北京:中国水利水电出版社,2011.

郭喜峰,王中豪,曾勇,等.引江补汉工程可行性研究坝上方案室内与现场岩石力学试验研究报告[R],武汉:长江科学院,2020.

分散性土作为心墙土料的研究

赵凯
湖南省水利水电勘测设计研究总院，湖南 长沙 410007

摘 要：碾压式土石坝是综合考虑工程地质条件、当地建筑材料、工程投资、环境保护和水土保持等多方面因素选择的当地材料坝。本文以新疆某水库黏土心墙砂砾石坝方案为例，可供选择的心墙防渗土料为风积黄土，为过渡—分散性土。本文针对其土料分散性进行研究，并通过掺加石灰抑制的试验方法，论证对其分散性抑制处理的可行性，以解决特殊性土作为防渗土料的主要工程地质问题。本次对特殊性土作为防渗土料进行的技术研究论证，也为特殊地区高坝心墙土料的选择和处理提供借鉴和选料思路。

关键词：黏土心墙 过渡性 分散性 抑制试验 击实试验

1 概况

某水库地处新疆维吾尔自治区伊犁州，位于伊犁河北部某二级支流。工程主要由挡水大坝、溢洪道、导流洞及灌溉洞组成，水库设计正常蓄水位 1 170.0m，最大坝高 91.5m，相应库容 4125 万 m^3，是一座具有灌溉、供水、兼顾防洪、生态保护和水土保持等综合效益的中型水利枢纽工程。

2 基本地质条件

根据勘察资料，坝址区河谷呈不对称浅“U”形，河床高程 1084～1090m，宽 167m，正常蓄水位对应的河谷宽度约 763m。地貌形态属中低山区向丘陵区过渡，两岸地形上缓下陡，山顶高程 1267～1295m。河床及边滩为(Qh^{pal})薄层砂卵砾石，两岸及砂料场表部为厚度较大的(Qp^{eol})风积黄土覆盖，下部地层岩性均为渐新统—上新统昌吉河群下亚群[(E_3—N)ch^a]之中厚—厚层状土黄色—杂色泥质粉砂岩、泥岩、砂砾岩。综合地质条件及建材分布特点，工程区下伏为极软岩，适宜修建心墙砂砾石坝。

通过设计方案比较：采用沥青心墙砂砾石坝方案之坝壳填筑量约 906.3 万 m^3，沥青心墙之碱性骨料需约 3.4 万 m^3；采用黏土心墙砂砾石坝方案，坝壳料填筑量约 768.7 万 m^3，黏土心墙填筑约 141.0 万 m^3。由于工程区砂砾石料储量及分布所限，加之工程地处西北地区，坝址区两岸及砂砾料场表部分布较厚的风积黄土，其剥离弃料规模较大(坝址右岸表部开挖弃料达 133 万 m^3，砂料场上部开挖弃料达 350 万 m^3)，故采用黏土心墙方案既能显著降低砂砾石坝壳填筑料的需求压力，又能有效利用坝址两岸及砂料场上部风积黄土剥离弃料，对工程投资、资源利用、环境保护等具有重要意义。

坝址区右岸坝体开挖范围内分布较厚的风积黄土，其典型地层结构见图 1。

作者简介

赵凯(1980.9—)，男，高级工程师，主要从事水工环地质勘察方面研究. E-mail：Key5210@126.com

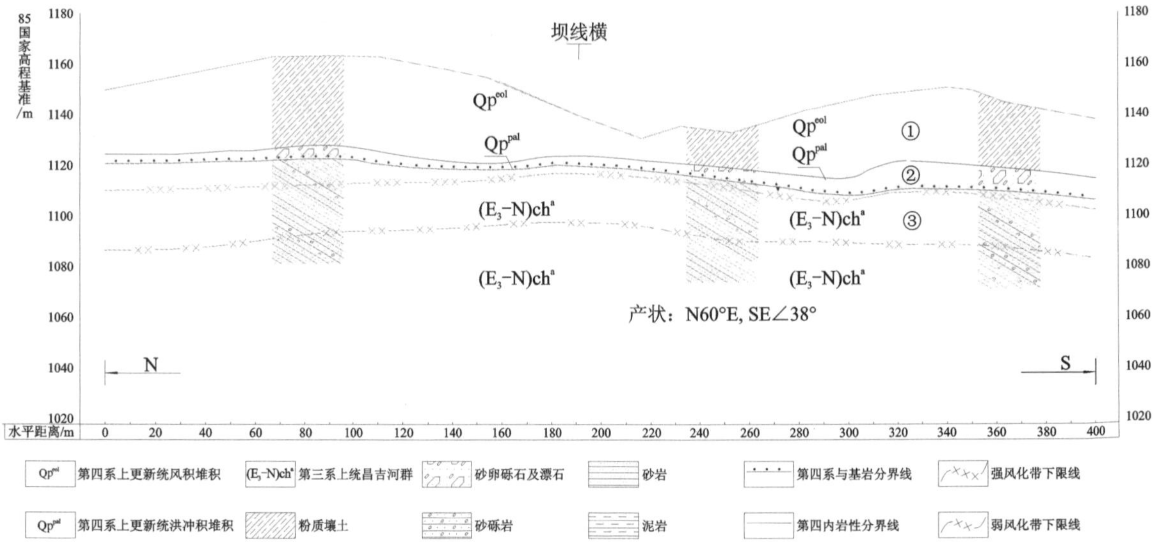

图1　坝址右岸典型剖面图

3　风积黄土的分散性研究

3.1　风积黄土分散性机理

土体分散性机理:分散性土是一种在低含盐量水中离子间相互的排斥力超过吸引力、导致土体细颗粒之间的凝聚力大部分或全部丧失,团聚体存在的颗粒分散成原级颗粒的黏性土。

我国幅员辽阔,地质条件复杂,分散性土分布较广,自黑龙江至海南,从新疆至山东,基本都有分散性土的分布。随着我国工程建设的不断深入和发展,分散性土区域工程建设越来越多。该类土体抗冲蚀能力很低,在库水、流动水流作用下,土体颗粒间凝聚力降低、成为悬液、或土体颗粒流失,从而带来坝体管涌、渠道渗漏、路基失稳等工程地质问题。如黑龙江南部引嫩工程渠道产生洞穴和管涌破坏;海南三亚岭落水库下游坝坡的冲沟破坏;西班牙San Juan水库大坝防渗土料破坏;美国俄克拉荷马州Wister大坝蓄水管涌破坏等。

坝址区风积黄土由于其独特的成因和土体组成,决定了其特殊的物理力学特性和水理特征。由于其黏粒含量及天然含水量低、粉粒含量及易溶盐含量高等特性,土体凝聚力低,受水库蓄水影响较大,土体含水量升高后导致土体抗剪强度和凝聚力急剧降低,从而带来分散性问题。

根据所取土样试验成果,按照《土工试验方法标准》(GB/T 50123—2019)判定土类代号土体以低液限黏土(CL)为主,粉粒含量均值87.2%,黏粒含量均值10.9%;砂粒含量均值1.9%;液限均值28.1%;塑限均值18.3%;塑性指数 I_p 均值9.8;土体比重均值2.71,最大干密度均值1.73g/cm^3;土体pH值7.76~8.64,Na^+和易溶盐含量稍高。

其土体颗分及物理指标试验见表1,土体化学性质实验成果见表2。

表 1　土体颗分试验及物理指标试验成果表

试样编号	取样深度/m	液限	塑限	塑性指数	粒径组成含量/%			击实试验	
		ω_L/%	ω_p/%	I_p	>0.075 mm	0.075～0.005 mm	<0.005 mm	最优含水率/%	最大干密度/(g·cm^{-3})
TJ1	0.5～10.0	28.4	18.8	9.6	1.1	90.9	8.0	16.8	1.70
TJ1	10.0～30.0	28.8	19.2	9.6	2.2	89.8	8.0	17.5	1.69
TJ2	0.5～10.0	28.3	18.6	9.7	1.7	91.3	7.0	16.9	1.69
TJ2	10.0～30.0	28.5	19.1	9.4	2.8	87.7	9.5	17.2	1.70
TJ4	0.5～10.0	27.2	17.8	9.4	2.0	81.5	16.5	15.3	1.79
TJ4	10.0～17.0	27.3	16.4	10.9	1.4	82.1	16.5	15.9	1.78
平均值		28.1	18.3	9.8	1.9	87.2	10.9	16.6	1.73

表 2　土体化学性质试验成果表

试样编号	取样深度/m	阴离子/(g·kg^{-1})				阳离子/(g·kg^{-1})				易溶盐含量	pH 值
		Cl^-	CO_3^{2-}	HCO_3^-	SO_4^{2-}	Ca^{2+}	Mg^{2+}	K^+	Na^+		
TJ1	0.5～10.0	0.623	0.000	0.152	2.711	0.354	0.094	0.020	1.208	5.3	7.76
TJ1	10.0～30.0	0.579	0.000	0.177	0.585	0.133	0.067	0.010	0.504	2.1	7.62
TJ2	0.5～10.0	0.801	0.000	0.190	1.010	0.133	0.027	0.010	0.956	3.2	8.26
TJ2	10.0～30.0	0.534	0.000	0.177	0.638	0.089	0.054	0.010	0.554	2.0	7.98
TJ4	0.5～10.0	0.490	0.012	0.216	2.077	0.133	0.027	0.005	1.110	4.0	8.32
TJ4	10.0～17.0	0.713	0.037	0.127	2.397	0.089	0.040	0.005	1.564	5.1	8.64
平均值		0.623	0.008	0.173	1.570	0.155	0.052	0.010	0.983	3.6	8.10

3.2　土的分散性研究成果

土的分散性研究最早开始于20世纪50年代的美国和澳大利亚，国内研究起步较晚，所以目前国内还有没相关规程规范明确其鉴定标准。国内外已有的研究成果表明，分散性黏土比正常黏性土不耐冲蚀的原因，是黏土颗粒表面有较厚的水膜使颗粒晶格之间的距离较远，相互吸引力小而易于分散成原级颗粒，其耐冲能力随之大幅度降低。如果黏土颗粒的矿物成分为蒙脱石和伊利石，而且孔隙水中含Na^+越多，则水膜就越厚，也更易于分散。因此分散性黏土的鉴定，首先要分析土的矿物成分和孔隙水中盐类的成分。土料分散性研究成果表明，土料的分散性与土料中黏土矿物种类有密切关系，如土料中含有一定量钠型蒙脱石和伊利石，层间又存在足量的Na^+，土料就有可能形成分散性黏土；如矿物成分以钙蒙脱石为主或以绿泥、高岭土为主，土料就不易形成分散性黏土。

根据本工程土料筑坝渗透安全论证报告，土体黏土矿物成分试验成果见表3。由试验结果看，土料局部伊利石和蒙脱石含量较高，存在土体分散性的可能。

表3 土体黏土矿物成分相对百分含量统计表

探井编号	土样名称	黏土矿物相对含量/%				混层比(%/S) 伊利石/蒙脱石
		伊利石/蒙脱石	伊利石	高岭土	绿泥石	
TJ5	5～2	29	39	9	23	55
	5～8	29	41	6	24	55
	5～19	26	45	6	23	55
TJ6	6～1	20	51	7	22	40
	6～9	24	48	8	20	48
	6～15	18	49	8	25	48
	6～20	19	47	9	25	44
TJ7	7～1	47	32	6	15	45
	7～7	32	40	8	20	55
	7～15	15	54	8	23	55
TJ8	8～2	24	46	5	25	55
	8～8	23	45	7	25	55
	8～16	20	45	8	27	45
	8～28	30	43	/	27	50

根结合国内外针对分散性土的研究现状和试验鉴定技术，土体分散性试验主要有4种方法：针孔试验、孔隙水可溶盐试验、针孔试验和碎块试验。由于针孔试验直观的模拟了土体在集中渗透水流作用下所承受的冲蚀条件和被冲蚀破坏的状态，被广泛认为是最可靠的鉴定方法。工程实际应用中，会针对土体进行多种试验并依据不同试验成果，结合针孔试验鉴定成果进行综合判定。

针对工程主要土料场共取样84组进行土体分散性试验论证，所取土料进行的分散性试验成果统计见表4。

表4 土体分散性试验成果统计表

取样位置	试验数量	土体分散性综合评判	占比	备注
右坝肩	28	分散性土样共7组	25%	7组分散性土样分布深度分别为2m、8m(2个)、0.5～10m(2个)、10～30m(2个)
		过渡性土样共21组	75%	
砂料场上部	56	分散性土样共12组	21.4%	12组分散性土样分布深度分别为2m(2个)、3m(3个)、4m、5m、6m、8m、9m、16m、0.5～10m
		过渡性土样共44组	78.6%	

由试验成果来看，2处土料场以过渡性土体为主，局部为分散性土。且根据土样分布位置、颗粒成分、pH值等差异性，导致土体分散性在空间和数量分布上略有差异。其中分散性土样共19个，占总数的22.6%，且主要集中在8m以上(共15个，占16.7%)；8m以下以过渡性土为主，仅局部为分散性土。

根据《水利水电工程天然建筑材料勘察规范》，具有分散性的特殊土作防渗土料，应进行专门论证。故本工程建议选择8m下部过渡性土作为心墙土料，为防止局部分散性土料的影响，心墙土料需采用合理的反滤保护及关键部位采取工程措施，亦可以考虑掺加石灰进行工程改性处理。

4 风积黄土分散性抑制试验论证

4.1 分散性抑制试验

由于土体分散性对工程的影响，针对分散性土进行的改性研究试验是目前的热点之一。结合国内外的改性试验研究成果，对土的分散性起影响作用的主要是钙、钠离子含量和土壤 pH 值等，故对分散性土进行改性的主要思路还是降低孔隙水中交换钠离子和土体 pH 值，所采用的外加剂多为石灰、水泥、粉煤灰、氯化钙等。鉴于工程投资、施工工艺、建筑材料分布等因素，最具现实意义的是添加石灰进行分散性抑制。

本工程拟采用添加生石灰进行土体分散性抑制试验进行论证，并结合阿根廷乌鲁姆坝，中国宁夏马家树水库、新疆 635 水库、黑龙江南部引嫩工程等分散性土改性试验工程经验，对土体抑制剂添加量控制在 3%以下，室内试验由 0.5%～3%逐渐提高掺量进行试验论证，以确定有效抑制的最小添加量。

土体分散性抑制试验成果见表 5。

表 5 土体分散性抑制试验成果汇总表

试验编号	深度/m	石灰掺量/%	针孔试验					碎块试验		孔隙水溶液试验		双密度计试验		综合评判
			最终水头/mm	最终孔径/mm	最终流量/(mL·s^{-1})	流出水浑浊情况	单项评判	雾状描述	单项评判	交换性钠离子百分数 PS	按分散性图评价	分散度/%	单项评判	
TJ1右岸上游	0.5～10.0	干掺1%	1020	几乎无变化	2.2	清澈	非分散性	水色是清的，土块水解后在量杯底部以细颗粒状平堆	非分散性	54.98	过渡性	47.5	过渡性	非分散性
		湿掺2%	1020	1	2	清澈	非分散性	崩解较快，在量杯底部以细颗粒状平堆，没有出现浑浊	非分散性	52.42	过渡性	44.4	过渡性	非分散性
	10.0～30.0	干掺1%	180	>1.5	0.7	浑浊	过渡性	有微量浑浊水，但扩散范围小	过渡性	59.07	过渡性	61.5	分散性	过渡性
		干掺2%	1020	<1.5	1.2	清澈	非分散性	水色是清的，土块水解后在量杯底部以细颗粒状平堆	非分散性	46.47	过渡性	60	分散件	非分散性
TJ2右岸下游	0.5～10.0	干掺1%	380	>1.5	1.2	浑浊	过渡性	有微量浑浊水，但扩散范围小	过渡性	76.01	分散性	80	分散性	过渡性
		干掺2%	1020	1	2.3	透明	非分散性	水色是清的，土块水解后在量杯底部以细颗粒状平堆	非分散性	47.99	过渡性	41.7	过渡性	非分散性
	10.0～30.0	干掺1%	380	>1.5	1.2	稍浑浊	过渡性	有微量浑浊水，但扩散范围小	过渡性	73.61	分散性	57.1	分散性	过渡性
		干掺2%	1020	1	2.2	透明	非分散性	水色是清的，土块水解后在量杯底部以细颗粒状平堆	非分散性	20.17	非分散性	42.5	过渡性	非分散性

续表5

试验编号	深度/m	石灰掺量/%	针孔试验					碎块试验		孔隙水溶液试验		双密度计试验		综合评判
			最终水头/mm	最终孔径/mm	最终流量/(mL·s^{-1})	流出水浑浊情况	单项评判	雾状描述	单项评判	交换性钠离子百分数PS	按分散性图评价	分散度/%	单项评判	
TJ4砂料场上部	0.5～10.0	干掺0.5%	1020	1	2.5	较浑浊	过渡性	水色是清的，土块水解后在量杯底部以细颗粒状平堆	非分散性	50.12	过渡性	31.4	过渡性	过渡性
	10.0～30.0	干掺1%	1020	<1.5	2.6	透明	非分散性	水色是清的，土块水解后在量杯底部以细颗粒状平堆	非分散性	48.2	过渡性	47.8	过渡性	非分散性
	0.5～10.0	干掺0.5%	1020	1	2.3	较透明	非分散性	水色是清的，土块水解后在量杯底部以细颗粒状平堆	非分散性	55.42	过渡性	34.4	过渡性	非分散性
		干掺1%	1020	1	2.6	透明	非分散性	水色是清的，土块水解后在量杯底部以细颗粒状平堆	非分散性	45.9	过渡性	34.8	过渡性	非分散性

由上述抑制试验结果可见，土体掺加生石灰作为抑制剂的分散性抑制效果显著，由于土体分散性略有差异，导致抑制剂掺加量存在差异。总体而言，适当的石灰掺量对分散性土有显著的抑制作用，从针孔试验和碎块试验的表现最为明显。右岸TJ1及TJ2土样在1%掺量下由分散性土改性为过渡性土，2%掺量下由分散性土改性为非分散性土；TJ4下部土样在0.5%掺量下即可以将分散性土改性为非分散性土，1%、2%掺量下均为非分散性土。从原土的基本颗粒组成来看，TJ4的黏粒含量明显高于TJ1和TJ2，因此土体凝聚力较高、分散性较弱，低掺量石灰即可以抑制分散性。

4.2 处理措施建议

根据抑制试验论证结果，拟对心墙土料进行石灰抑制剂添加处理，其中针对右岸土料掺加2%的掺量，针对砂料场上部土体掺加1%的掺量进行分散性抑制，干掺并拌和均匀后填筑心墙。

4.3 对处理方案可行性的讨论

目前国内分散性土改性处理基本以掺加石灰抑制剂为主，且取得了预期改性效果，如新疆635水库在室内试验掺洒1%即可改性为非分散性土；黑龙江南引工程室内掺量为3%，考虑施工不均匀性误差增大到4%掺量；宁夏马家树水库室内试验掺量为0.25%，考虑低剂量难以控制和难以拌制均匀，实际掺加剂量为1%～1.5%石灰掺入水中。由此，本文认为该工程对土体掺加1%～2%石灰抑制剂的处理方案基本可行。

心墙土料添加抑制剂后进行的击实试验成果见表6。由结果来看，掺加抑制剂后土料渗透系数满足规范要求，有机质含量低于2%，水溶盐含量低于3%，但塑性指数局部低于防渗土料技术指标，黏粒含量及天然含水量偏低。

表 6 心墙土料击实试验成果表(掺加抑制剂后)

土样编号	取样深度/m	位置	相对密度	液限/%	塑限/%	塑性指数	掺加2%石灰后击实试验					渗透变形试验		
							类型	最大干密度(g·cm^{-3})	最优含水率/%	压实度99%干密度(g·cm^{-3})	理论临界坡降(i_{cr})	渗透系数(×10^{-6} cm·s^{-1})	临界坡降(i_{cr})	破坏形式
TJ1-1	0.5～10	下坝线右岸上游	2.752	29.0	17.5	11.5	轻型	1.64	17.3	1.62	1.03	2.52	0.52	流土型
TJ1-2	10～30		2.748	27.8	17.0	10.8	重型	1.72	15.8	1.70	1.08	5.31	0.55	流土型
TJ2-1	0.5～10	下坝线右岸下游	2.746	28.1	16.9	11.2	重型	1.74	16.3	1.72	1.09	3.28	0.54	流土型
TJ2-2	10～20		2.733	26.6	16.1	10.5	轻型	1.70	18.3	1.68	1.07	5.74	0.55	流土型
TJ4-1	0.5～10	砂料场上部	2.738	25.2	15.5	9.7	重型	1.80	16.3	1.78	1.13	4.89	0.68	流土型
TJ4-2	10～17		2.720	24.6	15.7	8.9	重型	1.79	14.9	1.77	1.12	6.22	0.65	流土型

5 结语

根据邓铭江院士对新疆 635 水库的防渗土料进行的改性试验研究,发现过量的掺洒石灰时(超过3%),土体碱性会逐渐的增强,土样中由于重碳酸根和氢氧根离子作用,产生的不溶盐增加,而被置换的Na^+含量提高了,反而土料又改性为分散性土;且Ca^{2+}增加的同时也会提高土的膨胀性。因此施工中应该严格石灰控制掺量,掺洒搅拌要均匀,避免出现石灰粉聚集。由于施工过程中掺加和拌和方式直接影响抑制剂的均匀性,可能对分散性土的改性产生不良影响,故应针对掺加施工工艺及现场拌和方式进行必要的试验论证。

另外,鉴于河水中Ca^{2+}含量对土的分散性抑制具有一定效果,国内多个工程都曾研究用河水掺加石灰综合抑制其土体分散性,如 635 水库采用额尔其斯河水湿掺处理,亦为本工程采用河水掺加抑制剂提供了借鉴和思路。下一步工程设计过程中,亦应考虑采用河水和石灰粉进行湿掺共同抑制的试验论证研究。

根据《碾压式土石坝设计规范》,分散性土不宜作为大坝的防渗体填筑料,经处理改性的分散性土可用于三级低坝的防渗体,其选用的反滤料应经过试验验证。故本工程主要选取过渡性土料进行心墙填筑。为消除局部分布的分散性土影响,同时对过渡性土进行必要的抑制处理,并加强反滤设计。经抑制处理的分散性—过渡性土均显示为非分散性,抑制效果明显。这也为特殊地区高坝心墙土料的选择拓宽新思路,为类似工程提供可供借鉴的经验。

参考文献

樊恒辉,孔令伟. 分散性土研究[M]. 北京:中国水利水电出版社,2012.

谢定松,蔡红. 新疆伊犁州某水库分散性土料筑坝渗透安全科学试验论证研究[R]. 北京:中国水利水电科学研究院,2021.

邓铭江,周小兵,等. 635 水利枢纽大坝心墙防渗土料分散性鉴定与改性试验研究[J]. 北京:岩土工程学报,2000(11):673-677.

浅谈水利水电工程地质问题层次结构

寇佳伟　王亚群

中国电建集团北京勘测设计研究院有限公司,北京　100024

摘　要:水利水电工程地质问题及其研究对象—地质体,均属系统范畴,具有层次结构,可运用系统思维观去认识。工程地质问题的复杂性和层次性源于地质体的复杂性和层次性。按地质体的不同级序,水利水电工程地质问题基本可划分为:①由区域断裂活动性控制的区域构造稳定问题;②由长大结构面强度控制的块体稳定问题、沿结构面渗漏问题;③由工程岩体力学特性、结构特征控制的岩体稳定问题、岩体渗漏问题;④由岩石岩性、强度、内部结构控制的工程地质问题等。

关键词:地质体　层次　水利水电工程地质　岩体结构　坝基岩体质量

1　研究背景

"系统"是由相互作用和相互依赖的若干组成部分结合成的具有特定功能的有机整体,同时又是它所从属的一个更大系统的组成部分。

大中型水利水电工程作为复杂的系统工程,主体通常由水库区、首部枢纽系统、输水系统、厂房发电系统构成,工程重要性等级、安全等级高,不容出现溃坝事故。水利水电工程处在一定地质环境中,利用、改变地质环境,又受地质环境的制约,其与地质环境之间的相互作用和制约就带来了一系列的工程地质问题,从区域构造稳定性问题到具体工程部位的岩(土)体的工程地质问题,研究范围从半径150km的研究区到具体建筑物场地,所以工程地质问题也属于系统的范畴。

工程地质问题的研究对象—地质环境中的地质体,不仅经历了复杂的建造过程、构造形变和次生演化的地质力学作用,而且不断遭受人类活动的影响,其内部分布各种类型、规模的结构面,又具有不同级序的结构特征,是复杂的系统。按照系统论的观点,任何系统都具有层次结构。要在错综复杂的工程地质问题面前获得符合客观实际的认识,首要的就是要分清系统的各种层次,然后,针对不同层次的问题采用相应的方法和手段进行研究。

随着社会的不断发展,工程规模越来越大,对地质环境的改变程度越来越高,对地质体的要求也越来越高,这必然导致工程地质问题更加突出。本文试图对水电工程地质问题层次结构进行系统地梳理,以求更清晰地认识水利水电工程地质问题,更好的利用、保护地质体。

2　工程地质问题层次性分析

在机理上,水利水电工程地质问题主要包括区域构造稳定问题、岩(土)体稳定问题、地下水渗流有关的问题。区域构造稳定问题、岩(土)体稳定问题本质上是力与地质体强度的矛盾问题;地下水渗流有关的问题与地质体的物质组成特征和渗透性能有关,是研究地下水赋存空间和运移通道,实际上也是地

作者简介

寇佳伟(1980—),男,高级工程师,主要从事水利水电、水环境工程地质勘测工作. E-mail:koujw@bhidi. com

质体的一部分。所有问题都是发生在地质环境中的，发生于地质体内部。对工程地质问题进行评价就是研究地质体的物质组成、构造发育规律、力学性能和渗透性能。

作为问题研究对象的地质体，由各级结构面切割，大到延伸上百千米的区域性断裂，小到肉眼难以识别的隐微裂隙，各层次结构面又将地质体分割为大小不一的块体，大到断块，小到岩块，各层次结构面及其块体组合又具有一定的结构特征。可以说工程地质问题的复杂性和层次性源于地质体的复杂性和层次性。在前辈谷德振、黄鼎成研究成果的基础上，结合水利水电工程结构面分级成果（表1），对地质体结构层次和其对应的水利水电工程地质问题进行了梳理，二者之间的关系详见表2。

表1 岩体结构面分级表

级别(级)	规模	
	破碎带宽度/m	延伸长度/m
Ⅰ	>10	区域性断裂
Ⅱ	1～10	>1000
Ⅲ	0.1～1.0	100～1000
Ⅳ	<0.1	<100
Ⅴ	节理裂隙	

表2 水利水电工程地质问题与地质体级序关系对照表

不同级序的地质结构		一	二	三	四
	级序	一	二	三	四
	地质结构	区域构造格局	山体地质结构	岩体结构	岩块结构
	结构体	断块	块体	岩块	\
结构面	级别	Ⅰ	Ⅱ、Ⅲ、Ⅳ	Ⅴ或Ⅴ与Ⅲ、Ⅳ	\
结构面	代表性结构面	区域性断裂	各级相应规模断层、长大裂隙	节理裂隙	隐微裂隙
主要工程地质问题		区域构造稳定性问题	块体稳定问题（如边坡坡体、重力坝坝基深层滑动块体、拱坝坝肩抗力体、大跨度地下洞室围岩块体等），沿结构面的库水集中渗漏问题、坝基渗透变形	受岩体力学性能控制的边坡稳定、洞室围岩稳定，坝基岩体质量（包括承载力、变形稳定、浅层滑动）问题，岩体渗透特性控制的库水渗漏问题	对于软质岩，岩体质量问题；堆石料、骨料质量问题；岩溶工程地质问题
工程地质问题应对方式		影响工程规划和选址，躲避为主	影响工程建筑物位置的选择和布置，尽量躲避	清除或增加开挖深度，采取工程处理措施	采取工程处理措施；对于堆石料、人工骨料不满足要求，应扩大查找范围或外购
岩体稳定的边界条件		确定性边界条件	确定性或半确定性边界条件	非确定性边界条件	\
稳定性的控制因素		区域性断裂的活动性	结构面强度	岩体力学性能	岩块强度和结构，岩石可溶性
问题主要研究对象		区域性断裂、区域构造格局	单个块体或多块体组合	工程岩体	岩石

2.1 第一级序

这一级序的地质体为断块(相当于Ⅱ、Ⅲ级大地构造单元),由区域性断裂围限,两者组合构成了区域构造格局。区域深大断裂往往是区域地壳中的薄弱环节,在现代构造应力场的作用下,区域断裂的活动性控制着区域构造稳定性。对于水利水电工程,与活动断层的发育和地震活动有关的区域构造稳定性是首先应研究的问题。在工程规划和选址时,要避免活动断裂从工程区内通过,大坝等挡水建筑物不应建在已知的活断层上,并保证研究区范围地震影响是工程抗震性能可接受的。

2.2 第二级序

这一级序的地质体为块体,由Ⅱ、Ⅲ、Ⅳ级结构面围限的岩体,两者组合构成了山体地质结构。从对水利水电工程的意义考虑,未对第一、二级序之间再划分。块体周围的结构面基本为长大结构面,是岩体中的薄弱部位,其特性控制着块体的稳定性。在接触受力条件下或出现导致向下运动趋势的临空面时,块体将首先产生变形甚至破坏。长大结构面往往是地下水的赋存空间和集中渗流通道。这一级序带来的威胁主要是块体的稳定性、沿长大结构面产生的渗漏、渗透变形问题。对于水利水电工程,边坡整体和局部稳定性、大跨度地下洞室长大结构面组合块体稳定性、坝基深层滑动、拱坝坝肩抗力体抗滑稳定性、沿长大结构面产生的库水渗漏、坝基渗透变形等问题属于这一级序的工程地质问题。工程所处的地质环境内,块体规模是大小不一的,可能产生工程地质问题的块体,其边界由开挖面、接触面或一组Ⅴ级结构面构成的趋势面与确定性结构面构成,需要结合工程荷载和开挖面的情况去具体分析识别,将识别块体作为对象进行稳定性计算。由于产生这类工程地质问题的岩体规模和深度一般较大,工程处理难度高,各建(构)筑物位置的选择应尽量躲避该类工程地质问题,以保证工程安全,降低工程投资。

2.3 第三级序

这一级序的地质体为岩块,由Ⅴ级或Ⅴ级与Ⅲ、Ⅳ级结构面围限,两者组合构成了岩体结构,超过一定规模的Ⅱ级结构面可视为一类岩体。岩体通常指地质体中与工程建设有关的那一部分岩石,具有一定的结构特征,它由岩体中不同类型的结构面及其在空间的分布和组合状况所确定。普遍存在的、大量的、随机分布的、非贯通性的Ⅴ级结构面破坏了岩体的完整性,Ⅴ级结构面及其围限的岩块为岩体基本的组成单元,构成的岩体是工程接触的主体,为通常所指的工程岩体。工程边坡、建(构)筑物尺寸往往远大于岩块尺寸,各类岩体可视为有一定排列规律的地质条件类似的岩块集合体,结构面不贯通,变形破坏边界不确定,力学特性遵循岩体结构控制论,即岩体变形破坏受岩体结构控制。岩体内裂隙系统,为地下水的赋存空间和渗流通道,由岩体渗透参数表征渗透特性。这一层次地质体的工程地质问题是受岩体力学特性、渗透特性控制的,包括似均质岩体(碎裂结构、散体结构)边坡稳定性、洞室围岩稳定性问题,地基的承载力、变形稳定、浅层抗滑稳定问题及地下水的非集中渗漏问题。岩体结构特征控制着洞室围岩、边坡、地基岩体变形破坏模式。通过岩块材料特性、岩体结构和赋存环境指标评价岩体质量。因受过多期地质构造和浅表生作用的改造,岩体结构趋于复杂化,尤其是浅表部岩体岩块大小形状不均一,有随深度变化的趋势,导致岩体工程地质特性存在差异,这就需要根据其工程地质条件进行分类,按类别对岩体功能的优劣进行评价,同时掌握各类岩体分布规律。

关于土体,其附着于地表,可看作是岩体的延伸,类似工程岩体,它是土粒的集合体,其工程地质特性受集合体(土体)土粒结构、物理特征、力学特性。

2.4 第四级序

作为岩体基本单元的岩块,内部也具有一定的组织结构,分布着隐微裂隙。通常工程上,岩块的物理力学性质代表岩石的物理力学性质。一些软质岩，岩块的力学强度较低，对岩体的力学性能起到一定的控制作用，可能引起岩体稳定相关的工程地质问题。岩块的结构特征和强度对建筑材料（人工骨料和堆石料）质量至关重要。工程区如分布可溶性岩石可能存在岩溶工程地质问题。

3　混凝土坝坝基岩体工程地质问题

以上分析的对象是整个水利水电工程的主要工程地质问题，以混凝土坝坝基岩体为例，讨论具体工程地质问题层次性及其研究思路。

混凝土坝坝基岩体工程地质问题主要可归结为承载能力和变形稳定问题、抗滑稳定问题、渗漏和渗透变形问题。

坝基抗滑稳定问题按层次可分为由结构面强度控制的块体稳定问题和由岩体强度控制的岩体稳定问题。前者有确定性或半确定性边界，包括重力坝坝基深层抗滑稳定问题和拱坝坝肩抗力体稳定性问题；后者没有确定性的破坏边界，主要为坝基浅表层抗滑稳定问题。坝基的承载力、变形稳定问题由岩体强度和变形特性控制。坝基渗漏可分为岩体渗漏问题和沿结构面的集中渗漏问题。混凝土坝坝基渗透变形问题一般针对特定的软弱结构面。冲刷问题与岩体坚固性有关。

对于块体稳定问题，应根据查明的结构面条件，进行组合分析，识别可能滑移块体及其边界条件，根据结构面抗剪强度和非确定性边界的连通率计算块体的稳定性并作出综合评价。

对于受岩体强度和变形、渗透特性控制的工程地质问题，由于大坝修建在浅表层岩体上，这部分岩体不但经历了构造的改造，而且叠加了浅表生作用的改造，使岩体更加复杂化，在深度和位置上岩体条件不均一。研究坝基岩体，是为明确岩体可利用性、选择合适的建基面，在保证工程安全条件下，应尽量少开挖，这就需要根据岩体质量对各条件岩体进行类别划分，按类别提出岩体强度、变形、渗透等参数，进行质量和可利用性评价，同时总结各类岩体分布规律。这里的质量是指岩体强度和变形、渗透特性控制的承载能力、抗变形性能、抗滑性能、抗渗性能上的优劣。

坝基岩体分类对评价岩体力学、渗透性能控制的工程地质问题至关重要，《水力发电工程地质勘察规范》(GB 50287)和《水利水电工程地质勘察规范》(GB 50487)中明确了划分类别的基本原则。

关于分类因素的选取。岩体是具有一定的岩石成分、一定的结构、赋存在一定的地质环境中的地质体，其质量如何是由岩石材料、岩体结构、赋存环境决定的，分类因素首先应包括这3个方面的表征指标（图1）。分类另一个目的是找出各类岩体的分布规律、特征。岩体质量的影响因素是指改变岩体质量表征指标的作用。水利水电工程坝基范围不大，一般为同一类岩石，经历的构造改造程度基本一致，岩体条件或质量的差别主要体现在表生改造（风化、卸荷作用）程度的差别上，大体是随深度变化的，局部因处在特殊构造部位（断层带、褶皱核部、蚀变带等）而质量下降。所以对于坝基岩体，风化、卸荷程度、特殊构造部位可以大致反映了一类岩体的质量，也反映出岩体的分布规律，所以分类指标应包括表生改造程度和可能出现的特殊构造部位等岩体质量的影响因素相关内容。如存在不同岩性、岩相岩石，也应反映岩性、岩相因素。

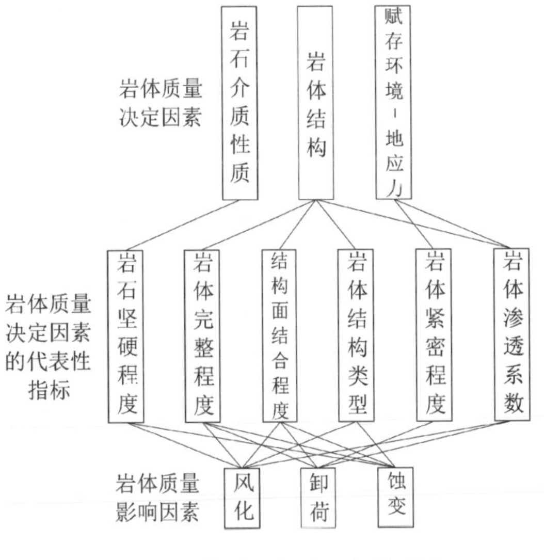

图1　坝基岩体质量相关因素关系图

混凝土坝一般不会选择修建在含有亲水性矿物或岩溶程度较高地基上，坝基位于岩体的浅表部，所以在图1岩体的赋存环境条件中只列了地应力因素。

4 结论与讨论

(1)水利水电工程地质问题作为系统范畴，其复杂性和层次性源于地质体的复杂性和层次性。

(2)在层次结构上，水利水电工程地质问题可划分为由区域断裂活动性控制的区域构造稳定问题，由长大结构面强度控制的块体稳定问题、沿结构面渗漏问题，由工程岩体力学特性、结构特征控制的岩体稳定问题、岩体渗漏问题和由岩石岩性、强度、内部结构控制的岩溶工程地质问题、软岩岩体稳定问题、建筑材料质量问题等。

(3)通过混凝土坝坝基岩体工程地质问题的层次分析，认为作为坝基岩体工程地质分类基础的岩体质量主要是指岩体在承载能力、抗变形性能、岩体强度控制的抗滑性能、抗渗性能上的优劣。

(4)运用系统思维观，特别是层次思维观的思维方式思考工程地质问题，可以对问题的认识更清晰化，有助于抓住问题的主要矛盾，明确研究对象、研究思路。

(5)实际上，水利水电工程地质勘察过程的阶段划分，也是系统中层次结构的体现，各阶段有各阶段的勘察重点，采取先宏观后微观，由粗到细的研究思路。

参考文献

钱学森.论系统工程[M].长沙:湖南科技出版社,1982.

张倬元,王士天,王兰生,等.工程地质分析原理(第三版)[M].北京:地质出版社,2008.

李天斌.论工程地质的系统思维观[J].山地学报,2000,18(增刊):98-101.

谷德振.岩体工程地质力学基础[M].北京:地质出版社,1983.

黄润秋,王士天,张倬元,等.中国西南地壳浅表层动力学过程与工程环境效应研究[M].成都:四川大学出版社,2002.

聂德新,杨建宏,崔长武,等.岩体结构、岩体质量及可利用性研究[M].北京:地质出版社,2008.

孙广忠,孙毅.岩体力学原理[M].北京:科学出版社,2011.

孙广忠.岩体结构力学[M].北京:科学出版社,1988.

彭土标,袁建新,王惠明,等.水力发电工程地质手册[M].北京:中国水利水电出版社,2011.

王思敬.坝基岩体工程地质力学分析[M].北京:科学出版社,1990.

住房城乡建设部.工程岩体分级标准:GB/T 50218—2014[S].北京:中国计划出版社,2015.

聂德新.岩体的场位特征及其工程应用[J].工程地质学报,2000,8(1):68-72.

岩质边坡稳定性评价与滑面参数选取要点探讨

胡宁　王进城　徐建闽
中水北方勘测设计研究有限责任公司，天津　300222

摘　要：岩质边坡失稳多属于深层滑移，不仅失稳滑体体量大、破坏性强，而且防护治理难度大、费用高、施工周期长，对工程选址影响至深。岩质边坡的稳定性主要受控于岩体中发育的、不同成因类型的结构面，有些潜在滑体甚至会出现多组结构面控制的滑面，应在赤平极射投影的基础上，采用结构面与坡面配套的方法，确定和选用计算模型。鉴于岩(土)体极强的不均一性，无论是室内试验还是现场原位试验，一定要注重样品或试验点的代表性，试验成果应能够全面、详实地代表滑面(带)岩(土)体的性质、结构和滑坡状态。滑面(带)参数反算必须建立在滑面(带)区段划分的基础上，只有在其他部位滑面(带)参数已知的前提下，方可进行参数反算。

关键词：岩体结构　稳定性分析　计算模型　抗剪试验　参数反算

1　引言

高坝工程一般地处高山峡谷区，库区尾水长度大，库岸地层结构复杂多变，蓄水前后自然边坡稳定性对水库正常运行至关重要。工程建设中，大坝基坑以及缆机平台开挖、溢洪道、引水隧洞或发电洞进出口、地面厂房后边坡等，均可能出现较大规模的工程开挖边坡。一般而言，该条件下的岩质工程边坡，不仅失稳滑体体量大、破坏性强，而且防护治理难度大、费用高、施工周期长，对工程选址影响至深。

2　岩质边坡分类

对岩质边坡而言，其稳定性主要受控于岩体结构面发育程度和组合方式。基于此，根据岩体结构类型，岩质边坡可大致分为层状结构岩质边坡、块状结构岩质边坡和破碎岩体边坡三大类。

2.1　层状结构岩质边坡

此类边坡主要以各类沉积岩为主。坡体由相互平行的岩层构成，其岩性可以是单一的，也可以是多层、互层或夹层的，层与层之间为贯通性较好的层面。因岩性组合与岩石结构均表现出较大的不均一性，岩体各向异性明显，属不连续介质，坡体的稳定性主要取决于层面、层间错动带、泥化夹层等弱面及其与临空面的配套组合。

层状结构岩体可以形成近水平层状、斜交层状、顺倾层状或反倾层状等不同类型的层状结构边坡。

作者简介

胡宁，高级工程师，主要从事工程地质和水文地质研究相关工作. E-mail:43602862@qq.com

一般情况下，反倾层状、水平层状坡体结构的边坡稳定性相对较好，而顺倾层状坡体、尤其是坡体存在软弱夹层时，因其力学性质差，易成为贯通性强的潜在低滑面，造成坡体变形失稳。自然界以及工程建设中，以顺倾层状边坡变形失稳最为常见。

当层面与临空面斜交时，其稳定性与层面和临空面的夹角有直接关系。夹角越大，稳定性相对越好；夹角越小，稳定性相对就越差。一般而言，通常将层面和临空面的夹角以40°～45°作为是否属于顺层的分界点。

2.2 块状结构岩质边坡

此类边坡主要由厚层、巨厚层沉积岩、岩浆岩或部分变质岩组成。常见的有厚层或巨厚层的砂岩、砾岩、灰岩，花岗岩、闪长岩、玄武岩，大理岩、石英岩等。

块状结构坡体由于岩体强度高、完整性好，具有较强的稳定性，可近似看作均一连续的弹性介质，往往形成高大的陡崖、峭壁。若块状结构岩体中结构面发育，岩体即向不连续介质转化，当结构面贯通性强、力学强度低且与坡面构成不利组合时，坡体稳定性在一定范围内会大幅降低。

2.3 构造发育及风化卸荷岩体边坡

此类边坡构造发育部位或表生作用强烈部位的岩体，因结构面发育多呈碎裂结构或散体结构，岩体完整性已遭到极大的破坏，尤其是浅表层岩体，后期风化卸荷作用强烈，且地下水活动强烈，往往是坡体失稳变形的主要发育部位。

碎裂结构坡体多表现为不连续介质，其稳定性主要取决于不同结构面的贯通程度（连通率）、力学特性和空间组合方式等，一般具有较为明确的、由结构面围限的失稳边界条件。

散体结构岩体往往发育在区域性大断裂带、岩浆岩大规模入侵的挤压蚀变带等部位，一般呈带状延伸。一方面，可能因与坡体其他结构面的不利组合，构成贯通性好、力学强度低的低滑面或侧滑面；另一方面，若自身带宽较大，因带内岩体极度破碎，表现为类土质性质，带内坡体的稳定性主要受岩体强度控制，可近似看作为连续介质。

3 边坡稳定性评价

边坡稳定性评价是边坡防治的基础，多是在定性分析的基础上，通过定量计算综合评价既有边坡的稳定性。

定性分析主要是通过一定的勘察手段，合理确定边坡变形破坏机理、变形滑移范围和边界条件等；定量计算则是通过定性分析确定边坡失稳计算模型，结合岩土试验、反算滑面参数等方法确定潜在滑面相关参数，对边坡稳定性进行综合评价，并在此基础上提出失稳边坡防治工程设计方案。

3.1 定性分析要点

（1）边坡现状调查

自然边坡的地形地貌，是表生地质营力长期作用下，不同岩土体物理力学性质的外在表现。一般而言，较陡的岩质自然边坡，多为岩石强度较高、结构面相对不发育的岩体。如坚硬的石英岩相比软弱的页岩、岩性相对单一的岩浆岩相比多层沉积旋回性质差异的沉积岩，往往具有较高的自然坡度。

通过工程区及其附近的边坡现状调查，可以大致判定区内自然边坡、尤其是既有人工边坡的稳定状况，预测与工程建设相关的边坡可能发生的失稳类型、成因机制和范围等，并在此基础上，对古滑坡或潜在失稳坡体，做进一步的勘察和专项分析论证。

对人工边坡开挖的稳定坡脚判定，必然要类比自然边坡的稳定坡度。而既有人工边坡的失稳类型、破坏方式，对将要产生的工程开挖边坡防护，具有很强的指导意义。

(2)坡体结构调查及其定性分析

边坡变形的破坏机理、变形滑移范围和边界条件等，是边坡工程勘察的主要目的和任务，也是边坡稳定定量评价的基础。

对应于边坡岩(土)体不同的物质组成、地层结构、工程特性以及结构面空间展布规律，边坡岩(土)体的破坏机理亦有不同，因此，工程区段边坡稳定性分析、调查的首要工作，是结合边坡岩性组合与微地貌发育特征，对坝址两岸边坡进行分区分类。

对于岩质边坡，应重点调查构成坡体的岩性及岩体结构类型，分析研究岩体中发育的不同成因类型结构面的空间展布及其相应的物理力学性质，包括层面、不整合面、蚀变带、断层破碎带、长大节理及节理密集带等。一般而言，对岩质边坡抗滑稳定性影响最大的通常有两类结构面：一是平缓的软弱夹层、缓倾角断裂以及缓倾角节理密集带等，易构成潜在的平缓滑移控制面(底滑面)；二是大体平行或小角度斜交岸坡的各类陡倾角结构面和深部卸荷裂隙，它们往往成为侧向滑移控制面或切割面(侧滑面)。

鉴于此，在边坡勘察工作中，应查明边坡岩体各类结构面的空间展布和性状特征，利用赤平极射投影，重点研究岩质边坡内潜在的底滑面、侧滑(裂)面与坡面可能构成的潜在滑移块体，综合评价其稳定性、变形类型、规模和空间位置等。当滑移块体边界由随机分布的不连续面组合构成时，应详细调查控制性节理裂隙组的发育规律、间距、延伸长度、性状和连通率。

此外，边坡岩体中的地下水径流活动强度及其方式，与结构面发育密切相关。地下水活动极大地恶化了岩体结构面的物理力学性质，催化边坡失稳变形和破坏，加剧边坡失稳速率和影响范围。因此，边坡勘察工作中，需高度重视坡体内渗流场的发育特征。对于水库工程而言，因工程运行而导致的库水位急剧变化，对坡体稳定的影响是重复性的。库水位下降，可造成库岸地下水水力坡度增大、地下水活动加剧继而影响坡体稳定；库水位上升，浸泡岸坡岩体、增加浮托力，恶化坡体稳定的边界条件。总之，库水位频繁变化极易造成库岸再造，加深既有滑坡的发展进程或产生新的岸坡失稳。

高坝项目一般地处高山峡谷区，拱肩槽以及缆机平台开挖、溢洪道、引水隧洞或发电洞进出口、地面厂房后边坡等，均可能出现较大规模的工程开挖边坡。在以上部位，应重点关注较大规模的定位结构面以及次一级随机结构面与开挖坡面的空间组合方式、注重地应力场和地下水渗流场的不利影响，在潜在底滑面、侧滑面以及结构面性状特征与连通率的基础上，分析论证工程开挖边坡定位滑体及随机滑块的空间分布情况与边界条件，为工程设计与施工处理提供依据。

3.2 定量分析要点

目前的工程设计中，已有很多相对成熟的边坡稳定计算方法，但是，它们都离不开对滑体边界条件的正确认知，否则，南辕北辙，与实际不符，要么增加不必要的工程量，要么治理措施不到位，留下潜在风险。

关于边坡稳定计算方法，本文不再赘述。以下重点讨论与地质条件相关的计算模型和潜在滑面参数的选定问题。

(1)计算模型的选用

边坡计算模型的选用要依据坡体地质条件合理选用，它既是边坡计算的基础，也是防治设计的前提。岩质边坡的变形主要受控于岩体中发育的、不同成因类型的结构面，有些潜在滑体甚至会出现多组结构面控制的滑面。一般而言，顺倾坡体以顺层面滑坡为主，反向坡体则往往沿构造结构面形成切层滑坡，产状水平且具有下卧软弱层的坡体可能产生错落或平推式变形，上土下岩的二元结构边坡易沿着岩土界面产生失稳变形。因此，应在赤平极射投影的基础上，采用结构面与坡面配套的方法，确定和选用计算模型。

对于以散体结构为主或强松弛卸荷的岩体，因其宏观上类似于均质体，可以采用圆弧法确定计算模型。

(2)滑面参数的选用

滑面或潜在滑面参数的合理选用，对边坡稳定性计算至关重要，一般通过岩土试验、参数反算、工程类比等几方面综合选取。

①岩(土)抗剪试验。

鉴于岩(土)体极强的不均一性，无论是室内试验还是现场原位试验，一定要注重样品或试验点的代表性，试验成果应能够全面、详实地代表滑面(带)岩(土)体的性质、结构和滑坡状态。

试验条件方面，应尽量与边坡岩(土)体的地质环境相似，尤其是试件的含水状态，应根据边坡岩(土)体的实际情况，考虑试样处在浸水、饱水或一定含水率状态下。潜在滑坡或还没有复活的老滑坡，潜在滑面(带)为不透水饱和度较大的黏土和泥化夹层时，采用快剪；潜在滑面(带)为不透水饱和度较低的黏土和泥化夹层时，宜采用固结快剪；若滑面(带)为岩土接触面或贯通性强的夹泥结构面时，应采用野外现场原位试验。

试件的荷载条件，应根据滑体结构特征以及滑坡现状加以模拟，使得试验指标尽可能地反映边坡岩(土)体在特定的荷载作用下的力学特性。对正在滑动的滑坡，滑面(带)为黏土或残积土时，宜采用多次剪。试验成果整理与数据统计中，要注意对异常数据的梳理和筛选。对于现场原位试验成果，应结合现场试验点的岩(土)体工程特性进行逐点分析和鉴别，这样才能正确引用试验成果。

②参数反算。

参数反算必须建立在滑面(带)区段划分的基础上，只有在其他部位滑面(带)参数已知的前提下，方可进行参数反算。切忌没有区别不同部位滑面(带)的不同性质而取全滑面(带)的平均值进行滑面的参数反算。

牵引段为滑体主动受力段，通过计算可得到牵引段滑面(带)综合内摩擦角值，并取黏结力为零；岩质滑坡可依据具体结构面拉剪作用下的特征确定内摩擦角值。抗滑段为滑坡被动受力段，土质滑坡可依据被动破裂面得到抗滑段滑面(带)内摩擦角，也可依据抗剪试验和工程类比确定；岩质滑坡的抗滑段滑面(带)所依附的结构面参数，可依据现场大剪试验和工程类比确定。主滑段位于滑坡中部，为滑面参数反算的核心。根据已知的牵引段和抗滑段滑面抗剪参数，利用传递系数法公式，求出相应稳定系数下的主滑段滑面(带)抗剪参数。

③工程类比。

工程类比是依据类似地形地质条件下，既有滑坡和工程边坡防护治理的成功经验，参考规范建议值等，综合选用滑面(带)参数的方法。

4 讨论

(1)对岩质边坡而言，其稳定性主要受控于岩体结构面发育程度和组合方式。因此，对坡体岩性及其岩体结构类型的分析判断，是边坡稳定性分析评价的首要课题。

(2)边坡稳定性评价主要采用定性分析和定量计算。定性分析主要是通过一定的勘察手段，合理确定边坡变形破坏机理、变形滑移范围和边界条件等；定量计算则是通过定性分析确定边坡失稳计算模型，结合岩土试验、反算滑面参数等方法确定潜在滑面相关参数，并在此基础上提出失稳边坡防治工程设计方案。

(3)岩质边坡的变形主要受控于岩体中发育的、不同成因类型的结构面，有些潜在滑体甚至会出现多组结构面控制的滑面。因此，应在赤平极射投影的基础上，采用结构面与坡面配套的方法，确定和选用计算模型。

(4)鉴于岩(土)体极强的不均一性，无论是室内试验还是现场原位试验，一定要注重样品或试验点的代表性，试验成果应能够全面、详实地代表滑面(带)岩(土)体的性质、结构和滑坡状态。

(5)参数反算必须建立在滑面(带)区段划分的基础上，只有在其他部位滑面(带)参数已知的前提下，方可进行参数反算。切忌没有区别不同部位滑面(带)的不同性质而取全滑面(带)的平均值进行滑面的参数反算。

参考文献

司富安，高玉生，李会中，等．水利水电工程天然建筑材料规程：SL 251—2015[J]．北京：中国水利水电出版社，2015.

藏区深厚覆盖层坝基岩土物理力学性质研究

郭喜峰　吴相超
长江科学院重庆分院，重庆　400026

摘　要：首先综述了国内外利用覆盖层建坝概况，然后提出了深厚覆盖层上建坝遇到的主要工程技术问题。针对不均匀沉降、抗滑稳定等主要问题，需要了解覆盖层岩土物理力学性质及参数。为了经济可靠地确定深厚覆盖层的基本特性参数，以西藏湘河水库坝基河床砂砾石层为工程背景，按照相关国家规程规范，进行大尺寸原位试验，研究河床砂砾石层的物理力学性质。根据原位试验结果，获得设计所需力学参数。

关键词：覆盖层　试验　性质　参数

1　引言

我国西部地区许多拟建或在建的水利枢纽位于深厚覆盖层上，且多处于高地震烈度区。河床覆盖层常常厚达数百米，如雅鲁藏布江厚达300～400m，最大达600m。在高地震烈度区和深覆盖层上修建高坝，目前尚无成熟的工程经验可供借鉴，许多关键性的工程技术问题需要研究解决。深厚覆盖层工程特性研究一直是水电工程界关注的问题，我国过去多侧重于室内试验研究，随着覆盖层厚度的加大，取样和勘探难度越来越大，通过现场测试获得物理力学特性参数的方法日趋重要。深厚的河床覆盖层只能修建当地材料坝，需要查明河床覆盖层结构物质组成、分层渗透性、砂层振动液化、渗透稳定和面板坝趾板的不均匀沉陷以及防渗与排水等。

针对深厚覆盖层引起的坝基变形稳定、不均匀沉降、抗滑稳定等岩土工程问题，需要了解覆盖层岩土物理力学性质及其参数。以西藏湘河水库为工程背景，在其下坝址区砂砾石层进行了系列现场试验，得到了相关砂砾石的物理力学参数。

2　国内外利用覆盖层建坝概况

20世纪苏联在覆盖层上修建的重力式溢流坝或闸坝工程实例较多，且坝基防渗多采用金属板桩，最大深度达20余米。其中，建于黏土层上的普利亚文电站厂顶溢流混凝土坝，最高达58m。147m高的巴基斯坦塔贝拉土斜墙堆石坝，建基于最厚达230m的覆盖层上，坝前采用了长1432m，厚1.5～12m的黏土铺盖防渗，下游坝址设置井距15m、深45m的减压井，每8个井中有一个加深到75m。蓄水后，坝基渗透量大，1974年蓄水后曾发生一百多个塌坑，1978年经抛土处理后趋于稳定。

加拿大马尼克3号黏土心墙坝，砂卵石覆盖层最大深度126m，并有较大范围的细砂层。采用两道净距为2.4m、厚61cm混凝土防渗墙，墙顶伸入冰渍土心墙12m，墙深105m，其上支承高度为3.1m的

作者简介

郭喜峰(1984—)，男，高级工程师，主要从事岩石力学与工程研究. E-mail：xifeng1984@126.com

观测灌浆廊道和钢板隔水层。建成后.槽孔段观测结果表明。两道墙削减的水头约为90%。最大坝高122m的埃及阿斯旺土斜墙坝,覆盖层厚225～250m,采用悬挂式灌浆帷幕,帷幕厚20～40m,灌浆最大深度达170m。坝高113m的智利圣塔扬娜面板砂砾石坝,建基于30m深的覆盖层上,是较早在覆盖层上修建的100m以上混凝土面板坝。

国外对深厚覆盖层的处理多采用挖除的办法,如日本的高濑坝,坝高176m,坝址有30～40m厚的沉积层,因其透水性大,心墙以下部分全部挖除。当沉积层很深而不便挖除或挖除很不经济时,也可采用灌浆处理(如法国的Serre. Poncon坝)或类似于混凝土防渗墙的混凝土管柱排(如加拿大的马尼克3级坝,高180m)。也有采用部分挖除的办法,如日本的七仓坝,高125m,覆盖层深25～40m。

中国在覆盖层上建混凝土坝始于1958年北京市永定河下马岭水电站,33m高坝建在28m厚的河床覆盖层上,采取加大坝底宽度改善坝基应力,并设置齿墙以满足砂卵石层抗滑稳定和允许承载力的要求,采用全封闭防渗水泥灌浆帷幕处理坝基渗漏,灌后渗透系数仅为灌前的1/100。迄今为止,我国在深厚覆盖层上已建大量土石坝,坝型包括土心墙堆石坝、混凝土面板堆石坝、沥青混凝土心墙堆石坝等。160m高的小浪底土心墙堆石坝已运行多年,已蓄水发电的瀑布沟砾质土直心墙堆石坝坝高达186m,长河坝工程最大坝高已达240m。

在覆盖层上修建的拱坝、重力坝数量不多,且一般为中低坝。由于不均匀沉降、渗漏等问题处理较困难,现在已不多见。覆盖层上的闸坝受闸门挡水高度限制,一般小于35m。

3 深厚覆盖层建坝工程技术问题

3.1 坝基深厚覆盖层的勘探及试验

对砂砾石深厚覆盖层,设计主要关心的问题有覆盖层结构、详细分层、深度、架空情况、各层岩土的级配、渗透特性及物理力学特性,可能液化砂层的埋深及分布。这些问题将影响到坝型及坝基渗控方案.地基加固处理措施的选择。因此,应对坝基覆盖层进行必要的物理力学试验。提出坝基岩土体的渗透系数、允许渗透比降和承载力、变形模量、抗剪强度等各种物理力学参数,以供大坝稳定、变形、渗流分析时使用。

3.2 坝基沉降、不均匀沉陷及加固处理措施

坝基深厚的砂砾石或软土覆盖层会加大坝体的沉降及不均匀变形,还有可能加大土石坝心墙的拱效应,产生坝体裂缝,恶化大坝防渗结构与地基防渗结构及两者连接结构的受力条件;对于泄水闸或溢流坝,过大的不均匀变形,会影响泄洪建筑物和闸门的正常使用,并影响到结构的稳定性。为此,有必要根据工程具体情况对坝基浅层一定范围内的覆盖层加固处理,以增加地基强度及稳定性,减少坝体不均匀变形。如瀑布沟、泸定、狮子坪、仁宗海、九甸峡大坝等。对混凝土闸坝,为减轻基础沉降和不均匀变形,对覆盖层也多采取固结灌浆、砂层置换、振冲碎石桩、旋喷灌浆等加固处理措施,如锦屏二级、江边、金康水电站的闸坝等。

3.3 坝基抗滑稳定问题及处理措施

由于坝基深厚覆盖层结构复杂,抗剪强度不一,有的还存在黏土、粉土、细砂层等软弱土层,影响到大坝的深层抗滑稳定及混凝土坝的坝基抗滑稳定,应在查清软土分布及力学性质的前提下进行稳定分析计算,有针对性地采取处理措施。对重力坝,应挖除影响稳定的土层。坝身结构上采取扩大建基面、

抗滑齿槽等措施进行综合处理。对土石坝，根据稳定计算和坝体应力变形计算成果，可采取挖除表层软弱土层，放缓坝坡，增加坝坡压重等综合处理措施。对深部软弱土层，必要时采用固结灌浆、振冲置换加固等措施。

3.4 其他问题

坝基渗漏及渗流控制措施，坝基砂层液化及处理措施，坝基防渗墙布置及与大坝防渗体的连接，下游消能防冲问题及处理措施，覆盖层坝基的渗流监测等。

4 工程概况

湘河流域属西藏自治区南木林县管辖，湘河水库初拟正常蓄水位4 085.38m，总库容0.89亿m^3，电站装机12MW，为引水式地面厂房，坝址拟采用沥青混凝土心墙土石坝型。初拟下坝址河床覆盖层较厚，由此引起坝基抗滑稳定、不均匀沉降、渗漏变形等岩土工程问题。大坝坝基条件相对较差，需在确定其河床深厚覆盖层物理力学参数的基础上对坝基进行必要的工程措施处理。因此，坝基深厚覆盖层的岩土物理力学参数问题显得尤为重要。为此共进行了3组浅层平板载荷试验、2组直剪试验，并在对应位置进行大密度试验及颗分试验。试验按《水电水利工程粗粒土试验规程》(DL/T 5356—2006)第12、15、16等章节规定进行。

4.1 地形地貌

下坝址河谷呈"V"形，高程4 095.6m部位宽约352m，河床宽约45m。右岸山势陡峭，道路S204以上坡度约60°～70°，花岗岩呈裸露状，受物理风化及卸荷等的影响，表层岩体垂直裂隙发育，呈破碎状；道路S204以下为第四纪冲洪积形成的陡岸，坡度50°～60°。左岸上部基岩出露，坡度50°～60°，坡脚少量坡积物覆盖，中部为冲洪积形成阶地平台，坡度30°，临江侧形成高度约30m的陡坎。

4.2 地层岩性

下坝址区地层岩性为始新世中粒斑状黑云二长花岗岩，河谷主要为第四系冲洪积物。各层岩性如下。冲积：主要分布在湘曲河床、Ⅰ级阶地，以鹅卵石、砂、砾石为主，砾石有一定的搬运，多为次圆一椭圆状。冲洪积：由砂及砂砾石构成山前坡地洪积扇，分选差，有较大的砾石，成分复杂。形成的冲洪积台地砂砾石土多呈半胶结状，临江侧呈陡崖状，河床及河漫滩部位砂砾石结构松散。

5 试验成果分析

5.1 平板载荷试验

在露天进行力学试验时，常用反力方式为堆载法和地锚法。堆载法是在试点上部搭设平台，上部堆置足够重物。地锚法是在试点周围制作锚杆，试验压力通过由反力梁和锚杆传递至土层中。考虑到该处砂砾石地层无法提供足够的锚杆摩擦反力，结合现场实际情况采用堆载法(图1)。

图1 露天堆载法试验场景图

根据试验数据，计算承压板上的压力及对应沉降量，绘制压力 P 与沉降量 S 关系曲线。据曲线变化规律确定岩石地基的极限承载力和比例界限值，然后比较比例界限和极限荷载值的一半，取二者中的小值为承载力特征值。变形模量 E_0(MPa)根据曲线的初始直线段，依据均质各向同性半无限弹性介质的弹性理论计算，计算公式为：

$$E_0 = I_0(1-\mu^2)d\frac{P}{S} \tag{1}$$

对于本次试验，实际计算时 I_0 按方形板取 0.886，μ 按砂卵石取 0.3，d 为 0.7。考虑砂卵石存在压密过程，故沉降量 S 取值时将在 $P-S$ 曲线的直线段上选取一点压力 P 对应的沉降量减去第一级荷载对应沉降量。计算成果见表 1。

从试验成果表可见，不同位置平板载荷试验所得砂卵石的极限荷载在 1298～1662kPa，平均值为 1437kPa；比例界限为 623～831kPa，平均值为 718kPa，变形模量为 93.3～114.5MPa，平均值为 103.3MPa。

表 1　平板载荷试验成果表

试点编号	最大试验压力/kPa	比例界限/kPa	极限荷载/kPa	承载力特征值/kPa	比例界限相应沉降量/mm	极限荷载相应沉降量/mm	变形模量/MPa	简要描述
P1	1376	701	1298	649	5.84	8.76	114.5	天然含水状态，中密
P2	1973	623	1350	623	6.85	9.89	102.0	天然含水状态，中密
P3	1921	831	1662	831	9.23	14.07	93.3	天然含水状态，稍密—中密
平均值	1757	718	1437	701	7.31	10.91	103.3	

5.2　直剪试验

根据实测资料，分别计算有效剪切面积上的正应力 σ 和剪应力 τ，由各试点正应力和剪应力峰值绘制 $\tau-\sigma$ 强度关系曲线(图 2)。根据图 2 中 $\tau-\sigma$ 关系按照库仑方程式确定其抗剪强度参数值，试验成果见表 2。

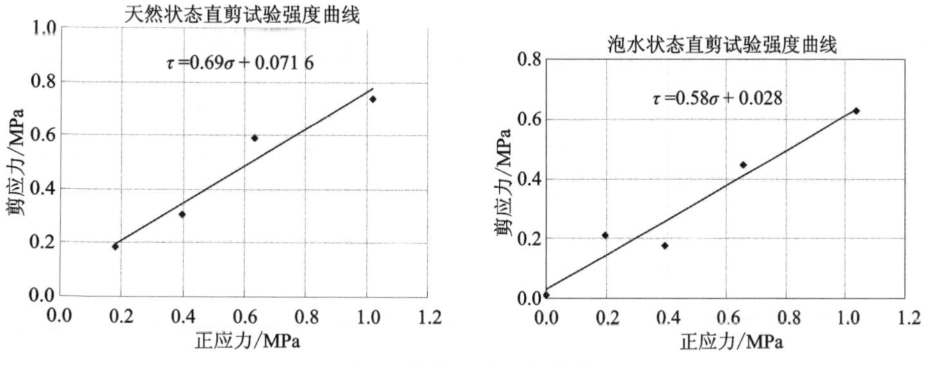

图 2　直剪试验强度曲线

表 2 原位直剪试验成果表

试点编号	法向应力(σ)/kPa	剪应力峰值(τ)/kPa	f	内摩擦角(φ)	黏聚力(c)/kPa	简要描述
τ1-1	0.64	0.59	0.69	35°	71.6	天然状态。全部试体沿预剪面上部破坏，且剪切面下部呈近似上凸半球形，起伏差0～10cm。剪切面湿润，卵石含量30%～40%，粒径多为1～6cm
τ1-2	0.18	0.19				
τ1-3	0.40	0.31				
τ1-4 *	0.82	0.51				
τ1-5	1.02	0.74				
τ2-1	0.39	0.18	0.58	30°	28.0	泡水48小时。全部试体沿预剪面上部破坏，且剪切面下部呈上凸半球形，起伏差0～10cm，最大15cm。剪切面湿润，卵石含量30%～50%，粒径多为1～5cm
τ2-2	1.04	0.63				
τ2-3	0.00	0.01				
τ2-4	0.66	0.45				
τ2-5	0.19	0.21				

注：τ1～4点因顺河向推力后座存在安全隐患，采取垂直河向水平推力，故该点未参与回归计算。

由图2及表2，τ1组为砂卵石天然状态直剪试验，其抗剪强度参数为：$f=0.69$，$\varphi=35°$，$c=71.6$kPa。τ2组为砂卵石泡水状态直剪试验，其抗剪强度参数为：$f=0.58$，$\varphi=30°$，$c=28.0$kPa。对于同种类型的砂卵石岩土材料，泡水状态比天然状态时抗剪强度参数明显偏低。

5.3 物理性质试验

首先采用挖坑灌水法测试天然密度，试验成果见表3。

为了解原位试验位置级配特征，在平板载荷试验点选取P1、P3两点位置，对大于20mm部分进行现场颗粒分析试验，各粒组组成百分数见表4。可见，P3点存在极个别的较大粒组(400～200mm)，而大部分集中在小粒组(<20mm)；P1无大粒组，大部分集中在(200～100mm)。级配组成不同也是造成这两点载荷试验存在差异的原因。

表 3 大密度试验成果表

岩土类型	试样编号	天然密度/(g·cm^{-3})	含水率/%	干密度/(g·cm^{-3})
砂卵石	1	2.23	14.6	1.95
	2	2.28	7.2	2.13
	3	2.30	8.1	2.13
	平均值	2.27	10.0	2.07

表 4 原位试验点现场筛分试验成果表

试验点号	各粒组组成百分数						
	400～200mm	200～100mm	100～80mm	80～60mm	60～40mm	40～20mm	<20mm
P1	—	48.75	19.20	6.40	6.78	3.45	15.43
P3	3.08	5.83	4.56	2.24	7.00	14.74	62.55

5 结论

针对湘河水库深厚覆盖层引起的坝基变形稳定、不均匀沉降、抗滑稳定等岩土工程问题，进行了下坝址区砂砾石层原位平板载荷试验、直剪试验、大密度试验、颗分试验，取得了砂卵石基本物理力学参数。主要结论如下。

下坝址区地层岩性较均一，各试验点试验结果基本相同，砂卵石级配组成不同导致各试验点承载力存在较小差异。极限荷载为1437kPa，比例界限718kPa，地基承载力特征值701kPa，变形模量57.7MPa。天然状态抗剪强度参数为：$\varphi=35°$，$c=71.6$kPa，泡水状态抗剪强度参数为：$\varphi=30°$，$c=28.0$kPa。天然密度2.27g/cm^3，含水率10.0%，干密度2.07g/cm^3。

参考文献

汪小刚，邢义川，赵剑明，等.西部水工程中的岩土工程问题[J].岩土工程学报，2007，29(8)：1129-1134.

党林才，方光达.深厚覆盖层上建坝的主要技术问题[J].水力发电，2011，37(2)：24-28.

伍法权.中国21世纪若干重大工程地质与环境问题[J].工程地质学报，2001，9(2)：115-120.

朱建业.中国水电工程地质勘测技术的发展与展望[J].水力发电，2004，30(12)：81-86.

许强，陈伟，张倬元.对我国西南地区河谷深厚覆盖层成因机理的新认识[J].地球科学进展，2008，23(5)：448-456.

温立峰，柴军瑞，王晓.深覆盖层上面板堆石坝应力变形特性研究[J].岩土力学，2015，36(8)：2386-2394.

中华人民共和国行业标准编写组.水电水利工程粗粒土试验规程：DL/T 5356—2006[S].北京：中国水利电力出版社，2006.

基于批量钻孔数据的岩层产状计算方法
——以黄河古贤水利枢纽工程为例

王品　王俊智　陈艳国　高旭辉
黄河勘测规划设计研究院有限公司,河南 郑州　450003

摘　要:获得真实、可靠的岩层产状数据是地质生产与研究的基础工作之一,也是后续一系列计算和评价的前提。本文提出了一种室内计算岩层产状的新方法。该方法使用批量钻孔揭露的标志岩层层面数据,通过最小二乘法拟合具有统计意义的最优层面空间方程计算岩层倾向及倾角。该方法成功应用于黄河古贤水利枢纽工程,计算了坝址区近水平状的 $T_2t_1^{2-4}$ 岩组的岩层产状。为了便于该方法在类似工程中应用与推广,开发了《基于批量钻孔数据的岩层产状计算软件》。

关键词:岩层产状　钻孔　最优层面空间方程　古贤水利枢纽　计算软件

1　引言

岩层在地壳中空间产出的状态和方位总称为岩层的产状,由倾角、走向和倾向这三要素构成。由于沉积环境和所受构造运动的不同,岩层产状会发生规律性变动。获得真实、可靠的岩层产状数据是地质生产与研究的基础工作之一,也是后续一系列计算和评价的前提。

岩层产状的获取方法可以简单归纳为野外测量法、室内计算法和遥感影像法等。野外测量法是地质人员在野外直接获得岩层产状最直接、最经济的方法。该方法借助于地质罗盘,在出露较好的岩层层面上直接测取产状。野外测量法受野外条件限制较大。例如,当岩层位于高陡地段时,地质人员可能无法到达现场;当岩层倾角很小或近水平时,也难以利用地质罗盘精确测量岩层的倾向和倾角。

室内计算法将野外测量工作搬进室内,是岩层产状获取的一大进步。常用的室内计算法主要有三点法、相邻等高线法和视倾角公式反算法。这些方法理论上较为相似,都是基于不在同一直线上的三点能够确定一个平面的几何原理,使用空间解析几何的相关知识计算岩层产状。由于仅仅使用三钻孔测量数据来计算岩层产状,不同测量数据的组合可能导致计算结果的较大差异,给岩层产状的定量评价带来较大的不确定性(尤其对于倾角较小或近水平的岩层)。

针对野外产状实测难度大的问题,近些年来,遥感技术开始尝试被用来获取区域尺度的岩层产状。基于遥感技术的岩层产状解译方法理论依据充分、方法步骤简单、结果可靠,但对于地质或地形条件较为复杂的地区,其适用性将呈现一定程度的折扣。通常来讲,该方法适用于地层出露良好、地质构造简单和地形起伏明显的地区。

本文提出了一种室内计算岩层产状的新方法。该方法本质上仍属于三点法,但可以同时使用多个钻孔揭露的标志岩层层面数据,通过最小二乘法拟合具有统计意义的最优层面空间方程来计算岩层倾向及倾角。该方法以黄河古贤水利枢纽工程为例开展实例研究,计算了坝址区近水平状的岩层产状,为

作者简介

王品(1987—),男,工程师,主要从事水利水电工程地质的勘察与研究工作. E-mail:wangpinwww1005@126.com

大坝深层抗滑稳定的计算与分析提供了关键数据。

2 方法原理

基于批量钻孔数据的岩层产状计算新方法的基本思路是：①根据批量钻孔数据获得标志岩层层面的空间坐标数据（平面坐标和高程数据）；②使用平面空间方程对标志岩层层面数据进行拟合，获得多数据、统计意义上的最优岩层平面空间方程；③根据岩层平面空间方程计算岩层倾向及倾角（图 1）。

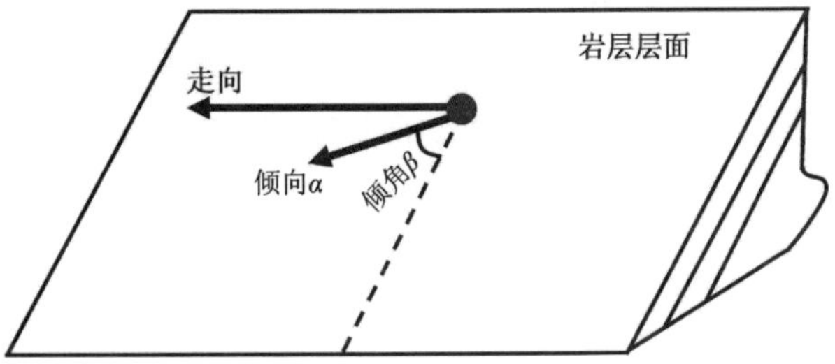

图 1　岩层产状要素示意简图

空间解析几何的知识表明，岩层的平面空间方程可以表示为：

$$A \cdot x + B \cdot y + C \cdot z + D = 0 \tag{1}$$

式中：x、y 和 z 为空间坐标；A、B、C 和 D 为平面空间方程的系数。将标志岩层的高程数据（纵坐标 z）看作是其空间坐标（横坐标 x、y）的函数 $f(x,y)$，经变形，可以得到：

$$f(x,y) = -\frac{A}{C} \cdot x - \frac{B}{C} \cdot y - \frac{D}{C} \tag{2}$$

当钻孔数据较多时，以计算值和实测值的残差平方和 SSE 为目标函数，可以使用最小二乘法拟合得到平面空间方程的系数 A、B、C 和 D：

$$SSE = \sum_{i=1}^{n} [f(x,y) - z]^2 \tag{3}$$

式中：n 为钻孔的数量；$f(x,y)$ 为计算标志岩层高程值；z 为实测标志岩层高程值。

那么，岩层倾向与东西方向的夹角 θ 可由下式求得：

$$\tan\theta = \frac{|B|}{|A|}，即\ \theta = \arctan\left(\frac{|B|}{|A|}\right) \tag{4}$$

根据 A 和 B 的正负对夹角 θ 进行修正，即可得到岩层的倾向 α（表 1）。

表 1　不同象限下的倾向表达式

A	B	象限	倾向 α
+	+	Ⅰ	$90-\theta$
+	−	Ⅱ	$90+\theta$
−	+	Ⅲ	$270-\theta$
−	−	Ⅳ	$270+\theta$

岩层的倾角（岩层面与水平面的夹角）可由式(5)求得：

$$\cos\beta = \frac{|C|}{\sqrt{A^2 + B^2 + C^2}}，即\ \beta = \arccos\left(\frac{|C|}{\sqrt{A^2 + B^2 + C^2}}\right) \tag{5}$$

为了便于该方法在类似工程的应用与推广，将核心计算程序进行封装，开发了《基于批量钻孔数据的岩层产状计算软件》(图 2)。该软件不仅可以给出具有统计意义的岩层倾向和倾角,还可以给出基于批量钻孔数据拟合得到的岩层空间展布示意图,方便使用者直观、快速地认知研究区的岩层产状。

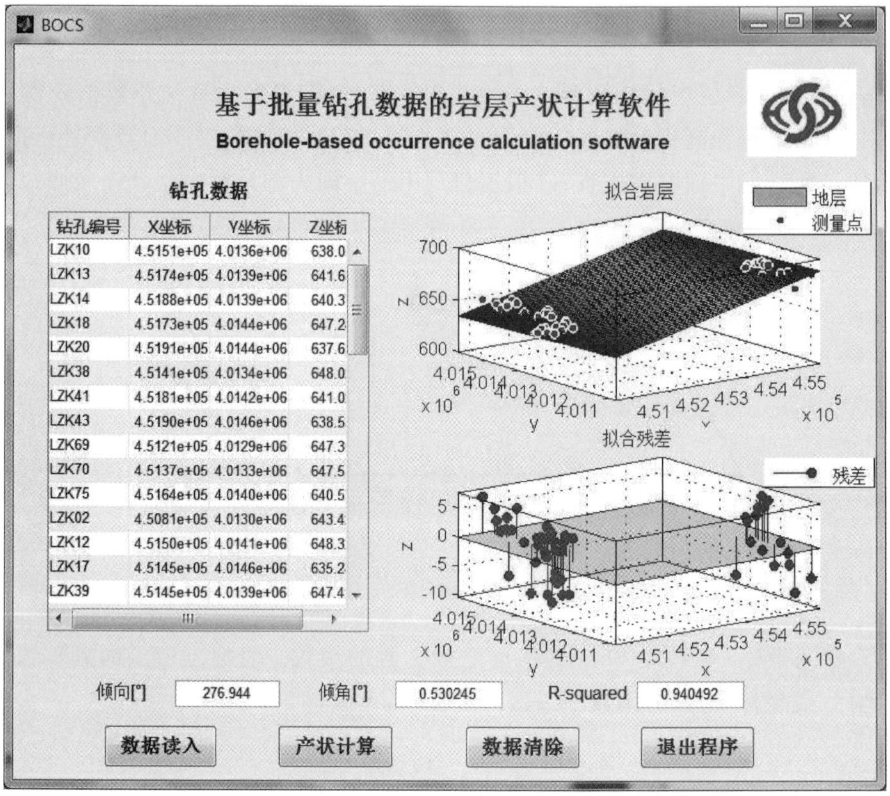

图 2 《基于批量钻孔数据的岩层产状计算软件》使用界面

3 工程应用

黄河古贤水利枢纽工程位于黄河大北干流中段,壶口瀑布上游 10km 处,是黄河流域所规划的七大控制性枢纽建筑物之一。工程推荐方案为碾压混凝土重力坝,正常蓄水位 627.0 m,最大坝高 215.0 m,库容 129.42 亿 m^3,电站总装机 2100MW,工程规模为大(I)型,是目前国内在建和拟建最高的碾压混凝土重力坝。古贤坝址区坐落于一套三叠系红色碎屑沉积岩之上,构造活动不发育,岩层产状近水平(图 3),坝基深层抗滑稳定问题比较突出。获得真实、可靠的岩层产状数据对于大坝坝基深层抗滑稳定的计算和分析十分关键。

图 3 古贤坝址区近水平状岩体

由于岩层产状近水平（目测小于 1°），地质罗盘的适用性差，测量成果的精度及代表性不佳；由于坝址区岩层出露范围较小、覆盖层厚度较大且地层产状近水平，标志性岩层在遥感航片上不易被精确识别，遥感影像法的计算结果也不甚理想。由于孔深、孔斜、取芯率等因素，仅仅使用三个钻孔数据的三点法计算结果变异性大，代表性不佳。基于批量钻孔数据，获得具有统计意义的地层产状数据将更有指导意义。

前期勘察资料表明，坝址区附近的文城河和风口石料场的 $T_2t_1^{2-4}$ 岩组岩性、厚度较为均一，分布较为稳定，可作为标志岩层。基于 52 个钻孔的实测数据，尝试计算了该岩组的岩层产状。这 52 个钻孔的最远直线距离约 5400m，揭露的 $T_2t_1^{2-4}$ 岩组底面高程差达 60 余米。经最小二乘法拟合，最优岩层平面空间方程为：

$$-0.001\,071 \cdot x + 0.000\,130\,5 \cdot y + 0.116\,6 \cdot z - 115.2 = 0\ ,\ R^2 = 0.940\,5 \tag{6}$$

将公式(6)的系数代入公式(4)和(5)，可以计算得到的 $T_2t_1^{2-4}$ 岩组的产状：倾向 275.45°、倾角 0.54°。

4 讨论

当工程附近缺少出露良好的地质剖面、且钻孔数据较为丰富时，使用此方法较为合适，可求解某特定层位的产状。缺点是当岩性接近时，有时不好选择标志岩层，而且当标志岩层厚度变化较大时，计算结果代表性不强。此外，该方法对钻探质量要求较高，孔深误差需得到严格控制，岩芯的摆放次序不能乱、深度需要准确。

5 结论

本文提出了一种基于批量钻孔数据室内计算岩层产状的新方法。该方法本质上属于三点法，通过最小二乘法拟合具有统计意义的最优层面空间方程来计算岩层倾向及倾角。为了便于该方法在类似工程中的应用与推广，开发了《基于批量钻孔数据的岩层产状计算软件》。以黄河古贤水利枢纽工程近水平状岩层为例开展了实例研究，经计算，坝址区 $T_2t_1^{2-4}$ 岩组的产状为：倾向 275.45°、倾角 0.54°。该方法对标志岩层和地质钻探的质量要求较高。

参考文献

汪新文. 地球科学概论 [M]. 北京：地质出版社，1999.

刘洪涛，利用向量代数和空间解析几何原理确定岩层产状的方法 [J]. 铁道勘察，2013，39(2)：31-33.

徐俊，张必勇，胡坤生. 利用三维模型快速求解岩层产状的方法 [J]. 三峡大学学报(自然科学版)，2019，41(S1)：16-19.

段福州，赵文吉，李家存，等. 基于三维地理信息系统的岩层产状测量方法 [J]. 吉林大学学报(地球科学版)，2011，41(1)：310-315.

蒲浩，杨新林，赵海丰，等. 基于 Google Earth 的岩层产状测量方法 [J]. 西南交通大学学报，2012，47(6)：949-954.

陈小江. 全面实施黄河流域综合规划谋求黄河长治久安和流域可持续发展 [J]. 人民黄河，2013，35(10)：1-4.

王贵军，张一，陈艳国，等. 黄河古贤水利枢纽工程可行性研究工程地质勘察报告 [R]. 郑州：黄河勘测规划设计有限公司，2017.

Bilotti F，Shaw JH，Brennan P A，Quantitative Structural Analysis with Stereoscopic Remote Sensing Imagery[J]. Aapg Bulletin，2000，84(6)：727-740.

Ragan D M. Structural geology：an introduction to geometrical techniques [M]. Cambridge. Cambridge University Press，2009.

软硬相间复杂料场勘察与施工问题探讨

李新峰　曹忠敏　陈朝红
新疆兵团勘测设计院(集团)有限责任公司,新疆 乌鲁木齐　830002)

摘　要:小米田水库大坝填筑块石料场现改为一处软硬相间的砂岩和泥岩互层山梁上的备用料场。对于此类赋存形式复杂的料场勘察,目前尚没有可供参考借鉴的经验,而如何查明有用层储量和质量能否满足填筑所需,对工程建设至关重要,本文面对施工开采过程中出现的新问题,综合各类不同勘探方法手段,通过合理的分析评价,最终确认料场储量和质量满足设计所需,并在施工填筑过程中得到证实,目前水库大坝已完成封顶一年多,大坝监测情况正常。

关键词:软硬相间　复杂料场　大坝填筑　勘探　复核

1　工程概况

小米田水库位于云南省丽江永胜县六德乡境内,处于金沙江水系某支流楚依河上,是一项解决下游人畜饮水、农业灌溉以及满足下游乡镇工业用水要求的综合利用工程。坝型为沥青心墙堆石坝,最大坝高88.7m,库容为2253万m^3,挡水大坝建筑物等级为2级。

工程区位于鲜水河-滇东地震带西南部,区内新构造运动强烈,地质构造复杂,边界断裂和块体内部断裂活动强烈,该地震带内地震以浅源地震为主,具有强度大,频率高,原地重复较多、发震构造相同的特点。据2011年云南省地震工程研究院进行的场区地震安全性评价报告,坝址区8km范围内无活动断层,库区无大于5级地震活动,场区为建筑物抗震较为有利地段。场地基岩地震动参数指标为,50年超越概率10%地震动峰值加速度0.287g,动反应谱特征周期0.30s;相应地震基本烈度Ⅷ度。

2　填筑料料场简介

初步设计阶段所选大坝填筑料P2料场,位于距离水库约3km古德村附近较稳定厚层砂岩,工程开工后,由于料场附近部分村民不愿接受征地和拆迁,且料场又处于村庄附近仅200m左右山坡上,无法满足爆破开采安全要求,最终不得已放弃该料场,选择备用的P1料场。

所选的P1块石料场位于坝址区上游右侧孤山,属于水库淹没区。料场大致呈椭圆状分布,南北长为800m,宽为170～400m,地形起伏,地面高程2300～2430m,最大比高约130m,地形坡度为15°～47°(图1)。P1料场距坝址直线距离1.0km,可修建施工便道连接。据勘察资料,料场地层岩性为上三叠统舍资组(T_3s)灰白色中厚层状砂岩与灰黑色泥岩互层,从图1大致看出砂岩与泥岩平面分布情况。互层状的砂岩和泥岩,形成多组近南北向延展,宽度(厚度)不等向西倾斜27°～55°的条带。其中具有开采意义和厚度的砂岩有3条自西向东编号S-1、S-2、S-3;作为无用层泥岩的条带4条,自西向东编号N-1、N-2、

作者简介

李新峰(1966—),男,正高级工程师,主要从事水利水电工程勘察与施工地质工作. E-mail:415211049@qq.com

N-3、N-4。由此构成该料场的主体。如果不考虑最东侧的 N-4，泥岩约占总层厚的 40%，砂岩约占 60%。理论上砂岩具备可采储量 284.4 万 m^3，堆石料可以满足约 165 万 m^3的设计所需要填筑量。

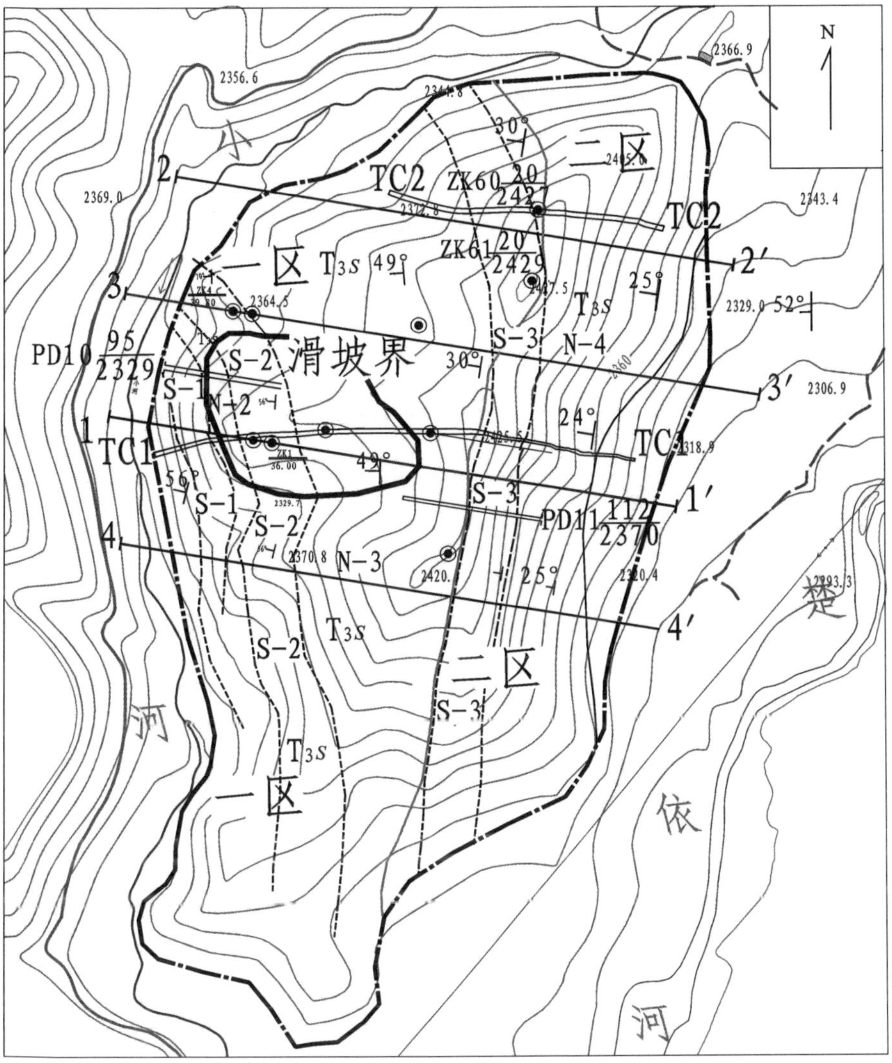

图 1 P1 备用料场勘探布置示意图

由于料场有用层砂岩和无用层泥岩相间出现，实际施工开采需要产生大量的剥离量，包括上部覆盖层、全强风化岩以及开采弱风化-新鲜砂岩之间的多层泥岩夹层。据有关文献，在国内外水利水电工程建设中，在施工阶段因为天然建筑材料的质量或储量的变动，致使工程造价提高、被迫改换坝址、坝型，甚至停工的实例屡见不鲜。因此，查明该料场砂岩和泥岩的各层厚度及其储量和质量至关重要。

3 复杂料场勘察技术与要点

备用 P1 料场山体总体呈向西倾斜的单斜构造，走向 330°～350°，倾向南西 27°～55°。对于此类山高坡陡块石料场勘察，根据《水利水电工程天然建筑材料勘察规程》(SL 251—2015)，此类块石料按照地形地质条件划为Ⅲ类料场，特点是“地形不完整、起伏大，料层岩性复杂、厚度变化大，断裂、岩溶发育，无用层或有害夹层较多，剥离层厚”。但规程中只是规定勘探方法和间距(详查＜100m)，而无法给出各类复杂地层的具体勘探布置要求。

对于该料场来说，地形起伏大，地层复杂，单层厚度仅为数米或数十米的互层状倾斜地层，查明各个层位分布情况和有用层储量极为困难，钻探工作需要采取倾斜钻孔，但其施工难度大和勘探深度有限；而采用开挖探槽方法垂直岩层走向剥槽，受到表层较厚层的风化厚度影响、地形坡度影响以及开挖厚度受限，揭露地层不尽如人意；而勘探平硐在该类地层，具有较明显的优势。但由于勘探经费工期等限制，无法开凿贯穿的山体平硐(400m左右)。平硐开凿，必须尽可能垂直各个不同类型岩层走向，但难以控制了解不同高程各类岩组分布情况。首先通过详细的地质测绘，了解不同地层岩性的分布，突出重点并有针对性地在不同高程部位布置垂直岩层走向的勘探平硐、探槽、垂直或倾斜的钻孔以及坑探等，最终采取平硐、钻孔、坑槽探等综合勘探手段的方法查明有用层和无用层的分布情况。

为准确计算P1料场有用层储量，自山顶部划分一区(西区)和二区(东区)两部分，而西区由于处在倾斜岩层的上部，且剥离厚度相对较薄，作为主要开采区；将砂岩自西向东编号S-1、S-2、S-3三条南北向延展的条带。

根据勘察结果，可以确定各条带宽度、延伸长度，可开采厚度(或高度)则取决于地形起伏、覆盖层厚度、地下水位以及全强风化厚度等因素。

4 料场不同岩性评价

据前期勘察资料，P1料场地层岩性为上三叠统舍资组(T_3s)灰白色中厚层状砂岩与灰黑色泥岩互层，根据钻孔揭露，覆盖层厚度为2.0～3.0m，砂岩强风化层厚度为4～7m，弱风化层厚度为22～25m。根据室内原岩岩块试验成果：P1块石料场砂岩的颗粒密度为2.641～2.646g/cm^3，天然密度为2.525～2.549g/cm^3，干密度为2.50～2.53g/cm^3，饱和密度为2.55～2.57g/cm^3；吸水率为1.63%～2.02%，饱和吸水率为1.67%～2.09%，饱水系数为0.97～0.98，开型孔隙率为4.24%～5.24%；干燥状态下单轴抗压强度为60.0～83.0MPa，饱和状态下单轴抗压强度为44.0～62.0MPa，软化系数为0.64～0.79；总体为中硬岩。基本满足其作为坝壳填筑料的质量技术要求，但作为混凝土骨料则部分指标不满足规范质量技术要求。

其间所夹泥岩的颗粒密度为2.67～2.74g/cm^3，天然密度为2.53～2.61g/cm^3，干密度为2.43～2.56g/cm^3，饱和密度为2.53～2.62g/cm^3；吸水率为2.58%～4.66%，饱和吸水率为2.59%～4.68%，饱水系数为1.0，开型孔隙率为6.57%～11.24%；干燥状态下单轴抗压强度为12.2MPa，饱和状态下单轴抗压强度为0.48～12.4MPa，软化系数为0.32。属极软岩-软岩类。该泥岩作为坝壳填筑料及混凝土人工骨料的原岩饱和单轴抗压强度偏小，其物理力学性质不满足规范质量技术指标要求。

5 施工开采问题与解决方案

5.1 块石料勘察结论及专题研究

通过前期勘察，基本查明P1块石料场地形地质条件、岩土结构、岩性、夹层性质及空间分布，地下水位，剥离层、无用层厚度及方量，有用层储量、质量，开采运输条件和对环境的影响。勘察分析得到以下基本结论。

(1)该块石料场地形起伏大，运距短，开采无地下水干扰，无道路与坝址相通，需修建简易施工道路，料场运距可根据施工道路布设确定。

(2)料场岩性为上三叠统舍资组砂岩与泥岩互层，勘察面积24.0万m^2，有用层厚度为20～60m，按平行断面法计算，该料场砂岩储量约 276 万 m^3，泥岩储量 185 万 m^3，表层剥离层体积 56 万 m^3。砂岩需分层开采，开采难度大。

(3)料场长石砂岩原岩物理力学性质满足其作为坝壳填筑料的规范要求。

(4)长石砂岩作为混凝土人工粗细骨料为非活性骨料，粗骨料除堆积密度偏小，孔隙率和吸水率偏大外，其余各项试验指标均满足规范质量技术要求；其作为混凝土人工细骨料除堆积密度偏小，孔隙率偏大，细度模数和平均粒径偏小，石粉含量偏大外，其余各项试验指标均满足规范质量技术要求。建议采取适宜破碎方法或措施，使其满足规范质量技术要求。

根据南京水利科学研究院的试验成果，前期勘察初步设计阶段的料场质量评价为：P1 块石料场砂岩及泥岩作混凝土人工骨料的原岩饱和单轴抗压强度偏小，其物理力学性质不满足规范要求。根据试验，砂岩堆石料的抗剪试验(CD)φ 为 40.1°，泥岩的抗剪试验(CD)φ 为 33.1°，砂岩混合堆石料中泥岩掺合比例小于 30%时抗剪试验(CD)φ 为 38.1°～39.4°，变化基本不大；砂岩堆石料都属于低压缩性土，泥岩堆石料都属于中等压缩性土，砂岩混合堆石料中泥岩泥含量小于 30%的泥岩与砂岩混合料都属于低压缩性土。由于泥岩和砂岩掺配料开采过程中泥岩、砂岩的比例不易控制，泥岩属于较软—极软岩，且泥岩具有软化和崩解的特性，建议选择砂岩作为大坝堆石料。同时建议施工前进行爆破开采试验及现场碾压试验。

目前，国内外已有利用软岩筑混凝土面板堆石坝的工程实例，但对于沥青心墙坝尚缺乏与之类似的工程实例。考虑到采用砂岩夹泥岩互层碾压质量不易控制，后期曾对砂岩泥岩互层再次补充勘察，并对堆石料委托西南工业大学进行专题研究，研究结论为合理掺配 10%左右泥岩，可以满足该土石坝设计质量要求。

而建设单位考虑到大规模施工开采存在操作困难的问题，如砂岩泥岩掺配比例和碾压质量难以控制等，决定采用弱—微风化砂岩先进行围堰和大坝填筑。经过一段时间施工，由于开采剥离量偏大，加之砂岩开采困难、且层间剥离易造成浪费，建设单位对块石料储量保证率心存疑虑。

5.2 补充勘察与复核确认

2017 年底至 2018 年初，经过一段时间开挖填筑，建设单位认为堆石料场存在剥离量大，可能造成原设计储量不足，建设主管部门要求设计单位准确复核料场剥离量和堆石料(砂岩)储量，是否满足大坝填筑料设计要求。设计单位于 2018 年 3 月中旬完成水库坝体填筑料场进行了复核，并提交了小米田水库 P1 料场复核工作说明，通过对块石料储量复核，初步确定料场有用层约 200 万 m^3，大于设计用量 130 万 m^3，但开采应视开挖情况合理规划，尽量开采砂岩厚度大，剥离量小的部位，并建议加大开采深度以提高剥采比；料场开采边坡应以岩层倾角作为开采边坡坡比，即顺层开采，若坡比大于岩层倾角，易造成边坡失稳，产生安全隐患。

根据料场 2018 年 3 月复核资料，料场覆盖层 1～5m，体积 18.9 万 m^3；强风化层 6～10m，体积 64.6 万 m^3；滑坡体体积 15.5 万 m^3，共计 99 万 m^3，有用层砂岩储量 206.4 万 m^3，扣除前期已开挖的体积(30 万 m^3)和东区难以利用的体积(63 万 m^3)合计为 92 万 m^3，理论上应该剩余 110 万 m^3。由此可见，后期开采量需要剥离约 100 万 m^3，而获得 30 万 m^3 以上的厚层砂岩块石料。

2018 年 5 月底水库坝体已填筑到 2292m 高程，坝体填筑余量约为 60 万 m^3。建设单位再次质疑有用层储量，要求设计单位对坝体填筑料场有用岩层储量进行进一步复核。5 月 27 日至 6 月 7 日设计地质单位进行了小米田水库坝体填筑料场的复核工作。根据前期勘察结论及多次复核工作的情况，对此进行说明。

2018 年 12 月初，应建设单位要求，我院地质人员再次对所开采的 P1 料场进行复核，复核结果与年初料场补充勘察成果提出的储量相近。至此水库大坝填筑至 2305m，已经开采西区块石料 120 万 m^3，按照初步设计勘察成果，西区厚层—巨厚层砂岩占 P1 料场砂岩总量（284 万 m^3）的 78%，即 221 万 m^3，理论上应该剩余 101 万 m^3。按照距离坝顶 2331m 还差 26m 高度计算，尚需要填筑块石料约 36 万 m^3，由此判断可以满足开采需求。

5.3 施工开采的问题与解决

部分水利水电工程实践表明，水库基础建设施工料场开挖中，容易遭遇边坡稳定性问题，直接关系到工程安全、进度和成本，因而需要预先对其稳定性问题进行科学评估，从而降低边坡灾害发生率，避免对工程质量造成不利影响。

在 P1 料场施工开采过程中，由于多种原因造成开挖不当，先后遭受二处滑坡影响，其中一处是在西区北部，由于开挖出临空面，导致一处原已稳定的小型古滑坡再次复活，形成小规模滑动，致使上部覆盖层以及全强风化层顺滑动面推移，覆盖到待开采的砂岩（块石填筑料）上；另外一处滑坡是顺着单斜岩层倾斜方向的软弱层（泥岩夹黑色煤线层 $\varphi<20°$）产生的层间滑动，岩层倾角 α 为 48°～55°，属中等倾斜，实际施工中不可避免地会切割岩层（即坡角 $\theta>\alpha$），造成临空面的出现，而当 $\varphi<\alpha<\theta$ 时，其稳定性最差。该软弱夹层在开挖过程中曾经多次滑动，并于 2018 年 12 月 4 日再次较大规模下滑，滑塌顺岩层面形成倾向西侧的巨大光面，边坡最大高差 92m，滑塌岩层主要为煤层、碳质泥岩，强风化岩层，滑动面为泥岩与砂岩中夹层的煤线。滑塌体成为料场西区中部开采区施工安全隐患，导致被迫停工，同时掩埋部分可利用的砂岩填筑料。这两处滑坡的发生，也无形中造成施工剥离量的增加。

根据施工实际情况分析：由于施工开采实际工况与原设计的掺配少量泥岩有所不一致，无形增加有用层（弱风化—新鲜砂岩）需要量，而厚层、质量好的砂岩较少，需要大量剥离上部的无用层和泥岩夹层等方可开采；此外滑坡的影响，又使得剥离量有较明显增加。施工单位投标预算中，没有单独计费剥离量（均涵盖在有用层方量单价中），由此会对效益产生影响，也是需要总结和吸取的深刻教训。

在综合分析该料场地形地质条件差异较大情况下，采用分区加断面法，较好的解决有用层（弱风化—新鲜砂岩）剩余储量计算精度差的问题。根据断面法计算复核，西区北部 S-1 剩余储量 3.1 万 m^3，S-2 剩余储量 33.9 万 m^3，西区北部合计有用层储量 37.0 万 m^3；西区中部 S-1（受地下水影响）剩余储量 1.7 万 m^3，S-2 剩余储量 10.0 万 m^3，合计有用层储量 11.7 万 m^3；西区南部 S-1 剩余储量 3.4 万 m^3，S-2 剩余储量 18.3 万 m^3，合计有用层储量 21.7 万 m^3；东区 S-3 砂岩条带，上覆无用层剥离量 32.6 万 m^3，有用层剩余储量 45.0 万 m^3，总计有用层剩余储量 116.4 万 m^3，即使不开采东区，也完全能够满足大坝剩余填筑料所需（约 36 万 m^3）的 1.5 倍以上。

客观的说，由于该类料场具有软硬相间的复杂赋存条件，而软硬料掺配难以获得理想大坝填筑质量，为此需要对泥岩夹层（无用层）进行剥离处理，使得施工难以实现大规模集中开采，因此对大坝施工填筑效率也产生一定不利影响。在剩余储量合理计算复核确认后，施工单位按照地质建议，选取相对有利的西区开采，避免东区开采更大的剥离量，最终完成的大坝填筑任务。

6 结语

筑坝材料选择要遵守的原则是适用性、经济性、环境友好性。在云南乃至西南其他各省区市，中小型水利水电工程土石坝填筑料，由于征占地问题无法解决而更换料场问题较为突出，而料场的变更调整对工程投资影响较大，多为重大变更。根据笔者了解多个已经开工项目实施情况看，总结以下经验和建议，供水利工程建设同行参考借鉴。

(1)勘察阶段应尽早查明和确认所勘探料场是否可以征用,避免开工后因料场变更而造成浪费和延误工期。根据以往工程变更调整经验,问题主要集中在:①剥离量过大,除了残坡积覆盖层还有岩质无用层;②风化蚀变较严重的侵入岩、变质岩等;③国家基本农田、国家公益林无法征收;④国家珍稀自然或物种保护区;⑤当地风俗“神山”;⑥生态红线以内的用地等;⑦建设单位掌握情况不全面时,指定料场位置最终无法征用;⑧交通条件严重限制开采运输的部位等。

(2)对有用层分布复杂的填筑料料场,力求采用多种勘探方法和合理的分析评价手段,把储量计算做得更精确合理;对于剥离量(包括所夹的无用层量)应该尽可能考虑周全,不宜有大的偏差。

(3)对料场施工开采、开挖过程中,可能存在的问题,应该有提前预判。提出合理的地质建议,使参建各方有所准备,防患于未然。

(4)勘察期间重要勘探点应该有准确的坐标和高程,以便后期复核查对。如果借助三维技术对待此类复杂岩层分布料场的储量计算,会更加直观和精准。

(5)尽可能避免软硬相间的复杂互层结构料场,实际施工开采操作难度极大,坝料填筑质量不易控制,容易给大坝后期运行带来隐患。

(6)前期勘察建议结论应该充分考虑施工开采工况条件下的可操作性,本工程勘察结论已明确开采难度大,而施工单位在投标过程中未对勘察设计文件进行认真分析研判,尤其料场剥离无用体积是否属于可以承受范围,造成施工过程中,反复对剩余堆石料储量进行复核。

参考文献

云南省丽江市永胜县小米田水库工程地质勘察报告(初步设计)[R].乌鲁木齐:新疆兵团勘测设计院(集团)有限责任公司,2013.

徐建闽,边建峰,吕振. 天然建筑材料勘察工作中应重视的几个问题[J]. 资源环境与工程,2011,25(5):561-564.

司富安,高玉生,李会中,等.水利水电工程天然建筑材料规程:SL 251—2015[S].北京:中国水利水电出版社,2015.

陈德基,司富安,蔡耀军,等.水利水电工程地质勘察规范:GB 50487—2008[S].北京:中国计划出版社,2009.

汤洪洁. 软岩筑混凝土面板堆石坝关键技术[J].水利规划与设计,2014(5):37-39

陈怀洪.水库料场施工开挖稳定性分析[J].河南水利与南水北调,2017(6):61-62.

郑志勇,余海兵,姚文敏,等.顺层边坡稳定性影响因素及失稳数据分析[J].人民长江,2016(21):57-61.

张家发,张迟,定培中.基于筑坝材料适用性的土石坝工程质量风险讨论[J].人民长江,2016(21):72-75.

风积黄土分散性问题的探讨

周吉军
新疆兵团勘测设计院(集团)有限责任公司,新疆 乌鲁木齐 830002

摘　要:我国北方广泛分布的风积黄土,早已用于水利工程中,但作为防渗土料的抗冲蚀特性研究,特别是与一般分散性黏土的差异化认知还很欠缺。本文从分散性黏土的分散机理出发,用天山北坡风积黄土的相关参数与一般分散性土进行对比,分析了两者抗冲蚀能力差的不同原因,提出了改进风积黄土抗冲蚀特性研究方法的建议,供同行参考。

关键词:风积黄土　分散性　抗冲蚀

1　问题的提出

防渗用黏土料,从渗透稳定角度看,有分散性土和非分散性土两类,其中分散性土不宜用作防渗土料。肯斯瓦特水库大坝处于Ⅷ度区的百米级高坝,工程区广泛分布风积黄土,如果此类土料能够排除分散性,黏土心墙坝将具有抗震安全方面的优势。通过对典型分散性土和风积黄土不同特性的对比分析发现,这两种土虽然抗冲蚀能力均较差,但性质有根本性差异,直接采用现行的鉴定方法,对风积黄土是不适宜的。

2　典型分散性土的特性

分散性黏土在低含盐量或纯净水中细颗粒之间的黏聚力大部分或全部丧失,呈团聚状的土体自行分散成原级的黏土颗粒,抗冲蚀能力很低,容易造成堤坝管涌,因此危害性很大。分散性土被水冲蚀破坏是一个复杂的物理、化学和力学过程,是多因素作用的结果,其中主要影响因素有以下5种。

(1)黏粒含量:通常说的黏性土是指液限大于25%,塑性指数大于6的黏土或粉土,其黏粒含量一般大于10%,如果黏粒含量很低而导致土样出现分散现象,就不属于黏性土的分散性研究范围,而是无凝聚性土的研究范畴了,如粉砂和细砂在水中也分散,但机理与黏性土不同。

(2)黏土矿物成分:常见的黏土矿物有高岭石类、蒙脱石类、伊利石类,它们是土中物理、化学性质活跃的物质,对黏性土的工程性质有着显著影响。其中高岭石类矿物结晶牢固,遇水仅产生体积膨胀,不会分散;蒙脱石类晶层间联结弱,晶格具有扩展性,特别是吸附钠离子的钠蒙脱石具有强分散性;伊利石则介于两者之间。

(3)有机质:土中的有机质具有胶体性质,可以促进土壤团粒结构的形成,且富含酸性物质,可以降低土体的酸碱度,能减少土体的分散倾向。

作者简介

周吉军(1965—),男,教授级高级工程师。主要从事水利水电岩土勘察方向。E-mail:546246502@qq.com

(4)钠离子:在常态下,水是土中液相物质的主要成分,溶解于水中的各种电解质以离子或化合物的形式存在于水中,它和水以及水中的黏土颗粒构成土-水-电解质系统,影响土的工程性质。一般来说,黏土颗粒表面带负电荷,它会吸附阳离子在其周围形成吸附层和扩散层,研究人员称之为双电层,双电层越厚,颗粒分散性越强。在自然界的土体中,阳离子主要有 Ca^{2+}、Mg^{2+}、Na^{+}、K^{+},Na^{+} 的双电层厚度是 Ca^{2+} 的两倍,因此若土样中含有大量的钠离子,使得土颗粒间双电层厚度增加,排斥力大于吸引力,则土样易产生分散。

(5)酸碱度 pH 值:黏土矿物颗粒表面和边缘有可能暴露出来的硅羟基(SiOH)分解成 SiO^{-} 和 H^{+},它受到 pH 值的强烈影响,pH 值越高,H^{+} 进入溶液的趋势越大,因此高 pH 值使颗粒分散,低 pH 值会导致颗粒从悬液中絮凝。

以上 5 个因素中,黏粒含量、黏土矿物成分和有机质含量属于土的固相组分,一般具有不可变性,但黏土矿物表面的电化学性质却随着空隙水中阳离子的种类、含量和 pH 值的变化而变化,因此黏土的分散性是土、水、电解质共同影响的结果,因此分散性常常表现为溶蚀性的化学反应。

3 分散性土鉴定的现行方法

到目前为止,分散性土的鉴定方法还在改进之中,但总体认为野外调查和识别、常规室内试验、室内分散性鉴定试验三者缺一不可,而且三者相结合进行综合鉴定是当前大家公认的方法。

首先需要做好野外调查与识别,直观判断其抗纯净水冲蚀能力。重点包括观察土料场雨后水沟、水坑积水和干涸后的情况,若发现水坑积水长期浑浊,干后坑底留下很细的黏土沉积龟裂,则土料可能具有分散性;观察坡面上冲沟和孔洞的发育情况;观察料场的新鲜土坡或坡下大土块的完整性;观察地表植被及有机质的情况;了解黏土生成环境;尽早用简易碎块试验现场初判等。土样常规室内试验取得的颗粒级配、界限含水率、可溶盐和各类离子含量、pH 值、有机质含量及黏土矿物组成等参数,是分散性研判的重要依据。对黏土矿物中蒙脱石含量多、阳离子中钠离子含量高、pH 值高、有机质含量低的土料,进行深入研究是必要的。目前常用的分散性鉴定试验方法包括双比重计试验、碎块试验、针孔试验、孔隙水可溶性阳离子试验、交换性钠离子百分比试验,实践中多采用 5 种试验结果分别赋予一定权重的方法判定分散性。

但在实际工作中,野外调查的结论往往被忽视,而试验研究方法的适宜性却较少被质疑,这是目前分散性土鉴定中的不良倾向。

4 风积黄土及其特性

4.1 风积黄土特性指标

肯斯瓦特水库工程区广泛分布风积黄土,这些第四系上更新统风积物,从工程分类属于低液限粉土,储量丰富,开采运输便利。土中的粉粒含量 77.0%,黏粒 17.6%,塑性指数 9.9,天然含水量 9.0%,最优含水量 14.3%,最大干密度 1.83g/cm³,渗透系数 1.8×10^{-7}cm/s,有机质含量 0.22%,水溶盐含量 0.68%,pH 值 9.1,土粒密度 2.70g/cm³,饱和固结抗剪强度 20.9kPa。与规范要求的心墙土料标准对比,土料天然含水量偏低,塑性指数偏低,与北方大多数风积黄土特性一致。

4.2 与分散性土的相似性分析

樊恒辉等收集了大量的工程实例,对一般分散性土进行了实验结果统计分析,总结出以下几个界限参数值:①土粒密度大于2.69 g/cm^3,一般不分散;②黏粒含量小于20%,多具有分散性;③塑性指数小于15,多属于分散性或过渡性;④有机质含量小于5g/kg,具有不确定性;⑤pH值大于8.6,多属于分散性或过渡性;⑥土体中易溶盐含量高特别是低价阳离子含量越高的土,分散性概率越大。

肯斯瓦特工程土料的特征参数与上述统计界限值对比,具有极高的吻合度,很容易将其当作分散性土。从2005年开始,本工程先后邀请三家科研单位开展了三轮分散性试验研究,均未能排除其分散性,因此工程决策时放弃了黏土心墙坝坝型。

5 质疑与建议

土的分散性问题是在高黏性土中发现的,表现为溶蚀为主的化学变化,而低黏性土抗冲蚀性差更像物理变化。无论是根据经验统计界限参数判定,还是试验判定,都是将这两种土料不加区分、使用同一个标准进行的,这是问题的关键所在。结合本工程研究过程与风积黄土的工程实践经验,提出以下几点看法。

一是对风积黄土与典型分散性黏土抗冲蚀能力差的原因,没有区别对待。从风积黄土的颗粒组成看,粉粒含量高达77.5%,黏粒含量不高,抗冲蚀性差是肯定的,但不太可能出现典型分散性黏土的溶蚀现象。二是对风积黄土野外抗冲蚀表现,没有高度重视。野外勘察发现,土体在雨水的作用下多出现湿陷、塌陷现象,并不存在冲沟和孔洞;土体在受冲蚀后形成的积水也暂时浑浊,一定时间后水质可恢复清澈,并不存在絮状物质,沉淀后底部出现粉细沉淀物,但干涸后不会出现龟裂。雨水对土体的冲刷以物理冲刷最为明显,形态与分散性土不同。三是对可交换钠离子的研究没有深入。当地土料易溶盐含量高,钠离子含量也高,但历次试验除了土样组数不足外,试验研究时对黏土矿物中高岭石、伊利石和蒙脱石占比的分析也不够,特别是钠蒙脱石含量没有重点研究。四是研究工作与工程结合不紧密。比如使用当地河水开展针对性试验研究没有开展;另外模拟添加生石灰水调节含水量,再检验抗冲蚀性能的研究没有开展等。五是对工程类比经验重视不够。如新疆伊犁河恰甫其海水库工程,其黏土心墙料与肯斯瓦特水库土料基本相同,工程建成正常运行多年,说明此类土作为高坝的防渗心墙是经得起实践考验的。

综上所述,对于在我国北方广泛分布的风积黄土的抗渗安全性的认知还需要继续提升,建议重新审视现行的分散性土鉴定评价体系,研究探索适宜风积黄土的抗冲蚀安全评价方法,使风积黄土的防渗安全研究水平更进一步。

参考文献

樊恒辉,孔令伟.分散性土研究[M].北京:中国水利水电出版社,2012.

于为,马龙,王秋丽.新疆玛纳斯河肯斯瓦特水利枢纽防渗土料分散性研究[J].土工基础,2011(3):81-84+101.

软硬岩互层卸荷带综合分析方法
——以大理地区宾川县龙头山水库卸荷带分析评价为例

吕恒阳 杨鹏 陈厚军
新疆兵团勘测设计院(集团)有限责任公司,新疆 乌鲁木齐 830000

摘 要:目前我国对岩体卸荷分带分析评价无统一划分标准,针对不同的地质环境、岩性组合其分析方法也不尽相同,在收集、总结和分析国内部分水电工程卸荷研究成果基础上,采用综合分析方法进行岩体卸荷带划分。本文以大理地区龙头山水库的岩体卸荷带分析评价工作为例,从坝址区地形地貌、地层岩性、钻进情况、岩芯裂面张开充填、纵波波速、井下电视、岩体透水性特点,对坝址区左、右岸岩体卸荷带进行划分,为坝址区岩体卸荷处理提供可靠的地质资料。

关键词:卸荷分带 软硬岩互层 裂隙密度 井下电视 波速

1 工程概况

龙头山水库位于云南省大理州宾川县境内,地处金沙江流域的一级支流朵背菁河的上游河段,河段全长约21km,多年平均径流量约567.6万m^3。龙头山水库是一项解决灌区农村人畜饮水及灌溉供水等综合利用的水利枢纽工程,工程区位于云南省大理州宾川县东北部约75km处,水库以灌溉为主兼顾人畜饮水的功能,工程由大坝、溢洪道、导流泄洪兼放水隧洞及灌区输水管道工程组成。最大坝高77.49m,坝线长220.52m,水库正常蓄水位2 361.31m,总库容176万m^3。

测区位于滇西横断山脉山原区,总地势东南高西北低,受区内构造控制,山体走向以北东—南西向为主,可分为侵蚀-溶蚀构造的高中山区、侵蚀中低山区。区内出露的地层主要有二叠系、三叠系、侏罗系、白垩系和第四系。

区内发育的区域性断裂有元谋-绿汁江断裂、程海-宾川断裂、菁河断裂,库坝址区无活动断层通过,具备建坝条件。根据《中国地震动参数区划图》(GB 18306—2015),工程区地震动峰值加速度为0.20g,地震反应谱特征周期为0.45s,对应地震基本烈度为Ⅷ度。

水库区位于朵背菁河中上游河段,河谷呈"V"形,河流整体流向约44°,现代河床高程2270～2370m,宽5～30m,河床纵坡降约11%。两岸山体雄厚,山顶高程2915～2967m,左岸岸坡坡度31°～56°,局部呈陡立状,左岸基岩大面积出露,断续分布残坡积碎石土;右岸岸坡坡度25°～52°,岸坡多被残坡积碎石土所覆盖,仅在冲沟和局部坡度较陡处基岩出露。

坝址区出露的主要地层为中侏罗统张河组(J_2z),岩性为紫红色泥质粉砂岩夹浅紫色、灰色砂岩,层理构造,泥质、砂质结构,中厚层—巨厚层状,产状为273°～350°,SW∠8°～38°。主要出露在左岸岸坡、现代河床及右岸冲沟沟底,是构成坝基的主要地层。

作者简介

吕恒阳(1988—),男,工程师,主要从事水利水电工程地质勘察等工作.E-mail:604822030@qq.com

2 卸荷分带综合分析

2.1 岩体卸荷形成原因

库区出露基岩为中侏罗统张河组(J_2z)泥质粉砂岩、砂岩互层，泥质粉砂岩属较软岩，砂岩属中硬岩。由于地壳抬升，河流下切，河谷表层岩体存在差异回弹和应力释放，应力场不断调整，从而导致岩体结构松弛，在泥质粉砂岩与砂岩接触面形成张性卸荷裂隙。卸荷裂隙的存在，为后期的岩体变形提供了岩体结构条件，同时也为岩体风化作用提供了空间和通道，由于泥质粉砂岩较砂岩风化强烈，在岸坡基岩出露区形成风化凹槽，砂岩下部临空，重力作用下导致了砂岩产生了顺坡面的卸荷裂隙。

2.2 钻孔钻进情况

钻孔钻进过程中发生了掉钻、卡钻的现象，右坝肩孔ZK3(27.5～27.7m、31.3～31.5m)和右岸半坡孔ZK10(24.9～25.0m)在钻进过程中出现掉钻现象。左右岸钻孔不同深度内均出现孔内掉块、卡钻现象。

2.3 岩芯裂面张开、充填特点

岩体卸荷的直观表现为裂隙的密度、张开裂隙率和张开裂隙宽度，根据钻孔岩芯裂隙统计分析，坝址区左右岸的岩体裂隙特征存在明显差异(表1)。

表1 左右岸裂隙特点统计分析表

位置	深度/m	裂隙率/%	张开裂隙率/%	累计隙宽/(L·mm^{-1})	卸荷分带
左岸	6～16	4～8	0.2～1.0	0.9	非卸荷带
	16～23	23～31	9～15	16	强卸荷带
	23～34	5～8	0.3～1.0	0.9	非卸荷带
	34～46	9～15	2～7	6	弱卸荷带
	46～80	2～6	0.3～0.8	0.8	非卸荷带
右岸	13～40	6～8	0.3～1.0	1	非卸荷带
	40～50	21～29	9～13	14	强卸荷带
	50～55	9～16	3～7	6	弱卸荷带
	55～80	2～5	0.3～0.7	0.7	非卸荷带

左岸裂隙张开、充填特点如图1所示。

钻孔ZK5不同深度特点描述如下：0～3.1m，岩体裂面呈宽张状态，充填黏土及岩屑，岩芯受钻进扰动，呈散体土状、块石状；3.1～32.7m，岩体裂面呈张开状态，充填黏土薄膜局部含少量岩屑，裂面受氧化影响多呈锈黄色、深褐色，其中15.1～15.3m裂隙呈宽张状，充填黏土、岩屑、角砾；32.7～60.2m，岩体裂面呈张开—微张状态，少量充填黏土薄膜局部可见白色结晶膜，裂面受氧化影响多呈褐黄色、褐色；60.2～80.0m，岩体裂面呈微张—闭合状态，部分裂面受氧化影响呈黄色、褐色。

钻孔ZK8不同深度特点描述如下：0～14.1m，岩体裂面呈张开状态，充填黏土薄膜局部含少量岩屑，裂面受氧化影响多呈锈黄色、深褐色；14.1～45.7m，岩体裂面呈张开—微张状态，少量充填黏土薄膜局部可见白色结晶膜，裂面受氧化影响多呈褐黄色、褐色；45.7～55.0m，岩体裂面呈微张—闭合状态，部分裂面受氧化影响呈黄色、褐色。

右岸裂隙张开、充填特点如图2所示。

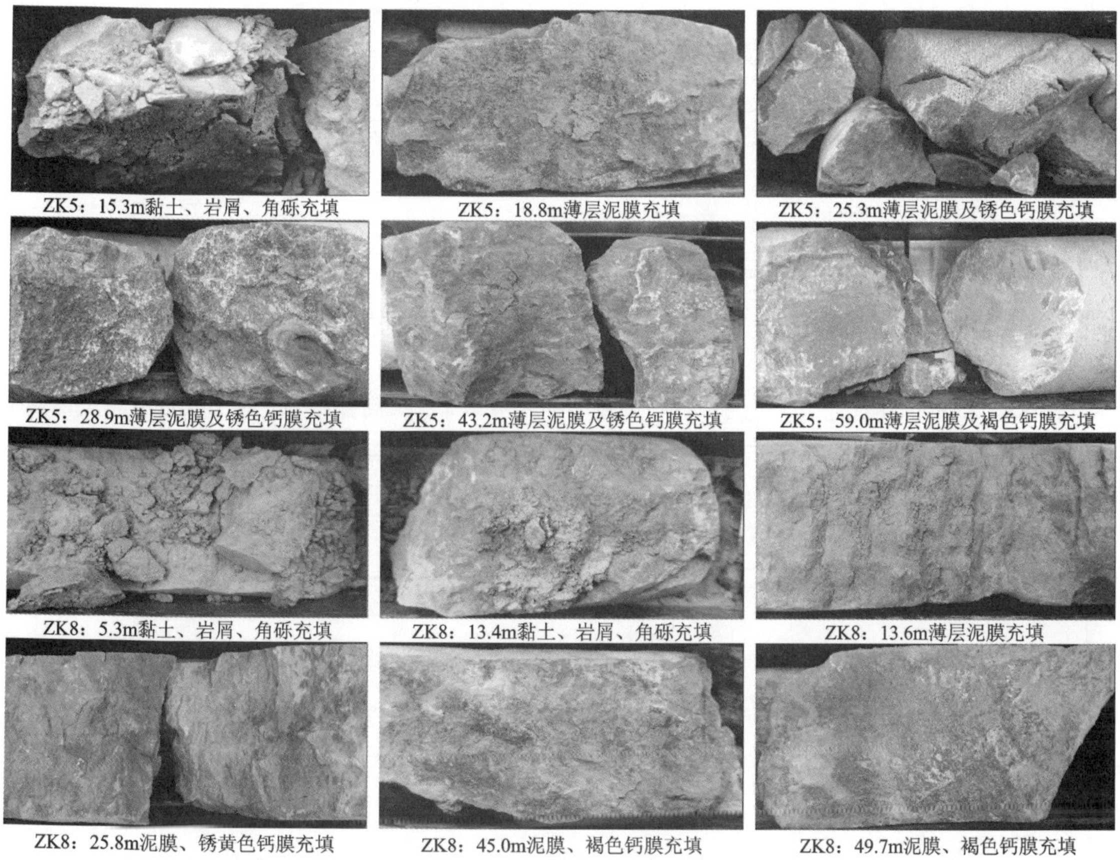

图 1　左岸裂隙张开、充填特点

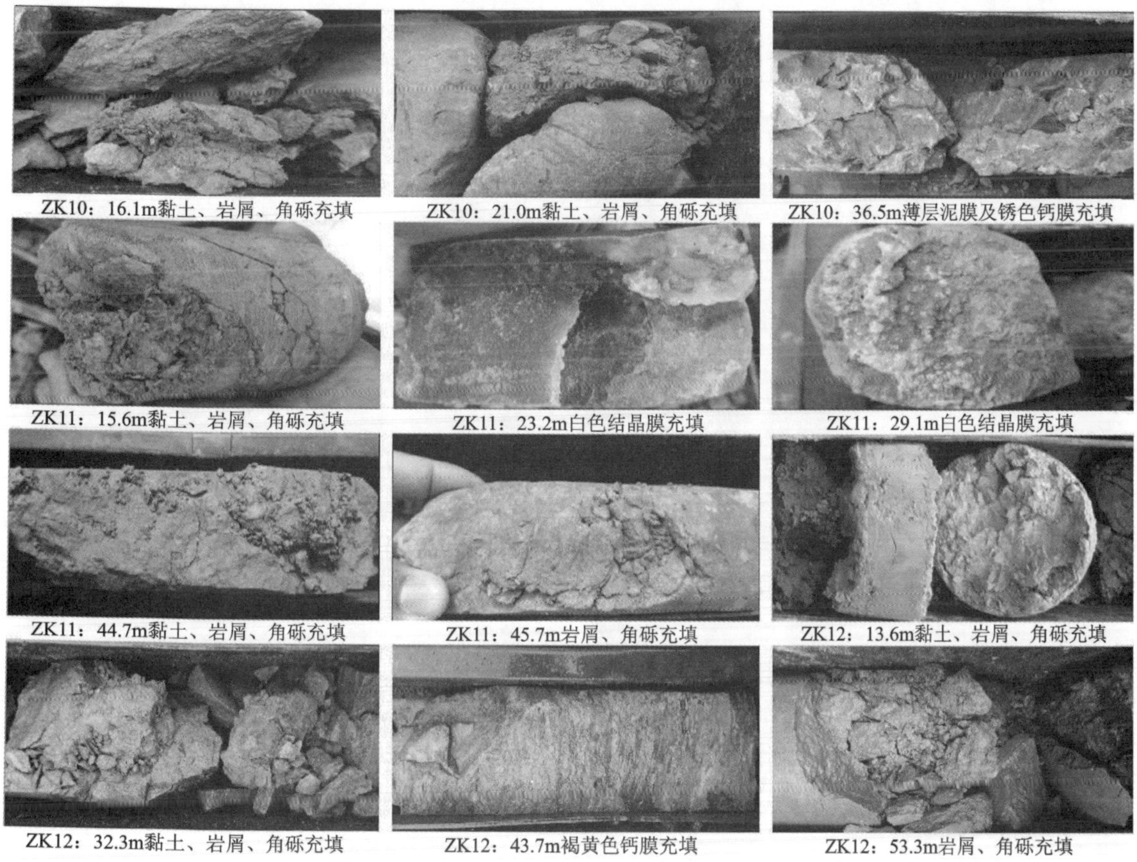

图 2　右岸裂隙张开、充填特点

钻孔ZK10特点描述如下：3.5～53.0m，岩体裂面呈张开状态，局部呈宽张状态，充填黏土薄膜局部含少量岩屑，裂面受氧化影响多呈锈黄色、深褐色，其中12.5～12.6m、15.5～15.6m、16.0～21.0m、27.2～27.3m、28.0～28.5m、30.7～30.9m、33.9～34.0m、35.9～40.0m、43.8～48.5m裂隙呈宽张状，充填黏土、岩屑、角砾；53.0～55.1m，岩体裂面呈微张状态，裂面受氧化影响多呈锈黄色、深褐色。

钻孔ZK11特点描述如下：13.5～36.7m，岩体裂面呈张开状态，局部呈宽张状态，充填黏土薄膜局部含少量岩屑，裂面受氧化影响多呈锈黄色、深褐色，其中13.5～21.2m、23.2～23.3m、24.1～24.6m、25.4～25.5m、28.2～28.3m、28.6～28.7m、29.1m、30.5～30.6m、33.6～33.7m、34.8～34.9m裂隙呈宽张状，充填黏土、岩屑、角砾；34.9～54.9m，岩体裂面呈微张状态，部分裂面可见泥膜及岩屑充填，裂面受氧化影响多呈锈黄色、深褐色。

钻孔ZK12特点描述如下：4.7～43.7m，岩体裂面呈张开状态，局部呈宽张状态，充填黏土薄膜局部含少量岩屑，裂面受氧化影响多呈锈黄色、深褐色，其中11.8～15.6m、30.1～35.5m、41.2～43.7m裂隙呈宽张状，充填黏土、岩屑、角砾；43.7～80.0m，岩体裂面呈微张状态，局部为闭合，部分裂面可见泥膜及岩屑充填，裂面受氧化影响多呈锈黄色、深褐色。

2.4 井下电视

左岸钻孔ZK8井下电视如图3所示，3.3～5.0m、6.6～8.1m、9.3～11.6m、12.0～14.8m、18.9～19.9m、21.5～22.6m、25.7～26.2m、28.4～28.8m、29.7～30.3m、33.5～34.4m、35.4～36.0m、40.6～41.5m、43.8～45.9m段岩体裂隙发育，呈张开—宽张状态。

右岸钻孔ZK11井下电视如图4所示，41.9～53.5m段岩体裂隙发育，呈张开—宽张状态。

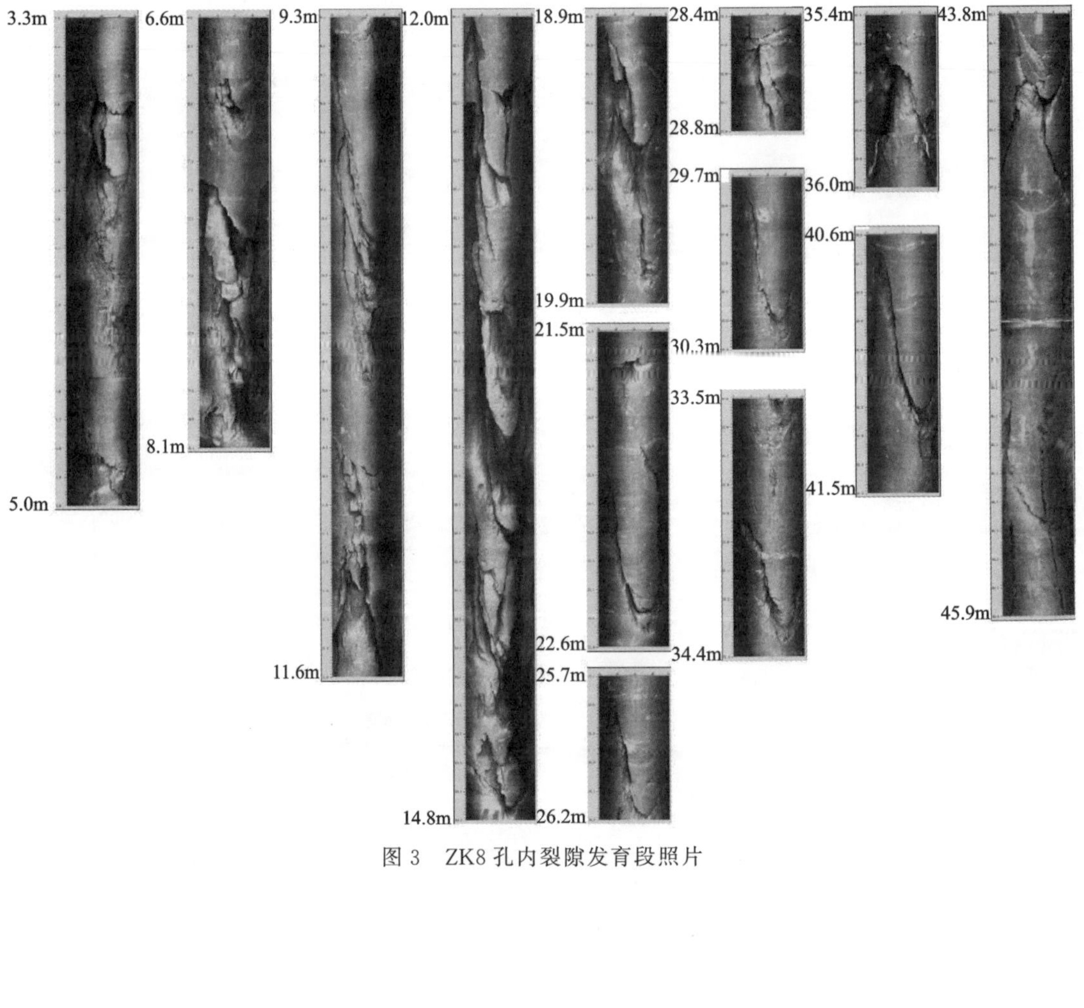

图3 ZK8孔内裂隙发育段照片

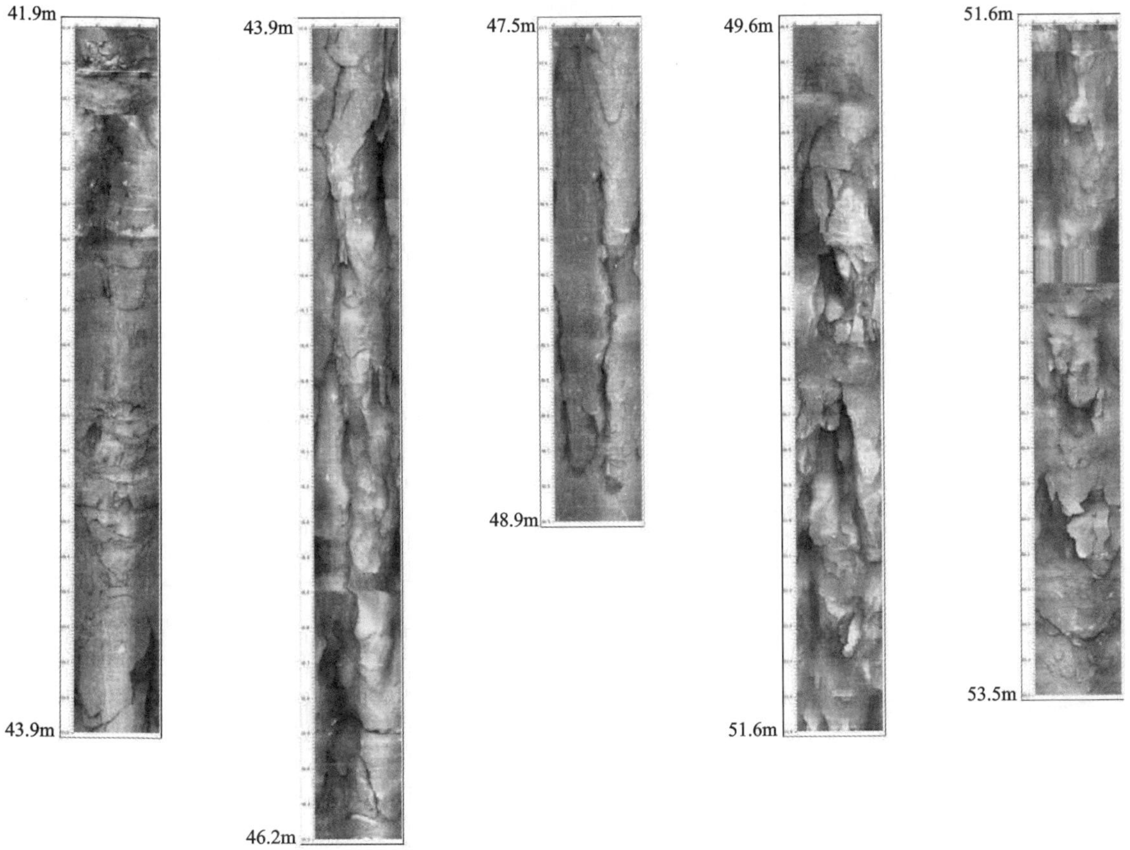

图 4　ZK11 孔内裂隙发育段照片

2.5　钻孔声波测试

据左岸钻孔 ZK8 声波测试结果，14.6～46.2m 岩体纵波波速 3460～3810m/s，完整性系数 0.49～0.63；据右岸钻孔 ZK11 声波测试结果，42.2～54.8m 岩体纵波波速 2690～3750m/s，完整性系数 0.34～0.61。

2.6　岩体透水特点

左岸岸坡基岩透水率小于 10Lu 界线位于基岩面以下 13～46m，透水率小于 5Lu 界线位于基岩面以下 19～51m；右岸岸坡基岩透水率小于 10Lu 界线位于基岩面以下 12～37m，透水率小于 5Lu 界线位于基岩面以下 17～42m。

据井下电视资料和裂隙统计，并结合钻孔钻进情况、岩芯裂面张开、充填特点、钻孔声波测试及岩体透水性特点，对坝址区左右岸进行卸荷带的划分：左岸，强卸荷带下限位于基岩面（覆盖层厚 0.5～1.0m）以下 15～23m，弱卸荷带位下限位于基岩以下 33～46m；右岸，强卸荷带下限位于基岩面（覆盖层厚 3.5～13.5m）以下 40～50m，弱卸荷带位下限位于基岩以下 50～55m。

3　结语

岩体卸荷是一种典型的非线性力学行为，其在空间上具有不连续性和各向异性。岩体卸荷最直观的表现是裂隙密度大、张开度大，岩体完整性差，其间接表现是纵波波速低、透水率大。岩体卸荷分带应综合考虑各项因素，排除单一指标判定的缺点，使岩体卸荷分带更为合理。

参考文献

吕恒阳，杨鹏，陈厚军. 云南省大理州宾川县龙头山水库工程地质勘察报告(初步设计阶段)[R]. 乌鲁木齐：新疆兵团勘测设计院(集团)有限责任公司，2017.

李建林. 岩体卸荷分析的基本方法[J]. 三峡大学学报：自然科学版，2001，23(1)：1-6.

任光明，巨广宏，聂德新，等. 斜坡岩体卸荷分带量化研究[J]. 成都理工大学学报，2003，19(2)：335-338.

庞波，郑达. 基于模糊综合评判的峨眉山玄武岩卸荷带量化研究[J]. 水利水电技术，2016，47(5)：157-170.

游敏，聂德新. 河谷斜坡卸荷综合分带研究[J]. 人民黄河，2011，33(1)：103-105.

郑达，黄润秋. 高边坡岩体卸荷带划分的量化研究[J]. 水文地质与工程地质，2006，33(5)：9-12.

陈强，聂德新，潘思姊，等. 渗透系数作为岩体卸荷分带量化指标的研究[J]. 水文地质与工程地质，2011，38(4)：48-53.

胡斌，黄润秋. 软硬岩互层边坡崩塌机理及治理对策研究[J]. 工程地质学报，2009，17(2)：200-205.

钱康，罗征均. 漫湾电站坝区卸荷裂隙发育特征及工程地质特性研究[J]. 水利水电技术，1994(7)：27-32.

巨广宏. 斜坡岩体卸荷及卸荷带划分的几种方法[J]. 成都理工学院学报，2001，28(增)：414-417.

李维树，童克强，董忠华. 高边坡岩体卸荷带检测方法及卸荷特征研究[J]. 岩石力学与工程学报，2001，20(增)：1169-1673.

任光明，夏敏，熊靖辉，等. 一种典型岸坡集中卸荷带发育特征的工程地质研究[J]. 成都理工大学：自然科学版，2012，39(4)：443-449.

西藏仁多水库区域地质构造稳定性分析及建坝工程地质评价

朱鲁飞 彭涛 于为
新疆兵团勘测设计院(集团)有限责任公司,新疆 乌鲁木齐 830000

摘 要:仁多水库为拉孜县灌区规划的唯一控制性水源工程,对拉孜县的社会经济发展具有十分重要的作用。但由于工程区处于高海拔、高寒、高地震烈度的“三高”地区,考虑工程建设的安全性,在工程选址阶段,相关部门十分慎重,先后组织了多次现场踏勘,并对水库的工程规模、坝址比选、区域地质及工程地质条件、地质灾害等工程建设的关键问题进行论证。本文着重对工程区所处的区域地质背景进行分析研究,对仁多水库建坝的工程地质条件进行简要评价,并提出工程地质建议。

关键词:缝合带 活动断裂 坝址比选 滑坡 水库塌岸

1 引言

仁多水库位于西藏自治区日喀则地区拉孜县境内的仁多河上,仁多河为芒嘎普河中游上的最大支流,芒嘎普河发源于拉轨岗日山脉,为雅鲁藏布江的一级支流。拟建仁多水库位于仁多河下游河段上,工程区南距拉孜县城约25km。拟建水库由枢纽工程和引水工程两部分组成,其中枢纽工程含拦河大坝、导流泄洪洞、溢洪道,引水工程含引水渠首和引水隧洞。水库总库容2492万m^3,属中型工程。

2 区域地质条件

2.1 地形地貌

工程区位于青藏高原中南部,喜马拉雅山北麓,经多期次地质构造变动,加之晚期近南北向构造活动叠加,使得本区宏观上表现为“两山加一谷地”的地貌特征,山脉以近东西向分布为主,地貌依次为南部喜马拉雅低分水岭区、雅鲁藏布江河谷及北部冈底斯山脉。雅鲁藏布江河谷最低,河水面高程约4000m。两侧地势高峻,海拔在4000～6300m之间,平均海拔4500m左右。规划仁多水库所处河段地势呈东高西低趋势,两岸山体陡峻,基岩大多裸露,海拔高程在4380～4480m之间。河谷宽度120～600m,河谷两岸发育Ⅰ—Ⅲ阶级地,其中Ⅰ级阶地为堆积阶地,Ⅱ、Ⅲ级阶地均为基座阶地,两岸阶地分布较为连续,反映了本区整体性、间歇性抬升的新构造特征。

2.2 地层岩性

工程区内出露的地层有古生界石炭系、二叠系,以变质岩为主,岩性多为大理岩、片岩、板岩、灰岩等;

作者简介

朱鲁飞(1965—),男,高级工程师,主要从事水利水电工程、岩土工程等研究工作. E-mail:849404941@qq.com

中生界三叠系、侏罗系及白垩系以变质岩和沉积岩为主，岩性多为板岩、页岩、泥灰岩等；新生界古近系为沉积岩，岩性为砂泥岩、砾岩；第四系为胶结层或松散堆积物。侵入岩体侵入时代从早白垩纪至中新世均有，以始新世岩浆活动最为频繁，分布最广，岩性以二长花岗岩为主。

2.3 地质构造

本次区域地质工作的测区选择为工程区周边45km范围内。测区所处一级构造单元为滇藏褶皱区，横跨冈底斯-念青唐古拉褶皱系和喜马拉雅褶皱系2个二级构造单元，2个单元以雅鲁藏布江缝合带为界。

区域内主要断裂大多呈北西，北西西或近东西向展布，成为不同构造单元的分区边界。在构造体制上具有地质块体之间缝合带性质，发育有规模不等的超基性、基性岩体，混杂岩和蛇绿岩；在构造性质上多为北倾的逆冲掩体、推覆体，走滑拉张和逆走滑挤压均有显示，变形强烈复杂；在活动期次上它们均具有多期活动的特性。

近场区新构造活动主要特征是阶段性的大面积整体隆升与断块差异升降。规模较大并具有走滑运动特征的全新世—晚更新世活动断裂带是发生6级以上强烈地震的重要场所。近场区内断裂主要分为北西西—近东西、北北东—近南北和北西向三组。近场区第四纪活动断裂主要有5条，其中全新世活动断裂为北西向的昂仁断裂；晚更新世活动断裂有北北东向的萨迦-谢通门断裂、早中更新世断裂有近东西向的雅鲁藏布江断裂和雄如-勇拉断裂以及北北东向的定日断裂。近场区早中更新世断裂以挤压逆冲为主，全新世或晚更新世活动断裂运动特征则以走滑为主或兼具走滑运动特征。

2.4 地震

工程区位于青藏高原南部地震亚区的藏中地震带和喜马拉雅地震带，地震活动强烈。从工程区150km区域内的地震分布情况看，工程区历史地震分布在空间上较散，但地震主要还是沿断裂带分布，这显示出本工作区的历史地震活动与断裂构造有关。工作区范围内共记录到中强地震60次。在近场区25km范围内，共发生过4次历史地震，地震活动主要集中在西藏的萨迦，没有发生现代小震，表明近场区内地震活动水平较低。

近场区及周边区域5～7级地震均沿全新世和晚更新世活动断裂带附近发生，特别是在它们之间的交会部位。近场区全新世活动的昂仁断裂长度在15km以上，有发生7级以上地震的潜在危险；近场区晚更新世活动的萨迦-谢通门断裂长度也在50km以上，全新世水平滑动速率为2.35mm/a，垂直断错速率为0.7 mm/a，有发生6～7级地震的构造条件。规模大、早中更新世活动的多雄藏布断裂、雅鲁藏布江断裂和雄如-勇拉断裂具备孕育中等强度地震的构造条件。距离坝址区最近的雄如-勇拉断裂走向NW300°，从坝址区北侧2～5km处通过，该断裂在造成地形等高线的定向分布，并在卫星影像图上有明显显示。断裂属于早中更新世断层，断层地震活动水平很弱，对坝址区的影响不大。

通过对区域及近场主要断裂活动性的研究，测区内分布有6个潜在震源区，工程场区位于拉孜-谢通门潜在震源区和定日-定结潜在震源区之间的非潜在震源区之内。

3 区域地质稳定性分析

测区处于我国乃至欧亚大陆地壳运动最活跃的大地构造单元，从晚燕山运动开始至喜马拉雅运动期间，随着特提斯海的消亡和印度板块自南向北的推进，沿班公湖-怒江断裂带、雅鲁藏布江断裂（缝合）带和主边界断裂，相继形成一系列近东西向强烈变质、变形的造山褶皱或火山岩浆岩带。新构造运动

(晚喜马拉雅)以来,地壳运动表现为沿先存断裂切割的断块构造,其垂直隆升和水平位移的速率都较大,地貌和水系响应明显,地震活动频繁,构成了近东西向的强震构造带。

工程场址区无区域性断裂和次级活动断裂通过,区内地震活动水平较低,主要受外围强震影响。库坝区地层中发育4条次级断层构造,断层规模小,在断层通过处第四系上更新统未见明显变形,表明其不具活动性。总体评价认为:本区域虽处于相对强烈的地震构造环境,区域稳定性差,但工程场地远离构造单元的边界,工程建筑物无抗断问题,工程区处于相对稳定地块内,具备建坝条件。但要充分考虑复杂区域地质背景下,产生的滑坡、泥石流等地质灾害对工程建设的影响。

4 建坝工程地质评价

4.1 水库区工程地质问题

(1)水库渗漏。水库区两岸山体高大宽厚,无大的构造破碎带连通库外,两岸分水岭宽厚,无低于正常蓄水位的邻谷,库盆地形封闭不具渗漏条件;库盘基底及两岸山体出露三叠纪、侏罗纪地层,岩性主要为板岩、页岩,走向与河流斜交,岩层倾向上游,裂隙以压性为主,多呈闭合状态,张性裂隙不发育,微新岩体透水性差;河谷两岸泉水出露高程高于水库正常蓄水位,表明河谷两岸基岩裂隙水补给河水。总体评价水库不存在永久渗漏问题。

(2)水库塌岸。库区塌岸范围主要分布在上下坝址之间相对束窄的河谷左、右岸。左岸广泛分布有坡积成因的第四系松散堆积台地及局部的第四系滑坡堆积物,岩性均为碎块石土;右岸为洪积台地,岩性为第四系上更新统碎石土。左岸自然坡度为30°～36°;右岸自然坡度为40°～52°。岸坡现状地形坡角多大于碎块石的水下休止角,水库蓄水后,长期受库水浸泡和库水冲刷掏蚀,边坡将产生坍塌。

当正常蓄水位为4416m时,预测最终塌岸总长度2.98km,其中左岸最终塌岸累计长度2.3km,岸塌岸宽15～30m;右岸塌岸最终总长度0.68km,右岸塌岸宽17～20m。库区松散堆积物的塌岸总体积约139万m^3。

(3)滑坡。库区两岸山体基岩大多为上三叠统涅如组碳质板岩,岩层倾角一般在40°左右,为陡倾角单斜岩层,其走向与河流斜交,未发现顺河谷走向较大的构造。库区右岸山体岩层倾向坡内,岩体整体稳定,仅在局部由于结构面组合,岩体风化、水流、重力作用等外营力作用下发生小规模的崩塌;左岸岩层产状倾坡外,上下坝址之间库区左岸局部已发生岩质滑坡,规模较大。其余为土质滑坡堆积物,现状岩质滑坡体及土质滑坡堆积物均呈稳定状态。

经计算,自然条件下,稳定系数为1.16,大于抗滑稳定系数1.15,该滑坡在自然条件下稳定。工程开挖条件下,该滑坡稳定系数为0.98,小于抗滑稳定系数1.10,为不稳定边坡。在暴雨条件下,稳定系数为1.10,等于抗滑稳定系数1.10,处于临界状态,为欠稳定状态。在地震条件下,稳定系数为1.13,大于抗滑稳定系数1.05,该滑坡在地震条件下为稳定状态。

(4)水库淤积。拟建水库淤积物来源主要为洪水期洪水所携带的泥沙;库区洪坡积物在库水的浸泡、升降及掏蚀作用下,会产生局部塌岸,产生的松散堆积物;库区上游及库区内冲沟产生洪水泥石流产生的松散堆积物。其中洪水泥沙的淤积,通过洪水影响分析报告及水文资料分析对水库运行没有大的影响;水库塌岸产生的淤积物有较为明确的估算方量,可以通过预留淤积库容的方式解决;泥石流的淤积根据仁多水库工程建设用地地质灾害危险性评估报告结果看,其泥石流规模均为小中等,危害程度小—中等,对水库无大的影响。

(5)水库诱发地震。根据水库的规模、渗透条件、构造条件、历史地震综合分析:水库属中型水库,水库诱发地震的概率小；水库库盘基底主要为三叠系碳质板岩、页岩，其透水性较弱，产生水库诱发地震的可能性较小；库坝区位于发育断裂，为中晚更新世活动断裂，且规模均很小，由于库水水头压力小，库水渗漏的条件有限，不利于促发断裂活动导致发震，形成导水通道的条件不足，产生水库诱发地震的可能性较小；从历史地震震中位置分析，震中位置主要沿区域性活动断裂带分布，近场区小震活动不活跃，产生水库诱发级地震的概率极小。

4.2 坝址区主要工程地质问题及评价

(1)坝址区深厚覆盖层问题及评价

坝址区覆盖层为第四系冲积、坡积及坡洪积堆积物。坡洪积堆积物分布在上坝址河床左侧台地，地形开阔平缓，平均厚度约30m，揭露最大厚度52m。冲积堆积物分布现代河床，横向上厚度由河中心向两岸逐渐变薄，坡积堆积物主要分布于坝址左右岸，河谷均呈“U”形，上坝址现代河床宽50～80m，下坝址现代河床宽120m。

根据地质勘探，河床覆盖层颗粒组成总体上较为均一，砾石结构由松散变稍密，局部夹有淤泥质粉细砂及中粗砂透镜体。淤泥质粉细砂呈夹层状分布，局部厚3m，结构中密，该层分布不连续，呈透镜体分布，其压缩性低，对坝基的稳定性影响较小。河床覆盖层渗透性大，为中等至强透水层，需要采取必要的防渗处理措施。

由于坝基覆盖层岩性不均一，将坝基分为两个大段来分别评价其渗透稳定，第一段为坡洪积台地段，岩性主要为碎石土层，不均匀系数26.14，为不连续级配土，其所对应的细粒含量为33.3%，其发生破坏渗透破坏的形式为过渡型，碎石土允许水力比降为0.34；第二段为现代河床段，岩性主要为砾石层，不均匀系数158.3，为连续级配土，其所对应的细粒含量为21.38%，其发生破坏渗透破坏的形式为管涌型，碎石土允许水力比降为0.2。

(2)坝址区边坡稳定分析

坝址区右岸边坡多数为块状结构岩质高陡边坡，坝址基础开挖及各洞室进出口均为基岩岩体，通过赤平投影法对坝址区现状的岩质边坡进行稳定分析评价。右岸基岩大部分裸露，岩性为碳质板岩，边坡类型为层状斜向结构岩质边坡，通过节理裂隙统计，控制性结构面走向为北北东向，倾向NE，岩层走向310°，倾向NE，边坡走向为60°，坡面倾向SE，控制性结构面和岩层与坡面倾向相反，右坝肩岩体整体稳定。

坝址区左岸边坡存在滑坡堆积体，上坝址为深层岩质滑坡，现状边坡稳定，但在库水、开挖及暴雨工况下有产生再次滑动的可能，需采取必要的防渗及抗滑稳定加固处理措施；下坝址为浅层土质滑坡，堆积体岩性为第四系全新统滑坡堆积碎石土，工程性质较差，现状边坡稳定，但在库水影响下自然边坡将发生塌岸及不均匀沉降，不宜用为天然坝基，需清除处理。

5 结语

(1)工程区位于北喜马拉雅构造带的拉轨岗日亚带，区域主压应力为南北向，区域内主要断裂大多呈北西，北西西或近东西向展布，并成为不同构造单元的分区边界。

(2)边界断裂在构造体制上具有地质块体之间缝合带性质，发育有规模不等的超基岩、基性岩体和混杂岩，在构造性质上多为北倾的逆冲掩体和推覆体，在活动期次上具有多期活动的特性。

(3)区域虽处于相对强烈的地震构造环境，区域稳定性差，但工程场地远离构造单元的边界，并远离区域性活动断裂和发震断裂，构造相对简单，坝址区无活动断裂通过，历史地震震中均分布于库坝区外围，工程区位于相对稳定地段。工程建筑物无抗断问题，工程区处于相对稳定地块内，具备建坝条件。

(4)库区基岩岩性主要为三叠系涅如组碳质板岩，为单斜构造。水库渗漏不存在永久渗漏问题；水库两岸坡度较缓，无大的库岸稳定问题，水库蓄水后可能会产生塌岸，但对水库运行影响较小。库区无重要矿产资源、居民区分布，只分布少量草场，淹没损失小。水库上游及引取水固体物来源少，淤积问题较小。初步判断水库蓄水后不会诱发地震。

(5)坝址区位于中高山区，两岸山体陡峻，基岩岩性以碳质板岩为主。坝址区的主要问题为深厚覆盖层和坝肩的稳定性，采取必要的工程处理措施可以解决，不存在制约工程建设的地质因素。

(6)上下坝址的工程地质条件差异较大。上坝址左岸坝肩为一岩质滑坡，滑坡体岩石破碎严重，水库蓄水后，滑坡体有发生二次滑动的可能性；下坝址左岸为第四系滑坡堆积、坡积台地，岩性为碎石土，在库水的影响下会发生塌岸、库岸再造，不会发生大规模的滑塌。

参考文献

彭涛. 西藏拉孜县仁多水库工程地质勘察报告[R]. 乌鲁木齐：新疆兵团勘测设计院(集团)有限责任公司，2011.

陈宇坤. 西藏拉孜县仁多水库工程场地地震安全性评价报告[R]. 天津：天津市地震灾害防御中心，2011.

云南小米田水库软岩筑坝材料研究

王秋丽　马龙　于为

新疆兵团勘测设计院(集团)有限责任公司,新疆 乌鲁木齐　830002

摘　要:小米田水库是解决人畜饮水、农业灌溉以及乡镇工业用水要求的综合利用工程。设计批准坝型为沥青混凝土心墙堆石坝。考虑当地实际情况,从大坝设计、地质条件及经济性分析,堆石料场最终选择了砂岩、泥岩互层状的沉积岩,为保证大坝设计的安全可靠性、经济合理性,开展了坝壳填筑料的专题研究工作。针对料场特点制定了详细的试验方案,研究了堆石料的物理力学特性、渗透特性等关键控制指标,为工程建设提供了真实有效的基础数据,保障了工程正常实施。

关键词:小米田水库　软岩筑坝　坝壳填筑料

1　工程概况

拟建小米田水库工程位于云南省丽江市永胜县,属金沙江水系马过河流域的楚依河中游河段,该水库是一项解决下游人畜饮水、农业灌溉以及满足下游乡镇工业用水要求的综合利用工程。最大坝高81.3m,总库容2520万m^3,工程规模为中型Ⅲ等工程,初步设计阶段批准的坝型为沥青混凝土心墙堆石坝。作为堆石坝应用较为成熟的筑坝材料灰岩料场在工程区周边有分布,但存在分布高程高、交通条件差、实际运输距离较大、移民征占地不确定等不利因素。考虑当地实际情况,从大坝设计、地质条件及经济性分析,堆石料场最终选择了坝轴线上游右岸的一处山梁,为砂岩、泥岩互层状的沉积岩,泥岩存在浸水软化及抗风化能力差等问题,为了大坝设计的安全可靠性、经济合理性,开展砂泥岩互层料作为坝壳填筑料的研究十分必要。

2　堆石料场基本地质条件

P1堆石料场位于坝址区上游右岸,处于拟建水库淹没区内,现状为小米田村林地,林木及杂草等植被生长茂密。料场西侧为小河,东侧为楚依河右岸,料场整体呈椭圆状分布,南北向长为800m,东西方向宽170～400m,山顶高程2 418.5～2 425.5m,垂直高差达80～100m,西侧山坡地形总体坡度25°～30°,局部50°,东西山坡地形坡度约30°,靠近山体上部地形略陡,坡度45°～50°。

堆石料场地层岩性为:上三叠统舍资组(T_3s)灰白色中厚层状砂岩、灰黑色泥岩,岩层总体走向近南北向,为10°～340°,倾向南西,倾角从山顶向下,由中陡倾角渐变为缓倾角。岩体强风化层厚度为4～9m,弱风化层厚度为22～25m,泥岩和砂岩分带性较为明显。

沿南北向山脊可分为西区(一区)和东区(二区)两个区:西区以巨厚层的砂岩为主,含少量的中厚层泥岩夹煤线,据统计砂岩约占78%,泥岩约占22%,砂岩的岩层厚度4～31m,以中厚—巨厚层状为主;泥

作者简介

王秋丽(1974—),女,高级工程师,主要从事水利水电岩土勘察工作. E-mail:479048744@qq.com

岩岩层厚 0.4～4.0m，薄层—中厚层，煤线宽度 0.2～0.3m。东区为泥岩和砂岩互层，煤线较为发育，据统计砂岩约占 44.5%，泥岩约占 55.5%，砂岩的岩层厚度一般在 0.5～7.0m，最厚约 23m，以中厚—巨厚层状为主；泥岩的岩层厚度一般 2.0～30.0m，薄层—中厚层状，煤线宽度 0.2～0.5m。

料场地下水类型为基岩裂隙水，由大气降水补给，基岩裂隙水多沿强风化岩体风化裂隙、构造裂隙及层面向下坡脚排泄。季节变化较为明显，在旱季料场低层平硐和高层平硐均为干燥状态；在雨季高层平硐在洞口处岩体较为潮湿，洞内为干燥状态，低层平硐在平硐洞身段为潮湿状态，局部沿泥岩和砂岩岩层交界处线状流水。

3 砂泥岩工程地质特性

堆石料场基岩岩性为上三叠统舍资组长石砂岩、泥岩及粉砂质泥岩，层状结构，中厚—厚层，通过对砂岩、泥岩不同岩性的物理力学性质进行统计分析，其中砂岩样品通过钻孔、平硐取样采取率高，质量较好；受到泥岩易失水、崩解、干裂的影响，泥岩样品采取率低，采取难度大，泥岩样品多为平硐采取岩块样。砂岩和泥岩试验成果见表 1～表 4。

表 1 坝址岩块(T_3s)砂岩力学性质试验成果汇总表

编号	取样深度/m	单轴抗压强度			动力特性参数		
		烘干/MPa	饱和/MPa	软化系数	纵波波速/(km·s^{-1})	动弹模量/($\times10^4$MPa)	动泊松比
弱风化层							
ZK21-1	6.4～18.7	127 *	51.6	0.41	/	3.77 *	0.21 *
ZK2-1	10.4～14.2	77.4	41.7	0.54	2.48	1.11	0.32
ZK2-2	15.5～18.4	89.6	47.6	0.53	2.80	1.47	0.31
ZK7-1	17.7～29.5	87.5	41.7	0.48	2.75	1.41	0.31
ZK6-1	19.3～29.0	105	40.3	0.38	2.45	1.10	0.32
ZK4-1	19.4～24.4	115	43.2	0.38	2.71	1.38	0.31
ZK5-2	20.6～25.9	78.1	34.1	0.44	2.82	1.39	0.31
ZK3-1	21.6～26.5	/	43.0	/	2.24	0.88	0.32
ZK9-1	26.2～31.4	132 *	88.0 *	0.67 *	3.9 *	3.08 *	0.29 *
ZK4-2	27.5～31.7	108	55.1	0.51	2.91	1.56	0.31
ZK3-2	30.9～37.0	109	47.3	0.43	2.73	1.35	0.31
平均值		96.2	44.6	0.46	2.65	1.29	0.31
微风化—新鲜							
ZK9-2	26.2～31.4	123	85.6	0.70	/	/	/
ZK34-1	31.4～37.7	105	45.3	0.43	/	3.24	0.22
ZK4-3	32.0～34.1	133	50.7	0.38 *	3.06	1.76	0.30
ZK25-2	32.9～59.0	87.3	38.5 *	0.44	/	2.82	0.23
ZK26-1	33.9～43.0	118	48.3	0.41	/	3.56	0.21
ZK5-3	36.0～41.0	126	81.2	0.64	3.56	2.46	0.30
ZK6-3	38.0～40.3	128	60.3	0.47	2.69	1.32 *	0.31
ZK3-3	38.3～44.0	91.0	48.6	0.53	2.79	1.44	0.31

续表1

编号	取样深度/m	单轴抗压强度			动力特性参数		
		烘干/MPa	饱和/MPa	软化系数	纵波波速/(km·s^{-1})	动弹模量/(×10^{4}MPa)	动泊松比
微风化—新鲜							
ZK26-2	43.0～47.0	44.6*	30.8*	0.69	/	1.79	0.28
ZK3-4	45.2～50.6	100	52.7	0.53	2.82	1.49	0.31
ZK1-1	47.4～53.2	87.8	37.1*	0.42	/	/	/
ZK5-5	51.3～58.3	132	73.8	0.56	3.35	2.14	0.30
ZK21-2	52.9～67.1	95.9	67.8	0.71	/	3.02	0.22
ZK25-3	59.6～80.0	78.6	60.8	0.77	/	2.61	0.24
ZK6-4	65.3～72.1	107	58.2	0.54	/	/	/
ZK4-5	68.6～73.6	126	65.0	0.52	2.93	1.59	0.31
ZK34-3	68.7～79.4	111	58.4	0.53	/	3.39	0.21
ZK26-3	70.0～73.0	154*	71.9	0.47	/	4.42*	0.2*
ZK26-4	76.8～80.1	139	70.4	0.51	/	4.06	0.21
平均值		111	62.4	0.55	3.03	2.53	0.26

注:带*数据不参与统计,下同。

表2　坝址岩块(T_3s)泥岩力学性质试验成果汇总表

编号	取样深度/m	单轴抗压强度			动力特性参数			耐崩解性指数/%
		烘干/MPa	饱和/MPa	软化系数	纵波波速/(km·s^{-1})	动弹模量/(×10^{4}MPa)	动泊松比	
弱风化层								
ZK5-1	10.5～13.0	28.2	15	0.53	1.46	0.34*	0.34	/
ZK23-1	32.5～37.6		12.4	/	/	/	/	/
ZK39-1	34.8～46.0	12.2*	3.9	0.32	/	0.85	0.33	/
PD1-1	28.0	/	/	/	/	/	/	73.1
PD1-4	35.0	/	/	/	/	/	/	77.1
PD2-1	26.0	/	/	/	/	/	/	21.6*
Y1	/	/	6.3	/	/	0.77	0.33	37.9
Y4	/	/	5.5	/	/	0.76	0.34	24.3
平均值		28.2	8.62	0.43	1.46	0.79	0.34	46.80
ZK6-2	31.8～37.6	80.6*	29.2*	0.36	2.64	1.23	0.31	/
ZK34-2	43.0～54.0	/	0.475*	/	/	/	/	/
ZK5-6	74.3～75.0	53.4	11.7	0.22	3.51	2.33*	0.30	/
PD2-6	44.0	/	/	/	/	/	/	/
Y2	/	/	14.1	/	/	0.88	0.32	49.50
Y3	/	/	12.6	/	/	0.86	0.32	29.90
Y5	/	51.0	9.0	/	/	0.80	0.33	/
Y6	/	42.5	11.8	/	/	0.84	0.33	/
ZK25-1	24.4～31.7	52.9	19.9	0.38	/	1.99	0.27	/
平均值		50.0	13.2	0.30	3.51	1.07	0.31	39.70

表 3 波速测试(砂岩)岩体完整性评价统计表

测试位置	风化程度	岩体				完整性评价
		纵波波速/(m·s^{-1})		完整性系数		
		区间	平均	区间	平均	
钻孔	强风化	1796～2399	2217	0.202～0.360	0.309	较破碎
	弱风化	2424～3200	2830	0.367～0.640	0.504	完整性差
	微风化—新鲜	3200～3968	3464	0.640～0.984	0.754	完整
平硐	强风化	1630～2400	1825	0.166～0.36	0.217	较破碎
	弱风化	2454～3210	2853	0.376～0.644	0.513	完整性差
	微风化—新鲜	3269～3750	3388	0.668～0.879	0.719	较完整

表 4 波速测试(泥岩)岩体完整性评价统计表

测试位置	风化程度	岩体				完整性评价
		纵波波速/(m·s^{-1})		完整性系数		
		区间	平均	区间	平均	
钻孔	弱风化	1829～2425	2056	0.372～0.653	0.480	完整性差
	微风化—新鲜	2456～2846	2574	0.670～0.900	0.737	较完整
平硐	强风化	1466～1670	1574	0.239～0.310	0.276	较破碎
	弱风化	1806～2419	2113	0.362～0.650	0.500	完整性差

通过试验成果的统计分析得到:P1 堆石料场砂岩的颗粒密度为 2.64～2.73g/cm^3,干密度为 2.46～2.59g/cm^3;吸水率为 1.19%～2.02%,饱和吸水率为 1.22%～2.27%,饱水系数为 0.97～0.98,孔隙率为 4.24%～7.52%;干燥状态下单轴抗压强度为 37.6～112.3MPa,饱和状态下单轴抗压强度为 24.0～74.2MPa,软化系数为 0.45～0.79。

泥岩的颗粒密度为 2.71～2.75g/cm^3,干密度为 2.43～2.56g/cm^3,饱和密度为 2.30～2.42g/cm^3;吸水率为 2.84%～4.59%,饱和吸水率为 3.14%～4.4%,孔隙率为 11.03%～16.36%;干燥状态下单轴抗压强度为 8.7～21.1MPa,饱和状态下单轴抗压强度为 4.0～10.7MPa,软化系数为 0.40～0.51。

4 堆石料试验方法及成果分析

4.1 试验方法及方案

为全面了解砂岩作为堆石料的工程特性,特别是泥岩作为堆石料与砂岩混合掺配利用时,砂泥岩混合料的工程特性,研究砂泥岩掺配前后的劣化力学特性、不同掺配比例下砂泥岩混合堆石料工程特性,分析堆石料强度与坝体变形的规律,提出堆石料碾压控制指标。为达到试验目的,进行了砂岩、泥岩及砂泥岩各种掺合比例下,作为坝体填筑料的全分析试验。

根据设计要求,堆石料的上包线最大粒径为 600mm,粒径小于 5mm 的颗粒含量为 20%,堆石料的下包线最大粒径为800mm，粒径小于5mm的颗粒含量为8%。将上下限级配进行平均，然后按照相似级配法对平均级配进行缩尺，控制粒径小于5mm的颗粒含量为15%，再将大于60mm的超径颗粒用5～60mm的各粒组进行等量替代。试验堆石试验级配见表5。

表5　堆石料试验级配表

粒径/mm	60～40	40～20	20～10	10～5	5～2	2～1	1～0.5	0.5～0.25	0.25～0.075	<0.075
粒组含量/%	13.49	27.66	26.99	16.86	7.00	1.00	0.50	0.80	0.90	4.80

4.2　力学性质试验

本次专题试验完成的三轴压缩试验内容为：①泥岩的三轴固结排水剪切(CD)试验(设计孔隙率为21%)；②砂岩三轴固结排水剪切(CD)试验(设计孔隙率为21%)。不同掺配比的三轴试验成果见表6。

表6　三轴试验成果表

土样类型	试验类别	邓肯E-B模型参数								
		c/kPa	φ_1/(°)	K	n	R_f	K_b	m	φ_1/(°)	φ_1/(°)
砂岩	CD	110.14	40.1	1770.11	0.59	0.73	650.28	0.077	50.71	9.08
泥岩10%+砂岩90%	CD	107.39	39.4	866.36	0.27	0.66	300.19	0.27	49.07	8.22
泥岩20%+砂岩80%	CD	127.91	38.1	872.57	0.29	0.64	241.71	0.28	50.57	9.91
泥岩30%+砂岩70%	CD	87.61	39.0	659.17	0.33	0.65	284.38	0.42	49.31	5.49
泥岩	CD	68.94	33.1	466.66	0.19	0.82	553.98	0.39	42.98	10.81

本次专题试验完成的固结压缩试验内容为：①砂岩的饱和固结试验(设计孔隙率为21%)；②泥岩的饱和固结试验(设计孔隙率为21%)；③泥岩和砂岩的掺合试验。

在0.1～0.2MPa的垂直压力作用下，砂岩堆石料的饱和压缩模量为46.125MPa，压缩系数为0.027MPa^{-1}；泥岩堆石料的饱和压缩模量为9.258MPa，压缩系数为0.137MPa^{-1}。可以看出泥岩堆石料比砂岩软，压缩性更大，砂岩堆石料属于低压缩性土，泥岩堆石料属中等压缩性土。在泥岩与砂岩的混合堆石体中，泥岩含量增加，压缩性增大，固结速度减慢，但在泥岩含量小于30%时，混合堆石料还是属于低压缩性土，泥岩含量虽然对堆石体的压缩性和压缩速度有影响，但在泥岩含量小于30%时影响不是很大(见表7)。

表7　饱和固结压缩试验成果表

土样类型	制样干密度/(g·cm^{-3})	饱和状态							
		垂直压力/MPa							
		压缩指标	0	0.05	0.1	0.2	0.4	0.8	1.6
砂岩	2.16	试样总变形量/mm	0.000	1.028	1.492	2.034	2.831	4.248	6.053
		孔隙比	0.248	0.243	0.241	0.238	0.234	0.227	0.218
		压缩系数/MPa^{-1}	0.103	0.046	0.027	0.020	0.018	0.011	0.014
		压缩模量/MPa	12.160	26.969	46.125	62.735	70.547	110.834	87.685
		压缩指数/(cm^2·s^{-1})	0.025						
		固结系数/(×10^{-3}cm^2·s^{-1})	18.176	51.957	151.692	213.223	35.683	5.388	5.332

续表 7

土样类型	制样干密度/(g·cm^{-3})	饱和状态							
		垂直压力/MPa							
		压缩指标	0	0.05	0.1	0.2	0.4	0.8	1.6
泥岩10%+砂岩90%	2.18	试样总变形量/mm	0.000	1.066	1.314	1.816	2.727	4.502	7.527
		孔隙比	0.242	0.236	0.235	0.233	0.228	0.219	0.204
		压缩系数/MPa^{-1}	0.106	0.025	0.025	0.023	0.022	0.019	0.014
		压缩模量/MPa	11.732	50.302	49.801	54.915	56.322	66.127	89.499
		压缩指数/(cm^2·s^{-1})	0.028 5						
		固结系数/(×10^{-3}cm^2·s^{-1})	18.173	87.870	53.523	51.700	17.924	49.182	7.004
泥岩20%+砂岩80%	2.18	试样总变形量/mm	0.000	1.066	1.314	1.816	2.727	4.502	7.527
		孔隙比	0.245	0.239	0.237	0.234	0.228	0.219	0.203
		压缩系数/MPa^{-1}	0.111	0.043	0.035	0.026	0.023	0.020	0.015
		压缩模量/MPa	11.261	29.172	35.261	47.416	55.142	62.131	80.357
		压缩指数/(cm^2·s^{-1})	0.031 9						
		固结系数/(×10^{-3}cm^2·s^{-1})	29.726	18.139	39.966	47.129	44.151	5.338	4.362
泥岩30%+砂岩70%	2.19	试样总变形量/mm	0.000	1.235	1.681	2.410	3.651	5.984	10.207
		孔隙比	0.237	0.231	0.228	0.225	0.219	0.207	0.186
		压缩系数/MPa^{-1}	0.122	0.044	0.036	0.031	0.029	0.026	0.017
		压缩模量/MPa	10.126	28.027	34.294	40.290	42.863	47.354	74.627
		压缩指数/(cm^2·s^{-1})	0.037 4						
		固结系数/(×10^{-3}cm^2·s^{-1})	70.071	60.931	50.209	20.120	56.082	10.812	7.975
泥岩	2.15	试样总变形量/mm	0.000	1.202	2.419	5.119	9.055	13.921	15.989
		孔隙比	0.267	0.260	0.254	0.241	0.221	0.196	0.186
		压缩系数/MPa^{-1}	0.122	0.123	0.137	0.100	0.062	0.013	0.035
		压缩模量/MPa	10.404	10.271	9.258	12.703	20.551	96.712	35.977
		压缩指数/(cm^2·s^{-1})	0.069						
		固结系数/(×10^{-3}cm^2·s^{-1})	61.048	53.394	166.925	67.891	17.249	53.833	4.572

4.3 渗透及渗透变形试验

砂岩、泥岩及其混合堆石料渗透及渗透变形试验结果见表 8。

表 8 渗透及渗透变形试验结果表

土样类型	制样干密度/(g·cm^{-3})	标准温度时的渗透系数	临界坡降	破坏坡降	渗透破坏类型
砂岩	2.15	3.05×10^{-4}	0.93	6.36	管涌
泥岩	2.16	9.09×10^{-6}	3.92	14.51	流土
泥岩砂岩混合样(泥岩 10%+砂岩 90%)	2.16	4.79×10^{-5}	0.28	12.79	管涌
泥岩砂岩混合样(泥岩 20%+砂岩 80%)	2.16	7.69×10^{-5}	0.29	12.03	管涌
泥岩砂岩混合样(泥岩 30%+砂岩 70%)	2.16	1.26×10^{-4}	0.29	11.41	管涌

4.4 砂泥岩堆石料质量评价

(1)该料场泥岩和砂岩具有明显的分带性,地层层序稳定,大致以山脊为界,西区以巨厚层砂岩为主夹薄—中厚层的泥岩;东区为中厚—巨厚层的泥岩和砂岩互层,泥岩含量较高。根据料场勘察储量及设计用量的对比分析,可不开采东区,集中选择开采西区,该区无用层量约60.6万m^3,有用层储量364.2万m^3,其中砂岩约占78.1%,泥岩约占21.9%,计算出砂岩储量284.4万m^3,泥岩储量79.8万m^3,可以满足各种料场开采方案的布设。

(2)P1块石料场弱风化砂岩满足规范作为堆石料原岩饱和单轴抗压强度的要求,强风化的砂岩和强弱风化的泥岩饱和单轴抗压强度小于30MPa,属软岩。根据试验,砂岩堆石料的抗剪强度为40.1°,泥岩的抗剪强度为33.1°,砂岩混合堆石料中泥岩掺合比例小于30%时抗剪强度为38.1°~39.4°,变化不大;砂岩堆石料都属于低压缩性土,泥岩堆石料都属于中等压缩性土,砂岩混合堆石料中泥岩泥含量小于30%的泥岩与砂岩混合料都属于低压缩性土。由于泥岩和砂岩掺配料开采过程中比泥岩、砂岩的比例不易控制,泥岩属于较软—极软岩,且泥岩具有软化和崩解的特性,建议选择砂岩作为大坝堆石料。

(3)P1块石料场地形较开阔,运距短,开采无地下水干扰,可以修建简易施工道路与枢纽区相连,料场运距近,较灰岩堆石料场有较好的经济性。

(4)建议施工前进行爆破开采试验及现场碾压试验,进一步确定堆石料碾压控制参数。

(5)该料场主要发育顺层的结构面,由于山体陡立,垂直高差大于50m,建议开挖边坡不大于岩层自然倾角,分级开挖,分级坡高不大于15m,并采取锚固等工程措施,保证施工期及蓄水后边坡的稳定性。

5 结语

软岩作为堆石料在国内水利工程建设中应用较少,多为中低坝,高坝中也仅在坝轴线下游或次堆石区作为利用料尝试应用。小米田水库坝高81m,属高坝,且地震基本烈度为Ⅷ度,在筑坝材料的选择过程中,由于受料场征占地和工程投资的制约,选择库区内受征占地影响小、运距近的堆石料料场进行研究也是无奈之举,所选堆石料料场为砂泥岩互层结构,其中存在软岩堆石料。针对砂泥岩堆石料,除进行常规坝壳料试验分析外,还对不同掺配比例的砂泥岩混合料进行了专题试验。根据所选堆石料料场的储量和质量评价,结合坝体结构应力应变分析,考虑工程建设规模及工程安全性,最终采用运距近、经济性较好,但不利用软岩堆石料的料场方案。截至目前,大坝填筑已全部完成,勘察期和施工期确定的堆石料碾压控制指标合理,大坝施工期沉降变形量在设计允许范围内。

参考文献

中华人民共和国水利部.碾压式土石坝设计规范:SL 274—2001[S].中华人民共和国水利部,2002.

某水库右坝肩倾倒变形体稳定性问题分析

杨学亮

新疆水利水电勘测设计研究院，新疆 乌鲁木齐 830091

摘 要：本文通过对某水库右坝肩倾倒变形体的空间分布特征、工程性状和成因机制的分析，对其稳定性进行了分析评价，提出处理建议。

关键词：倾倒变形体 边坡稳定 大坝 处理建议

1 概述

某拟建水库位于中山河谷区，初选坝型为砂砾石心墙坝，最大坝高98m，右坝肩分布倾倒变形岩体，是工程的主要工程地质问题，边坡稳定将影响建筑物布置及后期水库的安全运行，现就倾倒变形体稳定性作出初步分析，并提出处理建议。

2 右坝肩边坡基本地质条件

右坝肩相对高差230m，岸坡略凸出，走向近东西，自然坡度40°～45°，坡面多基岩裸露，局部分布厚度1～3m的坡积物。

右岸基岩为石炭系片岩夹团块状、中厚层状变质砂岩，岩体多呈片理结合牢固的薄层状、互层状、中厚层状，岩层正常产状50°～60°NW∠75°～85°，局部受构造影响倾向南东。岸坡上部岩体倾倒变形普遍，倾倒岩体岩层产状为40°～60°SE∠45°～65°。岩体顺层结构面发育，节理裂隙主要发育2组：①产状45°～55°SE∠50°～70°，延伸长度2～5m；②产状295°～305°SE∠70°～80°，延伸长度2～3m。右岸地下水水位略高于河水位。

3 倾倒变形体特征及工程性状

为查明坝址右岸倾倒变形体的工程特性，在岸坡不同高程布置勘探平硐及钻孔，进行地震波速测试和取样试验工作。

3.1 分布范围及特征

倾倒变形体分布于临河岸坡，顺河长度790m，分布高程2380～2600m。右岸边坡浅部岩体均发生倾倒变形，为倾倒型蠕动变形边坡，正常岩体岩层陡倾坡外，边坡岩体向坡外倾倒，层间相对错动，倾倒幅度向深部逐渐变小。根据其性状由坡面向坡内可划分为强、弱、微倾倒变形带，倾倒典型地质剖面见图1。

作者简介

杨学亮(1982—)，男，工程师，主要从事工程地质、水文地质工作. E-mail：yxl20121@163.com

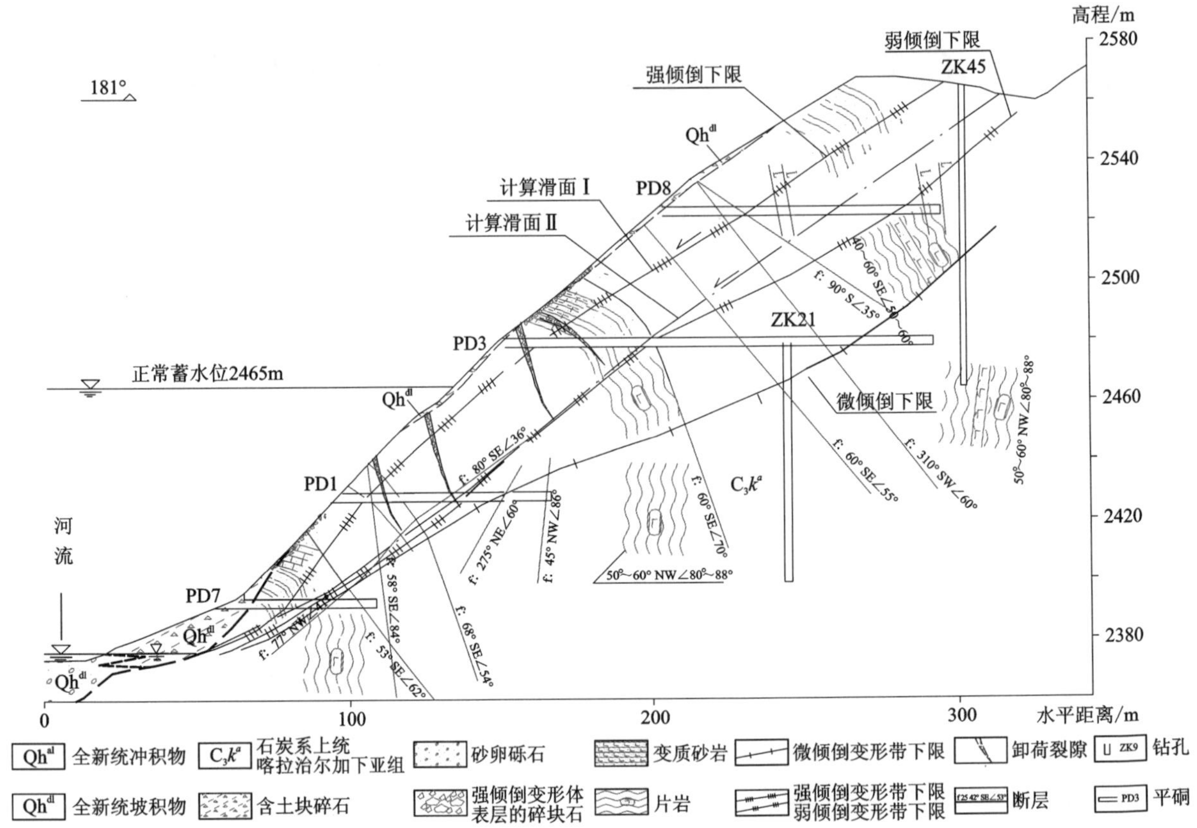

图 1 右岸边坡典型地质剖面图

(1)强倾倒变形带。水平宽度 8～27m，岩体层序未乱，走向变化不大，倾向坡内，岩层倾角 35°～50°，较正常岩层倾角小 40°～50°。岩体多呈块裂状、碎裂状结构，表层 2m 多呈散体状。该带内岩体整体大幅度倾倒松弛，裂隙密度大，杂乱，贯通性好，多张开，充填物以岩屑、碎块石及次生夹泥为主，可见明显的松动或变位错落。

(2)弱倾倒变形带。水平宽度 20～60m，带内岩层均倾倒变形，倾角较正常岩层倾角小 20°～30°。岩体多呈碎裂结构，岩体部分松弛。裂隙张开，并具有较好的贯通性，裂隙内可见岩屑、细脉状或膜状次生夹泥充填，裂隙面轻微锈染。

(3)微倾倒变形带。水平宽度 20～90m，带内岩层均轻微倾倒变形，倾角较正常岩层倾角小 10°～20°。岩体多呈层状、镶嵌结构，裂隙不发育。裂隙局部见张开，其宽度几毫米，贯通性差，可见岩屑充填，裂隙面轻微锈染。

3.2 倾倒变形体工程性状

在平硐内分别对弱、微倾倒变形岩体进行原位变形试验和现场直剪试验，弱倾倒变形岩体变形模量 $E_0=3.03\sim4.19$GPa，微倾倒变形岩体变形模量 $E_0=7.51\sim8.18$GPa。由平硐地震波速测试成果：强倾倒变形岩体纵波波速 800～1500m/s，弱倾倒变形岩体纵波波速为 1300～2400m/s，微倾倒变形岩体纵波波速为 2000～2700m/s。倾倒变形岩体物理力学性参数建议值见表 1。

表 1 倾倒变形岩体岩体物理力学参数建议值表

倾倒体分类	岩体物理力学参数							
	密度(干)	密度(饱和)	承载力特征值	变形模量	泊松比	抗剪断强度(饱和)		抗剪(饱和)
	ρ	ρ	[R]	E_0	μ	f'	c'	f
	g/cm^3	g/cm^3	MPa	GPa	—	—	MPa	—
弱倾倒变形体	2.6	2.65	0.8	1.5～2.5	0.25	0.65～0.75	0.45～0.55	0.5～0.6
强倾倒变形体	2.55	2.6	<0.2	0.8～1.0	>0.30	0.55～0.60	0.16～0.3	0.4～0.5

4 倾倒变形成因机制

右岸边坡岩体倾倒变形如此强烈，主要受到地形、地层岩性及结构面组合的影响，与构造环境也有一定关系。

(1)地形的影响。工程区属中山河谷地貌，由于河流下切，形成右岸高 200m 左右陡边坡，地形高差是影响边坡岩体倾倒变形的一个重要因素。较大高差的地形条件，有利于倾倒变形的产生。坝址右岸为冲刷岸，河流对右岸边坡坡脚的冲蚀作用，导致边坡岩体始终处于剥蚀作用下，十分利于岩体向临空面倾倒变形。

(2)地层岩性及结构面的影响。岸坡岩体主要为片岩夹变质砂岩，岩体呈薄层状结构、互层状结构，片理产状 50°～60°NW∠75°～85°，片理与岸坡夹角约 30°，陡倾坡外，顺层结构面发育，层状岩石以及陡倾产状易于产生倾倒变形。

(3)构造环境因素。工程区处在多条 NEE 向区域性断裂之间，处于较高的应力环境下，构造作用强烈，地层近直立，顺层结构面发育且夹泥，最大压应力方向与河谷近正交。在河流快速下切过程中，较高的构造应力得到释放导致岩体卸荷回弹。

岩体倾倒变形的 3 个因素相互作用、相互影响。地形条件决定了边坡形态，是影响岩体倾倒变形的先决条件；层状岩体是影响岩体倾倒变形的基本因素；发育的顺层结构面是岩体倾倒变形的控制因素；构造因素则为岩体倾倒变形提供了动力。陡倾的岩层，软弱相间的岩层结构，加之河流长期的侵蚀切割作用和强烈的应力作用，使岸坡表部岩层向临空侧倾倒变形，由于坝址区变质砂岩硬脆，多拉裂张开，片岩韧性相对较强，多扭曲变形。

5 边坡稳定性分析评价

5.1 稳定性宏观分析

右岸边坡表部强倾倒变形带岩体裂隙发育且多张开，岩体多呈块裂、碎裂结构，工程性状差，边坡稳定性取决于岩块间镶嵌情况的岩块间咬合力；弱倾倒变形带卸荷裂隙发育，张开宽度大，卸荷裂隙之间的岩体工程性状稍好，呈碎裂结构。

据平硐揭露，坡体表层 2m 范围内呈干砌石状，裂隙大部分被粉土或碎石充填，未见塌滑变形迹象。在目前天然工况下，倾倒变形边坡变形已经趋于稳定，边坡整体处于基本稳定状态，在饱和状态下或地震工况下，强倾倒变形边坡可能存在稳定问题。

5.2 稳定性初步计算分析

根据右岸边坡形态、可能破坏的形式及裂隙组合情况，根据刚体极限平衡法进行初步稳定性计算，岸坡无倾坡外连续贯通结构面，计算中假定一滑面，按平面型滑面滑动分析，计算公式如下：

$$F_s = \frac{(W\cos\beta - P_b\sin\beta)\mathrm{tg}\phi + cL}{W\sin\beta + P_b\cos\beta}$$

地震力 $P_b = K_H W$。

式中：W 为滑体的重力(kN)；β 为结构面倾角(°)；ϕ 为滑面的内摩擦角(°)；c 为滑面黏聚力(kPa)；L 为滑面长度(m)；K_H 为地震系数，根据设计设防地震烈度为0.4。

倾倒变形边坡滑移面的选取，推测有2个滑移面：其一是沿强、弱倾倒变形体分界面(滑面Ⅰ)产生滑移；其二是沿弱倾倒变形体下限界面附近(滑面Ⅱ)产生滑移(图1)。

滑面抗剪强度取值：滑面Ⅰ以上岩体多呈散体状、块裂状结构，天然状态取黏聚力 $c=0.16$MPa，摩擦系数 $f'=0.6$；滑面Ⅱ现状下取 $c=0.55$MPa，$f'=0.75$。岩体天然重度取26.0kN/m³。

计算中坡脚 α 取43°，滑面Ⅰ计算中 β 取40°，滑面Ⅱ计算中 β 取35°。计算未考虑坡脚第四系堆积体的阻滑作用。坡体无稳定的地下水，计算中不考虑地下水压力的影响。

综合考虑天然状态(持久状况)裂隙无水，偶然状况为天然状态与8度地震的荷载组合。计算结果见表2。

表2 边坡稳定性计算结果表

滑面类型	计算时期	计算块体	工况	荷载组合	抗剪断强度		安全系数	稳定系数
					c/MPa	f'		
平面型滑面滑动	目前现状(施工前)	强倾倒变形体	持久状况	自重	0.16	0.60	1.30	1.38
			偶然状况	自重+8度地震	0.16	0.60	1.10	1.26
		弱倾倒变形体	持久状况	自重	0.55	0.75	1.30	2.08
			偶然状况	自重+8度地震	0.55	0.75	1.10	1.93

5.3 稳定性综合评价

由右岸边坡宏观分析结合初步稳定性计算成果可知。

(1)目前条件下，边坡整体处于基本稳定状态；在8度地震条件下，强倾倒变形带岩体表部可能产生塌滑为主的变形破坏。

(2)施工期间，对坡脚覆盖层开挖，边坡表部强倾倒变形岩体局部可能产生塌滑或蠕动变形，其破坏特征为表部逐步的、小规模的塌滑及掉块。

(3)运行期间，边坡表部强倾倒变形岩体可能产生塌滑或蠕动变形。由于边坡1/2以上坡体位于库水以下，综合分析，右岸边坡表部强倾倒变形带塌滑产生较大涌浪的可能性不大。

6 结论与建议

右坝肩边坡表部倾倒变形岩体完整性差，处于整体稳定状态，地震工况下表部可能产生塌滑为主的变形破坏。根据勘探试验成果，提出右岸坝肩倾倒变形岩体处理建议如下。

(1)坝址右岸坡表强、弱倾倒变形岩体裂隙发育，且多张开，岩体整体呈块裂状、碎裂状结构，结构松弛，工程性状极差，不宜作为心墙基础，建议清除处理。

(2)强倾倒变形岩体多呈块裂状、碎裂状结构，可以作为坝壳基础保留，但强倾倒变形岩体表部 2m 多呈干砌石状或散体状，具架空结构，不满足土石坝体基础要求，须清除。

(3)微倾倒变形岩体多呈层状、镶嵌结构，裂隙不发育，局部见张开，采取固结灌浆等加固处理措施后可作为心墙基础。

(4)坝体以上边坡表部强倾倒变形岩体，地震工况下稳定性差，易产生小规模的滑塌、掉块，对大坝安全构成一定威胁，建议采取处理措施。

参考文献

水利水电部水利水电规划设计院. 水利水电工程地质手册[M]. 北京：水利电力出版社，1985.

陆兆溱. 工程地质学[M]. 北京：中国水利电力出版社，2001.

陈祖煜. 岩质边坡稳定分析：原理 · 方法 · 程序[M]. 北京：中国水利电力出版社，2005.

金沙江乌东德水电站二道坝河床建基面优化工程地质研究

郝文忠[1,2]　许琦[1,2]　刘冲平[1,2]　王吉亮[1,2]　周炳强[1,2]

1. 长江勘测规划设计研究院，湖北 武汉　430010

2. 长江三峡勘测研究院有限公司（武汉），湖北 武汉　430074

摘　要：为水垫塘检修期挡水、拦挡下游河道泥沙回淤，乌东德水电站坝后水垫塘末端设二道坝。可行性研究阶段二道坝坝基拟利用非卸荷的Ⅱ级岩体作为建基岩体，初定建基面最低高程730m。施工详图阶段为了压缩坝基开挖工期及节省工程投资，利用施工间隙，对河床坝基进行了优化补充勘察。在利用小口径钻探常规勘察手段的基础上，综合运用钻孔数字彩电、声波测试等物探手段进行建基面优化研究。综合分析钻孔芯样、岩芯获得率、压水试验、钻孔彩电及声波解译成果，进一步确定了坝基基岩顶面形态、岩体质量及抗滑稳定等工程地质条件。综合分析坝基地质条件后，考虑利用$Ⅲ_1$级岩体作为建基岩体，将二道坝坝基高程由730m整体抬高至735m。

关键词：乌东德水电站　二道坝　河床建基面　建基面优化

1　引言

乌东德水电站是金沙江下游河段4个梯级（乌东德、白鹤滩、溪洛渡、向家坝）最上一级，坝址所处河段左岸隶属四川省凉山州会东县，右岸隶属云南省昆明市禄劝县。电站设计正常蓄水位975m，水库总库容74.08亿m^3，装机容量10 200MW，多年平均发电量389.1亿kW·h，为一等大（Ⅰ）型工程。为水垫塘检修期挡水、拦挡下游河道泥沙回淤，于坝后水垫塘末端设置二道坝，设计坝顶高程825.5m，拟采用碾压混凝土重力坝。可行性研究阶段受两岸边坡及基坑开挖的影响，二道坝勘察未能完全实施，初定建基面最低高程730m，相应最大坝高95.5m。施工详图阶段，利用施工间隙，针对河床坝基进行了补充勘察，对河床建基面开展优化研究工作，以达到节省工程投资及压缩坝基开挖工期的目的，进而确保二道坝碾压混凝土能够如期浇筑。

2　研究方法及思路

水利水电工程建设中混凝土大坝坝基选择合理与否，不仅直接关系工程质量和安全，同时会影响施工工期和工程造价。乌东德水电站二道坝坝基开挖工期紧，为此开展建基面优化研究工作。

乌东德水电站二道坝坝基附近未见规模较大的断层及岩溶发育，影响河床建基面选择及优化的主要因素有：地层岩性、基岩顶面形态、建基岩体质量及坝基抗滑稳定条件等。本次河床建基面优化研究在分析二道坝坝基地质勘察成果的基础上，进行补充勘察。利用小口径钻孔在进一步查明建基面地层岩

作者简介

郝文忠（1980—），男，高级工程师，主要从事水利水电工程勘察与科研. E-mail：19256083@qq.com

性及基岩顶面形态的基础上，综合分析钻孔取芯、压水试验、钻孔彩电及声波解译成果，复核建基岩体的岩体质量及坝基抗滑条件，进而提出河床建基面优化地质建议。

3 可研阶段河床建基面选择

3.1 基本地质条件

二道坝所处河段枯水期水位约815m，江面宽120～140m，河床地面高程800～805m。两岸地形陡峻，基本对称，坡度一般50°～60°，坝顶高程825.5m处河谷宽约140m。河床覆盖层厚55～70m，为冲积及崩积块碎石夹砂卵砾石层。覆盖层下伏基岩地层岩性为Pt_2l^{3-3}厚层及中厚层灰岩、局部A类角砾岩与大理岩，Pt_2l^{3-4}巨厚层白云岩夹石英岩，Pt_2l^{3-5}中厚层夹薄层灰岩、中厚层大理岩。地层近横河向展布，陡倾下游偏右岸。断层不发育，主要构造为裂隙，一组顺河向、倾右岸、中倾角优势裂隙较发育，产状为260°～270°∠40°～60°。主要为微新岩体，局部沿结构面具溶蚀现象。河床基岩卸荷带深度一般7m左右；岸坡弱卸荷带水平深度一般小于10m，微卸荷带水平深度一般小于20m。河床岩体地应力总体以中—低地应力为主。

3.2 河床建基面选择

二道坝河床坝基勘察的2排6个钻孔揭露，河床基岩面最低高程约为736m，横河向中部基岩面较平缓，两岸基岩面陡峻；顺河向基岩面较平缓(图1)。河床基岩地层岩性为Pt_2l^{3-3}～Pt_2l^{3-5}厚层及中厚层灰岩、大埋岩，巨厚层、厚层白云岩夹石英岩，局部A类角砾岩。

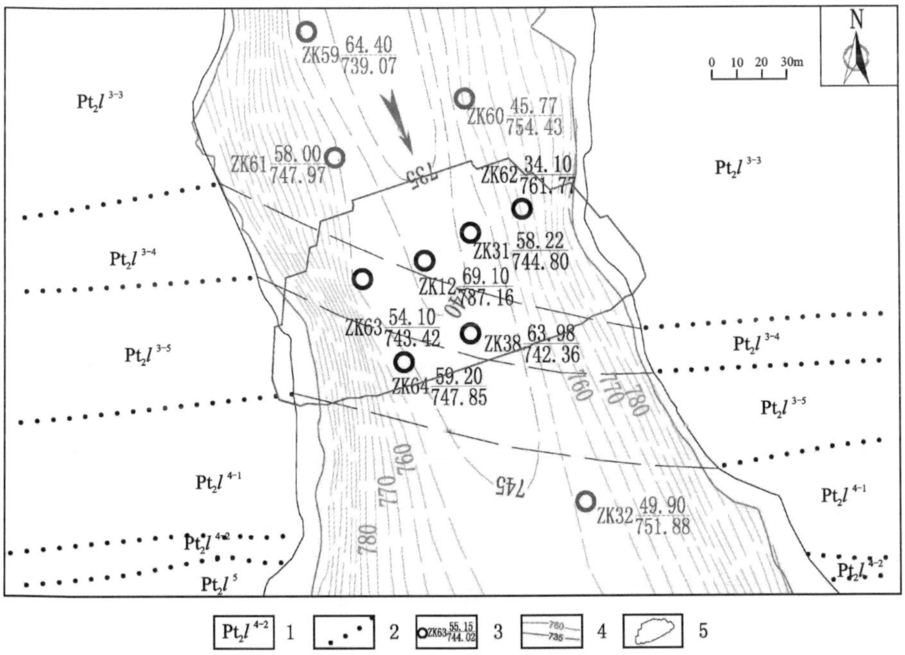

图1 二道坝河床基岩顶面等高线图(可研阶段)

1.落雪组第4段第2亚段；2.地层界线；3.钻孔及编号(分子为覆盖层厚度，分母为基岩顶面高程)；4.基岩面等高线；5.二道坝轮廓线

对钻孔岩芯、彩电、声波、压水试验值等进行综合分析，河床坝基范围内断层不发育，未见影响坝基抗滑稳定的结构面，坝基拟利用非卸荷的Ⅱ级岩体作为建基岩体(表1)。地质建议二道坝可利用岩面高程为730m。

表1　二道坝坝基钻孔揭露可利用岩体所处高程一览表

钻孔编号	孔口高程/m	孔深/m	覆盖层厚度/m	基岩面高程/m	可利用岩体顶面		
					所处孔深/m	所处高程/m	上覆岩体厚度/m
ZK62	795.87	59.42	34.10	761.77	37.77	758.10	3.67
ZK31	803.02	121.25	58.22	744.80	70.12	732.90	11.90
ZK12	806.26	103.22	69.10	737.16	75.96	730.30	6.86
ZK63	797.52	89.20	54.10	743.42	68.52	729.00	14.42
ZK38	806.34	121.09	63.98	742.36	70.90	735.44	6.92
ZK64	807.05	105.52	59.20	747.85	66.70	740.35	7.50

4　河床建基面优化

4.1　勘察布置

综合考虑坝址河段峡谷形态、地层展布、前期勘察成果及二道坝布置等因素，利用基坑开挖的施工间隙，在二道坝坝基及附近布置优化补充勘察钻孔6个(图2)，以进一步确定河床坝基基岩顶面形态及工程地质特性。同时，利用所布置钻孔进行全孔壁数字彩电测试、声波测试及压水试验。

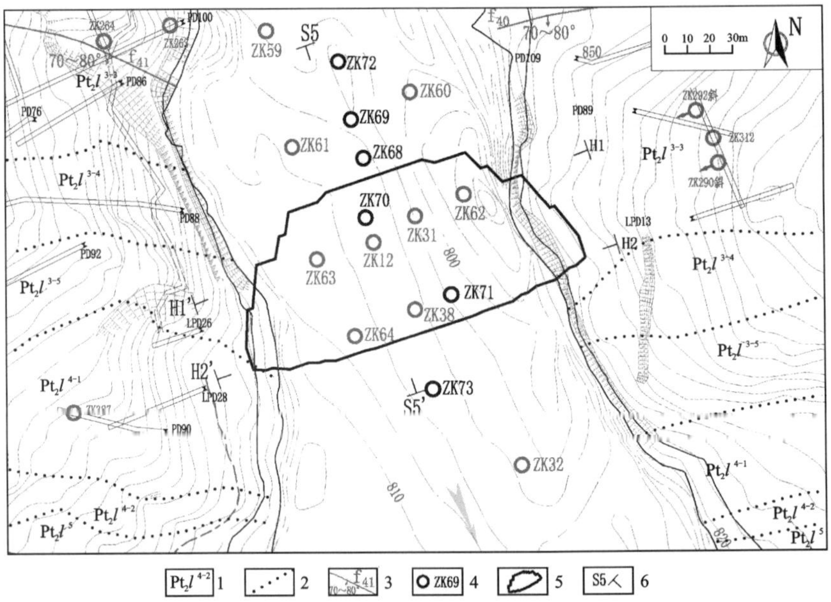

图2　二道坝河床坝基优化勘探布置图

1.落雪组第4段第2亚段；2.地层界线；3.断层及编号；4.钻孔及编号(黑色为优化补充钻孔)；5.二道坝轮廓线；6.剖面及编号

综合分析前期及补充勘察成果，在确定河床坝基基岩顶面形态的基础上，对坝基岩体质量及抗滑稳定进行研究，以判断坝基是否具有优化的条件。

4.2　基岩顶面形态

可研勘察成果显示，二道坝河床坝基及附近范围内基岩面从下游向上游逐渐降低，上游坝趾河床中心附近基岩顶面高程约为735m，基岩面呈一槽状形态分布(图1)。为验证二道坝上游背水面基岩深槽是否存在，布置了 ZK72、ZK69、ZK68 三个钻孔。勘察成果表明河床坝基上游背水面附近基岩面较可研阶段提高了 5～8m，近 60m 范围内基岩深槽并不存在；基岩顶面高程一般高于 740m，最低 736.93m(ZK70)(图 3)。

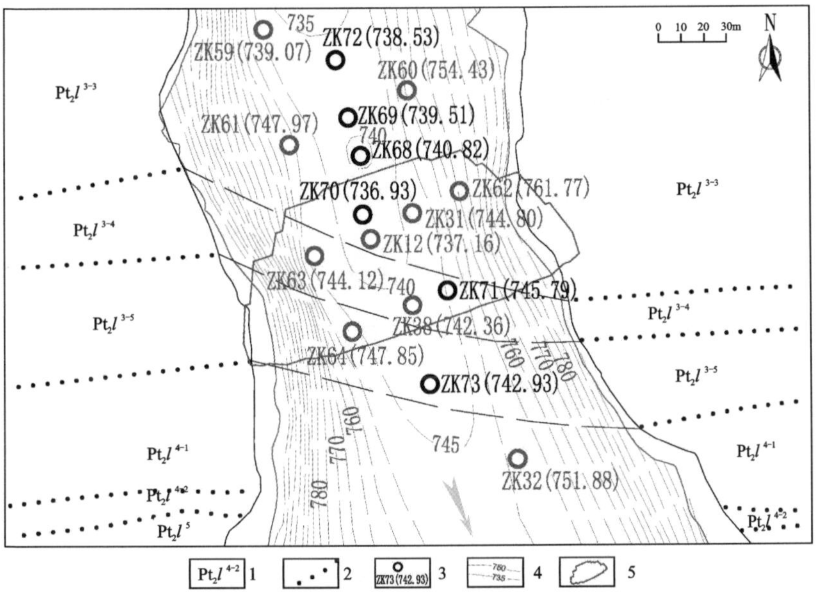

图 3 二道坝河床基岩顶面等高线图(补充勘察)

1.落雪组第 4 段第 2 亚段；2.地层界线；3.钻孔及编号(基岩顶面高程)；4.基岩面等高线；5.二道坝轮廓线

4.3 建基岩体特征

(1)河床坝基岩性。河床坝基范围内岩体主要为 Pt_2l^{3-3} 厚层及中厚层灰岩，Pt_2l^{3-4} 厚层白云岩夹石英岩，Pt_2l^{3-5} 中厚层夹薄层灰岩及中厚层大理岩。地层走向一般 60°～100°，倾向 S，倾角 70°～85°，即近横河向展布，陡倾下游偏右岸。岩石坚硬、微新。与可研勘察成果一致。

(2)河床坝基岩体声波。河床坝基岩体主要为微新中厚层—厚层状灰岩，厚层白云岩及石英岩，局部夹薄层灰岩，坝基岩体声波总体起伏较小，波速较稳定，主要分布在 4800～6200m/s 之间，平均值为 5600m/s，局部低值主要为表层卸荷岩体及局部溶蚀结构面所致。开挖至高程 735m 时，表层卸荷岩体大部分将被挖除，岩体声波一般 5000～6200m/s，均值 5660m/s；开挖至高程 730m 时，表层卸荷岩体将基本被挖除，岩体声波一般 5200～6200m/s，均值 5670m/s。

(3)河床坝基岩体质量分级。根据岩体的声波值、完整性系数、压水试验值、岩芯获得率、钻孔彩电进行综合分析，对河床坝基范围内铅直向岩体质量进行分级，从上至下分为Ⅲ₂、Ⅲ₁、Ⅱ级，各级岩体特征见表 2，图 4。

表 2 二道坝河床坝基各级岩体质量特征表

岩体质量	声波波速/(km·s^{-1})		完整性系数一般值	吕荣值	钻孔数字彩电
	一般值	平均值			
$Ⅲ_2$	4.5～5.1	4.8	0.42～0.55(完整性差)	数据少	局部见中、陡倾角裂隙，局部有明显溶蚀现象，岩体完整性差
$Ⅲ_1$	4.8～5.8	5.4	0.65～0.71(较完整)	3～9 极少数<1	局部见中缓倾角裂隙，未见明显溶蚀现象，岩体较完整
Ⅱ	5.3～6.1	5.7	0.75～0.82(完整)	1～5 少数<1	裂隙少见，不发育，岩体完整

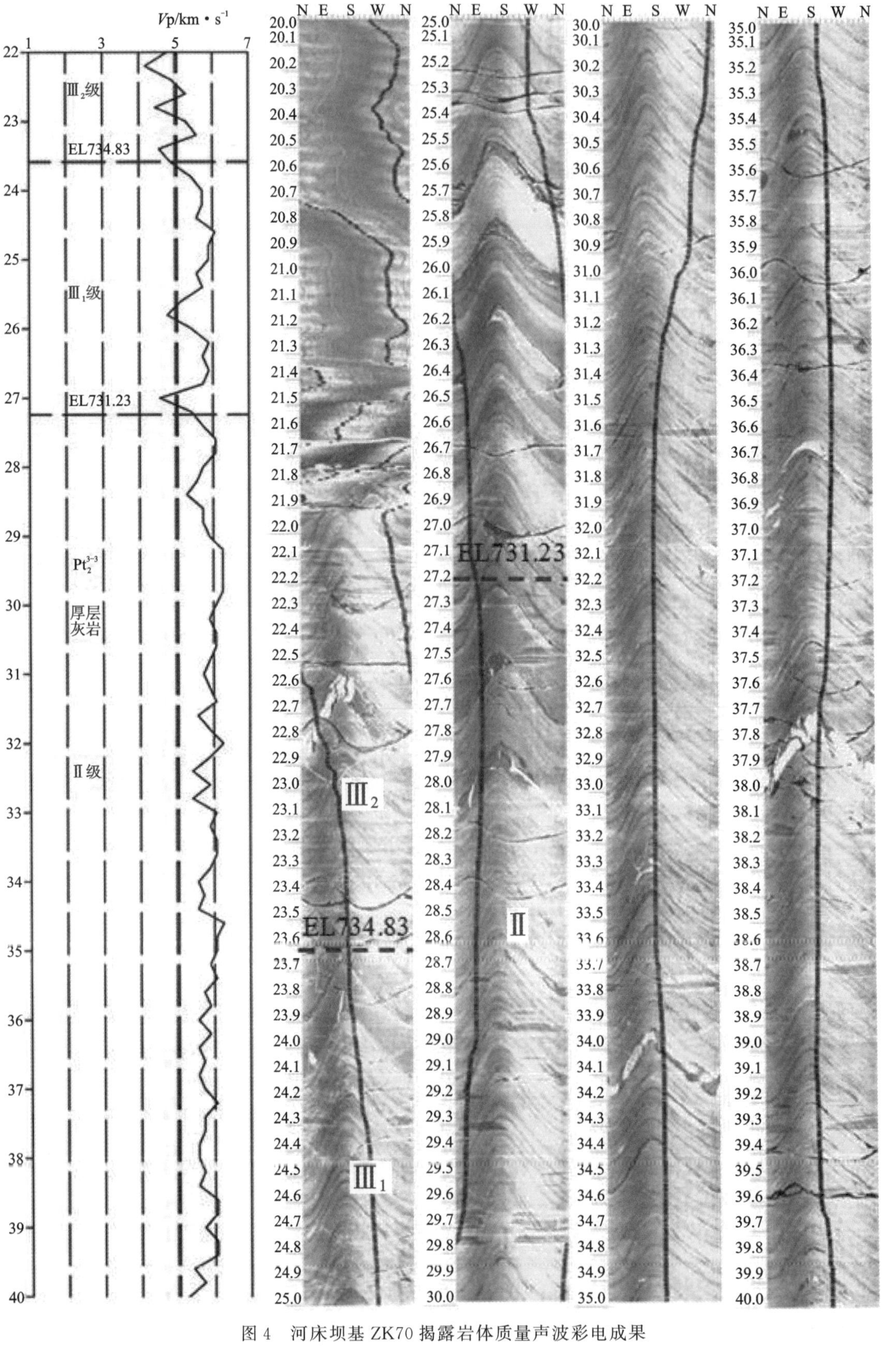

图4　河床坝基ZK70揭露岩体质量声波彩电成果

(4)河床坝基岩体质量分布特征。二道坝河床坝基及附近范围内Ⅲ$_2$级岩体主要位于河床基岩顶面以下1～3m范围内，底面分布高程一般在735m以上，岩体完整性差，不宜作为二道坝建基岩体。Ⅲ$_1$级岩体顶面高程大部分高于735m，坝基上游局部低于735m，勘探揭露Ⅲ$_1$级岩体顶面高程最低为730.30m(ZK12)(图5)。Ⅱ级岩体顶面高程部分高于735m，坝基上游低于735m，勘探揭露Ⅱ级岩体顶面高程最低为730.30m(ZK12)(图6)。

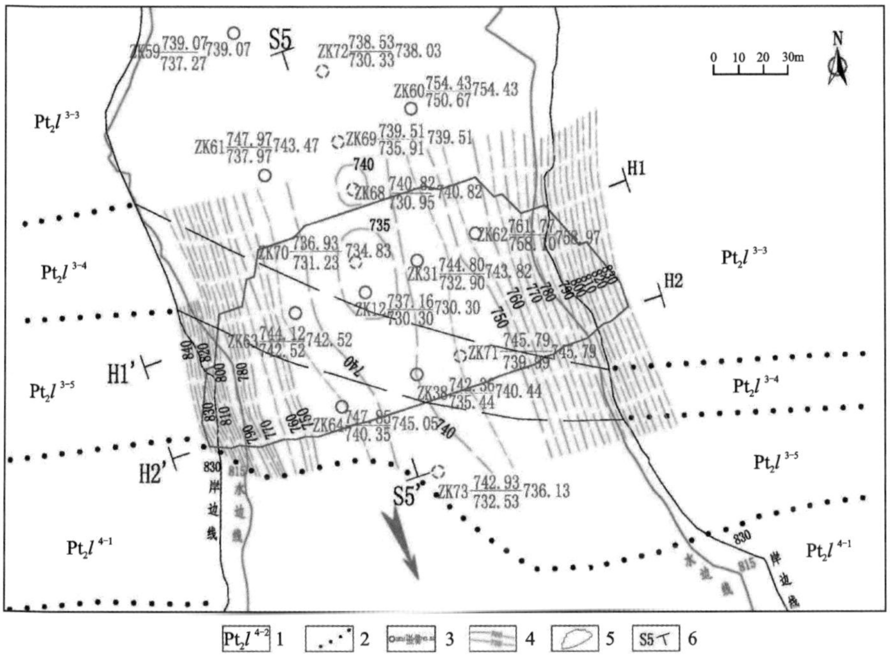

图5 河床坝基及附近Ⅲ$_1$级岩体顶面等高线图

1.落雪组第4段第2亚段；2.地层界线；3.钻孔及编号(分子为基岩顶面高程，分母为Ⅱ级岩体顶面高程，后为Ⅲ$_1$级岩体顶面高程)；4.Ⅲ$_1$级岩体顶面等高线；5.二道坝轮廓；6.剖面线及编号

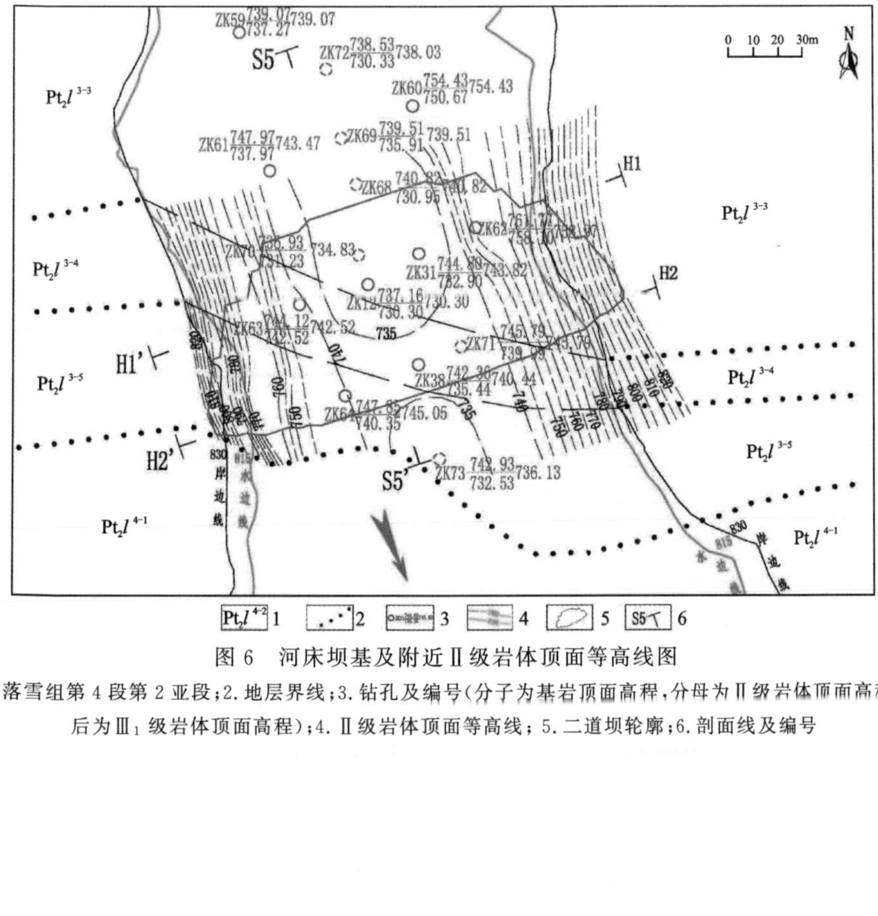

图6 河床坝基及附近Ⅱ级岩体顶面等高线图

1.落雪组第4段第2亚段；2.地层界线；3.钻孔及编号(分子为基岩顶面高程，分母为Ⅱ级岩体顶面高程，后为Ⅲ$_1$级岩体顶面高程)；4.Ⅱ级岩体顶面等高线；5.二道坝轮廓；6.剖面线及编号

4.4 坝基抗滑稳定分析

坝基所处范围岩层层面走向与金沙江近正交，且陡倾；坝基未见断层发育；河床建基面及附近钻孔高清电视解译成果表明河床建基面缓倾角裂隙少、不长大，河床坝基下伏岩体内没发现可能构成底滑面的较长大缓倾角结构面，二道坝河床坝基不存在深层抗滑稳定问题。

4.5 河床坝基建基面优化地质建议

(1)基岩面形态分析与评价。二道坝河床坝基及附近范围内基岩顺河向基岩面较平缓，河床坝基范围内基岩顶面高程高于735m，勘探揭露基岩顶面高程最低为736.93m。

二道坝上游背水面钻孔ZK72、ZK69、ZK68揭露基岩顶面高程高于735m，较可研阶段提高了5～8m，近60m范围内基岩深槽并不存在，基岩形态上不构成上游临空面，基岩面形态有利于坝基抗滑稳定性，河床坝基具备适当优化的地形条件。

(2)岩体质量分析与评价。当二道坝河床建基面开挖至高程730m时，河床建基面整体为Ⅱ级岩体，局部可能存在少量$Ⅲ_1$级岩体。当河床建基面开挖至735m时，河床建基面上游存在部分$Ⅲ_1$及$Ⅲ_2$级岩体，$Ⅲ_2$级岩体面积约570 m^2，仅占9.6%；$Ⅲ_1$级岩体面积约1700 m^2，占28.7%，Ⅱ级岩体面积约3660 m^2，占61.7%(图7)。

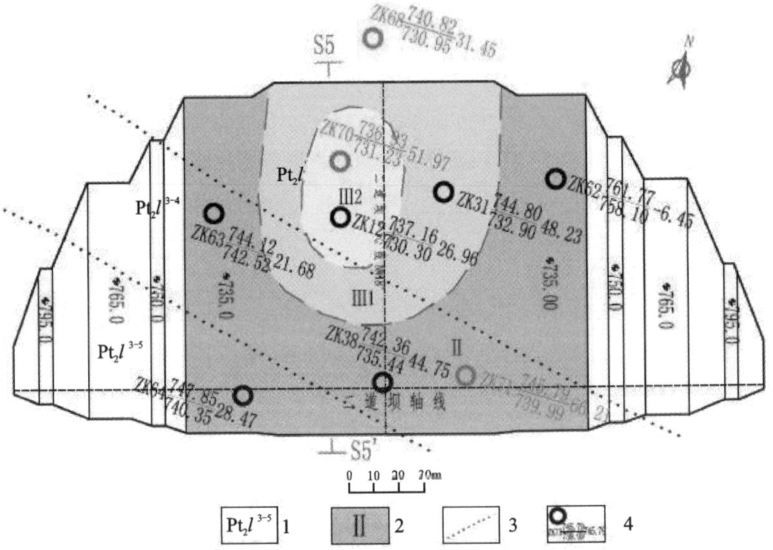

图7　二道坝河床建基面高程735m岩体质量展示图

1.落雪组第3段第5亚段；2.Ⅱ级岩体；3.地层分界线；4.钻孔及编号(分子为基岩顶面高程，分母为Ⅱ级岩体质量顶面高程，后方为$Ⅲ_1$级岩体质量顶面高程)

补充勘察显示$Ⅲ_1$级岩体裂隙不发、未见明显溶蚀现象，岩体较完整，声波均值达5400m/s，可作为二道坝建基岩体。因此，从建基岩体质量来看，河床建基面具备局部优化的条件。

(3)河床坝基抗滑稳定分析与评价。二道坝河床建基面缓倾角裂隙少、且多短小，不存在可能构成底滑面的较长大缓倾角结构面。河床建基面高程抬升至735m时，并未发现可能构成底滑面的较长大缓倾角结构面，抗滑稳定条件基本未发生变化。抗滑稳定性不影响河床建基面优化。

(4)河床坝基建基面优化地质意见。二道坝河床建基面优化补充勘察资料显示：坝基及附近基岩顶面形态有利于坝基抗滑稳定性；$Ⅲ_1$级岩体可作为二道坝建基岩体利用，且其顶面高程大部分高于735m；坝基735m高程以下不存在构成底滑面的较长大缓倾角结构面。

综上所述，二道坝河床建基面具备优化抬高的地质条件，在局部Ⅲ$_2$级岩体采取挖除措施的情况下，可总体将建基面高程由730m优化至735m。

5 结论

乌东德水电站二道坝坝基补充勘察在利用小口径钻探常规勘察手段的基础上，结合运用钻孔数字彩电、声波测试等物探手段进行建基面优化研究。综合分析钻孔芯样、岩芯获得率、压水试验成果、钻孔彩电及声波解译成果，进一步确定了坝基基岩顶面形态、岩体质量及抗滑稳定等工程地质条件。综合分析，考虑Ⅲ$_1$级岩体可作为建基岩体，局部岩体质量较差部位可采取清除措施处理，故将二道坝建基面高程由730m整体抬高至735m。目前，二道坝建基面开挖已经完成，实际揭露情况与优化勘察成果基本一致。

参考文献

钮新强，石伯勋，翁永红．金沙江乌东德水电站设计重大技术问题研究[J]．人民长江，2014，45(20)：1-7.

李会中，黄孝泉．金沙江乌东德水电站可行性研究报告第四篇工程地质(审定本)[R]．武汉：长江勘测规划设计研究有限责任公司，2015.

周华，王英奎．金沙江乌东德水电站可行性研究报告第一篇综合说明(审定本)[R]．武汉：长江勘测规划设计研究有限责任公司，2015.

胡清义，周华．金沙江乌东德水电站可行性研究报告第六篇工程布置及建筑物(审定本)[R]．武汉：长江勘测规划设计研究有限责任公司，2015.

黄春华，叶建群，李应辉，等．龙开口水电站大坝建基面优化研究[J]．水利发电，2013，39(2)：36-38.

郝文忠，王吉亮，黄孝泉，等．金沙江乌东德水电站高拱坝河床建基面选择工程地质研究[J]．工程地质学报，2016，24：728-733.

李会中，郝文忠，潘玉珍，等．乌东德水电站坝址区河床深厚覆盖层组成与结构地质勘察研究[J]．工程地质学报，2014，22(5)：944-950.

郝文忠，刘冲平，王吉亮，等．乌东德水电站边坡岩体卸荷特征及稳定性评价[J]．人民长江，2015.，46(14)：12-15.

胡清义，周华，王英奎，等．金沙江乌东德水电站可行性研究枢纽工程部分设计补充报告[R]．武汉：长江勘测规划设计研究有限责任公司，2012.

岩质边坡局部变形破坏模式分类及应对措施探讨

朱信波　刘培培　彭少文　赵明华

长江三峡勘测研究院有限公司(武汉),湖北 武汉　430074

摘　要:金沙水电站导流明渠边坡涉及两种岩性,潜在不稳定岩体表现出多种形式,具有一定的代表性,为此以该工程边坡情况为例,结合其他工程经验,综合分析建立了岩质边坡局部变形破坏模式,按控制局部岩体稳定性的主导因素不同,分为崩解破坏型、破碎破坏型和块体破坏型三类,对各类型失稳原因、变形破坏特征、产生的地质条件进行了分析,从而提出应对措施,可对类似边坡工程提供一些参考。

关键词:局部变形破坏模式　崩解破坏型　破碎破坏型　块体破坏型　潜在不稳定岩体

1　引言

金沙水电站是金沙江中游十级水电枢纽规划的第九级,位于金沙江干流中游末端的攀枝花河段上,正常蓄水位1 022.00m,电站装机容量560MW,最大坝高66.00m。

导流明渠布置在右岸,边坡全长950m,坡高一般60～100m,最大坡高150m。边坡历经两年多施工,于2016年底竣工。

施工期地质预报潜在不稳定岩体近50处,按控制其稳定性的主导因素,边坡岩体变形破坏模式可分为崩解破坏型、破碎破坏型和块体破坏型。结合其他工程实践,这三种类型基本能涵盖岩质边坡局部变形失稳情况,为此,以该工程边坡为例,探讨岩质边坡局部变形失稳模式分类和应对措施。

2　导流明渠边坡地质条件

金沙水电站导流明渠开挖边坡全长950m,边坡走向北东,坡高一般60～100m,最大坡高150m,设计坡比一般1∶0.3(图1),顶部全强风化1∶0.5～1∶0.75,每高20m设置一级宽3m马道。一般为3～6级坡,最高处8级坡。

按边坡岩性不同,导流明渠边坡可分为上游段、下游段两段。上游段边坡长520m。岩体为丙南组T_3b^6～T_3b^7段、大荞地组T_3dq^1～T_3dq^2段,T_3b^6、T_3dq^1段岩性以具崩解性的泥质粉砂岩等软岩为主,T_3b^7、T_3dq^2段主要为粉砂岩,属中硬岩;中厚层状结构,横向坡,倾角40°左右。花石崖1#挠曲从导流明渠首段边坡上部至顶部穿过,宽20～40m,内部岩体挤压强烈,基本为一大破碎带。其他地段断层不发育。裂隙总体较发育,以陡倾角为主,部分中倾角,缓倾角不发育。

作者简介

朱信波(1986—),男,高级工程师,主要从事水利水电工程地质勘察方向.E-mail:632508804@qq.com

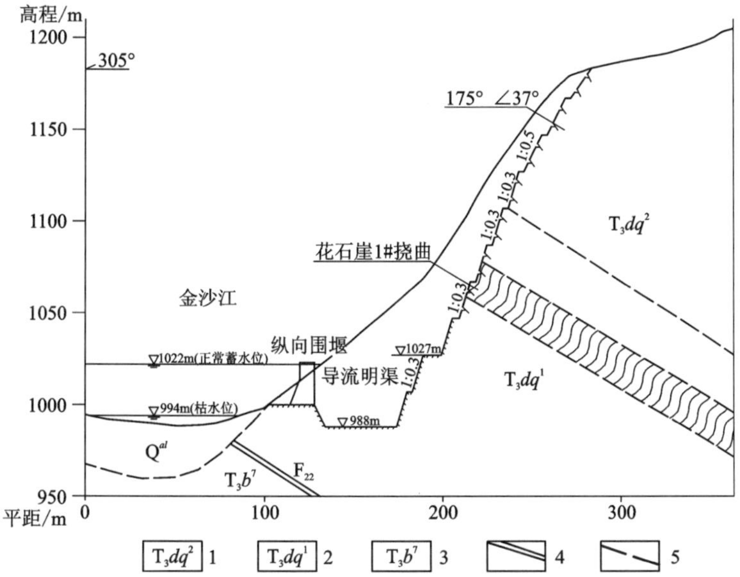

图 1　导流明渠边坡典型剖面图

1. 大荞地组第 2 段；2. 大荞地组第 1 段；3. 丙南组第 7 段；4. 断层；5. 地层分界线

下游段边坡长 430m。岩体为海西期正长岩，弱风化带水平厚度一般 30～40m，弱微风化岩体完整性较好。地表发现有 5 条 NNW 组陡倾角断层，与边坡走向大角度相交，规模均较小。裂隙总体较发育至不发育，陡倾角为主，中缓倾角不甚发育。

3　导流明渠边坡开挖及失稳情况

导流明渠边坡开挖过程中，未发生较大规模失稳现象，施工较为顺利，而且边坡竣工后已历经 3 年，变形监测显示边坡处于稳定状态。

开挖过程中边坡发生了两处规模相对较大的局部垮塌失稳现象，另外局部也有一些小规模的变形或垮塌现象，由于根据地质预测预报进行了及时处理和防范，未造成安全事故。

3.1　右坝肩上部边坡失稳情况

右坝肩上部高程 1047～1098m 段边坡在开挖到位后发生了垮塌，垮塌段边坡长 60m，高 30m，面积 1600m^2，水平深度 5～15m，体积 6000m^3。垮塌时及前一天在下雨，垮塌犹如"撒豆子"似滚落，除有一条长大裂隙性断层充当下游切割面外，未见滑动面和上游切割面。垮塌堆积的岩石多呈碎石，大块石很少。

边坡开挖坡比 1∶0.3，开挖到位后裸露时间约半个月。边坡岩体为丙南组 T_3b^6 段泥质粉砂岩，具崩解性，岩层略倾坡里，横向坡，岩体完整性较好，中厚层状结构。

失稳原因主要是边坡裸露时间较长，泥质粉砂岩发生了崩解，犹如蒸馒头气泡不断增多一样，边坡由表及里岩石不断因崩解发生解体、松弛（图 2），范围越来越大，松弛越来越严重，最终失稳。另外降雨、爆破、边坡设计较陡、结构面发育等是次要原因，恶化了稳定条件，加剧了失稳的进程。

因岩石崩解形成的潜在不稳定岩体数量不多，均分布于导流明渠上游段边坡，除右坝肩上部这一处规模较大外，其他规模都很小，体积一般数立方米到数十立方米；大多数未失稳，少数垮塌或掉落式失稳，体积不大。

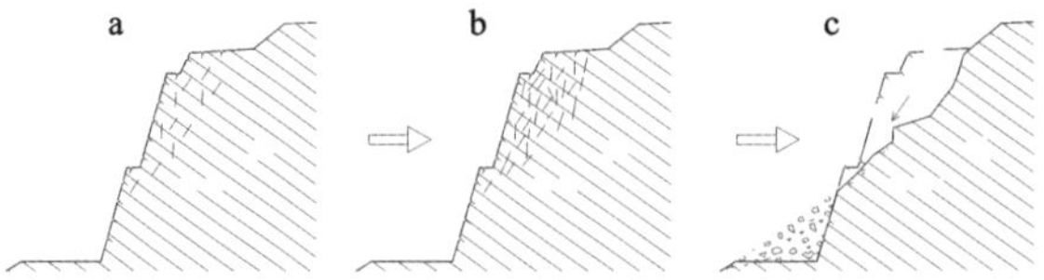

图 2　崩解破坏型边坡失稳过程

a. 边坡开挖到位，表部岩石开始崩解；b. 边坡表部岩石崩解厉害；c. 边坡失稳

3.2　明渠上游首段边坡失稳情况

明渠上游首段高程1006～1027m坡段开挖到位后发生垮塌，体积850m³。垮塌发生在边坡开挖到位后不久，下部先垮塌，而后带动上部（已锚索加固）岩体垮塌，属牵引式垮塌，未见明显的滑动面和切割面。垮塌岩石块度小，多呈碎石状。

边坡开挖坡比1∶0.3。坡面岩体为花石崖1＃挠曲即一断层破碎带，斜穿坡面，断层胶结差，风化较强烈，破碎，完整性差，力学强度较低。

失稳原因主要是边坡岩体由大破碎带——花石崖1＃挠曲组成，岩体风化强、破碎，自稳能力差，开挖坡角较陡（73°），导致失稳（图3）。另外降雨、爆破、边坡裸露时间较长（未及时支护）等是次要原因，恶化了稳定条件，加剧了失稳的进程。

因岩体破碎形成的潜在不稳定岩体在导流明渠上下游段均有分布，数量不多。导流明渠下游段岩体完整性较好、断层不发育，所以此类型比上游段少。除上游首段失稳处规模较大外，其他规模都很小。大多数未失稳，少数垮塌后呈槽状，体积不大。

3.3　边坡块体失稳情况

导流明渠边坡共发现块体（包括潜在不稳定区）近50处，体积一般500～2000m³，最大3000m³。大部分块体有不同程度变形现象，但未失稳，按照地质简报完成了加固，只有极少数在开挖过程中出现整体失稳或下部失稳现象，失稳方式多为滑动、崩塌。

据统计，以潜在不稳定区（结构面未完全切割的潜在不稳定岩体）为主，块体只占少数。块体一般组合形式三结构面和双结构面两种（图4）。由于缓倾角结构面不发育，所以块体少；此外，结构面长度一般不大，为数米至10余米，所以块体与潜在不稳定区规模也不大，与前期勘察结论一致。

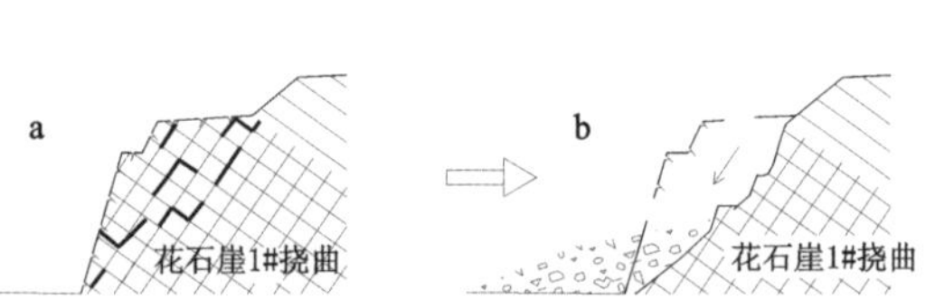

图 3　破碎破坏型边坡失稳过程

a. 边坡开挖到位，表部岩石不断松弛；b. 边坡失稳

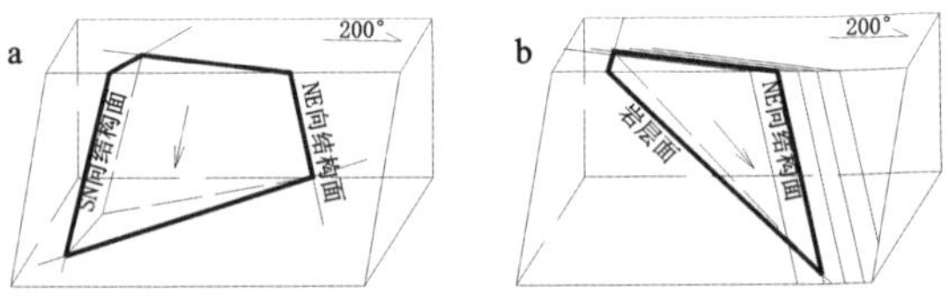

图 4　块体示意图

a. 三结构面组合块体；b. 双结构面组合块体

块体（包括潜在不稳定区）是导流明渠边坡潜在不稳定岩体的主要类型，在边坡上分布较散，正长岩与砂岩边坡中均有分布，规模和稳定性主要受结构面控制。

4　岩质边坡局部变形破坏模式及应对措施

从金沙水电站导流明渠边坡局部稳定情况，结合长江三峡工程、清江隔水岩水电站等其他工程涉及的边坡实践总结分析，按控制局部岩体稳定性的主导因素，将岩质边坡局部变形破坏模式归纳为崩解破坏型、破碎破坏型、块体破坏型三个类型(表1)。

表1 岩质边坡局部变形破坏模式特征一览表

序号	变形破坏模式类型	失稳原因	变形破坏形式	产生的地质条件	应对措施
1	崩解破坏型	岩石崩解，边坡裸露时间过长，降雨，爆破	垮塌、崩塌	具崩解性、膨胀性、亲水性等岩石为主的边坡	及时支护，放缓边坡
2	破碎破坏型	岩体破碎，边坡设计过陡，降雨，爆破	垮塌、崩塌	断层破碎带、强烈风化区、裂隙密集带、蚀变带等破碎岩体边坡	边坡不宜太陡，及时支护
3	块体破坏型	结构面组合，自稳能力差，降雨，爆破影响(震动、造成松弛)，边坡裸露时间太长	滑动、崩塌、垮塌	在于不利边坡稳定的结构面分布，及组合方式	及时加固或清除

4.1 崩解破坏型

此类型边坡由具崩解性的岩石组成，开挖后岩石失水快速崩解，像蒸馒头一样边坡岩体由表及里裂纹不断增多并交错相连、岩体膨胀(图2)，内部失去黏结力，裸露时间越长，岩体解体、张裂、松弛越严重，自稳条件达不到时则发生垮塌失稳，称为崩解破坏型潜在不稳定岩体。如果加上降雨等外界因素影响，其失稳进程会加快。

金沙水电站导流明渠右坝肩上部边坡失稳岩体即为此类型。此类型在红层、半成岩等边坡比较常见，主要取决于岩性，例如砂质泥岩、泥质粉砂岩等具崩解性岩石，另外膨胀性、亲水性等特殊岩石边坡也会有类似的稳定问题。

此类型岩体稳定性基本不受结构面控制(若有不利结构面则是块体破坏型)，没有特定的滑面，而与岩石耐崩解强弱、边坡裸露时间长短、坡形陡缓等密切相关。由于岩石崩解后垮塌，所以一般呈“撒豆子”似垮塌或崩塌，失稳对施工安全等影响相对较小。

应对措施，及时支护是关键，另外边坡不宜设计太陡。由于岩石崩解具有一定时效性，随时间推移，崩解会越严重，因此此类模式具有一定隐蔽性，如果巡查过程中对边坡观察不仔细，则可能不会发现坡面岩体松弛现象，所以地质预测预报时对具崩解性岩石边坡一定要充分重视。

4.2 破碎破坏型

此类型断层破碎带、强烈风化区、裂隙密集带等岩体很破碎，力学强度低，微裂隙密集发育。边坡开挖后，因外侧出现临空面，坡面表部破碎岩体中微裂隙会追踪贯通，解体松弛，当自稳能力达不到要求时则会产生失稳，称为破碎破坏型潜在不稳定岩体。若遇降雨、爆破等外界因素影响，其稳定条件急剧变差，会加快其失稳的进程。

金沙水电站导流明渠上游首段失稳岩体即为此类型。此类型分布较普遍，各种岩性的岩石边坡均可分布，主要与构造、风化等有关，碎裂结构、散体结构边坡中多见。结构面不是主要因素(若有不利结构面则是块体破坏型)，一般没有特定滑面，而与岩体破碎程度、是否含泥质物及其含量、开挖坡形陡缓、裸露时间长短等密切相关，稳定坡角取决于岩体抗剪强度。如果设计坡度过陡，可能会出现边挖边垮，边坡不能成形情况。

此类潜在不稳定岩体规模一般由断层破碎带、强烈风化岩体等自身规模决定。由于岩体本身完整性差，所以垮塌块度小，一般呈“撒豆子”似垮塌或崩塌，失稳对施工安全影响相对较小。

应对措施，边坡不宜太陡是关键，另外也需及时支护。若无边坡放缓的条件，则需采取专门的开挖措施如边挖边支，同进需强支护如混凝土加锚索方案等。

4.3 块体破坏型

此类型在边坡工程中最为普遍。岩体的稳定条件主要受结构面控制，若结构面完全切割、有向临空面变形或失稳可能的独立岩体称为块体；若结构面未完成切割，缺少滑动面或切割面，或结构面不连续的，有向临空面变形或失稳的岩体称为潜在不稳定区。两者统称块体破坏型。前者失稳破坏形式多为滑动，稳定性一般较差；后者失稳破坏形式多为崩塌、垮塌、掉落等，也可能产生滑动，稳定性要好一些。

这类潜在不稳定岩体可分布在所有岩性的岩质边坡，块体结构边坡、层状顺向坡等边坡中十分典型。主要受制于结构面发育特征，如结构面方向、长度、组合形态、与临空面的空间关系等。其稳定性由结构面的抗剪强度和岩石抗剪断强度所控制。块体形态有单滑面、楔形体、板状体等，形式多样。失稳规模也大小不一，由结构面长度控制，结构面延伸越长，规模越大，对施工安全威胁越大。

应对措施主要在于及时加固或清除处理。判断结构面组合方式，是否可能向临空面产生滑动、崩塌等是边坡工程施工期间地质预测预报的重要工作，也具有一定难度，需要地质工程师的辛勤工作和经验。以前分析工作多采用“野外定性＋赤平投影”，现在随着国内对边坡稳定性研究深入，块体理论、块体计算等得到应用，使分析工作更为简便。

5 结语

国内有关岩质边坡变形破坏模式分类是多种多样的，边坡勘察规范是按失稳运动方式，也有按滑动方式、变形程度等进行分类的。本文从控制岩体稳定性的主导因素角度进行分类，简单方便，便于操作，可作为地质工程师的参考和借鉴。

块体破坏型在工程边坡中最常见，结构面发育特征决定此类潜在不稳定岩体的规模和稳定性。破碎破坏型主要与构造、风化等有关，岩体破碎是不稳定的根本。崩解破坏型的主导因素是岩石崩解性、膨胀性、亲水性等特性造成的，遇到特殊岩土需引起注意，加强研究。

边坡局部稳定问题应对措施重在地质预测预报。寻找边坡潜在不稳定岩体，按不同类型得到针对性的及时处理，确保施工安全顺利，是地质预测预报工作的目的和意义所在。

参考文献

李会中，向家菠，翁金望，等.金沙江乌东德水电站坝址高边坡稳定性研究[J].资源环境与工程，2009，23(5)：590-597.

龚匡周，王浩，方雪晶，等.复杂岩质边坡的破坏类型及稳定性分析[J].中国地质灾害与防治学报，2012，13(1)：22-27.

李新峰，于为，张敬东.肯斯瓦特水利枢纽坝址区岩石崩解性特征[J].资源环境与工程，2016，30(3)：356-360.

李会中，王吉亮，杨静，等，高陡岩质边坡块体稳定研究方法及应用[J].水电能源科学，2011，29(12)：85-87.

罗缵锦，岩质边坡破坏模式初探[J].广东公路交通，2001，71(s1)：11-14.

东方红水库右坝肩开挖方案优化设计研究

胡振邦　王文甫　熊奇
河南省水利勘测设计研究有限公司,河南 郑州　450000

摘　要:为研究东方红水库右坝肩边坡在方案一(坡比 1∶1.1)与方案二(坡比 1∶1)开挖下的边坡稳定性,在地质勘探与室内试验的基础上,建立三维精细模型与二维边坡模型,对两种模型在不同开挖方法工况下分别采用三维数值分析法与二维极限平衡法计算,通过三维数值分析得出开挖边坡的整体位移和应力分布规律,结合二维极限平衡法计算出最危险滑动面的安全系数,两种计算方式结合的方法来研究两种开挖方案的优缺性,对比计算结果后分析,两种方案下的边坡应力应变相差不大,安全系数皆大于 1.50,且方案二比方案一减少边坡开挖量 18.56 万 m^3,节约了工程总投资。

关键词:边坡稳定性分析　三维精细模型　数值分析法　极限平衡法

1　引言

当前水利工程中,边坡的开挖是工程项目的关键技术问题之一,开挖后对边坡进行稳定性分析当然也成了工程单位的研究重点,分析的方法有很多,本文主要介绍两种方法,一种为极限平衡法,另外一种为数值分析法。极限平衡法分析的模式主要对二维剖面进行分析,目前也逐渐从传统的二维分析方法扩展到三维极限平衡理论,如邹广电等构建新的极限平衡的计算方法,将瑞典条分法与安全系数联合,以此来重新构建新的极限平衡计算理论,并在三维模块下建立本构关系;极限平衡法的最大优势就是计算后能明确得到的安全系数。以有限元为代表的三维数值分析方法能通过边坡内的块体与块体赋参后相互作用,得到应力应变云图,是近年来新的计算方法。

三维数值计算方法并不能像二维极限平衡法那样给出准确的安全系数,所以两种方法都有自己的优势与劣势。三维数值分析的方法更加贴合实际工程的地质条件,也更能总体去分析给出更合理的施工建议。现在将这两种方法进行结合使用,利用专业三维地质建模软件建立精细化模型,导入数值分析软件计算得到边坡的应力应变云图,纵观整体去分析最大主应力与最大位移,又利用二维极限平衡法去分析最危险滑动面或分析指定滑动面,得到边坡安全系数,两种方法互相参照,结合与验证进行边坡稳定性分析是当前更加科学的分析方法。

边坡稳定性分析研究重点是在边坡所受应力应变的作用,通过计算和分析得到边坡的变形趋势,由此对边坡的稳定性评价,变形位移和失稳趋势是边坡稳定性研究的重点。在进行边坡稳定性分析时越来越全面考虑各方面地质条件,由简单到复杂,逐渐地使得数值模拟逐渐成为一种发展趋势,工程地质学家根据不同的计算理论开发出了多种计算程序。一方面,采用数值模拟可以定量地再现边坡变形破坏发展过程,使得从整体上认识斜坡稳定性的发展变化成为可能。另一方面,学科与学科之间界限逐渐消失,如气象学中的降雨量预测、数学计算方法中的模糊数学、灰色理论及现代概率统计等都被引入边坡研究,从而快速促进了理论的更新和研究水平的提高。

作者简介

胡振邦(1992—),男,主要从事边坡失稳变形与预测预报工作. E-mail:1668278094@qq.com

本文运用上述的分析方法对东方红水库右坝肩开挖的方案一与方案二做对比分析研究，由于东方红水库施工过程中，右坝肩边坡山体陡峭，并且基岩裸露，表面有一层卸荷带，为了工程需要需要将该边坡进行削坡和开挖处理，现有两种开挖方案，方案一：对坝址区右岸进行开挖，坡度为 1：1.1(42.27°)，分两次放坡，并且将右岸表层的卸荷带清理；方案二：在方案一的基础上提高边坡开挖的坡比，将坡比 1：1.1 提高到 1：1(45.0°)，同样分两次放坡，也将卸荷带清除。右坝肩为悬坡，基岩裸露，边坡最高可达 80m 以上，边坡主要岩性为斜长角闪岩易风化，分析方法中的工程类比法是根据已有的和条件类似的边坡的稳定性研究经验，对待评价边坡的稳定性进行定性分析稳定性评价。因此，对比两个边坡需要做出全面的分析，充分对比两者之间的地形地貌、地质构造等地质条件、气象水文条件、岩体物理力学性质的不同，必须在各方面条件相似程度较高或相同情况下，这样，可以把曾经的相似工程拿来吸取经验，才能运用到研究的新工程中去。但是工程地质类比法具有很大的局限性，找到工程条件类似和影响因素相同的边坡有一定难度，因此该方法对边坡稳定性评价是一种经验法。本文采用建立右坝肩三维精细模型，有限元分析方法与二维极限平衡理论相结合的分析方法对两种开挖方案进行科学的对比与分析。

2 工程地质条件

东方红水库坝址位于信阳市商城县陶家河上游 1km 处，控制流域面积 28.6km^2，东方红水库是一座以灌溉为主，集防汛、发电、水产养殖、水上旅游、城市供水等多种功能于一体的中型水库，总库容 3777 万 m^3，控制流域面积 50km^2。水库坝址区属于山河谷地貌，坝址区岩性主要为斜长角闪片麻岩、闪长石英片岩、花岗岩、白云母闪长石英片岩和覆盖物，河谷为不对称的"V"形谷，拟建大坝为抛石混凝土重力坝，其右坝肩边坡山体陡立，基岩表露，顶部高程最高 302.2m，开挖至建基面后，边坡最高可达 67.2m，东方红水库右岸边坡岩性为斜长角闪片麻岩，表层分布少量卸荷带，表层下部主要呈弱风化，发育多条断层，坡体呈悬坡。河床出露砂卵石层，厚度约 8.5m。影响边坡稳定性因素可分为内在因素和外部因素。内在因素主要包括组成边坡的地层、岩土体结构、岩性、地质构造等；外在因素主要包括开挖、振动、地震、气象条件等。根据前坪水库坝址区边坡工程地质和水文地质条件分析，影响溢洪道边坡稳定性主要因素为边坡开挖改造库水位的涨落、岩体内存在的多微张的裂隙和小断层等。东方红水库右坝肩开挖后的边坡稳定性问题是该工程的关键所在。

3 边坡稳定性数值分析

3.1 计算模型及参数

随着时代的发展和进步，计算机科学迅速发展促使数值分析法推广起来，数值分析是建立在数学模型上的，所以不同的数学模型得到不同的计算结果，数值分析方法是近年来新的计算方法，相对于极限平衡法来说，数值分析法规避了一些假设和理想化多方面的不足，来计算得到边坡的应力应变和位移。近年来数值计算运用的越来越多，数值分析的方法分为有限元法、不连续变形分析法、快速拉格朗日法、边界元法、离散元法等，这些方法有针对连续介质分析也有针对非连续介质的，数值分析法相对极限平衡法会更加复杂，地质模型建立复杂，计算工作量会大很多，比较考验计算机运算速率，目前，优化设计方法在边坡工程中被广泛运用，在岩土工程领域的优化计算的方法有两大类：直接求解法和间接求解法，在边坡工程中使用优化设计方法，可获得更加合理、优化的边坡设计方案。直接求解法中比较有代表性的解法是随机实验和网格法。直接求解法计算量大、计算工作烦琐，这一方法计算获得的解并不是全局最优解,但是能获得确切的解的值。间接求解法是在求解中根据求解的问题建立函数方程,设置约束函数,通过数学的方法对函数进行求解,使得边坡设计更加的经济、可靠、合理。

所以该方法也在不断的完善和发展,水利工程边坡地质条件复杂,规模大,普通的建模软件难以反映真实的地质情况,采用专业的地质建模软件进行三维精细化建模,包括地形、地层、岩性产状、开挖等,建立的三维地质模型更加接近边坡的实际情况,模型的精确性是边坡稳定性数值分析的基础。

采用 GeoStation 来建立三维精细模型,利用东方红水库已有的测量数据:等高线、高程点,运用内置的克里金算法对数据进行处理,重组排列后生成地形面网格,网格间距为 4m;以现场的钻孔数据、试验数据、地质测绘等为基础资料,通过三维地质建模软件 GeoStation,分别建立基覆界面模型,强风化面,弱风化面,断层,岩层分界面再以面为界构建库区地质三维精细模型。根据已经建立的三维地形模型和三维地质模型,可以耦合构建边坡体的原始面貌三维模型。以原始边坡三维模型为基础,结合两种开挖方案对边坡进行两次开挖,得出两次开挖后的模型。

精细化模型构建完成后导入三维数值计算软件 Midas 中,Midas 建立在拉格朗日算法上,适合模仿边坡大变形的状况。计算时设定垂直河道方向为 X 轴,沿河道方向为 Y 轴,竖直方向为 Z 轴。对两种开挖方案的边坡模型进行剖分网格,计算模型共生成 63 625 个单元,共有 35 847 个节点。计算采用 4 种材料属性,分别是覆盖层、斜长角闪片岩、白云母闪长石英片岩、花岗岩,右坝肩边坡主要岩性为斜长角闪片岩,计算荷载为静水压力、自重,各个材料的计算参数见表 1。

表 1 计算参数

岩性	密度/($kg \cdot m^{-3}$)	泊松比(μ)	内聚力/kPa	摩擦角/(°)
斜长角闪片岩	2650	0.22	350	34
白云母闪长石英片岩	2200	0.28	260	29
花岗岩	2400	0.22	200	27
覆盖层	1700		26	15

3.2 计算结果分析

数值计算后,主要比较边坡开挖后两种方案的总应力云图与总位移云图的结果,选取开挖后最危险滑动面分析总应力,右坝肩开挖后的总应力图如图 1、图 2 所示,计算结果表明边坡开挖后,方案一开挖后的坡底处与开挖面附近应力比较集中,方案二开挖后的第二个马道处与坡底处应力比较集中,两者的最大压应力分别为−0.23MPa 与−0.28MPa,但方案一中在坡顶处出现了拉应力 0.05MPa,方案二没有出现拉应力,二者最大应力皆满足设计要求,并且方案二的最大压应力绝对值稍大于方案一的最大压应力,由于方案二稍陡于方案一,两者差别不大。

图 1 方案一总应力图

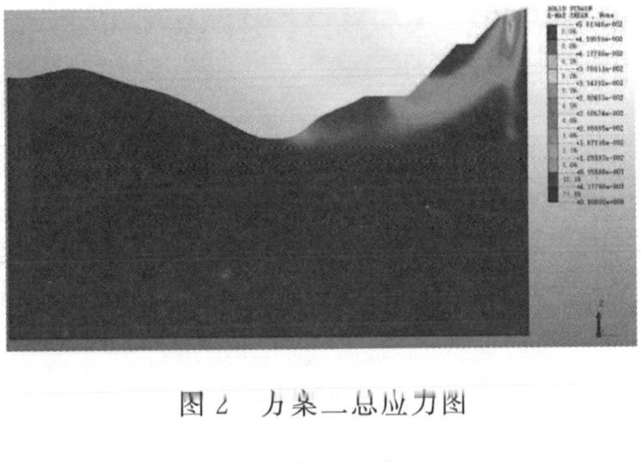

图 2 方案二总应力图

边坡开挖后的总位移图如图3、图4所示，方案一的潜在滑动位移范围多于方案二，两者开挖后的最大位移分别是方案一1.85cm，方案二1.92cm，均小于2cm，两者主要位移分布在开挖面与马道上，但从图中得知相对于方案一，方案二在马道位移处位移减小，底部位移逐渐延伸，两种方案，底部位移皆是最大，且方案二清理表面的卸荷带更加彻底。两种方案对比坡度提高，但坡体变形位移相比，边坡变形小。并且从开挖后的图中计算，方案二开挖后，边坡的开挖方量比方案一少18.56万m^3。

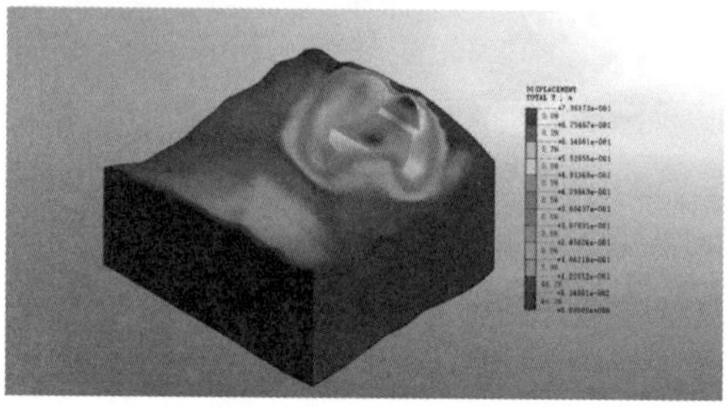

图3　方案一总位移图

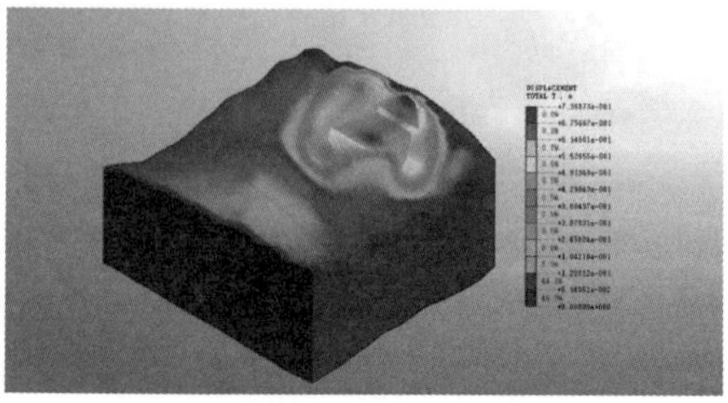

图4　方案二总位移图

4　右坝肩边坡极限平衡法分析

4.1　计算模型及参数

极限平衡法的条分法在1916年由彼德森提出，根据边坡动力条件，对坡体分条，分块，通过分析块与块之间的力，计算可能出现的滑动面和安全系数，能够直接反映边坡稳定与否。常见的极限平衡法有Bishop、Janbu、Felleniu、Morgenstern和Price、Spence、Sarma等，极限平衡法得到广泛的应用得力于它的力学模型简单，计算难度小，计算方法不复杂，但计算时往往为了方便计算做出了一些理想化的假定，而不考虑坡体中的土体变形，当实际的边坡边界条件与物理力学模型变得复杂或不连续时，极限平衡法就不适用这种情况，得到的计算结果会与实际相差很多。东方红右坝肩边坡二维分析方法采用摩根斯坦-普莱斯法，摩根斯坦-普莱斯法适合求解本边坡开挖后边坡大变形的安全系数，本工程选取最危险滑动面进行极限平衡发计算，采用Geoslop软件，建立二维方案一与方案二开挖后的地质模型，工况条件、材料参数、荷载类型与三维数值计算保持一致，模型长度为150m，高度为80m。

4.2　计算结果分析

二维极限平衡法的计算结果表明，方案一正常开挖后的安全系数为1.657(图5)，方案二正常开挖的安全系数为1.593(图6)，两种开挖方案得到的安全系数均大于1.50，并且在两种开挖方案后的边坡安全系数相差不多，坡体总体安全程度较高。所以在二维极限平衡法的计算结果得出，采用两种方案开挖后的边坡安全系数数值相差不大，皆大于1.50，满足边坡稳定的要求。

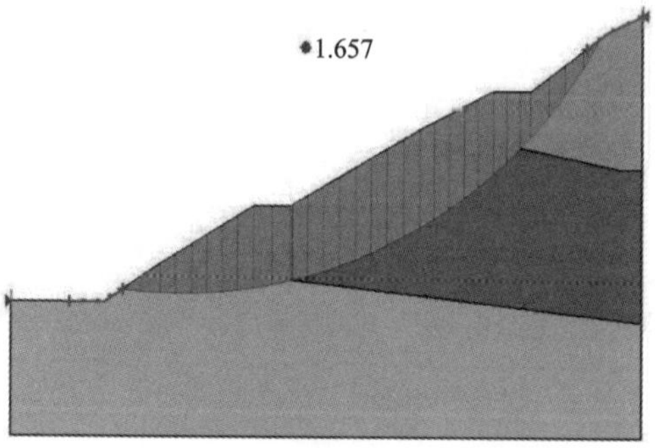

图5　方案一滑动面及安全系数

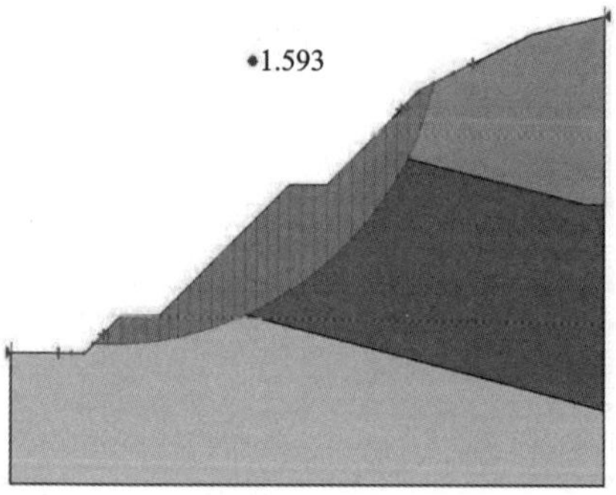

图6　方案二滑动面及安全系数

5 结论

本文以三维数值分析法与二维极限平衡法相结合对比对东方红水库右坝肩边坡在方案一和方案二下开挖后的边坡进行分析。计算后得出三维数值分析后的应力应变云图；与二维极限平衡法得出的最危险滑动面的安全系数和危险滑动面，得出以下结论：在两种边坡开挖方案下，两种方案坡比虽然不一样，但安全系数几乎相近，方案一略高于方案二，且都满足边坡稳定性规范要求，二者的边坡在开挖面与坡脚处的最大位移差别也不大，应力分析中，方案一出现了拉应力，而方案二中没有发现，且最大主应力分别是－0.23MPa 和－0.28MPa，都在应力可控范围内，建议施工过程中方案二由于坡相对陡峭，在表面挂柔性防护网可以有效防止局部掉块。在三维精细模型中发现，边坡开挖后方案二比方案一少开挖岩体 18.56 万 m^3，节省了工程总投资和施工工期。

参考文献

刘汉东，李冬冬，王忠福.基于有限元极限平衡法的生基坪滑坡稳定性分析[J].华北水利水电大学学报(自然科学版)，2015(3)：53-57.

郭子仪，范振华，朱云升，等. 边坡稳定性分析中的有限元极限平衡法[J].武汉理工大学学报(交通科学与工程版)，2014(1)：79-84.

邹广电，魏汝龙.土坡稳定分析普遍极限平衡法数值解的理论及方法研究[J].岩石力学与工程学报，2006(2)：363-370.

欧湘萍，白楷，朱云升，等.基于 FLAC-3D 的强度折减法边坡稳定性分析[J].武汉理工大学学报，2009(9)：59-61.

曾亚武，田伟明.边坡稳定性分析的有限元法与极限平衡法的结合[J].岩石力学与工程学报，2005(S2)：5355-5359.

冯娟.用有限元极限平衡法分析边坡稳定性[J].有色金属设计，2016(2)：11-15＋19.

李宝平，秦威，高诗明.基于极限平衡法和 FLAC-3D 的陕南地区某边坡稳定性分析[J].四川建材，2013(5)：115-117.

丁参军，张林洪，于国荣，等.边坡稳定性分析方法研究现状与趋势[J].水电能源科学，2011，29(8)：112-114.

秦帆，王正中.基于有限元强度折减理论的边坡稳定分析方法探讨与改进[J].水利与建筑工程学报，2012(1)：43-47.

齐小静，石自堂，崔金鹏.基于强度折减法的土石坝稳定性分析及失稳判据选择研究[J].水利与建筑工程学报，2016(2)：104-108.

刘汉东，彭冰，王四巍，等.前坪水库溢洪道高边坡设计方案优化研究[J].华北水利水电大学学报(自然科学版)，2017(1)：47-51.

新疆布尔津县也拉曼水库坝基处理浅析

茹永生

阿勒泰地区水利水电勘测设计院，新疆 阿勒泰 836500

摘　要：坝基第四系覆盖层较厚，常见淤积、冲积成因的多层岩土叠加，各土层物理力学性质差异较大，在面板坝、沥青心墙坝土石坝坝型比选中，深厚第四系覆盖层能否作为土石坝坝基，关乎工程安全与工程投资，是工程地质专业需要重点论证的问题。在本工程的前期勘察中，投入了多组土工试验和现场原位试验，通过对室内、现场试验数据的归纳分析，对坝基下的不同岩土的力学性能及抗变形能力提供了准确的评价，采用了三种方法对地震液化进行了初判与复判，最终从工程地质角度提出了坝基处理的合理化建议。经设计采纳大坝施工完建后，经水库管理单位8年的运行观测，工程运行良好。有针对性的开展大量的土工试验和现场力学试验是勘察判定的依据，地震液化验证需要通过初判、复判矫正，结论才更为准确。合理的坝基处理方案，可避免不均匀沉降、地震液化给坝体带来的变形破坏，该勘察方案为同类工程坝基处理提供了参考。

关键词：坝基覆盖层　不均匀沉降　地震液化

1　基本情况

也拉曼水库位于新疆北部阿勒泰地区布尔津县内，地处克依克拜河中下游低山丘陵区，地理坐标：东经86°47′54″～86°49′31″，北纬48°09′25″～48°10′30″之间，西侧约2.0km处有哈巴河县—白哈巴旅游区专线公路通过，交通便利。也拉曼水库为灌溉调蓄水库，任务是满足下游3万亩（1亩≈666.6m^2）土地的灌溉调蓄。

水库设计沥青混凝土心墙砂砾石坝，设计正常蓄水位735.45m，最大坝高31.76m，坝长300m，相应库容503.91万m^3，死水位729.2m，死库容114.18万m^3，调节库容384.73万m^3。工程等级为Ⅳ等小（Ⅰ）型工程，主要建筑物级别为4级、次要建筑物级别为5级，临时建筑物级别为5级。工程枢纽主要由拦河大坝、左岸放水洞、左岸导流兼排沙洞、右岸溢洪道及左岸引水渠道等组成。

水库地处低山丘陵区，库盆为宽浅式凹陷盆地构成，库区高程720～745m，地形起伏不大，河谷两岸平缓，水库蓄水后不存在塌岸和岸坡再造问题，浸没问题小。库底部为斜长花岗岩，埋深15m以下的新鲜基岩多属弱透水层，水库蓄水后不存在大的渗漏问题；整体看库盆封闭，库区渗漏主要为坝址区渗漏。工程区地震烈度较低，水库规模小，蓄水后诱发地震的可能性不大。

坝址区为基岩隘口，隘口宽度250m左右，左岸坡度可达50°左右，右岸边岸相对平缓。两岸基岩为海西期斜长花岗岩，节理裂隙中等发育。河谷内坝基第四系覆盖层最大厚度13.6m，分别为淤积、冲积、冰积成因，自上至下分别为淤泥质粉土、中细砂、低液限粉土、中粗砂、含土的砂卵砾石层，为多元结构的岩土叠加沉积，分层厚度1～4m不等，粒径组成及密实性等各项物理力学指标差异较大。坝址区地下

作者简介

茹永生（1967—），男，高级工程师，主要从事工程地质研究，土工试验和原位试验分析。E-mail：1529839925@qq.com

水类型为孔隙潜水和基岩裂隙水，水质对混凝土和钢筋无腐蚀性。

工程区位于克兰凹陷褶皱带内，北端哈巴河断裂发育，产状 345°∠60°～70°，断裂距离坝址区约 5.0km，断裂发育宽度 100～150m。该断裂错断了哈巴河的Ⅳ级阶地和山前第四系冰水堆积物。但在库、坝区未发现该断裂活动的痕迹。区域内中、强地震主要集中在工程区东南部，工程区内地震活动较少。据 1∶400 万《中国地震动参数区划图》(GB 18306—2015)，工程区 50 年超越概率 10%的动峰值加速度为 0.15g，相应地震基本烈度为Ⅶ度。地震动反应谱特征周期为 0.45s，属区域地质构造相对不稳定区。

2 问题的提出

据钻孔揭露，也拉曼河床段坝基覆盖层厚度 8～13.6m，第四系覆盖层岩土分层较多，自上至下分别为淤泥质粉土、中细砂、低液限粉土、中粗砂、含土的砂卵砾石层，为多层叠加沉积，分层厚度 1～4m 不等，各层岩土的物理力学性质各异。在面板坝、沥青心墙坝土石坝坝型比选中，深厚第四系覆盖层能否作为土石坝坝基，关乎工程安全与工程投资，在筑坝方案中，经过施工碾压处理后，坝基各土层是否还存在不均匀沉降和地震液化问题，是清除还是保留做坝基，是工程地质专业需要重点论证的问题。

在野外测绘的基础上，勘察需要有针对性投入大量的土工试验和现场物理力学试验，依据试验在深入分析论证后，才能解决坝基处理这一问题。

3 问题的论证

3.1 坝基工程地质条件

坝址河床段左右岸均发育Ⅰ、Ⅱ级阶地，Ⅰ级阶地较窄，宽度 3～5m，覆盖有 0.3～0.6m 的粉质土。Ⅱ级阶地开阔、平坦，高程 718～721m，宽度达 150m，阶地堆积物具有明显的多元结构，工程地质剖面见图 1。

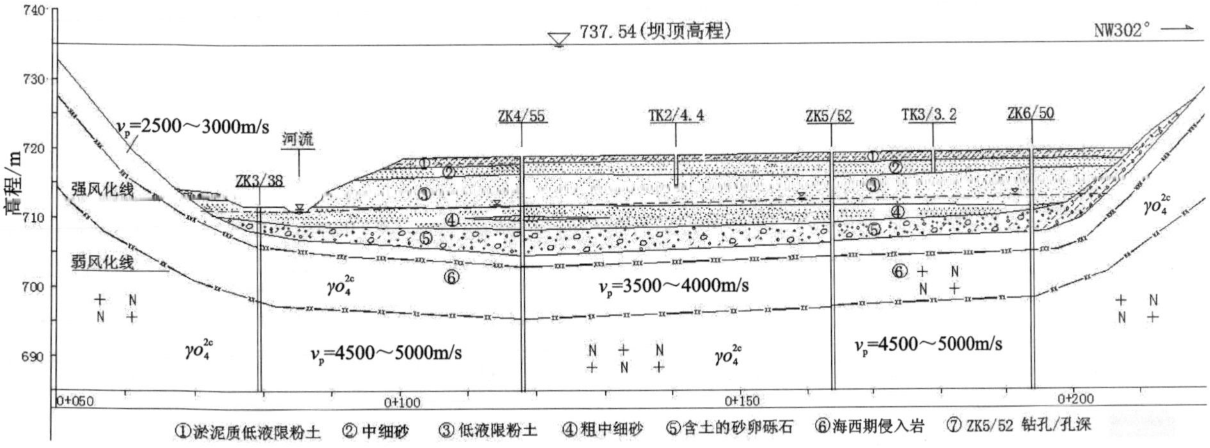

图 1 也拉曼水库坝址区工程地质横剖面图

3.2 坝基岩土物理力学参数

勘察中采取了钻探、物探和探坑的手段，现场进行了钻孔原位动探、标贯试验，各层岩土取样进行了室内物理力学试验，每层土的试验点不少于6组。岩土物理力学试验参数经过数理统计后，见表1和表2。

表1 坝基岩土物理力学参数一览表

岩石类型	干密度	孔隙比	渗透系数	液、塑限		剪切波速	
	ρ_d	e	K_{20}	W_L	W_p	v_s	v_p
	g/cm³		cm/s	%	%	m/s	m/s
淤泥质粉土	1.50	0.77	3.0×10^{-5}	33	22.8	170	300
中细砂	1.62	0.62	5.0×10^{-4}			213	450
低液限粉土	1.52	0.53	1.1×10^{-5}	35.2	18.7	160	360
中粗砂	1.74	0.44	3.0×10^{-4}			240	700
砂卵砾石	2.25	0.42	4.7×10^{-3}			480	1100

表2 坝基岩土物理力学参数一览表

岩石类型	相对密度	标贯	承载力	压缩		饱和抗剪	
	Gs		fk	αv_{1-2}	Es_{1-2}	c	Φ
		击	kPa	MPa^{-1}	MPa	kPa	(°)
淤泥质粉土	2.67	3～5	80	0.78	4.56	20.5	21.2
中细砂	2.69	4～6	120	0.38	8.43	15.5	24.1
低液限粉土	2.70	9～11	150	0.18	12.48	32.2	24.5
中粗砂	2.71	17～20	200	0.08	16.56	16.6	29.8
砂卵砾石	2.71	动探20	350	0.05	22.0	10.0	43.0

3.3 坝基岩土评价

根据前期勘察的资料，施工地质阶段进行了岩土试验的复核，物理力学指标基本相符，具体描述如下。

表层0～1.2m为淤泥质粉土，表层植被生长，岩土松软—中等密实，富含植物根系，有腐臭味，弱透水，岩土高压缩性，承载力标准值 fk=80kPa。

1.2～3.2m中细砂层，粒径组成0.5～0.25mm颗粒含量占21%，0.25～0.075mm占65%，0.075～0.005mm占11%，小于0.005mm占3%，岩土级配一般，含植物根系，有腐臭味，中等透水，中等密实，中压缩性，承载力标准值 fk=120kPa。

3.2～7.6m低液限粉土，粒径组成0.075～0.005mm的粉粒含量占71%，小于0.005mm的黏粒含量29%，弱透水，原土固结状态下，压缩试验得出中等偏密实，中等偏低压缩性，承载力标准值 fk=150kPa。

7.6～10.6m中粗砂，粒径组成2～0.5mm颗粒含量占51%，0.5～0.25mm含量占22%，0.25～0.075mm含量占17%，0.075～0.005mm的含量占8%，小于0.005mm的含量占2%，级配一般，中等透水，沉积密实，低压缩性，承载力标准值 fk=200kPa。

10.6～13.6m含土的砂卵砾石，为冰川期的产物，粒径组成大于200mm巨砾含量占18%，200～20mm砾石含量占38%，20～5mm的含量占16%，小于5mm的含量占28%，级配一般，沉积密实，中等透水，低压缩性，承载力标准值 $fk=350\text{kPa}$。

底部为斜长花岗岩，强风化厚 1.0～1.5m，弱风化厚 10m 左右。

各层岩土作为坝基的初步判定结果：①第一、二层淤泥质粉土、中细砂层分别属高、中压缩性土，且富含腐殖质，存在不均匀沉降的可能性，不满足坝基稳定要求，建议清除；②第三层低液限粉土层在原土固结状态下，属中等偏低压缩性土，由于土体抗剪强度偏低，需在匀布荷载条件下，逐渐施压排水，土体才可以达到密实，在此基础上，初选作为坝基；③中粗砂、含土的砂卵砾石为低压缩性，抗变形能力较强，满足作为坝基的条件。

3.4 地震液化判定

对第二层中细砂层以下拟选入坝基的岩土，采用颗分初判、波速初判再加复判的方法，进行地震液化论证，判别方法如下。

(1)中细砂(以该层判定方法为例，以下各层同理判定)

①地震液化初判采用两种方法进行。

a. 颗分判别法：小于 5mm 颗粒含量大于 30%的土，其中粒径小于 0.005mm 的颗粒含量质量百分率(ρ_c)相应于动峰值加速度 0.15 时，不小于 17%可判为不液化。根据颗分试验，小于 0.005mm 的含量为 3%，判定存在液化的可能性。

b. 剪切波速法：实测剪切波速大于计算值上限时，判为不液化，计算公式：

$$v_{st}=219\sqrt{K_H Z r_d} \tag{1}$$

式中：v_{st} 为上限剪切波速度(m/s)；K_H 为最大地震加速度系数，取 0.15；Z 为土层深度，取 1.0～3.0m；r_d 为深度折减系数，$Z=0$～10m，$r_d=1.0-0.01Z$；$Z=10$～20m，$r_d=1.1-0.02Z$。

计算上限剪切波速度 $v_{st}=73\text{m/s}$，小于实测剪切波速 213m/s，初判不液化。

②地震液化的复判：根据钻孔标准贯入试验，当深度 ds(m)处的饱和砂土或饱和无黏性土的标准贯入击数 $N63.5$ 值小于液化临界锤击数 N_{cr} 值时，判为液化土，否则不液化。计算公式如下：

$$N_{cr} = N_o[0.9+0.1(ds-dw)]\sqrt{\frac{3\%}{\rho_c}} \tag{2}$$

式中：N_{cr} 为液化临界锤击数；N_o 为饱和土液化临界标准贯入锤击数，取 8；ds 为贯入点深度(m)；dw 为地下水埋深(m)；ρ_c 为土的黏粒含量质量百分率(%)。

钻孔标准贯入 $N63.5=4$～6 击，小于液化临界锤击数 $N_{cr}=9$ 击，复判存在液化可能性。

(2)低液限粉土

①地震液化初判。

a. 颗分判别法：小于 0.005mm 的颗粒含量占 29%，大于 16%，初判不液化。

b. 剪切波速法：上限剪切波速 115m/s，小于实测波速 160m/s，初判不液化。

②地震液化复判。

标贯试验 $N63.5=9$～11 击，大于液化临界锤击数 $N_{cr}=9$ 击，复判不液化。

(3)中粗砂

①地震液化初判。

a. 颗分判别法：粒径小于 0.005mm 的颗粒含量 3%，小于 16%，初判存在地震液化的可能性。

b. 剪切波速法：上限剪切波速 143m/s，小于实测波速 240m/s，初判不液化。

②地震液化复判。

标贯试验 $N63.5=17$～20 击，大于液化临界锤击数 $N_{cr}=15$ 击，复判不液化。

(4)砂卵砾石

粒径<5mm的颗粒含量百分率28%,小于30%,判为不液化。

综上所述,各土层发生地震液化的判定结果是:中细砂层存在地震液化问题,低液限粉土、中粗砂、含土的砂卵砾石不存在地震液化问题。

4 坝基处理方案的提出

4.1 坝体心墙地基处理方案

坝体心墙采用大开挖的施工方式,心墙基础坐落在斜长花岗岩的基岩上,心墙下基岩做盖板后进行了帷幕灌浆,以小于5Lu为灌浆后压水试验标准。整体评价心墙地基稳定,坝基基础清基如图2所示。

图2 坝基基础清基

4.2 坝基土层处理方案

(1)坝基处理方案

在本工程的前期勘察中,投入了多组土工试验和现场原位试验,通过对室内、现场试验数据的归纳分析,对坝基下的不同岩土的力学性能及抗变形能力提供了准确的评价,采用了三种方法对地震液化进行了初判与复判,从工程地质角度提出了坝基处理的合理化建议如下。

①第一层淤泥质粉土层,厚度1.2m,抗变形能力差,作为坝基建议清除。

②第二层中细砂,厚度2m,中等密实,存在地震液化问题,岩土中含植物根系,腐烂后影响坝基的密实性,不符合坝壳料的规范要求,作为坝基建议清除。

③第三层低液限粉土层,原状土属中偏低压缩性,判定无地震液化的可能性。施工地质阶段,对低液限粉土层做了固结试验进行压密复核,采用分级加压,记录压力、试样发生压缩变形量及相应的时间,以试验为依据,通过匀布荷载、逐渐加荷排水的施工方法,在不破坏原土体结构的情况下,完成了原土体的沉降,使之达到密实状态。

④中粗砂、含土的砂卵砾石层沉积密实,为低压缩性,不存在地震液化问题,抗变形能力强,满足作

为坝基的条件。

(2)处理方案对施工组织设计的要求

施工组织设计方面,建议剥离上部3m厚的土层后,及时回填坝壳料,避免低液限粉土层的卸荷松弛后的回弹。施工中,上坝料摊铺要均匀,实行轮回碾压方案,因为多遍集中一处碾压会造成粉土层原土体剪切破坏,剪切破坏后重塑的土体,没有原土体抗剪强度峰值高。施工中要保持荷载的增长与地基强度相适应,使土层大部分沉降发生在施工阶段,保持坝体和坝基的静力与动力稳定,保障不发生过大的有害变形和不均匀沉降。

(3)处理方案的效果

设计方面采纳了地质专业对坝基处理的建议,按照此方案设计施工后,节省了大量的坝壳填筑量。水库大坝基础开挖照片见图3。

4.3 坝基处理的结果

目前也拉曼水库建成运行已有8年,安全评价报告评价:坝体、坝基稳定,未发生明显的沉降或开裂变形现象。水库运行管理单位反馈,工程运行总体良好。也拉曼水库竣工照片见图4。

图3 也拉曼水库大坝基础开挖

图4 竣工完建的也拉曼水库

5 结论

坝基第四系覆盖层较厚情况下,覆盖层能否作为土石坝坝基,重点看坝基土层不均匀沉降和地震液化的判定情况。在工程地质勘察中,侧重土工试验与野外力学试验相结合的手段,对岩土物理性能与力学参数进行统计分析,可对岩土的抗变形能力提供准确的评价,在地震液化判别方面采用初判加复判的方法更为准确可靠。本文对坝基下中压缩性粉土的预压沉降处理措施方面,有待进一步深入研究。

参考文献

李涛涛,王林,王顺.黏性重塑土不同制备方式对其抗剪强度影响的研究[J].安全与环境工程,2012(19):153.

王秀平,于志刚,浅议土石坝的地基处理[J].企业导报,2012(14):274.

云南团结水库软岩—硬土坝基处理研讨

张新　陈厚军

新疆兵团勘测设计院(集团)有限责任公司,新疆 乌鲁木齐　830002

摘　要:本文以云南团结水库坝体工程为研究背景,通过室内外试验以及原位试验,获得了坝址区基岩的物理力学特性指标。针对坝基的沉降变形稳定、抗滑移稳定、渗流稳定等问题进行了计算分析,提出了坝基置换方案、振冲碎石桩方案、混凝土框格梁等方案,并对以上3种方案进行了比选,确定混凝土框格梁为优选方案。

关键词:坝基处理　力学试验　稳定分析

1　工程概况

团结水库位于云南省耿马傣族佤族自治县南木老河出山口下游约2.0km处,是南木老河上一座以灌溉为主兼水产养殖的控制性水利工程。该工程由引水工程、枢纽工程、灌区工程三部分组成,属中型Ⅲ等工程。其中枢纽工程中的拦河大坝,坝顶长度855m,最大坝高54m,水库库容2220万m^3,初步设计阶段批准的坝型为黏土心墙坝,大坝设防烈度为Ⅷ度。

2　工程地质条件

工程区位于横断山系南段耿马盆地北缘,构造单元上位于昌宁-孟连褶皱带内的耿马弧形褶皱束中部。区内总体地势东北高、西南低,河流走向多与构造线近垂直。受构造影响,大山之间形成断陷盆地。

耿马盆地属低中山区,坡顶高程1200～1300m,相对高差50～100m,地形起伏不大,河谷形态呈宽浅"U"形。盆地内在古生界和中生界基底上接受中新世(N_1)沉积,岩性为灰色、浅灰色黏土岩、粉砂质黏土岩,局部夹砾岩、砂岩透镜体及煤线,多为薄层状,局部为中厚层状。地质构造极不发育,受新构造运动影响,地层总体向南微倾1°～5°。盆地内地下水类型为孔隙潜水,分布在第四系残坡积土层,受大气降雨或灌溉水补给,以泉水形式向河流排泄,南木老河为最低排泄基准面。

3　坝基黏土岩工程地质特性研究

3.1　沉积环境及岩性特征

耿马盆地是在古生界和中生界基底上接受新近系沉积,包括中新统耿马组和上新统芒棒组,盆地新近系地层的构造、沉积特征,将其构造—沉积演化分为5个阶段:即断陷初期快速张陷强烈超补偿阶段、

作者简介

张新(1975—),男,高级工程师,主要从事工程地质研究.E-mail:497644012@qq.com

断陷早期快速张陷欠补偿—基底回升阶段、断陷中期快速张陷欠补偿阶段、断陷晚期快速张陷补偿阶段和断陷晚期萎缩超补偿阶段。而研究区的软岩硬土沉积时期为断陷初期快速张陷强烈超补偿阶段、断陷早期快速张陷欠补偿—基底回升阶段、断陷中期快速张陷欠补偿阶段。

极软岩在沉积过程中，沉积动力学特征和沉积环境特征直接决定了极软岩的物质组成、结构构造，并进而决定了极软岩工程地质特性。对于一套粒度组成上由粗到细的完整沉积旋回，岩石中的泥质成分含量也具有由少到多的变化，相应的沉积动力学就是水动力强烈到水动力稳定。而岩石中的胶结物质也受气候和水动力环境的改变而发生变化。岩石粒度组成、泥质成分含量的变化以及胶结物质的变化，也就决定了结构构造特征。

研究区主要地层特征如下：产状 30°～35°NW∠1°～5°，呈灰色、浅灰色，岩性为黏土岩、粉砂质黏土岩，局部夹有成岩较差的砾岩、砂岩、粉细砂透镜体及煤线。泥质含量较高时，多为薄层状，砂质含量较高时多以块状、厚层状为主。研究区范围内岩性岩相变化较大，纵向和横向岩相变化明显，沉积韵律清晰，总体属于干燥气候区、山间断陷盆地类型细碎屑沉积岩建造。耿马盆地地质剖面见图 1。

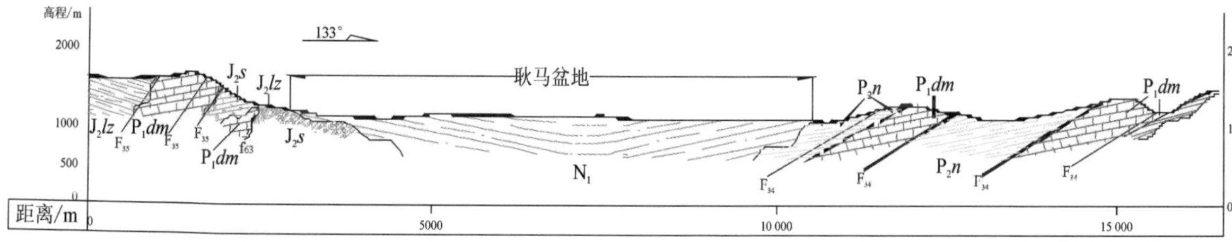

图 1　耿马盆地地质剖面图

3.2　物理力学特征

综合确定新近系地层的物理力学指标，除取样进行室内试验外，还进行了原位测试。室内试验包括液塑限、压缩、剪切等。原位测试包括静力触探、标准贯入试验、静载试验、现场剪切试验、岩土波速测试等。

(1)岩块试验(按岩石考虑)

坝址区基岩为以新近系陆相沉积为主的细碎屑沉积岩，岩性为黏土岩、粉砂质黏土岩，局部夹有成岩较差的砾岩、砂岩、粉细砂层透镜体及煤线，灰色、浅灰色，极薄—薄层状构造，产状 30°～35°NW∠1°～5°。室内岩块试验共计 18 组，无侧限单轴抗压强度最大值为 4.8MPa，最小值为 0.88MPa，平均值2.1MPa，小值平均值 1.2MPa，属极软岩，岩体强度低，饱和状态强度更低。该层在开挖过程中可采用机械及人工掘进，为典型的软岩—硬土过渡型地层。

(2)土工试验(按土体考虑)

对 18 组岩芯样品按土工试验方法进行试验(定名：黏土岩对应低液限黏土或高液限黏土，粉砂质黏土岩对应含砂低液限黏土)，物理性质见表 1、力学性质见表 2，浸水后(饱和)压缩、剪切试验成果见表 3。

表1　新近系黏土岩、粉砂质黏土岩物理性质汇总表

岩性	试验组数	统计值	天然状态					界限含水率			
			密度	含水率	比重	孔隙比	饱和度	液限	塑限	塑性指数	液性指数
			ρ	ω	Gs	e	Sr	W_L	W_p	I_P	I_L
			(g/cm³)	(%)			(%)	(%)	(%)		
低液限黏土	10	最大值	2.12	24.2	2.77	0.67	100	64.6	30.9	33.7	0.16
		最小值	1.98	17.9	2.71	0.529	80	36.1	18.2	16.2	−0.62
		平均值	2.06	19.5	2.74	0.592	90.2	48.2	26.1	22.1	−0.2
含砂低液限黏土	5	最大值	2.16	19.3	2.76	0.582	93.7	48.4	32.2	23.5	0.16
		最小值	2.02	13.7	2.64	0.434	82.7	30.7	16	9	−1.09
		平均值	2.09	15.8	2.7	0.491	86.6	38.2	23.3	14.9	−0.35

表2　新近系黏土岩、粉砂质黏土岩力学性质汇总表

岩性	试验组数	统计值	饱和度	压缩试验(非浸水)		剪切试验(非浸水)	
				压缩系数	压缩模量	内摩擦角	黏聚力
			Sr	a_v	E_S	φ	C
			(%)	MPa⁻¹	MPa	(°)	kPa
低液限黏土	10	最大值	95.6	0.19	30.7	24.4	89.7
		最小值	78	0.05	8.8	16.7	17
		平均值	88.5	0.11	17.8	20.5	45.1
		标准值	88.5	0.11	17.8	17.8	30.2
含砂低液限黏土	5	最大值	93.7	0.15	51.5	28.1	99.7
		最小值	85.4	0.03	10.4	21.6	56.7
		平均值	87.5	0.08	25.6	24.4	73.9
		标准值	87.5	0.12	19.1	22.5	61

表3　新近系地层饱和压缩、剪切试验成果汇总表

试验组数	统计值	试验条件		压缩试验(饱和)(0.1～0.2MPa)		剪切试验(饱和固结快剪)	
		干密度	含水率	压缩系数	压缩模量	内摩擦角	凝聚力
		ρ_d	W_{op}	a_V	E_S	φ	C
		g/cm³	%	MPa⁻¹	MPa	(°)	kPa
6	最大值	1.85	29.7	0.287	18.9	30.4	100
	最小值	1.43	15	0.086	6.2	15.5	12
	平均值	1.68	21.1	0.206	9.4	19.5	34
	标准值	1.71	20.4	0.23	7.5	16.4	16.7

(3)静力触探试验

静力触探是指利用压力装置将有触探头的触探杆压入试验土层，通过量测系统测土的贯入阻力，可确定土的某些基本物理力学特性，如土的压缩模量、土的容许承载力等。静力触探试验确定坝址区左、右岸岩体力学指标见表4。其中，承载力与标准贯入试验关系的公式为 $f_0=0.1ps$；压缩模量与标准贯入试验关系的公式为 $E_s=3.72ps+1.26$。

表4　静力触探试验确定的坝址区左、右岸岩体力学指标表

试验类型	分析项目	左岸	右岸
静力触探试验成果分析	比贯入阻力 ps/MPa	4.49	3.12
	承载力基本值 f_0/kPa	449	312
	压缩模量 E_s/MPa	18.0	12.9
	压缩性	低	中

(4)载荷试验

根据载荷试验成果，采用极限承载力的小值及平均值除以安全系数1.5与比例界限值进行对比分析，同时根据标准贯入试验、静力触探成果和室内试验成果分析，综合确定该层上部5m的天然状态下承载力建议值330kPa、饱和状态下承载力建议值260kPa。

(5)剪切试验

本研究针对左岸开挖的BTK2、BTK47和右岸开挖的BTK13、BTK20四个探坑内进行原位剪切试验，每个探坑内分别进行天然和浸水后的原位试验。天然状态下、浸水饱和后抗剪断强度分别为 f' 为0.269～0.302、0.191～0.265，C' 为15.0～23.0kPa、13.0～31.0kPa，抗剪强度分别为 φ 为13.9°～16.4°、9.8°～12.0°，c 为13.0～18.0kPa、11～28kPa。天然状态下、饱和状态后抗剪断强度平均值分别为 f' 为0.291、0.229，C' 为19.7kPa、18.0kPa，抗剪强度分别为 $\varphi=15.0°$、11.1°，$c=15.7$kPa、16.0kPa。根据室内试验及原位剪切试验成果综合确定，对新近系地层5m以内的层面抗剪强度提出以下建议值：天然状态下抗剪断强度 $f'=0.29$，$C'=20$kPa，抗剪强度 $f=0.21$，$\varphi=12.0°$，$c=19$kPa；浸水饱和后抗剪断强度 $f'=0.20$，$C'=14$kPa，抗剪强度 $f=0.19$，$\varphi=10.8°$，$c=12.0$kPa。

4　坝基沉降变形稳定计算分析

4.1　地基承载力

地基土变形发展经历三个阶段，即压密阶段、剪切阶段及破坏阶段，临界荷载是指土的塑性变形区范围随着上覆荷载的增加而不断发展到不同深度时的荷载。通过12－12′、16－16′、19－19′剖面计算土体变形区，根据最大荷载点16B计算土体的临塑、临界荷载和极限荷载。

土的塑性区范围公式：

$$z=\frac{p-\gamma D}{\gamma\pi}\left(\frac{\sin2\alpha}{\sin\varphi}-2\alpha\right)-\frac{c\cdot \mathrm{ctg}\varphi}{\gamma}-D \tag{1}$$

临塑荷载计算公式：

$$p_{cr}=N_q\gamma D+N_c c \tag{2}$$

临界荷载：

$$p_{1/4}=N_r\gamma B+N_q\gamma D+N_c c \tag{3}$$

式中：p 为基础底部荷载；p_{cr} 为临塑荷载；$p_{1/4}$ 为临界荷载；γ 为土的重度；D 为基础开挖深；2α 为某点到基础的假定视角；φ 为摩擦角；c 为黏聚力；N_r、N_q、N_c 为承载力系数，只与土体摩擦角有关，分别取值 0.3。

坝基土塑性变形区计算结果：坝体塑性变形区最深 18.8m，最大荷载点 16B 的临塑荷载 p_{cr} = 626kPa，临界荷载 $p_{1/4}$ = 2103kPa，临界荷载大于上覆荷载 1091.9kPa，故地基承载力满足要求。

4.2 坝基沉降

坝基沉降主要是由于土体压缩而引起竖向方向的位移，新近系黏土岩、粉砂质黏土岩具有低—中等压缩，具备可压缩条件。本次采用分层总和法进行计算，总沉降量 s 为各分层土竖向压缩量 s_i 之和，计算深度为坝体附加应力等于坝基自重竖向应力 20%的深处，计算公式如下：

土的总压缩量

$$s = \sum_{i=1}^{n} \Delta s_i \tag{4}$$

各分层土的压缩量

$$\Delta s_i = \frac{\Delta p_i}{E_{si}} H_i \tag{5}$$

式中：s 为竖向集中力总沉降量；μ 为泊松比，取值 0.31；H_i 为第 i 层土的厚度，取值 1m；Δs_i 为各分层土压缩量；Δp_i 为上下两层土附加应力平均值(第 i 层中心点附加应力)；E_{si} 为第 i 分层土的压缩模量。

根据计算结果：最高坝段心墙处沉降量最大，达到 880mm，1/2 坝高段沉降量 267mm，约为最大坝高沉降量的 3/10。代表剖面坝基沉降量见图 2。

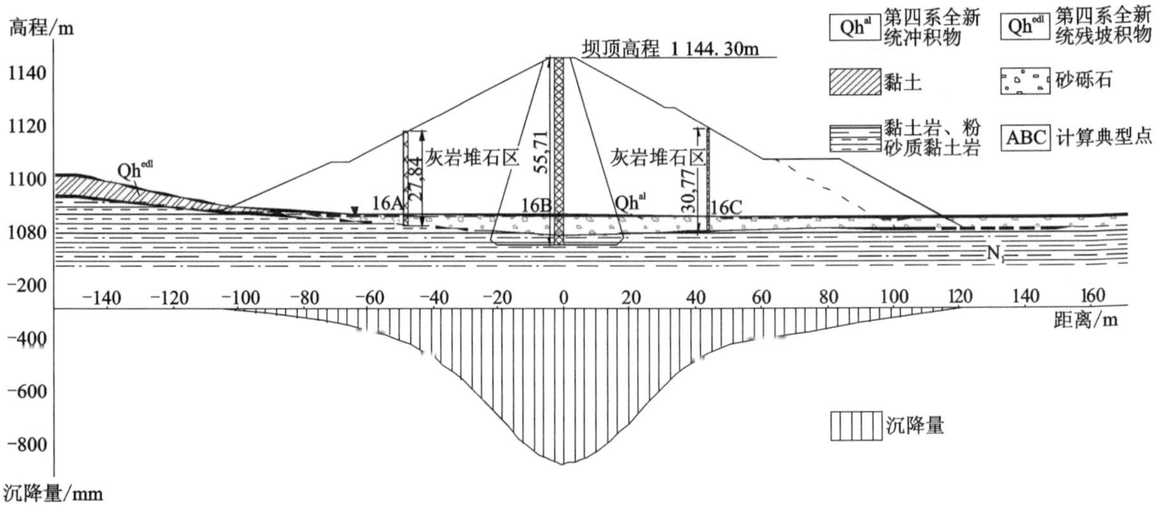

图 2 代表剖面坝基沉降量图

5 坝基抗滑稳定计算分析

坝基抗滑稳定问题主要表现在：薄层状的极软岩地基强度低、变形大，在坝基接触面以下的岩体中，混凝土与岩体接触部位可能发生泥化现象，可产生沿层面的岩层溃屈引起的滑动；砂泥岩互层的岩体中，往往因发育软弱夹层，而产生沿软弱夹层与其结构面组合形成的深层抗滑稳定问题。分析方法采用简化 bishop 法，计算时考虑施工期、正常蓄水期(稳定渗流期)、正常蓄水(稳定渗流)+地震(地震设防烈度Ⅷ度)和降水位期四种工况。

根据3条剖面的抗滑稳定性验算结果:坝前坡多在施工期、正常蓄水期、降水位期安全系数满足规范要求,坝后坡多在施工期、降水期安全系数满足规范要求。前坡正常蓄水期+地震工况、后坡正常蓄水位及正常蓄水期+地震工况不满足安全要求,需提高坝基抗滑稳定或提高坝基抗剪强度。

6 坝基渗流稳定分析

6.1 渗透变形问题

极软岩坝基渗透变形破坏一般由以下2种原因造成:由于黏土岩具有膨胀性,特别是在无约束情况下,或其膨胀压力大于建筑物荷载时,膨胀开裂,特别是失水干裂后水流将从裂缝中带走软化后的细颗粒,形成渗透通道并可能引起渗透变形。由于新近系夹有成岩较差、胶结程度较差的砾岩、砂岩、粉细砂层透镜体等软弱夹层,其层厚分布不稳定,多分布于上下两层黏土岩(相对不透水层)之间,易形成承压水含水层,该层属中等透水层,在坝后出露时易形成渗漏通道引起渗透变形,且地下水易通过夹层下渗软化泥岩,形成软弱面。

6.2 岩体流变性问题

对于软弱岩石以及含有泥质充填物和夹层破碎带的岩体,其流变特性是非常显著的,在工程实践中经常会遇到岩体变形随时间而增长变化的现象。极软岩生成时代新,成岩作用差,波速低、变模小、流变特性明显,严重影响工程的稳定性。软岩的流变性是指软岩受力变形过程中与时间有关,包括塑性流动,黏性流动,结构面闭合和滑移变形。膨胀性软岩主要是泥质矿物发生黏性流动在工程力作用下,达到一定极限后,开始塑性变形节理化,软岩流变性主要指结构面的扩容和滑移高应力,软岩流变性多为诸形式的不同组合。岩石变形在应力状态不变的情况下不断增长,处于蠕变状态或在约束变形条件下,极软岩的强度随时间变化而降低。除了弹性变形外,岩石变形不是瞬时完成的,它与时间有密切关系。当应力不变时,岩石应变随时间延续而增长,当应变保持不变时,应力随时间延续而减少。前一现象称为蠕变,后一现象称为松弛。

6.3 岩体软化、泥化问题

新近系黏土岩、粉砂质黏土岩呈硬塑—坚硬状,其矿物成分决定了其遇水易软化、膨胀、泥化,由于高岭石、伊/蒙混层等黏土矿物颗粒小、亲水性强,当水与开挖面接触后细小岩粒的吸附水膜便会增厚,部分胶结物会被软化或溶解,从而引起颗粒的崩裂解体和体积膨胀。特别当黏土岩历经浸水—失水—再遇水这样的过程时,黏土岩的崩解过程就表现得更为迅速。由于新近系黏土岩、粉砂质黏土岩透水性弱且节理不发育,自由水无通道进入下部岩体内部,因此软化、泥化问题存在于浅表层。

考虑黏土岩长期的泥化、软化作用,及大坝的渗流安全,应按土体进行必要的防渗墙设计。

7 坝基处理方案研究

根据以上对各种措施的论述,结合本工程的地层岩性,以推荐坝型—黏土心墙堆石坝为例,采取以下三种地基处理方式,进行技术经济比选。

(1)方案一:坝基置换方案,将坝壳基础黏土岩用灰岩料进行置换,提高坝基土的抗剪强度,主要有以下几个置换方案。

①黏土心墙基础：黏土心墙基础伸入黏土岩层2～3m。

②坝壳料基础处理方案：20m以上段坝壳基础处理方案为河床卵石混合土区域清除1m松散层，在心墙上下游黏土岩置换宽度20m、30m、40m，置换深度5m、10m，其余坝壳基础不置换；20m以上段坝壳基础处理方案为河床卵石混合土全部清除，心墙上下游黏土岩置换宽度20m、30m、40m，置换深度5m、10m，其余坝壳基础黏土岩置换深度5m；上游设置50m压重，下游设置50m～80m压重；20m以下低坝段心墙两侧坝壳基础布置了3m、5m、8m三种置换方案，将黏土岩置换为灰岩料，通过计算分析，至少置换5m才能满足抗滑稳定要求。

通过计算分析，在黏土心墙上下游附近应力较大区域，由于坝基为软基，滑弧深度较大，如果置换深度小于10m，对抗滑稳定所起作用较小，而且仅采用置换方案，仍不能满足地震工况下的抗滑稳定要求，还需在上下游设置一定长度的压重。

(2)方案二：振冲碎石桩方案，河床部位卵石混合土只清除表层1m，本方案为了提高坝基黏土岩的抗剪强度，在高坝段心墙上下游一定范围内布置振冲碎石桩；在岸坡低坝段心墙上下游坝壳基础将一定深度黏土岩置换为灰岩料。

黏土心墙基础处理：黏土心墙基础伸入黏土岩层2～3m。

坝壳基础处理：20m以上段坝壳基础处理拟定了黏土心墙上下游20m、30m、40m三种碎石桩布置宽度，30%、40%、50%三种置换率，15m、20m两种桩深，通过试算及比选，采用上下游布置各30m宽、置换率40%、桩深15m这一组合方案。振冲碎石桩顶面布置30cm厚砂石垫层。20m以下低坝段心墙两侧坝壳基础处理同方案一的推荐方案。

(3)方案三：混凝土框格梁方案，坝壳基础表层残坡积黏土及冲积卵石混合土进行清废，下部黏土岩采用地下混凝土框格梁加固，总体提高坝基抗滑稳定性。

黏土心墙基础处理：黏土心墙基础伸入黏土岩层2～3m。

坝壳基础处理：主要在坝基河床段，平行坝轴线以及顺河流方向布置纵横交错的地下混凝土框格梁，纵横框格梁交接处配钢筋。共设置32个排列，排列间距为20～40m，混凝土框格梁厚度为1.0m，深度5～12m，平均深度约8.0m。框格梁施工完成，直接进行坝壳填筑。

8 方案比较

方案一采用置换方案，优点是施工简单，工期短，可以有效提高坝基的承载力及抗剪强度，可以减少坝基的沉降量；开挖的黏土岩可用于防渗土料，不用再从料场取料；可以分区施工，基础处理可分三期进行，第一期是河床段上游部分，第二期是河床段下游部分；第三期是岸坡段部分。缺点是基坑深度较大，需要加强排水。

方案二的优点是开挖量少，可有效提高坝基承载力和抗剪强度，弃料少；缺点是振冲碎石桩数量大，施工期长，在有限的工作区内施工进度受限；重型机械在挖深5m的软基上施工，难度较大；由于坝肩黏土岩成层状，碎石桩在振冲过程中会对桩间黏土的物理力学性质产生不利的改变，导致黏结力降低。

方案三的优点是开挖量少，可有效提高坝基承载力和抗剪强度，弃料少，框格梁施工控制简单、并可有效保护框格梁之间土体受应力条件和地下渗流作用的改变而产生的破坏；缺点是框格梁施工面积大，施工期长。

综合方案比较，确定方案三为推荐方案。

9 结语

软岩—硬土是成因作用很弱的特殊岩土体，工程建设领域涉及不多，但其对工程实施产生的影响、对工程设计方案的确定影响很大。要充分认识特殊岩土体的工程特性，针对其缺陷及其对工程建设的制约因素，制定针对性的处理方案，做到因“地”制宜。

通过对团结水库坝基的新近系黏土岩的物理力学特性的研究，无论按岩体或土体研究，其物理性参数指标差异很小；其承载变形参数指标，受风化作用影响较明显，上部一定厚度的岩土体层状结构破坏，力学特征指标接近土体经验值，而下部岩体偏岩体经验值；其抗剪强度参数指标，考虑极薄层状结构的特征，水库运行状态下，坝基可能产生泥化夹层大大降低岩土体的强度指标，应按现场原位试验确定。

结合坝基沉降变形计算、抗滑稳定计算、渗流稳定分析，团结水库坝基处理方案确定按混凝土框格梁方案实施，目前正处于坝体填筑阶段。通过施工期监测表明，坝基坝体沉降变形在设计允许范围内，工程有待下闸蓄水考验。

工程建设中，合理的地基处理方案应综合考虑可靠的技术设计方案、可行的技术施工方案、可控的工程建设投资、可知的施工周期及安全风险几方面的内容。对软岩－硬土这类特殊地质体的处理，应开展现场生产性试验进行有效控制，再进行大规模正式施工。

参考文献

陈德基，司富安，蔡耀军，等.水利水电工程地质勘察规范：GB 50487—2008[S].北京：中国计划出版社，2009.

深埋长隧洞工程地质

前海深隧项目矿山和盾构隧洞地质勘察差异的分析研究

刘士虎

深圳市水务规划设计院股份有限公司,广东 深圳 518000

摘 要:本文以典型工程为例,总结了在特定地质结构条件下,不同的隧洞施工工法在前期勘察方案确定、后期资料整理和分析评价中的主要差异之处,以及容易出现的偏差等方面的经验,希望能对从事类似工程地质勘察工作的人员提供借鉴。

关键词:深层排水隧洞 盾构法 矿山法 勘察要点 分析评价

1 引言

近些年我国一些大城市陆续开始大量修建城市地铁线路工程,少量沿海大都市也开始修建深层排洪隧洞等项目,建成区隧洞(道)工程地质勘察与郊区、山岭隧洞(道)存在着显著差别,除了勘察外业作业受多种条件限制(作业场地、地上地下管线、地铁、轻轨、建筑物、构筑物、环境等)外,更存在着周边环境因素限制了隧洞平面线位、竖向洞身埋深、隧洞施工工法等的选择,往往为了满足环境因素需要,而采用与地质条件适宜性差的隧洞线位和施工工法,这就造成了结构受力复杂、稳定性差、施工难度大、风险性高等系列问题,为了能在前期有效预测、施工中有效控制和减少此类问题的发生,参建各方对工程地质勘察资料的勘察深度和广度比常规类似项目提出了更高的要求,同时也给地质勘察工作者带来了挑战及机遇,下面以深圳市前海自贸区的一项隧洞工程勘察为例,对类似工程地质勘察、分析和评价的重点与建议论述如下。

2 工程设计概况

某深层排水深隧系统工程位于深圳市近海一条主要市政道路旁,工程主要建设内容:深层排水隧道3.74km(内径6.0m,外径6.7m),埋深40～45m,含5座进水竖井(圆形,Φ为10～21.6m,井深43～46m);3条连接原水系的进水接驳工程(含竖井、支隧洞及预处理站,支隧洞长度分别为194m、167m、413m),枢纽泵站1座(排涝规模为86m^3/s,初小雨提升规模为10万m^2/d,圆形,Φ为100m,基坑最深处53m),初雨转输专管工程3.79km(管径为DN800—DN1000mm),埋深小于5m(图1)。

作者简介

刘士虎(1978—),男,高级工程师,主要从事水利水电、市政、建筑等方面工作.E-mail:liush@swpdi.com

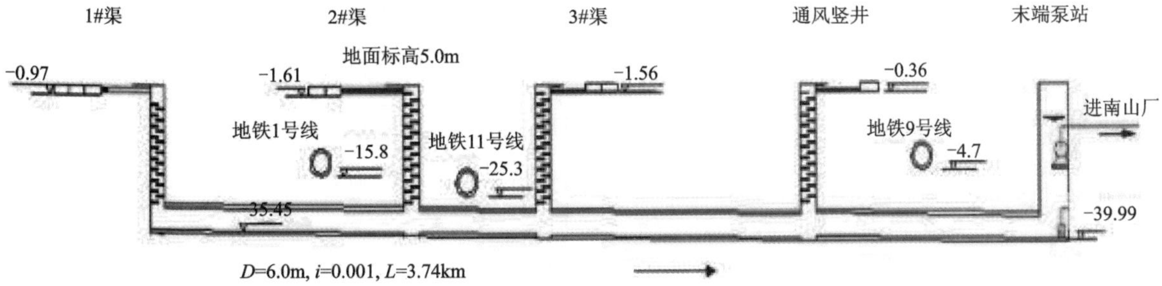

图 1 工程排水系统图

3 工程地质概况

3.1 地形地貌

场地原始地貌为滨海滩涂，后因城市扩建而填海造地，场地高程一般在 4～7m，整体地势总体上较为平坦，局部稍有起伏。场地现状主要为市政绿地，少量交叉市政道路，大量地下管线和多条垂直下穿的地铁线路，地下环境非常复杂。

3.2 地层岩性

场地地层由第四系人工堆积物、冲积物、残积物、燕山四期黑云母花岗岩和蓟县系—青白口系银湖群变质岩（混合花岗岩、变粒岩）风化岩等组成，各地层厚度及特征分述如下。

(1)第四系人工堆积物(Qh^s)(①)：广泛分布于场地表层，分布连续，为本场地上部主要地层，堆填年限均超过 10 年。填土成分杂乱，分布规律性差，总体上可分为以下几大类：黏性素填土（含碎、块石）、填石、建筑垃圾杂填土，局部混杂生活垃圾，其中以含碎块石素填土分布最广，其次为填石，杂填土分布最少，多为松散状，干—湿，成分杂乱、均匀性和密实性差，物理力学性质差，为不良地层，层厚 4.2～9m。

(2)第四系海积相淤泥、淤泥质土(Qh^m)(②)：分布较广泛、较连续，局部缺失。软土已经历了超 10 年的上覆填土堆载作用，物理力学性质较原始状态明显改善。灰色、深灰色，湿，流塑，少量软塑，有机质含量一般小于 5%，有臭味，底部含大量贝壳碎片或砂砾，局部相变为淤泥质砂，层厚 0.7～7.0m。

(3)第四系冲洪积层(Qh^{al+pl})(③)：场地内分布广泛、连续，仅局部缺失。根据钻探揭露情况，冲洪积层主要为黏性土（粉质黏土和砂质黏土）、黏土质砂、粗砂（局部相变为淤泥质砂）和砾砂，以粗砂为主。

黏性土（粉质黏土和砂质黏土）(③-1)：局部分布，呈透镜状，浅黄色、棕红色，湿，可塑状，局部含砂较多，呈黏土质砂或砂夹层，层厚 0.4～5.7m。

淤泥质黏土(③-2)：局部分布，呈透镜体状，灰色，湿，软塑，味臭，底部含较多粗砂，层厚 0.5～4.2m。

细砂(③-3)：局部分布，呈透镜体状，褐红色、灰白色，饱和，松散，岩芯不成形，局部夹黏土薄层，层厚 0.7～2.3m。

粗砂(③-4)：分布较广泛，灰白色、灰黄色、灰色、褐黄色，饱和，松散状，多含有黏粒，含量 5%～30%，岩芯成形，局部呈散体状，局部相变为淤泥质砂，层厚 0.5～6.9m。

砾砂(③-5)：局部分布，灰白色、褐黄色，饱和，松散—稍密，部分地段黏粒含量较高，呈黏土质砂状，具可塑性，一般下部黏粒含量小，岩芯多不能成形。砾径一般在 2～4mm，稍圆状，石英质，底部多含一些直径 1～6cm 的砾石，层厚 0.8～8.3m。

(4)第四系残积层(④):区内分布广泛、连续,局部缺失,灰白色、褐黄色、棕红色,湿,可塑—硬塑,局部软塑状,为花岗岩或混合花岗岩风化残积而成,呈砂质黏性土和砾质黏性土,局部夹石英脉,层厚0.4～30m。

(5)燕山四期黑云母花岗岩($\gamma_5^{3(1)}$)(⑤):分布于工程区北部和东部,大致以学府路为界,以北为花岗岩地区,以南为混合花岗岩。岩石成分及含量:正长石50%～55%,斜长石12%,石英32%～35%,云母5%～7%,其他副矿物1%～3%,长英矿物颗粒粒度大小多在1～3mm之间,黑云母粒度大多在0.05～1mm之间,基岩多已风化为全—微风化岩,差异风化显著,"球状"风化现象较普遍,岩体受构造影响轻,基本上未受构造挤压影响,岩体完整性好。

(6)蓟县系—青白口系变质岩(Jx—QbY):分布在大小铲湾、孖洲(东、西洲)和小南山区域一带,该地层分布于工程区中南部(学府路以南),主要为灰色、浅肉红色细中粒斑状黑云母片麻状混合花岗岩,局部受区域变质影响常见变粒岩、石英岩、片麻岩及"石英核"残留体或残影体,矿物成分及含量:正长石48%～66%,斜长石0～60%,石英2%～40%,云母2%～17%,其他1%～3%,矿物粒度0.1～3mm,以细粒为主。基岩面起伏较大,岩石风化较强烈,风化带较厚,一般风化为全—弱风化岩,受构造影响显著,岩体普遍破碎,节理裂隙发育—极发育,裂隙多闭合—微张,钙质胶结,少量裂隙张开夹泥,挤压擦痕明显,岩体强度受动力挤压也出现降低现象。岩石完整性统计见表1,岩石强度统计见表2。

表1 岩石完整性统计表

岩性	统计	强风化(块状)		弱风化(上带)		弱风化(下带)		微风化	
		采取率/%	RQD/%	采取率/%	RQD/%	采取率/%	RQD/%	采取率/%	RQD/%
花岗岩	最大值	72.73	15	98	79.95	100	96	100	98
	最小值	21.74	0	43.7	0	33	0	85	24
	平均值	44.25	1.67	69.86	28.63	83.37	48.15	95.25	79.35
	完整程度		极破碎		破碎		较破碎		较完整
混合花岗岩(变质)	最大值	100	37.22	148.87	76	128.57	83.33	100	87
	最小值	0	0	21.74	0	26.67	0	23.18	0
	平均值	65.02	2.24	67.79	13.28	76.63	23.78	82.64	31.98
	完整程度		极破碎		极破碎		极破碎		破碎

表2 岩石强度统计表

岩性	风化程度	最大值		最小值		平均值	
		干燥	饱和	干燥	饱和	干燥	饱和
花岗岩	弱上	20.43	57.24	18.54	16.43	19.48	32.7
	弱下	110.98	109.95	51.97	11.47	80.39	71.17
	微风化	129.84	118.53	68.87	61.99	100.82	94.8
混合花岗岩	弱上	78.97	82.33	6.07	3.14	42.39	25.94
	弱下	122.38	115.7	18.54	12.93	73.02	57.66
	微风化	136.28	132.05	30.52	23.74	87.75	78.74

3.3 地层构造

场地内地质构造主要为断裂构造，本场地主要受北西向蛇口断裂带-太子山断裂组(F3133、F3131)和北东向安托山-赤湾断裂束-赤湾断裂组(F1317、F1318)等构造影响，其中已北西向断裂影响最显著、最广泛，如太子山断裂组。

3.4 水文地质

场地地下水类型主要为松散岩类孔隙潜水、孔隙微承压水和基岩裂隙水。

松散岩类孔隙水赋存于填土层内，现状主要接受降雨和地下渗流补给，局部地段接受地表水(十二号路渠、桂庙渠、二号渠)补给，受填土成分及密实度影响水量极其不均，水量一般较丰富，局部较贫乏，排泄方式主要为蒸发和地下渗流，局部排泄于地表水系。地下水埋深1.17～6.4m。

孔隙微承压水赋存于冲积砂层内，主要为地下侧向渗流和上覆孔隙潜水越流补给，地下水较丰富，以地下渗流方式经孔隙排泄于低洼处，具微承压性，承压水头低，均未超过潜水水位。

基岩裂隙水主要赋存于下部强风化岩(块状)—弱风化花岗岩风化裂隙和部分张开的断裂构造裂隙内，现状主要接受上覆孔隙潜水越流补给和地下侧向径流补给，陆地区域突出地面的裸露岩体直接接受降雨补给，处于海域水下的局部构造发育区或工程影响区(沿江高速桩基、工程钻探等)的基岩裂隙水尚一定程度上接受海水补给，水量较丰富，以地下径流方式经裂隙排泄于低洼处，基岩裂隙水具承压性，承压水水位一般位于现状地表下4～7m。

3.5 不良地质作用和特殊土

场地内未发现岩溶、危岩、崩塌、滑坡、泥石流、采空区和地面沉降等不良地质作用。主要存在的不良地质作用为砂土液化、软土震陷和差异风化(球状风化、槽或囊状风化)。

场地特殊性岩土主要为填土、软土、残积土和风化岩。

4 工程特点分析总结

根据场地地形地貌、地层岩性、地质构造、水文地质、周边环境和拟建隧洞特征(埋深、结构尺寸)等对本项目的主要特点归纳总结如下。

(1)现状地面总体较平整(地面高程4～7m)，但下伏原始风化地貌(即残积土顶面)起伏较大(高程−13.44～1.44m)。

(2)基岩面及各风化带起伏频繁，且落差较大(基岩面高程−41.76～−13.44m，高差达28.32m)。

(3)工程区中南部区段不同规模的断裂构造十分发育，导致岩体强度、完整性、风化程度和富水性存在显著差异。

(4)隧洞附近的基岩裂隙承压水水量丰富，且水质严重海浸，腐蚀性强(Cl含量可达16 917.63mg/L)。

(5)地下各类管线、地铁(3条地铁横穿)等地下埋藏物多，地下环境十分复杂。

(6)受末端提升泵站、沿线地铁线路等的限制，隧洞线位所在高程的围岩类别变化复杂(按洞身地层类型划分为岩洞占70%(33段)、岩土混合洞占21%(5段)、土洞占9%(2段))，围岩性质差(按洞顶围岩划分Ⅱ～Ⅲ类约4%，Ⅲ类约14%，Ⅲ～Ⅳ类约6%，Ⅳ类约11%，Ⅳ～Ⅴ类约3%，Ⅴ类约62%，即约80%洞段为Ⅴ～Ⅳ类围岩)。

(7)受现有运行地铁的近接影响和隧洞长度限制(有4段短支隧，长度15～200m)，隧洞施工工法存在多样性(矿山、盾构)。

5 不同工法下的隧洞工程勘察、分析和评价的要点分析

5.1 勘察要点

不同的隧洞施工工法对地质的要求存在较大的区别,尤其是在洞身及应力释放范围内地质变化复杂的情况下,如不能有效查清各工法关注的特有地质问题,往往使工程在进度、质量、成本和安全等方面失控。现结合本工程实例,对隧洞各施工工法在地质方面的主要关注点差异分析总结如下(以下主要针对本项目以岩石为主的特有地层结构和拟选用的复合式盾构,非常规掘软弱地层的盾构和全硬质岩石的TBM)。

(1)勘察重点调查和工作布置区域存在较大差异。矿山法需要重点调查隧洞围岩区域,勘察点一般交叉布置于洞身两侧外一定范围内(如3~5m),掌子面所在的洞身范围往往不布置勘察工作或布置很少。盾构法除围岩区域布置同矿山法相同的勘察工作外,对洞身掘进范围也要布置大量的勘察工作(或施工超前钻探),准确查明掘进地层的分布情况和物理力学特性(强度、完整性、耐磨性)。

(2)岩石样品取样位置存在较大差异。矿山法岩石样品主要在洞身两侧的围岩范围内选取(一般在洞上、洞身、洞下等位置,非实际洞身及上下,仅分布高程范围相同而已)。

盾构法除同矿山法取样外,尚应在实际的洞身范围取样,真实、有效、准确的控制整个洞身掌子面范围的岩石强度变化情况(宜给出岩石强度包络线)。

(3)岩石样品取样多少存在较大差异。矿山法多采用爆破法开挖岩石,致使其对岩石强度的准确度要求比较低,只需满足5类岩石强度(坚硬岩、较坚硬岩、较软岩、软岩、极软岩)的大致划分即可,所以对各地质单元的各类不同岩性和风化程度的岩石采取满足基本统计要求的样品数量(不少于6件)即可。

盾构法机型对地层针对性强,用于盾构机刀具(盘)等选择的样品强度应能全面覆盖工区的实际情况,故除同矿山法一样需要在洞身外的围岩内取典型满足基本统计要求的样品外,尚应有足够数量的洞身范围内的样品,此类样品数量往往比较多,但试验项目少、单一(主要是强度、耐磨性)。

(4)岩石试验项目存在较大差异。矿山法岩石样品的试验项目主要是:密度(天然、干燥)、相对密度、吸水率、天然(饱和、干燥)单轴抗压强度、抗拉强度、弹性模量、波速(纵、横波)、RQD等。

盾构法岩石样品的试验项目除常规矿山法要求的试验项目外,尚应重点开展岩矿鉴定、矿物含量分析和耐磨性试验(CAI)。

(5)岩石强度试验的样品尺寸规格存在较大差异。矿山法岩石强度主要用于分析围岩和掌子面的稳定,其次用于爆破设计,所以一般强度试验的样品尺寸为2∶1,少量样品尺寸为1∶1。

盾构法选择的盾构机型式对地层的针对性强,用于盾构机刀具(盘)等选择的岩石强度样品尺寸为1∶1,较少量样品尺寸为2∶1。

5.2 隧洞的地质分析、评价要点

针对不同施工工法的隧洞,其地质分析评价的内容和重点是不同的,主要有以下几方面。

(1)分析评价隧洞横断面范围内的部位和范围不同。矿山法重点评价围岩(洞身以外)区域的地层稳定性,对衬砌支护形式选择和超前预处理措施等进行评价与建议;因矿山法多采用爆破开挖(非指土洞),受爆破振动影响岩体应力释放圈范围相对较大,围岩评价考虑的范围也就相对较大;掌子面稳定性是次要考虑的,主要评价施工作业临时稳定问题。

盾构法需全面评价洞身范围和围岩范围的地层。洞身外的围岩主要确定围岩类别，为管片衬砌设计提供作用力计算依据；洞身(掌子面)范围地层要重点评价地层的可掘性(稳定性一般不用评价)，并对盾构选项、刀具(盘)、扭矩配置、掘进偏位、施工造价等给出地质建议。

(2)洞身范围地层分布和特性的来源依据不同。矿山法勘察工作主要布置于洞外左右两侧(即平面上位于洞边线外侧 3～5m 范围内)，洞身范围内实际勘察少，洞身范围的地层分布和特性多根据洞身外的地层推测而来，其推测成分比例高、准确度偏低。

盾构法勘察工作除布置于洞身外，尚有大量的勘察工作布置于实际洞身(平面洞边线范围内)范围，对洞身范围进行实地勘察，洞身区域的地层分布和特性多根据实地勘察资料而来，其推测成分比例少、准确度高。

(3)围岩、掌子面的评价内容不同。矿山法一般是重点评价围岩(施工期和运行期)，根据围岩地层类型特征(强度、完整程度)、地下水特征(出水状态)、结构面特征等因素判断围岩的破坏类型、破坏规模和破坏时间，进而确定围岩类别，根据围岩类别提供围岩物理力学参数建议和衬砌类型建议，并对施工期间可能遇到的不良地质和特殊岩土引起的施工风险(塌方、冒顶、突水、涌砂、岩爆、放射性、有害气体等)进行风险预测提示和防治建议。

盾构法重点评价掘进面(掌子面)地层的可掘性(掘进的难易程度)及由此衍生的系列问题，硬岩难切屑、难磨，软弱地层易结泥饼，不均匀地层易导致隧洞线位偏离和设备异常损坏等，盾构法施工均需对掘进工艺进行详细评价。盾构法对围岩的评价一般仅需要划分围岩类别，提供围岩物理力学参数建议，对衬砌类型和施工作业人员的安全风险评价较少，主要评价盾构施工可能引起的环境影响(由于地层超挖、地下水失控等造成的次生影响，如沉降、冒顶、冒浆、冒气、隆起、市政设施和地面建筑物的变形破坏等)，对盾构进出洞范围的稳定性进行评价，并给出加固处理措施建议。

(4)各工法对岩体完整程度期望不同。矿山法施工希望围岩和掌子面岩体越稳定越好，故希望岩体裂隙少、完整性好，其需重点关注裂隙多、破碎的区段。

盾构法为了高效掘进，往往希望掌子面岩体裂隙多、破碎，便于盾构机械掘进，其需重点关注面裂隙少、完整性高的地段；对围岩的关注(主要用于管片设计)同矿山法。

(5)各工法对隧洞围岩类别的关注点不同。矿山法主要关注稳定性差的Ⅴ～Ⅳ类围岩。盾构法主要关注难以掘进的Ⅰ～Ⅱ类围岩。

(6)岩石强度的选择、使用存在显著不同。矿山法用于分析围岩、掌子面稳定和衬砌设计时宜采用样品尺寸为 2∶1、饱和状态下的单轴抗压强度(一般宜取平均值)；用于爆破设计时宜用样品尺寸为 1∶1、干燥或自然状态下的岩石强度(一般宜取大致平均值)。

盾构法选型和设计所用岩石强度宜采用 1∶1 尺寸的、天然状态下的单轴抗压强度，且鉴于裂隙对样品的不利影响，岩石强度值宜采用统计值的大致平均值，并兼顾可能的最大值(在试验最大值的基础上适当放大 1.2～1.5 倍)；而用于围岩和掌子面稳定计算、管片设计的岩石强度宜采用尺寸为 2∶1 的饱和状态下的单轴抗压强度(一般宜用平均值)。

(7)不良地质问题的影响程度不同。矿山法需要重点关注断层、节理密集带、不同岩性侵入界面等不良地质构造区段，这些区段围岩岩体往往比较破碎，围岩稳定性差，容易出现塌方、突泥、涌水、有害气体和放射性等工程地质隐患。

盾构法因有盾壳和密封仓的保护，不良地质构造带的施工作业安全隐患少而小，故其一般对此类问题如对盾构施工没啥影响的情况下关注度较低，仅关注通过此类构造带可能引起次生环境问题(如通过构造带产生显著的地层超挖、地下水位变化等而引起周边环境破坏)的个别不良地质段。

(8)地下水影响程度的评价不同。矿山法对地下水的补迳排、水量大小和变化很敏感，隧洞的大部分地质事故往往均与地下水有关,准确查清隧洞工程沿线的水文地质条件,方能确保矿山隧洞的安全施工,所以矿山法需要详细评价隧洞穿越各地质单元的地下水补径排、水量大小和变化情况,测定各地层的渗透性、影响半径,估算正常涌水量和可能最大涌水量,并对地下水截排措施和环境影响提出建议。

盾构法对地下水有专门的设备应对措施,尤其是泥水平衡盾构,土压平衡盾构在盾尾密封、仓内塑流化改良、同步注浆、二次注浆等措施作用下也能一定程度遏制地下水的影响,故地下水对盾构法的影响较矿山法要小,对地下水的调查深度和精度比矿山法要低,一般不用进行涌水量的估算,主要论述清楚地下水的分布、水位、各层渗透性和影响半径,主要用于分析盾构施工时可能引起地下水位变化(上升或下降)后导致的环境影响范围和程度。

6 结论

特殊地质结构和环境下的隧洞工程地质勘察工作在前期要紧密结合可选的隧洞施工工法开展有针对性的勘察手段选择、工作布置和试验项目确定,在后期勘察试验资料的整理、地层参数的建议和地质分析评价与建议等过程中,要根据各种工法的施工特征和对地质条件的要求不同而有所侧重,使勘察成果要全面、针对性强、建议合理,能有效地指导设计和施工,尽量避免因地质工作不足或存在缺陷而给工程带来不必要的地质风险。

参考文献

深圳市水务规划设计院股份有限公司.深圳市前海-南山排水深隧系统工程可研及施工阶段地质勘察报告[R].深圳:深圳市水务规划设计院股份有限公司,2019.

云开地块风化深槽的蚀变成因初探

李宁新　陈杰　李振嵩
中水珠江规划勘测设计有限公司，广东 广州　510610

摘　要：局部遭遇风化深槽可能导致的涌水突泥问题，是云开地块隧洞工程最突出的工程地质问题。本文参考云开地块浅成低温热液成矿研究成果，初步分析了云开地块风化深槽的蚀变成因背景，结合典型风化深槽具有的热液（水热）蚀变证据，初步认为，云开地块风化深槽属于一种特殊的风化深槽——蚀变风化深槽。

关键词：风化深槽　热液（水热）蚀变　蚀变风化深槽

1　前言

风化深槽是指岩体风化的某一风化带底部界线突然加深的槽形风化（现象）。工程意义上的风化深槽一般为基岩弱风化带的底板界线突然加深的槽形风化（现象）。

已建高铁和高速公路隧道工程实践表明，局部遭遇风化深槽导致的涌水突泥问题，是云开地块隧洞工程最突出的工程地质问题。如包茂高速岑溪隧道（花岗岩全风化深槽深达 100m）、南广高铁云浮段白云隧道（砂泥岩全强风化深槽深达 80m），前者导致延后工期，后者更是导致重大伤亡事故。环北部湾广东水资源配置工程可行性研究阶段勘察，同样揭露出深度大于 90m 的全风化深槽（高程低至－50m 以下）。

本文参考云开地块浅成低温热液成矿研究成果，初步分析了云开地块风化深槽的蚀变成因背景，提出了典型风化深槽具有的热液（水热）蚀变证据；据此认为，云开地块风化深槽属于一种特殊的风化深槽——蚀变风化深槽：是内生蚀变地质体（蚀变岩体、蚀变构造破碎带等）经过后期表生风化作用形成的特殊风化槽。

2　云开地块风化深槽的蚀变成因背景

2.1　云开地块的主要地质体

云开地块位于桂东南—粤西交界地区，呈北东—南西向展布，传统上指被东部的吴川－四会断裂带、西部的岑溪-博白断裂带与北部的罗定-广宁断裂带所围限的部分，大地构造上属于华夏地块。

云开地块主体由多期次变质岩构成，包括中—新元古界变质岩、古生界浅变质岩和加里东期—印支期变质或混合岩化花岗岩；中生代晚期以来，云开地块及相邻地块进入地壳伸展造盆阶段，除了局部燕山期花岗岩侵入，盆地（盖层）多见陆相红层沉积-火山岩建造，如罗定盆地、茂名盆地等，基本未见明显变质作用（图 1）。

作者简介

李宁新（1963— ），男，教授级高工，主要从事工程地质勘察工作. E-mail：13926029692@vip.163.com

依据变质程度的差异，将云开地块变质基底分为高州表壳岩（高州杂岩）/天堂山岩群和云开岩群。

天堂山岩群主要由角闪岩相岩石（局部为麻粒岩相）岩石和混合岩等组成，岩石类型主要为副片麻岩、片岩、石英岩和大理岩等；原岩为泥砂质岩石（含少量碳酸盐岩）、基性—酸性的火山-沉积岩，且岩石多已发生一定程度的混合岩化。

云开岩群围绕高州杂岩分布，为一套中—浅变质的陆源碎屑岩，主要由片岩、板岩、千枚岩及一些副片麻岩、斜长角闪岩和大理岩组成，夹少量碳酸盐岩和基性—酸性火山岩；原岩为泥砂质岩石、基性—酸性火山-沉积岩或一套类复理石—复理石建造。

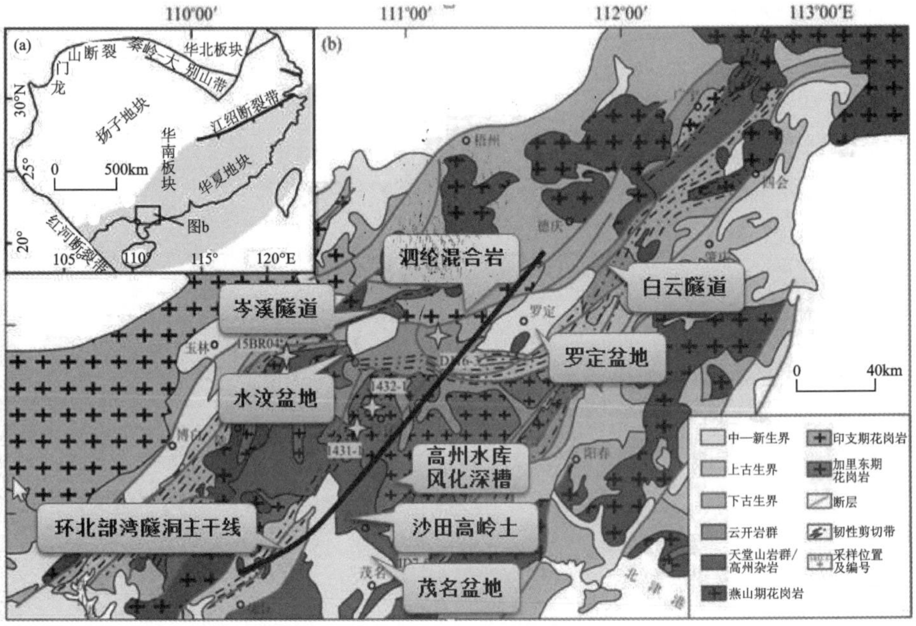

图1　云开地块地质简图（修改自柯贤忠等，2018）

2.2　云开地块的重大构造热事件

云开地块经过晋宁早期变质作用和混合岩化、加里东期花岗岩侵入及混合岩化、印支期花岗岩侵入及混合岩化、燕山期花岗岩侵入和燕山晚期的火山活动等多期次构造热事件。其中，燕山晚期发生的火山活动（对应三丫江组火山岩），是云开地块最后一期的强烈热事件，对云开地块地质体的改造痕迹保留得相对较好。

最新研究成果表明，地处钦杭接合带西南段的云开—大瑶山地区，属于白垩纪与次火山活动有关的浅成低温热液型金银铅锌钨锡矿床成矿亚系列；成矿时代为白垩纪（135～80Ma），几乎所有矿床均发育于白垩纪火山盆地、断陷盆地或变质核杂岩的拆离断层中。罗定盆地南缘的金矿形成于低温、浅成—超浅成环境，成矿热液来源于大气降水，成矿作用应该发生在燕山晚期中酸性斑岩脉侵入活动之后；稀土元素特征对比表明，形成含金石英脉/硅化岩的物质并非来源于同处于罗定盆地南缘的燕山晚期活动的岩浆岩。

笔者进一步对比发现，罗定盆地含金石英脉/硅化岩与茂名盆地三丫江组火山岩的稀土元素特征相似：含金石英脉/硅化岩的分馏程度较高（LREE/HREE＝6.24～14.13），WEu为0.62～0.68，铕异常属于弱负异常；三丫江组火山岩：LREE/HREE＝7.5，WEu为0.65，铕异常也属于弱负异常。据此认为，罗定盆地南缘金矿的成矿物质来源与燕山晚期发生的火山活动关系更为密切。

即云开地块最后一期的强烈热事件——燕山晚期发生的火山活动，伴随着云开地块大范围的热液蚀变（成矿）作用。

2.3 云开地块的蚀变岩

云开多期次构造热事件对地质体的多期次改造,形成多期次蚀变岩。根据杜乐天(1983)的分类,可以分为深成高温碱性蚀变岩和浅成低温酸性蚀变岩两大类。

(1)深成高温碱性蚀变岩。加里东期混合岩化、印支期花岗岩侵入及局部混合岩化和燕山期花岗岩侵入,伴随产生大量深成高温流体,形成大量的高温碱性蚀变岩,蚀变类型主要为长石化、角闪石化、黑云母化。云块地块高温变质岩及混合岩化地质体常见长石化、角闪石化和黑云母化。

研究表明,热液(水)流体与地质体的成分差异越大,相互(交代蚀变)作用越强。浅成低温流体属于酸性流体,容易使前期(加里东期、印支期及燕山期)形成的高温碱性蚀变(长石化、角闪石化)岩产生酸性蚀变(高岭石化、蒙脱石化等),即深成高温碱性蚀变岩容易改造成为酸性蚀变岩。

(2)浅成低温酸性蚀变岩。如上所述,云开地块最后一期的强烈热事件——燕山晚期发生的火山活动,伴随着云开地块大范围的热液蚀变作用。即燕山晚期与火山活动关系密切的浅成低温热液型成矿作用,伴随着一次明显的浅成低温热液蚀变作用。

基于罗定盆地存在燕山晚期火山岩(三丫江组)和大气降水积极参与成矿的认识,结合云开地块山间红层盆地普遍存在燕山晚期火山岩(三丫江组)的事实,上述低温、浅成—超浅成的成矿环境伴随着红层盆地及其周边的浅成低温水热蚀变:即陆相盆地红层沉积后,盆地汇集大气水、红层富含来源于大气水的地下水,盆地内再遭遇陆相火山喷发,富含二氧化碳和硫化氢的火山热液与盆地地下水混合成为酸性热水流体,对盆地及其周边地质体产生浅成低温水热蚀变。

浅成低温水热蚀变属于典型的低温酸性蚀变,蚀变类型主要为高岭石化、蒙脱石化和碳酸盐化。

与燕山晚期火山活动密切的陆相盆地型水热蚀变,靠近燕山晚期火山岩(三丫江组)分布区(盆地)的区域浅成低温水热蚀变强,如罗定盆地西缘的泗纶混合岩田东侧(西侧斜长角闪岩夹层仍可见中等风化)、长坡(高州水库南库)盆地南侧的高州混合岩田和茂名盆地东北缘的沙田高岭土矿区。地质体存在渗透能力强的地下渗流通道(断层破碎带、围岩接触带、不整合面、层间破碎带等),既是热液通道,又是冷热水交汇场所,显然会成为主要的水热蚀变场所。

3 典型风化深槽具有的热液(水热)蚀变证据

3.1 石英脉与方解石脉共生

热水含有的二氧化碳和硫化氢的浓度对蚀变矿物类型也有重大作用,富含二氧化碳的热液导致石英脉与方解石脉共生,甚至伴随大范围碳酸盐化。高州水库(南库存在三丫江组火山岩)西南揭露的典型风化深槽(高程低至−50m以下),发现有石英脉与方解石脉共生现象。广州抽水蓄能电站揭露的花岗岩蚀变岩也存在石英脉与方解石脉共生现象,并归因于地下热水叠加成因。

3.2 沙田高岭土矿的高岭石矿物结构有序

高州沙田高岭土矿,为砂质高岭土矿,呈“似层状”或平行层(面)理的“透镜状”产于古老的云开岩群变质岩,矿体斜深达140m,类似全风化深槽。因其矿物结构高度有序,江门造纸厂曾经大量使用该矿区的高岭土作为铜版纸涂布原料,虽然已关闭,但目前仍有不少私采露天矿坑。

刘长龄和刘钦甫(2002)指出,无序高岭石一般在常温常压下通过结晶八面体中离子交换而形成,并可在较稳定的地质条件下长期保存,或因相邻晶层错动而无序等。国内一般认为高度有序高岭石系受浅成脉岩或喷出岩热液蚀变而成。并把高州沙田高岭土矿具有的“高度有序”结构,归因于局部岩浆热液成因。高介伍(1987)把高州沙田高岭土矿作为衡阳界牌高岭土蚀变-风化成因的典型类比;热液蚀变使变质岩混合岩化,给成矿创造了物质前提,并初步高岭土化,后期风化作用,对高岭土的富集、纯化起了很大的作用。提出的代表性长石水热蚀变反应式如下:

$$2NaAlSi_3O_8 + 2H^+ + H_2O \longrightarrow Al_2Si_2O_5(OH)_4 + 2Na^+ + 4SiO_2$$

(钠长石)　(热水)　(高岭石)　(羟基)

王平海等(2002)指出,腾冲热田区多期次的水热活动、强烈的酸淋作用,高岭石化范围广、强度大,并形成结晶度指数最高可达1.67的典型热液作用型高岭石,甚至形成纯净高岭石矿床,而远离强烈水热活动作用地段,高岭石的有序度降低,并多与伊利石、蒙皂石共生。

位于茂名盆地东北缘的高州沙田高岭土矿,西南侧临近三丫江组火山岩,其成因归于水热蚀变更为合理:早期(加里东期混合岩化)形成高温热液蚀变岩(花岗质浅色体),为后期成矿奠定了物质基础;晚期(燕山晚期)陆相火山(热)盆地水热蚀变先形成了结构有序的高岭石矿物,后期风化作用主要是起高岭土的纯化作用。

3.3 大范围的碳酸盐化

无论是罗定盆地周边还是茂名盆地周边,浅成低温热液型金矿的最晚一期蚀变,普遍存在碳酸盐化;茂名盆地的罗定组红层及其周边的变质岩也常见碳酸盐化。

4 结语

(1)云开地块风化深槽的具有蚀变成因背景,典型风化深槽存在热液(水热)蚀变证据。因此,云开地块风化深槽属于一种特殊的风化深槽——蚀变风化深槽:是内生蚀变地质体(蚀变岩体、蚀变构造破碎带等)经过后期表生风化作用形成的特殊风化槽。即先有泥化蚀变(如蒙脱石化、高岭石化等)地质体,后有风化叠加,才能形成深度超过100m(高程低至−50m以下)的全风化深槽。

(2)与燕山晚期火山活动密切的陆相盆地型水热蚀变,靠近燕山晚期火山岩(三丫江组)分布区(盆地)的区域浅成低温水热蚀变强。

(3)基于上述认识,环北部湾广东水资源配置工程可行性研究阶段勘察,把局部遭遇风化深槽可能导致的涌水突泥问题,作为深埋长隧洞最突出的工程地质问题;把"远离火山盆地"作为隧洞地质选线的重要原则,把蚀变风化深槽作为最重要的勘察对象,据此选择有效的物探手段作进一步严重勘察。

参考文献

柯贤忠,周岱,龙文国,等.云开地块印支期变质-深熔作用:混合岩、片麻岩锆石U-Pb年代学和Hf同位素证据[J].地球科学,2018,43(7):2249-2275.

毛景文,陈懋弘,袁顺达,等.华南地区钦杭成矿带地质特征和矿床时空分布规律[J].地质学报,2011,85(5):636-658.

黄圭成,汪雄武.粤西罗定盆地南缘金矿地球化学特征及成矿作用[J].华南地质与矿产,2004(2):35-39.

郑建平.合江镇幅地质图说明书(比例尺1:5万)[R].广东:国土资源档案馆,1999.

杜乐天.碱交代成矿作用的地球化学共性和归类[J].矿床地质,1983(2):33-41.

陈云长.广东抽水蓄能电站工程地质创新与研究[M].北京:中国水利水电出版社,2016.

刘长龄,刘钦甫.高岭石矿物结晶有序化程度与成因关系研究新进展[J].地质找矿论丛,2002,17(2):74-81.

高介伍.湖南白石峰岩体边缘混合岩蚀变-风化型高岭土矿床地质特征及成因[J].建材地质,1987(3):1-7.

王海平,张天乐,王宗良.腾冲地热泄热构造系统与水热蚀变作用[J].矿床地质,2002,21(增刊):1031-1033.

某工程岩塞爆破主要工程地质问题探讨

张小平　陈杰
中水珠江规划勘测设计有限公司,广东 广州　510610

摘　要:水下岩塞爆破是在特定的地质条件下进行的工程爆破工作。岩塞爆破成功与否既与爆破技术有关,又受地质条件控制,只有对工程地质问题有足够的重视,进行必要充分的勘察论证工作,查明地质条件,选择适宜的进水口岩塞位置,扬长避短,保证岩塞爆破的设计和施工安全可靠,为后续爆破成功和爆破后正常运行创造有利条件。

关键词:岩塞　爆破　稳定性　地质条件

1　前言

工程位于三亚市境内,建设内容包括大隆水库取水口、大隆水库至水厂输水隧洞、水源池水库至水厂供水管道等。设计引水流量为7.89m^3/s,全长28.1km。大隆水库取水口位于大隆水库库水位以下,地面高程27.0m～33.0m,取水口采用岩塞爆破方式。新建取水口位于主洞线SD1-206～SD1-069m,取水口前端布置岩塞,沿水流方向依次为岩塞段、聚渣坑、渐变段、廊道段和取水口竖井,下层取水口进口高程在水库死水位(33.82m)以下,距离水库大坝约400m。

2　岩塞口地质特征

2.1　基本地质条件

岩塞口位置的选取至关重要,首先在地形地貌方面,要求地形规整,无洼沟、深坑、洞穴等复杂的地形地貌地带,其次要尽量避开覆盖层深厚及岩体风化强烈地段,岩性力求单一,断裂构造不发育,岩石完整,岩体透水性小的地带。

工程岩塞口位于大隆水库上游左岸约400m。岩塞开口中心点高程28.14m,水库正常蓄水位为70.00m,死水位为33.00m。岩塞部位地形上陡下缓,高程26～40m范围内的山坡坡面较缓,坡度15°～25°,大部分弱风化基岩直接出露;高程40～141m范围内山坡坡度较陡,坡度25°～45°,覆盖层自下而上呈增厚趋势。75m以上山体植被发育,以杉树及低矮灌木为主。自然边坡基本稳定,物理地质现象不发育。

覆盖层的岩性为坡积块石、砂质黏土为主,高程26.0～40.0m岩塞取水口范围内,大部分弱风化基岩裸露,覆盖层零星分布,厚度(铅直)一般在1.0～1.8m之间。

岩塞口位置基岩为燕山晚期雅亮单元(K_1Y)侵入花岗岩,此外还夹有一些辉绿岩脉带。

作者简介

张小平(1981—),男,高级工程师,主要从事工程地质勘察工作.E-mail:51537260@qq.com

岩塞部位所在区域的构造单元属华南沿海海西褶皱系，区内褶皱构造不发育，以断裂构造分布为主，主要的断裂构造为三内断裂(F_2)，早期系逆平移断层，后期有部分断层为正断层，走向25°～50°，主要倾向南东，倾角70°～85°。代表性断层有F_2、F_{2-1}，通过河床，并有一系列挤压错动带，形成了一系列顺河向断层。构造岩为角砾岩、糜棱岩、压碎岩及碎裂花岗岩，原岩碎屑、泥质、钙质胶结，部分构造岩中见斜角5°～15°擦痕发育，并有绿泥石化和高岭土化现象，失水干裂呈散体。一些断层后期有花岗斑岩或辉绿岩脉充填。岩塞部位所在区域地震动峰值加速度为0.05g，相应的地震基本烈度为Ⅵ度。总体属区域构造稳定性较好的地区。

工程区所处的花岗岩体受过多期次的构造挤压，且有区域断裂带在附近通过，河床部位节理裂隙发育，常形成节理密集带或劈理化带，发育以下两组节理：①10°～20°/NW或SE∠60°～85°，部分∠40°～50°，②80°～90°/SE∠70°～85°，上述两组节理以剪节理为主，面较平直，宽度小于1mm。部分节理面附着铁、锰质膜或泥膜，少数节理被方解石脉或石英脉充填。节理延伸长度一般小于3m，节理密集带发育频率8～10条/m，高者达15～20条/m。

此外，据野外露头显示，工程区发育有部分缓倾角节理，节理走向主要为北东—北北东向，裂隙面起伏不平，倾角5°～20°，可见长度一般小于5m(表1)。

表1 岩石物理力学试验成果统计表

岩石名称	项目	块体密度/(g·cm^{-3})			抗压强度/MPa		软化系数
		天然	干燥	饱和	干燥	饱和	
花岗岩	样本数	10	10	10	30	30	10
	最大值	2.68	2.68	2.69	216	219	0.99
	最小值	2.64	2.64	2.65	90	41	0.94
	平均值	2.67	2.66	2.67	172	168	0.97
辉绿岩	样本数	7	7	7	21	21	7
	最大值	2.76	2.76	2.77	158	171	0.97
	最小值	2.67	2.66	2.67	98	91	0.93
	平均值	2.70	2.70	2.71	129	123	0.95

2.2 岩体完整性

为更好了解岩体完整性，本次对所有钻孔进行孔内电视录像以及声波测试，为设计提供可靠地质参数。岩塞体主要由弱风化及微风化花岗岩组成，强风化零星分布，厚度1.3～1.40m。根据钻孔声波资料，工区内岩体完整性系数为0.74，完整性程度为较完整，已接近完整；岩塞口段岩体完整性系数为Kv=0.58～0.95，RQD为44～100，岩体属较完整—完整。

2.3 岩体透水性

岩体渗透系数为$2.52\times10^{-4}\sim6.08\times10^{-3}$cm/s，属中等透水层，主要分布在地表以下11.40m以内，大多基岩裸露，其中ZK1号孔2.9～13.8m岩体透水率为16.7～18.7Lu，ZK6号孔4.7～10.2m岩体透水率为5.2Lu，ZK10号孔5.65～16.4m岩体透水率为6.2～8.1Lu，ZK11号孔4.05～15.0m岩体透水率为5.4～22Lu，ZK14号孔10.0～15.0m岩体透水率为5.3Lu，主要为弱—中等透水层，其余压水段岩体透水率均在3.0Lu以下，为弱透水—微透水层。说明岩塞口上部16.40m以内岩体节理裂隙稍发育，局部呈张开状，岩体透水性较大，建议施工前对16.50m以内岩体进行防渗处理，保证下部隧洞、聚渣坑施工期的安全，防止发生突水、涌水，保证施工人员及财产安全。

3 主要工程地质问题分析

3.1 边坡稳定性分析

岩塞口处边坡处于库水位变幅带范围内，常年受库水的淘刷冲洗，边坡基本稳定，仅局部存在少量碎石。在岩塞口爆破时产生的震动和瞬间高速水流冲击拍打作用下，该处边坡的表层破碎岩体可能会产生崩塌，沿边坡坠落，估计崩塌量不会太大。

岩塞部位高程下游侧及以下包括取水口部位边坡覆盖层厚度增大，成分为坡积碎石土，主要组成物质为碎石夹少量黏土和黏土夹碎石，呈松散状，抗冲流速值较低，在岩塞口爆破时产生的震动、瞬间高速水流冲击拍打以及涡流的共同作用下，会随水流冲入岩塞口内，增加了渣体方量。建议对岩塞口周边一定范围内的松散堆积物进行清除，可按抗冲流速值确定处理范围，以减少渣体方量，保证岩塞口及集渣坑的安全稳定。

进水口周边在高程 40.0～41.5m 有一宽约 11.1m 缓坡平台，41.5m 高程以下基岩出露，主要为强风化—弱风化岩体，坡度 20°～30°，41.5m 高程以上上覆有 2.0～4.0m 厚的残坡积层，局部全风化层深厚，坡度 25°～40°，进水口周边围岩无软弱结构面的不利组合，也无反坡地形，进水口边坡洞脸和边坡现状稳定性较好。未发现滑坡、崩塌堆积等不良地质现象发育，岩塞口位置以弱风化和微风化为主，岩体内节理裂隙不发育，岩塞口洞脸为弱—微风化岩体，洞脸边坡岩体质量较好，洞脸边坡稳定性较好，进口段 41.5m 以上边坡主要为残坡积粉质黏土、砂质黏土，以及全风化花岗岩等，爆破时产生的震动、瞬间高速水流及涌浪冲击拍打以及涡流的共同作用下，会对局部边坡形成冲刷，但对边坡的整体稳定不会产生影响。

3.2 岩塞体稳定性分析

影响岩塞体稳定的因素有岩塞跨度，承载情况；岩体强度；岩石的坚硬程度及完整程度；切割岩塞体及周边围岩断层、软弱结构面发育规律、产状、物理力学性质；上部库水压力下岩塞自身稳定情况等多方面考虑。

岩塞口位于大隆水库正常蓄水位以下 30～40m，岩塞口位置坡度 20°～30°，岩塞轴线方向为 NW287°，岩塞中心线与地表近于垂直，与水平面夹角为 30°，岩塞厚度 9.50m，岩塞直径 8m。

从岩性特性的角度来讲，岩塞部位岩性主要为中细粒花岗岩和辉绿岩岩脉，花岗岩饱和抗压强度为 167MPa，辉绿岩饱和抗压强度为 123MPa，均属坚硬岩。岩体抗剪强度高，岩塞稳定性好，非常适合进行岩塞爆破。

岩塞口位置断裂构造不发育，也未见贯穿性的软弱结构面发育，除表层 2.0m 范围内岩体节理裂隙较发育外，其余岩体节理裂隙弱发育。岩塞体岩体完整性系数 $K\mathrm{v}=0.58\sim0.95$，RQD 为 44～100，岩体属较完整—完整。总体上主要发育节理产状 NE10°～20°/NW∠40°～50°，走向与岩塞口横向近平行，倾向以顺坡面方向为主。岩塞岩体整体沿断层构造及软弱结构面滑塌而堵塞岩塞口的可能性很小，岩塞体围岩工程地质分类为Ⅲ类，受爆破震动影响可能在岩塞口周围形成一定范围的松动圈，圈内增加新的环向或径向裂隙，同时延展原有裂隙，加上表层 2.0m 内的岩体本身节理裂隙较发育，岩块掉落发生的可能性较大。建议对岩塞部位及其周边一定范围的岩体内采取灌浆处理措施，增加岩体的完整性，提高其稳定能力，保证岩塞爆破施工安全可靠。

3.3 岩塞体爆破条件分析

岩塞口上方基本为岩质边坡，稳定性较好，仅靠近取水口下游侧覆盖少量1.0m厚的碎石夹黏土，爆破施工时不会引发滑坡、塌方等现象，该处属有利地质条件。取水口及其周边自然边坡20°～30°，下游侧零星分布的覆盖层易受爆破时产生的高速水流扰动，从而随水流冲入洞内，该处应采取一定的施工措施。

岩塞体整体预留厚度9.50m，覆盖层零星分布，主要分布在包括覆盖层为1.1m，主要以弱—微风化花岗岩为主，弱风化厚度1.0～5.2m，其余均为微风化，属于有利的地质条件。弱风化岩体以完较整性为主，为弱透水，具有一定的自稳能力，未发现贯穿性的断层构造及软弱结构面，但节理裂隙稍发育，且距离水库非常近，故地下水可能会通过节理裂隙与水库相连通，影响岩塞体的稳定。可以通过采取灌浆施工措施，既降低节理裂隙的渗透性，又增加岩体的完整性，提高其稳定能力。

整体来看，岩塞体部位的有利地质条件占主导作用，相对不利的地质条件均可以采取一定的施工处理措施加以解决，因此岩塞体具备爆破条件。

3.4 锁口段稳定性分析

锁口段部位以微风化岩石为主。锁口段部位岩体完整性较完整—完整，岩体呈次块状—块状结构，锁口段部位围岩工程地质分类为Ⅲ类，围岩稳定性较好，岩体属中等透水—弱透水，存在洞内施工涌水的可能。建议对锁口段部位及其周边一定范围的岩体，采取灌浆处理措施，以降低岩体的渗透性，增加岩体的完整性，提高其稳定能力，保证施工安全可靠。

3.5 集渣坑稳定性分析

岩塞爆破器集渣坑尺寸一般较大，边墙较高，边墙的稳定问题是十分重要的问题，需引起足够的重视。影响集渣坑边墙围岩变形和破坏的因素主要有岩体强度；围岩应力状态、方向和大小；节理裂隙和断裂构造的不利组合情况，作用于边墙岩体的外水压力。

西水中调工程岩塞集渣坑最大开挖高度为17m，开挖岩性为花岗岩，局部有辉绿岩脉分布，微风化为主，岩体节理裂隙弱发育，岩体完整性系数K_v=0.69～0.76，岩体属较完整—完整。岩体呈块状—次块状结构。由于集渣坑部位开挖高度及跨度较大，故局部易受节理不利组合及爆破震动的影响，存在产生掉块及小型滑塌发生的可能。由于集渣坑洞室上部局部岩体不满足1倍洞径要求，洞室顶部岩体0～7.0m段以中等透水为主，洞室爆破施工震动对洞顶围岩形成一定范围的松动圈，圈内增加新的环向或径向裂隙，同时延展原有裂隙，引起洞内存在涌水的可能，建议严格控制爆破药量。围岩工程地质分类为Ⅲ类，建议随开挖及时对顶拱部位、岩体破碎段及边墙部位进行初期支护，保证施工质量及安全。

3.6 岩塞周边围岩在长期运行中的稳定性分析

岩塞周边围岩，无贯穿性的断层构造及软弱结构面穿越，不存在边坡岩石在水流的不断淘刷作用下沿断层构造及软弱结构面整体滑移，造成边坡失稳，堵塞岩塞口的可能。但经大药量爆破破坏作用后，进水口周边围岩肯定受到一定程度的破坏，形成一定范围的松动圈，使该圈内岩石原有裂隙扩张，而且产生许多新的以爆破点为中心的径向与环向裂隙，并沿着平行其临空面方向发展。按破坏临界加速度$a \leqslant (3\sim10)g$估计，松动圈范围宽度为1～8m，自岩塞开口处至漏斗边缘渐薄。松动圈内新旧裂隙切割，加上岩体本身呈碎块结构，岩体更趋破坏，长期的风化卸荷，水流淘蚀，强度减弱，稳定性降低。在运行中必然失稳，估计这种现象将直至该范围内的岩石达到稳定状态时为止。

4 结论

(1)岩塞口部位未见较大断裂构造通过,未发现断层及软弱结构面的存在。取水口处地形较平直规整,无深的洼沟、洼坑等分布。

(2)取水口处覆盖层厚1.0～1.1m,下伏基岩岩性为雅亮单元花岗岩,属硬质岩,呈弱风化—微风化状,岩体较完整—完整,中等透水。

(3)岩塞体以弱风化花岗岩为主,岩体具有一定的自稳能力。在对岩塞体采取一定的施工处理措施后,具备爆破条件。

(4)锁口段部位以微风化岩石为主,围岩工程地质分类为Ⅲ类,围岩稳定,建议对锁口段部位及其周边一定范围的岩体采取灌浆处理措施。

(5)集渣坑岩石为微风化,岩体节理裂隙弱发育,岩体整体上较完整—完整。由于集渣坑部位开挖高度及跨度较大,故局部易受节理不利组合的影响,存在产生掉块及小型滑塌发生的可能。由于集渣坑洞室上部局部岩体不满足1倍洞径要求,洞室爆破施工震动对洞顶围岩形成一定范围的松动圈,圈内增加新的环向或径向裂隙,同时延展原有裂隙,引起洞内存在涌水的可能,建议严格控制爆破药量。

(6)连接隧洞段围岩岩性为雅亮单元(K_1Y)花岗岩,围岩类别为Ⅲ类。推测洞室地下水以滴水—线流为主。

参考文献

黄绍钧,郝志信.水下岩塞爆破技术[M].北京:水利电力出版社,1993.

滇中引水工程香炉山深埋长隧洞软岩变形分析研究

陈长生[1,2]　史存鹏[1,2]　张海平[1,2]　李银泉[1,2]　王朋[1,2]

1.国家大坝安全工程技术研究中心，湖北 武汉　430010；

2.长江勘测规划设计研究有限责任公司，湖北 武汉　430010

摘　要：软岩大变形是深埋长隧洞关键地质问题之一，滇中引水工程香炉山隧洞长62.596km，最大埋深1450m，埋深大于600m洞段占隧洞总长的67.4%，属典型的深埋长隧洞，其中隧洞穿越软岩洞段总长13.11km，占比20.9%。香炉山深埋长隧洞穿越软岩(含断层破碎带)时，在高地应力和富水条件下通常易于产生围岩大变形，变形量一般可达数十厘米到数米，如果不及时支护或支护不当，将会产生巨大危害，不但给工程建设造成极大困难，而且整治费用高昂，同时会严重影响工期，延滞总体工程进度。因此，对香炉山深埋长隧洞软岩大变形进行分析研究，对于解决滇中引水控制性工程香炉山深埋长隧洞工程实际地质问题、确保工程顺利施工和正常运营均具有重要工程意义，同时研究成果为隧洞设计和施工提供了地质依据，并可为类似深埋长隧洞工程提供一定的借鉴意义。

关键词：深埋长隧洞　关键地质问题　高地应力　软岩大变形

1　引言

根据《水利水电工程地质勘察规范》(GB 50487—2008)，软岩是指饱和抗压强度≤30MPa的岩石，软岩一般具有强度低、变形量大的工程特性，深埋长隧洞穿越软岩(含断层破碎带)时，在高地应力和富水条件下通常易于产生围岩大变形，变形量一般可达数十厘米到数米，往往表现为初期支护严重破裂、扭曲，挤出面侵入限界等，如果不及时支护或支护不当，将会产生巨大危害，不但给工程建设造成极大困难，而且整治费用高昂，同时严重影响施工工期或线路正常运营。

目前关于软岩大变形还没有一个统一的定义，铁路系统相关研究提出，根据围岩变形是否超支护的预留变形量来定义大变形，即隧道如果初期支护发生了大于25cm(单线隧道)和50cm(双线隧道)的位移，则认为发生了大变形。姜云、李永林等将隧道围岩大变形定义为：隧道及地下工程围岩的一种具有累进性和明显时间效应的塑性变形破坏，它既区别于岩爆运动脆性破坏，又区别于围岩松动圈中受限于一定结构面控制的坍塌、滑动等破坏，同时将隧道围岩大变形分为受围岩岩性控制、受围岩结构构造控制和受人工采掘扰动影响三大类型。

2　工程概况

滇中引水工程是解决滇中地区严重缺水的特大型跨流域调水工程，输水工程线路总长664.24km，

作者简介

陈长生(1982—)，男，高级工程师，主要从事工程地质、水文地质勘察与研究工作. E-mail:15508228@qq.com

其中隧洞58座，长611.99km，占线路总长的92.13%。香炉山隧洞为滇中引水工程控制性工程，主洞段斜穿马耳山脉，出口位于松桂西侧情人谷(图1)，隧洞总长62.596km，轴向总体呈NNW—NW向。洞型设计为圆形，净断面直径8.40m，输水水位2 035.00～2 000.35m。采用钻爆法+TBM组合掘进施工。

图1 香炉山隧洞地理影像图

香炉山隧洞是滇中引水工程全线最具代表深埋长隧洞，隧洞最大埋深1450m，埋深大于300m的洞段长58.74km，占比94.05%，隧洞埋深大于600m的洞段长42.18km，占比67.38%，埋深大于1000m的洞段长21.43km，占比34.23%。香炉山隧洞亦是滇中引水工程沿线地质条件最为复杂的隧洞工程，隧洞区构造背景及岩溶水文地质条件均极其复杂、涉及的工程、水文及环境地质问题最多。

3 国内外有关软岩大变形工程实例及基本规律

根据收集文献资料，列出了国内外部分工程软岩塑性大变形的工程实例(表1)。通过归纳，这些工程实例洞室规模与滇中引水工程相差不大，发生大变形隧洞围岩一般为软岩、极软岩及断裂破碎带，发生软岩大变形的隧洞埋度一般超过400m，个别浅者百余米，变形方式表现为顶拱下沉、剥皮掉块，边墙挤出收敛，底板破裂和隆起，大变形量级一般20～120cm，大者达160～240cm，变形速率可达10～20cm/d，变形发生时间一般在初期支护后，变形导致喷射混凝土开裂、掉块，型钢拱架严重扭曲变形和断裂，开挖断面侵入永久衬砌设计断面净空，个别甚至将初期支护彻底破坏并产生大规模塌方，若不永久支护变形时长大于3年，软岩大变形隧洞一般需二次支护，部分变形大者需进行二次扩挖。

表1 国内外部分工程软岩塑性大变形实例

隧洞名称	地质简况	开挖断面	大变形洞段埋深	变形时段	大变形特征
奥地利陶恩公路隧道	绿泥石、千枚岩夹绿泥石，初始地应力16～27MPa，侧压力系数近似为1.0，围岩强度比为0.05～0.06	90～105m^2	600～1000m	初期支护后	最大位移120cm，底鼓20cm，最大变形速率20cm/d，变形收敛时间达400d
奥地利阿尔贝格公路隧道	千枚岩、片麻岩、含糜棱岩的片岩、绿泥石等，抗压强度1.2～2.9MPa，初始地应力13MPa	90～103m^2	最大埋深750m	初期支护前	最大位移拱部变形60cm，最大水平收敛达70cm，变形速率达11.5cm/d
日本惠那山隧道	以花岗岩为主，断层破碎带较多，岩体节理发育、破碎局部为黏土，初始地应力10～11MPa	宽12m 高10.5m	400～450m	初期支护后	拱顶下沉达93cm，边墙收敛达到112cm，有600cm^2面积的喷射混凝土侵入永久衬砌设计断面净空
日本岩手隧道	凝灰岩及泥岩互层，单轴抗压强度为2～6MPa	64m^2	\	\	上断面的净空位移10～40cm，最大到41cm，下断面的净空位移最大为20cm，拱顶下沉为1～10cm

续表1

隧洞名称	地质简况	开挖断面	大变形洞段埋深	变形时段	大变形特征
日本中屋隧道	软弱黏土层、强风化泥灰岩	$54m^2$	\	\	拱顶下沉13.2cm，净空位移21.5cm
瑞士-意大利辛普伦隧道	石灰质云母片岩	\	\	\	施工期间多处发生围岩大变形，隧道在竣工若干年后，强大的山体压力再次引起横通道边墙、拱部和隧底破裂、隆起
印度海代尔引水隧洞	浅变质岩如千枚岩、页岩及各类片岩等	\	\	初期支护后	混凝土开裂、钢拱架严重扭曲，3年后施作永久衬砌时，隧道底板隆起达80cm之多，严重侵入限界范围，不得不进行扩挖
崔家沟铁路隧道	泥质页岩、砂质泥岩	\	\	衬砌后	底鼓，严重地段轨顶抬高20.6cm，水沟盖板跷起12.9cm
堡子梁铁路隧道	绿色泥岩、软弱破碎、膨胀率为46%	\	\	掘进过程中	掘进过程中坍塌频繁，排架下沉达120cm，边墙向中间挤出30～40cm，拱部剥皮掉块，裂缝宽达5～15cm
木寨岭公路隧道	碳质板岩夹泥岩，局部泥化软弱断层破碎带	\	约120 m	\	严重地段拱顶下沉量累计达155cm，在部分地段初期支护进行了二次换拱，特殊地段换拱达4次
家竹箐隧道	砂岩夹泥岩，煤系地层，始地应力达8.57～16.09MPa，侧压力系数1.88，围岩强度比0.2～1.0	$82.5m^2$	最大埋深404m	初期支护后	锚喷支护严重变形，拱顶下沉达240cm，底部隆起达到80～100cm，侧壁内移达到160cm。钢架严重扭曲，喷层开裂
乌鞘岭特长隧道	千枚岩、砂岩夹页岩及薄层煤、活动断层泥砾带	$88m^2$	\	初期支护后	最大变形量(边墙收敛)达100cm以上，致使初期支护破坏并严重侵入隧道衬砌净空
鹧鸪山公路隧道	薄层状炭质千枚岩为主，岩石硬度小，膨胀率13%，易风化，地应力17～20MPa	\	\	初期支护后	喷射混凝土开裂，钢拱架扭曲，侵入隧道限界，最大达30cm，甚至将初期支护彻底破坏并产生大规模塌方
川藏公路德达隧道	碳质千枚岩、碳质板岩和断层破碎带等极软岩	\	\	初期支护后	初期支护不同程度地产生了变形开裂、拱顶下沉、边墙和基底内鼓和挤出、坍方等现象，最大变形量达50cm
宜万铁路堡镇隧道	堡镇隧道全长11.5km。软弱围岩为粉砂质页岩、泥质页岩、软弱泥质夹层带等，抗压强度6.5～13.1MPa，强度应力比均小于4。最大水平主应力约16.0MPa，最大初始应力约14.75MPa	\	\	初期支护后	喷射混凝土开裂、掉块，型钢拱架严重扭曲变形和断裂，开挖断面侵入永久衬砌设计断面净空。最大拱顶沉降达34.5cm，最大收敛达70.2cm

续表 1

隧洞名称	地质简况	开挖断面	大变形洞段埋深	变形时段	大变形特征
色尔古水电站引水隧洞	千枚岩、沙质千枚岩	直径 9m 圆形断面	\	初期支护后	只经过 5～7d 便出现了不同程度的破坏，喷射混凝土开裂、掉块，钢拱架严重扭曲断裂
锦屏二级水电站输水隧洞	绿片岩、沙板岩，实测地应力 30.45MPa	直径 12.4m 圆形断面	1550～1850m	初期支护后	开挖断面严重侵入隧道净空，需进行二次扩挖；钢拱架受压过大发生扭曲，需拆除重做；喷混凝土受严重挤压，发生开裂、掉快。隧洞产生“缩颈”现象，变形在 50cm 左右，最大达 83cm

4 围岩大变形的地质条件与发生机理

4.1 地质条件

(1)隧洞围岩条件。发生大变形的围岩主要有：①显著变质的岩类，如片岩、千枚岩等；②膨胀性凝灰岩；③软质黏土层和强风化的凝灰岩；④凝灰岩和泥岩互层；⑤泥岩破碎带和矿化变质黏土；⑥断裂破碎带等。这类围岩的凝聚强度 c 值较低，内摩擦角值很小，单轴抗压强度较低。

(2)隧洞处于高应力区，且大变形地段的隧道一般埋深在 100m 以上。

(3)隧洞围岩的天然含水量大。

4.2 发生的机理

目前工程界通常把大变形机制分为两大类。①开挖形成的应力重分布超过围岩强度而发生塑性变化，如果发生缓慢就属于挤出(如果是立刻发生就属于岩爆)。②岩石中的某些矿物成分和水反应而发生膨胀。发生膨胀变形的围岩在开挖时一般有较高的强度，变形主要发生在隧道运营过程中，一般表现为底部鼓起，而隧洞顶部和边墙保持较好的工作状态。

何满潮教授认为，软岩变形破坏的原因是多方面的，其力学机制也是极其复杂的。他将软岩的变形力学机制分为三大类，即物化膨胀型(Ⅰ型)、应力扩容型(Ⅱ型)和结构变形型(Ⅲ型)。各类中又依据引起变形的严重程度分为 A、B、C、D 四个等级，共 13 个亚类。何满潮教授同时认为，软岩变形并非具有单一的变形力学机制，而是同时具有多种变形力学机制的复合型变形力学机制。

5 香炉山隧洞软岩(含断裂带)分布及工程地质特性

5.1 主要软岩地层及分布特征

香炉山隧洞穿越的软岩地层较多，以上三叠统松桂组(T_3sg)、下三叠统青天堡组(T_1q)、中二叠统黑泥哨组(P_2h)的泥页岩类为典型代表(图 2)。此外还穿越大栗树断裂(F_9)、龙蟠-乔后断裂(F_{10})、丽江-剑川断裂(F_{11})、鹤庆-洱源断裂(F_{12})等宽大断裂带以及石灰窑断裂($F_{Ⅱ-4}$)、马场断裂($F_{Ⅱ-5}$)、汝南哨断裂($F_{Ⅱ-6}$、$F_{Ⅱ-7}$)等规模较大的断裂带,断裂带内构造岩胶结差、性状软弱。香炉山隧洞软岩总长13.107km,占比20.94%,其中软岩地层7.338km,占比11.72%,断裂及影响带5.769km,占比9.22%。

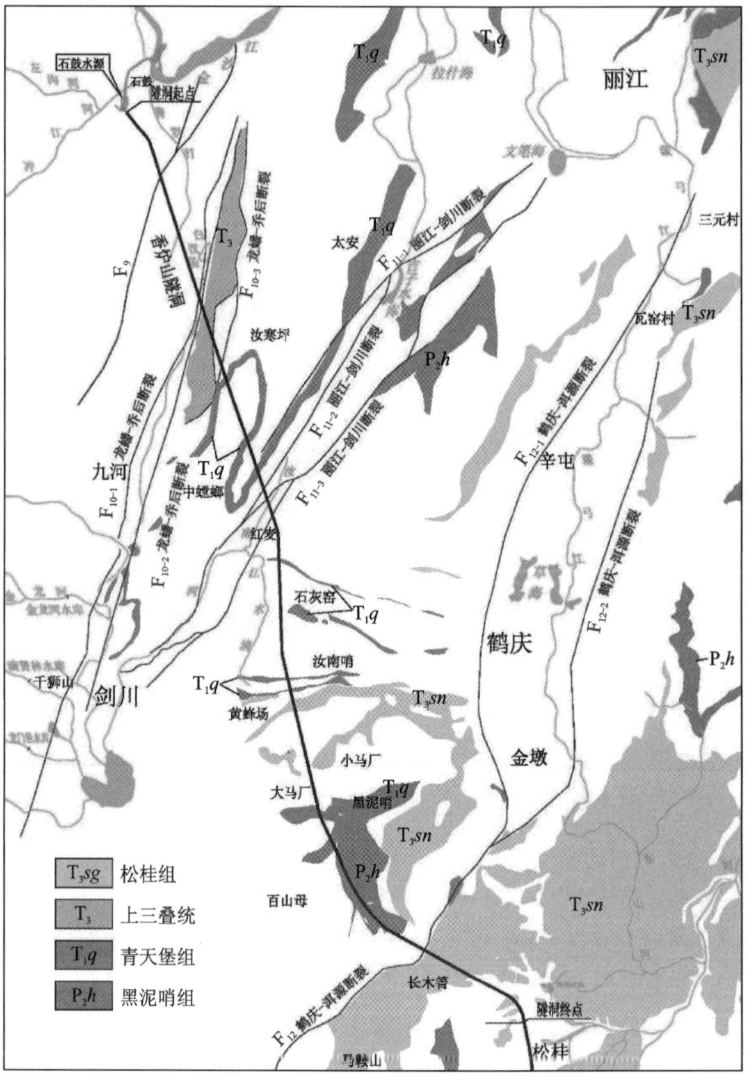

图2 香炉山隧洞软岩(断裂带)分布特征图

5.2 软岩地层岩性岩相与岩性组合特征

(1)岩性岩相特征

香炉山隧洞区黑泥哨组(P_2h)属滨海沼泽相沉积,岩性为砂岩、页岩夹煤层;青天堡组(T_1q)属陆海过渡相沉积,岩性为砂岩、泥页岩;松桂组(T_3sg)属浅海陆、湖沼相沉积,岩性为砂岩、泥页岩夹劣质煤线(层)。隧洞区典型软岩地层(断裂带)岩性特征见图3。

(2)软岩的矿物组成及化学成分

勘察期间选取香炉山隧洞部分代表性软岩地层进行矿化分析与鉴定,隧洞区主要软岩的矿物组成及化学成分见表2、表3。

青天堡组（T_1q）
泥岩、泥质岩夹砂岩

松桂组（T_3sg）
泥页岩、泥质岩夹砂岩及煤线

黑泥哨组（P_2h）
砂岩、泥页岩夹灰岩及煤层

龙蟠-乔后断裂

丽江-剑川断裂

鹤庆-洱源断裂

图 3　典型软岩地层(断裂带)特征照片

表 2　香炉山隧洞区软岩矿物组分成果表

取样位置	地层岩性	X 射线分析矿物成分/%							
		蒙脱石	绿泥石	伊利石	石英	长石	方解石	白云石	赤铁矿
XLZK19 岩芯	T_3sg 粉砂质泥岩	0	35	15	43	4	0	3	0
P7ZK2 岩芯	T_3sg 炭质泥岩	0	30	20	34	4	0	12	0
地表碎块样	T_3sg 泥岩	0	35	15	35	3	0	12	0
T_3sn 泥岩类	平均值	0	33.3	16.7	37.3	3.7	0.0	9.0	0.0
XLZK7 岩芯	T_1q 粉砂质泥岩	0	30	15	39	3	0	13	0
XLZK7 岩芯	T_1q 泥岩	0	30	15	35	3	14	0	3
T_1q 泥岩类	平均值	0	30.0	15.0	37.0	3.0	7.0	6.5	1.5

表 3　香炉山隧洞区软岩化学组分分析试验成果表

取样位置	地层岩性	紫外可见分光光度计普析 UT1900 分析化学成分/%										
		SiO_2	Al_2O_3	TFe_2O_3	MgO	CaO	Na_2O	K_2O	TiO_2	P_2O_5	MnO	烧失量
XLZK19 岩芯	T_3sg 粉砂质泥岩	61.09	16.39	7.40	2.54	1.36	0.69	2.76	0.83	0.19	0.09	6.68
P7ZK2 岩芯	T_3sg 炭质泥岩	50.37	18.19	6.95	3.90	4.06	0.92	3.82	0.83	0.15	0.09	10.84
地表碎块样	T_3sg 泥岩	56.17	18.00	6.46	2.62	2.42	0.60	3.18	0.76	0.16	0.08	9.26
T_3sn 泥岩类	平均值	55.88	17.53	6.94	3.02	2.61	0.74	3.25	0.81	0.17	0.09	8.93
XLZK7 岩芯	T_1q 粉砂质泥岩	56.17	18.19	6.36	2.64	2.39	0.60	3.20	0.77	0.16	0.08	9.32
XLZK7 岩芯	T_1q 泥岩	47.48	16.48	10.38	2.22	5.54	0.30	3.45	2.05	0.24	0.08	10.54
T_1q 泥岩类	平均值	51.83	17.34	8.37	2.43	3.97	0.45	3.33	1.41	0.20	0.08	9.93

(3)岩性组合特征

根据各软岩地层中软、硬岩石组合，划分为纯软岩组(软岩含量>90%)、软岩夹硬质岩组(软岩含量70%~90%)、软岩与硬质岩相间组(软岩含量30%~70%)、硬质岩夹软岩组(软岩含量10%~30%)、硬质岩组(软岩含量<10%)、断裂破碎带岩组。其中青天堡组(T_1q)软岩与硬岩占比大致相当，各占约50%，属软岩与硬质岩相间岩组；松桂组(T_3sg)为软岩夹硬质岩组，软岩比例达80%以上；黑泥哨组(P_2h)岩性主要为砂泥页岩夹煤层，为软岩组。

5.3 软岩地层主要岩石力学与特殊性特征

(1)软岩的物理力学性质

① T_3sg 地层。粉砂质泥岩弱风化带：饱和抗压强度(R_c)3.55~7.58MPa，平均值5.57MPa；饱和变形模量(E_0)1.25~1.47GPa，平均值1.36GPa；泊松比(μ)0.26~0.27，平均值0.27。属软岩—极软岩。泥岩粉砂岩微风化带：饱和抗压强度(R_c)13.3~19.47MPa，平均值17.32MPa；软化系数0.37~0.54，平均值0.44；饱和变形模量(E_0)3.01~5.52GPa，平均值4.17GPa；泊松比(μ)0.27~0.28，平均值0.28。属较软岩。岩体饱和抗剪强度 f 值1.07，c 值4.73MPa。

② T_1q 地层。泥质粉砂岩、粉砂岩微风化带：饱和抗压强度(R_c)8.52~23.93MPa，平均值17.55MPa；软化系数0.36~0.66，平均值0.51；饱和变形模量(E_0)2.31~5.69GPa，平均值3.59GPa；泊松比(μ)0.27~0.31，平均值0.29，属较软岩—软岩。岩体饱和抗剪断强度 f 值0.96~1.04，平均值1.0，c 值7.27~11.2MPa，平均值9.23MPa。

③ 断裂带。胶结较好的碎粉岩弱风化带：饱和抗压强度(R_c)17.40~30.15MPa，平均值23.78MPa；软化系数平均值0.42；饱和变形模量(E_0)1.97~7.59GPa，平均值4.78GPa；泊松比(μ)0.25~0.27，平均值0.26，属较软岩。

(2)特殊性特征

①软岩的膨胀性。青天堡组(T_1q)及松桂组(T_3sg)地层泥岩类岩石进行了膨胀性试验(表4)，该地层中的泥质岩及泥岩不含蒙脱石成分，自由膨胀率均小于1%，根据《水利水电工程地质勘察规范》(GB 50487—2008)、《铁路工程特殊岩土勘察规程》(TB 10038—2012)判别标准(表5)，初步判断不具膨胀性。

表4 泥岩及粉砂质泥岩膨胀性试验成果表

地层岩性	自由膨胀			约束膨胀	
	试件编号	自由膨胀率/%		Vhp/%	膨胀压力
		径向 VD	轴向 Vh		kPa
T_3sg 粉砂质泥岩	729	0.07	0.25	0.51	106
	729	0.15	0.99	1.00	80.3
	平均值	0.11	0.62	0.75	93.1
T_3sg 炭质泥岩	742	0.01	0.03	0.12	68.8
	742	0.12	0.18	0.14	93.0
	平均值	0.07	0.11	0.13	80.9
T_1q 粉砂质泥岩	748	0.16	0.18	0.17	81.4
	751	0.10	0.11	0.16	119
	平均值	0.13	0.15	0.17	100
T_1q 泥岩	753	0.23	0.27	0.31	83.9

表 5　膨胀土的详判指标

名称	判定指标
自由膨胀率 F_s/%	≥40
蒙脱石含量 M/%	≥7
阳离子交换量 CEC(NH_4^+)/(mmol · kg^{-1})	≥170

注：1. CEC 表示 1kg 干土的阳离子交换量；2. 当土质符合表格中任意 2 项以上指标时，应判定为膨胀土。

②软岩的崩解性。松桂组(T_3sg)及青天堡组(T_1q)地层粉砂质泥岩及泥岩的第二次循环耐崩解性指数为 88.64%～99.51%(表 6)，根据岩石耐久性划分标准(表 7)，两类岩石具有高至极高耐久性。

表 6　香炉山隧洞区软岩崩解性统计表

岩样编号	岩石名称	风化程度	检测循环后(岩样＋筛筒)烘干质量/g			第二次循环耐崩解性指数/%
			1	2	3	
XLZK19-①～XLZK19-④	粉砂质泥岩	微风化	1 344.33	1 331.61	1 303.74	98.27
P7ZK2-4-3-1～P7ZK2-4-3-3	碳质泥岩	微风化	1 244.95	1 229.87	1 214.87	97.65
XLZK7-①～XLZK7-④	粉砂质泥岩	微风化	1 366.58	1 364.14	1 361.44	99.51
XLZK7-⑤～XLZK7-⑥	泥岩	微风化	1 255.08	1 227.36	1 200.18	91.17
碎块状	泥页岩	弱风化	1 289.22	1 213.67	1 148.99	88.64

表 7　岩石耐久性划分标准

耐久性划分	极高耐久性	高耐久性	中等耐久性	低耐久性	极低耐久性
岩石耐崩解性指数 I_{d2}/%	$I_{d2}>98$	$98\geq I_{d2}\geq 85$	$85\geq I_{d2}\geq 60$	$60\geq I_{d2}\geq 30$	$I_{d2}<30$

6　软岩分布区高地应力背景

香炉山隧洞区主要软岩地层除隧洞出口段的松桂地层埋深较浅外，大部分分布洞段为深埋，埋深一般 580～1300m，局部小者 360m，按建议地应力侧压系数(即 400m 以上取 1.4、以下取 1.2)估算预测隧洞段地应力量级，最大水平主应力量值一般 15～39MPa，软岩—极软岩(饱和抗压强度≤15MPa)区岩石强度应力比值(R_b/σ_m)1～0.03，具有高至极高应力场背景，存在高地应力条件下的软岩大变形问题。

7　软岩大变形预测

7.1　判别准则

关于围岩大变形的预测和判别标准目前还没有形成一致的和明确的定义。根据锦屏二级水电站引水隧洞绿泥石片岩和丹巴水电站引水隧洞二云片岩的软岩研究提出，在前期勘察中，按岩体强度与断面最大初始主应力比值(S)的大小，对软岩的挤压变形程度进行初步预测评价，施工期则按实测收敛应变(ε)的大小进行评价，香炉山隧洞软岩大变形对应标准见表 8。

表8 香炉山隧洞软岩变形程度与分级对应表

$S/(R_b \cdot \sigma m^{-1})$		$S \geqslant 0.45$	$0.30 \leqslant S < 0.45$	$0.20 \leqslant S < 0.30$	$0.15 \leqslant S < 0.20$	$S < 0.15$
变形程度判别		基本稳定	轻微挤压变形	中等挤压变形	严重挤压变形	极严重挤压变形
围岩类别		Ⅲ$_1$	Ⅲ$_2$	Ⅳ$_1$	Ⅳ$_2$	Ⅴ
围岩稳定性评价		围岩基本稳定，局部有轻微挤压变形	稳定性较差。应力集中部位可能发生轻微中等挤出变形，不支护可能产生塌方或变形破坏	稳定性差。围岩自稳时间很短，规模较大的各种变形和破坏都可能发生	不稳定。围岩稳定时间仅数小时或更短，不及时支护围岩很快变形失稳。破坏形式除整体塌落外，侧墙挤出、底鼓均可发生。明显流变，变形大，持续时间长	极不稳定。围岩不能自稳，变形破坏严重
施工期变形	$\varepsilon/\%$	$\varepsilon \leqslant 1$	$1.0 < \varepsilon \leqslant 2.5$	$2.5 < \varepsilon \leqslant 5.0$	$5.0 < \varepsilon \leqslant 10.0$	$\varepsilon > 10.0$
	变形量d/cm	$d \leqslant 5.0$	$5.0 < d \leqslant 12.5$	$12.5 < d \leqslant 25.0$	$25.0 < d \leqslant 50.0$	>50.0

注：表中ε为收敛应变，其值为开挖洞室实测变形量与开挖洞室半径的比值，变形量值为以香炉山隧洞为例（开挖洞直径10.1m）相应给出仅供参考。

7.2 软岩大变形预测结果

香炉山深埋隧洞区软岩具有高应力背景，隧洞存在高应力条件下塑状大变形问题。主要软岩地层及断裂破碎带分布洞段隧洞埋深一般400～1300m，强度应力比S值一般0.43～0.03，普遍易于产生中等—极严重挤压变形（图4、图5），少量轻微挤压变形。

香炉山隧洞10.019km软岩洞段可能发生中等至极严重挤压变形，占软岩洞段长度的76.45%，占隧洞总长的16%。其中易发生极严重变形洞段长4.830km，占比36.85%；严重变形洞段长3.870km，占比29.53%；中等变形洞段长1.319km，占比10.07%；轻微变形洞段长2.628km，占比20.05%。香炉山隧洞深埋洞段软岩和断层破碎带在高地应力条件下的软岩大变形问题较突出。

图4 香炉山4#支洞桩号K0+384左顶拱沉降变形

图5 香炉山5#支洞桩号K0+522右顶拱沉降变形

8 软岩大变形的防治措施建议

（1）加固围岩，控制变形。深埋高地应力及软弱围岩是隧洞产生大变形的内在原因。地应力自然存在无法改变，但围岩可采取措施加固。应特别加强软弱围岩的加固力度，形成较厚的围岩加固圈，控制围岩松弛变形范围，减少围压对支护衬砌结构的作用力。

(2)先柔后刚，先放后抗。“先柔后刚”是指支护结构，即钢筋网喷混凝土、可缩钢架及长锚杆是最佳构成；而二次支护应是刚性的，以承受残余的应力荷载。“先放后抗”是要求初期支护施作完成后允许发生一定程度的变形，达到设计预留的变形量后再施作二次模注混凝土衬砌。

(3)变形留够，防侵净空。在高地应力条件下的挤压性软弱围岩坑道一般都可能发生大变形，在确定开挖轮廓时必须预留足够的变形量，防止变形后的初期支护侵入二次模注混凝土衬砌净空。

(4)加强施工期地质超前预报及围岩塑性大变形实测与规律性总结，及时优化隧洞支护参数，完善围岩大变形判别标准，用于未施工段的进一步判别和预测。

(5)香炉隧洞 TBM 施工段可能几处大变形洞段需研究针对性防范措施，特别是 TBM 若卡机后的施救措施。

9 结语

(1)软岩一般具有强度低、变形大等工程地质特性，深埋隧洞通过软岩(含断层破碎带)时，在高地应力和富水条件下易于产生围岩大变形，有关工程经验显示变形量可达数十厘米甚至米量级，危害巨大。

(2)目前关于软岩大变形的界定及预测方法尚无统一技术规定，本文采用强度应力比法进行软岩挤压大变形初步预测，并结合香炉山深埋长隧洞特点对《水力发电工程地质手册》界定标准中比值 S 进行了修正，提出了香炉山深埋长隧洞软岩大变形预测标准。

(3)香炉山隧洞主要穿越黑泥哨组(P_2h)、青天堡组(T_1q)、松桂组(T_3sg)3 个软岩层组，此外穿越大栗树断裂(F_9)、大龙蟠-乔后断裂(F_{10})、丽江-剑川断裂(F_{11})、鹤庆-洱源断裂(F_{12})4 条区域性断裂规模巨大，总体工程性状差至较差。香炉山隧洞穿越软岩洞段总长 13.107km，占比 20.94%，其中易发生中等—极严重变形洞段长 10.019km，占比 16.01%。香炉山隧洞深埋洞段软岩和断层破碎带在高地应力条件下的软岩大变形问题较突出。

(4)通过对香炉山深埋长隧洞软岩变形分析研究，可预测软岩大变形可能发生的洞段，提前采取处理措施，避免软岩大变形可能造成的巨大危害，同时研究成果为隧洞设计和施工提供了地质依据，并可为类似深埋长隧洞工程提供一定的借鉴意义。但由于深埋长隧洞很难准确确定软岩特别是极软岩的具体分布，预测结果仅代表软岩分布洞段可能产生塑性大变形的不利条件及相应较大挤压变形程度。

参考文献

史存鹏，王家祥，刘承新，等. 西南某引水隧洞深埋软岩洞段围岩变形量敏感性分[J]. 人民长江，2015，46(14)：46-51.

俞渝. 挤压性围岩支护大变形的机理和判别方法[J]. 世界隧道，1998，2 (1)：46-51.

姜云，李永林，李天斌，等. 隧道工程围岩大变形类型与机制研究[J]. 地质灾害与环境保护，2004，15(4)：46-51.

王旺盛，陈长生，王家祥，等. 滇中引水工程香炉山深埋长隧洞主要工程地质问题研究[J]. 长江科学院院报，2020，37(9)：154-159.

夏骊娜，汤大明，曾纪权. 岩石耐崩解性试验方法及评定标准的探讨[J]. 低碳世界，2014(17)：185-186.

彭土标，袁建新，王惠明. 水力发电工程地质手册[M]. 北京：中国水利水电出版社，2011.

长大斜井穿越软弱破碎带涌水突泥机理研究

陈长生[1,2] 喻久康[1,2] 李银泉[1,2] 王旺盛[1,2] 史存鹏[1,2] 张海平[1,2]
1.国家大坝安全工程技术研究中心,湖北 武汉 430010;
2.长江勘测规划设计研究有限责任公司,湖北 武汉 430010

摘 要:施工斜井是深埋长隧洞增加工作面控制工期的重要前期工程,快速安全的修建斜井,对控制整个工程的进度非常重要,但在斜井修建过程中往往会遭遇软弱破碎富水带,产生涌水突泥等地质灾害,不仅危及施工人员生命安全,造成重大经济损失,同时会严重影响工期,延滞总体工程进度。本文以滇中引水工程香炉山深埋长隧洞5#施工斜井工程建设实践为背景,研究了长大斜井穿越软弱破碎带涌水突泥的地质特征、孕灾规律、演化过程与发生机理,结合施工现场工程地质和水文地质条件,分析了涌水突泥的影响因素,提出涌水突泥的处置措施,对预防5#施工斜井后续洞段开挖产生涌水突泥地质灾害事故的发生,保障工程安全有序推进有重大工程意义。

关键词:长大斜井 软弱破碎带 涌水突泥 孕灾规律 演化过程

1 前言

施工斜井是交通、铁路和引调水工程等线路工程在建设长距离隧洞(道)时,旨在施工期增加工作面、运行期实现检修和通风等目的的重要工程。但一般深埋长隧洞工程多穿越崇山峻岭,地形地质条件和水文地质条件极其复杂,施工斜井布置困难,面临围岩稳定、软岩大变形、涌水突泥等诸多地质问题,特别是涌水突泥风险,严重威胁施工安全和施工进度,同时也有可能引起局部地段地表、地下水的疏干问题,造成较大环境问题,进而影响社会和谐与稳定。因此开展涌水突泥机理研究,提前采取工程处理措施,对预防涌水突泥灾害的发生有重要的工程意义。

近年来,许多专家学者对隧洞施工中的涌水突泥问题开展了研究,并进行了诸多有益探索。白明洲等统计分析了深埋隧洞岩溶突水灾害发育的地质条件,从突水灾害宏观地质孕灾件上进行了阐述;从工程地质学来讲,突涌水灾害中的含水致灾构造的孕灾模式,可以概括为断层破碎带与岩溶裂隙之间的多种组合方式,为溶隙、地下河、岩溶管道、结构面和裂隙等相互组合。李术才等根据地质结构类型不同划分了突涌水灾害赋存的地质体,研究表明裂隙、断层、地下河及管道、膏溶角砾岩等发育区段易诱发隧洞施工过程中出现重大的突涌水灾害。卢耀如通过研究认为隧洞涌突水孕灾模式比较复杂,目前的国内外研究将其分为断裂控制型、向斜构造控制型、岩溶系统控制型以及多种模式复合型等。李利平等分析了地下工程突水机理及其研究最新进展,隧洞涌突水是指岩溶含水介质系统、地下水系统以及围岩力学平衡状态因地下工程开挖发生急剧变化,存储在地下水体的大量能量瞬间释放,以流体的形式高速地向工程临空面内运移,造成严重危害的一种破坏现象。潘彦邑等针对富水破碎地层,研究了斜井与隧道主洞交叉处的施工控制技术。

作者简介

陈长生(1982—),男,高级工程师,主要从事工程地质、水文地质勘察与研究工作. E-mail:15508228@qq.com

本文以滇中引水工程香炉山深埋长隧洞5#施工斜井的建设实践为基础，通过隧洞施工过程中遭遇的涌水突泥事故为研究分析对象，研究了长大斜井穿越软弱破碎带涌水突泥的地质特征、孕灾规律、演化机制与发生机理，并提出处置措施地质建议。

2 工程概况

滇中引水工程是解决滇中地区严重缺水的特大型跨流域调水工程，是国务院确定的172项节水、供水重大水利工程之一，该工程由水源工程和输水工程组成。输水工程线路总长664.24km，其中隧洞58座，长611.99km，占线路总长的92.13%。香炉山深埋长隧洞是滇中引水工程总工期控制性工程，隧洞总长62.596km，最大埋深1450m，具有线路长、埋深大、勘察研究范围广、地质构造背景与岩溶水文地质条件复杂，地下水环境影响敏感等特点。

香炉山隧洞5#施工斜井施工期作为处理香炉山隧洞丽江-剑川断裂(F_{11})及其影响带的施工通道，运行期作为永久检修洞和通风补气洞。斜井布置于汝南河槽谷清水江附近，与香炉山隧洞主洞桩号DLI 028+052相交，长1246m，最大埋深585m。施工斜井进口高程2508m，与主洞相交高程为2014m，高差494m，纵向坡度24.71°，断面型式为城门洞型，净断面尺寸为6.5m×6.0m(宽×高)。5#施工斜井作为扩大勘察试验性工程，可为进一步研究和解决香炉山深埋长隧洞类似关键地质问题提供研究和试验空间，有助于进一步探明地质条件、积累设计和施工经验、降低施工风险，由此形成的工作面可为下一步香炉山隧洞全面开工提供良好的条件。

3 地质概况

3.1 区域地质背景

香炉山隧洞5#施工斜井位于一级大地构造单元扬子准地台(Ⅰ)的三级构造单元鹤庆-洱海台褶束($Ⅰ_1^1$)内(图1)，新构造运动分区为中甸-丽江差异隆起区(Ⅳ)，新构造运动活跃。在长期地质历史过程中，工程区经多期构造运动，形成了极为复杂的构造系统。工程区5km范围内分布有丽江-剑川断裂(F_{11})、黄蜂厂-清水江断裂($F_{Ⅱ-17}$)及近东西向的石灰窑断裂($F_{Ⅱ-4}$)、水井村断裂($F_{Ⅱ-3}$)，其中F_{11}为全新世活动断裂。5#施工斜井总体位于北东向的丽江-剑川断裂(F_{11})、近南北向的黄蜂厂-清水江断裂($F_{Ⅱ-17}$)及近东西向的石灰窑断裂($F_{Ⅱ-4}$)交会区，介于黄蜂厂-清水江断裂($F_{Ⅱ-17}$)及石灰窑断裂($F_{Ⅱ-4}$)之间，5#施工斜井还直接穿过石灰窑断裂。场址区北侧即为丽江-剑川断裂(F_{11})切割形成的汝南河槽谷，区内构造背景复杂，受构造影响程度极高，岩体受构造活动影响极为破碎。场址区位于川滇菱形块体2个次级块体——川西北块体和滇中块体，场地50年超越概率10%水平向地震动峰值加速度值为315gal(属0.30g区)，地震基本烈度为Ⅷ度，区域构造稳定性差。

3.2 工程地质与水文地质条件

5#施工斜井布置于汝南河断层槽谷左岸山体的边缘部位，支洞进口紧临汝南河左岸支流清水江，支洞走向与汝南河槽谷近平行展布，沿线地表高程2515～2607m，最大埋深585m，地形坡角一般10°～30°。支洞主要穿越第三纪(古近纪+新近纪)侵入岩——安山质玄武岩(Nβ)，石灰窑断裂带($F_{Ⅱ-4}$)碎裂岩、碎粉岩(原岩为安山质玄武岩、北衙组灰岩)，二叠纪喷出岩(Pβ)玄武岩，工程区地层分布见图2。支洞大部分穿越石灰窑断裂($F_{Ⅱ-4}$)(图3)，与施工支洞轴线夹角约40°，走向上呈波状延伸，该断裂走向近

EW向，倾N，倾角55°～65°，断层带宽约50m，长度12km，构造岩主要为碎裂岩、角砾岩夹碎粉岩及碎粒岩，性状较差—较好，岩质较疏松—硬状，局部段受构造作用强烈，岩体较破碎。

区内最大河流为汝南河，其次为清水江，清水江总体NW流向，勘察期间流量1～2m^3/s。沿线地下水类型主要有孔隙水、基岩孔隙-裂隙水和裂隙-溶隙水。地下水位高出支洞一般200～400m，最大达529m。安山质玄武岩及断层影响带岩体属中等透水—强透水。

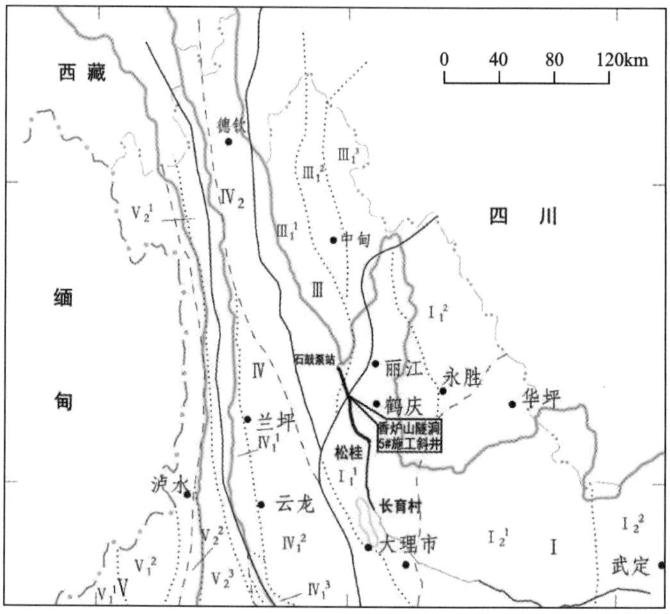

图1 5#施工斜井大地构造分区图

Ⅰ扬子准地台：Ⅰ$_1$盐源-丽江台缘褶带；Ⅰ$_1^1$鹤庆-洱海台褶束；Ⅰ$_1^2$永宁-永胜（盐源）台褶束。Ⅰ$_2$康滇地轴；Ⅰ$_2^1$滇中中台陷；Ⅰ$_2^2$武定-石屏隆断束。Ⅲ 松潘-甘孜地槽褶皱系：Ⅲ$_1$中甸褶皱带；Ⅲ$_1^1$东旺-巨甸（中咱）褶断束；Ⅲ$_1^2$仪敦褶皱束；Ⅲ$_1^3$三坝（理塘）褶皱束。Ⅳ兰坪-思茅褶皱系：Ⅳ$_1$兰坪-思茅褶皱带；Ⅳ$_1^1$中排山褶皱束；Ⅳ$_1^2$云龙-江城褶皱束；Ⅳ$_1^3$景谷-勐腊褶皱束；Ⅳ$_2$云岭褶皱带。Ⅴ冈底斯-念青唐古拉褶皱系：Ⅴ$_1$伯舒拉岭-高黎贡山褶皱带；Ⅴ$_1^1$铜壁关褶皱束；Ⅴ$_1^2$古永-盏西褶皱束；Ⅴ$_1^3$泸水-陇川褶皱束；Ⅴ$_2$福贡-镇康褶皱带；Ⅴ$_2^1$丙中洛褶皱束；Ⅴ$_2^2$芒市褶皱束；Ⅴ$_2^3$保山-永德褶皱束

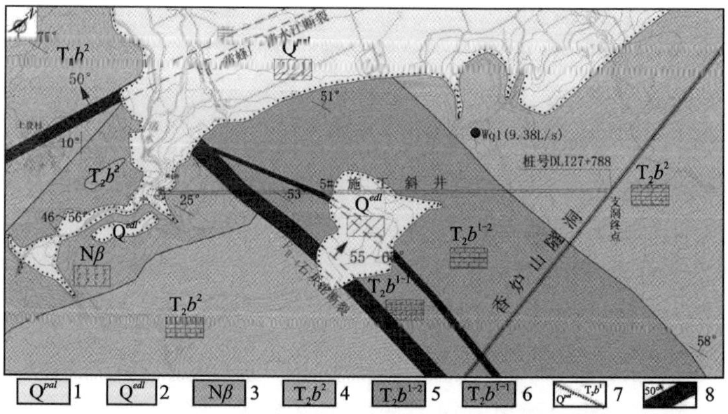

图2 5#施工斜井工程地质平面图

1.洪坡积土夹卵砾石；2.残坡积粉质黏土夹砂；3.安山质玄武岩；4.北衙组上段白云质灰岩、灰岩；5.北衙组下段上部条带状灰岩夹钙质泥岩、泥岩、砂质泥岩；6.北衙组下段下部砂岩、泥岩及页岩互层；7.第四系与基岩分界线；8.断层及编号

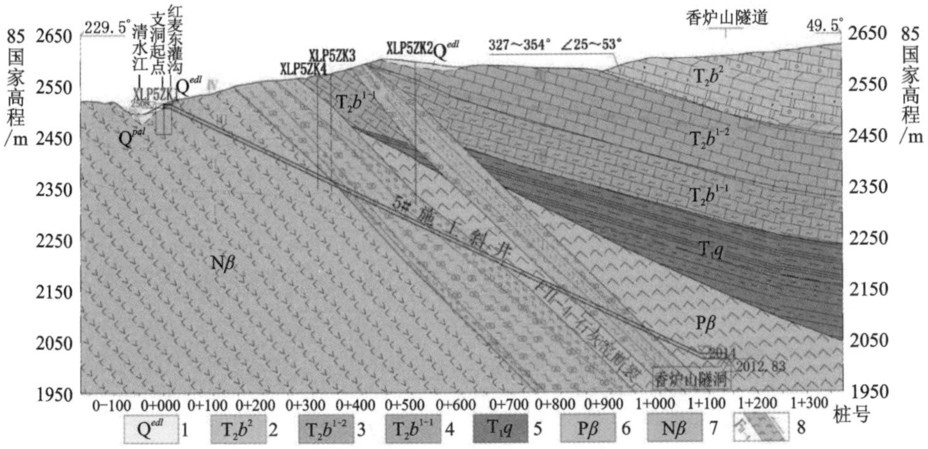

图 3　5＃施工斜井工程地质剖面图

1. 残坡积粉质黏土夹砂；2. 北衙组上段白云质灰岩、灰岩；3. 北衙组下段上部条带状灰岩夹钙质泥岩、泥岩、砂质泥岩；4. 北衙组下段下部砂岩、泥岩及页岩互层；5. 青天堡组砂岩、泥岩及页岩互层；6. 二叠纪玄武岩；7. 第三纪安山玄武岩；8. 断层及编号

3.3　主要地质问题

(1)高地震烈度与工程抗震问题

5＃施工斜井距丽江-剑川断裂活动断裂带地表距离约 0.8～1.2km。该断裂表现为较强的现今地震活动性，具有发生 7 级及其以上地震的构造条件，支洞 50 年超越概率 10％水平向地震动峰值加速度值为 0.3g，相应地震基本烈度为Ⅷ度，属高地震烈度区，应注意建筑物抗震设防。

(2)围岩稳定与软岩变形问题

5＃施工斜井围岩类别为Ⅳ类和Ⅴ类，其中Ⅴ类围岩长 1 015.42m，占比 81.5％；Ⅳ类围岩长 230.58m，占比 18.5％，洞室稳定问题极为突出。其中洞口全—强风化带段及桩号 K0＋499～K1＋088 断裂带穿越段为软岩洞段，主要为全—强风化岩体、石灰窑断裂(F_{II-4})及其影响带，该洞段围岩相对破碎、软弱、性状差—极差，叠加相对丰富的地下水影响，洞室围岩发生大变形的可能性大。

(3)隧洞涌(突)水问题

5＃施工斜井位于清水江-剑川岩溶水子系统(Ⅴ-1)中，总体地下水丰富。施工斜井首、末段主要穿越地层岩性为 Nβ、Pβ 玄武岩，以裂隙水为主，透水性中等—较弱，地下水总体不丰；但支洞中段大部分穿越石灰窑断层，带内岩体破碎，碎裂岩带透水性相对较好，该断裂还可能沟通上部岩溶水，隧洞穿越可能产生洞室的突泥涌水问题。根据地下水动力学法进行隧洞涌水预测计算，施工斜井整洞段一般单位长度涌水量为 28.42～41.26L/(min · 10m)，最大单位长度涌水量为 84.49～152.72 L/(min · 10m)，为线状流水—涌水。

(4)高外水压力问题

采用压力水头折减系数法对施工斜井高外水压力情况进行了分析预测，结果显示在穿越石灰窑断裂(F_{II-4})和影响带及 Pβ 玄武岩洞段(桩号 K0＋519～K1＋246)存在较高的外水压力问题，相应的外水压力值为 1.00～2.11MPa。高外水压力累计洞段长度 727m，占隧洞总长的 58.4％，高外水压力问题较突出。

4 开挖段揭露涌水突泥问题

5#施工斜井位于清水江-剑川岩溶水子系统（Ⅴ-1）中，且紧邻红麦盆地（高地下水位），总体地下水丰富，施工过程中涌水突泥问题较为突出，开挖至今发生较大涌水（突泥）问题4次，具体见表1及图4。

表1 5#施工斜井涌水突泥统计表

涌水突泥情况	时间	桩号	围岩类别	开挖方式	支护措施	涌水过程
涌水、垮塌失稳	2019.1.17	K0+114	Ⅴ类	挖机	超前支护	围岩泥化，渗压破坏，涌水量30～40m³/h
涌水、变形	2020.8.21	K0+522.5	Ⅴ类	爆破	超前支护	K0+522涌水量80～100m³/h； 全洞总出水量约300m³/h
涌水	2020.10.03	K0+507	Ⅴ类	爆破+挖机	超前支护	涌水量80～100m³/h
突涌水（泥）	2020.11.13	K0+526	Ⅴ类	挖机	超前支护	掌子面垮塌后突涌水（泥），800～1000m³

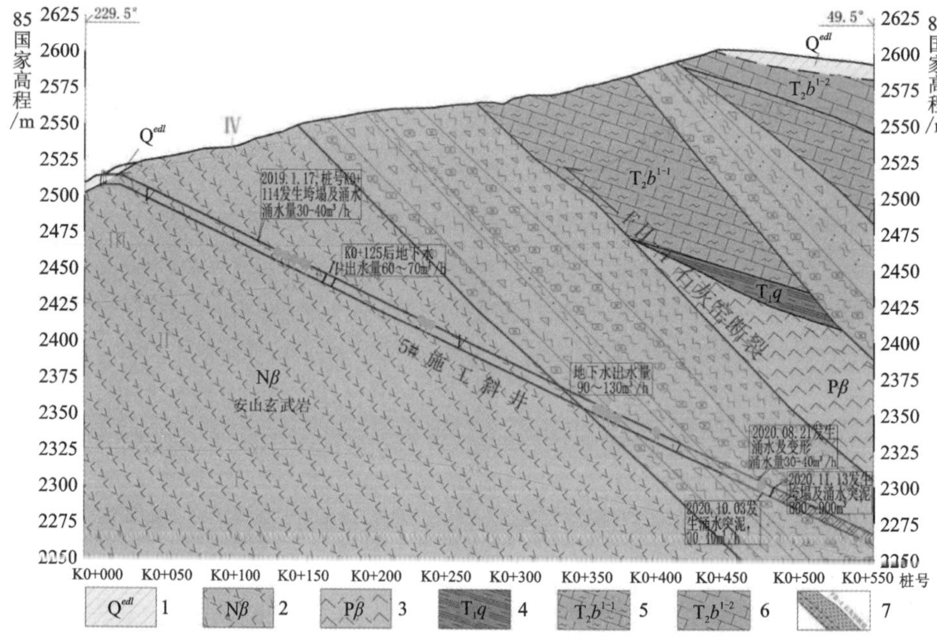

图4 5#施工斜井涌水突泥分布图

1.残坡积粉质黏土夹砂；2.第三纪安山玄武岩；3. 二叠纪玄武岩；4. 青天堡组砂岩、泥岩及页岩互层；5. 北衙组下段下部砂岩、泥岩及页岩互层；6.北衙组下段上部条带状灰岩夹钙质泥岩、泥岩、砂质泥岩；7.断层及编号

5 涌水突泥过程及机理分析

5.1 涌水突泥过程

5#施工斜井施工工法为预留核心土+上下台阶法，目前采取挖掘机掏挖方式进行开挖。2020年8月21日，5#施工斜井开挖至桩号XLS5K0+522时，桩号K0+514～K0+520段右侧边墙混凝土表面

出现开裂(最大宽度 5mm),桩号 K0＋520～K0＋522 段右侧拱顶钢支撑出现大变形(最大沉降量 30cm),掌子面顶部突发涌水,最大涌水量约 350m^3/h,涌水携带出大量角砾岩及碎粉岩,造成掌子面淹没,见图 5。2020 年 9 月 6 日,桩号 K0＋522～K0＋526 段右侧起拱线钢支撑变形严重,并在 K0＋522.5 桩号右侧拱顶处出现涌水,涌水量 100～150m^3/h,见图 6。2020 年 10 月 3 日,桩号 XLS5K0＋506 桩号右侧集水井处突然停止出水,15 分钟后突发涌水,水质浑浊且携带大量泥沙,水量约 320m^3/h,随后桩号 K0＋518～K0＋523 段右侧拱顶混凝土出现开裂,裂缝最大宽度 5cm,且桩号 K0＋506～K0＋524.5 段涌水点明显增多,水质浑浊,约 10 小时后,桩号 K0＋517～K0＋519 双层钢支撑洞段右侧出现变形开裂形成错台,最大错台约 40cm,见图 7。现场全断面采用 C20 混凝土回填反压至 XLS5K0＋507,再采用纯水泥浆液进行空腔回填以及松散体的固结灌浆,2020 年 11 月 13 日,5＃施工斜井重新开挖至桩号 XLS5K0＋526,掌子面突发涌水且局部凸起,至 9 时 10 分左右涌水突泥量达到 1000m^3,水位抽排后,外露泥沙约 800m^3,并造成桩号 K0＋516～K0＋526 桩号段钢拱架整体沉降破坏,见图 8。

图 5　8 月 21 日涌水情况

图 6　9 月 6 日涌水情况

图 7　10 月 3 日错台及涌水情况

图 8　11 月 13 日涌水突泥情况

5.2　涌水突泥机理分析

5＃施工斜井与石灰窑断裂带呈 40°相交,且石灰窑断裂带与红麦盆地连通(图 9),根据前期地质勘察资料及施工揭露地质情况,此段位于石灰窑断层碎裂岩带,岩体破碎,富水性及导水性强,顺断层方向透水率一般大于 100Lu，部分为 10～100Lu，属中等—强透水。8 月 21 日隧洞涌突水部位掌子面高程低于洞口高程约 214m，已经位于地下水位以下超 200m，地下水丰富且水头压力较大，桩号 XLS5K0＋522 顶拱发育一条长大裂隙，裂隙面宽 1～2cm，张开、无充填(充填物被水流冲走)，该长大裂隙带沟通清水江岩溶水系统或红麦盆地高地下水(图 10)，构成畅通的地下水渗流通道，在施工开挖扰动下，高水头(超 200m)地下水沿该长大裂隙集中出流产生渗透破坏，形成集中涌水通道，由于涌水通道再被渗流压力带出的泥渣堵塞后，蓄存水压力不断积攒最后释放，流量瞬间减弱，重新达到一种平衡状态，蓄存游离水体存在于隧洞周边围岩中，由于碎粉岩自身具有隔水效应，待到蓄存水达到一定的压力和能量后或是在碎裂岩受到外力作用和干扰下，急剧穿透碎裂岩保护，在涌水过程中，由于涌水能量的释放携带大量泥屑喷涌而出，淹没斜井，造成涌水突泥的地质灾害发生，同时地下水出流释压也进一步扰动岩体及初衬结构，产生变形破坏。

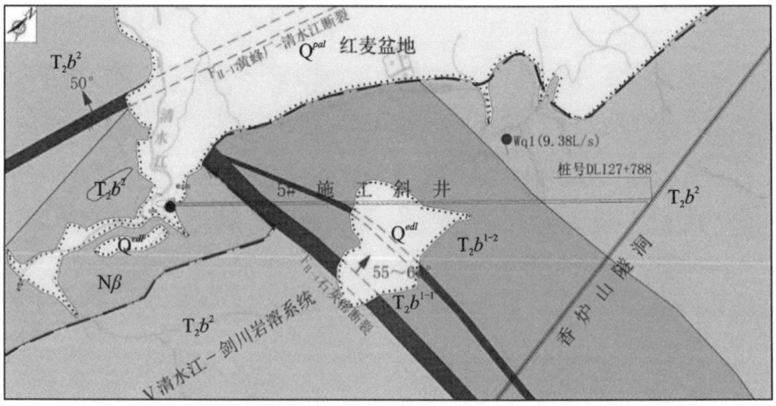

图 9　5＃施工斜井与红麦盆地及石灰窑断裂带位置关系图

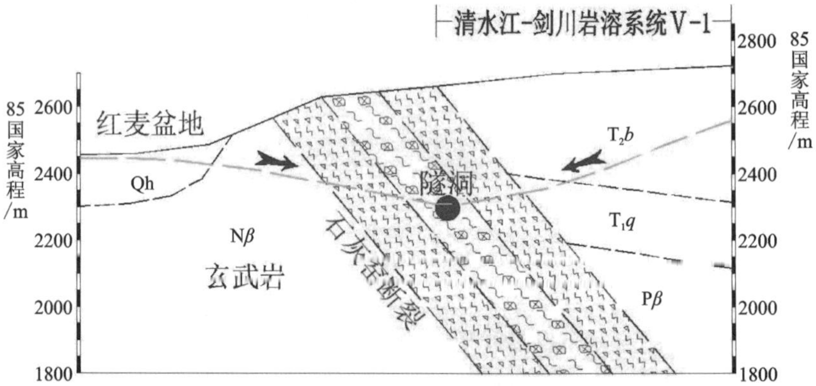

图 10　隧洞地下水补给示意图

11 月 13 日再次发生涌水突泥，主要原因为右壁围岩经过近 3 个月的灌浆改善效果不佳，围岩浸泡软化及支护扰动进一步劣化岩体质量，同时涌水通道在渗流过程中持续发生溯源侵蚀及渗透破坏作用(图 11)；洞内的支护、灌浆虽在一定程度改善了浅层围岩的稳定现状，但未在深层次堵住涌水通道并整体改善围岩稳定状态，施工开挖以后，围岩稳定状态被打破，洞室外围的松散岩体及淤积的地下水沿掌子面薄弱处释压涌出。

6　涌水突泥处置措施

5＃施工斜井涌水突泥灾害治理按抢险模式实施，遵循“安全、快速、稳妥”的原则，需解决好已成洞

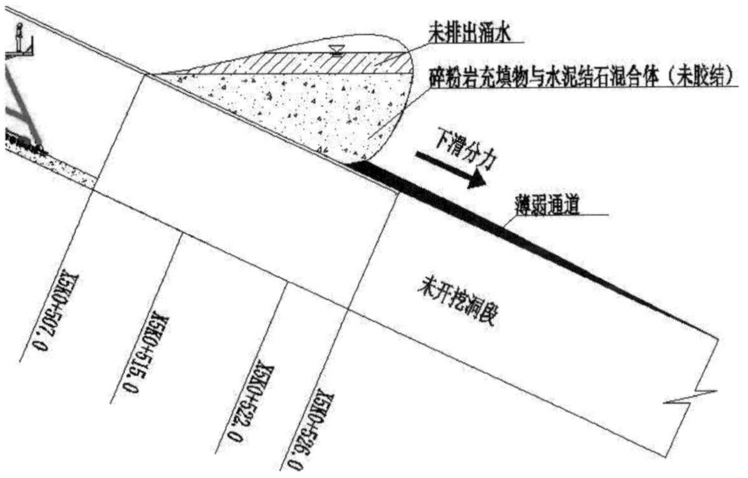

图 11　5＃施工斜井涌水突泥剖面示意图

段洞周的安全加固和外水封堵、空腔及突涌口的封堵、洞内突涌泥渣(含挖掘机)的安全清挖和原掌子面包括掌子面前方扰动地层加固四个关键问题，为隧洞转入正常施工工序创造安全的环境。

6.1　形成有效的固结圈

桩号 K0＋507～K0＋526 段位于石灰窑断裂带，岩体破碎，垂直于洞轴线大桩号方向左侧岩体呈碎裂结构右侧呈散体结，经长时间的渗透破坏后围岩条件较差。为隧洞施工安全，在开挖线以外形成有效的封闭圈体和固结圈体，并在形成固结圈的过程中，对钻孔揭露塌腔实施渗控灌浆充填。

通过灌浆手段形成封闭圈体和固结圈体，增加固结圈体的黏聚力和内摩擦角，降低加固圈体的渗透性，形成隔水屏障，提高抗渗能力，承载上部松散体的压力和外水压力，增加洞周自稳性，可以形成是隧洞开挖的有效保护体系的重要部分。

6.2　超前固结灌浆处理

超前固结灌浆处理是在开挖面前端对隧洞围岩中的不利地质条件以及可能存在的泄水通道等进行有效地预处理措施，改善节理裂隙发育或有破碎带岩石的物理力学性能，通过固结加固，使松散岩体有效地胶结形成整体等。对桩号 K0＋526 掌子面延伸段岩体进行超前固结灌浆处理，形成厚度足够的岩塞，防止揭露的断层破碎带不足以抵抗外水压力以及和围岩应力造成涌水突泥灾害，保障隧洞向前开挖的顺利实施。

6.3　以堵为主，深部引排

石灰窑断裂带与 5＃施工斜井走向呈小角度相交，基本贯穿整个隧洞，且为斜洞，有利于断层内水体沿开挖方向在重力的作用下向下延伸，始终在开挖面未进行二衬的位置或掌子面等存在渗水通道的薄弱位置积累、蓄存，最终诱发突泥、涌水现象。

灌浆施工时，若仅考虑对地下水进行封堵，而不进行适宜的排放，则会导致灌浆治理过程中围岩承受较大水压，甚至可能引发塌方或涌水涌泥等共生灾害。因此，采用“以堵为主，堵排结合”的原则进行治理，以增加灌浆施工的安全。考虑到洞周的断层带岩体易受渗流冲刷潜蚀的影响，由于涌水突泥后断层带围岩条件极其恶劣，浅部的引排反而可能会造成围岩的渗流失稳，采用深部引排和浅部灌浆加固结合的堵排方式，对桩号 K0＋507～K0＋526 段的回填、固结灌浆后，将治理思路中堵水加固与排水有机的结合，灌浆过程中采用深部引流泄压的排水方式，即在围岩较为稳定的区域向致灾水源上游或断层带深部地下水主要径流通道上施作引流排水钻孔，以分流涌水量减少灌浆过程中施加在固结加固圈上的水压力。

7 结语

本文以滇中引水工程香炉山深埋长隧洞5＃施工斜井的建设实践为基础，对斜井穿越软弱破碎带产生的涌水突泥灾害演化过程和发生机理进行了研究分析，主要结论如下。

(1)5＃施工斜井坡度大，地质条件复杂，大部分洞段穿越石灰窑断裂带，岩体破碎，地下水丰富，产生涌水突泥灾害风险高，开挖洞段已发生多次较大规模涌水突泥。

(2)红麦盆地和清水江岩溶水系统是5＃施工斜井稳定的地下水源补给源，并通过石灰窑断层破碎带沟通，因此斜井在进入石灰窑断裂带后涌突水灾害发生的风险增大。

(3)本次涌水突泥的发生的机理主要是石灰窑断层破碎带中长大裂隙带沟通清水江岩溶水系统或红麦盆地地下水，在施工扰动下，高水头地下水沿该长大裂隙集中出流产生渗透破坏，形成集中涌水通道，同时涌水通道在渗流过程中持续发生溯源侵蚀及渗透破坏作用，造成了涌水突泥。

(4)通过5＃施工斜井涌水突泥发生机理的研究，可超前预测，并提前采取处理措施，避免重大涌水突泥风险的发生，可为后续洞段的开挖总结宝贵的经验，同时提出的处置措施，也可为后续洞段及类似工程遭遇同类涌水突泥灾害的处置提供借鉴。

参考文献

白明洲，许兆义，王连俊，等. 深埋隧道岩溶突水灾害的地质条件研究[J]. 铁道工程学报，2006，23(3)：21-24.

李术才，石少帅，李利平，等. 三峡库区典型岩溶隧道突涌水灾害防治与应用[J]. 岩石力学与工程学报，2014，33(9)：1887-1896.

卢耀如. 岩溶水文地质环境演化与工程效应研究[M]. 北京：科学出版社，1999.

李利平，路为，李术才，等. 地下工程突水机理及其研究最新进展[J]. 山东大学学报(工学版)，2010，40(3)：104-112＋118.

潘彦邑，喻亮，刘晨，等. 富水破碎地层隧道斜井与主洞交叉处施工控制技术[J]. 工程技术研究，2020，5(11)：189-191.

滇中引水工程穿深厚覆盖层涵管不同工法下地质参数关键技术研究

张海平[1,2,3]　陈长生[1,3,3]　李银泉[1,2,3]　王朋[3]　喻久康[3]

1.国家大坝安全工程技术研究中心,湖北 武汉　430010;

2.长江勘测规划设计研究有限责任公司,湖北 武汉　430010;

3.长江三峡勘测研究院有限公司(武汉),湖北 武汉　430074

摘　要:滇中引水工程是目前国内在建输水线路最长、地质条件最复杂的引调水工程,由水源工程和输水工程组成。冲江河涵管是水源工程的重要建筑物,穿越河床深厚覆盖层长度达820m,埋置深度达27~44m,施工难度极大,某种程度上制约着水源工程建设工期。冲江河为金沙江右岸一级支流,河谷最宽约1.2km,河床覆盖层最厚达129m,物质成分以冲洪积砂砾卵石夹漂石为主,涵管采取何种工法穿越深厚覆盖层,是勘察设计过程中一项非常重要的研究内容。目前国内外工程实践中,穿越深厚覆盖层的施工工法主要有大开挖法、冷冻法及盾构法,受特定地质条件影响,三种工法下需重点查明的地质参数不尽相同。例如:大开挖法需重点查明覆盖层物质组成与渗透系数,为基坑降排水措施提供理论依据;冷冻法在以砂砾卵石为主的地层中,地下水流速应小于3m/d,否则冷冻极大可能失效;盾构法需重点查明覆盖层粒径占比尤其是粗颗粒含量与原岩强度等,与盾构掘进风险密切相关。因此,在勘察过程中,准确获取上述地质参数,不仅为施工工法的比选研究提供重要地质依据,更是为最终选定的施工方案主要工程地质问题与评价奠定坚实基础。

关键词:滇中引水工程　冲江河涵管　深厚覆盖层　物质组成与渗透系数　地下水流速

1　前言

近年来,随着国内地铁、高铁、长距离引调水工程的加速推进,施工技术水平达到了前所未有新高度。在工程建设中,目前建筑物穿越河床深厚覆盖层的施工工法主要有大开挖法、冷冻法及盾构法,受特定地质条件环境影响,三种工法需重点查明的地质参数不尽相同。大开挖法需重点查明覆盖层物质组成与渗透系数,为后续深大基坑防渗墙布置以及降水井的优化设计等提供地质依据,若开挖过程中降水、抽排水措施不当,可能导致基坑涌水、涌砂、地面沉降等重大问题甚至带来周边地下水疏干等不利环境影响;冷冻法施工,地下水流速则是关键地质参数,地下水流速大于3m/d,冷冻效果则难以保证,易导致覆盖层垮塌失稳及洞内涌水、涌砂等问题,极有可能冷冻失效而导致工程失败;盾构法施工,若管身段

作者简介

张海平,男,高级工程师,主要从事水利水电等大中型水利水电枢纽、引调水工程及岩土工程勘察。E-mail:390652434@qq.com

覆盖层中粒径大于50cm的粗颗粒含量高、且原岩以坚硬岩为主，这类地层结构将对刀盘及刀具磨损极大，掘进难度极大，施工风险极高。因此，准确查明冲江河河床深厚覆盖层的物质组成与渗透系数、地下水流速、颗粒级配尤其是粗颗粒含量与原岩强度等地质参数，不仅为施工工法的选择提供重要地质依据，也为最终选定的施工方案存在的主要工程地质问题与地质评价奠定了坚实基础。

2 概述

2.1 工程概况

滇中引水工程是目前国内在建输水线路最长、地质条件最复杂的引调水工程，由水源工程和输水工程两部分组成，输水线路总长约664km。水源工程位于"万里长江第一湾"所在地——云南省丽江市玉龙县石鼓镇，采用一级地下泵站提取金沙江水，取水口位于石鼓镇上游1.5km处金沙江右岸大同村漫滩，先后经过长约1.27km引水渠、两条长约3km进水隧洞、0.8km长进水涵管进入冲江河右岸地下泵站系统；地下泵站共布置12台水泵机组，总装机480MW，提水最大净扬程为219.16m，地下泵房开挖规模目前居世界之最，出水系统末端与香炉山隧洞相接；冲江河涵管是水源工程的重要建筑物之一，布置于石鼓集镇南西侧2.2km的冲江河河床，呈174°流向斜穿冲江河，涵管共布置两条，单条长度分别为815m、828m，建基面高程1800m，埋置深度一般27～31m，最大约44m。

2.2 地质概况

水源工程区大地构造单元位于松潘-甘孜褶皱系内，区域构造背景复杂，地震基本烈度为Ⅷ度。工程区河谷两岸山体高程一般2300～2900m，河槽区地面高程一般1820～1845m，山体地形坡角一般25°～40°，区内基岩主要为中泥盆统穷错组(D_2q)及下泥盆统冉家湾组(D_1r)地层(图1)，岩性主要为灰岩、片岩两大类，河床第四系堆积物主要为冲洪积层，物质成分主要为砂砾卵石夹漂(块)石层。区内地质构造主要发育有区域性拖顶-开文断裂(F_5)及石鼓复向斜、冲江河背斜等，构造形迹总体走向北北东至近南北向，地层产状冲江河右岸区一般78°～110°∠22°～80°，左岸区一般285°～310°∠28°～65°；山体地下水位埋深一般15～360m不等，冲江河河槽区地下水位埋深一般1.4～3.6m；工程区部分凹坡地带发育有崩滑堆积体，现状总体稳定，环境地质条件总体较好。

冲江河为金沙江右岸一级支流，涵管所在部位位于冲江河河口上游约2.5km，该处河槽地势宽缓，冲江河流向为26°～63°，河床段地面高程一般1828～1843m，平水期河水位高程一般1826～1828m，水面宽18～22m；涵管区覆盖层深度最大达129m，物质成分主要为冲洪积砂砾卵石夹漂(块)石层夹黏性土、黏土质砂、粉砂等透镜体(图2)，区内地下水位埋深一般2～5m，高于涵管顶板一般17～25m。

3 勘察布置方案的综合选定

为了实现同步、准确地查明河床深厚覆盖层物质组成与渗透系数、地下水流速、覆盖层粒径占比及粗颗粒含量与原岩强度等关键地质参数，勘察期间对涵管区的勘察方案进行了综合布置与优化，使各勘探钻孔功效最大化。

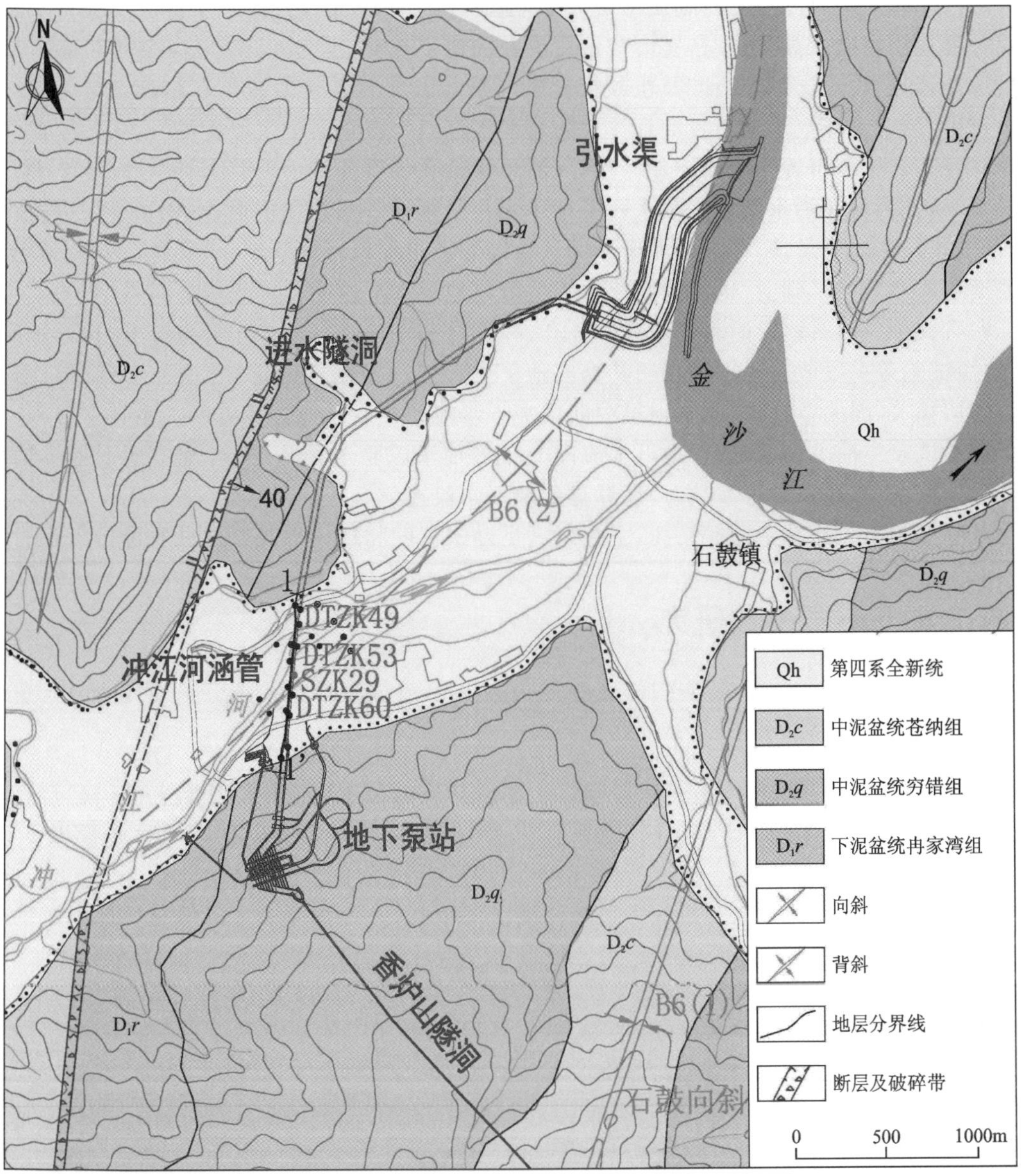

图 1 石鼓水源工程地质平面图

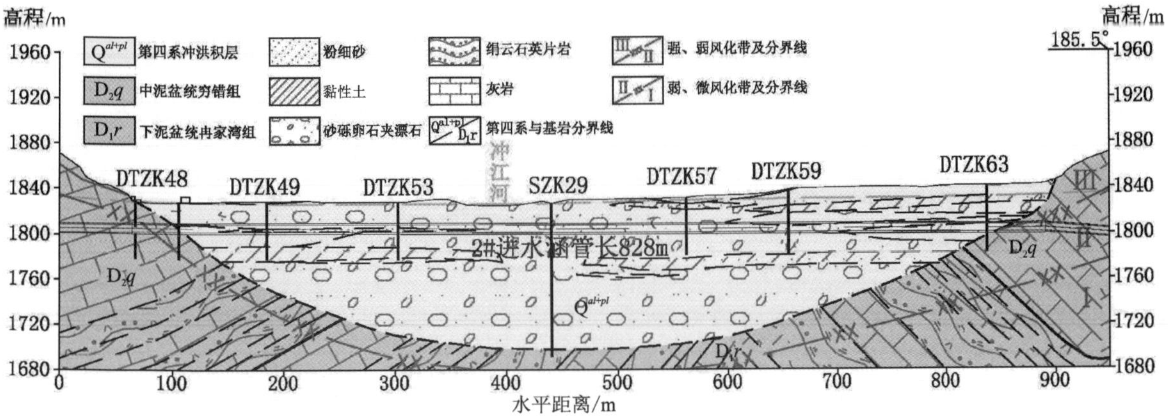

图 2 冲江河涵管轴线工程地质剖面图(1—1′)

为揭示河床覆盖层厚度与主要物质组成，在涵管区主河槽中部布置了一个深孔 SZK29(图 1)。该钻孔可兼顾覆盖层渗透系数、土体密实度等地质参数的初步查明，也为大开挖法防渗墙可能采用的布置深度提供地质依据；覆盖层颗粒级配及粗颗粒含量与原岩成分主要通过钻孔岩芯鉴定与孔内可视化探测新技术获得，结合大开挖法拟布置的悬挂式防渗墙深度约为覆盖层最大厚度的一半，选择在冲江河主河槽左岸、中部、右岸各布置一个相对较深钻孔(图 1 中钻孔编号分别为 DTZK49、DTZK53、DTZK60)，孔深一般 60m，作为群孔抽水试验主抽水孔及地下水位长观孔。钻孔完成后，利用覆盖层可视化探测新技术，进行全孔彩色电视录像，在查明河床不同区域内颗粒级配以及涵管上部、管身、下部主要土层渗透系数等关键地质参数的基础上，也可为后续水力坡度与地下水流速的计算提供分析数据。

砂砾卵石夹漂(块)石地层因其物质成分复杂、孔隙分布与大小不一、组成结构不均等，目前采用示踪试验、物探试验等手段或方法很难查明其真实地下水流速。根据达西定律，地下水流速与水力坡度、渗透系数密切相关，因此，目前在此类地层中获取地下水流速主要是通过三者的关系计算得来。在确定上述三个抽水试验主抽水孔后，选择地下水流向上布置抽水试验观测孔，同时兼做地下水位长观孔，在同步获得水力坡度、渗透系数等参数后，计算得到地下水流速。

涵管区范围内布置的其余勘探钻孔，主要以满足勘察精度和现场常规原位试验进行布置。

4 不同工法下地质参数研究

4.1 覆盖层物质组成与渗透系数

钻孔SZK29揭示，涵管区河床覆盖层最厚达 129m，物质成分主要为砂砾卵石夹漂(块)石，中部间夹黏性土、黏土质砂等透镜体(表 1)，结合其他钻孔成果分析，冲江河主河槽左岸涵管底板以下 10.66～24.25m、右岸涵管底板以下 14.5～27.92m 见有分布厚度分别为 9.3～10.5m、10.8～14.2m 的低液限黏土，呈弱—微透水性，可作为大开挖法围堰防渗墙防渗依托，一定程度上可降低基坑地下水抽排难度。

表 1 冲江河涵管区覆盖层结构简表

工程部位	土层类别		土层结构示意图	土层厚度/m	分布高程/m	土层结构或状态	土层空间分布特征
冲江河左岸进水涵管	粉土、粉砂层		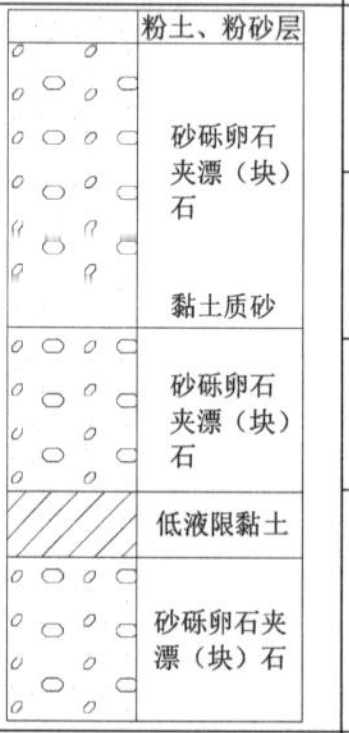	0.4～1	1827～1828	松散	河床表层多见有分布
	砂砾卵石夹漂块石、黏土质砂、低液限黏土	砂砾卵石夹漂(块)石		30～129	1700～1828	稍密—密实	地面以下主要为该层
		黏土质砂层		2.15～4	1801～1806	松散—稍密	分布于涵管底板附近
		低液限黏土		9.3～10.5	1777～1790	软—可塑状	一般分布于冲江河左岸涵管底板以下 10.7～24.33m
冲江河右岸进水涵管	粉土、粉砂及土夹卵砾石层		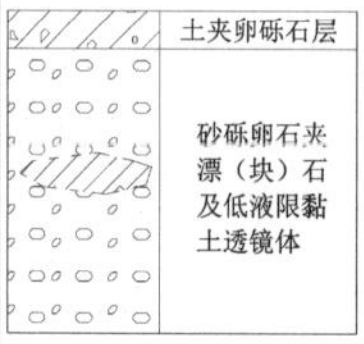	0.8～4.3	1832～1828	松散	河床表层多见有分布
	砂砾卵石夹漂(块)石夹低液限黏土			44～129	1700～1829	砂砾卵石层多呈稍密—密实状，低液限黏性土层多呈软—可塑状	低液限黏土层多呈透镜体状分布于涵管顶板以上 7.5～22.4m
	低液限黏土			10.8～14.2	1759～1777	软—可塑状	涵管底板下部 14.5～27.9m 见有分布

布置的 DTZK49、DTZK53、DTZK60 三个主抽水孔在不同孔深段进行了多段抽水试验，基本查明了冲江河河槽左、右岸以及涵管管身、涵管上部、下部主要土层渗透系数，抽水试验获得的土层渗透系数结果详见表 2，由表 2 可知，冲江河主河槽左、右岸砂砾卵石夹漂(块)石层渗透系数分别为 3×10^{-3}～7.5×10^{-2}cm/s、4.2×10^{-2}～6.4×10^{-2}cm/s，呈中等—强透水性，低液限黏土渗透系数为 2×10^{-5}～7×10^{-6}cm/s，呈弱—微透水性。

表 2　冲江河涵管区覆盖层渗透系数统计表

工程部位	孔号	孔深/m	与建筑物关系	土的类别	渗透系数/(cm·s^{-1})	透水性
冲江河左岸进水涵管	DTZK49	4.0～6.1	顶板上部 12～14m	砂卵石夹漂(块)石	0.018	强透水
		7.5～9.6	顶板上部 8.4～10.5m		0.037	强透水
		36.68～38.49	底板以下 11～13m		0.005 5	中等透水
	DTZK53	8.8～11.2	涵管顶板以上 6～8m	砂卵石夹漂(块)石	0.075	强透水
		16.56～18.96	涵管顶板以上 0.5m～涵管顶板以下 2m		0.013	强透水
		22.72～25.12	底板以上 1.9～4.3m	黏土质砂、砂砾卵石	0.003	中等透水
		27.55～29.95	涵管底板以下 0.6～3m	砂卵石夹漂(块)石	0.06	强透水
		48.00～51.25	底板以下 16～19.25m	低液限黏土	7×10^{-6}	微透水
冲江河右岸进水涵管	DTZK60	10.1～12.5	顶板以上 9.73～12.13m	砂砾卵石夹漂(块)石	0.042	强透水
		19.7～22.1	顶板以上 0.13～2.53m		0.064	强透水
		27.86～30.26	底板以上 0.67～3.07m		0.063	强透水
		37.09～39.49	底板以下 6.16～8.56m		0.06	强透水
		49.00～52.35	底板以下 15～18.35m	低液限黏土	0.000 02	弱透水

4.2　地下水流速

地下水流速是指地下水流在含水层空隙中的真实流动速度，由于空隙大小、形状不同，水流所受阻力有差别，故水流在含水层中不同位置的实际流速是不等的，变化也较复杂。地下水流速目前主要有示踪法、充电法、测温法等测试方法，但在以砂砾卵石夹漂(块)石为主的地层中，因其物质成分复杂、孔隙分布与大小不一、组成结构不均，颗粒间空隙的大小、形状不同，利用上述测试手段很难直接测得地下水实际流速，况且示踪剂在静水环境中也会存在弥散速度，会给试验带来较大干扰。充电法则一般仅限于在含水层埋深较小且水力坡度较大，围岩均匀等条件下适用；测温法主要适用于孔隙相对均匀的含水介质。因此，在深厚覆盖层中尤其是以砂砾卵石夹漂(块)石为主的地层中，目前利用上述方法很难测得真实的地下水流速。

根据达西定理，地下水流速取决于渗透系数 K 和水力坡度 i，已明确表达了三者的相互关系，在水力坡度为 1 的条件下，渗透速率与地下水实际流速相等，即地下水流速 $v=K\times i$。通过布置于地下水流向上的相关钻孔地下水位的观测，计算得到冲江河主河槽左、右岸水力比降 i_1、i_2，结合抽水试验成果获得的涵管管周及管身部位的砂砾卵石夹漂(块)石层渗透系数 K，最终求得冲江河主河槽左、右岸地下水流速 V_1、V_2，涵管区地下水等水位线见图 3，涵管区地下水流向如图 3 所示，地下水流向与渗流网近垂直，地下水流向上冲江河主河槽左、右岸覆盖层中的水力坡度分别为 1.35%、1.88%，地下水流速计算结果见表 3，冲江河左、右岸地下水流速分别为 0.035～0.87m/d、0.68～1.04m/d，涵管区覆盖层中地下水流速小于冷冻法要求的 3m/d，具备冷冻法实施可行性。

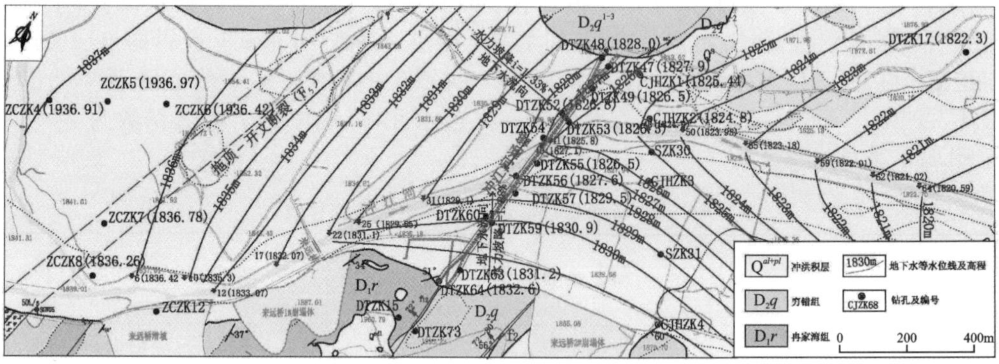

图3 冲江河涵管区地下水等水位线图

表3 冲江河涵管区地下水流速计算分析表

部位	渗透系数(K)		天然水力坡度 i/%	地下水流速(v)	
	cm/s	m/d		cm/s	m/d
冲江河主河槽左岸涵管	$3\times10^{-3}\sim7.5\times10^{-2}$	2.592～64.8	1.35	$4.05\times10^{-5}\sim1.01\times10^{-3}$	0.035～0.87
冲江河主河槽右岸涵管	$4.2\times10^{-2}\sim6.4\times10^{-2}$	36.288～55.296	1.88	$7.89\times10^{-4}\sim1.2\times10^{-3}$	0.68～1.04

4.3 覆盖层粒径占比、粗颗粒含量与原岩强度

冲江河涵管部位河床覆盖层最厚达129m，物质成分主要为冲洪积(Q^{al+pl})砂砾卵石夹漂(块)石层，夹黏土、黏土质砂、粉砂等透镜体。通过钻孔取芯可以初步判断覆盖层中粗颗粒含量和原岩成分，但受钻进工艺影响，却很难反映涵管穿越部位河床覆盖层颗粒级配的真实情况，采用坑槽探也仅能查明覆盖层表层和上部颗粒级配与原岩成分。目前，钻孔彩色电视录像技术在基岩勘察钻孔中应用广泛，而在覆盖层尤其是砂砾卵石地层中的勘察应用很少，且实施难度大。本次勘察工作中通过应用深厚覆盖层孔内可视化新技术，选择透明有机玻璃套管组装搭接保护孔壁，与孔内护壁钢套管依次完成对接，钻进过程中严格采用清水钻进，确保解译质量，在冲江河主河槽左、右岸涵管区完成的DTZK49、DTZK53、DTZK60三个钻孔中均实现了覆盖层内可视化录像与解译，清晰度高，冲江河主河槽左岸DTZK53覆盖层孔内可视化技术解译结果见图4。通过该项技术的成功实施，较为准确地查明了冲江河河床覆盖层中的颗粒级配，尤其是粗颗粒含量，涵管区覆盖层颗粒级配及粗颗粒占比与原岩成分统计分析见表4。由表4可见，涵管区内覆盖层中＞50cm、20～50cm、2～20cm、＜2cm颗粒占比分别为2%～3%、9%～12%、58%～64%、24%～27%；同时结合钻孔取芯情况，查明了覆盖层中粗颗粒物质原岩与岩石强度，为盾构法实施的可行性提供了重要地质依据，粗颗粒原岩主要为花岗岩、玄武岩与砂岩，岩质坚硬，对刀盘及刀具磨损大，盾构掘进难度较大。

表4 冲江河涵管区覆盖层颗粒

鉴别方法			覆盖层组成	漂(块)石、卵石原岩	坚硬程度	覆盖层各粒径占比/%			
						＞50cm	20～50cm	2～20cm	＜2cm
钻孔彩电	DTZK49	全孔	砂砾卵石夹漂(块)石等	花岗岩、玄武岩、砂岩	坚硬	3	9	64	24
		管身部位(孔深18～26m)				2	12	61	25
	DTZK53	全孔				3	11	59	27
		管身部位(孔深17～25m)				2	10	60	28
	DTZK60	全孔				3	12	58	27
		管身部位(孔深22～30m)				2	10	60	28
总体情况		全孔/涵管段				2～3	9～12	58～64	24～27

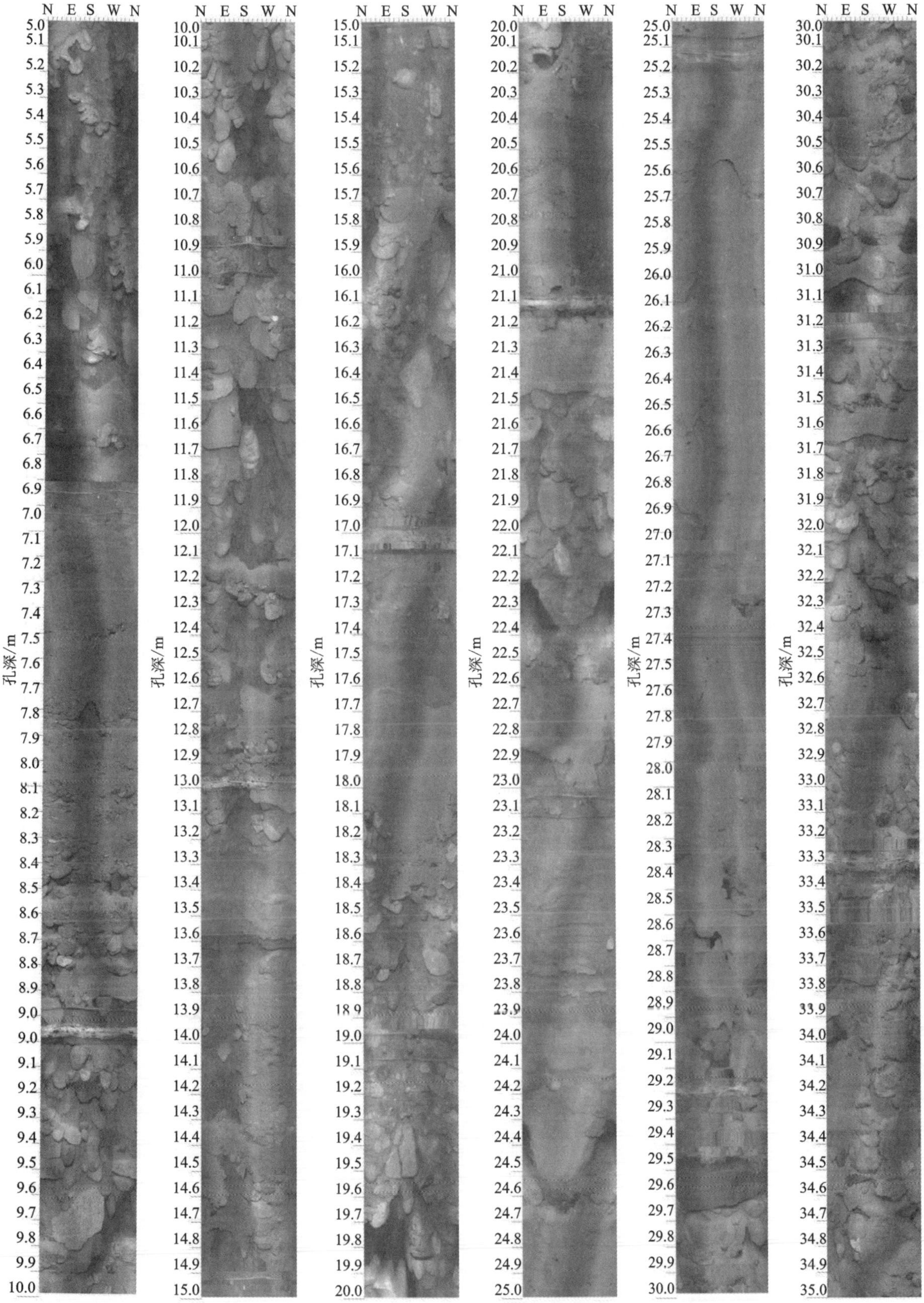

图 4 冲江河王河槽左岸钻孔 DTZK53 孔内可视化技术解译成果

5 结论及建议

本文以滇中引水工程石鼓水源冲江河涵管为题材，以冲江河河床深厚覆盖层为研究背景，重点抓住大开挖法、冷冻法、盾构法三种工法下的关键地质参数作为核心，在确定覆盖层物质组成与渗透系数、地下水流速、覆盖层粒径占比及粗颗粒含量与原岩强度等地质参数作为重点研究对象后，通过勘察方案的精心组织设计、应用先进勘察技术手段等，最终准确而又高效地获得了上述地质参数，为冲江河涵管的施工工法的最终选择提供了重要理论依据，也为今后国内外类似地质条件下的工程如何获取上述施工关键地质参数提供了重要借鉴。在查明穿深厚覆盖层涵管在不同施工工法下的地质参数的勘察过程中，也切身感受到目前勘察技术领域中某些探测技术方法应用的局限性，需要在今后的工程实践中取得更大突破。

(1)精心布置的勘察设计方案，是取得优质勘察成果的根本保证。勘察前的资料搜集整理尤为关键，包括各施工工法的特性、关键地质参数的取得需要采用何种勘察技术手段、试验方法或者新工艺、新方法等，勘察布置的统筹优化，可有效避免勘察工作中做无用功，否则，很难预期勘察效果，而且耗费较高成本，耽误较长勘察工期。

(2)本次利用覆盖层可视化探测新技术在砂砾卵石地层为主的深厚覆盖层勘察中取得了良好效果，为查明河床覆盖层粒径占比及粗颗粒含量等提供了强有力依据，此项技术值得在类似工程领域中推广。

(3)覆盖层中的地下水流速测试手段和检测方法在今后勘察工作中需取得突破。目前在砂砾卵石夹漂(块)石地层中，通过达西定理中地下水流速与水力坡度、渗透系数三者的关系计算得到的地下水流速最可靠、真实。

(4)深厚覆盖层勘察中，覆盖层厚度是防渗墙深度选择的重要依据，应尽可能准确查明。后续勘察可结合防渗墙布置深度展开，如防渗墙深度范围内中存在可作为防渗依托的弱—微透水层或隔水边界，这将是防渗墙深度优化、基坑降水井布置优化的重要地质依据。

参考文献

洪开荣. 我国隧道及地下工程近两年的发展与展望[J]. 隧道建设，2017，37(2)：123-133.

唐红影. 富水砂卵石地层深基坑设计与施工关键技术研究[J]. 铁道建筑，2017(2)：75-78.

周洁，李泽垚，万鹏，等. 组合地层渗流对人工地层冻结法及周围工程环境效应的影响[J]. 岩土工程学报，2021，43(3)：471-480.

梅源，赵良杰，周东波，等. 冻结法在富水砂层暗挖施工中的应用[J]. 中国铁道科学，2020，41(4)：1-10.

冯萌，杨蒙，刘宇，等. 基于兰州砂卵石地层盾构法施工过程中的问题分析及解决措施，2016(5)：190-191.

周文波. 盾构法隧道技术及应用[M]. 北京：中国建筑工业出版社，2004.

张海平，王家祥，刘承新，等. 复杂岩溶区深埋长隧洞线路比选优化实践[J]. 人民长江，2016，47(22)：51-54.

肖先煊，许模，蔡国军，等. 基于潜水渗流模型的地下水实际流速[J]. 实验室研究与探索，2013，32(4)：11-14.

苑宝军，张玉文，姜袁. 达西定律推导中的启示在实际工程中的应用[J]. 常州工学院院报，2005(5)：6-8.

满作武，李汉桥，何铁汉，等. 深厚松散层的可视化探测方法：200810047809.4[P]. 2010-04-14.

峨眉山玄武岩工程地质特性及地质问题研究

李银泉[1,2,3] 陈长生[1,2,3] 王传跃[1,2,3]
1. 国家大坝安全工程技术研究中心，湖北 武汉 430010；
2. 长江勘测规划设计研究有限责任公司，湖北 武汉 430010；
3. 长江三峡勘测研究院有限公司(武汉)，湖北 武汉 430074

摘 要：峨眉山玄武岩是西南地区广泛分布的岩类，其特有的凝灰岩夹层、差异风化与破碎、膨胀性、柱状节理等工程地质特性引起的地质问题，受到工程地质界广泛关注。本文以滇中引水工程穿越峨眉山组玄武岩地层的输水隧洞为依托，对滇中区域峨眉山玄武岩的工程地质特性和地质问题展开研究。滇中区域峨眉山玄武岩具有凝灰岩夹层与差异性风化与破碎的典型工程地质特性，凝灰岩对周围岩体的动力蚀变作用和玄武岩的差异性风化与破碎特性导致岩体中容易形成风化囊。玄武岩与凝灰岩的上述特性使隧洞存在凝灰岩夹层与破碎玄武岩组合的围岩稳定问题和揭穿凝灰岩后遭遇玄武岩富水风化囊的涌水突泥问题。

关键词：玄武岩 凝灰岩夹层 差异性风化 富水风化囊 滇中引水工程

1 工程及地质背景条件概况

滇中引水工程是云南省经济社会可持续发展的战略性基础工程，拟从金沙江干流石鼓河段取水，工程多年平均引水量 34.03 亿 m^3。本文所涉及的输水线路沿马耳山东麓与洱海东岸山体布置，长约 19.1km，含 5 个输水隧洞。线路跨越金沙江水系与澜沧江-洱海水系，地面高程一般 1900～2200m，为中低山地貌。隧洞穿越地层主要为二叠纪峨眉山玄武岩，场区内总体呈单斜构造，倾向 NW，倾角 20°～40°为主，岩流面与洞轴线多大角度相交，地质构造较复杂。

不同地区、不同岩相的玄武岩，由于岩石组合及原生结构特征等的差异，而具有不同的岩体结构特征。玄武岩的原生建造、构造作用和风化卸荷，对岩体结构和工程性状有较大的影响。滇中区域玄武岩与其他玄武岩区域，虽存在相似性，但也存在明显差异性。本文所涉及的玄武岩地层长度较长，具有典型的滇中区域玄武岩特征(凝灰岩夹层、风化与破碎差异性、膨胀性等)，也存在其典型的工程地质问题。

2 峨眉山玄武岩工程地质特性

峨眉山玄武岩包括扬子地台范围内的二叠纪玄武岩，主要分布于杨子地台西南缘，在我国西南地区分布广泛，空间分布受南北向断裂带控制，为一长轴近南北向的菱形，覆盖面积约 $30km^2$。西南界为金沙江-红河断裂，西北界为小金河-龙门山大断裂，南界至中越边境，东界至贵州安顺一带。玄武岩系呈现自西而东、自南而北逐渐变薄的趋势，呈不对称的侧向分带。根据岩浆的喷出相、岩石组合等时空变化规律，可将峨眉山玄武岩自东向西划分为三个岩石构造分区(表 1)，即东岩区(贵州高原岩区，为小江断

作者简介

李银泉(1987—)，男，工程师，主要从事水利水电与岩土工程勘察. E-mail：262804889@qq.com

裂带以东云贵川三省内分布的玄武岩区)、中岩区(攀西裂谷岩区,即东、西岩区间的玄武岩区)、西岩区(盐源-丽江岩区,为龙门山断裂、哀牢山-红河断裂带间隆起的玄武岩区)。

表 1　峨眉山玄武岩不同岩区岩性特征表

岩区	岩相	岩性特征
东岩区(贵州高原岩区)	大陆溢流相玄武岩	厚度 700～1000m,向东减薄至 200～800m,岩石类型以玄武质熔岩占绝对优势,见少量安山岩,岩石组合以拉斑玄武岩系的安山玄武岩-安粗玄武岩-安粗岩-安粗安山岩-安山岩为主
中岩区(攀西裂谷岩区)	海陆交互相	厚 1000m 以上,分布零星,可分二大喷发旋回。早期为碱玄武质火山角砾岩和集块岩,属中心式喷发相;中期为多中心裂隙式喷溢相,岩石类型有辉斑玄武岩、斜斑玄武岩、无斑玄武岩及杏仁、气孔状玄武岩;晚期以熔岩、熔结凝灰岩组成的碱酸性火山颈相为特征
西岩区(盐源-丽江岩区)	陆缘海域水下喷溢的玄武质溶岩流	具有中心式爆发-裂隙式溢流-间歇性喷溢的完整喷发旋回,一般厚 2000～3000m,玄武质熔岩主要有橄榄玄武岩、辉斑玄武岩、斜斑玄武岩及无斑玄武岩,属橄榄拉斑系玄武岩系列

滇中引水工程输水线路隧洞穿越二叠系峨眉山组($P\beta$)玄武岩夹凝灰岩地层,总长度约 19.1km。滇中区域玄武岩属峨眉山组玄武岩西岩区,具有中心式爆发-裂隙式溢流-间歇性喷溢的完整喷发旋回,旋回性明显,岩性以拉斑玄武岩系为主,具凝灰岩夹层(构造作用形成层内或层间错动带)、差异风化与破碎、膨胀性、柱状节理等工程地质特性。滇中引水工程区域峨眉山组($P\beta$)玄武岩地层主要分为 8 个亚段(表 2、图 1),其中第 1～2 亚段玄武岩主要以中心式爆发喷溢为主,岩性多为玄武角砾岩类,完整性相对较差。角砾结构、块状构造,主要由角砾和填隙胶结物两部分组成,部分含火山集块,填隙胶结物主要为玄武质的凝灰物及火山灰;第 3～4 亚段玄武岩以间歇性喷溢为主,岩性多为致密状玄武岩类,岩石具有间粒或间隐结构,不含或含少量斑晶,块状构造。岩体差异性明显,多存在破碎风化囊带;第 5～8 亚段玄武岩以宁静式的裂隙性溢流为主,岩性多为粗面安山岩类,斑状结构,斑晶主要为肉红色长石,少量透长石,岩体成层性及完整性相对较好。

表 2　输水线路峨眉山玄武岩分段表

组	代号	厚度/m	岩性特征
峨眉山玄武岩组	$P\beta^8$	300～350	黄绿色、暗紫灰色斑状结构之粗面安山岩夹凝灰岩,斑晶为肉红色长石
	$P\beta^7$	520	黑绿色致密状、杏仁状玄武岩、紫红色凝灰岩组成十余个旋回,底部为厚约 5m 的黄绿色玄武质砂砾岩
	$P\beta^6$	681	上部暗灰色、紫灰色粗面安山岩;中部暗灰绿色致密状玄武岩夹紫红色凝灰岩;底部为黄绿色、紫灰色斑状结构之斜长大斑晶玄武岩
	$P\beta^5$	294	灰黑色橄斑玄武岩、黄绿色杏仁状玄武岩夹紫红色凝灰岩、黄绿色凝灰角砾岩
	$P\beta^4$	870	上部钢灰色、暗灰绿色致密状、杏仁状玄武岩夹紫红色凝灰岩;下部为黄绿色含气孔和杏仁的斜长斑状玄武岩夹数层凝灰岩
	$P\beta^3$	872～986	上部黑绿色致密状玄武岩,辉斑玄武岩夹灰绿色杏仁状、角砾状玄武岩及凝灰岩;中部钢灰色致密状玄武岩夹杏仁状、角砾状玄武岩;下部黄绿色凝灰角砾岩夹辉斑玄武岩有自然铜星点
	$P\beta^2$	28～1815	绿黄色、灰绿色角砾状玄武岩,其内多见钢灰色致密状玄武岩块体;石英脉中常有孔雀石,自然铜星点分布
	$P\beta^1$	4～1139	上部灰绿色致密状、角砾状玄武岩;下部钢灰色致密状玄武岩夹黄褐色角砂砾岩、凝灰岩和杏仁状玄武岩;底部有数十米黄灰绿色凝灰岩、凝灰质砂岩,夹 3～4 层角砾状灰岩小透镜体及硅质岩

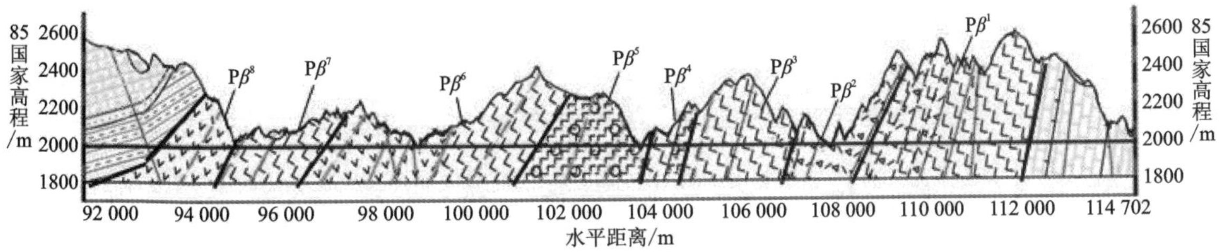

图 1 输水线路峨眉山玄武岩地质剖面图

2.1 凝灰岩夹层

滇中区域玄武岩最显著的工程地质特性就是具有凝灰岩夹层。凝灰岩为火山活动喷达地表后火山灰冷凝固化形成，具有沉积岩的特征，为火山碎屑凝灰结构。形态分布上具有薄层条带状、囊状、成层状等多种分布形态。其中薄层条带状、囊状凝灰岩分布随机，规律性差，伴随着整个洞室分布较多，但呈透镜体状，未连续分布；成层状凝灰岩夹层成层性好，规律性强，产状稳定，分布连续。

滇中引水工程峨眉山玄武岩组中凝灰岩夹层主要有 3 类(表 3)：①灰绿色凝灰岩，碎屑凝灰结构，遇水迅速松散化而丧失强度，分布随机无规律；②棕红色凝灰岩，呈层状分布，产状较稳定，泥化严重多呈黏土状，岩质软弱，遇水易软化；③紫红色凝灰岩，呈层状分布，产状较稳定，岩质较软，遇水不易软化。凝灰岩夹层的主要工程特性有岩质软弱性状差、隔水效应明显、对周围岩体有蚀变作用等。

表 3 滇中引水工程峨眉山玄武岩中凝灰岩夹层地质特性表

类别	照片	地质特性	主要分布范围
灰绿色凝灰岩		碎屑凝灰结构，遇水迅速松散化而丧失强度，分布随机，多薄层状分布，厚数厘米至数十厘米，或不规则囊状分布	主要分布于 $P\beta^1 \sim P\beta^2$
棕红色凝灰岩		呈层状分布，分布随机，产状较稳定，多泥化，黏性较强，岩质软弱，遇水易软化	主要分布于 $P\beta^3 \sim P\beta^6$
紫红色凝灰岩		呈层状分布，分布随机，产状较稳定，岩质较软，遇水不易软化	主要分布于 $P\beta^7 \sim P\beta^8$

2.2 差异性风化与破碎

差异性风化主要体现在岩石抵抗风化能力的不相一致，普遍发生在含软岩夹层的硬质岩层或软、硬质岩互层中。由于软质岩和硬质岩具有不同的抗风化能力，在同等的风化条件下，风化程度就将不同，从而使二者形成的整体基岩层具有不均匀的工程特性。滇中引水工程玄武岩中夹有凝灰岩夹层，为硬质岩中含软弱夹层，易发生差异性风化。同时凝灰岩夹层对周围围岩具有动力蚀变作用，造成凝灰岩周围的玄武岩局部为全风化或强风化，岩体较破碎，不均匀风化明显。

玄武岩属于裂隙块状岩体，原始喷发沉积形成后岩体内部具有原生结构面、残留的原生气腔、凝灰岩软弱夹层。岩体的风化作用首先是沿原生结构面及凝灰岩软弱夹层开始，逐渐向岩体内部发展。裂隙交叉处破裂区矿物开始蚀变，同时凝灰岩夹层对周围岩体开始动力蚀变，岩块的棱角开始破坏，逐渐发展为球状岩块，进一步块状分裂，形成更小的岩块，逐次下去，最终导致全部风化成碎屑状而解体，形成风化囊（图2）。囊内物质主要为全风化玄武岩和凝灰岩，呈土状或碎块、碎颗粒状，地下水长期浸泡后呈泥状，力学性质低。在隧洞开挖过程中掌子面揭穿囊体后，囊内散体状物质迅速涌入洞内形成涌水突泥。

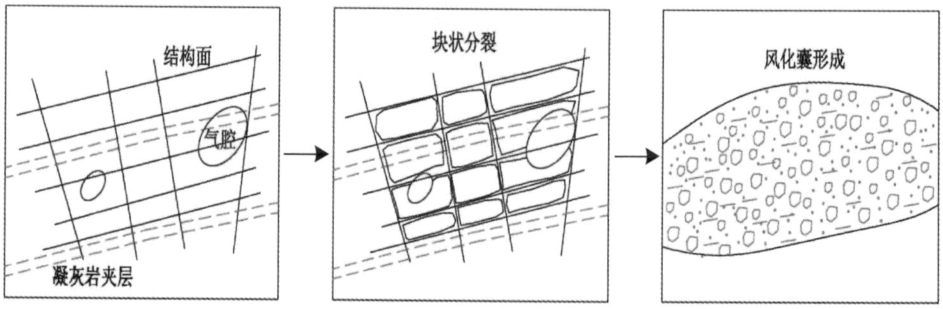

图2 玄武岩差异性风化形成风化囊示意图

3 工程地质问题研究

滇中引水工程峨眉山玄武岩具有凝灰岩夹层、差异风化与破碎的典型特征，引起的工程地质问题主要为凝灰岩夹层与破碎玄武岩组合稳定问题和玄武岩富水风化囊涌水突泥问题。

3.1 凝灰岩夹层与破碎玄武岩组合的围岩稳定问题

峨眉山玄武岩夹凝灰岩，凝灰岩夹层（或透镜体）为火山碎屑凝灰结构，质软遇水易软化，部分受构造挤压作用泥化，局部玄武岩受构造作用裂隙发育岩体较破碎，尤其位于强与弱风化带内玄武岩破碎。破碎玄武岩夹凝灰岩组合，因凝灰岩夹层（或透镜体）出露位置与玄武岩破碎程度具有随机性而具有不同组合模式。①凝灰岩夹层未出露时，较完整玄武岩不易破坏。②玄武岩较完整时，凝灰岩夹层（或透镜体）相对不易破坏。③凝灰岩夹层（或透镜体）出露于顶拱，岩流面缓倾，玄武岩较破碎，顶拱易沿凝灰岩夹层出现垮塌。岩流面以缓倾角为主，一般长大，部分性状差—较差，并充填有泥质和岩屑，胶结程度差，岩流面抗拉强度低，在结构面切割或岩体较破碎的情况下，可与结构面组合形成块体发生冒落破坏，或与较破碎岩体组合发生拉裂式或弯折式破坏，或浅表层的缓倾角层面发生松弛与掉块。尤其当凝灰岩夹层（透镜体）分布于顶拱时，凝灰岩夹层与玄武岩接触面多平直光滑充泥，更易沿凝灰岩夹层或透镜体失稳垮塌（破坏模式见图3）。④凝灰岩夹层（或透镜体）出露于边墙或侧顶拱，岩流面中陡倾，玄武岩较破碎，易沿凝灰岩夹层出现边墙滑塌或侧顶拱倾倒破坏（破坏模式见图4）。⑤玄武岩破碎，可能出现散体状垮塌（破坏模式见图5）。

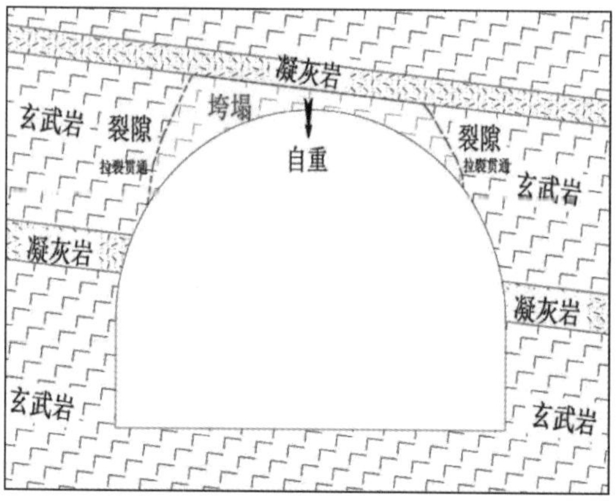

图3 缓倾角凝灰岩夹层顶拱垮塌模式图

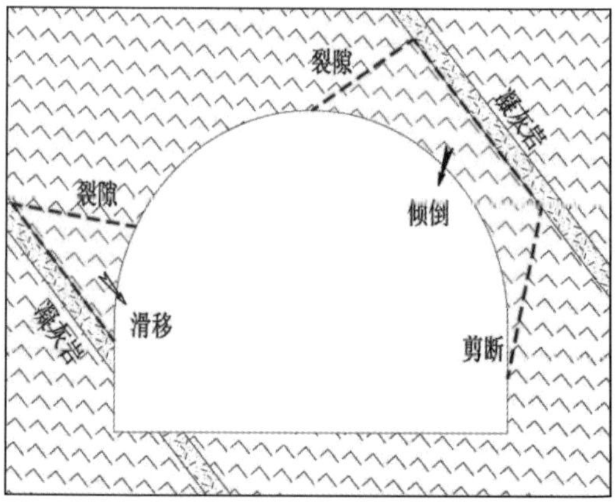

图4 中倾角凝灰岩夹层垮塌示意图

3.2 玄武岩富水风化囊涌水突泥问题

玄武岩总体表现为垂直分带的均匀风化特征，但受构造影响，玄武岩完整性差异大，导致局部地段表现出非均匀风化特征，甚至可能在同一掌子面表现出差异风化，或出现囊状和带状风化现象。玄武岩为裂隙性中等透水地层、因凝灰岩隔水作用破碎带（含断层破碎带）或风化囊富水，当揭穿凝灰岩进入富水破碎带或风化囊时，可能发生涌水突泥现象（图6）。

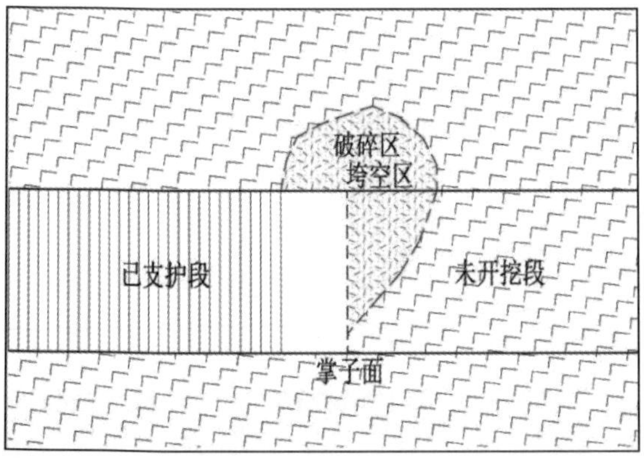

图5 破碎玄武岩及凝灰岩透镜体垮塌示意图

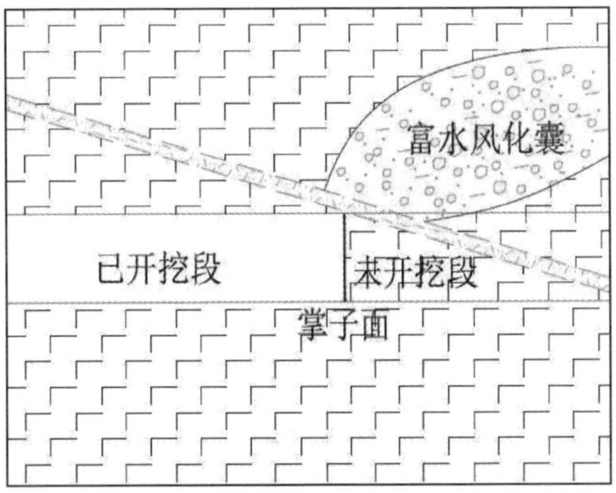

图6 隧洞揭穿富水风化囊示意图

隧洞开挖过程中揭露富水的全风化囊，囊内物质成分主要为全风化玄武岩和凝灰岩，呈土状或碎块、碎颗粒状，地下水长期浸泡后呈泥状，力学性质低。开挖过程中掌子面揭穿囊体后，囊内散体状物质迅速涌入洞内，形成涌水突泥。

4 典型案例分析

某施工支洞为该隧洞进口段的一条施工支洞，以“L”形平硐方式布置，支洞长约346m，埋深0～106m。支洞穿越地层岩性主要为二叠系峨眉山组第5段（$P\beta^5$）斜长橄斑玄武岩夹凝灰岩、第4段（$P\beta^4$）致密状玄武岩夹凝灰岩（图7），岩流面缓倾角，弱—微风化岩体为主，岩体完整性差，洞室位于地下水水位以下一般10～30m。支洞主要存在凝灰岩夹层与破碎玄武岩的围岩稳定问题、玄武岩富水破碎带或风化囊渗涌水问题、出口边坡变形稳定问题，另外还存在缓倾岩流面顶拱稳定问题、浅埋洞段稳定问题、随机块体稳定问题、致密状玄武岩局部柱状节理等常规围岩稳定问题。

施工支洞在开挖到桩号L1K0＋317时，发生了涌水突泥，总涌出固体物质体积达2200m³。涌水突泥处位于支洞弧形拐弯段，距支洞终点仅约23m，隧洞埋深约85m，围岩为二叠系峨眉山组玄武岩第4段（$P\beta$）玄武岩夹凝灰岩（图7），浅灰—灰绿色，微风化为主，玄武岩岩质较坚硬，岩流面产状总体为330°～340°∠20°～30°，凝灰岩主要呈夹层状或不规则囊状分布于左拱部位，岩质软弱，遇水易软化。岩体裂隙发育，岩体完整性差—较破碎，以镶嵌-碎裂结构为主。洞壁潮湿，左拱顺裂隙及凝灰岩夹层见渗滴水。在发生涌水突泥之前，桩号L1K0＋317掌子面左拱处出现棕红色凝灰岩的小规模垮塌（图8），而后在垮塌部位出现股状水流，最终发生涌水突泥（图9），涌出物淤积至桩号L1K0＋260附近，顺洞向长度约57m，淤积厚度自洞内往外降低。涌出物质主要为玄武岩及凝灰岩碎砾石夹泥及块石。

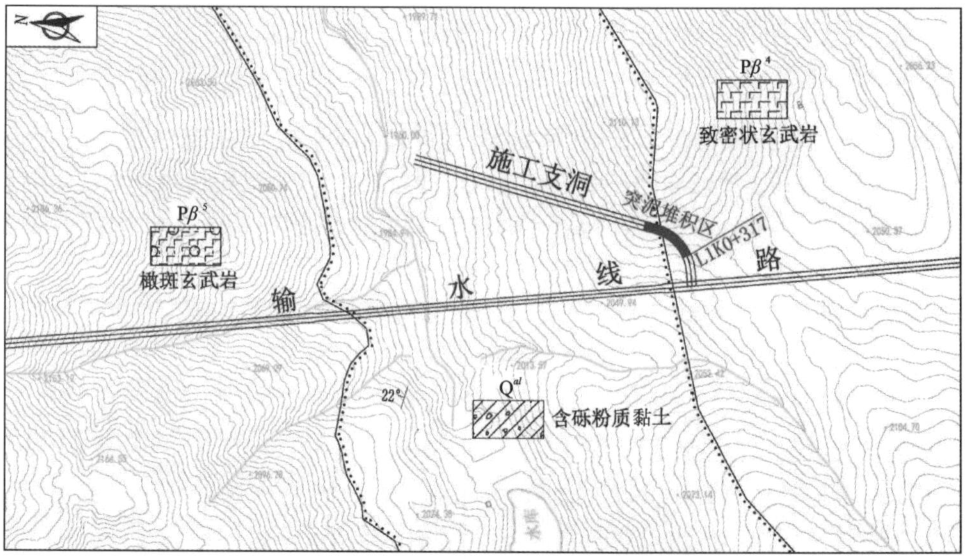

图7　施工支洞工程地质平面示意图

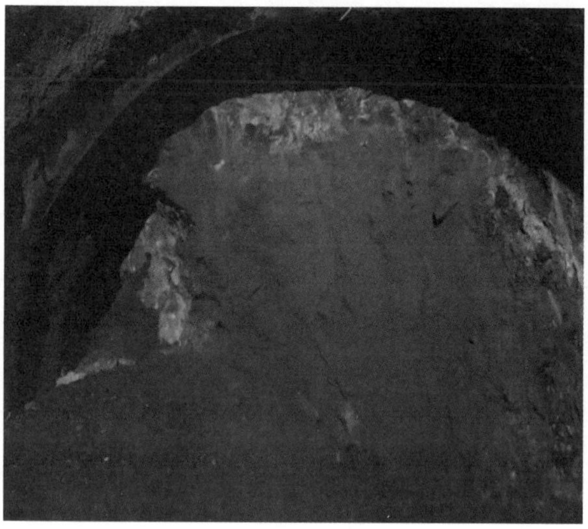

图8　左拱棕红色凝灰岩滑塌(涌水突泥前)

图9　涌水突泥堆积物分布特征

这是典型的隧洞开挖过程中,掌子面揭穿凝灰岩后遭遇玄武岩富水风化囊而出现的涌水突泥问题。在桩号L1K0+317掌子面左上部存在由于凝灰岩对周围岩体的动力蚀变作用和玄武岩的差异性风化与破碎作用而形成的风化囊,该风化囊囊内破碎状玄武岩和凝灰岩在地下水长期浸泡后多呈泥状或碎块状,力学性质低,当隧洞开挖揭穿了左拱处凝灰岩后,囊内散体状物质涌入洞内形成涌水突泥(图10)。

5　结语

滇中区域玄武岩属峨眉山组玄武岩西岩区,具有中心式爆发-裂隙式溢流-间歇性喷溢的完整喷发旋回,旋回性明显,岩性以拉斑玄武岩系为主,与不同玄武岩区域相比,虽存在相似性,但也存在明显差异性。本文结合滇中引水工程这一水利工程实例,对滇中区域峨眉山玄武岩的工程地质特性和地质问题展开研究。

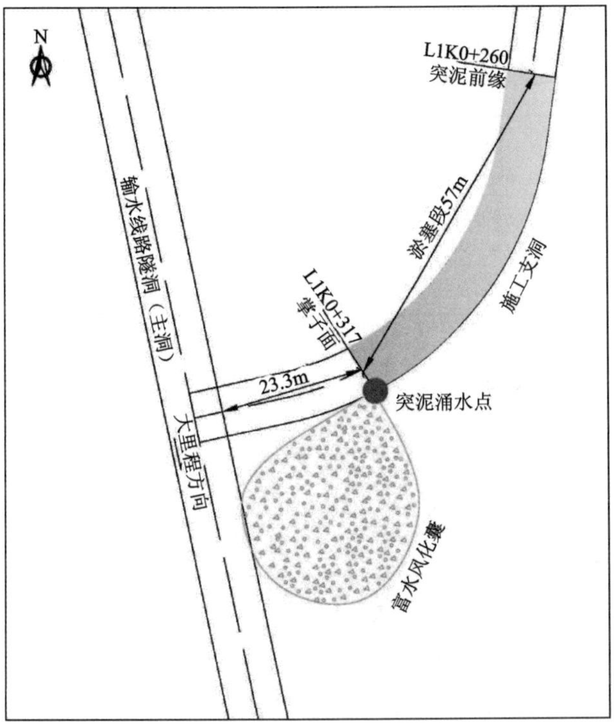

图 10　施工支洞涌水突泥平面示意图

该区域峨眉山组玄武岩地层主要分为 8 个亚段，具有凝灰岩夹层与差异性风化与破碎的典型工程地质特性。其中凝灰岩夹层具有岩质软弱性状差、隔水效应明显、对周围岩体有蚀变作用等特征。凝灰岩软弱夹层对周围岩体的动力蚀变作用和玄武岩的差异性风化与破碎特性导致岩体中容易形成风化囊。囊内物质主要为全风化玄武岩和凝灰岩，呈土状或碎块、碎颗粒状，地下水长期浸泡后呈泥状，力学性质低。

玄武岩与凝灰岩的上述特性使隧洞存在凝灰岩夹层与破碎玄武岩组合的围岩稳定问题和揭穿凝灰岩后遭遇玄武岩富水风化囊的涌水突泥问题。

参考文献

孙书勤，黄润秋，张成江，等. 峨眉山玄武岩结构面类型及成生规律[J]. 成都理工大学学报（自然科学版），2015，42(4)：463-475

沈军辉，王兰生，徐林生，等. 峨眉山玄武岩的岩相与岩体结构[J]. 水文地质工程地质，2001(6)：1-4.

林建英. 中国西南三省二叠纪玄武岩系的时空分布及其地质特征[J]. 科学通报，1985，30(12)：929-932.

冯涛，李维克，蔡家鹏. 铁路路基段差异风化工程特性研究[J]. 铁道建筑，2010(4)：76-78.

白乐，彭杜琴，赵其华. 西南某水电站坝区岩体深部差异风化成因及分布规律分析[J]. 长江科学院院报，2010，27(2)：46-49.

魏云杰. 中国西南水电工程区峨眉山玄武岩岩体结构特性及其工程应用[D]. 成都：成都理工大学，2007.

甘肃陇中黄土湿陷性与微观结构关系研究

张学超　马翼轩　窦健楠　赵伟
中水北方勘测设计研究有限责任公司，天津　300222

摘　要：以甘肃省某工程为例，对典型地段的不同深度的马兰黄土、离石黄土竖井取样，进行黄土湿陷性室内试验与微观结构试验。通过电镜扫描与压汞试验，对湿陷性黄土的微观结构进行分析研究，探讨黄土湿陷与微观结构之间的关系。

关键词：黄土　湿陷性　微观结构

1　引言

湿陷性黄土是一种特殊性土，在我国西北地区分布广泛，工程性质较差。湿陷性黄土在天然状态下，压缩性较低强度较高，但在遇水后，在土体压力作用下，结构迅速发生改变，产生湿陷。

随着扫描电镜、电子探针以及压汞技术在土体微结构研究中的应用，对黄土微观结构的研究越来越多，也越来越深入。沙爱民等(2006)对压实黄土的湿陷性进行研究，得出黄土中大中孔隙含量是黄土产生湿陷的主要原因，湿陷后黄土的化学元素(Si、Ca、O)含量发生了变化；邢义川等(2007)通过对黄土进行"分级增湿"试验表明，其应力-应变曲线明显分为压缩、湿陷变形和固结压密3个阶段，并且在湿陷变形转变为固结压密时有明显转折点。朱元青等(2009)将湿陷三轴与CT相结合，提出原状湿陷性黄土的结构屈服应力，建立了结构损伤的演化方程。袁中夏等(2012)基于试验研究了兰州附近地区原状黄土与重塑黄土的土水特征曲线，得出体积含水量和基质吸力之间存在对数函数关系，基质吸力随干密度的增加而增长的结论。张贵义等研究了陇东黄土湿陷性与胶结物的关系。当黏粒含量越多，粉粒和砂粒含量越少，黏粒不仅具有胶结作用，还能充填于空隙中，使黄土的湿陷性减弱，压缩性增强。在前人对黄土微观结构研究的基础上，为了进一步分析研究甘肃黄土的湿陷变形与微观结构的关系，本文对甘肃某工程输水线路沿线典型地段的湿陷性黄土进行研究，利用扫描电镜与压汞试验对不同深度湿陷性黄土的结构进行了分析，探讨了湿陷变形与微观结构的关系。

2　工程区黄土特征

研究区位于甘肃的陇中地区，地貌单元主要为黄土丘陵，黄土层厚度3～40m，地形起伏较大，发育多条冲沟，岩性主要为黄土状土(Q_4)、马兰黄土(Q_3)、离石黄土(Q_2)，各层黄土特征简述如下。

(1)冲洪积黄土：浅黄色，主要堆积于河谷、Ⅰ级阶地及河床、沟道之中，成因复杂，岩性多变，主要由洪积黄土状土(低液限粉质黏土)、冲洪积砾砂及重力作用下的堆积物构成，湿陷性差异性较大。

(2)马兰黄土：浅黄—黄色，广泛分布于梁峁上，是陇中地区表层主要黄土，厚度一般2～10m，结构

作者简介

张学超(1990—)，女，工程师，主要从事岩土工程、环境工程工作。E-mail：1046361746@qq.com

疏松,大孔隙与垂直节理发育,韧性较低,具中—高压缩性。

(3)离石黄土:黄褐—红褐色,一般位于马兰黄土之下,局部直接出露,硬塑,韧性及干强度中等。离石黄土中含多层红色的古土壤层。离石黄土表层一般具轻微湿陷性,底部不具湿陷性。

3 黄土湿陷性试验

3.1 取样

本文中试验所需试样均取自甘肃省陇中地区。位置主要分布在天水—庄浪一带。取样位置及编号见表1。

表1 取样位置及编号

编号	位置	深度/m	类型
Z8XJ4-1	秦安-庄浪	6	马兰黄土
Z8XJ4-2		10	马兰黄土
Z8XJ4-3		15.5	古土壤层
Z8XJ4-4		19	离石黄土
Z8XJ4-5		23	离石黄土

3.2 湿陷性与深度的变化关系

采用单线法对竖井所取试样进行湿陷性试验,分析土体的湿陷性随深度变化的规律,该工程区附近马兰黄土分布厚度约15m。黄土在该深度范围内,自重湿陷规律与湿陷规律基本一致,随着深度增加,起始湿陷压力逐渐增大,湿陷系数逐渐减小。马兰黄土具有强湿陷或中等湿陷性,离石黄土具轻微湿陷性。古土壤层的湿陷性出现突变。湿陷性随深度变化情况见图1。

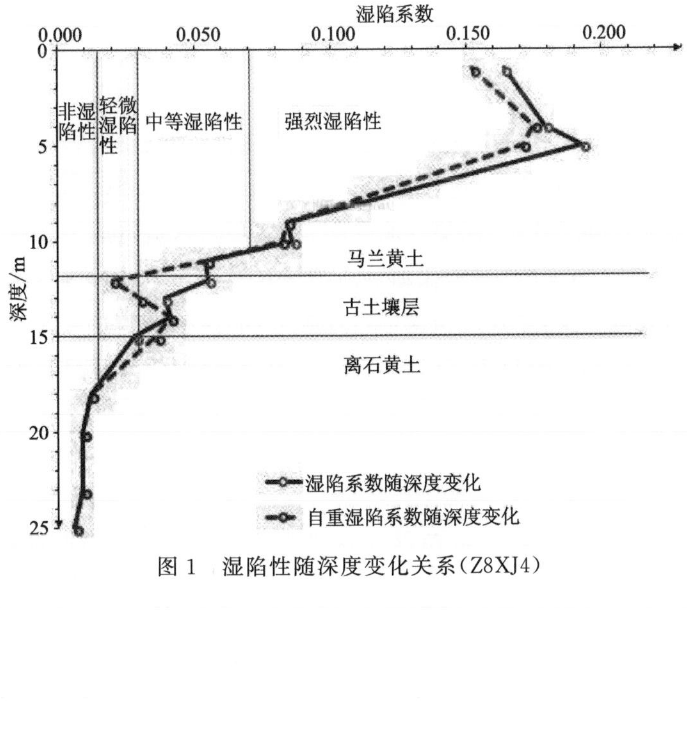

图1 湿陷性随深度变化关系(Z8XJ4)

4 黄土的微观结构分析

4.1 扫描电镜分析

采用日本日立公司SU-1500型扫描电子显微镜对工程区不同深度的黄土试样进行测试分析，试验结果见图2。通过电镜扫描试验可以看出：马兰黄土[图2(a)]具有大孔隙支架结构，孔隙的孔壁主要由构成土体的碎屑颗粒组成，一般没有或有少量次生黏土物质，孔隙形状不规则，颗粒间结构为无胶结或者半胶结结构。这种孔隙不牢固，在浸水情况下，孔隙结构会迅速塌陷，宏观上就体现为黄土的湿陷。古土壤层[图2(c)]主要以黏土为主，孔隙被黏粒物质充填，形状多样，孔隙微小稳定，胶结程度较好。古土壤层之下为离石黄土，离石黄土[图2(e)]的孔隙结构已经由支架结构转变为镶嵌结构，镶嵌结构骨架颗粒相互穿插、紧密堆积，胶结程度较好，颗粒之间孔隙减小，强度增强，具有轻微湿陷性或不具湿陷性。

(a)Z8XJ4-1×800　(b)Z8XJ4-2×800　(c)Z8XJ4-3×800　(d)Z8XJ4-4×800　(e)Z8XJ4-5×800

图2　Z8XJ4电镜扫描结果

4.2 压汞分析

采用Poremaster-60全自动压汞仪进行压汞试验，通过Poremaster软件PoroWin对试验结果进行分析。

通过对典型场地竖井试样的压汞试验分析可知，马兰黄土与离石黄土的孔隙结构都相对较简单。试样团聚体间孔隙主要为8～12μm，团聚体内孔隙主要为0.03～0.08μm。通过压汞试验的孔隙分布密度可知，深度越深，孔隙结构越复杂(图3)。黄土的湿陷性，主要是由于团聚体间孔隙引起的。不同深度黄土微孔隙的分布空间基本一致。随着深度的增加，团聚体间孔隙逐渐减少，黄土越密实。结合扫描电镜图片可知，孔隙结构由支架大孔隙微胶结结构向镶嵌微孔胶结结构转变，从微观角度解释了黄土湿陷性的机理。通过对不同时期黄土的压汞试验可知，马兰黄土中团聚体间的孔隙大于团聚体内孔隙，且孔隙分布密度较大，证明土体较松散，团聚体间孔隙发育强烈，这就造成了在浸水的情况下，团聚体间孔隙崩塌内嵌，从而湿陷；对于古土壤层处，孔隙分布密度出现单峰状态或似双峰状态，出现过渡孔隙，孔隙分布复杂，团聚体间孔隙较少，主要为团聚体内孔隙，因此湿陷性较小(图4)。离石黄土中，团聚体内孔隙大于团聚体间孔隙，颗粒与颗粒之间接触紧密，多为镶嵌微孔胶结结构，因此在遇水的情况下，湿陷性减弱。

4.3 微结构与湿陷性的关系

黄土微结构与骨架颗粒的接触关系、孔隙结构及胶结类型对黄土湿陷性具有重要影响。得出的湿陷性与微结构的对照关系见表2。

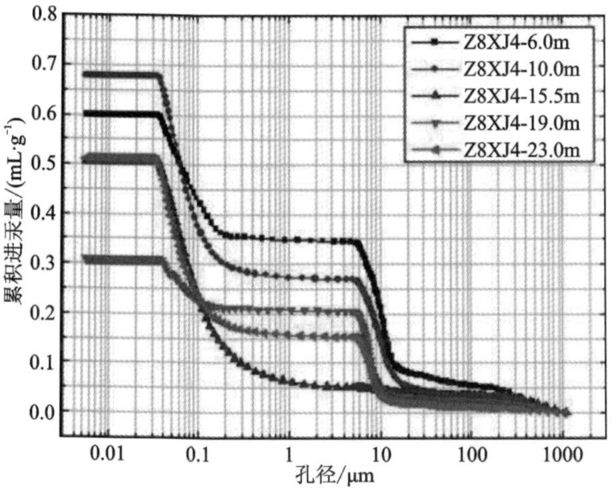

图 3　Z8XJ4 竖井不同深度土样进汞曲线

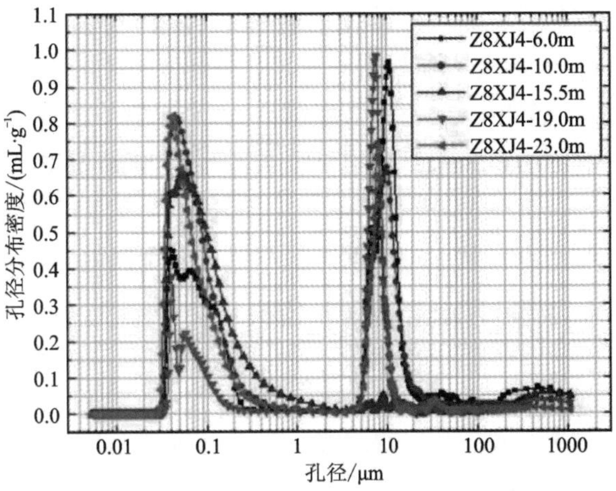

图 4　Z8XJ4 竖井不同深度土样孔径分布密度与孔径关系曲线

表 2　湿陷性与微结构对照表

地层时代	颗粒排列方式	孔隙类型	湿陷性
马兰黄土	支架	团聚体间	湿陷
离石黄土上部	支架—镶嵌	团聚体间	湿陷
离石黄土下部	镶嵌	团聚体内	非湿陷

黄土湿陷前后微观结构的变化见图 5。可知在水和外部作用力的耦合作用下，黄土微观结构会发生复杂变化，土骨架颗粒间的胶结物中的可溶盐部分溶解，黏土矿物软化，原有的骨架颗粒排列被改变，颗粒之间由之前的点接触，逐渐转变为面接触。一些不稳定团块被“肢解”，孔隙结构失稳，部分骨架结构重新排列，使得单位体积内接触连接点数量增加，土体变形暂时稳定，土体之间孔隙结构发生改变，原来的大孔隙支架结构，逐渐向小孔隙镶嵌结构转变。黄土的松散结构是黄土湿陷的必要条件。通过电镜与压汞试验可知，马兰黄土的结构主要为颗粒孔隙之间结构，团聚体间孔隙占主体；古土壤层孔隙结构较复杂，孔隙小且致密。离石黄土，结构由大孔隙支架结构向镶嵌结构转变，团聚体间孔隙逐渐较少，团聚体内孔隙逐渐增多。支架大孔隙结构与团聚体间孔隙在湿陷过程中起关键作用，这也从微观角度，解释了黄土湿陷的机理。

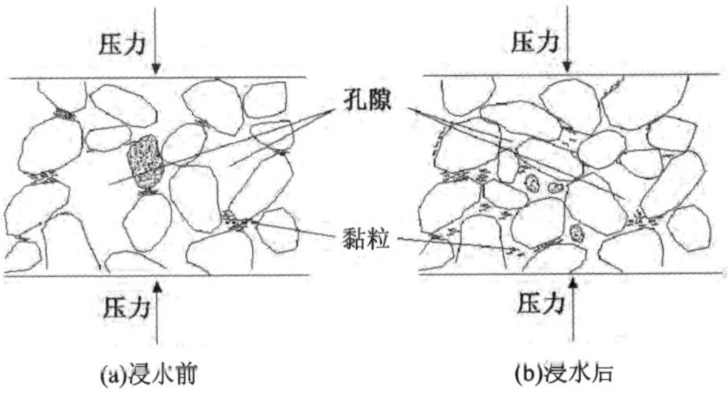

图 5　湿陷前后孔隙结构变化

5　小结

通过对甘肃某工程线路附近的马兰黄土、离石黄土进行湿陷性试验、电镜扫描和压汞试验，得到如下结论。

(1)黄土年代越老，起始湿陷需要的压力越大，但在古土壤层湿陷性会产生突变，这与古土壤层的成因和岩性有关。马兰黄土具强湿陷性，离石黄土上部具有湿陷性，下部不具有湿陷性，古土壤层不具湿陷性。

(2)通过黄土的微观结构分析可以看出，湿陷性黄土的支架大孔隙结构、胶结程度与团聚体间孔隙对湿陷性起着控制作用。支架孔隙越发育，团聚体间孔隙体积越大，遇水湿陷性越强。土体颗粒团聚体间胶结程度越好，土体强度越高，遇水湿陷性越弱。

(3)通过压汞试验结果分析可知，本试验所取黄土试样，团聚体间孔隙尺寸主要为8～12μm，团聚体内孔隙尺寸主要为0.03～0.08μm。对应黄土分层结果，得出结论：马兰黄土中团聚体间孔隙较多，湿陷性较强；离石黄土中团聚体间孔隙向团聚体内孔隙转变，湿陷性逐渐减弱。

参考文献

王江红.压实黄土的湿陷性与微观结构的关系[J].长安大学学报(自然科学版)，2006(4)：1-4.

邢义川，李京爽，李振.湿陷性黄土与膨胀土的分级增湿变形特征性试验研究[J].水利学报，2007(5)：546-551.

朱元青，陈正汉.原状 Q_3 黄土在加载和湿陷过程中细观结构动态演化的CT-三轴试验研究[J].岩土工程学报，2009(8)：1219-1228.

袁中夏，王兰民.黄土土水特征曲线研究[J].工程勘察，2012，40(5)：10-14.

张贵义，曹家泉，王志军，等.陇东黄土工程地质[M].西安：陕西科技出版社，2001.

李康，李永华，陈燕，等.黄土湿陷变形及微观结构特性研究[J]，工程勘察，2014(11)：17-23.

张德华，白晓红.黄土湿陷性的微观研究[J]，西部探矿工程，1996，11(8)：7-9.

科哈拉水电站工程引水隧洞地质灾害问题预测

董承山　方海艳
中水北方勘测设计研究有限责任公司，天津　300222

摘　要：深埋长隧洞的地质灾害问题对隧洞修建的可行性及后期施工影响巨大。本文简要分析了国内外深埋长隧洞的主要地质灾害问题；结合科哈拉水电站工程引水隧洞初步勘察成果，对该隧洞后期施工过程中可能遇到的地质灾害问题进行了较为系统的分析；对各类地质灾害的发生程度及其对隧洞施工的影响作出了初步评价，并提出了相应的处理措施。

关键词：深埋长隧洞　科哈拉　地质灾害　高压涌水　软岩变形

1　引言

科哈拉(Kohala)水电站位于巴基斯坦东北部的巴控克什米尔(AJK)境内的印度河(Indus River)支流吉拉姆河(Jhelum River)上，是吉拉姆河规划的6个梯级电站的第2级。两条引水隧洞洞线相互平行，中心线间距45m，隧洞直径8.5m，单洞长度约为17.4km，隧洞埋深45～1150m，总设计引水流量为425m^3/s，是整个工程的关键性控制工程。

隧洞工程成功与否，主要受制于施工技术及施工过程中遭受的地质灾害及伴生的地质环境问题。100多年来，随着各行各业大量隧洞的修建，隧洞施工技术得到了显著的进步，隧洞施工中掘进、通风、支护及衬砌技术已基本成熟。然而，隧洞开挖所遭遇的地质灾害及伴生的地质环境问题仍是制约深埋长隧洞工程的重要因素。

大量国内外隧洞工程的实践表明，制约深埋长隧洞建设的地质灾害及伴生的地质环境问题(表1)主要包括岩爆、高地温、突涌水及软弱围岩变形问题等。位于广西的长约10km的天生桥二级水电站引水隧洞，几乎全洞范围内都发生了普遍而强烈的岩爆；开挖于新疆喀什西昆仑高山区长约15km的齐热哈塔尔水电站引水隧洞，局部洞段施工钻孔温度达72℃，洞内气温可达65℃；长约14.5km的大(理)瑞(丽)铁路大柱山隧洞，最大涌水量高达$1.2\times10^5 m^3/d$；辛普伦隧道42m大变形洞段的施工耗时24个月；艾娜山Ⅰ线400m大变形路段用了36个月才得以通车。此外，在特定地质条件下隧洞开挖过程中仍将面临放射性危害及有害气体的干扰。综上所述，地质灾害的预测与治理是深埋长隧洞勘察及施工中面临的最主要任务。

表1　国内外部分深埋长隧洞工程及其主要地质灾害问题

国家	隧洞工程名称	工程用途	长度/km	最大埋深/m	主要地质灾害问题
中国	南盘江天生桥二级水电站隧洞	水工隧洞	9.776	760	岩爆
中国	西康线秦岭隧洞	铁路隧洞	18.448	1600	岩爆、涌水
中国	京广线大瑶山隧洞	铁路隧洞	14.295	800	涌水

作者简介

作者简介：董承山(1980—)，男，高级工程师，主要从事地质工程与岩土工程研究. E-mail：spikedong@qq.com

续表 1

国家	隧洞工程名称	工程用途	长度/km	最大埋深/m	主要地质灾害问题
中国	成昆线关村坝隧洞	铁路隧洞	6.187	1650	岩爆
中国	雅砻江锦屏二级水电站引水隧洞	水工隧洞	18.00	2500	涌水、岩爆
中国	齐热哈塔尔水电站引水隧洞	水工隧洞	15.67	1720	高地温、岩爆
中国	青海引大济湟大坂山输水隧洞	水工隧洞	24.3	1100	涌水、岩爆、围岩大变形
日本	新清水隧洞	铁路隧洞	13.50	1700	岩爆、涌水
瑞士	辛普隆(Simplon)隧洞(Ⅰ/Ⅱ)	铁路隧洞	19.80	2140	高地温、涌水
瑞士	圣哥达(St. Gottard)隧洞	铁路隧洞	14.984	1706	高地温
意大利	亚平宁(Appenine)隧洞	铁路隧洞	18.318	2000	涌水、瓦斯
法国、意大利	勃朗峰(Mt. Blanc)隧洞	铁路隧洞	11.60	2480	高地温、岩爆
日本	安房隧洞	公路隧洞	4.35	700	高地温、涌水(热水)
中国	新疆精伊霍北天山铁路隧洞	铁路隧洞	13.6	1038	涌水

由于深埋长隧洞的埋深较大,勘测设计阶段难以通过勘探工作进行详尽的地质灾害预报工作,所以目前深埋长隧洞施工的地质灾害预测预报研究大致可按项目阶段分为勘测设计阶段和施工阶段两类,前者为定性的总体结论,为方案可行性及线路比选提供依据;而后者更具针对性,是为确定合理的施工、支护及地质灾害治理方案而进行的针对性研究。

2 基本地质条件

工程区位于喀喇昆仑(Karakorum)板块、卡哈斯坦(Kohistan)板块和印度(India)板块三大地壳单元相互碰撞,形成 Hazara-Kashmir 的并合构造(HKS)(图 1)。

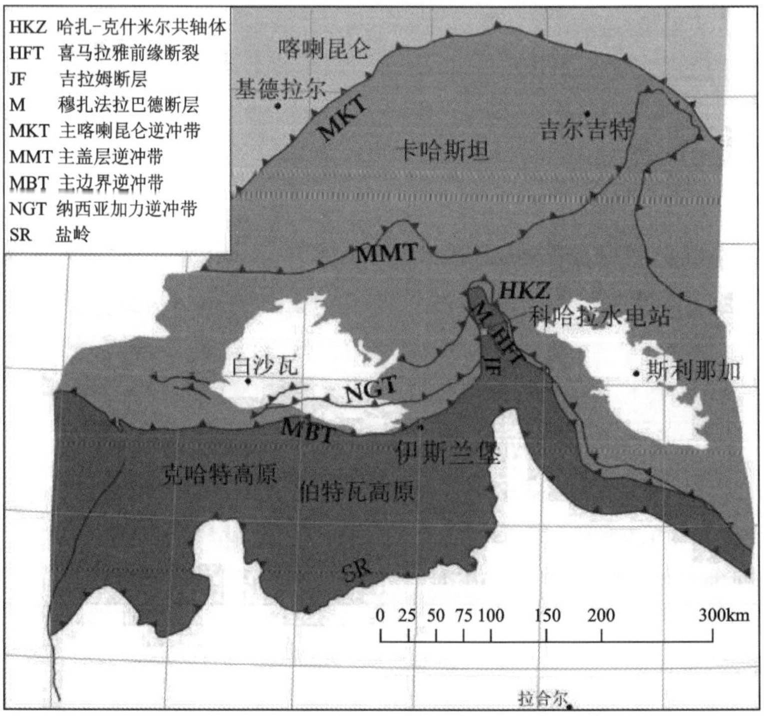

图 1 巴基斯坦北部构造简图

引水隧洞从萨朗(Saran)坝址区到阿加(Agar)河谷区隧洞沿线为中山区，峰顶高程可达2100m，洞线上最高点高程为1990m。该段隧洞埋深多为300～1000m，最大埋深为1150m。阿加河谷较开阔、宽广、顺直，河面高程约925m。穿越阿加河谷洞段长约50m。隧洞穿越阿加河谷段左侧引水隧洞TA最小埋深约74m；右侧引水隧洞TB最小埋深约45m。隧洞沿线从阿加河谷到厂房区之间有一分水岭，最高高程为1820m，该段隧洞埋深多为250～800m，最大埋深为980m。隧洞沿线还发育有大量冲沟及河流阶地等地貌单元。

隧洞沿线地层岩性分为第四系(Q)松散堆积物及古近纪(E)、新近系(N)基岩。第四系(Q)主要为坡残积物、阶地和河床冲积物、坡崩积物及滑坡堆积物。基岩为新近系中新统穆里(Muree)组和卡米列(Kamlial)组，形成于古地中海时期的最后阶段西瓦利克(Siwalick)时期。岩性以砂岩、粉砂岩、泥质粉砂岩及泥岩、劈理化泥岩为主。根据岩石的颜色、颗粒组成、粒径大小、强度和工程性状等不同指标，将典型砂岩分为两种SS1砂岩(细砂岩)、SS2砂岩(粉砂岩、泥质粉砂岩)和Sh(泥岩、劈理化泥岩)，总体上，SS砂岩和SS2砂岩为主要围岩，占比大致为65%～90%。各岩体特征分述如下：SS1砂岩为青灰色，中粒—细粒结构，中厚层—厚层状构造，局部发育有薄层，一般呈微风化—新鲜状，钙质胶结、胶结良好，坚硬岩，出露层厚较大；SS2砂岩(粉砂岩、泥质粉砂岩)：多呈红褐色，但有时从灰色渐变为黄绿色—灰绿色。粉粒—细粒结构，薄层、中厚层—厚层状构造，其中与砂岩(SS1)过渡部位多为薄层，中硬岩；Sh(泥岩、劈理化泥岩)：红棕色，泥质结构，泥钙质胶结，中厚层—厚层状，为较软岩—软岩，具有失水干裂及遇水崩解等特性。多发育于砂岩(SS1)与粉砂岩、泥质粉砂岩(SS2)过渡部位，所占比例较小。

因地层受强烈挤压，在隧洞沿线形成一系列交替发育的背斜和向斜，主要发育有1个褶皱带——S-A萨朗(Saran)褶皱带、2个大的向斜——巴哈纳(Bahana)向斜和丹纳(Danna)向斜、1个大的背斜——阿加(Agar)河谷背斜及一些小的向斜、背斜。岩层总体走向为NW320°～330°，倾向NE或SW，以中等倾角为主。除进口段的HFT断裂外，还发育有5条较小的断层、挤压破碎带及剪切带。由于该区构造运动发育，绝大部分岩层间发生过剪切滑动。在SS1砂岩和SS2砂岩中的节理主要为中等发育，局部密集发育。

隧洞走向与构造线方向近于正交，从坝址至厂房依次穿越的主要构造带包括S-A萨朗(Saran)褶皱带、HFT断层及其影响带、巴哈纳(Bahana)向斜、阿加河谷背斜、丹纳(Danna)向斜以及HFT之外的4条较小断层(图2)。岩石物理力学性质见表2。引水隧洞施工期间潜在的主要地质灾害有大规模涌突水、软岩大变形及硬岩岩爆等。

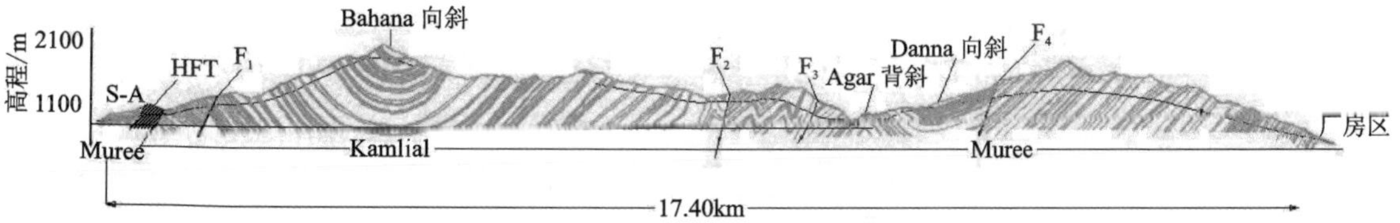

图2 科哈拉引水隧洞剖面图

表2 科哈拉水电站引水隧洞主要物理力学指标

序号	岩性	天然容重/(g·cm^{-3})	单轴抗压强度/MPa		弹性模量/GPa	变形模量/GPa	岩块波速/(m·s^{-1})
			天然	饱和			
1	SS1砂岩	2.62～2.74	62.9～133.0	56.7～106.0	14.1～58.5	13.5～22.3	1820～6100
2	SS2砂岩	2.55～2.66	30.0～74.2	27.7～70.2	15.9～30.3	12.4～29.6	1510～6060
3	泥岩	2.65～2.71	12.0～53.0	0.13～20.0	1.2～1.91	0.59～0.66	1500～5440

3 科哈拉水电站引水隧洞主要地质灾害问题初步预测与评价

3.1 涌(突)水问题

渗水和涌(突)水是隧道施工中最常见的水文地质现象。纵观隧洞修建约 100 多年的历史,隧洞涌水问题直到 20 世纪 50 年代中后期才开始真正引起重视。大量的涌(突)水往往给工程带来许多困难和危害,甚至造成严重事故而迫使工程停工,从而大大影响施工工期和费用。当隧洞施工仅出现水量不很大的漏水、渗水等也会造成不同程度、不同类型的危害。除此之外,由于水的物理和化学作用,隧洞的工程地质水文地质条件也会出现恶化,从而产生其它类型的隧洞病害。

科哈拉引水隧洞沿线高耸宽大的山脉与河谷盆地相间分布,穿越 2 个较大的向斜。雨季大气降水充沛,为地下水提供了丰富的来源。地层受新构造运动的影响,褶皱、断层及节理裂隙比较发育,为地下水的活动创造了空间条件。在 S-A 褶皱带、HFT 至 F_1 范围,由于褶皱发育及区域性断层作用,地层完整性差,有利于地下水的富集及向深部运移;巴哈纳向斜核部为典型储水构造,向斜两翼地下水沿层面及裂隙密集带向核部运移;F_2、F_3 断层之间褶皱发育,地层完整性相对较差,有利于地下水的富集及向深部运移;阿加河谷背斜、丹纳向斜至 F_4 段,由于阿加河常年流水,且背斜核部靠近或位于河床部位,河水沿背斜两翼岩层层面或裂隙密集带向下运移,且该洞段埋深较浅,结合靠近丹纳向斜核部及 F_4 断层等储水构造区,因此可能存在涌(突)水等问题。综上所述,以上构造部位均有利于地下水的赋存,从岩性、构造发育特征及勘探试验资料等方面判断,隧洞除了构造破碎带附近、向斜核部地层局部可能发生承压水和裂隙水集中式涌(突)水,尤其是赋存于断层带、向斜核部的承压水水头一般较高,据丹纳向斜核部附近钻孔揭露有高水头承压水,以此推测本工程可能会遇到超高水头的裂隙承压水。这些涌(突)水地段,不仅使隧洞的水文地质、工程地质条件恶化,强大的水压和围岩压力共同作用下,也可引起围岩大变形、坍方及冒顶,摧毁支撑。

在不考虑排水防渗措施的前提下,采用古德曼经验式、工程实践总结的经验公式以及柯斯嘉科夫法,对隧洞开挖时(施工期)最大、稳定涌水量分别进行了预测,并在分析、类比邻近的尼鲁姆一吉鲁姆(Neelum-Jhelum)工程隧洞开挖揭露地下水情况的基础上的结果见表 3。

表 3 不同方法预测的科哈拉引水隧洞涌水量(单洞) 单位:m^3/d

<table>
<tr><th rowspan="2">预测方法</th><th colspan="2">稳定涌水量</th><th colspan="2">最大涌水量</th><th colspan="2">建议取值</th></tr>
<tr><th>一般段</th><th>阿加河谷段</th><th>一般段</th><th>阿加河谷段</th><th>一般段</th><th>构造储水带</th></tr>
<tr><td>古德曼法</td><td></td><td></td><td>1.9～51.8</td><td>1.6～27.2</td><td rowspan="3">2～4</td><td rowspan="3">20～50</td></tr>
<tr><td>柯斯嘉科夫法</td><td>0.5～20.7</td><td>0.5～12.6</td><td></td><td></td></tr>
<tr><td>经验公式法</td><td>0.4～32.6</td><td>0.4～14.8</td><td>1.2～93.2</td><td>1.2～42.4</td></tr>
</table>

根据预测结果,总体上,在施工组织等方面采取适当措施,隧洞突涌水方面的困难是能够被克服的。据勘探钻孔揭露,丹纳向斜核部有高水头承压水,考虑到地下水在渗流过程中,其压力水头将发生衰减,施工期随着地下水的排泄,水头压力将随之降低。施工期进行超前地质预报工作,对整个隧洞的安全施工大有裨益。

3.2 围岩挤压变形

工程区内SS2砂岩均一性差，多与劈理化泥岩互层或呈夹层状分布；而泥岩/劈理化泥岩或连续，或互层，或呈夹层状分布，性软。

根据附近的平硐勘察，在上部为砂岩、下部为粉砂质泥岩或泥岩的层面附近，经常会有严重的挤压剪切现象，且下部的粉砂质泥岩或泥岩/劈理化泥岩在一定范围内已经发生软化，这将严重影响围岩的变形。

理论上，通常用围岩强度应力比(S)判别法对围岩变形进行初步判断。计算公式为：

$$S = R_b \times K_V / \sigma_m \tag{1}$$

式中：R_b为岩石单轴抗压强度(MPa)；K_V为岩体完整性系数；σ_m为围岩最大主应力(MPa)。

一般认为：$S \geqslant 4$时，可不考虑围岩的变形；$S=2\sim4$时，围岩有塑性变形；$S<2$时，围岩有大变形。

SS2砂岩的饱和单轴抗压强度平均值约42MPa，经计算在埋深180～300m的情况下围岩就会产生塑性变形，在埋深大于300m的情况下将会发生大变形；泥岩/劈理化泥岩的单轴抗压强度(天然状态)一般在15MPa以下，围岩强度应力比值S很多小于0.5，在埋深大的泥岩段将会发生大的塑性变形、甚至挤出破坏。在断层挤压带及含地下水洞段这种变形或会严重。

邻近的尼鲁姆－吉鲁姆工程的TBM安装间位于穆里(Murree)组地层中，埋深将近1000m，岩性以SS1砂岩和SS2砂岩为主，泥岩/劈理化泥岩次之。根据收敛观测数据显示，收敛最大值为77mm，最小值为18mm，平均值为39.1mm，表明隧洞围岩在经过及时且合理的一期支护后变形并不是很大。

在隧洞开挖之后，泥岩、粉砂质泥岩和泥质粉砂岩若经历长时间暴露，岩块强度必然发生不同程度的降低，从而导致围岩快速变形失稳，因此建议施工期一期支护采用能够封闭围岩的柔性支护为主，且在开挖后8小时之内完成，以充分保护这些岩体的强度，从而降低围岩的塑性变形。

3.3 岩爆

岩爆及高地应力问题是深埋长隧洞主要的工程地质问题之一。隧洞随着埋深增大，地应力必定增高。参考国内常用经验根据判据$SRF=(3\sigma_1-\sigma_3)/R_{ci}$进行岩爆风险等级划分见表4。

表4 SRF岩爆风险等级划分表

SRF	0.45～0.6	0.6～0.9	0.9～1.2	>1.2
风险分级	低风险	中等风险	高风险	极高风险

岩爆的判别根据《水力发电工程地质勘察规范》(GB 50287—2006)，结果见表5。勘察期在隧洞首部的坝址右岸、隧洞中部(阿加河谷)和隧洞出口(压力竖井)钻孔中分别进行了水压致裂法地应力测量。3个孔的实测结果均表明最大水平主应力占主导地位，该工程区的水平构造作用力明显。通过对世界应力图数据的检索可知，该区域的震源机制解结果均表明应力状态为有利于逆冲断层活动；而3个钻孔所揭露的岩体质量均较差，因此提供的可靠信息有限，故综合两种数据结果，该区域主导应力状态应为$S_H>S_h>S_V$。3个钻孔实测所得到的测区最大水平主应力方向为NE70.3°～89°。根据测试成果进行隧洞沿线的地应力分析预测，最大水平主应力约56MPa(埋深约1150m)。SS1砂岩的天然单轴抗压强度平均值为82.4MPa，饱和单轴抗压强度平均值为80.9MPa，属于坚硬岩，软化系数约为0.79；SS2砂岩的天然单轴抗压强度平均值为47.3MPa，饱和单轴抗压强度平均值为41.1MPa，属于中硬岩。计算过程中均选用饱和抗压强度平均值。

表5　引水隧洞段岩爆分级表

桩号	平均埋深/m	洞段长度/m	最大主应力(σ_1)/MPa	最小主应力(σ_3)/MPa	自重应力(σ_2)/MPa	SS1	SS2	SS3	GB 50287—2006					经验判断		
						所占比例/%			岩石强度应力比(R_b/σ_1)	岩爆分级(百分比/%)				SRF	风险等级	备注
										轻微岩爆	中等岩爆	强烈岩爆	极强岩爆	$(3\sigma_1-\sigma_3)/R_{ci}$		
0+000～0+350	110	350	2.7	1.5	2.8	10	50	40	15.1					0.14		SRF指标评价岩爆风险等级仅适用于天然抗压强度大于80MPa，因此以中硬岩为主洞段未做评价
0+350～0+950	206	600	17.6	4.1	5.2	HFT断层及影响带										
0+950～1+390	288	440	10.0	6.3	7.3	15	60	25	4.1	√				0.64		
1+390～1+500	353	110	12.7	8.1	9.0	F_1断层及影响带										
1+500～3+582	590	2082	22.4	14.5	15.0	65	30	5	3.6		√			0.64	中等风险	
3+582～5+082	1022	1500	40.1	26.2	26.0	70	25	5	2.0		√			1.14	极高风险	
5+082～9+079	630	3997	24.1	15.6	16.1	60	35	5	3.4		√			0.69	中等风险	
9+079～9+142	446	63	16.5	10.6	11.4	F_2断层及影响带										
9+142～10+354	524	1212	19.7	12.7	13.4	60	35	4	4.1	√				0.56	低风险	
10+354～10+419	470	65	17.5	11.3	12.0	F_3断层及影响带										
10+419～11+982	176	1563	5.4	3.3	4.5	60	15	25	14.9					0.16	低风险	
11+982～12+958	360	976	13.0	8.3	9.2	40	50	10	4.6	√				0.51		
12+958～13+062	532	104	20.0	12.9	13.6	F_4断层及影响										
13+062～13+352	688	290	31.2	17.1	17.5	75	20	5	2.6		√			0.93	中等风险	
13+352～13+501	693	149	31.5	17.3	17.7	10	80	10	1.5			√		1.63		
13+501～15+204	812	1703	37.8	20.5	20.7	65	25	10	2.1		√			1.13	高风险	
15+204～15+716	717	512	32.8	17.9	18.3	20	70	10	1.3			√		1.70		
15+716～16+940	437	1224	17.9	10.4	11.1	50	40	10	3.3		√			0.72		
16+940～17+403	214	463	6.1	4.3	5.5	40	50	10	9.8					0.23		

最大主应力：$S_H=-1.78+0.041H(R=0.985)$，最小主应力：$S_h=-1.43+0.027H(R=0.975)$；计算自重应力时选用 SS1 和 SS2 砂岩天然密度平均值 2.60g/cm³。经计算，在总长约 17.4km 的隧洞中，有长约 12.3km（占比约 70.9%）的洞段存在岩爆风险，各风险等级占存在岩爆风险洞段总长的比例见表 6。

表 6　引水隧洞岩爆风险等级汇总表

序号	风险等级	长度/m	占比/%
1	低风险段	2775	22.5%
2	中等风险段	6369	51.6%
3	高风险段	1703	13.8%
4	极高风险段	1500	12.1%

由于工程区地层软硬相间、层间剪切带普遍发育，将会减轻岩爆发生的风险。所以预计一般洞段发生岩爆的可能性不大，但在完整—较完整的 SS1 或 SS2 砂岩集中发育、且埋深大的洞段可能会发生岩爆、片帮等现象。推测以下部位具有发生强烈岩爆的高风险性：埋深大于 800m 的巴哈纳向斜核部及断层带附近洞段。这些部位都是应力较集中部位，因此应做好岩爆的超前预报和防治措施。

4　结论

通过本文的分析，可得出以下基本结论。

（1）科哈拉水电站工程引水隧洞洞线长、构造背景及地质条件复杂，因此，存在地质灾害问题，可能出现的较为典型的地质灾害有 3 种类型，即涌突水问题、软岩大变形问题及硬岩岩爆问题，可能产生较大危害。

（2）隧洞穿越地段工程地质特性，大致决定了地质灾害类型：向斜的核部地段，高压涌水可能是主要的地质灾害问题；而在穿越泥岩/劈理化泥岩时，可能发生软岩大变形问题；当穿越埋深较大的 SS1 砂岩地段时，将极有可能遇到岩爆问题。

（3）为有效控制施工期地质灾害对隧洞施工的影响，提前采取相应的防范措施是必要的，因此施工过程中应做好地质超前预报工作，特别是对断裂破碎带、地下水、岩爆等的预测及预报，并提出有效的灾害预防和控制措施。

参考文献

黄润秋，荀定才，屈科，等. 圆梁山特长隧道施工地质灾害问题预测[J]. 成都理工学院学报，2001，28(2)：111-115.
宋嶽，高玉生，贾国臣，等. 水利水电工程深埋长隧洞工程地质研究[M]. 北京：中国水利水电出版社，2014.
苏红瑞，杜长青，李英海. 浅谈科哈拉水电站的区域构造稳定性[J]. 水利水电工程设计，2012，31(2)：23-25+54.
黄润秋，王贤能. 深埋隧道工程主要灾害地质问题分析[J]. 水文地质工程地质，1998，4(9)：21-24.
徐则民，黄润秋. 深埋特长隧道及其施工地质灾害[M]. 成都：西南交通大学出版社，2000.

滇中引水工程狮子山隧洞施工对小官村水库地下水环境影响分析

沐红元[1]　张明珠[2]　李少飞[1]　赵永川[1]　董家兴[3]

1.云南省水利水电勘测设计研究院，云南 昆明　650021；

2.云南省滇中引水工程建设管理局大理分局，云南 大理　671000；

3.昆明理工大学(电力工程学院)，云南 昆明　650500

摘　要：滇中引水工程大理Ⅱ段的狮子山隧洞，穿越复杂的水文地质单元，隧洞施工和运营可能会诱发水质变差、水库疏干等环境水文地质问题。为评价该隧洞施工对邻近的小官村水库地下水环境影响，以区域地质、工程地质勘察资料为依据，采用现场调查、理论分析、MODFLOW数值模拟等手段开展相关研究。结果表明：①与库区平行段隧洞与水库分属不同的流域水系及水文地质单元，二者间连通性差，也无直接水力联系，隧洞施工不会对水库产生疏干影响；②隧洞施工排水会对局部洞段地下水渗流场产生一定程度的影响，隧洞穿越水库径流区占水库总径流补给区的比例较小，不会对水库蓄水的正常来水量产生明显的减弱影响。

关键词：狮子山隧洞　疏干影响　径流区　MODFLOW软件　数值模拟

1　引言

鉴于复杂地形及抗震的要求，我国西南地区的工程建设中，修建了大量的隧道或隧洞等地下工程。这些地下工程施工过程中，出现了涌水突泥、岩爆、软岩大变形等围岩工程地质问题，该类问题的研究已经取得较多的研究成果。近年来，地下工程开挖扰动对工程区地下水及生态环境的影响评价，亦成为研究的热点问题之一。

隧道工程临近穿越水库时，水库与隧道(洞)之间可能存在的水力联系，对隧道施工和水库都有较大影响。目前对于隧洞施工与水库影响的研究，多集中在已建水库对于隧道施工的影响及隧洞中地下水处置方式等方面，邻近隧洞工程开挖对水库的影响研究成果较少。如周冬林研究了滇中引水工程昆明段隧洞开挖对金殿水库和东、西白沙河水库的影响；李春林以泉州市东海隧道为例，探讨了隧道施工对水库的影响；李立民分析了秦岭输水隧洞通过区的工程地质、水文地质及隧洞施工对于黑河金盆水库的影响；潘春辉结合山岭隧道下穿深圳梅林水库实际案例，分析了隧道开挖对水库安全性的影响，同时开展了公路隧道钻爆施工对水库及水库设施影响分析；任兴隆等基于成贵高铁观音山隧道的施工导致大消洞水库水量减少现象，通过调查分析隧道排水情况，简要分析了隧道疏排水对于大消洞水库的影响；李清华以厦门海新2#隧道为例，从防水、排水、截水、堵水措施等方面研究了近水库隧道施工期地下水的处理方法。

作者简介

沐红元(1969—)，男，高级工程师，主要从事水利水电工程地质勘察和评价工作。E-mail：764350658@qq.com

滇中引水工程是国务院确定的172项重大水利工程中的标志性工程，也是目前中国西南地区规模最大、投资最多的水资源配置工程，其建成投产将极大解决滇中地区缺水问题，效益显著，该项工程总干渠全长664.236km，拟建隧洞58座，总长611.986km。狮子山隧洞所属的滇中引水工程长育村-万家段（大理Ⅱ段），引水线路全长102.741km，其中隧洞总长91.193km，包括海东隧洞(23 974m)、狮子山隧洞(29 482m)、洗窝帚隧洞(586m)、品甸海隧洞(3342m)、磨盘山隧洞(10 937m)、老青山隧洞(11 748m)、板凳山隧洞(11 151m)7条隧洞。狮子山隧洞施工对临近的小官村水库的地下水环境影响，是隧洞安全绿色施工必须解决的问题。基于前人研究成果，本文主要研究了狮子山隧洞对小官村水库的疏干影响和径流区影响。研究成果对于工程设计、施工具有工程指导价值，并可为类似工程中分析隧洞开挖对水库的影响分析具有一定的参考价值。

2 工程概况

小官村水库位于云南省大理白族自治州祥云县小官村(N25°31′53.54″，E100°31′11.16″)，与狮子山隧洞垂直距离约2.5km(图1)，是一座以生活供水、工业供水、农业灌溉为主兼顾下游浑水海水库、品甸海水库的引蓄及弥渡县县城、祥云县县城的防洪安全等综合利用的中型水库，总库容1 091.4万m^3。滇中引水工程大理Ⅱ段狮子山隧洞祥云新村-雷家山段(DLII45＋875～53＋000)从小官村水库东侧通过，其中DLII45＋875～50＋000段通过库尾径流补给区；DLII50＋000～53＋000段则从小官村水库北东侧平行穿过，隧洞与水库间相距2.5km。隧洞轴向141°，段内隧洞底板高程1966～1965m，设计水深7.3m。有关研究显示，狮子山隧洞施工过程中，掌子面围岩出现了涌水涌泥。

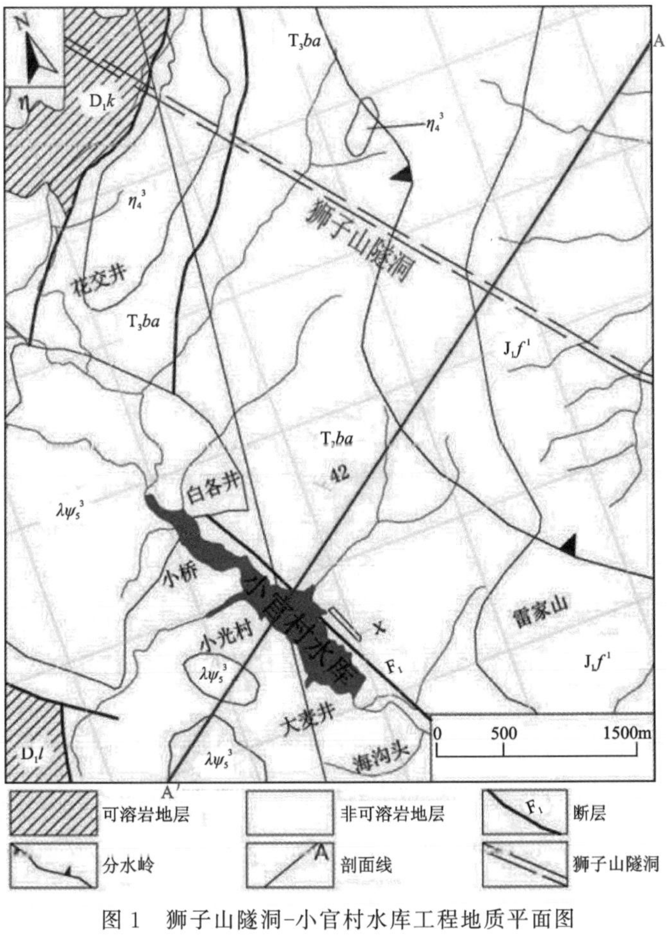

图1 狮子山隧洞-小官村水库工程地质平面图

本文参考了 1：20 万《区域地质调查报告(大理幅)》，1：5 万《滇中引水工程输水线路(大理Ⅱ段)岩溶水文地质、水环影响及对策研究专题报告》《滇中引水工程大理Ⅱ段地下水环境影响评价报告》，1：1 万《滇中引水工程可行性研究输水线路大理Ⅱ段工程地质勘察报告》等相关资料。狮子山隧洞基本情况及施工对地下水环境影响的特点分析结果如表 1 所示，研究显示有必要开展隧洞施工对小官村水库的地下水环境影响研究。

表 1　狮子山隧洞基本概况及地下水影响初步分析

洞段	隧洞穿越地层		隧洞标高与地下水位关系	所在水单元补、径、排位置关系	对地下水环境影响特点
	非可溶岩	可溶岩			
DLⅡ 24+495～39+194	$P_2\beta^1$、$P_2\beta^2$、$P_2\beta^3$、$P_2\beta^4$	/	低于水位线	穿越 I-7、I-8、I-9、I-11、Ⅱ-1-1 水单元的径流区	改变渗流场，降低地下水位
DLⅡ 39+194～41+369	/	P_1	低于水位线	I-8 水单元的径流区	改变渗流场，降低地下水位
DLⅡ 38+774～47+130	$P_2\beta^1$、$P_2\beta^3$、$P_2\beta^4$	D_1l	低于水位线	I-9 水单元的径流区	改变渗流场，降低地下水位
DLⅡ 47+130～49+237	/	D_1l、D_1k	低于水位线	I-11 水单元的径流区	改变渗流场，降低地下水位
DLⅡ 49+237～49+941	/	/	低于水位线	I-1-1 水单元的径流区	改变渗流场，降低地下水位
DLⅡ 49+941～52+885	T_3ba	/	低于水位线	I-1-1 水单元的径流区	水质影响
DLⅡ 52+885～53+978	$J_{1?}f^1$	/	低于水位线	Ⅱ-1-1 水单元的径流区	改变渗流场，降低地下水位

3　基本地质条件

地形地貌：狮子山隧洞处于金沙江与红河两大水系Ⅰ级分水岭地带，隧洞分别于 DLⅡ 45+875、DLⅡ 51+170两处穿越地表分水岭，地表最高为笔马村帽山，高程 2718m；小官村水库位于分水岭西侧槽谷，槽谷高程 2050m 左右。

地层岩性：研究区内隧洞沿线分布古生界 D_1l 粉砂岩夹页岩、D_1h 白云岩、$P_2\beta$ 玄武岩，滇中红层区 T_3ba 石英砂岩、粉砂岩夹泥页岩及煤层、$J_{1?}f^1$ 泥页岩、砂岩以及华力西期(η、ν 辉绿辉长岩)与燕山期(γ_5^1 花岗岩、$\lambda\phi_5^3$ 霏细斑岩)侵入岩。

地质构造：工程区位于丽江台缘褶皱带与滇中台褶带两个二级大地构造单元接合部，二者以程海-宾川断裂(F_{16})为界。主要构造形迹呈 NE－SW 向展布，主要分布有 $F_{III\text{-}102}$、F_{16}、$F_{III\text{-}103}$、$F_{III\text{-}104}$ 等断裂；隧洞与水库间地层总体呈 NE－SW 向延展，倾向 SE 库外，倾角中等至缓。研究区主要的断层构造及其特征如表 2 所示。

表 2　研究区主要断层构造特征简表

断层名称	编号	断层产状			断层带		性质	断层构造简述及其与工程建筑物的关系
		走向/(°)	倾向	倾角/(°)	长/km	宽/m		
$F_{Ⅲ-102}$	$F_{Ⅲ-102}$	23	SE	中陡	>2.4	40	逆断层	西盘为 P_1 灰岩、$P_2\beta$ 玄武岩，东盘为 D_1l 粉砂岩，断层带主要由断层泥、糜棱岩等组成，有侵入岩体分布。隧洞在 DLⅡ45+649～45+690 附近近正交穿越断层
程海-宾川断裂南段	F_{16}	21	SE	中陡	>22	22	正断层	由两条主要断裂组成，断裂带西侧为 $P_2\beta$ 玄武岩、P_1 灰岩及侵入岩、D_1l 砂页岩，东侧为 D_1l 砂页岩、D_1k 白云岩及 $\eta\nu$ 辉绿辉长岩、γ_5^1 花岗岩等侵入岩分布，断裂带由断层泥等组成，D_1l 砂页岩层间挤压褶曲极发育，地表沿断层形成冲沟及垭口，新村垭口北段沿冲沟滑坡等不良物理地质现象发育。狮子山隧洞在 DLⅡ46+373～DLⅡ46+395 段正交穿越断裂
大东箐断裂	$F_{Ⅲ-103}$	40	SE	陡	3	60	正断层	断裂西侧为 D_1k 白云岩及 $\eta\nu$ 辉绿辉长岩、γ_5^1 花岗岩等侵入岩分布，在帽山 2700m 高程（Ⅱ级夷平面上）有辉绿辉长岩分布；东侧为 T_3ba 砂泥岩地层、$\eta\nu$ 辉绿辉长岩，断裂带由糜棱岩、断层角砾岩（据 CWZK135 资料：角砾岩以钙质次胶结良好的白云岩为主）等组成。隧洞在 DLⅡ49+190～49+326 段正交穿越断裂
大弯箐断裂	$F_{Ⅲ-104}$	36	NW	陡	>8	22	逆断层	断裂西侧为 T_3ba 砂泥岩地层及 $\eta\nu$ 辉绿辉长岩、γ_5^1 花岗岩等侵入岩分布；东侧为 T_3ba 砂泥岩地层，断裂带由断层泥、糜棱岩等组成。隧洞在 DLⅡ49+896～49+917 段正交穿越断裂带

库区主补给型河谷，地下分水岭与地表分水岭基本一致。库尾至象鼻庄新村段隧洞位于库尾上游径流区的分水岭地带，地下水位均高于 2200m；其中 DLⅡ47+554～47+787、DLⅡ48+619～49+265 两段为 D_1k 白云岩分布，属大营镇岩溶子系统(DLⅡ-I-9)；白各井以后与库区平行段则处于分水岭东侧的金沙江水系。隧洞与水库间地块岩体为砂泥岩，隧洞埋深较大，岩体为弱微透水的相对隔水体。

4　隧洞施工对水库的影响分析

4.1　水库疏干影响分析

研究区 A—A′剖面图如图 2 所示，由图可知：隧洞与水库间地块处于滇中红层地区，隧洞埋深较大，地下水位远高于库水位，二者相距 2.5km，相对高差 110m 左右，中间地块岩体均为弱微透水的砂岩、泥页岩等相对隔水岩体组成，$F_{III-102}$、F_{16}、$F_{III-103}$、$F_{III-104}$ 等较大规模的区域性断裂未直接连通隧洞与水库，故从水文地质条件分析，与库区平行段隧洞与水库分属不同的流域水系及水文地质单元，二者间连通性差，也无直接水力联系，隧洞施工不会对水库产生疏干影响。

有关资料显示，相关隧洞段（T_3ba、$J_{1-2}f^1$）施工影响半径为 1.3～0.4km，为隧洞与水库间距离的 50%～16%，水库处于降落漏斗可能影响范围以外，施工排水对水库正常蓄水无影响。

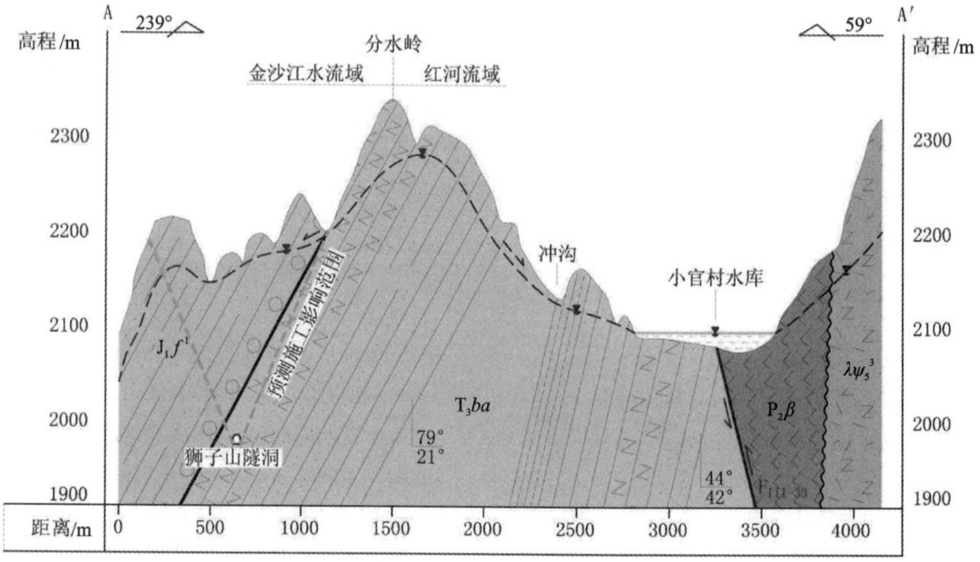

图 2 狮子山隧洞—小官村水库地质剖面图

4.2 水库径流区影响分析

DLⅡ45+875～50+000段通过红河水系，属库尾径流补给区，隧洞埋深较大，为大理Ⅱ段全线埋深最大(740m)的洞段，除DLⅡ 47+554～47+787、DLⅡ 48+619～49+265两段穿越大营镇岩溶子系统(DLⅡ-I-9)D_1k白云岩洞段外，其余为粉砂岩、花岗岩、辉绿辉长岩等相对隔水层分布，无涌突水影响(<0.002m^3/s)，隧洞施工对上部地表水体环境影响较小。

DLⅡ 47+554～47+787、DLⅡ 48+619～49+265白云岩隧洞段岩溶中等发育，与非可溶岩接触带及局部岩体破碎洞段中透水性中等，会存在中等程度的涌突水问题(0.1～0.3m^3/s)，施工期排水可能会对隧洞线附近地下水环境在短期内产生一定影响。本文采用MODFLOW数值模拟软件，通过模型建立、天然渗流场计算与验证，在施工期及施工后封堵工况下，对隧洞施工及施工完毕封堵工况下的渗流场进行了研究，研究结果表明：对比1年、2年和5年隧洞排水后的地下水渗流场，隧洞施工排水后东南部岩溶发育的区域渗流场发生了显著改变，而北西部玄武岩区域无明显变化。施工封堵2年后地下水渗流场即可恢复至天然状态(图3)。

径流区隧洞穿越$F_{III-102}$、F_{16}、$F_{III-103}$、$F_{III-104}$等断裂，$F_{III-103}$为钙质胶结的白云岩断层角砾岩，胶结紧密良好，岩体弱透水；其余断裂主要以断层泥组成，透水性较弱。隧洞穿越断裂影响带附近时会有存在少量的涌水问题(≤0.1m^3/s)，$F_{III-103}$段施工期排水可能会对地表大东沟产生一定的减流影响。

引水隧洞与象鼻河间有500～600m宽的$\eta\nu$辉绿辉长岩分布，从象鼻庄坝子东西两侧泉水点的出露也可表明侵入岩体具较好的阻水性，属弱微透水的宽厚相对隔水岩体，隧洞施工排水不会对象鼻河产生疏干影响。

隧洞穿越水库径流区位于东侧分水岭地区，占水库总径流补给区的比例较小(其中穿越的D_1k白云岩段地表径流面积仅5.3km^2左右)，水库的主要径流补给来水区位于隧洞以西地区，不受隧洞施工影响。分析认为隧洞施工期即使出现一定程度的排水减流影响，也不会对水库蓄水的正常来水量产生明显的减弱影响。

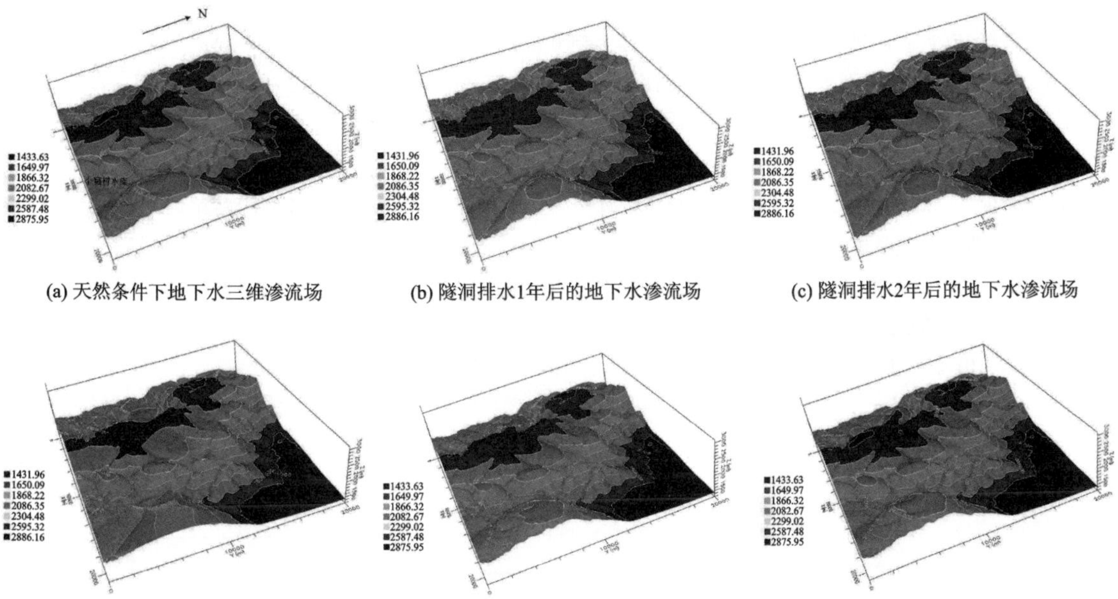

(a) 天然条件下地下水三维渗流场　(b) 隧洞排水1年后的地下水渗流场　(c) 隧洞排水2年后的地下水渗流场

(d) 隧洞排水5年后的地下水渗流场　(e) 隧洞封堵1年后的地下水渗流场　(f) 隧洞封堵2年后的地下水渗流场

图 3　隧洞施工及封堵条件下研究区地下水渗流场模拟结果

5　结论

(1)与库区平行段隧洞与水库分属不同的流域水系及水文地质单元，二者间连通性差，也无直接水力联系，隧洞施工不会对水库产生疏干影响。

(2)隧洞施工排水会对局部洞段地下水渗流场产生一定程度的影响；隧洞穿越水库径流区占水库总径流补给区的比例较小，不会对水库蓄水的正常来水量产生明显的减弱影响。

(3)隧洞穿越小官村水库相关的洞段总体采取以“堵”为主的原则进行设计与施工。对花岗岩、辉绿岩及砂泥岩洞段，总体为微弱透水层，施工开挖不会对地下水环境造成影响，更不会影响地表径流，可不进行防渗处理。对 DLⅡ47＋554 ～47＋787、DLⅡ48＋619～49＋265 两段白云岩洞段及 $F_{III-102}$、F_{16}、$F_{III-103}$、$F_{III-104}$ 等穿越断裂洞段进行先固结灌浆防渗处理，后施工开挖，再衬砌，将不会影响地下水环境，也不会对地表水体造成影响。

参考文献

陈瀚．高速公路隧道与水库之间的水力联系分析[J]．福建交通科技，2020(1)：64-66.

尚海敏，李翔，陈则连，等．水库蓄水对铁路隧道安全的影响[J]．铁道勘察，2019，45(4)：37-41.

王兴科，刘昭，赵礽晔．水库对六盘山隧道结构安全的影响研究[J]．公路交通科技(应用技术版)，2016，12(6)：169-172.

陈玉茹．水库蓄水前后对库区隧道安全性能影响分析[J]．水利科技与经济，2015，21(6)：26-27＋33.

张朕铭．横江流域水库蓄水对库区隧道安全的影响评价[D]．西南交通大学，2014.

段青龙．库车县铜厂水库对库俄铁路隧道的影响评价[J]．西部探矿工程，2010，22(4)：170-172.

周冬林．滇中引水工程昆明段隧洞开挖对邻近水库影响研究[D]．成都：成都理工大学，2015.

李春林．水库段隧道施工安全性分析及对策建议：以泉州市东海隧道工程为例[J]．中华建设，2016(6)：144-145.

李立民．秦岭输水隧洞施工对黑河金盆水库的影响[J]．隧道建设，2016，36(4)：379-383.

潘春辉．公路隧道钻爆施工对水库及水库设施影响分析[J]．灾害学，2019，34(S1)：34-37.

潘春辉.隧道施工对水库安全的影响分析[J].城市道桥与防洪,2020(5):216-218+26.

任兴隆,张斌.成贵高铁观音山隧道对大消洞水库影响分析[J].陕西水利,2021(2):202-204.

李清华.临近水库隧道地下水排放控制措施研究[J].施工技术,2018,47(9):45-48.

沐红元,柳晓宁,张正平,等.滇中引水工程输水总干渠大理Ⅱ段可行性研究工程地质勘察报告[R].昆明:云南省水利水电勘测设计勘察院,2016.

沐红元,李少飞,张正平,等.滇中引水工程初步设计报告输水工程大理Ⅱ段海东隧洞线路比选专题报告[R].昆明:云南省水利水电勘测设计勘察院,2017.

赵永川,张强,沐红元,等.滇中引水工程大理Ⅱ段狮子山隧洞对小官村水库环境影响评价专题报告[R].昆明:云南省水利水电勘测设计勘察院,2015.

王国我.狮子山1号隧洞涌泥涌水处理技术研究[J].中国水能及电气化,2021(3):16-20.

基于模糊理论的引水隧洞片岩类围岩快速分类研究

潘朝　张乾　黄定强　邹勇　彭义峰
湖北省水利水电规划勘测设计院，湖北 武汉　430064

摘　要：本文在地质观察和地质素描的基础上，结合室内和现场试验数据，确定了影响围岩稳定性的关键因素，并研究其与围岩类别间的相关性规律，引进模糊理论，建立围岩分类的模糊综合评价模型，采用层次分析法确定影响因素权重，制定单个影响因素分类标准，构建隶属函数或赋值隶属度，从而实现施工现场的围岩快速分类。该方法具有现场快速易测、易得地质资料的优点，将资料输入软件平台便可立即进行围岩判别，减少了人为主观影响，极大地缩短了围岩初期支护决策时间，真正意义上实现了围岩快速分类。

关键词：模糊理论　引水隧洞　围岩稳定性　围岩快速分类　模糊综合评价

1　引言

近年来随着经济的快速蓬勃发展，我国根据基本国情水情做出了集中力量有序推进一批全局性、战略性 172 项节水供水重大水利工程的重要战略部署。随着这批重大项目的开工建设，水利工程隧洞建设规模越来越大，其最大开挖断面尺寸已接近单线铁路、公路隧洞，单条最长隧洞长达 98km。随着隧洞工程地质条件的复杂多变，对其设计施工技术要求更高，在地下隐蔽施工中极易发生坍塌、冒顶等造成人员伤亡或经济损失的工程安全事故。经济快速发展，对工期提出了更短、更快的要求，因此很有必要对隧洞围岩稳定性进行评价分析，研究出准确的围岩快速分类方法，以便及时确定并实施支护措施，从而保证节水供水重大水利工程的安全施工，确保我国重大治水兴水战略的实施。

自 20 世纪以来，国内外学者对围岩分类方法做了很多研究，同时取得了很多成果。目前国际上应用比较广泛的是巴顿的 Q 系统分类法和比尼威斯基的 RMR 法，我国根据工程实践和岩石力学实验研究的经验提出并大量应用《工程岩体分级标准》BQ 法，在此基础上，还提出了适用于各个不同行业的分类方法，如《公路隧洞设计规范》《水利水电工程地质勘察规范》HC 分类法。这些传统评价方法由于数据统计有限、人为主观影响大以及岩体性质复杂等因素的影响，其随机性大，致使围岩分类结果可靠性在一定程度上降低，更是无法满足经济快速发展对围岩分类快速判别的需求。近些年，对围岩快速分类基于可变模糊集合、人工神经网络、粗糙集方法、可拓方法、随机模拟方法、云理论方法和图像识别技术等进行了建模研究，应用于实际工程并取得了一定成果。但是这些方法的应用边界条件与实际工程情况还是存在差异，其结果存在着局限性。人工神经网络方法受知识获取瓶颈影响；可拓方法会遗漏重要约束条件；云理论方法忽略了扩展正态分布区间影响；图像识别技术不成熟且忽视了地质复杂性等，这些因素导致其不能有效地进行工程围岩分类。而且评价指标向模型计算参数的转换仍然存在着很大的主观随机性，其对评价结果准确性有很大影响，也无法真正意义上实现快速分类。

作者简介
潘朝(1989—)，男，中级工程师，主要从事地质工程相关工作. E-mail:876632012@qq.com

为此，本文基于模糊理论对围岩快速分类提出了一种方法：在地质观察和地质素描的基础上，结合室内和现场试验数据，采用HC分类法进行围岩分类指导前期施工，确定影响围岩稳定性的关键因素，研究其与围岩类别间的相关性规律，采用层次分析法确定影响因素权重，制定单个影响因素分类标准，构建隶属函数或赋值隶属度，从而建立围岩快速分类模糊综合评价模型。根据实际围岩类别反复修正构建的模糊综合评价模型，待模型适用后，即以模糊综合评价模型进行围岩稳定性评价，实现围岩快速分类，从而指导施工。

2 工程地质概况

鄂北地区水资源配置工程从丹江口水库引水，向唐东地区、随州府澴河北区以及大悟澴水区供水，全长269.672km，是湖北省重大战略民生"一号工程"，是国家重点推进、优先实施的172项全局性、战略性节水供水重大水利工程之一。其中隧洞总计55座，总长119.43km，占线路总长的44.3%。

工程区处于南襄盆地、桐柏山与大洪山之间，进口段属武当山余脉，沙河以西为平原、垄岗地形区，沙河以东为低山丘陵区。其区域构造位于秦岭褶皱系南缘，南部与扬子准地台相邻近，襄(樊)广(济)大断裂是这两个一级构造单元的分界断裂。引水线路除尾段广水市应山以东段属桐柏-大别中间隆起区外，其余均处在南秦岭冒地槽褶皱带。区内构造线总体方向为北西-南东向，因此区内岩层或片面理走向、主要断层走向、构造形迹以及山脉走向等都与区内构造线一致，呈北西-南东走向。

工程区主要出露太古宙(Ar)、元古宙(Pt)、寒武纪(∈)、奥陶纪(O)、志留纪(S)、白垩纪—第四纪(K—Q)地层及岩浆岩。其中隧洞工程岩性以早—中元古代、震旦纪—青白口纪片岩类为主，白垩纪—新近纪砂砾岩、泥质粉砂岩次之，其余为太古宙混合片麻岩、扬子期侵入岩系变辉长灰绿岩、以及寒武纪—奥陶纪滨浅海相碳酸盐系灰岩等。片岩类隧洞46座，占隧洞座数83.6%，短洞居多，合计长度为62.96km，占隧洞总长的52.7%。

区内水文地质条件比较复杂。地表水系较发育，主要有唐白河和府澴河两大水系，一般呈南北流向或北西-南东流向，季节性特征明显。地下水主要有松散介质孔隙水、碎屑岩孔隙裂隙水、基岩裂隙水及碳酸盐岩岩溶裂隙水等。

3 围岩特征研究

鄂北地区水资源配置工程线路长，范围广，涵盖地层年代广泛，岩性复杂多变，隧洞工程主要分布于线路中下段，其多以变质岩岩类为主，在变质岩中又以片岩类居多，故本文主要对工程区早—中元古代、震旦纪—青白口纪主要片岩类进行相关围岩快速分类研究。

3.1 *岩石(体)特征研究*

工程区古地理环境的重大转变主要受印支运动控制，其古地理和古构造环境复杂多变，决定了工程区片岩原岩沉积特征及物质组成复杂多样，从而对岩体工程特性影响明显，故岩性是判断岩石工程特性的重要指标之一。

本次研究在鄂北工程下段隧洞工程区取样20组进行薄片鉴定，结合岩石野外鉴定，得到了研究区典型片岩类隧洞地层岩性组合类型及特征(表1)。研究表明：工程区岩石类型主要石英片岩、钠长片岩、绿泥片岩等片岩类，多呈灰色、灰黑色、灰绿色，显微—细粒鳞片粒状变晶结构，片状构造，主要矿物成分为石英，斜长石，其富含云母、绿泥石、滑石、阳起石等次要矿物，水理性质差，其在岩石中连续定向排列构造片理特征，造成了片岩类岩体强度、完整性程度等差异大、岩体遇水软化及受力后呈各向异性等特点。同时在隧洞开挖中，片岩类岩体结构面往往对围岩稳定性影响较大。

结合现场开挖情况，综合分析表明岩石硬度、完整性及水敏性的主要影响因素为变质程度及矿物成分，浅变质岩类重结晶程度低，暗色矿物尚未聚集定向排列，一般完整性较千枚岩及片岩好；千枚岩类暗色矿物聚集排列，浅色矿物重结晶程度低，整体物理性质差，水敏性强，绢云母片岩与其物理性质类似；以绢云母、绿泥石为次要矿物的片岩类，绢云母、绿泥石多聚集于片理面，完整性差，水敏性强；以绿泥石为主要矿物的片岩类，整体性质近似浅变质岩类，完整性较好、强度较高、水敏性一般。

表 1 研究区典型片岩类隧洞地层岩性组合类型及特征

岩性	现场照片	镜下照片	特征描述	位置
绿泥绿帘绢云石英片岩		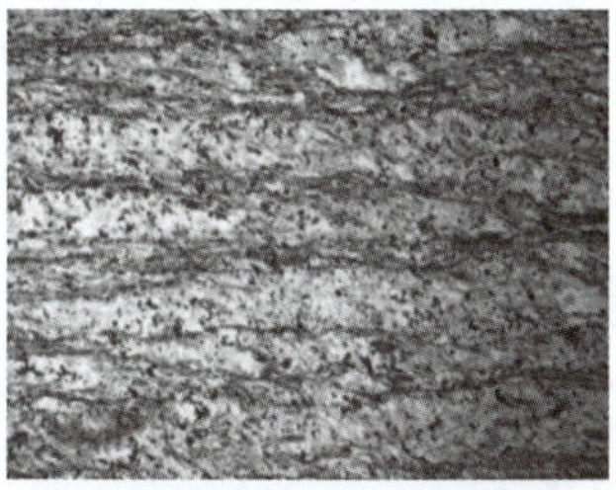	岩石具有显微一细粒鳞片粒状变晶结构，岩石中片状矿物连续定向排列，形成片理，主要矿物组成为石英、斜长石、绢云母、白云母、绿泥石、绿帘石、方解石、不透明矿物等	峰子山隧洞 195+443
绿泥石石英片岩	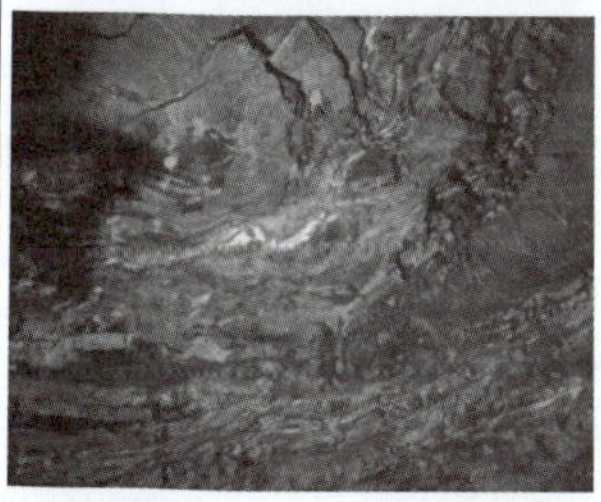	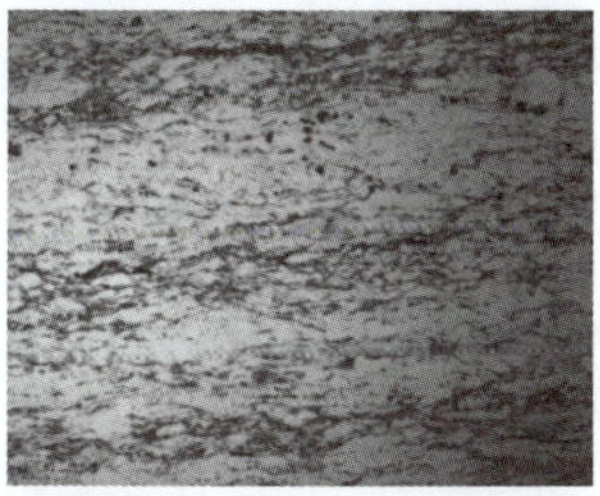	岩石具有细粒鳞片粒状变晶结构，岩石中片状矿物连续定向排列，形成片理，主要矿物组成为石英、斜长石、绢云母、白云母、绿泥石、绿帘石、方解石、不透明矿物等	高子坡隧洞 200+140
绿泥石片岩	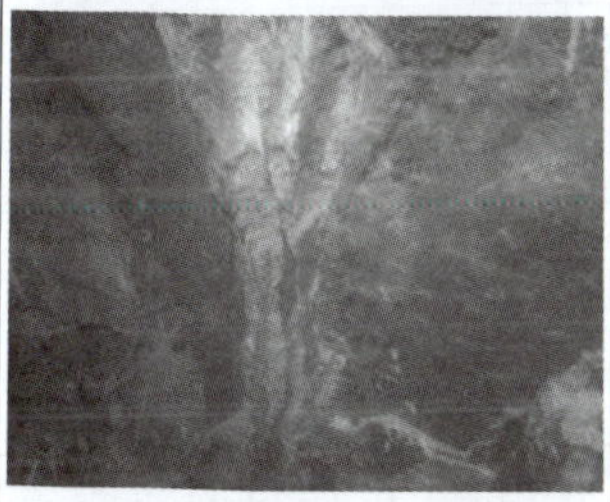	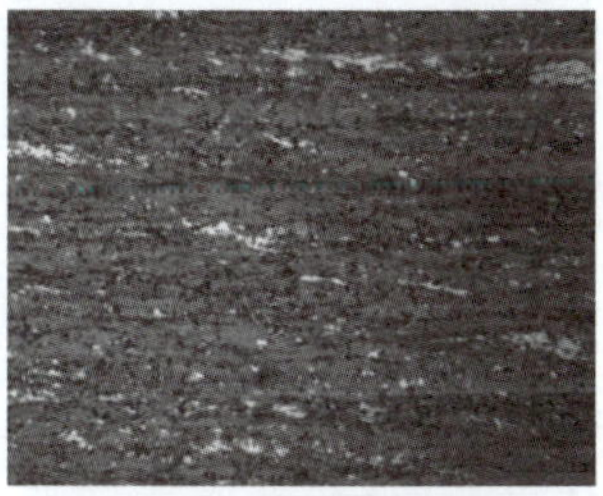	岩石具有显微一细粒鳞片粒状变晶结构，片状构造，主要矿物组成为石英、绿泥石，副矿物榍石	高子坡隧洞 201+950
钠长绿泥片岩		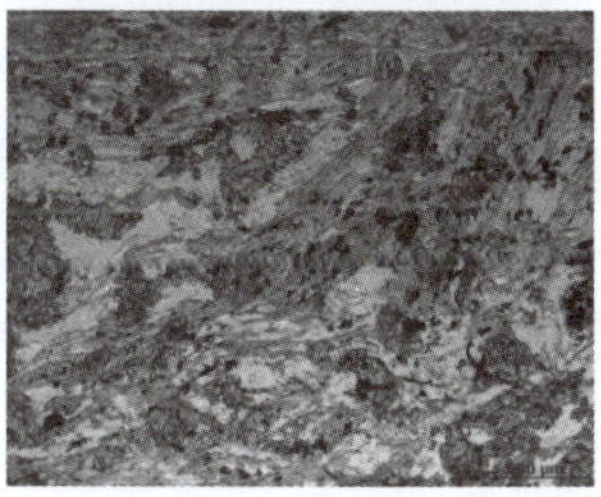	岩石具有细粒鳞片粒状变晶结构，片状构造，岩石中主要矿物组成为绿泥石、钠长石、石英、绿帘石、绢云母、白云母	黄家岭隧洞 209+736

3.2 岩石(体)强度研究

岩石强度是围岩分类最重要的指标之一，工程中一般用岩石的单轴抗压强度作为评估工程地质特性及岩体质量的标准，并以此对岩石进行分类。但受到试验条件及时间的制约，往往难以满足实际生产需求，尤其像鄂北工程这样的大型线形引水工程技施阶段施工需求。相比于室内荷载实验，点荷载实验有成本低、工序简单、实验快速等优点，在实际的施工建设过程中，无法通过室内荷载实验获取值时，可以通过实际测量的岩石点荷载强度指数换算值。

本次研究总计取样12组，每组岩样30～50块，试验结果表明研究区内钠长绿泥片岩强度最高，干燥状态下为坚硬岩，软化系数较高，饱和状态下硬度降至中硬岩。其新鲜状态下各向异性较不明显，各向异性系数1.8。其余片岩微风化—新鲜状态下为中硬岩，千枚岩弱风化状态为较软岩。整体上，新鲜且片理不甚发育岩体岩块强度与现场围岩级别有较好的相关性，但不同的岩性于不同的构造背景下体现出的相关性有较大差异，尤其石英片岩及钠长片岩类，其岩块强度一般较高，但部分段片理极其发育，因而其岩体整体强度极低，遇有裂隙发育并伴有地下水活跃地段，极易失稳。

测试结果汇总如表2所示。

表2　点荷载试验结果统计表

地层代号	岩性	风化带	点荷载强度指数 $I_{s(50)}$	单轴抗压强度/MPa	备注
Z_2c	绿泥石片岩	微风化	2.840	42.080～49.923	垂直片理
Z_2c	钠长绿泥片岩	新鲜	4.800	74.002	垂直片理
Z_2c		新鲜	2.560	41.184	平行片理
Z_2c	变质粉砂质泥岩	微风化	2.863	50.108	饱和
Z_2c	绢云石英千枚岩	弱风化	1.241	26.831	垂直片理
Z_2c	绢云母千枚岩	新鲜	2.260	42.263	垂直片理
Z_2c		弱风化	0.874	20.628	湿润
Z_2c	绿泥绿帘绢云石英片岩	新鲜	2.317	42.856	垂直片理
$(Qn-Z_1)y$	绢云钠长片岩	微风化	2.590	46.590	垂直片理
$\beta\mu_2^2$	变辉长辉绿岩	微风化	3.670	60.510	垂直片理

3.3　围岩稳定性的主要影响因素

根据工程隧洞开挖过程中出现的围岩变形破坏情况，总结出片岩隧洞围岩变形破坏的类型主要有掉块、侧壁滑塌、洞顶坍塌和塑性变形4种情况。

本工程片岩隧洞受地质环境以及片岩特点的控制，结合破坏类型及岩性、岩体强度研究，可以得出影响围岩稳定性的主控因素如下。

(1)岩体强度：主要受岩性及风化程度影响。整体而言，围岩稳定性从好到差的地层岩性依次为：钠长绿泥片岩、绿泥石片岩、变质粉砂质泥岩，变余长石石英砂岩，绢云石英片岩、绿泥绿帘钠长片岩、绢云母钠长片等，绢云母千枚岩、绢云石英千枚岩。受原岩及成岩环境影响，工程区出露的岩性较为复杂，风化程度越高，岩体强度越低，围岩越不稳定。

(2)主要结构面密度、产状及状态：变质岩区尤其是片岩类原生结构面较发育，并往往伴生多组次生结构面，其对围岩稳定性影响较大，同时各种结构面产状对洞室围岩稳定性也有较大影响。隧洞轴线与结构面倾角越小，洞室顶部围岩越不稳定；隧洞轴线与结构面走向夹角越小，倾角越大，洞壁围岩越不稳定。结构面的状态对于片岩类围岩稳定相对而言影响较小。

(3)地下水：工程区地下水主要以裂隙水的形式赋存于岩体中，总体来说，地下水贫乏，因此地下水相对较多分布的地带，往往是节理、裂隙等结构面相对发育的部位，片岩含有大量绢云母、白云母、绿泥石等易软化的矿物成分，地下水对这类片岩软化影响显著，故若围岩中地下水越多，地下水分布越均匀，岩体软化越严重，稳定性越差。

4 围岩快速判别模糊综合评价模型

4.1 模糊综合评价法原理

模糊理论是指用到了模糊集合的基本概念或连续隶属度函数的理论。它可分类为模糊数学,模糊系统,不确定性和信息,模糊决策,模糊逻辑与人工智能这5个分支。本研究围岩快速分类方法实质是一种基于模糊数学的综合评价方法。该综合评价法根据模糊数学的隶属度理论把定性评价转化为定量评价,即用模糊数学对受到多种因素制约的事物或对象做出一个总体的评价。它具有结果清晰,系统性强的特点,能较好地解决模糊的、难以量化的问题,适合各种非确定性问题的解决。

模糊综合评判方法是将定性分析与定量分析相结合的一种综合分析方法。其基本思想为首先确定评价指标体系,充分考虑各评价指标的分级标准,根据各评价指标之间的层次性,确定各评价指标在评价对象中的模糊权重,然后运用模糊集合的相关计算原理,确定各评价指标的模糊界限,建立出各评价指标的隶属度函数,构建出模糊评判矩阵,通过多种的逻辑运算,最终通过相关准则确定评价结果。

模糊综合评价法原理具体如下。

对多因素影响的实物进行总体评价,且考虑影响的模糊不确定性。若用$\boldsymbol{U}=\{u_1,u_2,\cdots,u_m\}$表示影响因素集,$\boldsymbol{V}=\{v_1,v_2,\cdots,v_m\}$表示评价集,则模糊综合评价需要建立一个从$\boldsymbol{U}$到$\boldsymbol{V}$的模糊变换。首先,对$\boldsymbol{U}$中的因素$u_i(i=1,2,\cdots,n)$做单因素评价,可得到如下单因素评价结果向量:

$$\boldsymbol{r}_i=(r_{i1},r_{i2},\cdots,r_{in}) \tag{1}$$

式中:$r_{ij}(j=1,2,\cdots,n)$表示仅从因素u_i的角度考虑,该事物隶属与评价集$\boldsymbol{V}$中v_j的隶属度;$\boldsymbol{r}_i$为单因素评价结果向量,它是$\boldsymbol{V}$上的一个模糊子集。于是,对于$\boldsymbol{U}$中m个因素总共有m个单因素评价结果向量,它可以构成$\boldsymbol{U}$到$\boldsymbol{V}$的模糊关系,也就是评价矩阵$\boldsymbol{R}$,它可表示为:

$$\boldsymbol{R}=[r_{ij}]_{m\times n} \tag{2}$$

又因为$\boldsymbol{U}$中各因素的重要程度不相同,因此,构造一个权重向量$\boldsymbol{A}$来表示各因素所占的权重,它可以表示为:

$$\boldsymbol{A}=\{a_1,a_2,\cdots,a_m\} \tag{3}$$

式中:$a_i(i=1,2,\cdots,m)$表示因素u_i所占权重。当权重向量$\boldsymbol{A}$与评价矩阵$\boldsymbol{R}$均已知便可进行模糊变换,可表示为:

$$\boldsymbol{B}=\boldsymbol{A}\cdot\boldsymbol{R} \tag{4}$$

式中:·为模糊算子;$\boldsymbol{B}$为评价结果向量,在$\boldsymbol{B}$向量中取最大值,其所对应的评价即为模糊综合评价结果。依次类推,分别构建不同级别的影响因素集,同时构建下级对上级的权重向量和对应各级评价矩阵,依次分级进行模糊变换,即可进行多级模糊综合评价。

4.2 评价集与影响因素集的确定

不同行业其围岩分类略有不同。考虑到水利工程特点,根据《水利水电工程勘察规范》《工程地质手册》等将本工程围岩类别评价集定义为$V=\{$Ⅴ、Ⅳ、Ⅲ、Ⅱ、Ⅰ$\}$,其对应的围岩稳定性评价分别为极不稳定、不稳定、局部稳定性差、基本稳定、稳定。

在实际隧洞工程中,影响围岩稳定性的因素十分复杂,大致可以分类两大类:一类是定量因素,如岩体强度、完整性系数、隧洞埋深、洞径跨度、地应力等,另一类是定性因素,如结构面状态、地下水、主要结构面产状、构造发育程度、风化程度等。这些影响因素往往都是多因素共同耦合作用,同时互相影响。

在工程实践中，做到突出重点、差异影响因素，兼顾全面覆盖，便可准确地做到围岩稳定性评价。

结合片岩类围岩特征研究，参考《水利水电工程勘察规范》，以选用现场开挖揭示后易测易得地质元素为准则，鄂北水资源配置工程片岩类围岩快速分类模糊综合评价模型选取点荷载、岩体完整程度、主要结构面产状、地下水、主要结构面状态5个主要影响因素进行评价，即影响因素集 $U=\{$点荷载，岩体完整程度，主要结构面状态，地下水，主要结构面产状$\}$。鉴于岩体强度在实际隧洞施工中不易测得，因此以现场易测的点荷载采用规范经验公式换算替代岩体强度，围岩完整程度采用结构面组数及间距确定，有条件时可采用现场测的岩体、岩块纵坡波速进行计算确定。

4.3 权重的确定

目前在模糊理论中，权重确定的方法很多，有经验法（专家意见法）、数理统计法、层次分析法等。为充分体现影响因素权重的客观性，尽量减少人为主观影响，本文采用层次分析法确定影响因素的权重，主要步骤为：①构建判断矩阵，采用一致矩阵法按1～9标度方法构造；②权重计算，并进行一致性检验。

根据前期工程实践总结，并参考国内、外常用的围岩分类方法，对围岩分类的5个主要影响因素按两两进行比较，经现场实践分析总结，本工程的影响因素重要度排序为：点荷载、岩体完整程度，主要结构面产状，地下水，主要结构面状态。采用1～9标度法（表3）将点荷载（或单轴饱和抗压强度）、岩体完整程度、主要结构面状态、地下水、主要结构面产状5个主要影响因素构建判断矩阵如下。

$$\boldsymbol{P}=\begin{bmatrix}1 & 1 & 4 & 3 & 2\\ 1 & 1 & 4 & 3 & 2\\ 1/4 & 1/4 & 1 & 1/2 & 1/3\\ 1/3 & 1/3 & 2 & 1 & 1/2\\ 1/2 & 1/2 & 3 & 2 & 1\end{bmatrix} \tag{5}$$

表3 指标间重要性比较结果表

因素重要性	$f(x,y)$	$f(y,x)$
x 与 y 同等重要	1	1
x 比 y 稍微重要	3	1/3
x 比 y 明显重要	5	1/5
x 比 y 十分重要	7	1/7
x 比 y 极其重要	9	1/9
x 比 y 处于	2,4	1/2,1/4
上述两相邻判断之间	6,8	1/6,1/8

矩阵特征根的判断及特征向量的计算如下。

（1）计算判断矩阵每行元素的乘积 W_i：

$$W_i=\prod_{j=1}^{n}U_{ij}\,(i,j=1,2,\cdots,n) \tag{6}$$

（2）计算 W_i 的 n 次方根 $\bar{M}_i$：

$$\bar{M}_i=\sqrt[n]{W_i} \tag{7}$$

（3）计算归一化处理向量 $\bar{\boldsymbol{M}}$：

$$\bar{\boldsymbol{M}}=(\bar{M}_1,\bar{M}_2,\bar{M}_3,\bar{M}_4,\bar{M}_5) \tag{8}$$

则构建矩形 **PA** 为：

$$\mathbf{PA}=\begin{bmatrix}1 & 1 & 4 & 3 & 2\\ 1 & 1 & 4 & 3 & 2\\ 1/4 & 1/4 & 1 & 1/2 & 1/3\\ 1/3 & 1/3 & 2 & 1 & 1/2\\ 1/2 & 1/2 & 3 & 2 & 1\end{bmatrix}\begin{bmatrix}0.320\\ 0.320\\ 0.068\\ 0.109\\ 0.184\end{bmatrix}=\begin{bmatrix}1.606\\ 1.606\\ 0.344\\ 0.550\\ 0.925\end{bmatrix} \tag{9}$$

则最大特征根 λ_{max} 为：

$$\lambda_{max}=\frac{1}{n}\sum_{i=1}^{n}\frac{(\boldsymbol{PA})_i}{M_i}=5.036 \tag{10}$$

(4)进行一致性检验计算，用一致性指标 CI 表示：

$$CI=\frac{\lambda_{max}-n}{n-1}=\frac{5.036-5}{5-1}=0.009\ 1 \tag{11}$$

查随机性指标 CR 数值标可知，当 $n=5$ 时，CR=1.12，则：

$$\frac{CI}{CR}=\frac{0.009\ 1}{1.12}=0.008 \tag{12}$$

上式表明判断矩阵的一致性达到了要求，因此向量 $\boldsymbol{A}=(0.320,0.320,0.068,0.109,0.184)^T$ 的各个分量可以作为相应影响因素的权重系数。

4.4 隶属度的确定

在模糊理论的运用中，隶属度一般通过隶属函数得出，而隶属函数往往很难找到与实际工程十分契合的，这也是模糊理论研究者必须面对的难题。

针对岩体强度定量影响因素，本文参考 HC 分类法，结合现场点荷载实测数据，制定了对应的岩体强度分类标准(表 4)。

表 4 点荷载分类标准

评价指标	极不稳定	不稳定	局部不稳定	基本稳定	稳定
	Ⅴ	Ⅳ	Ⅲ	Ⅱ	Ⅰ
点荷载强度	<084	0.84～2.11	2.11～4.46	4.46～9.14	>9.14
单轴饱和抗压强度/kPa	<20	20～40	40～70	70～120	>120

已有研究成果表明：根据隶属函数的特点和隶属度总和为 1 的原理，在不同的原函数条件下构造隶属函数，就具体模糊隶属度值而言存在差异，但最后分类结果一致。本模型定量影响因素点荷载按上述原理构造了符合工程实际的线性边半梯形-中三角形隶属函数，具体如下：

$$\mu_{\text{V}}(x)=\begin{cases}1 & x\leqslant 0.33\\ \dfrac{1.44-x}{1.11} & 0.33<x<1.44\\ 0 & x\geqslant 1.44\end{cases} \tag{13}$$

$$\mu_{\text{IV}}(x)=\begin{cases}0 & x\leqslant 0.33\\ \dfrac{x-0.33}{1.11} & 0.33<x\leqslant 1.44\\ \dfrac{2.85-x}{1.41} & 1.44<x<2.85\\ 0 & x\geqslant 2.85\end{cases} \tag{14}$$

$$\mu_{Ⅲ}(x)=\begin{cases}0 & x\leqslant 1.44\\ \dfrac{x-1.44}{1.41} & 1.44<x\leqslant 2.85\\ \dfrac{6.23-x}{3.38} & 2.85<x<6.23\\ 0 & x\geqslant 6.23\end{cases} \tag{15}$$

$$\mu_{Ⅱ}(x)=\begin{cases}0 & x\leqslant 2.85\\ \dfrac{x-2.85}{3.38} & 2.85<x\leqslant 6.23\\ \dfrac{12.31-x}{6.08} & 6.23<x<12.31\\ 0 & x\geqslant 12.31\end{cases} \tag{16}$$

$$\mu_{Ⅰ}(x)=\begin{cases}0 & x\leqslant 6.23\\ \dfrac{x-6.23}{6.08} & 6.23<x<12.31\\ 1 & x\geqslant 12.31\end{cases} \tag{17}$$

定性影响因素隶属度往往难以确定，本文结合现场地质素描成果，在工程实践中对定性影响因素对围岩稳定性的影响情况进行统计分析，同时结合已有方法分类取值及专家意见，总结出了引水隧洞工程主要定性影响因素隶属度取值表(表5～表8)，其采用阶梯概率数组。

表5 岩体完整程度隶属度取值表

结构面完整程度		Ⅴ	Ⅳ	Ⅲ	Ⅱ	Ⅰ
间距/cm	组数					
<30	>5或无序	0.45	0.35	0.10	0.05	0.05
<10	3～5					
<10	2～3	0.30	0.40	0.20	0.05	0.05
10～30	3～5					
30～50	>5或无序					
<10	1～2	0.10	0.30	0.35	0.20	0.05
10～30	2～3					
30～50	3～5					
50～100	>5或无序					
10～50	1～2	0.05	0.10	0.30	0.35	0.20
30～100	2～3					
>50	3～5					
>100	>5或无序					
>50	1～2	0.05	0.05	0.15	0.35	0.40
>100	2～3					

表 6 主要结构面状态隶属度取值表

主要结构面状态			Ⅴ	Ⅳ	Ⅲ	Ⅱ	Ⅰ
张合情况(宽度 W/mm)	充填情况	面状态					
张开(W≥5.0)	无充填、充填泥质	/	0.45	0.35	0.10	0.05	0.05
张开(W≥5.0)	充填岩屑	/	0.30	0.40	0.20	0.05	0.05
微张(0.5≤W<5.0)	充填泥质	平直光滑、起伏光滑、平直粗糙					
微张(0.5≤W<5.0)	充填岩屑	平直光滑					
微张(0.5≤W<5.0)	充填泥质	起伏粗糙	0.10	0.30	0.35	0.20	0.05
微张(0.5≤W<5.0)	无充填	平直光滑					
微张(0.5≤W<5.0)	充填岩屑	起伏光滑、平直粗糙					
微张(0.5≤W<5.0)	充填岩屑	起伏粗糙	0.05	0.10	0.30	0.35	0.20
微张(0.5≤W<5.0)	无充填	起伏光滑、平直粗糙、起伏粗糙					
闭合(W<0.5)	/	平直光滑					
闭合(W<0.5)	/	起伏粗糙	0.05	0.05	0.15	0.35	0.40

表 7 地下水状况隶属度取值表

地下水状态	Ⅴ	Ⅳ	Ⅲ	Ⅱ	Ⅰ
涌水	0.45	0.35	0.10	0.05	0.05
线状流水	0.30	0.40	0.20	0.05	0.05
渗滴水	0.10	0.30	0.35	0.20	0.05
岩体潮湿	0.05	0.10	0.30	0.35	0.20
干燥	0.05	0.05	0.15	0.35	0.40

表 8 主要结构面产状隶属度取值表

主要结构面产状		Ⅴ	Ⅳ	Ⅲ	Ⅱ	Ⅰ
结构面走向与洞轴线夹角 β	结构面倾角 α					
$\beta<60°$	$\alpha\leqslant20°$	0.45	0.35	0.10	0.05	0.05
$\beta<30°$	$20°<\alpha\leqslant45°$					
$\beta<30°$	$45°<\alpha\leqslant70°$	0.30	0.40	0.20	0.05	0.05
$30°\leqslant\beta<60°$	$20°<\alpha\leqslant45°$					
$60°\leqslant\beta\leqslant90°$	$\alpha\leqslant20°$					
$\beta<30°$	$\alpha>70°$	0.10	0.30	0.35	0.20	0.05
$30°\leqslant\beta<60°$	$45°<\alpha\leqslant70°$					
$60°\leqslant\beta\leqslant90°$	$20°<\alpha\leqslant45°$					
$30°\leqslant\beta<60°$	$\alpha>70°$	0.05	0.10	0.30	0.35	0.20
$60°\leqslant\beta\leqslant90°$	$45°<\alpha\leqslant70°$					
$60°\leqslant\beta\leqslant90°$	$\alpha>70°$	0.05	0.05	0.15	0.35	0.40

4.5 围岩快速分类建模

围岩快速分类模糊综合评价模型的具体计算步骤如下。

(1)确定评价围岩稳定性的等级论域$\boldsymbol{V}=\{$Ⅴ,Ⅳ,Ⅲ,Ⅱ,Ⅰ$\}$。

(2)选取合理地影响围岩稳定性的关键评价因素组成因素论域,确定其分级标准。因素论域$\boldsymbol{U}=$\{点荷载,围岩完整程度,主要结构面状态、地下水、主要结构面产状\}。

(3)确定因素论域$\boldsymbol{U}$中各因素对于围岩类别的权重。采用层次分析法确定的权重向量$\boldsymbol{A}=(a_1,a_2,\cdots,a_i)$,$a_i$表示第$i$个影响因素对于围岩类别的权重。

(4)确定隶属度。本模型采用边半梯形-中三角形隶属函数构建定量影响因素对于等级论域$\boldsymbol{V}$的隶属度函数;根据前人总结及工程实际制定单定性影响因素的隶属取值表,实现定性影响因素向定量转换。对现场采集的影响因数代入隶属度函数或查表得出相应的隶属度:

$$\boldsymbol{R}=\begin{bmatrix} r_{11} & r_{12} & \cdots & r_{1j} \\ r_{21} & r_{22} & \cdots & r_{2j} \\ \vdots & \vdots & & \vdots \\ r_{i1} & r_{i2} & \cdots & r_{ij} \end{bmatrix} \tag{18}$$

隶属度矩阵中r_{ij}表示第i个影响因素对等级论域$\boldsymbol{V}$中相对应的第j个等级的隶属度。

(5)编程构建片岩类围岩快速判别程序,将现场易测得的地质元素输入,即可得到最大隶属度及相应围岩类别。模糊综合评价计算过程为$\boldsymbol{B}=\boldsymbol{A}\cdot\boldsymbol{R}=(b_{\mathrm{V}},b_{\mathrm{IV}},b_{\mathrm{III}},b_{\mathrm{II}},b_{\mathrm{I}})$,平台自动按最大隶属度原则,在$B$矩阵中取最大值,即单元最大隶属度$b_k=\max\{b_{\mathrm{V}},b_{\mathrm{IV}},b_{\mathrm{III}},b_{\mathrm{II}},b_{\mathrm{I}}\}$,确定围岩类别$k$。

5 工程实例

5.1 工程实例概况

鄂北水资源配置工程杏仁山隧洞桩号为234+410～236+910,全长2.5km。洞址区为岗波状山丘地形,埋深12.8～55.1m,岩性主要为绢云钠长片岩、变辉长辉绿岩。隧洞断面为城门洞型,开挖洞径4.3～4.9m,洞底板高程101.95～101.69m,设计引水流量7.4m^3/s。

5.2 工程应用

杏仁山隧洞现场实测或记录的部分基础地质资料如表9所示,然后采用本文已建立的围岩快速分类模糊综合评价模型对杏仁山隧洞已开挖洞段进行围岩分类评价。由表10可以看出,采用围岩快速分类模糊综合评价方法对杏仁山隧洞已开挖洞段分类结果与实际围岩类别、HC分类法判别类别基本是一致的,而且其最大隶属度基本大于0.4,可见本文方法是比较适用于本工程指导施工的,也在实际工程中得到验证。

表9 杏仁山隧洞围岩地质条件实测数据统计表

隧洞	桩号	点荷载 $I_{s(50)}$/MPa	岩体完整程度(组数、发育间距/cm)	主要结构面状态	地下水	主要结构面产状
杏仁山隧洞进口	234+391～234+427	0.60(15.6)	4～5、0.2～0.3	微张,充填泥质,平直光滑	明显渗滴水	$\beta=36°\sim40°,\alpha=13°\sim19°$
	234+427～234+463	2.05(39.1)	3～5、0.2～0.3	微张,充填泥质,平直粗糙	局部渗滴水	$\beta=36°\sim40°,\alpha=13°\sim19°$

续表 9

隧洞	桩号	点荷载 $I_{s(50)}$/MPa	岩体完整程度(组数、发育间距/cm)	主要结构面状态	地下水	主要结构面产状
杏仁山隧洞进口	234+463～234+482	2.52(45.6)	2～4、0.5～0.6	闭合,平直光滑	岩体潮湿	$\beta=36°\sim40°,\alpha=13°\sim19°$
	234+482～234+600	2.10(39.8)	3～5、0.2～0.3	闭合,平直光滑	明显渗滴水	$\beta=36°\sim40°,\alpha=13°\sim19°$
	234+600～234+609	2.42(44.3)	2～4、0.3～0.5	闭合,平直光滑	岩体潮湿	$\beta=36°\sim40°,\alpha=13°\sim19°$
	234+609～234+645	2.16(40.7)	3～5、0.2～0.3	闭合,平直光滑	局部渗滴水	$\beta=36°\sim40°,\alpha=13°\sim19°$
	234+645～234+690	3.05(52.7)	2～4、0.5～0.6	闭合,平直光滑	干燥	$\beta=36°\sim40°,\alpha=13°\sim19°$
	234+690～234+800	1.80(35.5)	3～5、0.2～0.3	闭合,平直光滑	局部渗滴水	$\beta=36°\sim40°,\alpha=13°\sim19°$
	234+800～235+000	2.57(46.3)	2～4、0.6～0.8	闭合,平直光滑	局部渗滴水	$\beta=36°\sim40°,\alpha=13°\sim19°$
	235+000～235+100	0.71(17.7)	4～5、0.3～0.4	微张,充填泥质,平直粗糙	局部线状流水	$\beta=20°\sim23°,\alpha=12°\sim18°$
杏仁山隧洞出口	235+100～235+420	3.07(52.9)	2～4、0.5～0.6	闭合,平直光滑	干燥	$\beta=39°\sim43°,\alpha=10°\sim12°$
	235+420～235+600	1.86(36.3)	4～5、0.2～0.3	闭合,平直光滑	局部线状流水	$\beta=33°\sim45°,\alpha=5°\sim13°$
	236+910～236+720	0.62(15.9)	4～5、0.2～0.3	微张,充填泥质,平直光滑	局部线状流水	$\beta=50°\sim53°,\alpha=15°\sim18°$
	236+720～236+635	0.94(21.8)	4～5、0.3～0.4	闭合,平直粗糙	局部线状流水	$\beta=67°\sim90°,\alpha=30°\sim38°$
	236+635～236+600	0.60(15.6)	4～5、0.2～0.3	微张,充填泥质,平直光滑	线状流水	$\beta=50°\sim57°,\alpha=8°\sim18°$
	236+600～236+360	1.15(25.3)	4～5、0.2～0.3	闭合,平直光滑	局部线状流水	$\beta=0°\sim22°,\alpha=8°\sim12°$
	236+360～236+225	0.85(20.2)	4～5、0.2～0.3	微张,充填岩屑,平直粗糙	岩体潮湿	$\beta=31°\sim37°,\alpha=5°\sim10°$

注:结构面状态中张开($W\geqslant5.0$)、微张($0.5\leqslant W<5.0$)、闭合($W<0.5$),W 为结构面宽度,单位 mm。

表 10 杏仁山隧洞围岩分类结果对比表

隧洞	桩号	初设围岩类别	实际围岩类别	HC 分类法		模糊综合评价法	
				围岩总评分	围岩分类	最大隶属度	围岩分类
杏仁山隧洞进口	234+391～234+427	Ⅴ	Ⅴ类	11	Ⅴ类	0.452	Ⅴ类
	234+427～234+463	Ⅴ	Ⅳ类	29	Ⅳ类	0.434	Ⅳ类
	234+463～234+482	Ⅲ	Ⅲ类	52	Ⅲ类	0.413	Ⅲ类
	234+482～234+600	Ⅲ	Ⅳ类	35	Ⅳ类	0.402	Ⅳ类
	234+600～234+609	Ⅲ	Ⅲ类	52	Ⅲ类	0.406	Ⅲ类
	234+609～234+645	Ⅲ	Ⅳ类	35	Ⅳ类	0.388	Ⅳ类(偏Ⅲ类)
	234+645～234+690	Ⅲ	Ⅲ类	56	Ⅲ类	0.452	Ⅲ类
	234+690～234+800	Ⅲ	Ⅳ类	35	Ⅳ类	0.470	Ⅳ类
	234+800～235+000	Ⅲ	Ⅲ类	53	Ⅲ类	0.429	Ⅲ类
	235+000～235+100	Ⅲ	Ⅴ类	16	Ⅴ类	0.378	Ⅴ类(偏Ⅳ类)
	235+100～235+200	Ⅴ	Ⅲ类	54	Ⅲ类	0.450	Ⅲ类
	235+200～235+420	Ⅲ					
	235+420～235+600	Ⅲ	Ⅳ类	35	Ⅳ类	0.467	Ⅳ类

续表 10

隧洞	桩号	初设围岩类别	实际围岩类别	HC分类法		模糊综合评价法	
				围岩总评分	围岩分类	最大隶属度	围岩分类
杏仁山隧洞出口	236+910～236+720	Ⅴ	Ⅴ类	8	Ⅴ类	0.404	Ⅴ类
	236+720～236+635	Ⅴ	Ⅳ类	32	Ⅳ类	0.374	Ⅳ类
	236+635～236+600	Ⅴ	Ⅴ类	6	Ⅴ类	0.474	Ⅴ类
	236+600～236+360	Ⅴ	Ⅳ类	28	Ⅳ类	0.496	Ⅳ类
	236+360～236+225	Ⅳ	Ⅳ类	31	Ⅳ类	0.374	Ⅳ类(偏Ⅴ类)

6 结论

(1)影响围岩分类的影响因素十分复杂,选取合理的影响因素对围岩准确分类至关重要,其影响因素是否易测易得又决定了围岩分类是否及时有效,能否快速指导施工。通过室内外试验,并结合现场地质素描,对鄂北地区片岩类隧洞进行围岩特征研究,得出影响围岩稳定影的5个主要影响因素,其按重要影响程度依次为岩体强度、围岩完整程度、结构面产状、地下水、结构面状态。

(2)围岩分类的依据很难用准确的关系式表达,其评价因素对围岩分类的影响具有模糊性,分类界限标准也具有模糊性。采用模糊综合评价方法,构建多因素影响模型,确定影响因素的权重,制定单个影响因素分类标准,构建隶属函数或赋值隶属度,通过模糊合成对围岩进行分类,可以得到比较符合实际的结果。

(3)相比传统围岩判别方法,本文构建的模糊综合评价方法采用现场能快速易测、易得地质资料,输入软件平台便可立即进行围岩判别,减少了人为主观影响,极大地缩短了围岩初期支护决策时间,真正意义上实现了围岩快速分类,能及时地确定合理地开挖方式与支护措施,加快工程的进展,缩短相应的工期,同时保证了工程施工安全,可为类似工程借鉴参考。

参考文献

陈理想,陈寿根,涂鹏,等. 地下硐室围岩分级Q值法、RMR法、BQ法相互关系研究[J]. 路基工程,2004,195(6):107-112.

陈守煜,韩晓军. 围岩稳定性评价的模糊可变集合工程方法[J]. 岩石力学与工程学报,2006,25(9):1857-1861.

高志亮,黄松奇. 公路隧道围岩稳定性评价的改进人工神经网络方法[J]. 数学的实践与认识,2002,32(2):241-261.

李健,汪明武,徐鹏,等. 基于云模型的围岩稳定性分类[J]. 岩土工程学报,2014,36(1):83-87.

李文峰,姚晓敏,孙国荣. 鄂北地区水资源配置工程设计综述[J]. 水利水电技术,2016,47(7):9-13.

连建发,慎乃齐,张杰坤. 基于可拓方法的地下工程围岩评价研究[J]. 岩石力学与工程学报,2004,23(9):1450-1453.

柳厚祥,李汪石,查焕奕. 基于深度学习技术的公路隧道围岩分级方法[J]. 岩土工程学报,2018,40(10):1809-1817.

潘朝,吴立,左清军,等. 基于模糊数学的武汉市地下空间开发地质适宜性评价[J]. 安全与环境工程,2013,20(2):19-23.

邱道宏,薛翊国,苏茂鑫,等. 基于粗集功效系数法的青岛地铁围岩稳定性研究[J]. 山东大学学报(工学版),2011,41(5):92-96.

苏永华. 岩土参数模糊隶属函数的构造方法及应用[J]. 岩土工程学报,2007,29(12):1772-1779.

汪明武，金菊良，周玉良．集对分析耦合方法与应用[M]．北京：科学出版社，2014.
许腾．基于模糊综合评判的公路隧道围岩分级方法研究[D]．湖南：长沙理工大学，2017.
中华人民共和国国家标准编写组．工程岩体分级标准：GB 50218—94[S]．北京：中国计划出版社，1995.
中华人民共和国国家标准编写组．水利水电工程地质勘察规范：GB 50487—2008[S]．北京：中国计划出版社，2009.
中华人民共和国行业标准编写组．公路隧道设计规范：JTG D70—2004[S]．北京：人民交通出版社，2004.

滇西南某管线施工阶段地质问题分析

熊向前　张婷　张荣景

新疆兵团勘测设计院(集团)有限责任公司,新疆 乌鲁木齐　830002

摘　要:云南某管线施工初期主要存在临时边坡稳定问题、管线基础问题、弃渣场问题及其他问题。对施工开挖后进一步开展地质勘察工作,为施工阶段提供了地质预报与处理建议,保证了后续工程顺利施工并顺利完成,未因地质问题影响施工进度。该工程施工地质预报与建议,可为滇西南山区管线施工地质工作提供较好借鉴。

关键词:工程地质问题　施工地质　滇西南　管线基础　边坡

1　地形地貌

管线前段地貌为山间河谷,主要为忙海河和忙角河河谷,河谷狭窄,以"V"形为主,局部呈宽阔的"U"形,两岸岸坡陡峻,自然坡度30°～55°,现代河床一般宽度20～50m,沿线河床高程为1400～2000m,纵坡较大,约为6.6%,切割深度达600m;管线中后段地貌为侵蚀构造低中山、低山区,山体雄厚,山势陡峻,海拔高程2000～2500m,走向以NNE、NE为主,山区水系较发育,多呈"V"形河谷,地形高差500～1000m。

2　地层岩性

沿线地层主要为古生界、中生界、新生界古近系、新近系和第四系:①上石炭统鱼塘寨组分布于引水线路桩号9+726～12+900段,岩性以灰黄色砂岩为主,岩体呈中厚层、薄层状。岩层产状:318°～333°,NE∠67°～82°;②中二叠统南皮河组分布于引水线路桩号21+688～24+598段,以沉积建造为主,岩性为灰色、灰黄色砂岩,岩体以中厚层状为主。岩层产状:15°～25°,SE∠20°～37°;③上三叠统南梳坝组分布于引水线路桩号0+000～6+426段,为暗渠的主要地层,以沉积建造为主。岩性以灰色、灰黄色石英砂、长石为主。岩层产状:40°SE∠65°,18°NW∠50°,305°NE∠27°;④中侏罗统税房街组管线后半段大范围分布,与芦子箐组相间分布,位于引水线路桩号12+900～16+524段,以砖红色中粒砂岩夹砾岩为主,岩层产状:333°NE∠67°,82°NW∠51°;桩号17+913～21+688段,以沉积建造为主,岩性为砖红色中粒砂岩与褐红色泥质粉砂岩互层,呈中厚层状,岩层产状82°NW∠51°;桩号24+598～24+819段岩性为灰色、灰黄色中粒砂岩,岩层产状:25°NW∠75°;⑤中侏罗统芦子箐组位于引水线路桩号6+426～9+726段,岩性为灰黄色中—细粒砂岩夹红褐色泥质粉砂岩,部分地段分布灰色、深灰色灰岩,岩层产状:285°SW∠28°～68°,318°NE∠75°;桩号16+524～17+913段,岩性为砖红色粉砂岩,局部

作者简介

熊向前(1987—),男,高级工程师,主要从事工程地质、环境地质专业研究工作.E-mail:283699280@qq.com

夹褐红色中厚层泥质粉砂岩，岩层产状：82°NW∠51°；⑥第四系在管道沿线广泛分布，主要为残坡积物和冲洪积物。

3 地质构造与地震

管线处于一级构造单元冈底斯-念青唐古拉褶皱系（Ⅴ）中的二级构造单元福贡-镇康褶皱带（V_2）中的三级构造单元保山-永德褶皱束（V_2^3）的东部边缘。工程区位于腾冲-龙陵地震带与耿马-澜沧地震带之间，新构造运动强烈，地震活动频繁，强度大。地震动峰值加速度为0.2g，地震反应谱特征周期为0.45s，对应地震基本烈度为Ⅷ度。

4 水文地质条件

区域总体地势南东向西北微倾，地表水、地下水总体由南东往北西径流、运移，怒江大峡谷是区域地表水、地下水的最低侵蚀基准面。工程区地表水、地下水由两岸汇入忙捞河后由南往北汇入勐底河，再由大勐统河汇入永康河，最后汇入怒江。地下水主要类型包括基岩裂隙水、碳酸盐岩岩溶水和第四系孔隙潜水3种类型。

5 施工阶段地质问题及建议

根据2017年11月20日—11月25日对管道开挖情况现场调查，主要存在临时边坡稳定问题、渠管线基础问题、弃渣场问题及其他问题。

5.1 临时边坡稳定问题

根据现场调查，组成物质边坡类型主要分为：岩质边坡(A)、土质边坡(B)、岩土混合边坡(C)(图1)。沿线在施工平台（宽5～8m）开挖后形成人工临时边坡，部分边坡高度达30m以上，三类边坡均存在不稳定边坡，A类不稳定边坡主要受风化、节理及结构面的影响，边坡表层岩体较为破碎，边坡破坏主要受沿结构面控制顺结构面失稳，部分表现为掉块，少量顺层滑动；B、C类边坡主要受降雨影响，土体内部含水率增加，抗剪强度下降，尤其是部分边坡地下水溢出，形成饱和土体，在重力作用下滑力增加、抗滑力降低引起边坡失稳。除上述不稳定边坡外，施工平台外侧堆载松散弃渣造成平台局部产生裂缝、向坡外垮塌。不稳定边坡调查见表1。

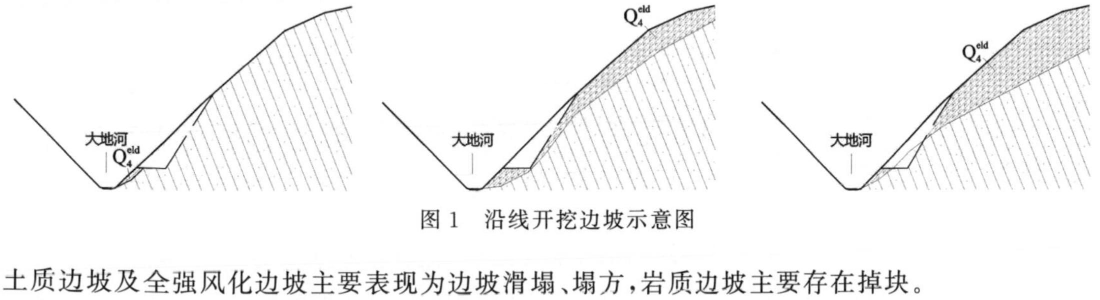

图1 沿线开挖边坡示意图

土质边坡及全强风化边坡主要表现为边坡滑塌、塌方，岩质边坡主要存在掉块。

针对上述不同边坡类型采取以下建议：①设置标识标志，监测边坡稳定情况。特别是土质边坡存在含水量增加或是地下水溢出时，边坡极易发生滑塌；②分级开挖，在条件允许情况下坡高10m增设宽1～2m马道一级；③在滑塌的边坡顶部至开挖平台增设排水沟，在开挖平台做好临时排水措施；④对于目前基本稳定的陡岩质边坡，应排除松动危岩，施工过程中加强对边坡上部的观察和监测，发现不稳定体应及时撤离和避让。

5.2 渠、管线基础问题

管线基础地层部分为坡积物或崩坡积物（表1），不宜将管道基础直接置于坡积物上。如图1中B、C类，需对其进行夯实或碾压，处理厚度1m，建议在基础下部或山里侧增加30cm的砂砾石垫层作为排水层。管基同时位于基岩和坡积物上，建议对坡积物夯实后，在基岩和坡积物上同时铺设砂砾层30～50cm。除管线基础完全为基岩外，其余段地表应增加排水措施，减少地表水、地下水渗入渠道山里侧面、底部，保证下部土体稳定性。

5.3 弃渣场问题

弃渣场位于0+820冲沟沟口，冲沟北北东向延伸，长4.7km，切割深70～100m，沟内长流水；沟口长宽各50m，与开挖平台高差10～20m，可堆弃渣（2～3）万m^3。建议对弃渣分层碾压、下部堆放石渣并设置排水体，前坡设置格宾石笼护坡，格宾基础深3.5m，弃渣上部增设导洪渠，防止泥石流、山洪冲刷跨沟建筑物和弃渣场。

5.4 其他问题

主要为过沟建筑物抗冲刷问题及13+950土方滑塌问题。建议对过沟建筑物上覆回填土进行压实，在上部设置过水堰，宽度为冲沟沟底3～5倍，堰基嵌入冲沟内基岩。13+950处需防止施工时对下方沟内耕地及坟墓掩埋，建议在边坡下部设置格宾挡墙，挡墙基础嵌入基岩，挡墙中下部设置排水体。

表1　管线开挖边坡问题统计表

桩号	边坡类型	稳定情况	坡高/m	潜在破坏类型及说明	管道基础地层
0+000～0+230	C	基本稳定	15～25	掉块，塌方。该段零星塌方。0+30处上部残坡积物厚5～8m，含水量较大，塌方至坡脚存在继续塌方的可能	基岩
0+230～0+520	C	基本稳定	10～20	掉块，塌方。该段塌方主要是上部残坡积碎石土和全强风化岩体塌方，碎石土下部一般地下水渗出。0+440～0+460、0+420、0+220～0+300段塌方严重，存在继续塌方的可能	基岩
0+520～0+600	A	基本稳定	8～15	掉块	基岩
0+600～0+830	AB交叉混合	基本稳定	10～30	掉块，塌方。0+570～0+600已塌方，有继续塌方的可能，坡顶孤石粒径2～4m，该段裂隙水发育	碎石土、基岩交叉或各占50%，该段基础岩性差异性较大
0+850～0+950	B	稳定性差	10～35	已塌方，开挖坡脚将继续塌方	碎石土
0+950～1+150	A	稳定性较好	10～25	掉块，局部有马道，1+110处存在崩塌的可能	基岩
1+150～1+540	AB交叉混合	基本稳定	10～30	掉块，滑塌。1+360处已塌方，存在地表水或基岩裂隙水流出，表层坡积物滑塌。1+250～1+280已塌方，开挖坡脚将继续塌方	碎石土（其中1+300～1+320基岩）
1+540～1+580	A	基本稳定	10～15	掉块	基岩

续表 1

桩号	边坡类型	稳定情况	坡高/m	潜在破坏类型及说明	管道基础地层
1+580～1+780	AB交叉混合	稳定性较差	10～20	滑塌，掉块。坡面分布大量孤石，粒径1m左右，不稳定，需清楚处理。部分坡面已滑动	碎石土
1+800～1+850	AB混合	基本稳定	10	有马道	碎石土
1+850～2+400	B	稳定性较差	5～15	掉块，坡面分布大量孤石，粒径1m左右，不稳定，需清楚处理。2+290～2+320为强风化坡面	碎石土，局部含孤石
2+400～2+600	B	基本稳定	2～5	残坡积含砾黏土，2+440处为强风化边坡	碎石土
2+600～2+630	A	基本稳定	3～7	掉块	基岩
2+630～2+650	B	稳定性差	3～7	部分已坍塌	碎石土
2+670～2+800	A	基本稳定	4～7	掉块，零星坍塌，破面强风化	碎石土
2+800～3+100	A	基本稳定	3～10	滑塌，该段碎石土较厚。局部碎石含量高，有架空现象处边坡不稳，2+850处滑塌	碎石土(稍密—中密)
3+100～3+250	A	基本稳定	5～6	掉块，破面强风化岩体，局部少量坍塌	碎石土
3+250～3+330	B	基本稳定	10～15	滑坡，醉汉林，碎石土含水量高，局部分级开挖	碎石土
3+330～3+500	AB混合	基本稳定	15～30	表层坡积碎石土滑塌	碎石土、基岩
3+500～3+700	A	基本稳定	15～30	掉块，岩层近水平，向岸里、下游侧倾	基岩
13+950(外坡)	B	已失稳		滑塌，人工填土	人工填土
14+020(外坡)	B	已失稳		滑塌，人工填土	人工填土

6 结论

(1)对于滇西南地区的小型傍山线路工程，往往偏移一点就可能发生地质情况改变，通过施工阶段大面积开挖后开展施工地质勘察工作，有利于补充初步设计阶段勘察点少的问题。

(2)本次施工地质勘察工作对施工单位提供了可靠的工程地质技术保障，也保障了施工安全及后期运行安全。

参考文献

云南省地质矿产局．云南省区域地质志[M]．北京：地质出版社，1990.

高适谭，陈国星，谢富仁，等．中国地震动峰值加速度区划图：GB 18306—2015[S]．北京：中国标准出版社，2015.

新疆S隧洞5号洞软岩与极软岩的开挖与支护方案浅析

王小兵

新疆水利水电勘测设计研究院，新疆 乌鲁木齐 830000

摘　要：隧洞施工过程中，软岩、极软岩隧洞围岩强度低，围岩稳定性差，易发生掉块和塌方，遇水易软化崩解。本文针对5号支洞开挖揭露的软岩、极软岩进行参数优化后，将开挖与支护方案应用至5号主洞，目前施工近1km，本文研究对后续2.7km软岩隧洞开挖施工起到了指导作用。

关键词：软岩隧洞　隧洞通风　隧洞开挖　初期支护

1　工程概况

5号洞主洞段处于S隧洞，桩号为S55＋495～S59＋195，长度3.7km，采用钻爆法施工。由5号支洞进入，主支洞交叉口桩号S57＋695，主洞上游长2.2km，下游长1.5km，目前已施工完成S56＋822～S57＋749，完成长度0.927km。开挖断面洞径尺寸为5.4m（宽）×5.35m（高）的城门洞型断面。

2　工程地质及水文地质

5号洞位于山前冲洪积平原区，穿过侏罗纪和白垩纪地层，桩号S55＋495～S58＋169段为侏罗纪地层，长度2.674km，S58＋169～S59＋195段为白垩纪地层，长度1.026km。目前已开挖完成洞段均在侏罗纪地层内。

2.1　工程地质

（1）侏罗纪地层。5号洞段穿过侏罗纪地层长2.674km，为上侏罗统喀拉扎组（J_3k），岩性主要为细砂岩、粉砂岩、泥岩。属软岩—极软岩，砂岩呈巨厚层状，泥岩呈薄层状，岩层产状300°NE∠13°，与洞轴线夹角42°，断层和裂隙不发育，微节理较发育，隧洞埋深70～79m，洞身位于新鲜岩体内，为Ⅳ、Ⅴ类围岩。依据前期勘察及已开挖情况，围岩的天然单轴抗压强为8～14MPa，天然含水率一般为10％～15％，天然密度为2.35～2.40g/cm³，干密度为2.28～2.31g/cm³。

（2）白垩纪地层。5号洞段穿过白垩纪地层长度1.026km，为下白垩统吐鲁谷群（K_1tg），岩性为泥岩、泥质粉砂岩、砂岩及粉砂质泥岩。属极软岩，岩层呈巨厚层状，岩层产状300°NE∠3°。与洞轴线夹角55°左右，断层和裂隙不发育，微节理较发育，隧洞埋深60～70m，洞身位于新鲜岩体内，为Ⅴ类围岩。

依据前期勘探情况，地层围岩的物理力学参数平均值见表1、表2。

作者简介

王小兵，（1982—），男，高级工程师，主要从事工程地质、水文地质等专业勘察研究工作. Tel：13579880990

表1 白垩系地层物理力学参数平均值1

岩性	颗粒密度/(g·cm^{-1})	块体密度/(g·cm^{-1})		天然含水率/%	饱和含水率/%	孔隙率/%	单轴抗压强度/MPa	
		天然	烘干				天然	饱和
砂岩、泥质砂岩	2.70	2.31	2.18	5.84	8.3	19.36	5.13	2.89
泥岩、砂质泥岩	2.71	2.05	1.76	17.12	20.68	34.83	0.53	0.21

表2 白垩系地层物理力学参数平均值2

岩性	直剪强度						单轴压缩变形		自由膨胀率/%	膨胀力/kPa
	天然		烘干		饱和		变形模量	弹性模量		
	c/MPa	φ/(°)	c/MPa	φ/(°)	c/MPa	φ/(°)	天然/(×10^{3}MPa)			
砂岩、泥质砂岩	0.3	36.5	0.25	40.25	0.2	39.5				
泥岩、砂质泥岩	0.03	29	0.05	37.75	0.02	27.75	0.12	0.22	70	57.5

2.2 水文地质条件

工程区位于山前冲洪积平原区，远离水库，无常年过水河流。区内多年平均降雨量176.5mm，多年平均蒸发量1992mm，为干旱荒漠型气候。该段断裂构造、节理裂隙不发育，孔隙裂隙及局部发育的断裂构造一般多为压性，结构面闭合，渗透性差，属贫水—弱富水区。该区地下水位埋深一般23～36m，水位高于洞顶44～50m，前期勘察，在该区两种地层内布置了3个水文勘探孔，通过抽水试验，计算得出侏罗系、白垩系地层的综合渗透系数为(2.73～6.25)×10^{-5}cm/s。

2.3 已开挖洞段工程地质条件

(1)支洞。5号支洞长630m，已开挖完成。桩号0+000～0+280m段为褐红色、灰绿色、黄褐色泥质砂砾岩；0+280～0+515m段为灰褐色泥岩、土黄色砂岩互层；0+515～0+630m段为灰绿色泥质粉砂岩，支洞内围岩均属于软岩、极软岩，岩体较完整，但洞室稳定差。支洞内地下水不发育，仅沿砂泥岩层面及个别较长裂隙形成渗水、滴水及线状流水，初始水量17～25m^3/h，经过短期衰减，目前支洞涌水量7～10m^3/h。支洞内贯通性裂隙不发育，微节理裂隙发育，开挖中多处形成掉块、塌方，开挖过程中多处形成塌方，最大塌方塌腔高度约3.5m。

(2)主洞。5号主洞已完成927m，岩性主要为灰绿色、红褐色及灰色泥质粉砂岩，属软岩、极软岩，岩体较完整，微节理裂隙发育，洞室稳定性差，开挖过程中进行超前支护。主洞内地下水不发育，多以渗水、滴水为主，局部沿层面出现线状水流，主洞总涌水量小于10m^3/h。因施工过程中进行超前支护，主洞内未出现塌方，仅有局部少量掉块，基本出现在洞壁。

3 开挖施工

3.1 施工通风

5号洞长3700m，计算得通风需求量为902m^3/min，在支洞口处设置1台SDDY-Ⅲ-12.5型通风机，最大供风量为2400～2600m^3/min，进入主洞段一分为二双向通风，单侧通风量为1200～1300m^3/min，满足掌子面供风需求，但随着隧洞掘进，通风距离越来越长，供风效果衰减明显，无法真正满足掌子面供风，需要在主通风风带末端处分别设置 1 台 SDDY-Ⅲ-11 型通风机进行接力通风，实现将洞外的新鲜空气输送至掌子面，SDDY-Ⅲ-11 型通风机供风量为 920～1500 m^3/min。

3.2 爆破施工

隧洞开挖轮廓线放样，采用激光指向仪、隧洞激光断面仪等确定开挖轮廓线和炮眼位置，通过爆破试验，选择了合理的钻爆参数，并根据地质条件的变化和对振动波的检测，不断优化钻爆参数，基本实现光面爆破，把对围岩、支护及衬砌的扰动减到最低程度。

本隧洞洞身为Ⅳ、Ⅴ类围岩采用分部开挖法光面爆破。根据围岩情况，台阶长度满足机具正常作业要求，每次开挖进尺根据围岩情况而定。为了充分发挥围岩的自承能力，减轻对围岩的振动破坏，隧洞Ⅴ类围岩采用微振控制爆破技术，其他开挖断面周边采用光面爆破，并根据围岩情况及时修正爆破参数，减少超欠挖，以达到最佳爆破效果，形成整齐圆顺的开挖轮廓线。Ⅳ、Ⅴ类围岩台阶法开挖采用斜眼掏槽，下台阶开挖按露天台阶爆破原则进行设计。

根据爆破参数计算及爆破试验，爆破施工中根据实施爆破效果进行调整。调整后Ⅳ、Ⅴ类围布置掏槽眼 10 个，扩槽眼 15 个，辅助眼 31 个，底板眼 10 个，周边眼 21 个，炸药单耗控制在 0.11～0.45kg/m^3 之间，掏槽眼最大(图 1)。按照分区分段的原则爆破顺序先起爆掏槽眼、再起爆辅助眼、最后起爆周边眼和底板眼。

针对 5 号洞，根据以上爆破施工后，基本可以实现光面爆破，基本无超欠挖现象。

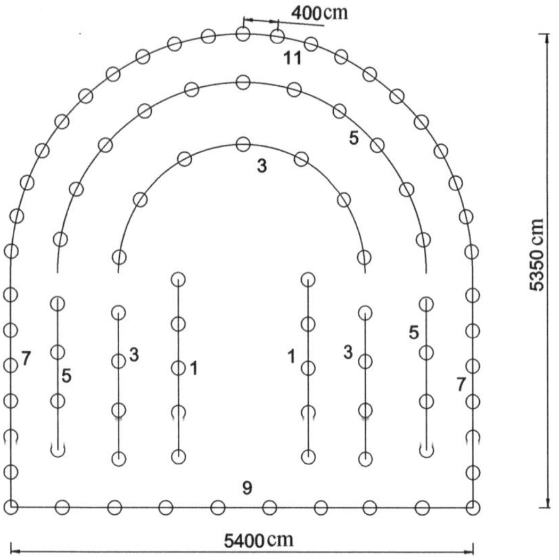

序号	炮眼类别	炮眼个数	雷管段数/段	炮眼长度/m
1	掏槽眼	10	1	0.9
2	扩槽眼	15	3	0.7
3	辅助眼	19	5	0.7
4	辅助眼	12	7	0.7
5	底板眼	10	9	0.7
6	周边眼	21	11	0.7
7	合计	87	36	4.4

图 1　5 号洞Ⅳ、Ⅴ类围岩炮孔布置图

3.3 初期支护施工

软岩洞围岩稳定性差，隧洞开挖后必须要隧洞初期支护由锚杆、钢筋网、钢拱架及喷射混凝土组成。施工顺序：初喷混凝土→钢支撑→锁脚锚杆施工→挂钢筋网、联系筋→砂浆锚杆施工→喷混凝土施工至设计厚度→超前支护→下一循环开挖支护。

(1)初喷混凝土。喷射混凝土支护作业是本工程施工中的重要环节，严格执行有关技术规范和规程，喷射混凝土施工顺利进行对施工安全、保证工程质量和工期具有十分重要意义。为保证工程质量、减少回弹量和粉尘，本工程所有喷混凝土支护全部采用湿喷法施工。初喷为4cm，待其他支护完成后，复喷到设计厚度。在喷射前对喷射面进行全面检查，清除开挖面的浮石、墙脚的石渣和堆积物；处理好光滑岩面；安设工作平台；用高压水枪冲洗喷面，对遇水易潮解的泥化岩面，应采用压力风清扫岩面；埋设控制喷射混凝土厚度的标志；作业区做好通风、照明准备工作。对施工机械设备、风、水管和电线等进行全面检查和试运行。

(2)架设钢拱架。钢支撑分节加工制作，每节钢架两端设连接钢板，各节钢架间用螺栓连接；钢支撑在测量断面后架立并与围岩贴靠紧密，空隙采用钢楔子楔紧，两侧底脚置于牢固的基础上；横向采用ϕ22@1000m连接筋连接，增大钢支撑的整体性。

为保证钢架安设牢固和位置准确，在钢架的各连接板处预留安装钢架连接板凹槽，安装时预先打设定位筋或用锚杆定位，按设计位置安设，将钢架与锚杆焊在一起，设纵向连接筋。钢架架立好后，及时喷混凝土。每榀拱架4组共8根ϕ22的锁脚锚杆，与钢拱架焊接牢固。

(3)挂设钢筋网片。钢筋网片采用ϕ8mm光面钢筋焊接成网状，网格尺寸为150mm×150mm，网片重量控制在50kg左右，同时用在墙部网片应上侧带钩，以方便挂设。加工的网格尺寸应符合设计要求。挂网：每张钢筋网片利用锚杆紧固，使网片紧贴洞壁，相邻铺设的钢筋网搭接长度不应小于200mm。焊联：挂好网片后，将网片之间的接头以及网片钢筋和锚杆头等焊接牢固。

联系筋：联系筋为ϕ22钢筋，联系筋焊在拱架内侧，下料时根据拱架间距进行调整，比拱架间距短2～3cm即可，要焊接牢固(图2)。

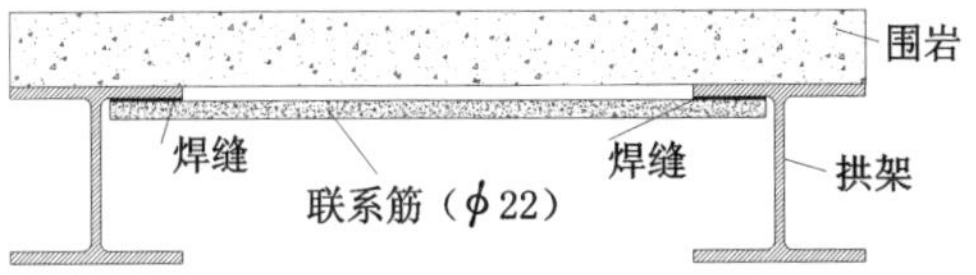

图2 联系筋大样图

(4)锚杆施工。锚杆采用全长黏结型水泥砂浆锚杆，锚杆长度L=2.5m，杆体直径为22mm，杆体采用HRB400级带肋钢筋；水泥砂浆采用强度等级为P.O.42.5级的低碱中抗硫酸盐水泥；砂采用粒径小于2.5mm的中细砂；水泥砂浆强度不低于M20。

锚杆及部件加工：采用C22钢筋加工为2.5m，端头打磨，锚杆尾部用套丝机套丝，丝长10cm。垫板为15cm×15cm×8mm规格。

布孔：间排距为1.5m，呈梅花形布置，孔位偏差不大于100mm；系统锚杆的孔轴方向与所在部位的洞壁垂直，局部随机加固锚杆的孔轴方向与围岩可能滑动的倾向相反，其与滑动面的交角应大于45°。

根据锚孔部位和方向，拱部采用先插锚杆后注浆，边墙采用先注浆后插杆的方法施工锚杆体安装：待注浆完成后，及时插入锚杆体，并进行止浆措施施工(止浆钢板、螺母)。锚杆杆体露出岩面的长度不应大于喷射混凝土的厚度。

(5)喷射混凝土。喷射作业分段分片依次进行，喷射顺序自下而上，一次喷射厚度严格按规范控制，一般不宜超过100mm。分层喷射时，后一层在前一层混凝土终凝后进行，若终凝1h后再喷射，先用风水清洗喷层面；喷射作业紧跟开挖工作面，混凝土终凝至下一循环放炮时间不少于3h。喷射混凝土的回弹率拱部不大于15%，边墙不大于10%。喷射混凝土养护：喷射混凝土2h后，喷水养护；养护时间不少于7d。

(6)超前支护。遇到围岩破碎、节理裂隙发育，存在掉块的情况下，进行超前支护。超前锚杆支护：拱顶180°范围内，砂浆锚杆，长3.5m，环向间距0.3m，纵向间距1.2m，插入角10°；遇渗水大、涌水时，采用超前小导管灌浆：拱顶180°范围内，长3m，环向间距0.3m，纵向间距1.2m，插入角10°，并与钢拱架焊接牢固。

超前锚杆施工与系统锚杆相同。超前小导管：小导管前端做成10cm长的圆锥状，在尾端焊接直径6～8mm的钢筋箍；小导管距后端1m范围内不钻孔，其余管段按照间距20～30cm钻设直径6～8mm

的对穿溢浆孔，相邻的两对孔按垂直钻设；小导管安设应采用引孔顶入法，钻孔应顺直，钻孔直径应与小高管直径匹配，一般不大于 50mm，钻孔后应清孔；小导管外露端长度一般为 30cm，连接孔口阀门和管路，小导管插入钻孔后应做好封孔处理；超前小导管注浆一般以水泥浆为主，当围岩破碎、富水洞段造成岩体止浆效果不好时可采用水泥水玻璃双液注浆，以控制浆液的凝结时间。灌浆压力一般为 0.5～1.0MPa，必要时在孔内设置止浆塞。

4 施工监测

监控量测可以及时提供隧道洞内拱顶下沉、周边收敛和地表下沉测量数值，以便及时判断隧道衬砌及支护结构变形和隧道洞口浅埋段地表沉降和稳定情况，通过上述测量，可以判断施工工艺的可行性，提出更加恰当的施工方法。实现隧道信息化动态施工控制，达到既能安全快速施工，又能节省工程造价的目的。同时若进行选择项目，可以对隧道支护参数的合理性进行分析判断，为支护参数的调整提供科学的依据。

净空变形监测及拱顶沉降断面的间距应根据围岩级别、隧洞断面尺寸、埋置深度及工程重要性等确定。软岩隧洞Ⅳ、Ⅴ类围岩监测断面间距不宜大于 30m。对于洞口、浅埋段、软弱地层或地质条件较差洞段，监测断面应适当加密。收敛变形监测每个断面应不少于 5 个测点，拱顶沉降监测应与净空收敛监测在同一监测断面内进行，当地质条件复杂，下沉量大或偏压明显时，除监测拱顶下沉外，尚应监测拱腰下沉及基底隆起量。

5 结论与建议

通过支洞施工，对该地层中进行了施工参数调整和经验总结。进行了主洞施工的优化设计，使主洞施工有了安全、可靠的施工方法。目前上下游掌子面均能保证 2.5～4.0m 的日进尺。在后期施工过程中，建议做好超前地质预报工作，及时预判掌子面前方围岩及出水情况；加强围岩监测工作，及时分析监测数据处理；严格控制一次开挖进尺；如出现围岩变形速度急剧加快、围岩面不断掉块剥落、喷射混凝土表面龟裂、裂缝或脱皮掉块、钢架严重变形等现象时，先撤出工作面上的施工人员和机械设备，指定专人观察并进行加固处理。

参考文献

袁东，胡胜刚，李玉婕.弱膨胀性泥岩地区小型引水隧洞病害分析及加固[J].长江科学院院报，2017，34(11)：44-47+60.

李彦滨.水利工程隧洞施工排水处理浅析[J].黑龙江水利科技，2017(3)：126-128.

某地下隧洞工程施工中突涌水特点及预测预报分析

王小兵　杨学亮　王柱和

新疆水利水电勘测设计研究院地质勘察研究所，新疆 乌鲁木齐　830091

摘　要：在各类地下隧洞工程建设施工过程中，突涌水问题已经成为制约地下隧洞工程建设工期进度、生产安全等方面的重要因素之一。地下隧洞工程前期地质勘察阶段提出的有关突涌水量预测预报成果，往往与施工建设过程中实际发生的突涌水量在位置及规模等方面都存在着较大的差异，因此在施工过程中及时对已发生的突涌水案例及其特点进行归纳总结分析，对后续施工洞段可能发生的突涌水进行预测预报，排水方案、施工方案的优化设计，安全施工等方面具有极大的指导意义。

关键词：地下隧洞工程　突涌水分析总结　突涌水预测预报　施工排水方案优化

1　前言

某地下隧洞工程由K隧洞与S隧洞组成，总长度约376km，主要从中低山区、低山丘陵区等古生代基岩山区穿过，隧洞洞顶埋深一般为60～750m。K隧洞全长约280km，目前有施工掌子面34个，已完成隧洞长度约32km，约占总长度的11.4%；S隧洞全长约96km，目前有施工掌子面13个，已完成隧洞长度约15km，约占总长度的15.6%。

在地下隧洞工程前期地质勘察中，对隧洞段地下水类型、分布特征及补径排条件，含水层、含水构造的分布特征、性质、含水性及其水力联系，隧洞围岩的透水性等进行了详查，对与地表溪沟相连的断层、破碎带、裂隙密集带等的规模及连通性、透水性进行了深入的研究分析，并且采用多种计算方法对洞线分段进行了突涌水量估算与预测评价。由于基岩山区隧洞沿线地下水的补给来源、径流通道、赋存条件、围岩富水程度等基本水文地质条件差异较大、较为复杂，在前期勘探阶段难于完全查清，该地下隧洞工程在目前的施工中发生了多起突涌水事件，而且突涌水特点各不相同，实际发生的突涌水量在位置及规模等方面与前期勘探成果都存在着较大的差异，因此有必要对已发生的突涌水案例及其特点进行归纳分析总结，已达到对后续施工洞段可能发生的突涌水进一步预测预报，以及对施工排水方案进行优化等方面起到一定的指导作用。

2　各洞段水文地质条件

2.1　K隧洞段

该隧洞为北西—南东走向，主要处于低山丘陵区和盆地东部边缘，远离高山区，常年性的河流、沟谷

作者简介

王小兵，(1982—)，男，高级工程师，主要从事工程地质、水文地质等专业勘察研究工作. Tel:13579880990

分布较少，多年平均降水量 172.8mm，多年平均水面蒸发量为 1 867.6mm；气候干燥、多风，年降水量少，蒸发量极大，地表水对基岩裂隙和断层破碎带补给作用较弱。

区内隧洞通过区域地表水贫乏，仅有两条较大的河流穿过工程区，两河均发源于北部的中高山区，工程区地下水主要接受中高山区的冰雪融水补给，其次为区内的大气降水补给，地下水径流方向多为由北向南、由北东向南西径流，最终流向盆地中心。工程区内沿部分断裂构造带发育的泉水与部分低洼的山间小盆地也往往成为区域地下水的排泄区。

洞线沿线穿过古生代、中生代沉积岩和海西期侵入岩，岩性主要为志留纪片理化凝灰岩，泥盆纪凝灰岩、凝灰质砂岩、凝灰角砾岩、钙质砂岩，石炭纪安山玢岩、熔结角砾岩、凝灰岩夹凝灰角砾熔岩、砂岩夹碳质页岩，二叠纪砂砾岩、砂岩夹泥岩，以及海西期侵入花岗岩。岩体多以坚硬层状、块状岩石为主，为脆性岩石，在构造等动力作用下易产生张性裂隙，且花岗岩中本身可能就存在张性的原生裂隙，裂隙连通性较好，发育地下水类型为基岩裂隙水。

该洞段的基岩裂隙水主要储存在洞线穿过临近水库段、地表河流段、大型洪水冲沟、大型的汇水洼地段、变质岩与侵入岩的岩性接触带、断裂破碎带等地段。根据前期水文地质勘察成果及已施工完成隧洞涌水情况，隧洞围岩含水岩体富水程度一般属贫水—弱富水区。该段洞线通过段局部发育的区域断裂构造多为 NWW 向，属压扭性，构造水主要发育在各级断裂破碎带及影响带、NE 向及 NEE 向次级张性断层中，隧洞围岩富水程度属中等—强富水区。第四纪松散沉积层孔隙潜水主要分布于隧洞跨 W 河段隧洞围岩上部河谷第四系松散堆积物中，主要受河水与大气降水补给，充填于下部基岩断裂破碎带与裂隙密集带中，隧洞围岩富水程度属中等—强富水区。

2.2 S隧洞段

该洞段通过剥蚀丘陵区边缘，远离高山区，远离水库，无常年过水河流，沟谷分布较少，地表水贫乏。该区多年平均降水量 10.5mm，多年平均水面蒸发量为 1 882.9mm，气候干燥、多风，年降水量少，蒸发量极大，地表水对基岩裂隙和断层破碎带补给作用甚微。

(1)洞线前段—中段(桩号 S53＋650 以前)、后段(桩号 S77＋550 以后)：沿线出露岩性主要为石炭系及泥盆系凝灰质砂岩、砂岩夹泥质粉砂岩、岩屑玻屑凝灰岩，侵入岩主要为安山岩、安山玄武岩、石英闪长斑岩。沿洞线断裂构造发育一般，区域断裂 F_1 从该段通过，局部洞段发育有次级断裂，另该段 NNE 向和 NNW 向张扭性节理裂隙发育，地下水主要受低山丘陵区的大气降水和中高山区冰雪融水补给。

洞线中段北侧为山前第四系地下水蓄水洼地(距离小于 10km)，洞线南侧 1.7～2.2km 为区域性断裂 F_2，总体走向近东西，延伸长度大于 60km，产状：90°N∠80°，属压扭性断裂，破碎带宽 50～100m，在隧洞南侧由东向西逐渐歼灭。断裂上盘主要发育一组挤压片理与 NNE、NNW 向张扭性节理裂隙，断裂线两侧羽状断裂发育。沿北部张扭性结构面及南侧的 F_2 断裂破碎带基岩裂隙水与构造水发育，其次洞线北侧为山前第四纪洪积扇，沿洪积扇东西向沉积了近百米厚的松散砂卵砾石，是一个第四纪蓄水洼地，其内地下水向南运移，进入基岩裂隙中，亦是基岩裂隙水的主要补给来源。

根据前期水文地质勘察成果资料及已施工完成隧洞涌水情况，该段隧洞围岩含水岩体富水程度一般属贫水—弱富水区。该段洞线通过段局部发育的区域断裂构造、次级断裂构造及挤压片理，张扭性节理裂隙发育段隧洞围岩富水程度一般属中等—强富水区。

(2)洞线中后段(桩号 S53＋650～S75＋955)：通过山前冲洪积平原区，远离水库，无常年过水河流，发育多条大型洪水冲沟、岩性接触带等。洞线通过段地层岩性主要为侏罗纪泥岩夹泥质粉砂岩、砂岩，白垩纪泥岩、砂岩夹泥质砂砾岩，新近纪砂岩、泥岩和泥质砂岩。该段断裂构造、节理裂隙不发育，孔隙裂隙及局部发育的断裂构造一般多为压性，结构面闭合，渗透性差。发育地下水类型主要为孔隙裂隙水和断裂构造水。根据前期水文地质勘察成果资料，该段隧洞围岩富水程度一般属贫水—弱富水区。洞线通过段局部发育的NE、NNW向次级断裂构造带隧洞围岩富水程度属中等—强富水区。

(3)洞线中后段(桩号S75＋955～S77＋550)：该段洞线后段通过山前第四纪冲洪积扇区，无常年过水河流。沿洞线通过无断裂构造，无大型季节性洪水冲沟。该段洞线穿过段岩性为第四纪含碎石粉土砂、含碎石黏土，发育地下水为第四纪孔隙潜水，地下水主要受北塔山冰雪融水及大气降水补给。该段洞线隧洞通过段第四纪地层岩性均一，渗透系数(2.54～8.7)×10^{-3}cm/s，为中等透水。根据前期水文地质勘察成果资料，该段隧洞围岩富水程度一般属贫水—弱富水区。

3 目前各洞段已发生的突涌水特点

依据富水程度分区的原则，主要对目前各洞段局部属中等—强富水区洞段已发生的单点涌水量大于100m^3/h的突涌水点及涌水特点进行分析评价。

3.1 K隧洞段

(1)已发生的单点突涌水量。截止目前，K隧洞段发生大于100m^3/h的突涌水点主要为0号支洞主洞桩号K3＋887突涌水量为200m^3/h，1号支洞主洞桩号K54＋313突涌水量为700m^3/h，3号支洞主洞桩号K82＋177突涌水量为880m^3/h。其余施工主洞、支洞、竖井未发生大于100m^3/h的突涌水现象。

(2)已发生的单点突涌水特点。①0号支洞主洞桩号K3＋887突涌水。0号支洞主洞在掘进至桩号K3＋887时掌子面发生突涌水，突涌水量约为200m^3/h，隧洞埋深约120m。该段隧洞围岩岩性为石炭纪凝灰质砂岩，掌子面发生突涌水的部位主要为1条产状为20°SE∠70°～80°的裂隙，裂隙面平直，粗糙，张开宽度一般为0.5cm，最大张开宽度2cm，主要沿裂隙面有两个涌水点(50m^3/h、150m^3/h)。涌水洞段为水库临库段，距离水库水面最近距离约300m。通过对洞线勘探孔孔内地下水位(埋深30m左右)、水库库水位观测，水库水位高于孔内地下水位0.5～7.5m，且孔内水位随着库水位的变化而变化，说明洞内涌水的补给来源与水库水有关。②T1支洞主洞桩号K54＋313突涌水。1号支洞主洞在掘进至桩号K54＋313处发生突涌水，隧洞埋深约212m，最大突涌水量约700m^3/h，至7天后自然衰减为200m^3/h左右，第8天衰减到小于100m^3/h左右。发生突涌水的掌子面K54＋313处地表岩性为泥盆纪凝灰质砂岩与海西期侵入花岗岩的岩性界线，地表为一东西向长约4km，南北向宽约1km的地表水汇水洼地。掌子面发生突涌水段的岩性为凝灰质砂岩夹花岗岩脉，洞内涌水主要自洞壁或洞顶的两条相交裂隙流出，1条产状为320°～330°NE∠30°～40°，裂隙面起伏粗糙，局部充填有5～10mm的方解石脉等，沿隧洞延伸长度约32m。另1条裂隙产状为290°～330°SW∠66°，裂隙面粗糙，张开宽度一般为2cm，最大张开宽度5cm。该涌水点洞内涌水的主要补给来源为地面地表水汇水洼地内的地下水渗漏补给基岩裂隙水，补给通道主要为沿岩性接触带发育的节理裂隙。③3号支洞主洞桩号K82＋177突涌水。3号支洞主洞上游施工至桩号K82＋177时，掌子面右侧及拱顶发生突涌水，涌水量900m^3/h，3天之后掌子面突涌水量衰减为610m^3/h。该段隧洞埋深约175m，掌子面位置处于河左岸Ⅲ级阶地后缘，距离河床边约1.70km，为Ⅳ类围岩。综合分析认为，本次涌水原因主要为河流阶地的砂砾石层，隧洞顶部地表阶地砂砾石富含地下水，地表砂砾石层中的地下水通过断层和张性裂隙向深部渗流，在掌子面附近汇集于F_5断层及影响带内，形成集中渗流，在掌子面打开集中向洞内排泄造成突涌水。

3.2 S隧洞段

(1)已发生的单点突涌水量。截止目前,S隧洞段桩号S50+617～S52+585段多次发生大于100m^3/h的突涌水事件。单点突涌水发生的桩号主要为S51+227突涌水量为253 m^3/h,S51+270突涌水量为415m^3/h,S51+277突涌水量为275m^3/h。

(2)已发生的单点突涌水特点。该段隧洞施工中所发生的3处突涌水位置距离很近,所处的水文地质条件和突涌水的特点基本相同。

该段隧洞洞线走向近东西向,上覆岩体厚度150m左右,围岩岩性主要为石炭纪岩屑玻屑凝灰岩,岩体较完整,岩石坚硬,属硬脆性岩石。从区域地质构造环境来看,桩号S50+617～S52+585段南侧1.7～2.2km为F_1主断裂,隧洞轴向与断裂走向近平行,断裂在隧洞南侧由东向西逐渐歼灭,产状90°N∠80°,属压扭性断裂,破碎带宽50～100m,受断裂平移影响在断裂带两侧形成与主断裂交角较大的羽状张裂隙和断层。

该段洞线北侧为第四纪洪积扇,沿洪积扇东西向沉积了近百米厚的松散砂卵砾石,是一个地下水蓄水洼地,距离该段洞线最近4.2km,地下水位高程远高于隧洞涌水点高程,其内地下水向南运移,进入基岩裂隙中,是隧洞地下水补给的主要来源。

受F_1断裂影响,该段洞线NNE/NNW向张性裂隙发育,发生涌水的部位主要为小型断层和节理裂隙密集带,断层带一般宽5～30cm,沿断层形成股状涌水。发生涌水的裂隙产状主要有两组,一组产状为20°～62°NW∠54°～83°,裂隙面较起伏,粗糙;另一组产状一般为30°～60°SE∠54°～70°,裂隙面平直,粗糙,裂隙走向与洞轴线夹角50°～85°。上述两组节理面局部充填较差,为硬性结构面,裂隙贯通性好,形成了该段隧洞3处突涌水的主要涌水结构面,沿裂隙面形成股状涌水和线状射流。

综上所述,分析认为该段隧洞的涌水补给来源及地下水径流通道主要是隧洞南侧赋存于断裂带的基岩裂隙水,和北侧赋存于山前冲洪积砂卵砾石层内的孔隙水,沿贯通性较好的NNE/NNW向张性裂隙和断层形成地下径流,向洞内排泄造成隧洞涌水。

4 结论及建议

4.1 结论

通过对目前施工洞段已发生的突涌水量及突涌水特点综合分析可得出以下结论。

(1)隧洞发生突涌水的位置及突涌水量的大小与隧洞埋深、围岩岩性、构造发育程度、基岩裂隙水的补给来源、径流排泄条件等密切相关。特别是基岩裂隙水的渗流通道与补给来源是发生突涌水的两项重要必要条件,二者缺一不可。

(2)发生突涌水的位置一般为隧洞通过断裂构造发育区,隧洞通过段为浅埋区(埋深小于3倍洞径),地表为大型季节性洪水沟、第四纪汇水洼地区,隧洞穿过河流段,隧洞通过邻近的水库段,隧洞通过侵入岩与沉积岩的岩性接触带等围岩岩体富水性较强的地段。分析认为断裂构造及节理裂隙与其相通的洞段为可能发生突涌水的洞段。

(3)由于凝灰岩岩类、侵入岩类强度高,为硬脆性岩石,在构造等动力作用下易产生张性裂隙,且连通性较好,裂隙水较为发育。变质岩类强度较低,云母含量较高,多属于柔性岩石,产生张裂隙的可能性较小,贯通性差,裂隙水发育一般较弱,径流条件较差。则隧洞通过硬脆性岩石段时发生突涌水的可能及突涌水量较通过柔性岩石段大。

(4)隧洞通过区域断裂构造带及影响带段发生突涌水的可能及突涌水量较通过次级断裂构造带及影响带段大。

4.2 建议

(1)该地下隧洞工程在施工过程中,发现前期地质勘察成果资料中采用地下水动力学等各种方法计算预测的突涌水量局部远小于隧洞实际突涌水量。建议在施工过程中,根据该段隧洞所处的区域地质构造环境,充分分析已完成洞段的涌水特征,采用水文地质比拟法对未完成洞段的涌水量进行分析预测。

(2)建议在施工过程中,结合各洞段沿线通过的地形地貌、断裂构造、冲沟、河流、邻库、地表汇水洼地、岩性、岩性接触带、岩体富水性、围岩类别等特征,参考不同洞段已施工完成隧洞段已发生单点突涌水量的特点,进一步分析评价各洞段可能发生突涌水位置的补给来源、渗漏通道,分析评价不同隧洞段发生突涌水的位置及突涌水量预测结果,进一步优化施工排水方案。

(3)建议可能发生突涌水的隧洞段在施工过程中,必须进行超前地质预报。对于预报有断层破碎带、节理密集带或富水地带时,应及时制订切实可行的施工处理方案。

参考文献

刘亚光.基岩地下水[M].北京:地质出版社,1979.

KSⅨ标 TBM11-1 隧洞段有害气体(瓦斯)逸出分析与处理

张仲靓

新疆水利水电勘测设计研究院,新疆 乌鲁木齐 830000

摘　要:隧洞内施工空间狭小,在施工过程中一旦遭遇有害气体,将对人员、设备及工程安全造成严重威胁,而且因其突然喷出、燃烧或爆炸等现象,急剧恶化隧洞施工的环境条件,极易引发安全事故。KSⅨ标 TBM11-1 段在施工中遭遇瓦斯有害气体逸出事件,本文通过 TBM 气体检测数据收集分析、地质调查、前期钻孔分析、物探 EH4 剖面测试等手段,综合分析含煤线地层长度及气体逸出原因,有针对性地从工程结构通风、监测、超前地质探测等动态处置方面提出应对方案,本文研究结果对类似洞段处理有害气体问题具有一定参考价值。

关键词:隧洞　有害气体　甲烷　TBM　碳质粉砂岩

1　基本概况

KS 中水十四局Ⅸ标施工段,位于 KS 隧洞桩号 253+193～272+593 段,总长 18.2km,其中 TBM 段长 15.67km,钻爆洞段长 2.53km。瓦斯气体逸出时,Ⅸ标两段钻爆段,桩号 263+570～264+770 已完成,下游桩号 270+393～272+593 完成约 700m、TBM 段已完成约 4.7km(桩号 270+393～265+279),各分段情况如图 1 所示。2020 年 1 月 12 日下游 TBM 掘进至桩号 265+279 掌子面,在距离 S3 竖井贯通仅 493m 时,TBM 甲烷气体检测仪器显示瓦斯超标。

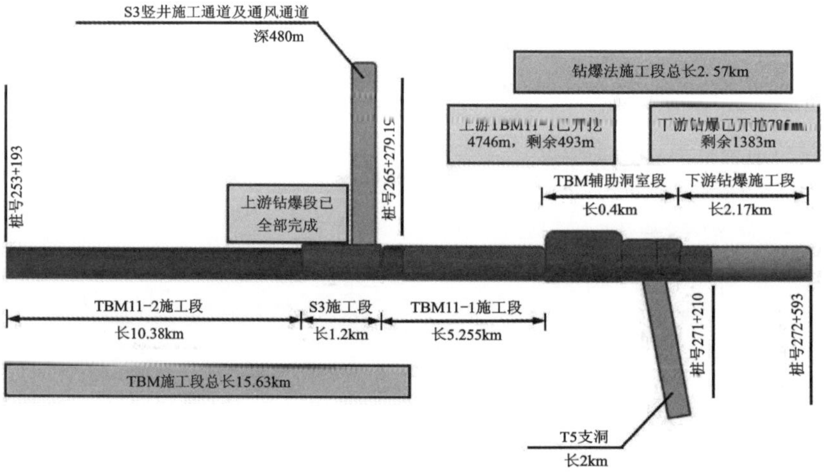

图 1　Ⅸ标段各分段及已完成情况示意图

作者简介

张仲靓,(1980—),男,高级工程师,主要从事水利水电工程、水文地质和工程地质等勘察研究工作. E-mail:19844473@qq.com

2 瓦斯溢出情况

2020 年 1 月 12 日，TBM 掘进施工至 KS265+279 桩号处时，掌子面出现垮塌，受垮塌影响，渣料压停 1# 皮带无法正常运转，设备瓦斯检测仪器瞬时报警，实测值达到 114%LEL(即 5.7% VOL，安全施工允许值为 1% VOL)，施工作业人员停止施工，停电并撤离了施工现场。

3 地质分析过程

3.1 标段区域背景

掌子面处于石炭纪和泥盆纪地层界线处，区域断裂卡拉麦里断裂处于掌子面上游约 1.0km，侏罗纪地层处于掌子面南侧 15～25km，主要构造线方向为 NW，因此该处与侏罗纪地层直接连通的可能性不大，有害气体主要来源于石炭纪受构造挤压形成的局部含煤线地层，地层分布如图 2 所示。

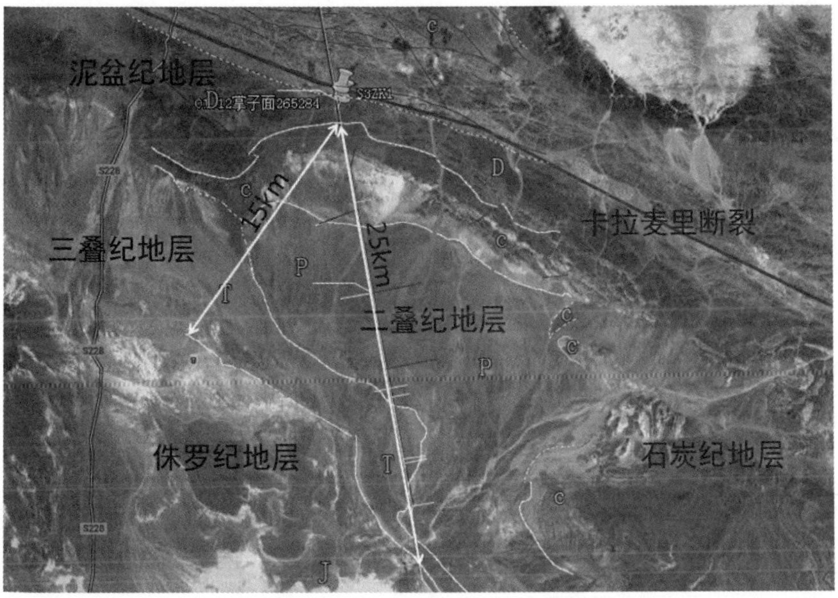

图 2 标段区域地层分布示意图

3.2 地质测绘工作

采用 GPS 定位，结合沿洞线基岩天然露头和已开挖的 150～200m 探槽调查进行掌子面至 S3 竖井地面地表地质测绘工作。根据地质测绘，掌子面所处地形处于山间洼地内，在开挖的 150～200m 探槽内可见碳质粉砂岩呈夹层状分布。

3.3 物探测试成果

根据物探测试成果，将该段分为 3 段，①S3 竖井至掌子面上游约 20m 基岩电阻率呈高阻，基岩均一，完整性好；②掌子面上游约 20m 至掌子面下游 60m 基岩呈低阻反应，基岩完整性差，较为破碎；③掌子面下游 60m 后基岩相对高阻，完整性较好，其分段示意图如图 3 所示。

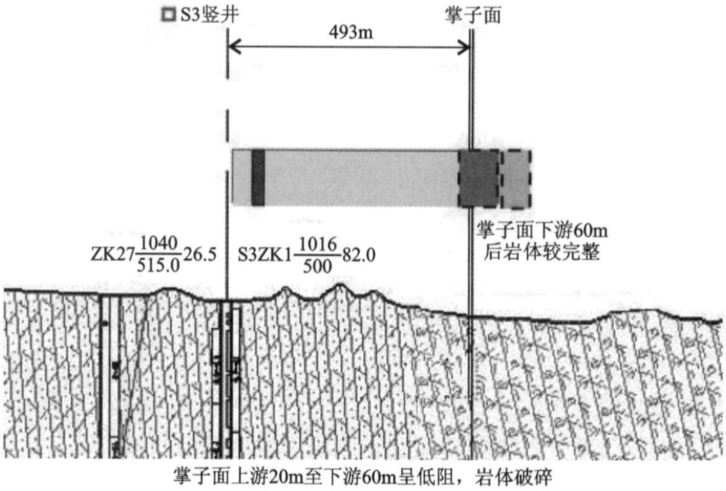

图3 物探结果分段示意图

3.4 已完成洞段揭露碳质粉砂岩的分布及监测气体含量统计

截至目前，Ⅸ标两段钻爆段，桩号263＋570～264＋770已完成，下游桩号270＋393～272＋593完成约700m、TBM段已完成约4.7km(桩号270＋393～265＋279)。根据已完成洞段揭露，碳质粉砂岩主要分布在三段。

(1)268＋634～267＋997段，该段呈夹层状分布3段：268＋634～268＋677段，出露碳质砂岩43m；268＋198～268＋539段，出露碳质砂岩341m；267＋948～267＋997段，出露碳质砂岩49m，对该段TBM掘进时的有害气体检测参数进行了收集分析，该段测出含量的有害气体主要有CO、NO、NO_2，未测出CH_4气体。根据检测数值，除CO局部点超标外(CO含量受洞内电焊施工、机器尾气等影响较大，从监测数据上分析，CO含量超标均为单点在某一分钟或几分钟内处于高值，未持续保持高值，分析认为出现的CO含量超标高值为施工电焊或机车尾气影响，不属于岩体释放)，其他各有害气体均低于规范标准。

(2)265＋460～265＋291段碳质砂岩夹煤线分布有4层，一般层厚0.3～0.6m，掌子面上游约10m分布最大厚度3m，TBM通过该段时检测仪器未报警，但调取TBM掘进气体监测数据，存在CH_4气体。TBM掘进至目前掌子面(265＋279)时检测仪器报警，存在CH_4气体含量超标。

(3)KS10主洞卡拉麦里断裂破碎带洞段，以碳质砂岩为主，该段为钻爆段，用手持四合一检测设备检测，未检测出有害气体，有害气体监测统计见表1。

表1 TBM有害气体监测数据统计表

桩号	CO	H_2S	CO_2	NO	NO_2	SO_2	CH_4
	$\times10^{-6}$						%LEL
268＋634～267＋997	106.15	0	0	9.48	0.073	0	0
265＋460～265＋291	0	0	0	0	0.031	0	18
掌子面(265＋279)	0	0	0	0	0.031	0	112
坑探规范标准	24	6.6	5000	2.5	—	5	20
TBM报警值	35	10	1500	25	5	5	20
TBM高限值	200	15	2000	50	10	10	50

4 瓦斯治理措施

经过 2020 年 1 月 12 日到 2020 年 4 月 5 日共 85 天工作面的停工，TBM 设备段持续通风以及瓦斯的自然逸出消减，人工检测结果显示，目前 TBM11-1 段已掘进段所有部位回风中瓦斯浓度已稳定降低到 0.3%以下。综合分析掌子面前方穿煤段长度，瓦斯风险及现有瓦斯防控技术，采取了以下瓦斯治理措施。

(1)完善现有通风供电系统，达到独立专用双电源，保持独立供电长期通风。

(2)在 TBM 设备工作面所有部位回风中瓦斯浓度稳定在 0.3%以下的环境中，完成 KS 段Ⅸ标目前已施工洞段的瓦斯检测报警系统，增加风电闭锁、瓦斯电闭锁系统，以及必要的照明和防爆电气更换改造。

(3)必要时布置瓦斯抽排系统，在对 TBM 设备停歇工作面附近瓦斯溢出段以及 TBM 掘进掌子面前 20m 范围的岩层瓦斯钻孔抽排，抽排至剩余瓦斯绝对涌出量达到小于 1.0m^3/min 的标准。

(4)在瓦斯检测报警、风电闭锁、瓦斯电闭锁系统工作正常，工作面任意处瓦斯浓度稳定在 0.3%以下的环境中使用 TBM 完成该穿煤段掘进支护。

5 结语

隧洞内施工空间狭小，在施工过程中一旦遭遇有害气体，将对人员、设备及工程安全造成严重威胁，而且因其突然喷出、燃烧或爆炸等急剧恶化隧洞施工条件，容易引发安全事故，2020 年 1 月 12 日，KSⅨ标在施工过程中，全线首次出现超标有害气体逸出的工程地质问题，通过对全线含碳质岩性地层的资料收集和梳理分析总结以下几点。

(1)隧洞区有害气体的赋存有别于含煤、油气等矿区，隧洞内出现的有害气体由于气体的赋存空间和碳质岩性的分布规模有限，不会大量存在和持续逸出。

(2)现场施工地质人员应详细了解负责区段的工程地质条件，认真梳理可能存在有害气体的洞段，首先应该从区域构造环境背景上分析洞段地质条件，如矿区的分布、煤系地层与隧洞的关系、是否存在气体运移存储的构造环境等，其次综合前期勘探及已开挖揭露判断洞段内含碳质岩层的分布情况，岩性条件是是否产生有害气体的先决条件，构造环境为有害气体提供存储空间和逸出通道。

(3)已开挖洞段如揭露碳质岩性地层，应及时收集气体监测资料，有害气体的逸出在揭穿封闭层大量逸出前一般都有缓慢释放的过程，只是出现的量未达到超标报警值，如距掌子面 10m 处揭露的厚度 3m 的碳质粉砂岩中，在 TBM 掘进中气体监测资料就已监测到未超标的甲烷逸出。

(4)勘察资料毕竟是以点代面，隧洞实际施工中会出现诸多前期勘察中未发现的问题，现场地质人员应每天仔细巡视各工作面，及时发现不利的工程地质问题。

参考文献

尹俊涛．与 TBM 相关的主要工程地质问题研究[D]．长沙：中南大学，2005.

刘国平，李立民，肖瑜，等，深埋长隧洞有害气体形成条件及安全施工对策[J]．人民黄河，2008(12)：131-135.

TBM 隧洞施工中高地应力下的岩石变形破坏形式

潘奕舟

新疆水利水电勘测设计研究院,新疆 乌鲁木齐 830091

摘 要:YEGS 二期输水工程 KS8 标,隧洞总长 41.0km,采用 TBM 施工,由两个施工段完成。其中 TBM10 地层岩性为海西期花岗岩夹黑云母花岗岩段,埋深 625～708m,岩质坚硬,岩体内石英含量 20%～30%,均处在新鲜基岩内,围岩整体稳定性好,以Ⅱ类围岩为主。在 TBM 施工过程中断续发生高地应力下的岩石变形破坏及支护后随机发生的时滞型围岩破坏,对整体施工进度及人员设备安全产生了影响,针对高地应力下的岩石变形破坏的总结分析,并结合对比分析微震监测预报等方法来确保工程的顺利进行。

关键词:高地应力 岩爆

1 工程概况

YEGS 二期输水工程 KS8 标,工程区位于阿勒泰山南坡剥蚀丘陵区,地势总体北高南低,海拔高程 1180～1350m,地形起伏较小,山顶多呈浑圆状,山体坡度较缓,一般高差 10～30m,基岩大多裸露,主要为荒漠地貌。隧洞总长 41.0km,由 2 个施工段完成,其中 TBM10 施工段长 20.0km,有 18.362km 地层岩性为海西期花岗岩夹黑云母花岗岩,岩质坚硬,岩体完整、稳定,岩体内石英含量 20%～30%,沿线地形为剥蚀丘陵地貌,地形起伏小,平坦、开阔。该段隧洞埋深在 625～708m,均处在新鲜基岩内,海西黑云母花岗岩为坚硬岩,围岩整体稳定性好,以Ⅱ类围岩为主,占该段总长的 89.17%。

2 TBM10 隧洞中变形破坏事件

2.1 岩爆事件

2020 年 9 月 22 日凌晨 6 点 30 分,TBM10 掘进至桩号 227+476.5 时(掌子面),在桩号 227+456 处隧洞顶中部位发生轻微岩爆(TBM 撑靴段,撑靴回收时),有噼啪声响,岩石呈片状松弛脱离,并沿顶中部位向上、下游两侧延伸,在顶拱形成"V"形空腔,至 9 月 22 日上午 10 时,岩爆范围已扩大至桩号 227+440～227+476.5(掌子面),顺洞轴线长 36.5m,宽 3.5m,深约 0.8m,掌子面有薄层掉块,刀盘压磨掌子面痕迹不可见。9 月 22 日上午 10 时以后,"V"形空腔内有零星薄层掉块,已无岩爆现象。岩爆发生时,桩号 227+456 处围岩已出露 26h,桩号 227+440 处围岩已出露 63h。该段及其附近岩性为黑云母花岗岩,节理不发育,下半洞岩石完整性好,洞室干燥,为Ⅱ类围岩。

作者简介

潘奕舟,(1984—),男,工程师,主要从事水利水电工程、工程地质等勘察研究工作. E-mail:63568338@qq.com

2.2 松弛破坏事件

桩号 229＋216～229＋252 段岩性为海西期黑云母花岗岩，颜色灰白色局部夹砖红色，埋深 660m，根据前期地勘资料该段上覆岩体自重应力约 18.5MPa，最大水平主应力约 22.2 MPa。施工期测得附近围岩饱和抗压强度 81～86.5MPa。其中桩号 229＋216～229＋239 段，洞室左侧 8-1 点方向岩石破碎，右侧较完整。该段左侧 8-1 点方向钢筋排表面覆盖石渣无法确认上方围岩情况，从覆盖区域两侧岩体看，节理较发育，岩石表面局部锈染，空腔深度大于 20cm，局部沿节理面有滴渗水。微震监测预警等级为中等岩爆，结构面发育，有塌方风险，为Ⅲb 类围岩。桩号 229＋239～229＋252 段，左侧 8-2 点方向岩石破碎，右侧较完整。该段左侧 8-2 点方向覆盖石渣无法确认上方围岩情况，从覆盖区域两侧岩体看，节理较发育，岩石表面局部锈染，空腔深度大于 20cm，洞室局部沿节理面有滴渗水。微震监测预警等级为中等岩爆，结构面发育，有塌方风险，为Ⅳ类围岩。其中在桩号 229＋240～229＋243 段，左侧 10～12点方向钢筋排表面局部未被石渣覆盖，可见一三角锥形空腔，空腔内部节理较发育。以上两段岩体在出护盾后，岩石破碎范围内无明显岩爆特征，短小节理发育局部开裂，沿结构面有滴渗水，微震监测可测得岩石内部存在较大的爆裂事件。

2.3 时滞型岩爆事件

桩号 229＋194～229＋216 段，围岩较完整，主要有两组节理：①300°NE∠56°，闭合，节理面分布锈斑，延伸长度 6～8m，发育间距 0.5～1.5m；②70°NW∠31°，闭合，节理面表层分布钙膜，延伸长度 6～12m，发育间距 0.3～1.0m。受节理切割影响，围岩表层有零星掉块，深度 5～10cm，局部沿节理面有少量渗水，微震监测预报该段无岩爆，为Ⅱ类围岩。现场采用拱顶 120°范围内 ϕ22 锚杆（L＝2.5m，间排距 1.2m×1.1m），随机挂 ϕ8@200×200 钢筋网进行支护。微震监测预报于 2021 年 2 月 14 日 23:53 发出桩号 229＋213～229＋248 段有中等岩爆和结构面区域有塌方风险的预警。2021 年 2 月 15 日 17:00 TBM10 掘进至桩号 229＋244.5，下午 16:45 分护盾内发生闷响声，TBM 自动停机，推力 8640kn，贯入度 4.9mm/rev，护盾压力 112～230bar，随后距离掌子面上游侧 11.5m（桩号 229＋233）附近钢拱架逐渐发生形变，其中桩号 229＋232、229＋233.1 和 229＋234.2 处的三榀钢拱架在 11 点方向变形较明显。2 月 16 日上午，现场施工人员反映距离护盾末端 24～46m（桩号 229＋194～229＋216）段，岩体内部偶尔可听到噼啪声，局部节理微张，沿节理面有掉块，深度一般为 5～15cm。从现场情况看，该段已开挖出露约 79h。微震监测预报于 2 月 16 日 23:33 时发出当日数据显示桩号 229＋200 附件采集到多个微震事件，存在时滞型破坏风险。施工方对该段采取人工补立 8 榀 HW125 型钢拱架（间距 1.5～1.8m）。

3 地应力分析

岩体地应力在峡谷地段，从谷坡至山体以内，可分为地应力释放区、地应力集中区和原始地应力区。谷坡位置越高，地应力释放区的影响范围越大。一般情况下应力的垂直向应力为自重应力 γ_H，水平向应力不小于 $\gamma_H \times \mu/(1-\mu)$，小于 1000m 埋深，垂直向主应力 $\sigma_v=(0.8\sim3)\gamma_H$，最大水平向主应力 $\sigma_H=(0.8\sim3)\sigma_v$。

本标段工程区地应力区分布较为均匀，地应力测值属于低—高地应力水平，三项主应力的关系为 $\sigma_H>\sigma_z>\sigma_h$，属逆断层型应力状态，水平应力占主导地位，最大水平主应力方向为 N23°～58°E，与隧洞轴线夹角 34°～79°。本标段最大主应力 σ_m 与深度 H 的取值范围为：洞顶埋深 600m＜H≤420m，σ_m＝23～27MPa。

4 岩体变形破坏类型

YEGS二期输水工程KSⅧ标TBM10海西期花岗岩隧洞段,埋深在625~708m,为高地应力释放区,在高地应力条件下硬质岩体的变形破坏类型主要分为岩爆和松弛破坏、时滞型岩爆。

4.1 岩爆

岩爆是在开挖或其他外界扰动下,地下工程岩体中聚积的弹性变形势能突然释放,导致围岩爆裂、弹射的动力现象。岩爆具有很强的突发性、随机性和危害性。岩爆是破裂局部集中化诱致的典型高应力硬岩灾害。随着埋深的增加和地应力水平的增高,岩体所赋存的地质环境更为复杂,开挖诱发的岩爆灾害更加突出、严重,给深部地下工程带来前所未有的挑战。岩爆常被划分为4个等级(轻微、中等、强烈、极强),根据《水力发电工程地质勘察规范》确定岩爆等级。岩体在破坏之前,持续一段时间以声波的形式释放积蓄的能量。岩体在隧道掘进活动的影响下会产生弹性变形和非弹性变形,而岩体中积蓄的弹性势能将在非弹性变形过程中以震动波的形式沿周围的介质向外逐步或突然释放出去,这种能量释放的强度,随着破坏的发展而变化。

岩爆主要表现形式分为2种。强度应力型岩爆:为完整、坚硬的岩石应变能超过岩体承受能力以后发生的剧烈破坏,爆坑往往呈"V"形或窝坑,影响深度一般小于0.5m,爆裂面呈阶梯状,爆块多为片状、碎裂状。构造型岩爆:分构造尖端型、构造应变型、构造滑移型3种构造型岩爆。沿构造发生的能量释放破坏,一般影响范围深度较大,爆裂面粗糙,爆块呈板状、碎裂状、块状。

4.2 松弛破坏

松弛破坏主要表现为2种。强度应力型松弛破坏:洞室围岩产生不受结构面控制的开裂松弛变形、压裂、塌方破坏,松弛破坏的程度和深度受洞室大小影响。构造型松弛破坏:洞室围岩沿结构面产生的松弛破坏,影响深度受构造面控制规模不大,但结构面在卸荷条件下更容易形成较大的应力差,诱发构造型松弛破坏,破坏力大。

4.3 时滞性岩爆

岩爆是发生于深埋硬岩工程中的一种动力型灾害,其中时滞型岩爆在深埋高应力区开挖时比较普遍,其一般发生在围岩开挖后数小时或数十小时,现场监测表明,时滞型岩爆区域开挖时应力调整剧烈,微震活动活跃,在空间分布上有显著的丛集特征,在时间上微震事件有持续增加的趋势,且岩爆发生前无明显的应力调整和微震活动,这是因为该区域开挖后,围岩内部应力积累到一定程度,当达到岩爆发生的临界条件时,受外界扰动影响从而发生岩爆。这类型岩爆发生时间难以准确估计,具有较高的随机性,因此,该类型岩爆具有较强的"突发性",多数情况下,时滞型岩爆发生前微震信息演化规律:岩爆区开挖时,应力调整剧烈,围岩的破裂活动较为频繁,微震事件在时间上持续增加,空间上位置集中;视体积持续增加,有突增趋势;能量指数持续高位,有下降趋势;岩爆发生前夕,微震事件较少,存在一个明显的"平静期",且岩爆发生时视体积和能量指数变化不明显。因此,可通过开挖时期微震活动性估计潜在时滞型岩爆位置。

5 结论

在深埋隧洞高地应力环境下的TBM施工中,岩体的变形破坏具有随机性与时滞性,需重视松弛破坏类型，合理支护，及时封闭固结，对时滞性岩爆做好超前预警，采用微震监测等手段确保人员安全。TBM 施工工艺与钻爆工艺存在较大差异，受时间与空间影响，对现场人员辨识围岩情况与施工期内围岩稳定性具有较高的要求。

参考文献

冯夏庭，肖亚勋，丰光亮，等.岩爆孕育过程研究[J].岩石力学与工程学报，2019，38(4)：649-673.

TBM 隧洞塌方的预防及处理措施

马海杰

新疆水利水电勘测设计研究院，新疆 乌鲁木齐 830000

摘　要：TBM 施工是长距离调水隧洞的主要方法，本文结合 TBM 隧洞施工情况，总结了 TBM 施工过程中超前地质预报的作用，以及遇到塌方的处理措施，以期为类似工程处理提供参考。

关键词：TBM 隧洞施工　超前预报　塌方处理措施

1　引言

全断面岩石掘进机 TBM 已在很多国家的水利水电、铁路、交通、矿山、城市建设等隧洞与地下工程施工中得到广泛应用。据统计，国际上有一半的 TBM 施工隧洞是输水隧洞。随着我国经济的高速发展，水资源短缺正在成为我国经济社会可持续发展的制约因素之一。水资源合理配置、高效利用已经成为政府、社会、民众的共识。近年来，随着跨流域调水项目的增多，TBM 在长距离调水隧洞施工中占距了主导地位，随之而来也出现了越来越多的塌方事故。为此，本文根据施工中出现的塌方实例，着重研究了 TBM 塌方的处理措施。

2　工程概况

本工程长 18.2km，其中 TBM 开挖长 15.632km 和钻爆法开挖洞段 2.568km，采用 1 台 TBM 施工，如图 1 所示。施工期间共发生塌方 6 次，刀盘及护盾被困 5 次，塌方规模较大 2 次，其中一次塌方长度 24m，最大深度约 15m；另一次塌方长度 16m，最大塌腔深度约 12m。

图 1　TBM 平面示意图

作者简介

马海杰，(1980—)，男，高级工程师，主要从事水利水电工程、工程地质等勘察研究工作. E-mail：1468613389@qq.com

3　地质条件

该段处于泥盆系与石炭系接触带，出露岩性以碳质砂岩、碳质页岩为主，碳质页岩呈灰黑—黑色，薄片状层理，属软质岩，强度低，遇水易软化。碳质砂岩呈灰黑色，碳质砂状结构，层状构造。节理多成组发育，面平直、闭合无充填，层间结合力差，受裂隙切割影响，岩石自稳性差，顶拱围岩塌落，形成塌腔。该段洞室在桩号 265＋228 处出露一条规模较大的断层，断层产状 274°SW∠67°，破碎带宽约 10m，带内岩体呈碎裂镶嵌结构—散体结构，破碎、块度小、强度低、围岩稳定性差，掘进时顶拱及两边墙上部出现大规模的塌方。

4　超前地质预报

超前地质预报显示 KS265＋280～KS265＋180 段在反射图像上，出现明显的正负反射，推断该段落围岩破碎，节理、裂隙发育，易发生掉块、塌腔。特别是 KS265＋280～KS265＋230 反射密集，推断有断层或岩性交接带发育。超前地质预报的范围与泥盆系、石炭系接触带范围、塌方范围、断层出露范围基本吻合，通过与地质分析结合，准确率较高。

5　施工措施

5.1　总体方案

由于该段塌方处于泥盆系与石炭系接触带，预计上游 20～50m 范围内岩石蚀变强烈，较破碎。应先使用化学灌浆（充填发泡固结型）组合聚醚多元醇，对 TBM 护盾与塌腔之间进行固结包裹，保护护盾。采用轻质混凝土对顶部大塌腔区进行分层回填，在回填轻质混凝土施工时，若出现轻质混凝土从刀盘及护盾间隙流出时，先采用化学灌浆（充填发泡型）组合聚醚多元醇对间隙进行充填封闭。采用化学灌浆组合聚醚多元醇，对刀盘顶部、正前方及周边松散体进行分段分次固结施工。顶拱 120°范围施做超前管棚，长度为 15m，钢管采用 ϕ89mm，厚 6mm 的无缝钢管制作而成，环向间距 30～50cm，管棚内设置一组 3×ϕ22 钢筋束进行补强，见图 2。

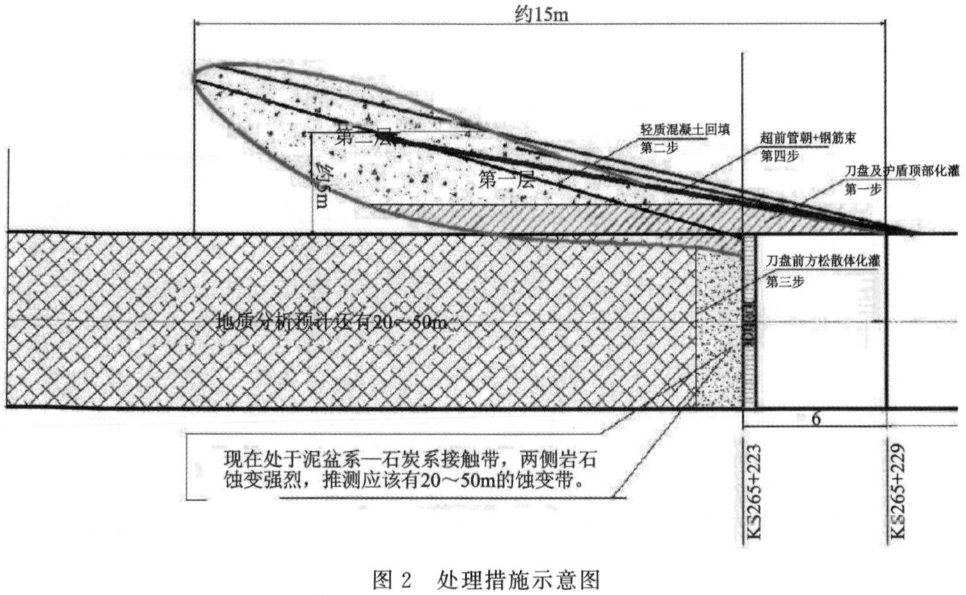

图 2　处理措施示意图

5.2 TBM护盾化灌保护

根据总体施工方案，为了避免再次塌方造成刀盘及护盾卡死，采用化学灌浆(充填发泡固结型)组合聚醚多元醇，对TBM护盾与岩体之间间隙进行化学灌浆，使护盾与岩体之间的间隙充填密实以保护护盾。

化学(充填发泡固结型)灌浆法使用机械的高压动力(高压灌注机)，利用护盾可见空腔，插入专用化灌ABS导管，2种浆液经专用混合器混合后，注入裂隙或松散体后，会迅速扩散、乳化、发泡、膨胀、固结，将护盾与岩体之间空腔充填，形成胶凝体，确保顶部大规模空腔灌浆回填时浆液不渗漏或少渗漏，保护护盾及刀盘不被卡，达到固结和封堵瓦斯的目的。

充填发泡固结型化灌材料为双组分组合聚醚多元醇材料，组分A为专用树脂，组分B为硬化剂，自然环境下发泡率约30倍，在封闭空间里高压注入，发泡率变小，扩散性、黏结性、胶结性和强度递增，对松散围岩有一定的固结作用。

5.3 轻质混凝土回填塌腔体

待TBM护盾顶部塌腔体化灌固结包裹施工完成后，开始进行大塌腔体分层回填，回填材料优先使用轻质混凝土，若无法满足现场要求时，采用化学灌浆材料(充填发泡固结型)；在回填轻质混凝土施工时，若出现轻质混凝土从刀盘及护盾间隙流出时，先采用化学灌浆(充填发泡固结型)组合聚醚多元醇对间隙进行充填封闭，以防止回填的轻质混凝土从间隙中流出达不到效果。

5.4 刀盘前方及周边松散体固结

在大塌腔轻质混凝土回填结束后，即同步开始刀盘前方及周边松散体的分段分次固结施工；本次松散体固结灌浆主要分3部分实施：第一部分采用人工顶入DN15超前注浆导管(具体长度根据刀箱内空间及现场情况确定)，从刀盘收渣口向顶部及前方进行化灌；第二部分采用ZLJ-700钻机从TBM主梁下部进入孔向掌子面前方打孔，根据孔位拆除刀盘对应刀具后，进行超前孔内化学注浆固结；第三部分采用ZLJ-700钻机从护盾周边钻孔，结合现场实际施工条件，周边钻孔仅能进行倾斜孔，向外倾角控制在5°～15°之间，安装灌浆管，钢管采用ϕ89mm，厚6mm的无缝钢管制作而成，对刀盘周边松散岩体进行化学灌浆固结。

5.5 超前管棚施工

采用ZLJ-700钻机进行钻孔，管棚长度为15m(具体长度根据现场实际情况调整)，钢管采用ϕ89mm，厚6mm的无缝钢管制作而成；沿TBM护盾尾部拱顶外廓线120°范围进行布置，环向间距30～50cm。浆液采用水灰比为2∶1～1∶1水泥浆，灌浆压力不大于0.2MPa控制，注浆结束后用1∶1水泥砂浆充填无缝钢管，增强钢管强度和刚度。管棚在护盾与刀盘上部部位的8m不设孔，8～15m段设注浆孔，孔径6mm，每环设2个孔，间距50cm，梅花形布置。管棚内设置一组3×ϕ22钢筋束进行补强，详见图3管棚钢筋束布置图。

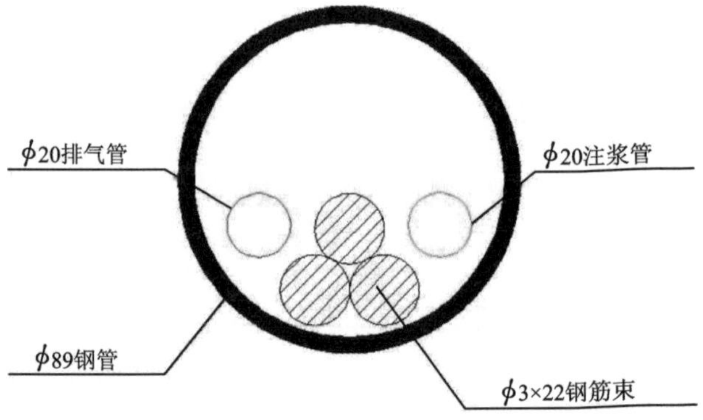

图3 管棚钢筋束布置图

6 施工掘进措施

开挖遵循“短进尺，勤换步、早封闭、强支护、初期支护务必一次到位”的原则施工，TBM 掘进过程中尽量减少对围岩的扰动，充分发挥围岩的自稳能力，快速形成封闭结构，改善支护结构的受力状态，控制隧洞的收敛及拱顶下沉。

TBM 掘进期间及时矫正姿态，并采取针对性的调向、混凝土换填软弱岩体等措施，避免 TBM 在软弱不均地层中姿态偏离超限。隧洞洞壁承载力低，无法提供撑靴反力时，可在撑靴处采用喷锚网＋钢拱＋灌注混凝土的联合支护方式对撑靴部位洞壁处理后再掘进通过，掘进工作流程如图 4 所示。

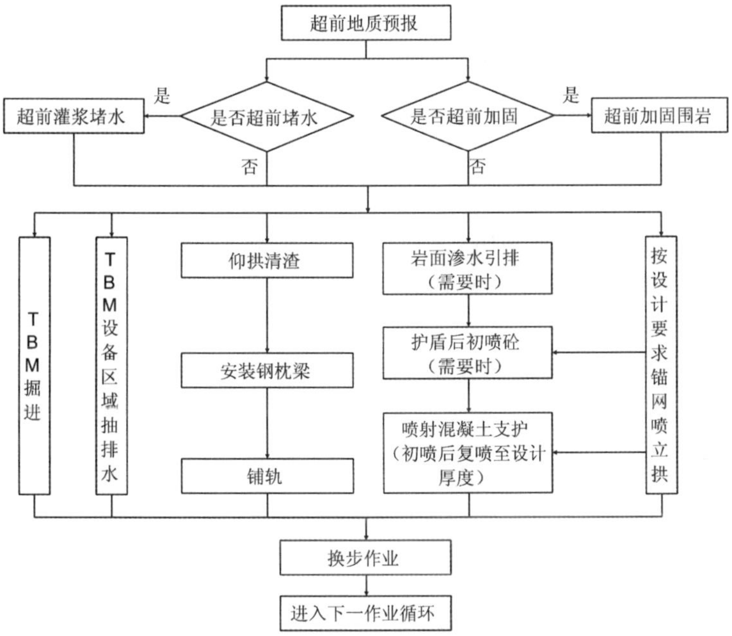

图 4　掘进工序流程图

7 结论

综上所述，施工中要重视超前预报的作用，本次超前预报基本反映出了围岩较差地段范围，满足了 TBM 施工对超前预报的需求，尤其是大规模不良地质体效果明显。地质与物探的结合是保证隧洞施工地质预报准确率最有效的手段。施工方应尽早采取施工措施，做到防患于未然。同时，遇到塌方段应科学的制订方案，严格按照方案执行，切忌有侥幸心理，冒进作业。

参考文献

张瑞春. TBM 顶部塌方洞段固结灌浆方案[J]. 山西水利科技，2008(1)：81-82＋87.
高攀科，郭金鑫. 中天山隧道 TBM 施工塌方治理技术研究[J]. 交通与建筑，2016(17)：121-123.
郭惠民，霍宇光，李长青. 引黄入晋工程“TBM”掘进引水隧洞塌方处理[J]. 东北水利水电，2006(8)：16-18.
左立富，张修高，伍伟. 开敞式 TBM 穿越不良地质洞段塌方处理技术研究[J]. 水电施工技术，2014(2)：26-28.

TBM隧洞有害气体的处理措施

张仲贵　马海杰　吴楠
新疆水利水电勘测设计研究院,新疆 乌鲁木齐　830091

摘　要:隧道中存在的有毒有害气体一直是施工中的主要危险源,在隧道工程中,TBM施工无法像钻爆施工采用常规手段解决。本文结合TBM隧洞施工情况,总结了TBM施工过程中遇到有害气体的处理措施,以期为类似工程处理提供参考。

关键词:TBM隧洞施工　有害气体　处理措施

1　引言

隧道中存在的有毒有害气体一直是施工中的主要危险源,如果施工不当极易发生重大安全事故。隧道中有害气体主要有甲烷、一氧化碳、二氧化碳、硫化氢、氮气和数量不等的重烃以及微量的稀有气体等。近年来TBM掘进中遇到的有害气体问题逐渐被专家重视,TBM施工无法像钻爆施工采用常规手段解决,目前处于探索阶段,尚没有成熟的方法。许多专家、工程技术人员通过工程实践也提出了多种预防及处理措施,总结了宝贵经验。本工程隧洞在施工中也遇到了突发有害气体的情况,有害气体为瓦斯,在长162m洞段施工过程中,共发生瓦斯突出3次,瓦斯电闭锁断电115次(瓦斯最大浓度达87%VOL,瓦斯爆炸浓度区间5%～16%),浓度超标600余次(大于0.5%VOL),按照绝对瓦斯涌出量初步计算共排瓦斯约44万m^3,通过各参建单位的努力,最终顺利通过了有害气体洞段,为以后施工总结了经验。

2　工程概况

本工程长18.2km,其中TBM开挖长15.6km和钻爆法开挖洞段2.6km,采用1台TBM施工,如图1所示。

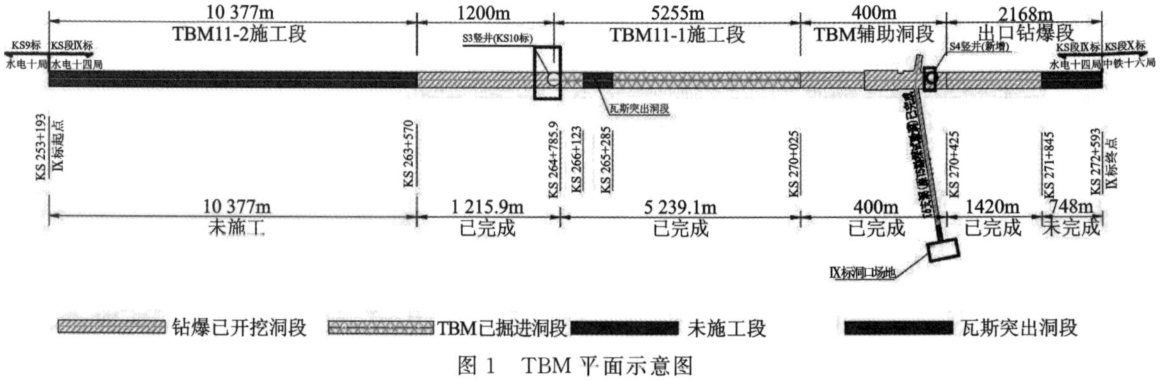

图1　TBM平面示意图

作者简介

张仲贵,(1983—),男,高级工程师,主要从事水利水电工程、水文地质和工程地质等勘察研究工作. E-mail:640710290@qq.com

该段位于卡拉麦里低山丘陵区，地形起伏略大。隧洞埋深在466～481m，均处在新鲜基岩内，岩体略破碎，呈块体状，稳定性略差；该段围岩以Ⅲ类围岩为主，少量Ⅳ、Ⅴ类围岩。

3 瓦斯溢出情况及地质条件

2020年在TBM11-1段施工掘进至KS265+279桩号，出护盾桩号KS265+285处时，掌子面出现垮塌，设备瓦斯监测仪瞬时报警，报警值达到114%LEL(5.7%VOL)及现场实测风流中的瓦斯浓度0.42%VOL，估算绝对瓦斯涌出量约11m^3/min，判定为高瓦斯煤系地层，且不排除煤与瓦斯突出风险，立即停止施工作业，施工作业人员关闭电源后撤离现场，并加强通风。

溢出有害气体地段岩性以煤层为主，裂隙多发育，部分裂面光滑，发育约1mm黑亮的钙质、硅质薄膜，层间结合力差，岩石破碎。未见地下水出露，岩石完整性及稳定性差，如图2所示。

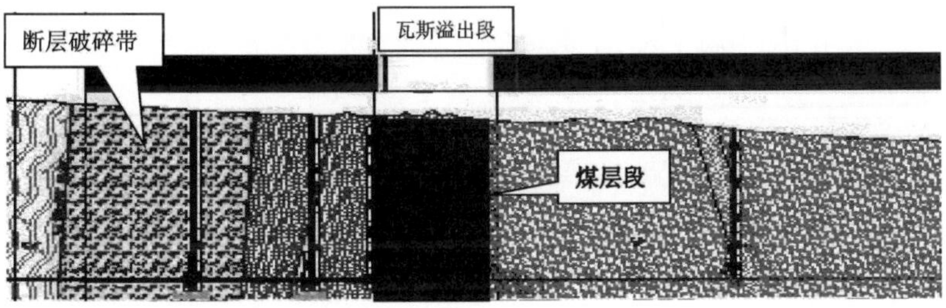

图2 煤层纵断面示意图

4 瓦斯处理程序

经过专家组研讨后制定了瓦斯处理方案，TBM设备段持续通风，完善通风供电系统，达到独立专用双电源，保持独立供电长期通风。在TBM设备工作面所有部位回风中瓦斯浓度稳定在0.3%以下的环境中，完成已施工洞段的瓦斯检测报警增加风电闭锁、瓦斯电闭锁系统，以及必要照明和防爆电气更换改造。布置瓦斯抽排系统，在对TBM设备停歇工作面附近瓦斯溢出段以及TBM掘进掌子面以前20m范围的岩层瓦斯钻孔抽排，抽排剩余量瓦斯绝对涌出量达到小于1.0m^3/min标准。在瓦斯检测报警、风电闭锁、瓦斯电闭锁系统工作正常，工作面任意处瓦斯浓度稳定在0.3%以下的环境中使用TBM完成该穿煤段掘进支护，处理程序如图3所示。

5 施工措施

5.1 施工通风

根据总体施工方案安排，TBM11-1穿煤段施工通风采用压入式供风，在T6支洞口设置一套2×132kW风机用于TBM11-1段供风，通过直径2.2m的抗静电、阻燃的风筒将新鲜风压入TBM后配套11#台车尾部，通过配置的2×45kW接力风机将新鲜风供到TBM作业面，污风从T6支洞排出。根据现场施工通风及瓦斯浓度检测情况，在瓦斯易积聚部位(如安装间顶部、错车道、旁支洞等)增设射流风机或小功率风机，加强该部位的通风，防止瓦斯积聚，如图4所示。

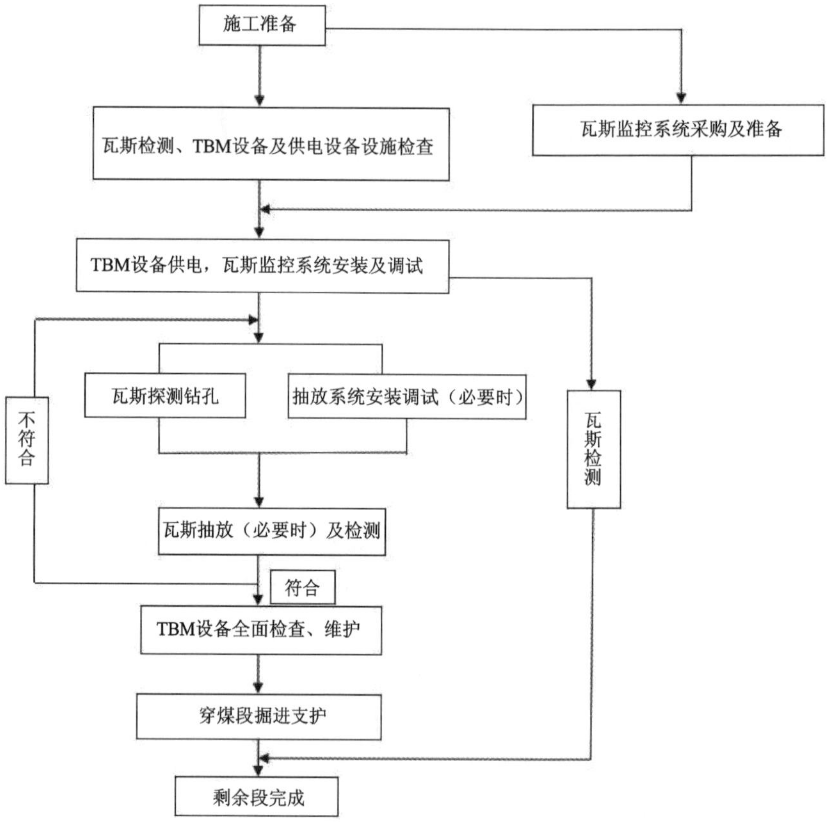

图3　瓦斯处理程序

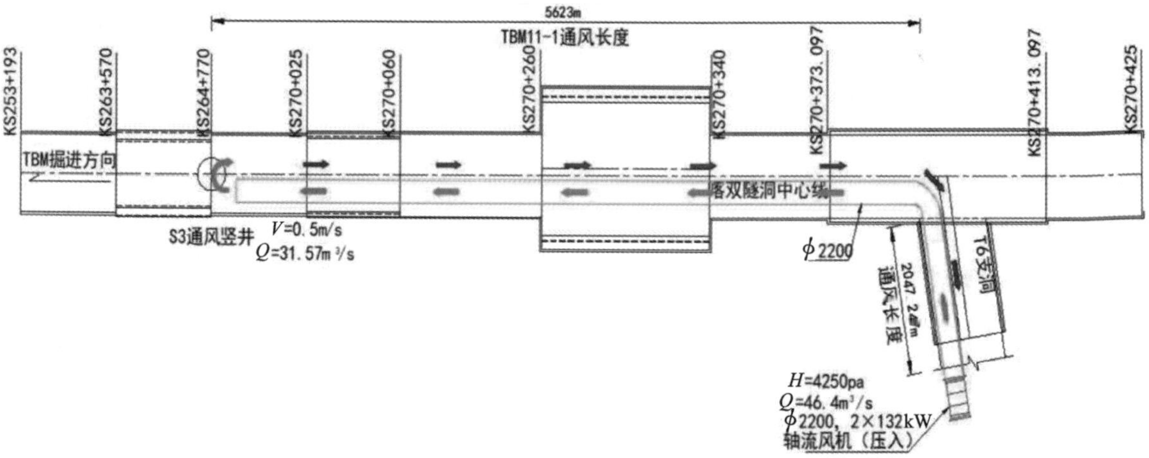

图4　通风示意图

5.2　瓦斯监测

在本隧道施工中，主要以CH_4为监测对象，采用自动瓦斯监控系统及便携式瓦斯监测仪器监测隧道内CH_4气体的浓度变化情况。两者监测的数值相印证，避免误报现象。

自动瓦斯监控系统采用KJ999X煤矿安全监控系统，地面设备包括主备服务器、WEB发布服务器、地面核心交换机、电源避雷器、打印机、UPS电源，KJ999X系统主软件；洞内设备主要包括防爆交换机、网关、分站、电源箱、传输线路及各种类型传感器，监控系统如图5所示。

人工监测使用光干涉式甲烷测定器，采用五点法检测，即对隧洞的顶部、腰部两侧、底部两侧距巷道

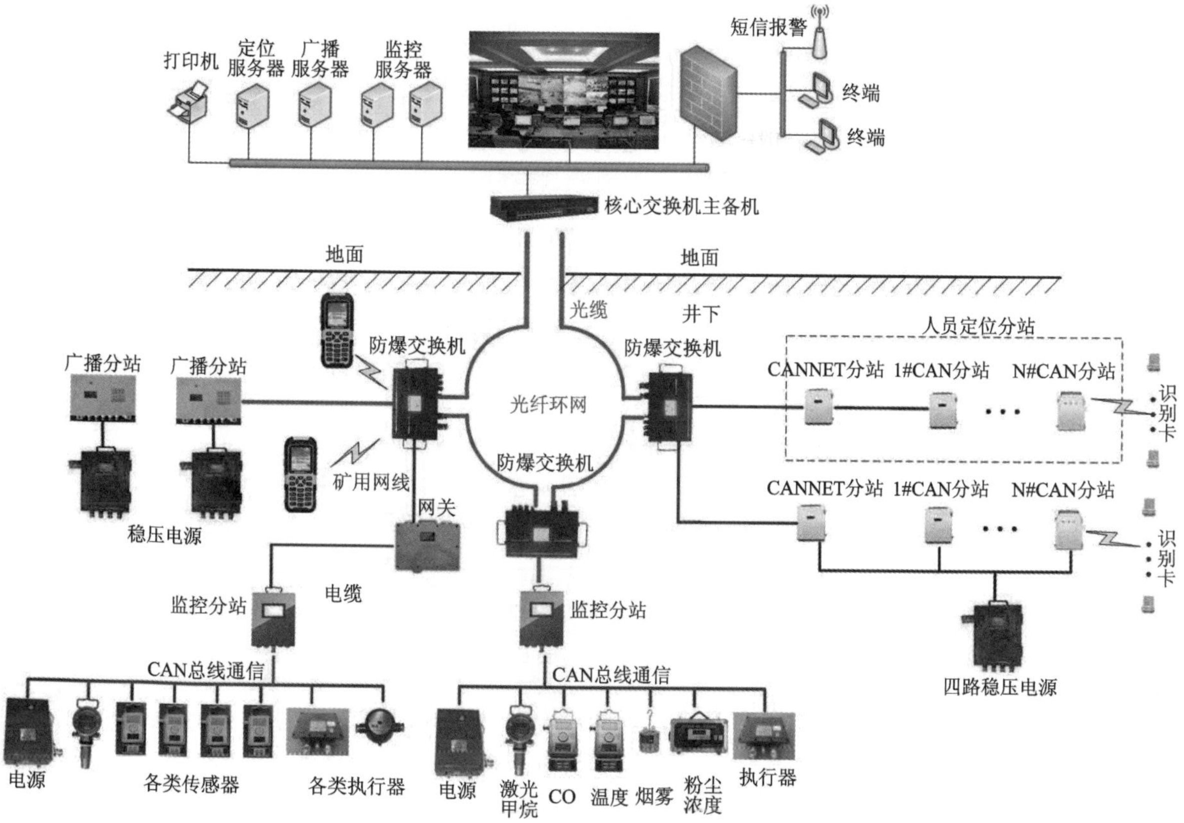

图 5 瓦斯监控系统示意图

周边 200mm 处检测，取五点中最大浓度为该处瓦斯浓度，进行日常管理。断面变化处在断面变化最高处检测，仍采用五点法检测。掌子面检测应在掌子面前 0.5m 至 1m 处断面中检测，回风检测应在距回风口往掌子面 15m 断面中检测，进风检测应在压入式风机入口处检测。洞室、总回风、进风、回风、掌子面原则上每两小时检测一次，掌子面出渣时每一小时检测一次，检测按五点法进行。

5.3 瓦斯探测及排放

为了探明前方煤层及已揭露煤层的情况，在隧洞四周钻孔，每个区实施超前探测布孔，孔深穿过煤层 10～15m，结合现场实际施工条件，超前探孔仅能进行倾斜孔，向外倾角控制在 5°～15°。共完成探测钻孔 51 个探测钻孔，测压孔 4 个，安装压力表 4 个，过程中压力最大为 0.4MPa，排放孔 43 个。

根据瓦斯钻孔探测情况，若瓦斯渗出量较小时（小于 $1m^3/min$），加强施工通风进行瓦斯自然排放，过程中按照要求加强瓦斯监测，待瓦斯浓度小于 0.3%恢复施工。根据瓦斯钻孔探测及排放情况，若瓦斯渗出量较大时（大于 $1m^3/min$），仅靠通风无法将瓦斯浓度降低到允许范围内时，采取瓦斯抽放措施，抽采纯量为 $10m^3/min$。

6 掘进措施

待瓦斯探测及排放工作完成后，仍采用瓦斯监控系统自动监测及人工监测，随时掌握隧洞内瓦斯浓度，TBM 刀箱及顶护盾下瓦斯浓度降低到 0.5%以下，其他任意处瓦斯浓度小于 0.3%时施工；TBM 设备任意带电处瓦斯浓度大于 0.5%时，停工、断电。加强通风，当洞内任意处瓦斯浓度降低到 0.3%以下时复工。

开挖遵循"短进尺、勤换步、早封闭、强支护、初期支护务必一次到位"的原则施工，TBM掘进过程中尽量减少对围岩的扰动，充分发挥围岩的自稳能力，快速形成封闭结构，改善支护结构的受力状态，控制隧洞的收敛及拱顶下沉。

TBM支护仍采用锚杆+挂网+钢支撑+喷混凝土联合支护方式，施工方法仍按照原施工工艺实施，针对该段瓦斯风险突出，严禁进行电焊作业。因此，将锁脚锚杆、钢筋排等连接工艺进行调整，具体调整型式如图6所示。

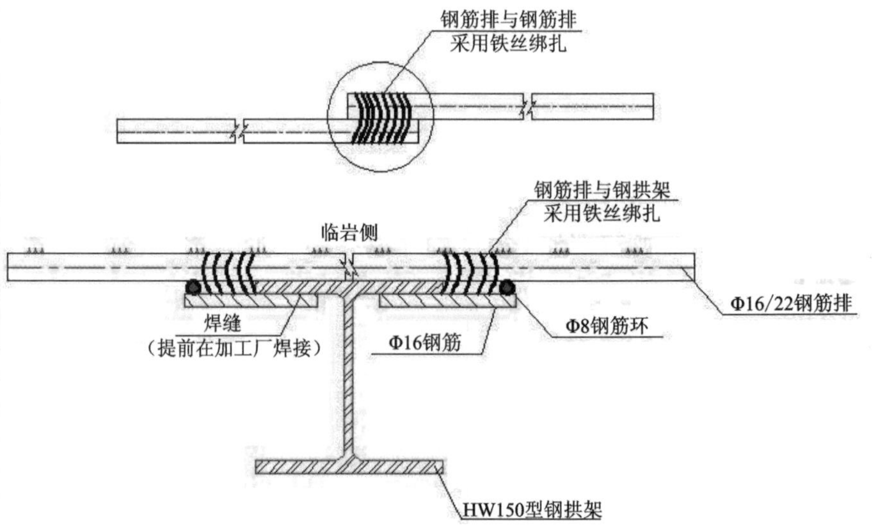

图6 穿瓦斯段施工示意图

7 结论

TBM隧洞施工，首先保证监测监控系统正常运行，实现报警断电功能灵敏可靠的同时，在TBM护盾后方巷道高顶悬挂3台便携式瓦斯浓度监测报警仪，采取监控系统和人工监测相结合的双重监测预警机制，确保TBM安全掘进。其次保证供风稳定可靠，风筒吊挂平直、困扎牢固不漏风，将风筒口接引至进入口刀箱内、TBM上部工作面、TBM下部工作面，同时保持TBM护盾后部的皮带道上盖口敞开，形成回风瓦斯通路，防止瓦斯积聚。最后在恢复TBM掘进施工过程中，人工及监控监测系统检测洞内任意处瓦斯浓度降低到小于0.3%时开始作业，任意处瓦斯浓度大于0.5%时停止作业、断电。通过此次安全通过隧洞瓦斯段，总结了一定的处理经验，为有害气体的预防及处理奠定了基础。

参考文献

刘国平，李立民，肖瑜. 深埋长隧洞有害气体形成条件及安全施工对策[J]. 人民黄河，2018，40(12)：135-139.
刘斌洲，樊建谊，樊小平. 金家坝引水瓦斯和其他有害气体的监测与治理[J]. 四川水利，2012(5)：78-80.
任光明，赵志祥，聂德新，等. 深埋长隧道有害气体发生的地质条件初探[J]. 山地学报，2002(1)：122-125.

XE 隧洞工程地质问题分析与处理

王琛涛
新疆水利水电勘测设计研究院,新疆 乌鲁木齐 830000

摘 要:随着国民经济快速发展,水资源短缺严重制约地区经济发展。为实现水资源合理开发、空间均衡、优化配置、综合利用,跨流域调配水资源成了区域经济协调发展的重要保障。国家规划的172项重大水利工程陆续开工建设,引调水线路以长、大深埋隧洞为主,在地质环境复杂的山岭地区修建隧洞会遇到塌方、突涌水、高地应力岩爆、软岩变形等一系列难以处理的工程地质问题,需对工程区的地质条件以及地质灾害产生的机理进行分析研究,有针对性地提出防治及处理措施,保证隧洞施工与永久运行的安全。本文依托新疆 YEGS 二期供水工程,对 XE 隧洞不良地质引起的 TBM 卡机、停机原因进行地质分析,并对施工处理技术进行总结,可为类似工程的施工提供经验与指导。

关键词:引水隧洞 区域性深大断裂破碎带 隧道支护 施工流程

1 工程概况

YGGS 供水二期工程是将 E 河水调至准东经济技术开发区和新疆天山东部矿区,满足该地区优势资源开发对水资源的需求。输水线路全长 540.5km,隧洞总长 516.5km,隧线占比高达 95.5%,分为 XE 隧洞、KS 隧洞、SS 隧洞。XE 隧洞全长 140.7km,最大埋深 720m,采用 5 台 ϕ7.8m 全断面开敞式硬岩掘进机 TBM 和钻爆法相结合进行开挖,单台 TBM 掘进长度为 15.5~27.1km,纵坡 i 为 1/3000、1/2310;钻爆法施工共 13 段,总长 31km,断面为标准马蹄形,纵坡 i 为 1/5600、1/4000,相应洞径 7.5m,采用全断面钢筋混凝土衬砌。

2 区域地质构造背景

2.1 地形地貌

工程区位于阿尔泰山南麓,总体地形为北高南低、东高西低,自北向南,呈明显的阶梯状垂直分布的特性,地貌严格受区域断裂构造控制,可分为北部侵蚀构造中山区、东部构造剥蚀低山及丘陵区两大自然地貌单元。隧洞前段位于侵蚀构造中山区阿尔泰山南坡一带,海拔高程 1000~1650m,地形起伏较大,高差 300~500m,山顶多呈侵蚀夷平面,基岩大多裸露。隧洞后段位于剥蚀构造低山及丘陵区,地势总体北高南低,西高东低,海拔高程 600~950m,地形开阔、起伏不大,地形坡度较缓,一般高差 50~100m,基岩多裸露,局部地表分布有第四系洪积和风积物。

作者简介

王琛涛(1979—),男,高级工程师,主要从事水利工程地质勘察和施工地质工作. E-mail:903490902@qq.com

2.2 地层岩性

隧洞段主要通过的地层岩性有中上奥陶统哈巴河组黑云母石英片岩、二云石英片岩;海西晚期变质黑云母花岗岩夹闪长岩、黑云母斜长花岗岩、片麻状花岗岩;泥盆系中统阿勒泰组二长片麻岩、黑云母斜长片麻岩、黑云母斜长角闪岩、二长变粒岩;上石炭统喀喇额尔齐斯组凝灰质砂岩、变质砂岩、二云母石英片岩、黑云母斜长片麻岩、黑云长英角岩等;海西晚期花岗岩、黑云母角闪斜长岩等。

2.3 水文地质

工程区经历了多次构造运动,断裂、褶皱、节理裂隙较为发育,其片理、层理、裂隙、破碎带等是构成地下水存储的基本介质,决定工程地下水主要为基岩裂隙水。基岩裂隙水受所处地貌位置、构造部位、岩性特征的控制,并因补给条件的不同,地下水的分布具有明显的差异性。隧洞大部分洞段为贫水区,地下水活动状态以渗水、滴水为主,局部线状流水。浅埋洞段、过沟段及构造发育洞段围岩富水程度为弱富水区—中等富水区,地下水活动状态以线状流水和股状涌水为主。

3 隧洞主要工程地质问题分析与处理

XE隧洞自2017年3月开工建设至今,TBM施工洞段先后遇到大塌方、涌水突泥、高地应力软岩变形等诸多工程地质问题,造成TBM设备停机、卡机多达6次,这些不良地质问题不仅增加了施工的安全风险和处理难度,还严重制约了工期,增加大量的工程投资。下面通过TBM遇不良地质引起的停机、卡机事故的典型案例,进一步分析总结地质成因和施工处理技术。

3.1 大塌方地质成因分析处理(TBM1桩号6+840~6+850段大塌方)

(1)概述

2018年7月12日23时TBM1掘进至6+840.7,刀盘推力参数降至6230KN,出渣异常,大块石渣较多,掘进至6+842.3处时,发现TBM护盾上方10点钟~2点钟方向出现塌腔,护盾尾端塌腔高度为0.7m,向掌子面扩大延伸,塌方纵向长度约9m,掌子面部位塌方高度约8m,伴有碎块掉落。7月13日11时26分掘进至6+843,拱顶岩石塌落加剧,立即停止掘进,进行加固拱架。此时刀盘转动正常,TBM掘进时对围岩产生扰动,导致岩块不断脱落,形成轴线长度约12m,环向宽度约10m,径向最大高度13m的塌腔。

(2)地质成因分析

隧洞埋深84m,岩性为绢云母石英片岩夹黑云母石英片岩,颜色呈灰褐色、黄绿色等杂色,岩石深度变质。该段发育一条张性断层,产状:44°SE∠81°,与洞轴线呈大角度相交,断层破碎带宽约5m,断层内可见断层泥,挤压岩等,受构造挤压,岩层间揉皱强烈,裂隙面见大量水锈及绿泥石化现象,层面附着泥膜,岩石破碎,层间结合差,岩体本身呈碎块结构,加之刀盘切削作用和震动影响,致使破碎岩体沿节理面和裂隙面岩层松动、错落,最终导致大面积失稳和坍塌,围岩失稳类型属于混合控制型碎裂松动破坏形式。

(3)塌腔处理

加强护盾后方围岩一次支护:护盾后方6m范围加密HW150型钢拱架,中心间距控制在45cm,拱架间采用槽钢焊接,环向360°布设,间距1m,成环后立即喷射C30混凝土,厚度为20cm。

护盾顶部满铺方木,方木上垫I16工字钢(环向间距30cm,采用槽钢连接,再铺0.5mm钢板)。在塌腔高度 2m 范围内(6+838～6+840),增加腹拱支撑,腹拱贴紧岩面,底端与 I16 工字钢焊接牢固,形成稳定支撑结构,防止塌方继续扩大。结构稳定后,该区域作为喷射混凝土施工的作业平台。

为了防止细砂或水泥浆流入刀盘,首先对刀盘进行覆盖,用应急喷混设备向刀盘前方 1m 范围喷射细砂,其余部位采用 C30 喷射混凝土填充,直至细砂覆盖刀盘顶部 10～20cm(作为缓冲层)。

6+840.42～6+850.47 段岩体喷射 C30 混凝土,有效喷射范围内厚度控制在 10cm 以上;填充细砂和方木上方喷射厚度 200cm 的 C30 混凝土,每喷射 20cm 厚度,铺设钢筋网片;混凝土厚度达到 50cm 时,横向设置 I16 工字钢,纵向间距 50cm,两端选择围岩较好位置打设 ϕ25mm,L=2.5m 锚杆与工字钢焊接,在拱架上方形成"保护壳"。掌子面处"保护壳"上方 4m 至刀盘方向 7m 范围喷射混凝土,对掌子面上方松散岩体形成稳定支撑(图 1)。在推进过程中,减小设备对掌子面软弱围岩的扰动,保证施工安全。喷射混凝土时,拱顶预留人孔(6+841,55cm×80cm),便于后期空腔部位回填灌浆施作。

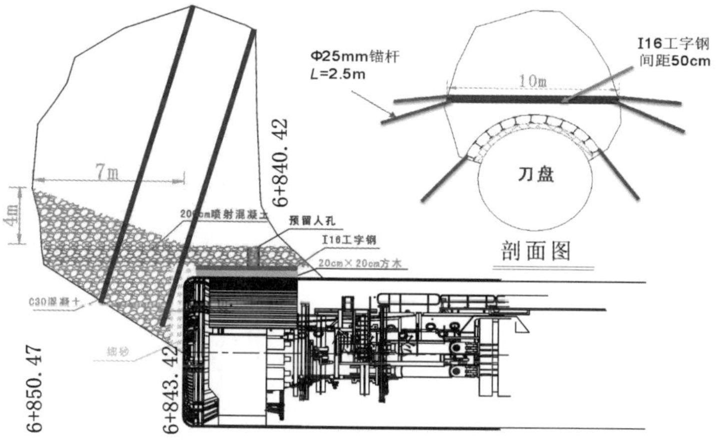

图 1　TBM1 塌方处理示意图

用混凝土输送泵从预留的人孔泵管送向塌腔体回填 C30 混凝土,回填高度在拱顶以上,一次不超过 1m,直至填满空腔。2m 以上采用轻型材料(容重小于 1.5t/m^3)从预留泵送管吹入,填充完成后灌注水泥砂浆或水泥浆并确保充填密实,以减少一次支护及二次支护荷载。

3.2　涌水突泥地质成因分析处理(TBM2 桩号 49+680m 突泥涌水)

(1)概述

2020 年 5 月 6 日 TBM3-1 掘进至桩号 49+677.9m,顶护盾压力 266bar,位移－7mm,撑靴压力 317bar。护盾后围岩顶拱环向约 150°范围内岩体破碎,呈松散碎块石状坍塌至护盾顶部。5 月 8 日凌晨 5:50,TBM3-1 掘进至桩号 49+680m,刀盘扭矩增大,掌子面发生涌水、突泥现象,泥砂浆液裹挟着碎石从刀盘出渣口流出,通过主梁通道入口涌至主梁后方,并将主梁通道入口处堵塞,涌出渣石方量约 200m^3,掌子面出水量约 50m^3/h。

(2)地质成因分析

隧洞埋深 425m,岩性为海西期变质花岗岩,颜色呈肉红色,碎块状—次块状结构,岩石受风化变质及构造挤压,局部岩块及裂隙面呈糜棱岩化和高岭土化,岩石局部酥软,强度低。该段位于 F_{17} 断层下盘影响带,岩石节理裂隙发育,受四组节理裂隙相互切割组合的影响,上半洞岩体破碎严重,形成大小不一碎块石,岩块咬合力差,呈松散碎块石状坍塌至护盾顶部,在上半洞裂隙密集带内聚集了一定量的构造裂隙水,下半洞岩体完全形成阻水层。TBM 开挖隧洞形成排泄通道,储存在掌子面及洞顶部的基岩裂隙水迅速下泄,形成突涌水,岩石中碎屑颗粒被地下水带出,岩块没有黏结强度,顺势形成垮塌,造成了

TBM 卡机涌水突泥事故。

(3)卡机脱困处理

清理刀盘内、主梁及后方泥浆、碎石块，通过将刀盘边刀拆卸观察掌子面前方及拱部围岩情况，开展超前地质预报探测，掌子面桩号 49＋680～49＋688 段节理裂隙较发育，上部岩体破碎，含水信号明显，中等富水。根据超前地质预报成果，制定了小导洞开挖超前注浆加固围岩的处理方案，工艺流程见图 2，小导洞布置示意图如图 3 所示。

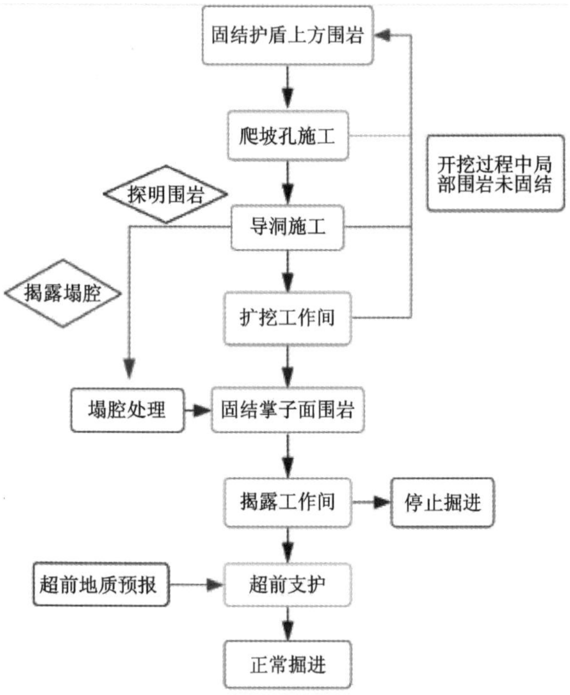

图 2　工艺流程图

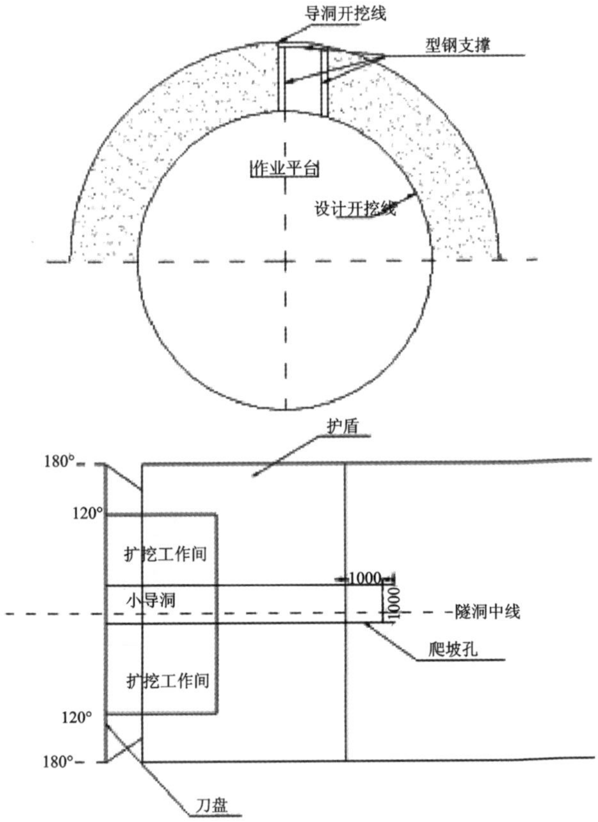

图 3　小导洞布置示意图

为保证后续导洞开挖施工安全，对桩号 49＋673～49＋674.5 段落拱部 140°范围打设两环 $\phi25$ 自进式锚杆，两环锚杆纵向间距 45cm，斜向护盾上方施做且与护盾水平夹角 15°/30°，锚杆长度 6m，环间排距 30cm。进行化学灌浆(化灌材料采用 AB 组分混合料，A 组分是硅酸钠水溶液，B 组分是聚合 MDI 预聚体，化学灌浆注浆压力 3～8MPa)。

现场选取右侧偏设计中线 0.6m 处设置爬坡孔，对爬坡孔位置处原有靠近护盾两榀拱架进行加固，具体措施为：在每榀拱架开口部位采用 4 根 $\phi25$ 自进式锚杆进行锁脚，锚杆长 6.0m；两榀拱架采用两根 H150 型钢与护盾及小里程拱架连接，长度为 2m；在爬坡孔四周设置四根 H150 立柱框架，立柱底部支撑于作业平台，顶部和钢拱架连接。加固后人工使用风镐开挖爬坡孔，爬坡孔开口尺寸 1m×1m，高度 1.8m，开挖完成后爬坡孔采用 HW150 型钢型支护，钢拱架间距 0.45m(与原支护拱架连接)，拱架间采用 12 槽钢连接，并喷锚封闭围岩，喷混厚度 20cm。

向刀盘方向开挖导洞(49＋674.57～49＋680.07)，导洞长度 5.5m，净空尺寸 1.0m×1.8m(宽×高)，采用风镐人工开挖，护盾上方开挖循环长度为 50cm，架设 HW150 钢架，钢架间距为 50cm，钢架拱脚设置 HW150 型钢托梁；拱架外缘内侧焊接槽钢，环向间距 50cm；钢架拱部焊接 3mm 钢板加固；支护完成后喷射混凝土封闭围岩，厚度 20cm。利用导洞向两侧开挖工作间，先开挖右侧，开挖断面采用梯形断面，开挖循环控制在 50cm。拱架采用 H150 门架型钢，门架净间距 45cm/榀，拱部环向采用 H150 型钢与导洞拱架相连，形成封闭拱架支护体系；门架架设时，立柱底部垫托梁增大立柱支撑面积。拱架外缘内侧焊接 12 槽钢，环向间距 50cm；钢架拱部焊接 3mm 钢板加固；支护完成后喷射混凝土封闭围岩，厚度 20cm。待右侧工作间开挖、支护完毕后，开挖左侧，完成工作间的开挖支护。

塌腔处理，采用多次喷射 C30/W10 混凝土封闭，每次喷射厚度 5～8cm，待混凝土终凝后进行复喷，保证最终混凝土厚度不小于 50cm。在塌腔体上方安设 HW125 型钢，环向间距 30cm，型钢一端与后方工作间拱架搭接 50cm，一端顶至掌子面；型钢安设完成后采用钢管推进钢筋网片铺设于型钢上方；网片安装完成后采用钢管与湿喷头绑扎伸入塌腔，喷射 C30/W10 混凝土封闭型钢网片，厚度 20cm。预留 ϕ80 回填注浆管、ϕ40 排气管与型钢焊接牢固，排气管延伸距基岩 20cm，回填注浆管低于排气管 10cm 安装，交叉布置；待喷射混凝土完成后，分层回填 C30 细石混凝土至拱顶，喷射混凝土 2m 以上。待混凝土终凝后吹填轻型回填材料（珍珠岩）将塌腔全部填充密实，轻型材料回填完成后对轻型材料进行注浆加固，采用 1∶1 水泥净浆。

利用工作间为作业平台对掌子面前方及拱部围岩进行超前支护，施做自进式锚杆并采用化学灌浆固结掌子面上方围岩，ϕ25 自进式锚杆于拱部环向 120°范围内设置 3 环，水平角度分别为 0°、15°、30°，锚杆长度 6m，每环锚杆环向间距为 60cm。

3.3 断层破碎带卡机地质成因分析处理（TBM5 桩号 138＋210m 断层破碎带卡机）

（1）概述

2019 年 10 月 7 日，TBM5 掘进至桩号 138＋210m 处，掘进参数突然发生变化：推力 3000～5000kN、贯入度 0～2mm/r、扭矩 6500～8100kN·m，皮带出渣增大，洞渣为肉红色泥沙，黏性较大，随后刀盘被卡死，无法继续运转。进入刀盘查看，刀盘已进入断裂带，护盾底部、刀盘刀仓及刀盘内出渣口均被泥沙堵死。采用人工对刀盘内的洞渣进行清理，然后采用刀盘前方加护盾上方进行化学灌浆的方式对破碎岩石进行固结，10 月 23 日 TBM 刀盘顺利脱困，开始掘进施工，掘进 2.3m 后，皮带压力突然增大，扭矩报警，电机电流报警。刀盘已经完全被塌方石渣堆积，松散渣体已经充盈铲斗，刀盘前方和侧向不同程度被塌落石渣的大块体楔嵌，前方塌方情况和空腔大小不明，TBM 被卡。

（2）地质成因分析

隧洞埋深 78m，岩性主要为海西期粗粒花岗岩，肉红色，块状结构，坚硬岩。桩号 138＋220 至上游处发育一条与洞轴线小角度相交的断层，产状 10°～15°NW∠60°～70°，带宽 8.0～10.0m，带内主要为断层角砾岩和碎裂岩，夹少量断层泥，结构松散，影响带宽 20～30m，地下水发育，围岩遇水软化作用明显。断层出现在水流方向右侧边墙撑靴部位，向掌子面方向延伸，此段地下水发育，呈线状流水状态，流量 10～20m^3/h。

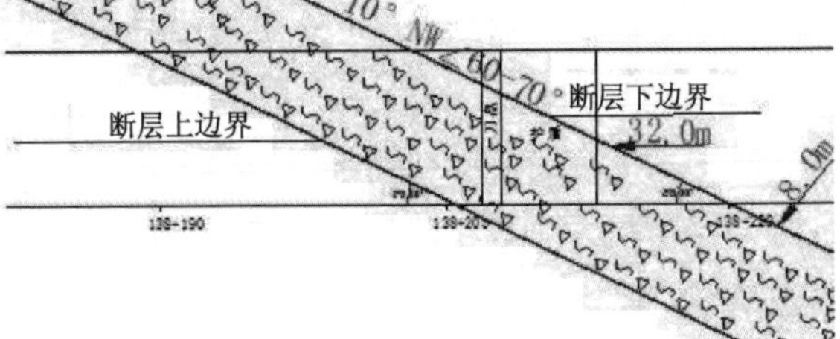

图 4　地质解析断层示意图

对 TBM 前方地质进行超前地质预报，结合探测区域的地震波反射成像图和地质分析（图 4），138＋210～138＋176m 在反射图像上，出现明显的正负反射，推断该段落围岩较破碎，节理裂隙发育，易发生掉块或塌腔，应加强支护。

(3)脱困处理

采用无声爆破炸药配合风镐人工对护盾后5m围岩进行扩挖管棚工作室，扩挖范围为124°，扩挖半径为4.9m，扩挖长度为3.5m；安装管棚钻机台架与90A管棚钻机，管棚材料为外径ϕ127的热处理调质管，单根长度为25m，环向间距为40cm，布置范围为顶拱120°，管棚外插角为11.4°，安装完成后进行注浆施工，管棚示意图见图5。

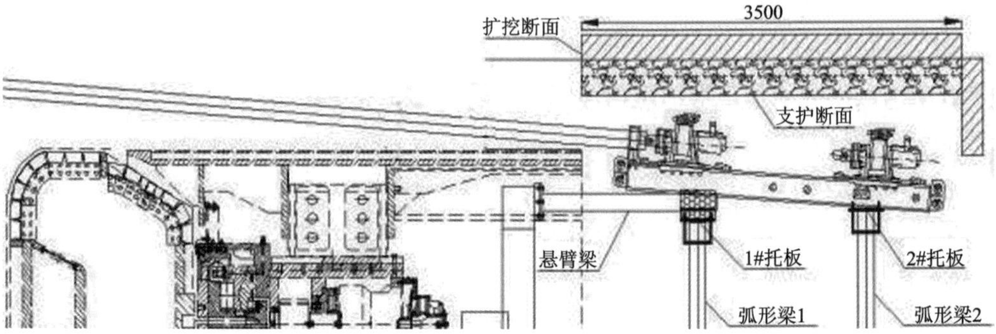

图5　超前管棚工作布置示意图

管棚内设置径ϕ20小钢管和3个径ϕ25钢筋束进行补强，见图6管棚钢筋束布置图。

采用锚固剂封堵径ϕ127管棚与导向管(岩壁)间的空隙，封堵长度不得小于50cm。待封堵的锚固剂达到终凝后，连接注浆设备对施工完成的管棚进行注浆，安设管棚施工采用隔孔施作。

采用玻纤维超前注浆锚杆对刀盘前方松散岩体进行固结加固，使松散岩体固结成整体，有自稳能力，不能对刀盘形成挤压，使刀盘脱困。玻纤维锚杆直径径ϕ32，打设深度2～3m，由刀盘滚刀孔向刀盘前方打设，采用CG-P106型化学浆液注浆。

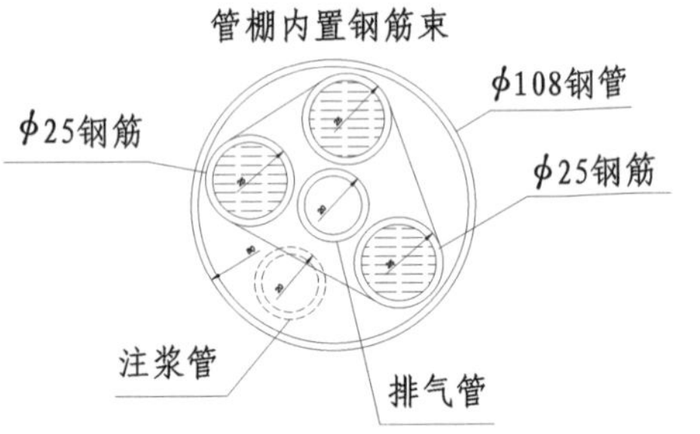

图6　管棚钢筋束布置图

4　总结

针对XE隧洞TBM地质成因分析及处理措施进行归纳、总结，并对卡机预防处理措施提出自己的建议。

(1)引调水线路由于线路长，跨越不同地形地貌、地层岩性、地质构造、水文地质单元，不良物理地质体，地质条件复杂。做好隧洞工程地质勘察工作，对不良地质发育地带或隧洞工程地质灾害易发区域，应尽量绕避，不能绕避的要重点查明，以便采取有针对性的预防处理措施。

(2)充分认识TBM施工区段围岩所处的地质环境，研究分析区段内主要工程地质问题的成因以及特殊地质体的分布规律，加强施工地质和超前地质预报工作，对掌子面前方地质环境进行预测，应在分析现有的地质资料的基础上，根据开挖的实际情况，采用不同的预报方法。预报方式应采用地质调查、物探法和超前钻探等相结合的方法进行预报，采取长短结合、上下对照、定性与定量相结合的原则进行综合预报。对隧道工作面前方水文地质条件、不良地质体的规模、影响范围进行评估预测，为隧道涌突水、断层破碎带失稳、软岩变形等灾害防治提供预警。

(3)做到"人、机、岩"相互感知，掌握不同围岩类别的掘进参数，关注掘进参数的变化、岩渣大小规律和围岩的对应关系，特别在Ⅳ、Ⅴ类围岩地下水丰富洞段中应重点关注，往往发生塌方、卡机等事故均在此类围岩中。

(4)TBM 通过不良地质段时，切勿盲目掘进快速通过，充分掌握前方的地质条件，制订相应的施工处理方案，在施工过程中根据地质情况和监控量测情况，及时调整，做到"方案清晰、动态设计、动态施工"，降低地质灾害的危害程度和发生概率，保证施工安全。

参考文献

张镜剑. TBM 的应用及其有关问题和展望[J]. 岩石力学与工程学报，1999，18(3)：363-367.

陈馈，杨延栋. 高黎贡山隧道高适应性 TBM 设计探讨[J]. 隧道建设，2016，36(12)：1523-1530.

杜立杰. 中国 TBM 施工技术进展、挑战及对策[J]. 隧道建设，2017，37(9)：1063-1075.

尚彦军，王思敬，薛继洪，等. 万家寨引黄工程泥灰岩段隧洞岩石掘进机（TBM）卡机事故工程地质分析和事故处理[J]. 工程地质学报，2002(3)：293-298.

赵鹏涛. 深埋长输水隧洞 TBM 卡机事故分析及处理措施[J]. 人民长江，2011(17)：72-75.

杨晓迎. TBM 在深埋超长隧洞断层破碎带卡机脱困施工技术[C]//北京：中国水利水电出版社，2011.

姚安华，张修高. TBM 施工中塌方部位支护处理措施研究[J]. 水利水电施工，2012(3)：38-39.

敞开式全断面岩石隧道掘进机初期支护问题讨论

陈军

新疆水利水电勘测设计研究院,新疆 乌鲁木齐 830091

摘 要:敞开式岩石隧道掘进机属于全断面隧道掘进机的一类,适应硬岩地层,用于稳定性较好的岩石中。对局部不稳定岩层,使用掘进机自带的支护设备进行打锚杆、铺钢筋网、支拱架、喷混凝土等方法进行初期支护。由于支护设备纵向移动范围小,位置基本固定,在初期支护中存在支护不及时、支护范围有限的问题,本文对上述问题进行了详细的讨论。

关键词:敞开式 TBM 初期支护

1 引言

敞开式岩石隧道掘进机简称敞开式TBM,适用于稳定性较好的硬岩地层中,其开挖、出渣、支护连续作业,施工速度远高于钻爆法工艺,已广泛用于水利水电、轨道交通等工程中。但由于其需要依据隧道直径订制,价格昂贵,一般多用于长度超过10km的隧洞工程。

敞开式TBM开挖洞室主要依靠围岩自稳,对局部不稳定岩层,使用自带的支护设备进行打锚杆、铺钢筋网、支拱架、喷混凝土等方法加固。对局部软弱围岩或破碎带,使用自带的超前钻及灌浆设备,进行超前钻探、固结。永久衬砌一般在隧洞贯通后进行。

敞开式TBM支护设备主要为邻近刀盘的拱架安装器、锚杆钻机系统和主控室后方的混凝土喷射系统。超前钻和应急灌浆设备位于锚杆钻机外侧或后方,由于其使用率低,一般为选装设备。上述支护设备纵向移动范围都比较小。

长距离的地下隧洞工程地质条件多错综复杂,即使在总体稳定性较好的地层中,仍然存在局部围岩不稳定、软弱、断层破碎带、地下水等不良地质洞段,对施工安全和进度影响重大。目前敞开式TBM受支护设备的位置和移动范围的影响对不良地质洞段的初期支护还存在一些问题。

2 问题描述

以新疆某引水工程为例,隧洞地层岩性主要为石炭系、泥盆系凝灰质砂岩、沉凝灰岩、玻屑晶屑凝灰岩和海西期侵入的花岗岩等坚硬岩,围岩类别以Ⅱ、Ⅲ类为主。使用了铁建重工的敞开式TBM,刀盘为直径7m的圆形,刀盘与护盾全长5.3m,拱架安装器距刀盘5m,两台锚杆钻机位于护盾后方主梁左右两侧,可在距刀盘5.7～7.5m范围移动,混凝土喷射系统距刀盘53～71m,各支护设备位置见图1。该工程TBM未配备超前钻及应急灌浆设备。施工中初期支护的主要有以下两个问题。

作者简介

陈军(1980—),男,高级工程师,主要从事水利工程地质勘察和施工.

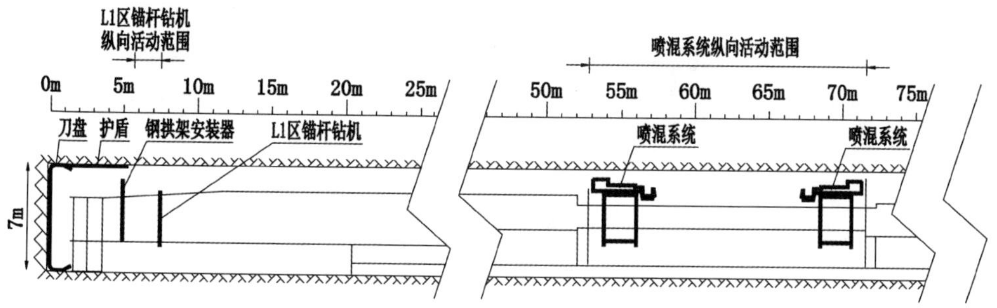

图 1　敞开式 TBM 支护设备位置示意图

2.1　敞开式 TBM 初期支护不及时

本工程各类围岩初期支护方案见表 1，其中 7 台 TBM 在各类岩体里的掘进速度和日进尺见表 2。在一次支护较多的凝灰岩和凝灰质砂岩中，TBM 掘进速度一般 1.8～2.5m/h。拱部锚杆需开挖后 2～3h 才能施工，钢筋网施工略晚于锚杆施工，喷射混凝土需开挖后 4～5d 才能施工。因此在系统初期支护完成前，未形成联合支护，围岩要暴露 4～5d，暴露长度最少 60 余米，出现围岩松弛变形、掉块的概率极大，对围岩稳定和 TBM 设备的安全非常不利。

表 1　各种围岩类别的初期支护方案

围岩类别	围岩评分	初期支护方案
Ⅱ	85≥T>65	随机 ϕ22 砂浆锚杆，长度 L=2.5m，随机挂 ϕ8@200×200 钢筋网、局部喷 8cm 厚 C30 混凝土
Ⅲa	65≥T>55	顶拱 110°ϕ22 系统砂浆锚杆，长度 L=3.0m，顶拱 180°，挂 ϕ8@200×200 钢筋网，喷 10cm 厚 C30 混凝土。系统锚杆范围外的钢筋网采用 ϕ22 砂浆锚筋固定，长度 L=0.5m
Ⅲb	55≥T>45	顶拱 180°ϕ22 系统砂浆锚杆，长度 L=3.0m，顶拱 270°挂 ϕ8@200×200 钢筋网，HW125 全环型钢拱架，间距 0.9～1.8m，喷 12cm 厚 C30 混凝土。系统锚杆范围外的钢筋网采用 ϕ22 砂浆锚筋固定，长度 L=0.5m
Ⅳ	45≥T>25	顶拱 270°ϕ22 系统砂浆锚杆，长度 L=3.0m，挂 ϕ8@200×200 钢筋网联合局部 ϕ16 钢筋排，HW150 全环型钢拱架，间距 0.9～1.8m，喷 15cm 厚 C30 混凝土
Ⅴ	T≤25	顶拱 270°ϕ22 系统砂浆锚杆，长度 L=3.0m，ϕ20 钢筋排配合 ϕ8@150×150 钢筋网，HW150 全环型钢拱架，间距 0.45～1.8m，喷 18cm 厚 C30 混凝土

表 2　TBM 在不同岩性中的掘进速率和日进尺

项目	海西期花岗岩	海西期花岗闪长岩	石炭系、泥盆系凝灰岩	石炭系、泥盆系凝灰质砂岩
掘进速率/(m·h^{-1})	1.7～2.4	1.4m	2.2～2.4	1.8～3.9
日进尺/m	15～20	15～20	15～30	15～30

2.2　敞开式 TBM 初期支护有局限性

敞开式 TBM 的支护设备与掌子面距离基本固定，纵向移动范围小，对初期支护有局限性，对因迟滞性围岩破坏需要补充支护的洞段，TBM 的支护设备基本无能为力，具体表现如下。

(1)拱架安装器位置固定不能移动，其位置以外的洞段只能人工立拱架。

(2)位于主梁两侧的两台锚杆钻机，沿洞轴线方向只能在护盾末端 1.8m 范围移动，在垂直洞轴线方向只能在顶中至两侧各70°范围内移动(图2),该范围以外的部位无法造孔。虽然可以在混凝土喷射系统前增加两台施作下半洞锚杆孔的锚杆钻进,但因其价格高,使用频率低等因素,一般不会配制,而且它也不能施作上半洞锚杆孔。受TBM有限的活动空间,目前还没有相应的可移动设备在喷浆桥前补打锚杆孔。

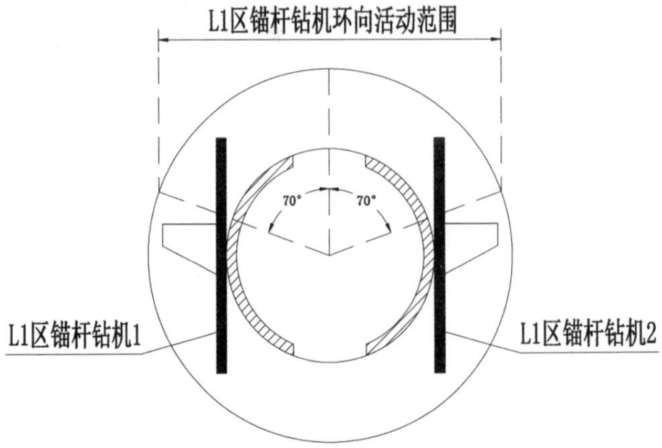

图2　敞开式TBM锚杆钻机(L1区)环向移动范围示意图

(3)应急喷护系统对机器污染特别严重。首先本工程的敞开式TBM未设应急喷护系统,仅在混凝土喷射系统预留了一个可接管延长的喷射口,但由于混凝土喷射系统距护盾末端最短距离有48m,泵送压力不足,易形成堵管,施工方一般不愿使用。其次应急喷护对机器污染特别严重,敞开式TBM前部电气、液压、测量设备较集中,应急喷护时各种设备管路没有保护措施,喷护回弹浆液对其影响大,这也是施工不愿意使用应急喷护的另一个原因。

(4)顶拱松动掉块的危石处理困难。敞开式TBM前部各类设备较集中,顶拱围岩掉块对设备影响大。围岩出护盾后,顶拱多采用刚性强支护顶住松脱岩块,避免其掉落,这与现行支护规范不符,也大大增加了钢筋网和拱架的工程量,并且存在一定的安全隐患。

3　结论与建议

从该工程实例中可以看出,敞开式TBM因支护设备位置基本固定、控制范围有限、混凝土喷射系统与掌子面相距较远等因素,初期支护总体滞后。因此,建议TBM设计者对敞开式TBM以下3个方面进行改进研究。

(1)增大锚杆钻机纵向和环向活动范围,增强对隧洞两侧的锚杆支护能力。

(2)研制适用于TBM上的便携式锚杆钻机,用于应对因迟滞性围岩变形破坏等需要补充支护的情况。

(3)研制对TBM前部设备及人员的保护装置,避免顶拱松脱危石对TBM前部设备及人员产生危害,避免应急喷护系统使用时对TBM前部设备造成损害。

参考文献

张镜剑.TBM的应用及其有关问题和展望[J].岩石力学与工程学报,1999:18(3):363-367.

第四系浅埋极软岩输水隧洞施工方法的数值模拟研究

张仲靓
新疆水利水电勘测设计研究院,新疆 乌鲁木齐 830052

摘 要:某无压输水隧洞穿越一段浅埋第四系,洞段自稳能力较差,易产生塑性变形,为科学选择开挖方法,建立有限元数值模拟模型,对本围岩段静力状态下岩体在全断面开挖和上下台阶法开挖两种工况下,隧洞开挖完成后围岩的最大位移、最大主应力、塑性区分布,及监测断面变形随开挖的变化,以及开挖完成后初期支护的最大主应力、钢拱架轴力、钢拱架弯矩、锚杆轴力进行对比分析研究,从而提出更为合理的开挖方法,向类似工程提供一定的借鉴意义。

关键词:输水隧洞 极软岩 数值模拟 开挖方法

1 概况

某无压输水隧洞穿越一段浅埋第四系,岩性为第四系上更新统—全新统洪积含土角砾夹含砾黏土质砂层,长约 3km,纵坡 1/5000,位于山前冲洪积扇,海拔 680~750m,洞径 6m,洞段上覆层厚度 30~75m,地下水位埋深 10~40m,洞身处于地下水位以下。地层为极软岩段,Ⅴ类围岩,岩体强度低,遇水易软化,围岩自稳条件差,易产生塑性变形;此外,该段地下水较为发育,围岩渗透性强,涌水、突泥等不良地质危害产生的可能性也较大。

截至目前,国内外对于极软围岩隧洞设计施工等关键技术尚无成熟经验可供借鉴,为保证隧洞施工的安全和顺利进行,在综合调研国内外软弱围岩设计施工关键技术基础上,采用数值模拟手段对本极软围岩段静力状态岩体不同工况下隧洞的支护参数、施工工法控制性参数进行深入研究,对各施工开挖方法下隧洞围岩和支护结构的稳定性进行评价,进而提出合理的施工方法。

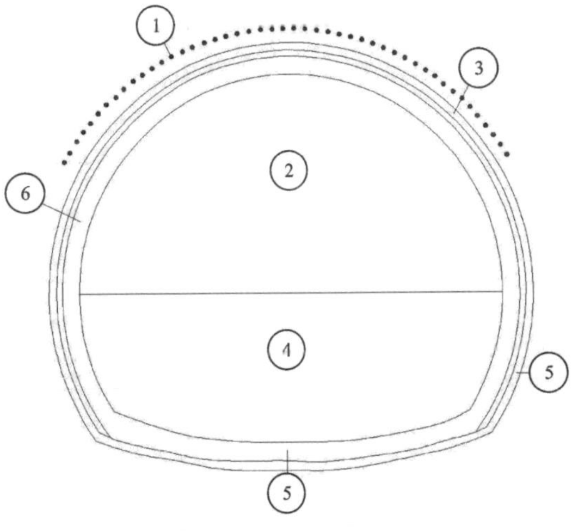

图 1 上下台阶法结构

2 数值模型的建立与计算参数选取

本次计算选取的典型断面隧洞洞顶埋深为 47m,隧洞净空大小为 6m。其中模拟的上下台阶法结构如图 1 所示,拟采取的施工流程如下:①超前支护;②上台阶开挖;③上台阶主洞初期支护、打设锁脚锚杆;④下台阶开挖;⑤下台阶初期支护;⑥仰拱衬砌、拱部衬砌。

作者简介

张仲靓(1980—),男,高级工程师,主要从事水利水电工程、水文地质和工程地质等勘察研究工作。E-mail:19844473@qq.com

对于开挖后支护时机的确定，相对最优支护时机出现在围岩支护时机作用曲线的最低点位置，根据本项目试验成果，本次模拟支护时机均选择在掌子面前进 3.0m 时采取支护措施。

数值计算过程中，为减小模型边界条件对计算结果的影响，数值模型的建立遵循以下原则：水平方向上，模型左右边界与隧洞边界的距离取洞径的 3 倍以上；竖直方向上，模型下边界与隧洞边界的距离取洞径的 3 倍以上。根据以上原则，建立好的隧洞中心与模型左右边界、上下边界的距离均为 40m，隧洞纵向取 40m，即计算模型尺寸为 80m×80m×40m，在模型的上部施加上覆岩层的自重应力场。在模型的下边界施加竖直法向约束，前后左右边界施加水平法向约束，图 2 为建好的模型图，共计 38 650 个单元。

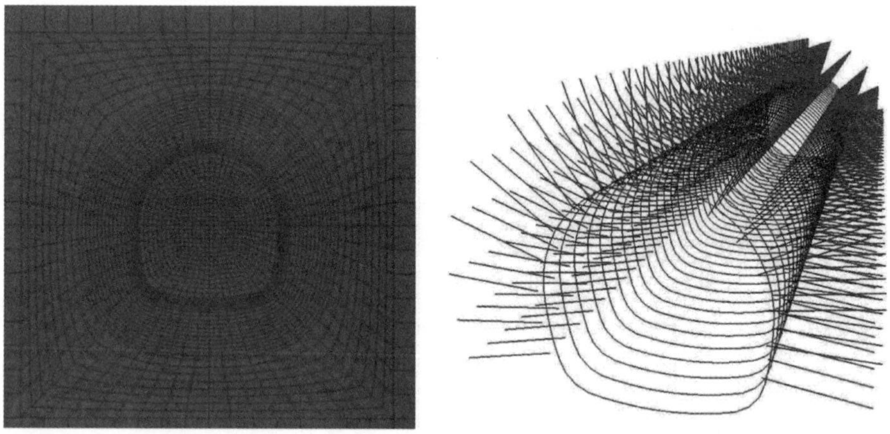

(a) 模型单元划分　　(b) 支护结构示意图

图 2　数值计算模型

该隧洞支护结构形式根据新奥法施工理论主要分为围岩注浆、系统砂浆锚杆、钢筋网和喷射混凝土组成的初期支护与二次模筑混凝土相结合的复合式衬砌。数值分析采用 Flac3D 有限差分软件，隧洞围岩材料特性按均质弹塑性考虑，采用 Mohr-Coulomb 本构模型，围岩和初期支护采用三维实体单元，锚杆采用 cable 单元，钢拱架采用 beam 单元，围岩与支护结构的物理力学参数分别见表 1 和表 2。数值计算中，锚杆与钢拱架的间距为 1m，注浆圈的厚度为 2m，系统锚杆的长度为 3m。由于输水隧洞的断面较小，考虑到施工的实际情况，本次数值计算中只分析了全断面与上下台阶两种情况下隧洞围岩的变形与支护结构的受力特性。

表 1　隧洞围岩的塑性力学参数

弹性模量/GPa	密度/(kg・m^{-3})	泊松比	黏聚力/MPa	内摩擦角/(°)
0.236	2050	0.31	0.033	23.53

表 2　隧洞支护结构的物理力学参数

支护类型	材料类型	弹性模量/GPa	密度/(kg・m^{-3})	泊松比	黏聚力/MPa	内摩擦角/(°)
初期支护	C20 混凝土	20	2200	0.2		
二次衬砌	C30 混凝土	28.5	2300	0.2		
锚杆	cable 单元	45				
钢拱架	beam 单元	200				
注浆圈		0.47	2150	0.3	0.2	30

3　不同工法围岩变形特性

隧洞开挖完成后围岩的最大位移云图见图 3，可以看出不同开挖工法条件下围岩的变形均以竖向变形为主，最大变形发生在拱顶与拱底位置，水平变形不大。采用全断面法开挖时，隧洞的最大位移发生在拱底位置，为 31.4mm，水平收敛变形只有 7.8mm。而采用上下台阶法开挖时，能够在一定条件下改善围岩的受力状况，一定程度上利用围岩的自稳能力，使得围岩的变形得到一定控制。与全断面法围岩的变形规律类似，围岩的变形仍然以拱顶沉降变形为主，拱顶沉降变形为 28.2mm，较全断面法降低了 10.2%。

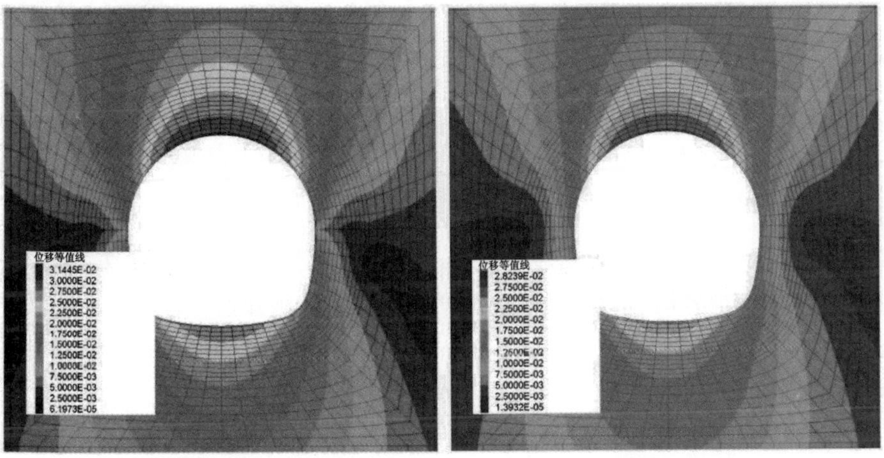

(a) 全断面法　　(b) 上下台阶法

图 3　不同开挖工法下围岩的最大位移云图

通过计算获得不同开挖工法下各监测点位移随开挖步的变化曲线见图 4。从图中可以看出，随着监测断面前方围岩的开挖，监测断面围岩变形逐渐增加，并且开挖掌子面离目标越近，变形增加的幅度越大，在开挖目标面时，围岩的变形产生大幅波动，变形持续增大，最终在支护结构的越少下逐渐趋于稳定。采用全断面法开挖时，拱顶沉降最终达到 24.1mm，而采用上下台阶法开挖时，拱顶沉降变形为 20.7mm，较全断面法降低了 14.1%。

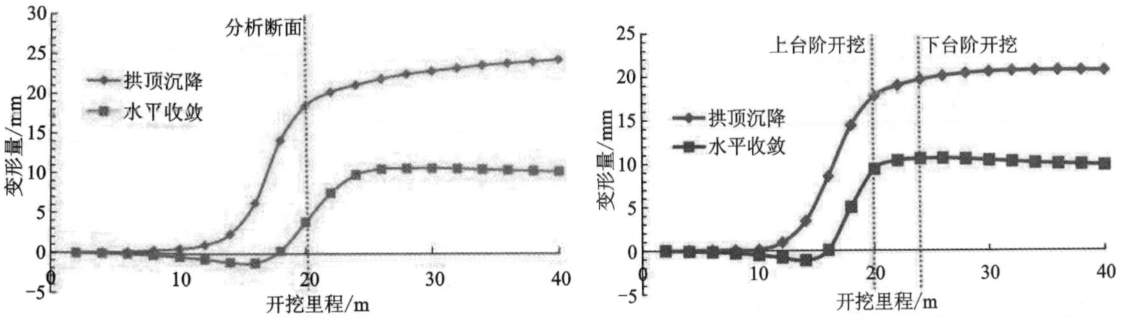

(a) 全断面法　　(b) 上下台阶法

图 4　不同开挖方法的围岩变形曲线

隧洞开挖完成后围岩的最大主应力云图见图 5，可以看出不同开挖工法条件下围岩的应力均以压应力为主，应力分布关于隧洞中轴线对称，应力最大值发生在拱腰位置，而拱顶和拱底应力较小。采用全断面法开挖时，隧洞的最大主应力发生在拱腰位置，为 3.73MPa。而采用上下台阶法开挖时，能够在一定条件下改善围岩的受力状况，一定程度上利用围岩的自稳能力，使得围岩的应力得到较好控制，与全断面法类似，拱腰和拱脚位置围岩产生最大应力，最大应力为3.47MPa，较全断面法降低了6.97%。

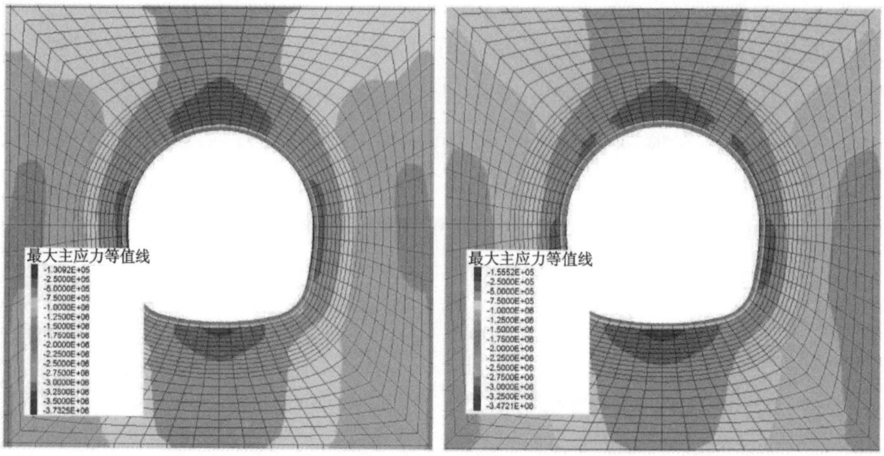

(a) 全断面法　　(b) 上下台阶法

图5　不同开挖方法下围岩的最大主应力云图

隧洞开挖完成后围岩的塑性区分布情况见图6，可以看出不同开挖工法条件下围岩的塑性区均分布在隧洞周边，拱腰和拱脚位置围岩塑性区比较厚。采用全断面法开挖时，拱腰和拱脚处围岩产生较大塑性区，厚度达7m，拱底处围岩也有较大塑性变形。采用上下台阶法开挖时，围岩塑性区分布规律与全断面法基本类似，但在一定程度上利用围岩的自稳能力，使得围岩的塑性变形得到一定控制，拱底处围岩塑性区明显减小。

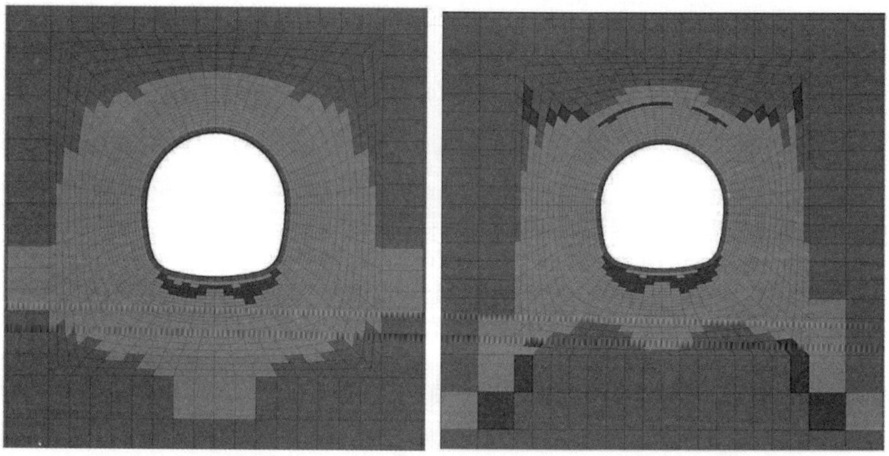

(a) 全断面法　　(b) 上下台阶法

图6　不同开挖工法下围岩的塑性区分布图

4　不同工法支护结构受力特性

隧洞开挖完成后初期支护的最大主应力云图见图7，可以看出不同开挖工法条件下初期支护的最大应力均以压应力为主，应力相对中轴线呈对称分布，应力最大值发生在拱腰和拱脚位置，而拱顶和拱底位置应力较小。采用全断面法开挖时，初期支护的最大主应力发生在拱脚位置，为10.47MPa。而采用上下台阶法开挖，能够在一定条件下改善围岩的受力状况，一定程度上利用围岩的自稳能力，使得初期支护的受力得到一定的改善，初期支护的应力最大值发生在拱肩和拱脚位置，最大应力为10.02MPa，较全断面法降低了4.3%。

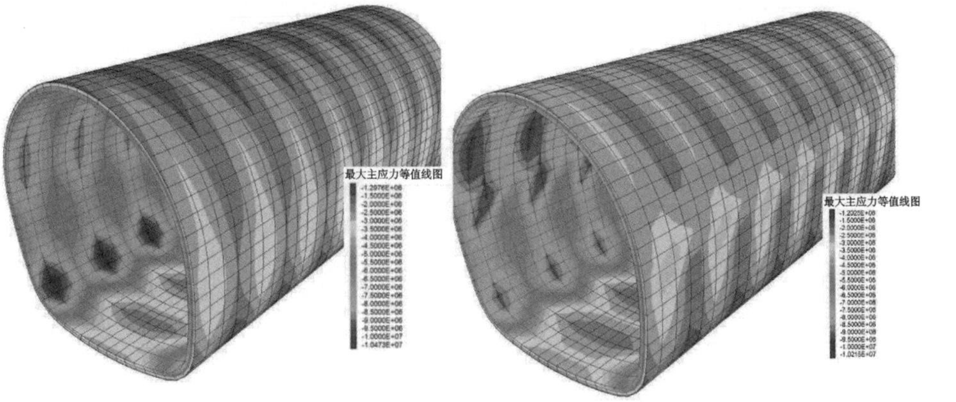

(a) 全断面法　　(b) 上下台阶法

图7　不同开挖工法下初期支护的最大主应力云图

隧洞开挖完成后钢拱架轴力图见图8，可以看出不同开挖工法条件下钢拱架的轴力均以压力为主。采用全断面法开挖时，钢拱架拱腰和拱脚位置受较大压力，拱顶和拱底位置轴力较小，最大轴力发生在拱腰位置，为−501kN。而采用上下台阶法开挖时，钢拱架的轴力得到一定的改善，拱顶和拱底处钢拱架轴力明显减小，钢拱架的轴力最大值发生在拱腰位置，最大应力为500kN。

隧洞开挖完成后钢拱架弯矩图见图9，可以看出不同开挖工法条件下钢拱架的弯矩相对隧洞中轴线均呈对称分布。采用全断面法开挖时，拱顶和拱底位置内侧受拉，拱脚和拱肩为外侧受拉，最大弯矩发生在拱脚位置，为−107kN·m。而采用上下台阶法开挖时，与全断面法弯矩规律类似，钢拱架的弯矩最大值发生在拱脚位置，最大弯矩为−91kN·m，较全断面法降低了14.9%。

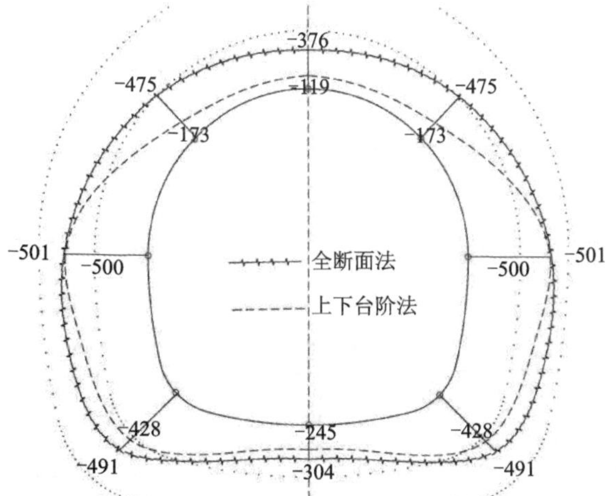

图8　不同开挖工法下钢拱架轴力图(单位：kN)

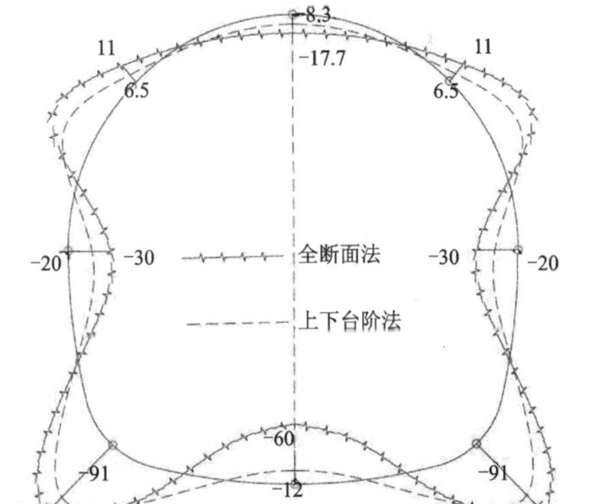

图9　不同开挖工法下钢拱架弯矩图(单位：kN·m)

隧洞开挖完成后锚杆轴力图见图10，可以看出不同开挖工法条件锚杆轴力差异较大。采用全断面法开挖时，拱顶和拱肩处锚杆轴力较大，拱脚和拱腰轴力较小，最大轴力发生在拱顶位置，为−10.4kN。而采用上下台阶法开挖时，与全断面法锚杆轴力不同，拱顶和拱肩受压力，下台阶锚杆受拉力，轴力最大值发生在拱腰位置，最大轴力为5.5kN，较全断面法降低了46%。

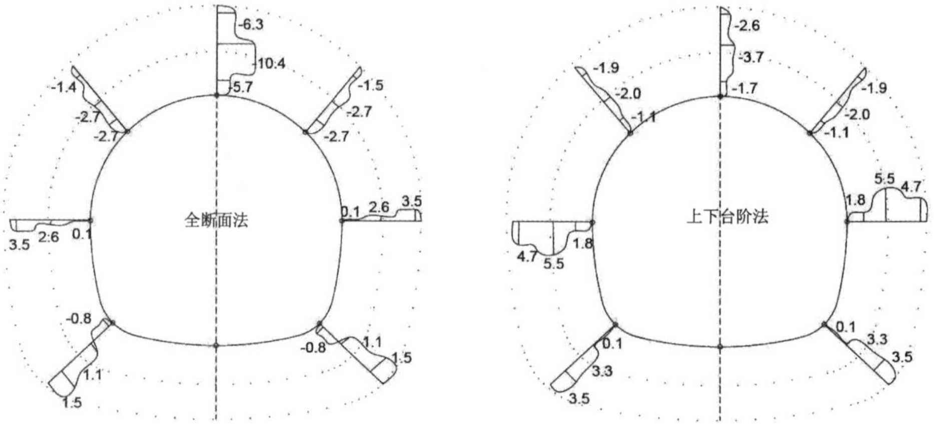

图 10　不同开挖工法下锚杆轴力图(单位:kN)

5　结论

本文以第四系浅埋极软岩Ⅴ类围岩输水隧洞为例,通过建立有限元数值模拟模型对开挖方法进行研究,主要得出如下结论:①开挖完成后围岩最大位移上下台阶法较全断面法降低了10.2%;②监测断面围岩变形量上下台阶法较全断面法降低了14.1%;③开挖完成后围岩最大主应力上下台阶法较全断面法降低了6.97%;④开挖时拱腰和拱脚处围岩产生的塑性区上下台阶法较全断面法明显减小;⑤初期支护最大应力上下台阶法较全断面法降低了4.3%;⑥相对于采用全断面法,采用上下台阶法开挖时能够一定的改善围岩的受力状况,使得钢拱架的轴力得到一定的改善;⑦采用上下台阶法开挖钢拱架的弯矩最大值较全断面法降低了14.9%;⑧采用上下台阶法开挖锚杆轴力最大值较全断面法降低了46%。综上所述,上下台阶法相对于全断面法更为合理。

参考文献

中华人民共和国国家质量监督检疫总局.水利水电工程地质勘察规范:GB 50487—2008 [S].北京:中国计划出版社,2009.

王广德,石豫川,刘汉超,等.水利水电地下洞室围岩分类[J].水力发电学报,2006(2):123-127.

程大鹏,张胤,余代广,等.秦淮东河隧洞施工过程数值模拟分析[J].城市道桥与防洪,2020(5):321-324+35.

易斌华,邹芳.输水隧洞Ⅴ级围岩洞段开挖进尺数值模拟研究[J].水利技术监督,2020(2):230-233.

赵慧龙,宋战平,王军保.某矿山法施工隧洞下穿公路数值模拟分析[J].现代隧洞技术,2019,56(S2):340-346.

苏凯,常智慧,张妍珺,等.深埋隧洞开挖数值模拟分析的横向模型范围研究[C].中国力学学会、北京理工大学.中国力学大会:2017暨庆祝中国力学学会成立60周年大会论文集(A).中国力学学会、北京理工大学:中国力学学会,2017:1660-1670.

李昀,殷彤,王鑫.隧洞开挖三维数值模拟反演分析及方案比选[J].现代隧洞技术,2018,55(S2):245-251.

朱忠荣,李新哲,陈述.引水工程深埋长隧洞施工中通风特性数值模拟[J].哈尔滨工程大学学报,2019,40(7):1304-1310.

张凌.基于FLAC-3D的隧洞衬砌与围岩接触性状分析[J].水电能源科学,2014,32(8):112-115.

周伟,喇路,王健.水工压力隧洞结构配筋计算分析[J].地下水,2016,38(5):155-157.

苏凯,张妍珺,伍鹤皋,等.隧洞开挖过程中围岩安全系数演化特征与支护时机选择方法研究[J].岩石力学与工程学报,2019,38(S1):2964-2975.

郑书笛,侯哲生,宋开忠,等.断层破碎带公路隧洞超前支护效果研究[J].水利与建筑工程学报,2019,17(6):210-214.

某软岩隧洞变形监测及支护稳定性分析

李剑

新疆水利水电勘测设计研究院，新疆 乌鲁木齐　830091

摘　要：对新疆某工程软岩隧道施工中的开挖支护及收敛变形量测入手，分析泥岩、泥质粉砂岩等软岩隧道开挖支护及稳定性分析，通过收敛变形反馈开挖支护参数，为软岩隧道施工提供参考。

关键词：软岩隧洞开挖支护　不良地质处理　监控量测　沉降　收敛分析

1　引言

随着我国经济的飞速发展，国内各地铁路、公路及水利工程建设的不断完善，地下隧道的建设规模及水平均踏上一个新的台阶，然而软岩隧道施工中塌方、隧道涌水、作业人员伤亡等事故确时有发生，隧道建设的安全现状无法与当前的建设需求很好的相适应，本文以新疆某长距离输水工程软岩隧道施工为例，对软岩的物理力学参数及初期支护设计方式进行介绍，结合施工中一些监测数据及一些塌方事故及相应处理措施及后续开挖支护形式调整，仅供软岩隧道施工参考。

2　软岩隧道工程概况及物理力学参数

新疆某输水SS段隧洞全长92.35km，隧洞近东西向布置，5＃支洞位于洞线约SD57＋345m处，隧洞最大埋深约80m，洞身穿过地层主要为上侏罗统泥岩、砂岩、泥质粉砂岩等，洞身处在弱风化及新鲜厚层状岩体内，围岩属极软岩，岩体大多较完整，岩石物理力学如下：天然含水率一般为10％～15％，天然密度2.35～2.43g/cm^3，干密度2.18～2.51g/cm^3，渗透系数平均值$K=2.73\times10^{-5}$cm/s（局部$K=1.61\times10^{-4}$cm/s），属弱透水层。泥岩的自由膨胀率一般为50％～60％，属弱膨胀岩，此隧洞评价为Ⅴ类软岩隧洞。

3　设计初支形式及监测断面布置

软岩隧道工程主要地质特点有以下3点：①岩体破碎松散、黏结力差，一般为土层，岩体全风化层，挤压破碎带等构成的围岩，这类围岩极不稳定，尤其是浅埋段容易发生坍塌冒顶；②围岩强度低，遇水易软化，尤其是深埋洞段受高应力影响容易发生塑性变形，造成洞室内挤；③岩体结构面软弱，易滑塌，主要存在于受结构面切割影响严重的岩体中，由于结构面间黏结作用较弱，开挖后周边岩体易沿结构面产生松弛、滑移、掉块等变形破坏现象。刚开挖的隧道洞壁出现收敛变形，表现为拱顶下沉和边墙内移，如图1所示。

作者简介

李剑（1983—），男，工程师，主要从事水利水电工程、水文地质和工程地质勘察工作. E-mail:250490764@qq.com

针对本工程软岩隧道采用新奥法施工，隧洞断面采用城门洞型断面，全断面爆破开挖，断面尺寸7.4×7.5m，单循环进尺1～1.5m。隧道为Ⅴ类软岩隧洞，隧道开挖后先进行喷射混凝土、锚杆、钢拱架等与围岩密贴的初期支护，约束围岩变形，并根据变形监控量测结果，适时施做二次衬砌。喷射混凝土的作用主要是及时、有效的防止开挖岩面的松散、风化和掉落，尤其是层状沉积岩，防止其沿层面掉落，采用C25湿喷混凝土，快速及时实施工作，保证24h强度不低于10MPa。软弱围岩中单凭喷射混凝土往往难以抵抗围岩巨大的变形压力，不能有效地保证支护的可靠性，此时需要将喷射混凝土与锚杆联合使用，并把锚杆作为主要的支护措施。软岩中的锚杆主要作用是通过形成具有一定后的加固圈来加固围岩，加固圈承担外层围岩传来的压应力，使得最后传递到喷射混凝土层上的应力大为减小。锚杆对围岩的加固主要通过锚杆周围的水泥砂浆与黏结力来实现的，因此需保证锚固可靠，且锚杆垫板必须与岩面紧贴。为防止锚杆间围岩塌落，还应配合网喷混凝土，喷层主要承担锚杆间的局部塌方荷载。

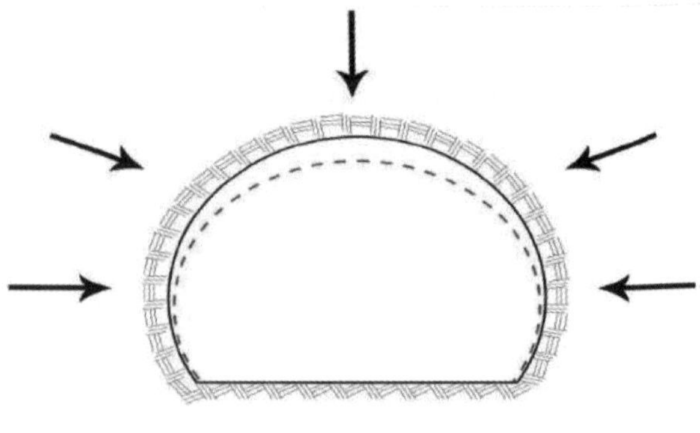

图1　拱顶下沉和边墙内移

钢拱架的作用有以下几点：①在喷射混凝土发挥作用前支撑围岩；②对喷射混凝土进行补强；③作为超前支护的支点；④与锚杆、喷射混凝土共同发挥初期支护的作用。钢拱架间距多为0.6～1.0m，拱脚及墙角设置混凝土垫块，防止拱架位移下沉。本工程喷射混凝土20cm，钢拱架间距1m，系统锚杆长度3.0m，入岩2.9m。一次支护后尺寸7.0×6.8m，原技施图采用超前锚杆作为超前支护。收敛沉降监测采用五点法布置，布置如图2所示。

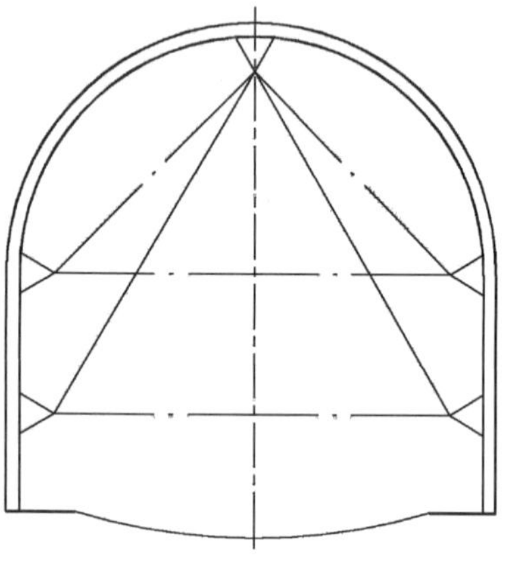

图2　隧道收敛断面布置图

施工期临时检测断面约20m布置1个，采用收敛计量测。收敛断面一般布置于开挖后距掌子面5～10m处，距离掌子面过近，施工中易因破原因遭到破坏，断面布置完成后即进行量测，以后每天进行量测，直到日均收敛值小于0.2mm/d，即可视为收敛趋于稳定。

4　施工地质情况及监控量测及分析

隧道为施工支洞，全长635m，综合纵坡约11.5%，城门洞型断面，设置3处错车道。地层岩性为上侏罗统泥岩、泥质粉砂岩、粉砂岩等。开挖中至桩号0+265m左右底板附近可见少量渗水现象，主要自砂岩与粉砂质泥岩接触面上渗出，后续开挖至桩号0+380m左右，在隧洞顶砂岩与泥岩接触面部位发生塌方，最大塌落高度约4.5m。开挖至桩号0+510m处隧道基本无渗水、滴水现象，岩性主要为粉砂岩夹少量泥质粉砂岩，较致密，强度明显高于泥岩，遇水软化性一般。

隧道收敛断面量测值包括拱顶沉降及水平收敛值测量，这里我们主要关注水平向BC及DE测线收敛情况。由于测量值较多，选取下述几个较典型的监测断面，如图3所示。

由图3及隧道收敛测值（未列出）可以得出以下结果。

（1）隧道拱顶范围多为下沉、边墙多为收敛变形，隧道拱顶开挖后1周内沉降值较大，日均沉降值多

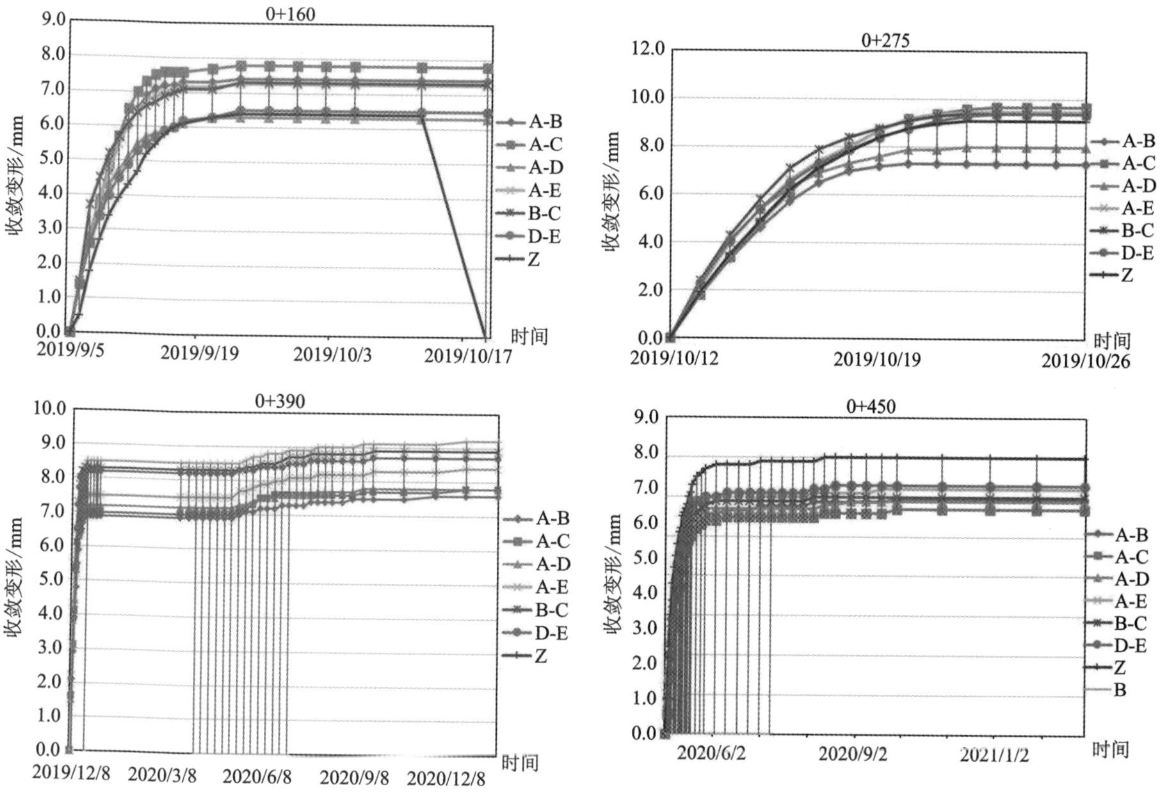

图 3 典型收敛断面

为 0.8～1mm，在 1～2 周内完成沉降，最大沉降值多为 8～10mm。

(2)隧道 DE 测线水平收敛自开挖后 1 周内变化较为明显，日均变化值约 0.8～1.2mm，一般于 2 周内完成收敛变形，最大收敛值约为 7～10mm，个别值达 15mm，隧道渗水段围岩受地下水干扰，泥岩、泥质粉砂岩等软岩易遇水软化，收敛值略大，桩号 0＋510m 以后粉砂岩洞段收敛值相对较小。

(3)钢架应力受力初期增加速度较快且基本都呈现出受压的特点，说明围岩岩体自承能力相对较差，体现了钢拱架在隧道围岩支护中的作用，但压应力值都非常小，远小于钢架的抗压强度设计值，整条曲线最终都趋于平缓稳定，说明开挖后围岩逐步达到稳定状态，初期支护结构处于安全状态。

(4)通过数据分析，对于钢支撑内力呈现出拱腰大、拱脚小的状态，根据隧道锚杆应力量测值及拱架应力量测值，可以得出断面隧道边墙部位的钢拱架应力值较其他部位较大，说明边墙的拱架受力较大，其中接近拱部围岩的钢拱架最大应力值达到了 25MPa，边墙处钢拱架应力值为一般 40～45MPa，最大达 50MPa 都远小于钢拱架应力值，说明了钢架在围岩支护上的作用得到了充分的体现。

5 工程地质问题处理及支护调整

在本软岩隧道施工中，遇到较多工程地质问题，集中起来有以下几点。

(1)软岩隧道遇水软化、泥化问题，由于桩号 0＋260～0＋510m 渗水段底板及边墙多有渗水，一般沿裂隙结构面及岩性接触面渗出，多以滴水及散装渗水形式，局部有少量股状水，水量不大，但泥岩、泥质粉砂岩、粉砂岩等遇水崩解、泥化，造成底板稀泥状，工程施工行车较为困难，且拱架拱脚亦难以落座于坚固地基上，防止拱架位移下沉，因隧道洞径较小，底板及仰拱施做无法同步进行，施工中采用自洞外拉运硬岩石渣进行铺垫，方能正常行车，后期分段施做底板垫层及仰拱清除石渣并回填 20～30cm 的垫层料，并行进喷射混凝土表面硬化再施做底板及仰拱，另在拱脚防止预支混凝土垫块，防止拱脚位移下沉、拱架变形。从收敛监测数据可以看出，隧洞收敛变形较为正常。

(2)隧洞开挖塌方问题，隧洞开挖至桩号0+385m处，此处为设计错车道位置，为扩大洞室段，恰逢拱顶范围为泥质粉砂岩与砂岩的接触面，且沿接触面有渗水、滴水现象，接触面下方缓倾角砂岩沿接触面发生掉块塌方，最终形成最大塌落高度约4.5m，掌子面鼓出塌方，施工中该段虽采用台阶法开挖，爆破扰动及岩性接触渗水等因素造成此次塌方，最后1榀拱架至掌子面间被塌渣体完全充填后才逐渐稳定，待掌子面附近局部作业条件后，由洞外拉运石渣形成反压作业平台，对塌方虚渣予以固结注浆，具备一定强度后，再施做注浆管，进行回填注浆，同时自最后1榀拱架部位施做超前管棚，长度约12m，支护紧跟推进，保证洞室安全，另对底板施做刚性横撑，间距1m，施做范围为塌方段及前后10m。全部塌方处理约1个半月，严重影响施工进度且存在较大安全隐患。

(3)隧洞开挖超前支护优化问题，原设计软岩隧洞采用$\phi25$螺纹钢筋作为超前支护方式，开挖中由于软岩稳定性较差，爆破扰动后拱顶极易发生滑塌、掉块，从现场情况看施做超前锚杆很不理想。后续改为超前小导管，采用$\phi50$小导管，结合拱架及网片效果好很多，基本无大的滑塌、掉块现象。

6 结论与建议

(1)软岩隧洞存在开挖后的自稳能力差，表现出“自稳时间短，易坍塌”的特征，由于隧道的开挖，使先前支撑隧道洞身围岩被挖除，洞壁临空，造成围岩应力进行重新调整，围岩与洞壁均向隧道净空方向变形，应保证初期支护及时跟进。对于本软岩隧洞，其为弱膨胀性泥岩、泥质粉砂岩，根据监测收敛可知其水平收敛值多为7～12mm，开挖中预留5cm的变形量是合适的。

(2)软岩隧洞开挖后，隧道拱顶1周内沉降值较大，日均沉降值多为0.8～1mm，在1～2周内完成沉降，最大沉降值多为8～10mm；水平收敛自开挖后1周内变化较为明显，日均变化值0.8～1.2mm，一般于2周内完成收敛变形，最大收敛值为7～10mm，个别值达15mm，泥岩渗水段收敛值大于泥质粉砂岩无渗水段。

(3)本软岩隧洞采用超前锚杆支护易发生滑塌掉块、锚杆也会出现弯折、损坏情况，采用超前小导管后效果好的很多，标明拱顶沉降变形较为明显。

参考文献

王文利.软弱围岩隧道初期支护监控量测与围岩稳定性分析[J].科技创新导报,2017,14(17):90-91+93.

王湘伊.浅谈某软岩隧洞的安全监测方法[J].陕西水利,2014(21):60-62.

朱训国,夏洪春.深埋隧洞围岩及其支护结构内力变形监测结果分析与研究[J].金属矿山,2016(10):65-70.

张天琪,师占宾.软岩隧洞变形监测与分析[J].兰州工业学院学报,2015(2):36-39.

软岩隧洞塌方预防与处理措施浅析

马海杰

新疆水利水电勘测设计研究院，新疆 乌鲁木齐 830091

摘　要：随着社会的发展，隧洞工程对人类活动的重要性越来越突出。在隧道工程中，软弱围岩的稳定性分析及塌方治理措施尤为重要。本文结合喀双隧洞施工情况，分析了隧洞塌方的原因对策及综合施工处理技术，以期为类似工程预防与处理提供参考。

关键词：软岩隧洞　塌方原因及对策　处理措施

1　软岩隧洞的重要性

随着社会的发展，隧洞工程对人类活动的重要性越来越突出。全世界水资源紧缺，世界面临水荒。我国有近 2/3 领土缺水，人均水量 2200t，世界排名约 122，名列倒数。为了调节水资源供需平衡，南水北调及各种供水水利工程应运而生。通过隧洞引调水工程的实施，实现了水资源供需平衡，极大的缓解了生活及工农业用水紧张局面，多年断流的永定河又恢复了昔日的生机。

随着交通事业的快速发展，现在隧道缩短了人类的出行距离，让“望山跑死马”成为过去，人们能够在地下自由的通行，极大地缓解了城市的交通压力，还可以在海底通行无阻，尽情的欣赏海底风光。越来越多的隧道工程将会在地形、地貌及地质背景复杂的山区修建。隧道在施工过程中不可避免的会遇到软弱围岩、断层破碎带等复杂的地质状况。通常意义上，穿越这些地区的隧道统称为软岩隧道。软岩隧道开挖易造成围岩塌方。尤其是对于穿越软弱地层的大跨度隧道而言，如果支护不强或支护不及时，将会发生塌方冒顶或二次衬砌严重开裂现象，将会给工程安全性造成严重的威胁。所以，软岩隧洞的重要性不言而喻。

2　隧洞基本情况及围岩地质条件

本隧洞为 12.0km 的钻爆法全断面开挖洞段，隧洞围岩岩性为二叠系紫红色、灰白色砂砾岩夹砂岩、泥质粉砂岩及粉砂质泥岩、碳质砂岩等，主要呈层状分布，局部呈透镜状分布。岩体主要为钙质、泥质胶结，具有遇水软化、失水后崩解，泥岩遇水软化、膨胀、失水干缩等特点，属于软岩、极软岩。

3　隧洞塌方的原因

3.1　断层破碎带造成隧洞塌方

在隧洞断层发育地段，远离断层时，节理密度比较低，地下水主要以滴渗水为主，随着与断层的接近，

作者简介

马海杰，(1980—)，男，高级工程师，主要从事水利水电工程、工程地质等勘察研究工作。E-mail：1468613389@qq.com

节理密度逐渐增加，出水也逐渐增加至线状流水，岩石受水浸泡后变软，至断层处节理密度最大，出水量也最大增加至流水或涌水，致使岩体不稳定，容易造成塌方。

3.2 节理组合不利结构面造成隧洞塌方

在隧洞节理密集发育地段，尤其是不同产状的节理相互切割，对岩石破坏较大。围岩局部微地质构造突变与裂隙面叠加产生的不良效应，具有隐伏性和不可预见性，要对形成不利结构面进行充分的分析。在开挖条件下，受贯通斜层理与节理组合影响，岩石形成独立体，受重力卸荷脱离母岩，形成塌方。

3.3 碳质砂岩与泥岩造成隧洞塌方

在隧洞碳质砂岩与泥岩出露地段常伴有滴水、线状流水，由于岩石遇水后膨胀、变软，开挖后失水崩解，岩石破碎强烈，且岩体层理发育，受重力卸荷，岩石沿层理结构面脱落，造成塌方。不同类型造成的塌方如表1所示。

表1 塌方类型占比一览表

塌方类型	次数	占比/%
断层	3	12
节理	15	60
碳质砂岩及泥岩	7	28

通过统计发现，节理造成隧洞塌方的比例较大，大部分塌方都与节理有关，对节理发育地段应高度重视。

4 施工对策

4.1 超前地质预报

(1)隧洞物探超前探测。随着科技的发展，物探超前探测技术将会更加频繁的应用到隧洞施工中，也是超前预报的主要方向，其具有适用范围广，预报距离长，对施工干扰小，提交数据快等特点，对施工具有一定的指导作用。常用方法有地震波反射法、激发极化法、瞬变电磁法等。

(2)地质超前预报。根据隧道前期勘察资料和隧道内地质素描，通过地层层序对比、地层分界线及构造线地下和地表相关性分析等，利用常规地质理论、地质作图和趋势分析等，推测开挖工作面前方可能揭示地质情况进行短期超前地质预测预报工作。

(3)钻探超前预报。在隧道内采用钻机进行钻进，根据钻进速度的变化、钻孔取芯鉴定、钻孔冲洗液的颜色、气味、岩粉以及在钻探过程中遇到的其他情况综合判断前方围岩情况。超前钻探施做可比较直观地揭示钻孔所经过部位的地层岩性、岩体完整程度、裂隙度与地下水情况。与物探方法相比，它具有直观性、客观性，不存在物探手段经常发生的多解性、不确定性。

4.2 超前支护

对围岩基本稳定，节理中等发育地段或局部小断层，可采用超前锚杆支护。对于围岩不稳定或稳定时间较短，节理密集发育或断层规模较大影响带，地下水较丰富的洞段时，可采用超前小导管支护。对围岩极不稳定，规模较大的断层破碎带或无法用双层小导管穿过时，可采用超前管棚支护。超前支护池围一定要根据现场实际情况覆盖裂隙、断层等发育范围，才能有效的发挥其支撑作用。超前支护如图1所示。

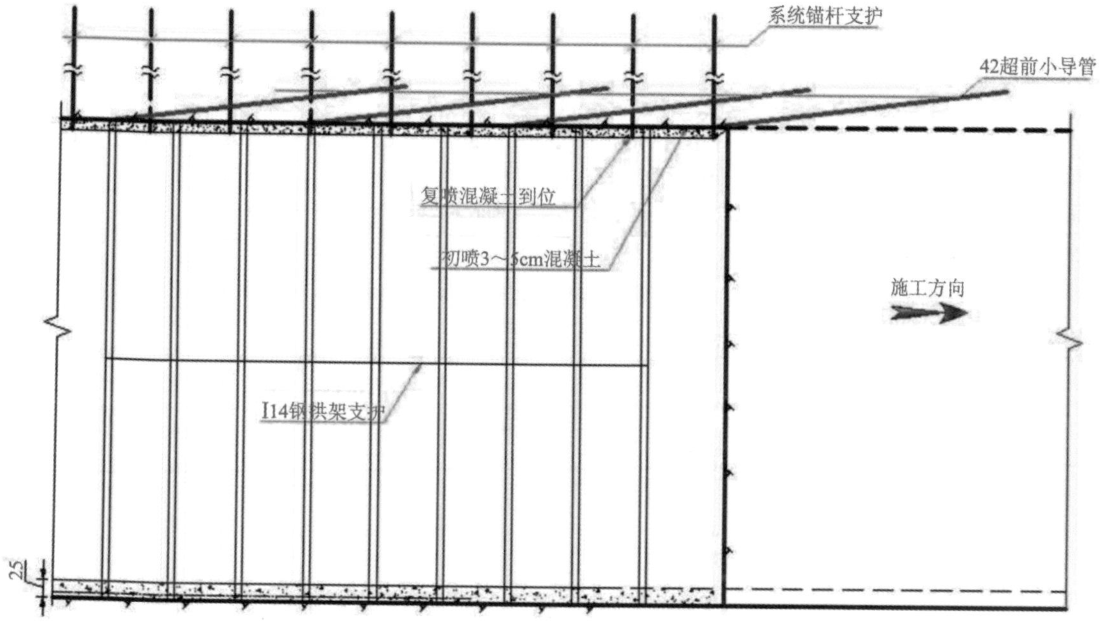

图1　超前小导管支护示意图

5　塌腔处理措施

5.1　支护

在塌腔处，先采用C30混凝土进行初喷封闭岩面，随后将钢支撑安装到位，根据钢支撑与超挖后岩面的距离，现场实测长度并在现场切割$\phi65$钢管进行支撑，钢管一端带有法兰盘，法兰盘一端焊接在已立好的拱架上，一端顶在岩面上，保证钢管受力良好并传递到钢拱架上，顶撑钢管与顶撑钢管间采用$\phi22$联系筋进行焊接连接，保证顶撑的稳定与整体受力。

钢拱架间距调整为50cm，塌腔顶拱180°范围内拱架联接采用I14工字钢、间距1.0m，与拱架焊接牢固，保证拱架整体受力，每榀拱架设8根锁定锚杆分别位于左右拱脚双锁定各2根，左右起拱处各2根，确保拱架稳定；两侧系统锚杆按照原设计进行施工，根据围岩情况增加随机锚杆支护。

5.2　塌腔回填

喷混凝土前预埋$\phi125$注浆管及$\phi65$溢流管，并采用编织袋将管口堵塞，以防止喷混凝土时将管口堵塞；一根注浆管配2根溢流管为一组，注浆管放拱顶中间，溢流管放两边，其中注浆管管口距岩面5～10cm，溢流管一根插入1.5m处，另一根距离岩面3～5cm。

待喷混凝土凝固后及时对岩体塌腔部位进行回填处理。先采用泵送喷射混凝土进行回填，厚度1.0～1.5m，待喷射混凝土强度达到设计要求后，采用轻质混凝土对剩余塌腔进行回填，轻质混凝土采用喷射混凝土配合比，其中豆石采用膨胀珍珠岩代替。回填时采用分层多次回填，每次回填厚度不大于0.5m。

综上所述，施工中，软岩隧洞围岩的稳定性至关重要，在施工的过程中，能够对工期、施工方法产生直接的影响，因此施工前需要对围岩进行判断，避免出现形变或者塌方的情况。软岩隧道塌方处理过程中危险性极大，稍有不慎，极易引起二次塌方，对工程正常施工乃至施工人员的生命安全造成巨大的危害，因此对塌方原因分析和处置措施至关重要。通过对原因的分析可以对前方围岩预判，提前采取措施，避免出现塌方。

参考文献

杨春平. 隧道塌方处理分析与对策[J].交通科技，2017(3)：117-119.

黄志文. 软岩隧道塌方原因及处理措施分析[J].黑龙江交通科技，2019，42(6)：156-158+161.

刁辉，范骁宇.隧洞施工地质超前预报技术[J].西部探矿工程，2009，21(8)：135-136.

麻永福，王玉宝，陈晓.软岩隧洞的开挖、支护、塌方处理的经验探讨[J].水利建设与管理，2002(6)：31-32.

王梦恕.我国隧道技术现状和未来发展趋势[J].安徽建筑，2015，22(4)：9-13.

新疆某输水隧洞 TBM 卡机地质情况及处理过程

杨莹

新疆水利水电勘测设计研究院，新疆 乌鲁木齐　830000

摘　要：北疆某工程隧洞标段长约 11.1km，为特长隧洞，采用 TBM 掘进法施用，选用机型为敞开式 TBM。按 TBM 进场顺序和保密原则，本标段隧洞编号为 TBM3-1，隧洞直径 7m。TBM3-1 隧洞在桩号 64＋410 处发生突涌水，在桩号 64＋413 处发生卡机事件，造成刀盘卡死，无法正常掘进。卡机部位主要处于中泥盆统蕴都喀拉组第二亚组凝灰质砂岩层位中，由于断层构造影响，该段凝灰质砂岩具有软弱夹层多、破碎、普遍掉块、易塌方等特点。综合分析卡机原因为断层 F_{26} 所致，加上突涌水的叠加影响，造成围岩塌方严重，巨大硬石块卡住刀盘。发生卡机后，针对本次卡机制订了详细可靠的处理主案，处理过程包括：主梁下方的清淤工作、固结护盾周边围岩、施工两侧导洞并清理刀盘前方石渣、管棚施工、孤石处理、TBM 整机后退、前方围岩超前固结、堵水、空腔回填、掘进。

关键词：卡机　断层　突涌水　卡机处理过程

1　工程地质条件

1.1　地质围岩情况

TBM3-1 卡机位置处于中泥盆统蕴都喀拉组第二亚组凝灰质砂岩层位中，掌子面桩号为 64＋413，围岩类型Ⅴ类，该段围岩起始桩号为 64＋405，岩性主要为糜棱岩化青灰色凝灰质砂岩，其次为少量的紫红色安山岩软弱夹层，夹层易受水冲刷发生软化并流失。岩面不平整，起伏 1～5cm。围岩总体产状为 60°～85°NW∠30°～60°。围岩软硬不均，弱糜棱岩化，完整性差，较破碎，微小裂隙发育密集，局部手可扣动。围岩稳定性差，普遍掉块，有不同规模的塌方现象。

图 1　掌子面塌落岩石

掌子面内塌方严重，塌落岩石主要为凝灰质砂岩硬块，块径 2～40cm，个别达 200cm，见图 1。其次为紫红色安山岩软弱夹层，此夹层受水流冲刷后形成泥状、砂状，多数部分由传送带运出，少部分变成泥状物随突涌水从刀盘检查口涌出，其余则堆积在刀盘附近。

作者简介

杨莹，(1981—)，男，工程师，主要从事水利水电工程、水文地质和工程地质勘察研究工作. E-mail：86026819@qq.com

1.2 断层构造

通过对卡机部位地表附近的踏勘发现，该卡机位置地表附近见众多冲沟，其中有一宽大于 30m 的宽沟，卡机位置所处的断裂也可能为该宽沟形成时产生的次级断裂。地表大小冲沟交错复杂，向深处可形成不同规模大小相连的断裂带，从而形成众多储水空间，进而造成 64＋410 突涌水和 64＋413 严重塌方现象的发生。

前期勘查资料中，在 64＋557 地表处有一勘查孔，该钻孔控制两条断层 F_{25} 和 F_{26}，其中 F_{26}（产状 50° NW∠45°）宽 16m，北西向即向上游方向倾斜，延伸至主洞桩号约 64＋508 处，距 64＋413 卡机处约 95m。根据实际揭露的地质情况进行了修正，该断层在 TBM3-1 隧洞中出现位置为 64＋410～64＋416，产状 75°NW∠56°，宽约 6m，该段位置的围岩具糜棱岩化，破碎严重，裂隙发育，裂面曲折光滑，见有滑痕，产状杂乱，洞室拱顶及两侧洞壁有不同程度的出水现象。TBM3-1 掘进至该断层时，围岩具糜棱岩化，变得愈加破碎，在 64＋411 处顶拱及两侧洞壁均发现红色断层泥，该断层对此次卡机影响起着决定性作用。

1.3 水文环境

该处突涌水通道处于 F_{26} 断层构造带中，出水点在 64＋410，位置为洞室右上方约 1 点钟方向，瞬间出水量 30～100m³/h，出水时间为卡机前两天，出水的清澈度有变化，时而清澈，时而浑浊，有时与软弱破碎的围岩或夹层形成泥浆状从刀盘检查口流出，后期水流较清澈，如图 2 所示。由于隧洞开挖后造成水压的变化，尤其是水压力使隧道掌子面、洞壁及拱顶成为薄弱部位，对于掌子面前方或上方有贮水通道时，本次贮水通道为断层构造带，就会发生突涌水，突涌水造成围岩中软弱夹层的流失，发生岩石力的卸载，进而导致围岩塌方。

图 2　突涌水

2 物探超前地质预报

TBM3-1 隧洞施工过程中，某大学运用地震波超前探测法对隧洞围岩进行持续探测，该卡机段物探超前地质预报范围为桩号 64＋410～64＋510，结合探测区域的地震波反射成像图和地质分析，推断解释如下：64＋410～64＋430 段落在反射图像上，出现明显的正负反射，推断该段落围岩破碎，节理裂隙发育，易发生掉块或塌腔。

3 卡机处理过程

3.1 突涌水发生后

突涌水发生后卡机发生前，启动紧急预案，TBM 施工采取短进尺、强支护进行低速掘进的方案，并且做好排水工作，并随即进行清淤、校核排水能力工作，并保持 TBM 低速掘进。

3.2 卡机发生后

突涌水发生后两天，发生卡机，初步分析为掌子面上方巨大坚硬围岩塌落卡住刀盘所致。制定处理卡机方案后，开始了为期近 146 天的卡机处理，起止时间为 2019 年 9 月 10 日至 2020 年 2 月 3 日，主要处理过程为：主梁下方的清淤工作→护盾周边围岩固结→施工两侧导洞并清理刀盘前方石渣→管棚施工→孤石处理→TBM 整机后退→前方围岩超前固结→堵水→空腔回填→掘进。

(1)清淤工作。主要对从检查口流出的石渣及泥浆进行清理，具体步骤为：使用铁锹、编织袋清淤→集中至平板车→运输至升降平台→通过皮带及平板车运出。

(2)护盾周边围岩固结。首先在护盾后方，间排距 1m，拱顶 120°范围打设两排 $\phi25$ 中空锚杆，角度为 30°，长度 6m，锚杆尾部 1.5m 不设孔，余下部位开间距 1m、孔径 8mm 花孔。对已打设完成的两排中空锚杆，灌注 CG-P108 材料固结围岩。在刀盘内部，对刀盘前方围岩进行固结，有 2 个目的：①防止导洞清理刀盘前方石渣时塌方；②防止刀盘转动带动块状岩石，卡住刀盘造成二次卡机。

(3)清理刀盘前方石渣。进行护盾两侧导洞施工，清理刀盘前方石渣。导洞尺寸为 2.2m×1.8m，导洞内使用 HW150 门架支护，门架间距不超过 0.25m；门架间使用 12＃槽钢连接，环向间距为 0.3m。导洞开挖过程中伴随涌水及塌方，采取如下方式：①打设 3m 长 $\phi25$ 中空锚杆，对虚渣灌注 CG-P108 材料，固结后继续开挖；②因围岩破碎不能成孔，在门架横梁下侧，打设 $\phi25$ 中空锚杆(6m)，注砂浆(水泥浆)，做超前管棚使用，尾部另立门架支点。

(4)管棚施工。管棚施工采用超前钻机钻孔，管棚材料为外径 $\phi57$，内径 $\phi50$ 的无缝钢管，单根长度为 30m，倾角 3°～5°，环向间距为 20cm，安装完成后采用模具复核，管棚布置范围为顶拱 120°。采用锚固剂封堵管棚与导向管(岩壁)间的空隙，封堵长度不小于 50cm。待封堵的锚固剂达到终凝后，连接注浆设备对施工完成的管棚进行注浆，安设管棚施工采用隔孔施作。

(5)孤石处理。掌子面处孤石由刀盘转至侧导洞口，人工破碎、运输至平板车。刀盘低速转动，当孤石位于掌子面右侧时，正转刀盘使孤石落于右侧导洞口，反之应反转刀盘使孤石落于左侧导洞口。人工破碎孤石时主要使用洋镐、风镐、电镐等振动小的工器具，个别采用爆破法破碎。

(6)TBM 整机后退。完成上述施工后 TBM 具备了整机后退条件，TBM 整机后退的过程难点在 TBM 操作姿态调整、围岩收敛变形的工况应对及在后退过程中各工序人员配合值守。本次 TBM3-1 预计后退 15m，后退工作包括主梁下清渣，KS64＋390.7～KS64＋405.7 段嵌入式拱架安装及原拱架安装拆除，KS64＋390.7～KS64＋405.7 段围岩固结，KS64＋390.7～KS64＋405.7 段锚杆外露端头割除和钢筋网片拆除、主梁下端火车轨道和 TBM 轨道拆除、连续皮带支架拆除、风带拆除、供排水管路拆除、20kV 高压电缆回收、TBM 后配套轨道向后延伸、侧导洞回填和整机后退。

TBM 后退动作为主推油缸有杆腔进油回缩油缸，拉动主梁及刀盘使 TBM 主机后退。TBM 主推油缸缸径为 Φ500/Φ360，拉回到盘模式泵压力最高限定 130bar，可计算出刀盘整机后退力为 4 914.7kN。

TBM 整机空推力为 3000kN，即整机与洞室摩擦力为 3000kN，可得 TBM 整机后退克服刀盘及护盾的后退力最大为 1 914.7kN。该计算值要求 TBM 撑靴撑紧力不可低于 8000 kN。

操作手根据 TBM 整机姿态，实时调整扭矩油缸与撑靴油缸位移实现刀盘与护盾的上下左右微调整动作，减少前方渣土楔嵌刀盘的力，实现了 TBM 整机后退。TBM 整机后退过程中，操作手时刻观察洞室轴线偏差值，尽量按照原路线退回。

TBM 整机后退比正常掘进施工更难操作，操作手是核心，控制 TBM 整机后退姿态及所有动作的连续性。TBM 护盾后方、撑靴部位、主梁上部、后配套轨道、风筒储存仓处、移动尾端皮带支架部位、供排水管路及高压电缆等部位均有人看守，看守人员均手持对讲机，与操作室及时沟通，紧急情况下直接拉掉急停以停止后退动作。

(7)前方围岩超前固结。为防止TBM脱困掘进后出现二次卡机和保证堵水作业面、空腔回填作业面的安全,故对刀盘前方围岩进行超前固结,灌浆方式为分段冲孔式灌浆。使用YQ-100潜孔钻机,钻头直径为Φ108,从整机后施工的止浆墙上的预留管中打入,初次打设长度为6m,进行注浆,之后每次增加6m,直至打设到30m。

(8)堵水。本次堵水灌浆由于前方出水点及流水通道未全部揭露,且所用材料不得固结刀盘,所以聘请专业堵水队伍,采用新型堵水材料进行堵水。

(9)空腔回填。本次拱顶塌腔范围较大,在第三层止浆墙等强后,开始进行塌腔部位回填。回填分三层完成,在第一层回填材料强度达标,可以承重后方才能进行下一层回填。回填步骤分为钻孔埋管和回填,如图3所示。

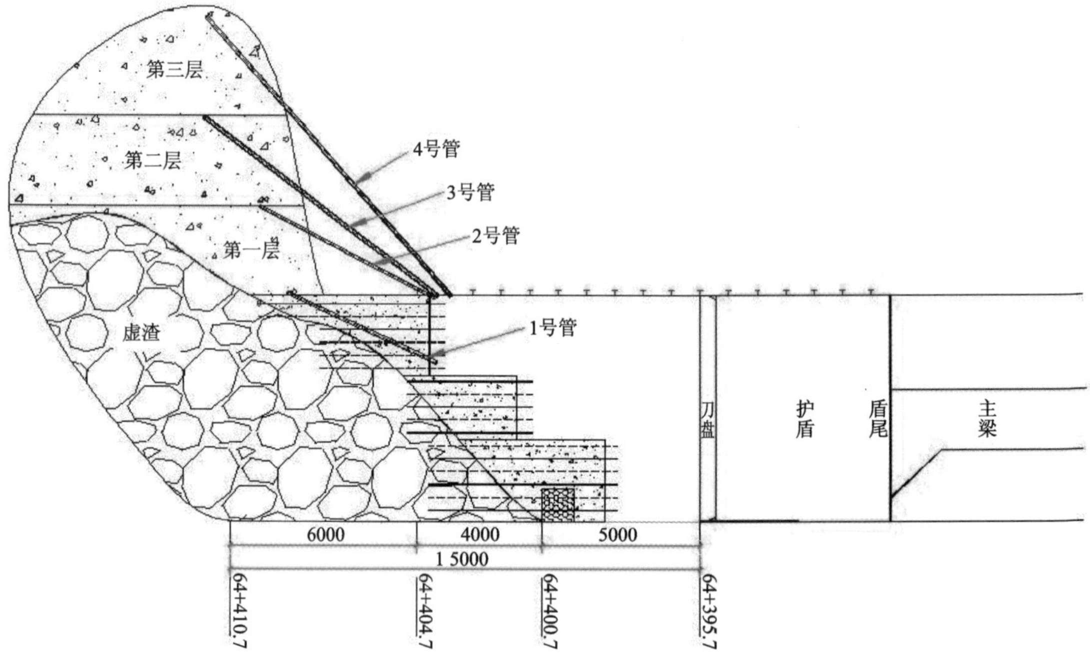

图3 回填示意图

(10)掘进。超前预支护完成后,TBM掘进时经过持续观察,围岩没有好转迹象,掘进至超前预支护桩号前3~5m处停止掘进,继续对前方围岩进行预固结处理,直至通过不良地质段。

4 结论

TBM3-1隧洞卡机部位围岩为V类,处于F_{26}断层构造带内,岩性为糜棱岩化凝灰质砂岩及软弱夹层,围岩破碎,塌方严重,塌方体卡住刀盘无法掘进。本次卡机处理过程为:主梁下方的清淤工作、护盾周边围岩固结、施工护盾左右两侧导洞并清理刀盘前方石渣、管棚施工、孤石处理、TBM整机后退、前方围岩超前固结、聘请专业队伍堵水、空腔回填,最后缓慢掘进通过该不良地质段。本次卡机处理过程安全扎实,工序循环渐进,材料使用得当,方法灵活多样,最后成功使TBM脱困,并缓慢安全地通过不良地质段。

参考文献

李小峰.浅谈隧洞不良地质段处理施工方案[J].水电施工技术,2016(38):142.
屈天放.科卡科多水电站 TBM 卡机处理方法探讨[J].东北水利水电,2016,34(1):25-27.
朱小飞.浅析不良地质隧洞开挖的止水加固技术[J].建材与装饰,2016(8):236-237.

引水隧洞穿越区域断裂破碎带的施工技术研究

蔺凤林

新疆水利水电勘测设计研究院,新疆 乌鲁木齐 830000

摘　要:引水隧洞穿越区域性深大断裂破碎带是隧洞施工的难点。本文针对新疆某引水隧洞穿越区域断裂破碎带的施工,分析了断裂破碎带区域的地质特征、围岩灾害特征及施工支护难点;建立了隧洞穿越断裂带的施工支护策略及流程,详述了各施工流程的技术要点,并开展了工程实例应用验证。结果表明:断裂破碎带区地质条件复杂、多变,施工过程中若采取的支护措施不当,极易造成掌子面、岩壁及拱顶围岩失稳,产生塌方灾害增加施工安全风险性;结合"先探测、管超前、严注浆、半断面、预留核心土、短进尺、弱爆破、强支护、紧封闭、勤量测"的施工策略和流程,可成功解决断裂破碎带隧道支护难题。研究成果可为类似工程的施工提供经验与指导。

关键词:引水隧洞　区域性深大断裂破碎带　隧道支护　施工流程

1　工程概况

XE5#隧洞全长34.751km,采用TBM和钻爆法相结合方式进行开挖,TBM从5#隧洞出口向上游逆坡掘进,分三段开挖,总长度26.061km,开挖洞径7.8m,纵坡 $i=1/2310$。5#隧洞中段区域断裂及第三系软岩段采用人工钻爆法开挖,总长6.7km,开挖洞泾8.4～8.9m,平底马蹄形断面,纵坡 $i=1/4000$。

工程区位于阿尔泰山南坡剥蚀构造低山丘陵区地貌,总地势北高南低,由北西向南东缓慢倾斜,海拔高程650～800m,地形起伏不大,多为剥蚀残丘,基岩大多裸露,隧洞揭露的地层岩性主要为:中泥盆统阿勒泰组(D_2a)二长片麻岩、二长变粒岩;上石炭统喀喇额尔齐斯组(C_3k)二云母石英片岩、变质砂岩、黑云母斜长片麻岩、黑云长英角岩;海西晚期花岗岩、黑云母角闪斜长岩,岩性复杂、多变。在区域构造上处于阿勒泰褶皱系(Ⅰ)中部的克兰地槽褶皱带($Ⅰ_3$)和额尔齐斯挤压带($Ⅰ_4$)内,两个二级构造单元以科沙哈拉断裂(F_7)为界,其次区内还发育27条次级断层。隧道围岩地质赋存条件复杂,穿越的区域性大断裂,且长距离集中出现。断裂破碎宽度大,破碎程度及裂隙充填物情况复杂,岩体强度低、遇水软化泥化、裂隙分布广、地下水运移无规律。断裂破碎带区域复杂的地质环境导致围岩稳定性差,施工过程中涌水、塌方灾害频发。

作者简介

蔺凤林(1988—),男,工程师,主要从事水利工程地质勘察、施工工作. E-mail:401767154@qq.com

2 区域断裂破碎带地质特征与施工难点

2.1 断裂破碎带地质特征

引水隧洞桩号 122＋255～122＋481m 处斜交(夹角约 30°)穿过 F_1 断裂，如图 1 所示。断裂产状 290°～306°NE∠60°～70°，断面略平直，呈舒缓波状，岩性以二云母石英片岩、变质砂岩为主，带内蚀变挤压为碎裂岩、断层角砾岩、糜棱岩、局部夹少量断层泥，片理化、硅化及褪色现象较普遍。活动断裂破碎带在隧洞内所揭露出的宽度约 226m，与隧道轴线夹角 34°～50°。该断裂为区域性深大断裂，为晚更新世活动断裂，晚更新世以来活动速率在 1.0～1.2mm/a。

图 1 F_1 断裂地表出露破碎带影像

破碎带内裂隙发育，主要发育有 2 组优势结构面，产状分别为 280°～325°SW∠35°～72°、5°SE∠38°。结构面互相交错切割，层间结合力差，导致围岩破碎，以Ⅳ类和Ⅴ类围岩为主，如图 2 所示。

2.2 断裂带区域开挖过程的灾害特征

区域性活动断裂对输水隧洞可能产生的危害主要包括两个方面：断裂产生同震地表位错，使隧洞断错或变形；对输水隧洞结构安全产生毁坏或引发次生灾害。隧道穿越断裂带过程中，发生的工程地质灾害主要有塌方、涌水、碎裂岩石大变形等。其中，以塌方为最主要的灾害，典型塌方灾害如图 3 所示。

图 2 引水隧洞围岩揭露的 F_1 断裂破碎带

图 3 断裂带内的典型塌方灾害

隧道穿越活动断裂带过程中，围岩自稳性较差，塌方灾害频发。塌方灾害在爆破后随即发生，主要发生在隧道左侧拱肩至拱顶位置，且塌方规模较大。这一特征导致常需耽误较多时间用于清渣和支护，且当支护措施强度不当时，可能引起拱架变形、混凝土开裂等初支破坏现象。此外，整个断裂带区域均潜在塌方风险，这对隧道安全、高效穿越断裂破碎带的施工、支护方法带来了巨大挑战。

2.3 施工关键与难点

鉴于断裂破碎带的地质特征和开挖过程的灾害特征，导致其施工支护主要难点如下。

(1)区域性活动断裂复杂地质构造环境下产生的塌方破坏段落长、规模大，一旦发生灾害将对工程施工成本和进度造成较大的影响，增加支护量和清渣时间，迟滞施工进度。因此，穿越区域性活动断裂带区域过程中的围岩超前加固和开挖与支护协同的施工策略是关键和难点。

(2)活动断裂区域节理裂隙发育，沿裂隙面有渗水、线状流水及涌水现象发生，且断裂带内的围岩遇水易软化，劣化围岩强度，结构面抗剪强度降低，围岩自稳时间短，弱爆破、短进尺开挖、及时支护施工流程衔接不当，极易形成掉块或规模较大的塌方，开挖施工、支护流程与施工组织管理难度极大。

(3)隧洞塌方通常与断层、节理裂隙、层面、岩石强度、岩体的完整性及地下水有直接或间接的关系，该工程区易发生塌方的洞段主要处于区域性大断裂带内和局部较大的次级断层带及影响带内。在断层破碎带内施工易产生塌方。在施工过程中极易对人员、设备安全造成威胁。因此，施工过程的安全保障措施是施工的关键点。

3 穿越区域断裂破碎带施工支护方法

3.1 施工支护策略

基于该隧道区域断裂破碎带的地质特征、灾害特征及施工难点，本文针对性制定了“先探测、管超前、严注浆、半断面、预留核心土、短进尺、弱爆破、强支护、紧封闭、勤量测”的施工支护策略。具体流程：通过开展超前支护、预先加固围岩；短进尺、分步台阶式开挖，降低对围岩的扰动；及时喷射混凝土封闭围岩，提高围岩表面强度；建立系统锚网＋钢拱架的强支护体系，保障围岩稳定性；预留安全步距，及时浇筑二衬以封闭围岩。此外，在隧道开挖过程中，开展围岩收敛观测，关注围岩沉降和变形，保障施工安全性。

3.2 施工支护流程及技术要点

(1)超前地质预报。断裂破碎带区域地质条件复杂，采用物探超前地质探测方法(构造、探水)，对输水隧洞掌子面前方的围岩地质条件及地下水赋存情况进行探测。在此基础上，通过地表地质测绘以及洞内地质素描综合分析掌子面前方围岩地质条件，并结合洞内超前加深钻孔相互验证，做到洞内洞外结合，长、短地质超前预报结合，充分掌握隧道待开挖区域的围岩工程地质条件和及水文地质条件。当前方围岩完整性差时并存在弱—中等富水情况，及时采取超前支护措施加固围岩。超前地震波成像图和俯视图如图4、图5所示。

(2)超前支护。①加强初期支护并采取适当的辅助施工措施。在掌子面顶拱沿掘进方向开挖轮廓线布置超前锚杆，超前锚杆的方向可与洞轴线成不大于15°的交角。锚杆长度宜为3.0～3.5m，并应大于循环进尺的两倍，两组超前锚杆在纵向的搭接长度需≥1.0m，形成对前方围岩的预支护。超前锚杆

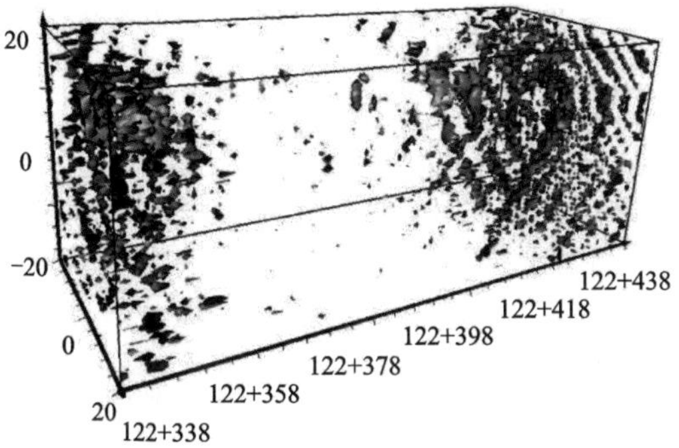

图 4 隧道地震波成像图

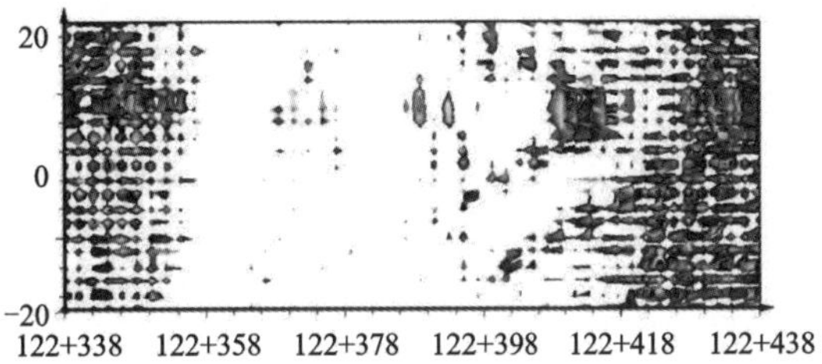

图 5 隧道地震俯视图

的间距可视围岩条件确定，一般宜为 300～400mm，长度宜按拱架间距确定，直径不应小于 22mm，锚杆的外端应与钢拱架焊接。②超前小导管加固。超前小导管采用直径为 40mm、壁厚 3mm 的热轧无缝钢管制作。小导管单长 3.5m，两环小导管搭接长度不小于 1.0m，钢管中心间距根据围岩自稳情况可取 30～50cm，钢管外插角 10°～15°，视围岩情况可沿拱顶 90°～140°范围设置。超前小导管注浆一般以水泥浆为主，当围岩破碎造成岩体止浆效果不好时，可采用水泥-水玻璃双液注浆，以控制浆液的凝结时间，灌浆压力一般为 0.5～1.0MPa。③封闭开挖面。小导管安设后应对开挖工作面进行喷混凝土封闭，喷混凝土厚度为 10～15cm。封闭范围为开挖工作面及临近开挖工作面 3m 范围的环向开挖面。

(3)隧洞预留核心土的短进尺分步开挖断裂破碎带洞段采用短进尺、短台阶法及上下台阶开挖施工，上半断面采用预留核心土环型开挖。预留核心土环形开挖法是在上部断面以弧形导坑领先，随挖随喷锚并及时进行支护，然后开挖下半部两侧，最后开挖中部核心土的方法。

(4)初喷混凝土。断裂破碎带洞段钻爆法开挖后应随即进行初喷混凝土，在初喷射混凝土之前，应检查开挖断面净空尺寸，找顶、撬挖排险完成后立即进行初喷封闭围岩，充分发挥围岩的自稳能力。

台阶上部开挖后，必须及时初喷混凝土进行封闭岩面，开挖面不得长时间暴露，暴露时间过长易造成岩石应力释放，形成塌腔。破碎带稳定性差，变形明显、掉块严重，应尽早封闭，减少围岩变形。封闭范围为开挖工作面及临近开挖工作面 3m 范围的环向开挖面。确保初喷质量，在初喷 4cm 混凝土后及时架设钢架并尽快复喷。

(5)钢拱架安装。采用钢拱架支护，型钢钢号 HW150×150，拱架间距 45cm，严格控制中线及标高，确保安装质量。钢拱架安装允许偏差：横向间距和高程为±5cm，垂直度为±2°。钢拱架应在初喷后密贴壁面及时架设，钢拱架安装前应清除底脚的虚渣及杂物，钢拱架基础必须落到岩石上，并按设计要求进行连接。钢拱架背后不得存在空洞，应沿钢拱架外缘每隔 2m 采用钢楔或混凝土预制块楔紧。采用分步法开挖的隧洞，下部开挖后钢拱架应及时接长、落底，严禁钢拱架底脚悬空以及两侧同时开挖接长，且应根据围岩情况控制开挖长度。底脚应增设锁脚锚杆，拱架安装后必须保证垂直度，不能发生扭曲变形。

(6)钢筋网片挂设。钢筋网片的钢筋规格、钢材质量、网格尺寸，应满足设计要求。钢筋使用前应做除锈、除污处理。钢筋网片宜在初喷一层混凝土后铺设，初喷混凝土厚度不宜小于 4cm，人工铺设贴近岩面，有钢支撑时，将钢筋网片点焊在两榀钢支撑的外弧上，无钢支撑时，通过与锚杆焊接固定在开挖的轮廓面上，且随岩面起伏铺设。喷射中如有脱落的石块或混凝土块被钢筋网片卡住，应及时清除。对系统锚杆范围外的挂网，应采用挂网锚筋固定。钢筋网片应与锚杆或其他锚定装置联结牢固，喷射时钢筋网片不得晃动。

(7)锚杆支护。锚杆杆体采用HRB400螺纹钢,孔内灌注砂浆应饱满密实。锚杆应安装垫板,在挂网位置,垫板应能牢固压覆钢筋网;未设置挂网位置,垫板应与初喷混凝土面密贴。锚杆应尽量与钢拱架焊接,以增强一次支护的整体性,施工中在不减少锚杆总根数的情况下,可根据钢拱架的设置间距适当调整锚杆间距,以保证钢拱架与锚杆的连接。一次支护采用系统锚杆时,一般均应垂直于岩面;局部设置的随机锚杆应尽可能与岩层层面或主要结构面成大角度相交。锚杆钻孔应按设计图所示的位置、孔径、长度和方位进行,并不得破坏周边地层。锚杆的倾角宜避开与水平面成$-10°\sim+10°$的范围,$\pm10°$范围内锚杆的注浆应采取保证浆液灌注密实的措施。锚杆杆体放入孔内或注浆前,应清除孔内岩粉、岩屑和积水。

(8)底板换填。区域性深大断裂破碎带开挖过程中,考虑施工期设备、人员、积水等对底板基岩的破坏,适当预留底板开挖保护层,对渗水量多、底板遇水软化严重洞段设现浇混凝土垫层对底部进行硬化处理,防止水对围岩的软化作用,及时采取底板换填。换填主要是满足支护承载能力的要求,确保支护的稳定。

(9)变形监测。收敛观测及顶拱沉降观测应在开挖完成后立刻进行,针对监控量测数据及时分析,以真实有效的监控量测数据为指导,以便及时采取措施,修改支护参数,加强支护等措施,确保质量和安全。

(10)二次衬砌。断裂破碎带采用二次支护复合式衬砌设计,在施工中采用适时衬砌的原则,即一次支护应紧跟掌子面,对有二次支护的洞段应根据一次支护完成后的围岩稳定情况、变形情况、一次支护工作状况及时实施二次刚性支护衬砌;对软弱断层破碎带、塌方、大变形等特殊地段应尽快完成二次衬砌。洞段应采用跟进式二次支护的方法实施衬砌。应尽快完成洞段的衬砌施工,增强洞段稳定性。衬砌前用高压水或用高压风冲洗干净,并清除岩石碎片、尘埃、碎屑和爆破泥粉,并立即实施二次衬砌,严防塌方和松动(有害)变形的产生。混凝土衬砌宜按图纸结构分段整体浇筑施工,避免出现施工缝。断裂带支护图7所示。

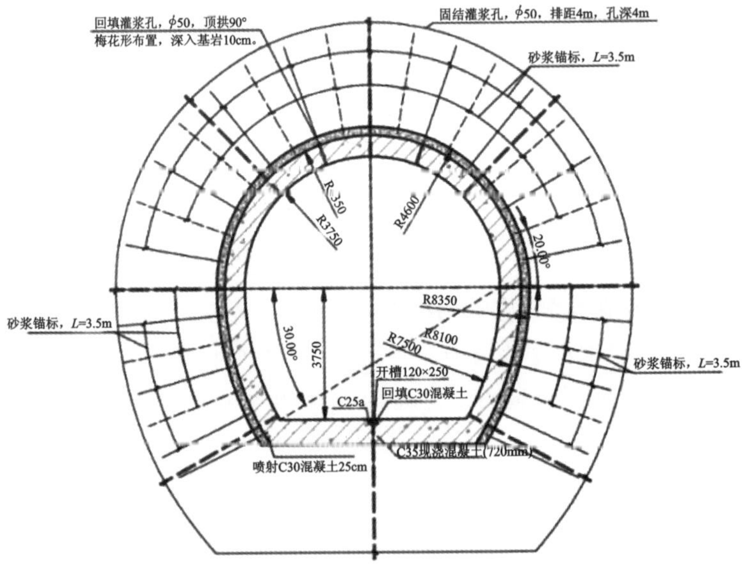

图7 断裂带支护图

4 工程应用与验证

利用本文建立的穿越区域断裂破碎带施工支护策略和技术要点，对该隧道剩余洞段开展了工程应用与验证。

通过开展超前地质预报，探测出围岩整体完整性较差，极易产生大范围的塌方破坏。为此，该段设置超前砂浆锚杆，并将钢筋头部加工成扁铲形或尖锥形，以保障锚固质量。配合小导管，进行预先加固。小导管前端做成约10cm长的圆锥状，在尾端焊接直径6～8mm的钢筋箍，距后端1m范围内不钻孔，其余管段按照间距20～30cm钻设直径6～8mm的对穿溢浆孔，相邻的两对孔按垂直钻设。在此基础上，随即封闭开挖区域。封闭范围为开挖工作面及临近开挖工作面3m范围的环向开挖面。确保初喷质量，在初喷4cm混凝土后及时架设钢架并尽快复喷。

由于该段开挖断面大，上面截面半径为4.6m，下面截面半径为8.35m，洞底宽6.197m，洞高9.2m。在超前支护下采用上半断面先开挖，上部开挖后立即施作拱部锚杆、网片、喷锚和钢拱架等初期支护后，每掘进一次立即施作一环。当前施工循环初支作好后再掘进，待拱部完全作好支护，并有一定的施工台阶长度后方能开挖下部，下部左右侧错开开挖，待左(右)侧支护做好后，再开挖另一侧(图7)。

钢拱架应与混凝土形成一体，钢拱架与围岩的间隙必须用喷混凝土充填密实，以保证一次支护能够有效承担荷载。做好锁脚锚杆、连接螺栓、连接钢筋安装，与拱架相邻的系统锚杆和锁脚锚杆应与拱架焊接；每榀钢拱架至少应与3根锚杆相连接，如图8所示。

开挖过程中，在距掌子面0.5m位置布置测点，开展沉降观测。当喷护混凝土表面出现明显裂隙或位移速度出现急剧增长时，立即停止开挖。并根据实测的围岩变形情况，合理预留围岩变形量，确保变形完成后断面尺寸不小于一次支护及二次衬砌所需的设计断面尺寸。

图7 预留核心土台阶式开挖

图8 断裂带区域钢拱架支护

5 结论

本文以某引水隧洞为例，研究分析了穿越深埋区域性断裂破碎带施工支护流程，可以得出以下结论：区域性深大断裂破碎带的引水隧洞施工应按照"先探测、管超前、严注浆、半断面、预留核心土、短进尺、弱爆破、强支护、紧封闭、勤量测"的策略和流程开展。本工程顺利穿越了断裂破碎带，可为今后类似工程的施工提供经验与指导。

参考文献

闫成伟，张浩然.地铁隧道穿越断层破碎带预注浆加固技术研究[J].山西建筑，2019，45(19)：124-125.

雷明林，武刚，潘俊涛.公路隧道穿越富水断层破碎带预注浆加固处理技术[J].工程建设与设计，2020(7)：247-249.

聂盛明.引水隧洞穿越糜棱岩断层破碎带施工方法选择研究[J].水利技术监督，2020(3)：307－309.

张智健，梁斌，徐红玉，等.富水软弱围岩隧道穿越断层破碎带的稳定性分析及施工技术[J].河南大学学报(自然科学版)，2020，50(3)：356-364＋378.

李娟.水工隧洞穿越典型断层破碎带加固施工技术[J].山西水利，2019，35(1)：29-30＋32.

程庭.地铁隧道穿越断层破碎带的工法选择及辅助施工措施分析[J].市政技术，2018，36(6)：78-81.

蔚晋峰.隧道工程中穿越断层破碎带开挖支护施工技术的应用研究[J].黑龙江交通科技，2019，42(11)：176-177.

引水隧洞施工中底板隆起、拱架变形原因及加固方法研究

蔺凤林

新疆水利水电勘测设计研究院，新疆 乌鲁木齐 830000

摘　要：底板隆起是一个极其复杂的物理力学过程，它与隧洞围岩性质，应力状态及施工方法密切相关。引水隧洞底板隆起不仅仅造成底板上抬变形及拱顶下沉，重要的是使隧洞衬砌发生变形和破坏，更严重时，有可能导致隧洞拱顶围岩失稳，影响输水运营环境。该段底板隆起位于断层破碎带，引水隧洞穿越断层破碎带是隧洞施工的难点。本文针对新疆某引水隧洞穿越断层破碎带施工时底板隆起，分析了断层破碎带区域的地质特征、底板隆起原因分析；建立了处理底板隆起的施工支护策略及流程，详述了各施工流程的技术要点。结果表明：断层破碎带区地质情况复杂、多变，施工过程中若采取的支护措施不当，极易造成岩壁及拱顶围岩失稳，产生塌方灾害增加施工危险性，大塌方易引起围岩变形；结合"围岩量测、围岩加固、软弱围岩凿除换填、变形拱架替换"的施工策略和流程，可成功解决底板隆起支护难题。研究成果可为类似工程的施工提供经验与指导。

关键词：引水隧洞　底板隆起　拱架变形　处理方案及处理措施

1　隧洞地质情况及底板隆起成因

1.1　地质、工程概况

该段工区内地质条件复杂，位于阿尔泰山南麓侵蚀构造中山区及低山丘陵区，地形开阔、略起伏，分布高程877～1140m，相对高差约260m，隧洞沿线跨越阿拉哈克河，河谷多呈"V"形，谷底宽30～50m，水面宽度5～10m，水深0.5～1m，阿拉哈克河为中山区最低侵蚀基准面。隧洞沿线基岩多裸露，岩性为海西晚期变质黑云母斜长花岗岩、花岗斑岩等，次块状—块状构造，岩石坚硬，节理裂隙不发育，岩体完整。该段主要发育F_{17}断层，断层规模较大，带内以碎裂岩、糜棱岩为主，对洞室稳定影响较大。洞内地下水以基岩裂隙水为主，断层破碎带洞段见滴水—线状流水现象。该段采用开敞式TBM开挖，刀盘直径7.8m。

1.2　底板隆起地质情况

该段隧洞埋深约431m，岩性为变质黑云母斜长花岗岩夹钾长花岗岩，颜色呈浅灰白色—肉红色，碎裂—碎块状结构。底板隆起位置位于桩号49＋802～49＋813处，隆起长度11m，桩号49＋811处最大隆起高度1.08m。通过围岩观测桩号49＋802～49＋813段拱部12点钟至15点钟方向最大沉降约12cm，

作者简介

蔺凤林（1988—），男，工程师，主要从事水利工程地质勘察、施工工作. E-mail：401767154@qq.com

15点钟至20点钟方向底板隆起，底板18点钟方向最高隆起约1.08m。该段位于F_{17}断层，断层规模较大，受断层构造运动作用下，带内节理裂隙发育，岩石强度极低，极不稳定，围岩稳定性差。岩石蚀变强烈，原岩中的部分长石矿物蚀变生成少量亲水性高岭土、蒙脱石等软岩矿物，岩石碎裂且强度低，该段地下水不发育，局部见有少量滴水—线状流水现象。

1.3 底板隆起原因分析

经讨论分析，该段隆起原因主要为以下3个方面。

(1)TBM3-1在桩号49+759m进入F_{17}断层破碎带，断层在洞内延伸长度约50m，带内受构造挤压及岩浆化学侵蚀作用，TBM3-1掘进施工过程中拱顶存在连续性坍塌，桩号49+802～49+813段受F_{17}断层影响拱部180°范围内造成深度1～4m塌腔。拱顶虽进行回填灌浆处理，但很难达到回填密实，存在拱架及一次支护体系受力不均，局部呈现出应力集中现象；下半洞锚杆未实施，没有起到有效加固及抵抗围岩变形作用；施工过程中撑靴压力及轨道机车动荷载效应对洞壁及仰拱形成二次附加应力，围岩体塑性变形区域增大。基于上述原因底板基础围岩软弱应力集中是造成底板隆起的原因。

(2)F_{17}断层带内节理裂隙发育，岩石蚀变强烈，花岗岩中的部分长石风化呈高岭土等软岩矿物，次生矿物虽具有遇水软化、膨胀、崩解等特性，经取样做实验可得，其含量总体不高。岩石碎裂且强度低，膨胀性压力、挤压性压力通过裂隙进行释放，导致底板隆起。

(3)从岩石的微结构分析，对底板岩层中结构的软弱岩层来说，由于这类岩石的孔隙、裂隙发育，在有水时，极易促成毛细膨胀，从而使底板岩层产生更进一步的软化和膨胀。底板岩层的软弱程度决定着隆起量的大小，但对同一岩性，底板软弱岩层的厚度决定着隆起量大小。

1.4 地下水对底板的影响

该段地下水较发育，水的存在使得底板隆起更加严重，主要表现在以下4个方面。

(1)岩石浸水后使围岩强度降低，从而使底板更易产生破坏。

(2)当底板含高岭石等为主的黏土岩时，浸水后易发生泥化、崩解、碎裂，直至强度丧失，从而形成挤压流动性隆起。

(3)当底板含蒙脱石和伊蒙混层等膨胀岩层时会产生膨胀性隆起。地下水的泄出，不仅与暴露的底板岩体发生接触，还要通过裂隙渗入底板内部，从而加速底板围岩的强度丧失和体积膨胀，而这又从导致裂隙的进一步扩大，形成恶性循环。

(4)对有水状态下的膨胀性隆起，这里岩体结构是对断层、软弱层以及层节理的统称，很明显，岩体结构导致的隆起变形特征呈各向异性特点。

2 总体处理方案及处理措施

2.1 处理方案

(1)围岩测量。根据实际情况，项目部测量人员测出桩号49+802～49+813段所有拱架断面图，确定该段下沉值和底板隆起高度。对该段加强监控量测，围岩收敛及沉降数据及时收集，并安排专人对监测数据进行分析，以便准备掌握围岩变形情况。

(2)围岩加固。为保证后续施工安全，针对桩号49+802～49+813段拱部围岩进行固结灌浆，采用自进式锚杆($L=6$m)进行灌浆，间排距1m，浆液采用1∶1水泥浆。灌浆参数根据现场实际情况进行调整。

(3)软弱围岩凿除换填。受 F_{17} 断层影响，此段围岩类别为Ⅴ类围岩，岩石软、强度极低，项目部进行人工凿除底板处混凝土垫层及边墙浇筑混凝土，并凿除大面积软弱围岩直至硬岩结构面；软弱围岩处理完成后进行施做钢筋混凝土，并进行分层喷射 C30 纤维混凝土增加边墙及底板混凝土强度，保证结构安全。

(4)变形拱架替换。变形段拱架增加竖向支撑，防止拱架下沉，增加完竖支撑后对变形拱架，现场实际统计，桩号 49＋802～49＋813 段安装拱架共 27 榀，为方便区分，从 49＋802 处开始至 49＋813 处拱架按照 1＃～27＃编号进行替换拱架。侵占二次衬砌空间的拱架，拆除并凿除欠挖岩体后，更换新拱架。影响 TBM 正常通过的拱架，拆除并凿除欠挖岩体后，更换新拱架。

2.2 处理措施及施工工艺

(1)围岩测量。桩号 49＋802～49＋813 段每 3m 布设一组观测点，采用全站仪进行观测收集沉降数据，每 2 个小时观测一次，并记录沉降数据，数据收集后，及时反馈至洞外，由专人进行数据分析，将结果上报领导与现场负责人，指导现场施工。超前喷之前，围岩沉降变形最大值为 38.6mm，超前喷后，变形值为 0.38mm，累计下沉最大值为 120.8mm，桩号 49＋808，目前围岩仍已稳定；底板处隆起最高 1.08m，桩号 49＋811，目前底板围岩已稳定。

(2)围岩加固。自进式锚杆采用手风钻或小型地质钻机钻孔，利用钻机安装连接套与自进式锚杆连接，锚杆钻孔完成后与钻机脱离，砂浆采用砂浆搅拌机拌和，灌浆泵注浆。

①施工参数。拱部 240°范围内施做 ϕ25 自进式锚杆，长度 6m，间排距 1m ，锚杆应尽量垂直于岩面，并与拱架焊接牢固，形成整体。锚杆布置见图 1。②工艺流程。施工工艺流程见图 2。③锚杆的安装。使用前，检查钻头、钻杆是否通气，如有堵塞应处理通畅后方可使用。连接钻头和锚杆、凿岩机和钎尾、钻机连接套和钎尾、锚杆和钻机连接套等。

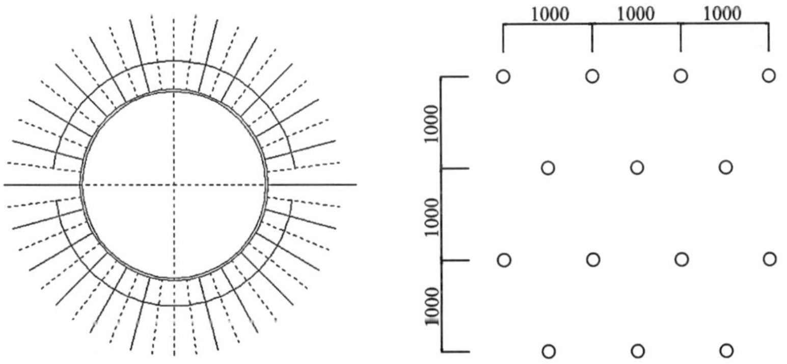

图 1　自进式锚杆布置图

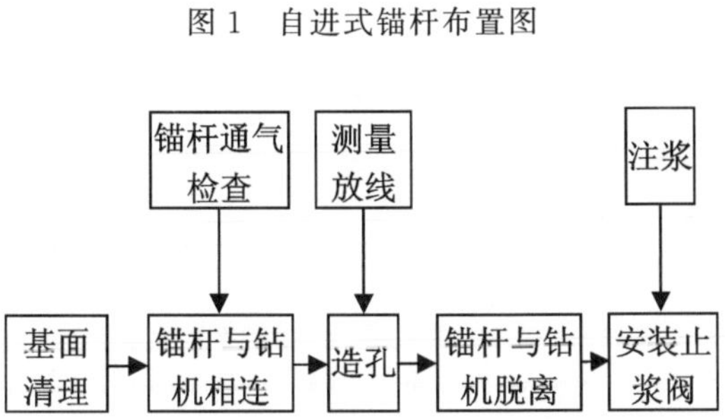

图 2　自进式锚杆施工工艺流程图

锚杆对准设计的锚孔位置，凿岩机应先给风或水，然后钻进，在破碎岩中钻进时，钻头的水孔易堵塞，因此在钻进时，应放慢钻进速度，多回转，少冲击，注意水从钻孔中流出的状况，若有水孔堵塞的现象，应后撤锚杆500mm左右，并反复扫孔，使水孔畅通，然后慢慢推进，直到设计深度。

钻进至设计深度，应用水或空气洗孔，检查钻头上的孔是否畅通，然后将锚杆从钻机连接套上卸下，锚杆按设计要求外露。用钢管将止浆塞通过锚杆外露端打入孔口100mm左右作为封孔进行注浆，如注浆压力较大或围岩较为破碎，也可采用锚固剂封孔。

(3)软弱围岩凿除换填。目前受F_{17}断层影响，此段围岩类别为Ⅴ类围岩，项目部严格按技术施工图TBM段Ⅴ类围岩进行施工，由于底板处及边墙处围岩酥软，造成施工困难，鉴于目前情况项目部计划底板及边墙120°范围内凿除软弱围岩进行换填，每次换填段落不宜超过2m，待换填混凝土强度达到施工要求后再进行下一段换填。

施工工艺流程如下：软弱地基处理→测量放线→喷射混凝土→质量检查。目前岩石受地下水影响，岩石酥软，需人工清理软弱部分，清理至硬岩结构面。软弱地基处理完成后，测量人员进行放线，确定混凝土垫层厚度，防止侵占二次衬砌断面。软弱围岩处理完成后，底板处绑扎ϕ25钢筋双层钢筋网，间排距20cm，底板拱架采用I12槽钢/HW125型钢进行连接，环相间距50cm，然后采用C30喷射混凝土，喷层厚度达到设计初支面，喷射混凝土采用湿喷机作业。

喷射前将松动的围岩清理干净，用高压水冲洗受喷面，去掉浮尘、岩屑并采用高压风吹洗净岩面。

检查开挖断面净空尺寸，检查电路、设备和管路。此段不良地质地段，设专人随时观察围岩变化情况。

当受喷面有涌水、淋水、集中出水点时，先进行导管引排后再进行喷混凝土施工。

喷混凝土前每10m左右设置一处喷混凝土厚度标识（埋设钢筋头），设置时沿拱顶对称布置，对于较大的凹洼处，首先喷混凝土填平。喷嘴与岩面保持垂直，且距受喷面0.6～1.0m为宜。施工作业效果详见图3。

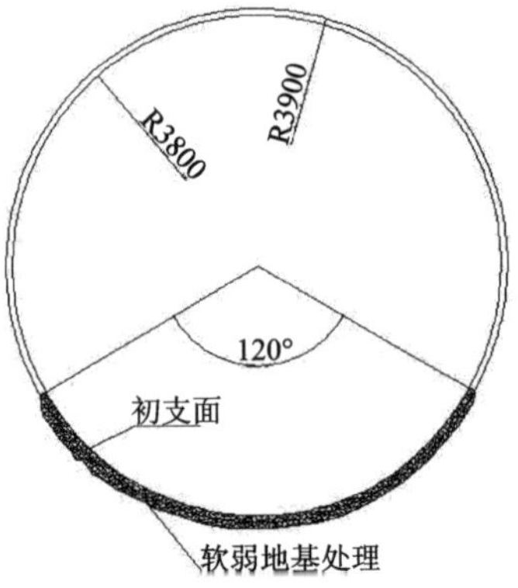

图3　增加混凝土垫层

(4)变形拱架替换。在确保安全的前提下，对此段变形拱架依次进行更换，闭环处理，钢拱架连接处，用型钢进行连接确保整体结构受力，拱架底部增设长锁脚锚杆并与拱架可靠连接，同时进行封闭控水。

施工方法为在拱架变形部位两侧施做ϕ25锁定锚杆，长度6m，每侧2根，锚杆与拱架焊接牢固，然后间隔割除变形拱架段，替换为合格拱架，替换拱架两段施做6m长ϕ25锁定锚杆锁定。

拱架替换完成后，立即采用HW125型钢与旁边拱架连接牢固，环向间距50cm，然后喷射C30W10混凝土，封闭围岩。拱架替换流程如图4所示。

5　结论

(1)掌握拱架变形洞段围岩的变形情况和支护结构的安全状态，利用量测结果对该段稳定性进行预判。

(2)根据拱顶下沉及围岩变形情况的监测，通过数据分析，预见事故和险情，以便及时采取措施，防患于未然。

(3)锚杆注浆施工中，每次注浆前要认真检查安全阀、压力表的灵敏度，并调整到规定注浆压力位置。安装高压管路和泵头各部件时，各丝扣的连接必须拧紧，确保连接完好。

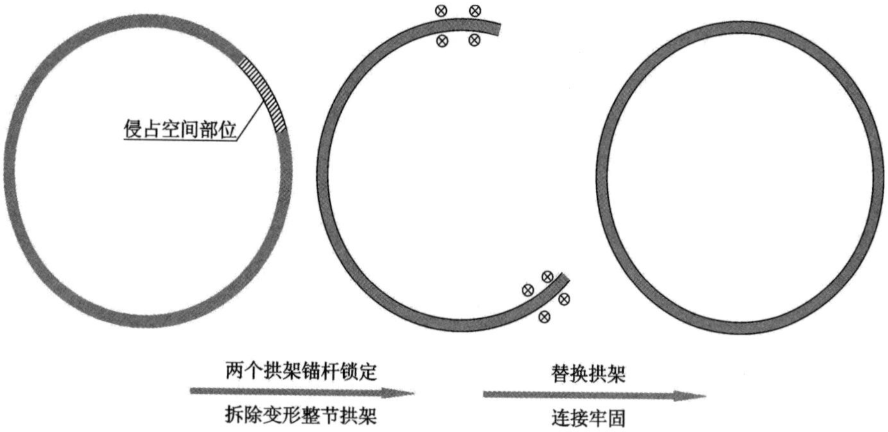

图 4 拱架替换流程图

(4)围岩加固处理完成后,在确保安全的前提下,由山东大学相关人员从 F_{17} 断层处进入桩号 49+759～49+848 段整体进行雷达探测,确保空腔填充密实,保证施工期、运行期工程安全。

本文以某引水隧洞为例,研究分析了穿越断裂破碎带底板隆起施工支护流程,得出以下结论:断裂破碎带底板隆起的引水隧洞施工应按照“围岩量测、围岩加固、软弱围岩凿除换填、变形拱架替换”的策略和流程开展。本工程顺利穿越了断裂破碎带,可为今后类似工程的施工提供经验与指导。

参考文献

陈桂友.复杂水力条件下有压隧洞稳定性分析[D].贵阳:贵州大学,2015.

曹海涛.复杂地质深埋长大引水隧洞施工技术研究[D].石家庄:石家庄铁道大学,2015.

杨其国,兰思勇,付书鹏.洞松水电站引水隧洞软质围岩变形原因分析及处理[A].2011 四川省水文、工程、环境地质学术交流会论文集[C],2011.

华成立.关于鱼跳水电站引水隧洞断层塌方的施工处理[J].广东水利水电,2001,1(3):32.

滇中引水工程芹河-长育村隧洞围岩类别现场快速判别

刘冲平　周云　史存鹏　覃振华　王朋

长江三峡勘测研究院有限公司(武汉)，湖北 武汉　430074

摘　要：引调水工程施工阶段，每个掌子面均现场采取详细围岩分类标准(HC法)对各项因子打分确定围岩类别，难以做到现场快速判别。现场获取了围岩类别特征因素，厘清了控制隧洞围岩稳定的主控因素；通过对相同地质条件围岩归纳总结，并与HC法围岩类别对比，建立了硬岩与软岩围岩类别现场快速判别表、各类围岩现场快速判别表，即满足了规范性与准确性，又达到了快速性与及时性。

关键词：滇中引水　围岩类别　快速判别　HC法

1　引言

滇中引水工程输水总干渠隧洞地质条件十分复杂，存在较大的不确定性，仅仅依据施工前的地质勘探成果，不能完全真实反映隧洞实际地质条件及围岩类别，必须根据隧洞施工实际揭露地质条件，进行隧洞围岩类别现场鉴定。一般隧洞围岩分类依据《水利水电工程地质勘察规范》(GB 50487—2008)详细围岩分类标准(HC法)；深埋隧洞围岩分类在HC法的基础上，重点考虑对深埋隧洞高应力条件下的硬岩岩爆和软岩大变形、以及高外水压力条件的修正。开挖后每个掌子面均现场采取HC法对各项因子打分进行围岩类别鉴定，无法做到围岩类别现场快速判别；因此，本文对相同地质条件围岩归纳总结，提前对各类地质条件围岩采取HC法打分判别，建立围岩类别现场快速判别表，现场地质编录时采取查表快速判别围岩类别，即满足了规范性与准确性，又达到了快速性与及时性。

2　地质条件概述

滇中引水工程大理Ⅰ段芹河-长育村隧洞总长约50km，按地质条件与问题分为三大段。

第一大段为灰岩类，长约15km，为芹河隧洞前段，埋深一般150～300m，最大468m，岩层缓倾为主，局部中倾，位于芹河-北衙岩溶水系统内，地下水水头一般100～290m，弱(溶蚀)风化带，微新，少部分为全、强(溶蚀)风化，低—中等地应力。$Ⅲ_1$类围岩占比26.34%，$Ⅲ_2$类28.39%，Ⅳ类34.32%，Ⅴ类10.95%。主要存在涌水突泥问题，主要为穿越芹河-北衙岩溶水系统的岩溶管道、断层破碎带涌水突泥及一定程度的水环境影响问题，以及局部洞段高外水压力、砂岩局部承压水涌水等问题。强溶蚀风化洞段围岩稳定、浅埋洞段围岩稳定、缓倾层面顶拱稳定等围岩稳定问题。

第二大段为砂岩与泥岩类，长约12km，为芹河隧洞后段—上果园隧洞，埋深187～526m，岩层缓倾

作者简介

刘冲平(1982—)，男，高级工程师，主要从事水利水电地质工程工作. E-mail：185379180@qq.com

角为主，弱风化—微新岩体，低—中等地应力。$Ⅲ_2$类围岩占比 21.69%，Ⅳ类占 52.11%，Ⅴ类占 26.20%。主要存在泥岩洞段中等—轻微挤压软岩大变形问题，及泥岩局部变形稳定、缓倾岩层面顶拱稳定等围岩稳定问题；以线状流水为主、局部涌水，砂岩及斑岩局部洞段存在承压水涌水与高外水压力问题。

第三大段为玄武岩夹凝灰岩类，长约 23km，为下河坝隧洞—长育村隧洞，埋深一般 100～400m，最大 589m，岩流面缓倾为主，局部中倾，一般性断层、裂隙较发育，微裂隙总体发育，完整性总体较差，局部较破碎至破碎；大部分微新—弱风化，进出口全强风化，地下水水头一般 25～300m，低—中等地应力。Ⅱ类围岩占比 1.42%，$Ⅲ_1$类占 12.85%，$Ⅲ_2$类占 22.19%，Ⅳ类占 45.27%，Ⅴ类占 18.27%。主要存在凝灰岩夹层与破碎玄武岩的变形稳定问题，及缓倾流面顶拱稳定、浅埋洞段稳定、穿越全风化岩及覆盖层等围岩稳定问题，存在玄武岩富水破碎带或风化囊涌水突泥、局部高外水压力、地下水环境影响问题。

3 围岩类别特征因素获取

滇中引水工程输水总干渠大理Ⅰ段芹河-长育村隧洞工程地质与水文地质条件复杂，隧洞围岩类别现场鉴定应综合考虑岩石强度（软硬岩质及溶蚀风化）、岩体完整性（或岩体结构）、结构面状态与主要结构面产状、渗涌水及高外水压力、高地应力下硬岩岩爆和软岩大变形等特征因素，厘清控制隧洞围岩稳定的主控因素，且不能忽略开挖后不能观测到的因素，保证围岩类别现场鉴定的准确性与及时性。

岩石强度（A）：岩性主要有灰岩类、砂泥页岩类、玄武岩类，岩石强度取决于岩质与风化，未风化—微风化的灰岩、砂岩、玄武岩等属硬质岩，泥页岩、凝灰岩等属软质岩，强与弱风化岩石强度应根据风化程度降低。岩石强度应参考初设阶段岩石强度试验成果，并通过锤击浸水等确定；必要时补充饱和单轴抗压强度试验或点荷载试验佐证。另外，隧洞围岩为硬岩软岩互层时应需根据硬岩软岩占比综合考虑岩石强度。

岩体完整程度（B）：包括完整、较完整、完整性差、较破碎、破碎，岩体结构类型包括整体或巨厚层状结构、块状或次块状结构、层状结构（厚层状、中厚层状、互层状、薄层状结构）、镶嵌结构、碎裂结构、碎块或散体结构。岩体完整程度应根据岩性、岩体结构类型以及结构面密度综合判定。

结构面状态（C）：结构面包括层面（岩流面）、断层、层间剪切带、裂隙等；结构面状态指结构面长度、宽度与充填物，根据结构面延伸长度分为长大结构面与短小结构面，根据结构面宽度分为闭合（<0.5mm）、微张（0.5～5mm）、张开（>5mm），根据结构面充填物分为硬性结构面与软弱结构面，硬性结构面包括无充填、充填方解石、钙质、铁质等，软弱结构面包括充填岩屑、泥质、泥钙质等。

地下水活动状态（D）：隧洞地下水问题较突出，渗涌水或高外水压力对隧洞围岩类别存在影响。从围岩地下水活动状态分为干燥、渗滴水、线状流水、涌水、突水，可根据隧洞出水水量或状态确定；地下水分为潜水与承压水，潜水洞段需考虑潜水水头与外水压力折减系数综合下的压力水头，承压水洞段需考虑承压水头，压力水头对围岩稳定存在影响。需注意岩石强度越低、岩体完整性及结构面性状越差，地下水对围岩影响越大。另外，外水压力可通过排水孔或超前地质钻孔外接压力表观测，亦可根据勘测钻孔（长观孔）地下水位实时监测成果并考虑外水压力折减系数确定，鉴于隧洞水头多较高，围岩类别现场鉴定时不能忽略外水压力对围岩类别的影响。地下水活动状态应根据洞内出水水量及洞内外水头压力监测确定。

主要结构面产状（E）：隧洞主要结构面指对隧洞稳定性起作用的控制性结构面，包括层面（岩流面）、断层、层间剪切带、密集发育的长大裂隙等；缓倾角结构面影响顶拱稳定，中或陡结构面倾角（岩层走向与洞轴线夹角<30°)影响边墙稳定，中或陡倾角结构面(岩层走向与洞轴线夹角>30°)不影响顶拱或边墙边墙稳定。另外，需注意岩体完整程度为完整性差、较破碎、破碎围岩，因其稳定性受岩体完整程度控制，不考虑主要结构面影响。

高地应力(F)：隧洞深埋洞段，在高地应力条件下存在硬岩岩爆和软岩大变形，对隧洞围岩类别存在影响，应考虑围岩降级，根据岩爆强度及软岩变形程度降低一级。岩爆级别分为弱、中等、强岩爆，可通过开挖揭露观测岩石的弹出或剥离确定；软岩大变形分为轻微、中等、严重、极严重，可通过开挖揭露观测软岩的变形或位移，应注意软岩大变形持续时长，需考虑变形的时效性。

4 硬岩与软岩围岩类别现场快速判别

综合《水利水电工程地质勘察规范》(GB 50487—2008)详细围岩分类标准(HC法)各项因素，对各项因素宏观鉴定，并侧重于对围岩类别影响较大的主控因素，对围岩类别进行查表判别；以该思路根据各段隧洞工程地质与水文地质特性，通过对相同地质条件围岩归纳总结，制定相应的围岩快速判别，快速判别结果与HC法围岩类别进行了大量对比，判别结果一致性高。硬质岩快速判别见表1，软质岩快速判别见表2。

表1 硬质岩围岩类别快速判别

岩体完整程度(或岩体结构)	主要结构面产状与性状		地下水状态	围岩类别
破碎(散体)	—		—	Ⅴ
较破碎(碎裂)	—		渗滴水或线状流水或涌水	Ⅴ
			干燥	Ⅳ
完整性差(薄层状、镶嵌)	张开、软弱结构面	—	渗滴水或线状流水或涌水	Ⅳ
		软弱夹层、小断层	干燥	Ⅳ
		短小结构面		Ⅲ_2
	闭合(微张)、硬性结构面		线状流水或涌水	Ⅳ
			干燥或渗滴水	Ⅲ_2
较完整(互层—中厚层状、次块状—块状)	缓倾角、中陡倾角(夹角≤30°)，或张开、软弱结构面		线状流水或涌水	Ⅳ
			干燥或渗滴水	Ⅲ_2
	中陡倾角(夹角>30°)，或闭合(微张)、硬性结构面		涌水	Ⅳ
			线状流水	Ⅲ_2
			干燥或渗滴水	Ⅲ_1
较完整—完整(中厚—厚层状、块状—整体)	缓倾角、中陡倾角(夹角≤30°)，或张开、软弱结构面		线状流水或涌水	Ⅲ_2
			干燥或渗滴水	Ⅲ_1
	中陡倾角(夹角>30°)，或闭合(微张)、硬性结构面		线状流水或涌水	Ⅲ_1
			干燥或渗滴水	Ⅱ

说明：1. 对深埋洞室存在岩爆时，围岩类别宜降低一级；2. 夹角指主要结构面走向与洞轴线夹角，以下均同；
3. 涌水指涌水(或高外水压力)，以下均同；4. 本表未列的组合，可参考本表综合判别围岩类别。

表 2 软质岩围岩类别快速判别

软岩占比	岩体完整程度（或岩体结构）	主要结构面产状与性状	地下水状态	围岩类别
软岩	较破碎—破碎（碎裂或散体）	—	—	Ⅴ
	完整性差（薄层状、镶嵌）	—	—	Ⅴ
	较完整、完整（中厚、厚层状）	—	—	Ⅴ
		中陡倾角（夹角＞30°）	干燥	Ⅳ
软岩夹硬岩（或较软岩）	较破碎—破碎（碎裂或散体）	—	—	Ⅴ
	完整性差（薄层状、镶嵌）	—	线状流水或渗滴水	Ⅴ
		—	干燥	Ⅳ
	较完整—完整（中厚—厚层状）	缓倾角、中陡倾角（夹角≤30°）、或发育软弱夹层	线状流水或渗滴水	Ⅴ
			干燥	Ⅳ
		中陡倾角（夹角＞30°）、未发育软弱夹层	线状流水或渗滴水	Ⅳ
			干燥	Ⅲ$_2$
硬岩夹软岩	破碎（散体）	—	—	Ⅴ
	较破碎（碎裂）	—	渗滴水或线状流水或涌水	Ⅴ
		未发育软弱夹层	干燥	Ⅳ
	完整性差（薄层状、镶嵌）	发育软弱夹层	涌水	Ⅴ
		—	线状流水或渗滴水或干燥	Ⅳ
	较完整—完整（中厚—厚层）	缓倾角、中陡倾角（夹角≤30°）	—	Ⅳ
		中陡倾角（夹角＞30°）、或未发育软弱夹层	线状流水或涌水	Ⅳ
			干燥或渗滴水	Ⅲ$_2$

说明：(1)存在软岩大变形时，围岩类别降低一级。

(2)软岩：软岩占比≥80%；软岩夹硬岩：软岩占比 50%～80%；硬岩夹软岩：软岩占比 20%～50%；硬岩：软岩占比＜20%。

(3)本表未列的组合，可参考本表综合判别围岩类别。

5 各类围岩现场快速判别

通过对相同地质条件围岩归纳总结，对隧洞各类围岩进行围岩快速判别，快速判别结果与 HC 法围岩类别进行了大量对比，判别结果一致性高。

5.1 Ⅱ类

Ⅱ类围岩均为硬岩，岩体较完整—完整，硬性结构面为主，结构面产状有利，地下水量小（表 3）。

表 3 Ⅱ类围岩快速判别表

岩石强度	岩体完整程度（或岩体结构）	主要结构面产状与性状	地下水状态
硬岩	较完整—完整（中厚—厚层状）	中陡倾角（夹角＞30°）、或闭合（微张）、硬性结构面	干燥或渗滴水

说明：硬岩岩爆洞段围岩类别宜降低一级。

5.2 Ⅲ类

Ⅲ类围岩主要为硬岩。硬岩完整性差、硬性结构面为主、地下水量小；或硬岩较完整—完整、软弱结构面且产状不利、地下水量小—较小；或硬岩较完整—完整、硬性结构面且产状有利、水量较大；或硬岩夹软岩、较软岩较完整—完整、硬性结构面且产状有利、无地下水。对Ⅲ类围岩细分亚类，即Ⅲ$_1$、Ⅲ$_2$，Ⅲ$_2$代表Ⅲ围岩中岩体完整性偏差、强度偏低或地下水活动性较强的围岩（表4、表5）。

表4　Ⅲ$_1$类围岩快速判别表

岩石强度	岩体完整程度（或岩体结构）	主要结构面产状与性状	地下水状态
硬岩	较完整（互层—中厚层状、次块—块状）	中陡倾角（夹角＞30°）、或闭合（微张）、硬性结构面	干燥或渗滴水
	较完整—完整（中厚—厚层状、块状—整体）	缓倾角、中陡倾角（夹角≤30°）或张开、软弱结构面	干燥或渗滴水
		中陡倾角（夹角＞30°）、或闭合（微张）、硬性结构面	线状流水或涌水

说明：硬岩岩爆洞段围岩类别宜降低一级。

表5　Ⅲ$_2$类围岩快速判别表

岩石强度	岩体完整程度（或岩体结构）	主要结构面产状与性状	地下水状态
硬岩	完整性差（薄层状、镶嵌）	张开、短小软弱结构面	干燥
		闭合（微张）、硬性结构面	干燥或渗滴水
	较完整（互层—中厚层状、次块状—块状）	缓倾角、中陡倾角（夹角≤30°）、或张开、软弱结构面	干燥或渗滴水
		中陡倾角（夹角＞30°）、或闭合（微张）、硬性结构面	线状流水
	较完整—完整（中厚—厚层状、块状—整体）	缓倾角、中陡倾角（夹角≤30°）、或张开、软弱结构面	线状流水或涌水
硬岩夹软岩	较完整—完整（中厚—厚层状）	中陡倾角（夹角＞30°）、或未发育软弱夹层	干燥或渗滴水
软岩夹硬岩（或较软岩）	较完整—完整（中厚—厚层状）	中陡倾角（夹角＞30°）、未发育软弱夹层	干燥

说明：硬岩岩爆洞段围岩类别宜降低一级。

5.3 Ⅳ类

Ⅳ类围岩包括硬岩与软岩。硬岩较破碎、地下水量小；或硬岩完整性差、张开且软弱结构面、地下水量较大—大；或软岩、软岩夹硬岩多较完整—完整、地下水量较小—小、无软岩大变形（表6）。

表6　Ⅳ类围岩快速判别表

岩石强度	岩体完整程度（或岩体结构）	主要结构面产状与性状	地下水状态
硬岩	较破碎（碎裂）	—	干燥
	完整性差（薄层状、镶嵌）	张开、软弱结构面	渗滴水或线状流水或涌水
		张开、软弱结构面（软弱夹层、小断层）	干燥
		闭合（微张）、硬性结构面	线状流水或涌水
	较完整（互层状—中厚层状）	缓倾角、中陡倾角（夹角≤30°）、或张开、软弱结构面	线状流水或涌水
		中陡倾角（夹角＞30°）、或闭合（微张）、硬性结构面	涌水

续表 6

岩石强度	岩体完整程度(或岩体结构)	主要结构面产状与性状	地下水状态
硬岩夹软岩	较破碎(碎裂)	未发育软弱夹层	干燥
	完整性差(薄层状、镶嵌)	—	线状流水或渗滴水或干燥
	较完整—完整(中厚—厚层状)	缓倾角、中陡倾角(夹角≤30°)	—
		中陡倾角(夹角>30°)、或未发育软弱夹层	线状流水或涌水
软岩夹硬岩(或较软岩)	完整性差(薄层状、镶嵌)	—	干燥
	较完整—完整(中厚—厚层状)	缓倾角、中陡倾角(夹角≤30°)、或发育软弱夹层	干燥
		中陡倾角(夹角>30°)、未发育软弱夹层	线状流水或渗滴水
软岩	较完整—完整(中厚—厚层状)	中陡倾角(夹角>30°)	干燥

说明:存在软岩大变形围岩类别降低一级。

5.4 Ⅴ类

Ⅴ类围岩主要为软岩、破碎带、覆盖层,及少量硬岩。软岩完整性差—破碎,或较完整或但有地下水或软岩大变形,或软岩夹硬岩(较软岩)较破碎、或完整性差且有地下水、或较完整但结构面软弱且不利有地下水;硬岩破碎,或硬岩较破碎且有地下水(表 7)。

表 7 Ⅴ类围岩快速判别表

岩石强度	岩体完整程度(或岩体结构)	主要结构面产状与性状	地下水状态
硬岩	破碎(散体)	—	—
	较破碎(碎裂)	—	渗滴或线状流水或涌水
硬岩夹软岩	破碎(散体)	—	—
	较破碎(碎裂)	—	渗滴或线状流水或涌水
	完整性差(薄层状、镶嵌)	发育软弱夹层	涌水
软岩夹硬岩(或较软岩)	较破碎—破碎(碎裂或散体)	—	—
	完整性差(薄层状、镶嵌)	—	线状流水或渗滴水
	较完整—完整(中厚—厚层状)	缓倾角、中陡倾角(夹角≤30°)、发育软弱夹层	线状流水或渗滴水
软岩	较破碎—破碎(碎裂或散体)	—	—
	完整性差(薄层状、镶嵌)	—	—
	较完整—完整(中—厚层状)	—	线状流水或渗滴水
破碎带	破碎(散体)	—	—
覆盖层	—	—	—

说明:存在软岩大变形围岩类别为Ⅴ类。

6 结论

(1)围岩类别现场快速判别现场获取了岩石强度、岩体完整性、结构面状态与产状、渗涌水及高外水压力、高地应力下硬岩岩爆和软岩大变形等特征因素,厘清了控制隧洞围岩稳定的主控因素。

(2)通过对相同地质条件围岩归纳总结,并与 HC 法围岩类别对比,建立了硬岩与软岩围岩类别现场快速判别表、各类围岩现场快速判别表，达到了围岩现场快速判别的目的。

参考文献

周云，黄华. 滇中引水工程输水工程大理Ⅰ段香炉山隧洞地质勘察报告[R]. 武汉：长江勘测规划设计研究有限责任公司，2018.

抽水蓄能电站工程地质

山西垣曲抽水蓄能电站地下厂房位置选取

郑以宝[1]　佘小光[1]　景鹏云[2]
1.中水东北勘测设计研究有限责任公司,吉林 长春　130021;
2.山西垣曲抽水蓄能有限公司,山西 运城　043700

摘　要:深埋地下厂房位置的选取,是抽水蓄能电站工程地质勘察的工作重点。山西垣曲抽水蓄能电站地下厂房系统基岩岩性主要为下震旦统马家河组安山岩,以及紫红色凝灰熔岩透镜体,区域内断裂构造发育,工程地质条件复杂。地下厂房工程地质勘察过程中采用多种勘探手段。本文通过对地下厂房工程地质勘察成果资料的分析,在复杂的地质环境中选取了合理地下厂房位置,为地下厂房工程设计提供了重要依据。

关键词:抽水蓄能电站　地质探洞　地下厂房轴线　最大主应力　主要结构面

1　工程概况

山西垣曲抽水蓄能电站位于山西省运城市垣曲县,上水库位于运城市垣曲县解峪乡板涧河下游关家沟沟首,下水库位于垣曲县解峪乡院后村下游0.5km清水河主河道上。电站工程主要建筑物由上水库、输水系统、地下厂房、地面开关站和下水库等组成,装机容量1200MW。本电站为一等工程,规模为大(1)型,主要建筑物为1级。

2　区域地质与地震

工程区位于一级大地构造单元中朝准地台(Ⅰ),二级大地构造单元华熊台缘坳陷中的渑池-确山陷褶断束内,仅西南一隅属于秦岭褶皱系。新构造运动以大面积间歇性升、降,以及断块差异运动为主要特征,并具继承性和新生性。区域内断裂构造发育,主要涉及汾渭断陷带南部,以及华北平原断陷区。强震主要集中发生在汾渭断陷带上。

工程场地基本地震动峰值加速度为93gal,地震基本烈度为Ⅶ度,属于区域构造稳定性较好的工程场地。

3　地下厂房区工程地质条件

(1)地形地貌。地下厂房系统位于松树岭村所在山梁上,地形上总体表现为"两沟夹一梁";其东侧为岭沟,走向NW5°～NE25°,西侧为泉沟,走向NE22°～NE57°,山梁总体走向为NE10°,宽约300m,高程650～756m,两岸地形坡度为30°～40°,局部基岩陡立。

作者简介

郑以宝,(1981—),男,高级工程师,主要从事水电勘察设计工作.E-mail:376965493@qq.com

(2)地层岩性。地下厂房系统基岩岩性主要为下震旦统马家河组安山岩，以及紫红色凝灰熔岩透镜体，属中性熔岩。凝灰熔岩以透镜体形式出露，单层厚度一般 1.2～27m，平均厚约 8m。山脊覆盖层为风积粉质黏土(马兰黄土)，厚度 15～30m，两侧大部分基岩出露。

(3)地质构造。根据地质测绘、钻探、勘探平洞揭露，将断层分为 3 类。第 1 类是在厂房区出露，但未延伸至厂区厂房顶拱的断层，如 F_{50}、F_{111}、F_{112} 等断层；第 2 类是在厂房区出露，且已延伸至厂房底板高程，但在厂房开挖区以外出露的断层，如 F_{145}、F_{147}、F_{148}、F_{71} 等断层，其中规模较大的 F_{145} 断层靠近副厂房，距副厂房右端墙 7.66～22.47m；第 3 类为厂区内主要发育的断层，即在厂房开挖区内出露的断层，如 F_{146}、F_{77}、F_{68}、F_{79}、F_{81}、F_{83}、F_{53}、F_{54}、F_{65}、F_{80} 等断层，其中 F_{146}、F_{77} 断层出露宽度 0.80～2.00m，F_{68}、F_{79}、F_{81}、F_{83} 断层出露宽度 10～20cm，F_{53}、F_{54}、F_{65}、F_{80} 断层出露宽度 3～5cm。

F_7 接触挤压破碎带距地下厂房水平距离近 500m。F_7 接触挤压破碎带产状：走向 NE67°，倾向 NW，倾角 54°，破碎带宽度 25～65m，由断层角泥、碎裂岩、糜棱岩及碎屑组成，性状极差。上盘岩性为石英砂岩，下盘岩性为安山岩。

据平洞勘探资料，厂区部位的节理主要发育 4 组，以陡倾角节理为主：①NE50°～70°，SE\NW∠45°～75°；②WN60°～80°，NE\SW∠65°～85°；③NE15°～30°，NW\SE∠40°～60°；④NW15°～30°，SW∠70°～80°，缓倾角局部零星出露。

(4)水文地质条件。厂区地下水类型为基岩裂隙水，主要受大气降水补给，以脉状或网状贮存于断层带及节理内，天然地下水位总体上东北高、西南低，最终排泄至下水库。根据厂房钻孔 ZK203 水位观测资料，地下水位埋深一般 130m 左右，地下水位高程 568m 左右；厂房区地下水位高程 637m 左右，高出厂房顶拱约 210m，厂房区内水位变化不大。

据钻孔高压压水试验资料，厂区岩体透水率一般在 3Lu 左右，属于弱透水岩体，局部属微透水岩体。

4 地下厂房方案比选

山西垣曲抽水蓄能电站地下厂房初拟首部方案、中部方案和尾部方案 3 个布置方案。

首部方案上覆岩体厚 480～510m，围岩多为微风化—新鲜石英砂岩。该段发育有 F_{18}、F_{30} 断层，F_{18} 断层宽约 8m，由断层角砾岩、碎裂岩、碎块岩及糜棱岩组成，性状较差；岩体中层理发育，产状 NE30°～31°，SE∠27°～30°；节理以 NW 组陡倾角为主，NE 向次之。地下水位埋深 80m 左右，地下水位高程 760～860m；岩体裂隙发育，渗透性强，多属于弱透水岩体，局部属中等透水岩体。最大主应力值为 9.20～11.69MPa，最大水平主应力方向 NW13.4°～NE11.8°，与洞轴线交角 32.6°～57.8°。围岩局部稳定性差—不稳定，工程地质条件较差。控制性结构面(层理、断层)对厂房顶拱和西侧端墙稳定不利，极易发生顶拱坍塌掉快、边墙片帮情况。围岩类别以Ⅲ～Ⅳ类为主。与安山岩地层地下厂房方案相比，石英砂岩地层地下厂房方案工程地质条件较差，故不建议在石英砂岩地层中修建大跨度地下洞室。

中部方案上覆岩体厚 225～330m，围岩多为新鲜安山岩。该段发育有 F_{146}、F_{77}、F_{68}、F_{79}、F_{81}、F_{83}、F_{53}、F_{54}、F_{65}、F_{80} 等多条断层，规模较小，多为 NE 向陡倾角断层；节理以 NEE 向陡倾角为主，NWW 向次之，偶见缓倾角节理。岩体透水率约 3Lu，属于弱透水。厂房区最大主应力值为 7.71～16.04MPa，最大水平主应力方向 NE17.6°～NE36.8°，与洞轴线交角 63.6°～82.8°。围岩局部稳定性差，断层与节理相互切割局部顶拱可形成楔形体，厂房边墙局部存在不稳定块体，以Ⅲ类为主。

尾部方案上覆岩体厚 130～200m，围岩多为弱—微风化安山岩。该段发育 NWW 向规模较大的断层；节理以 NNE 向陡倾角为主，NWW 向次之，局部发育 NEE 向中缓倾角节理。岩体透水率在 0.38～

1.37Lu之间，属于微透水岩体，局部属弱透水。最大主应力值为7.71～16.04MPa，最大水平主应力方向NE17.6°～NE36.8°，与洞轴线交角63.6°～82.8°。围岩局部稳定性差，断层与节理相互切割局部顶拱可形成楔形体，厂房边墙局部存在不稳定块体，以Ⅲ类为主。

首部方案的上覆岩体厚度和地应力方面略优，地层岩性、水文地质条件、岩体渗透性、围岩类别和主要工程地质问题方面较多，层理、断层对厂房顶拱和西侧端墙稳定不利。中部和尾部方案地层岩性、地质构造、水文地质条件基本相近，地应力方向与洞轴线关系总体相近，均具备布置地下厂房洞室群的地质条件，无制约方案成立的工程地质条件。中部方案围岩类别为Ⅲ、Ⅱ类为主，断层破碎带为Ⅳ类，上覆岩体较厚；尾部方案围岩类别为Ⅲ类为主，断层部位为Ⅳ类，上覆岩体较单薄。综合比较，中部方案工程地质条件略优。

5 地下厂房位置确定及轴线方向选择

5.1 地下厂房位置确定

根据中部厂房布置方案需要，地下厂房洞室群位置对规模较大断层采取避让原则，布置在地质构造简单、岩体完整坚硬、工程地质条件相对最优的区域内。

地下厂房主探洞全长1400m，围岩主要为安山岩，局部夹凝灰熔岩，采用《水力发电标准围岩评分标准》和《工程岩体分级标准》进行地下洞室围岩分类，地下厂房主探洞可划分为4个工程地质单元，各单元的地质条件进行简述如下。

(1) 桩号0+000～0+545m段，上覆岩体厚度约200m，地表发育泉沟。该段NE—NEE向F_{34}、F_{35}、F_{36}断层规模较大，对厂房位置选择及厂房稳定影响较大；该段上覆岩体厚度相对较单薄，对厂房位置选择有较大影响(图1)。

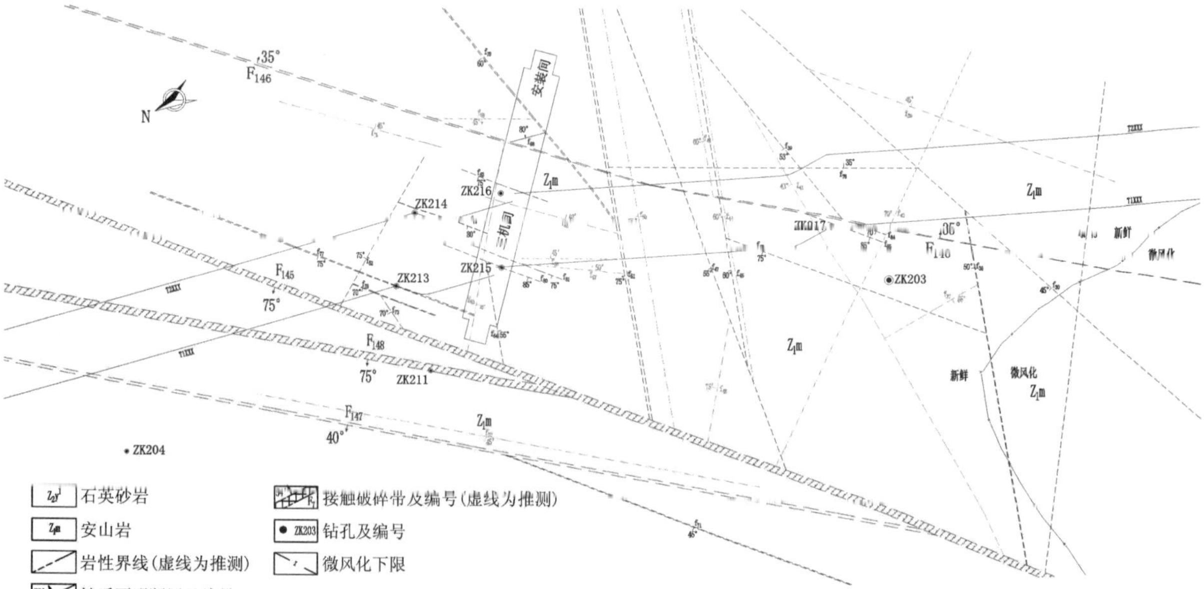

图1 地下厂房425.50m高程工程地质平切图

(2) 桩号0+545～1+000m段，上覆岩体厚度200～250m，围岩为安山岩，呈微风化—新鲜状态，以块状—次块状结构为主，岩体较完整—完整性差。该段断层较发育，与输水洞线交角较小，与厂房轴线交角较大;虽规模较小,但密集断层带对厂房位置选择及厂房稳定影响较大;缓倾角节理影响厂房顶拱稳定。

(3) 桩号1+000～1+200m段,上覆岩体厚度250～300m,围岩为安山岩,呈新鲜状态,以块状—次块状结构为主,局部碎裂结构,岩体较完整,局部完整性差。该段规模较大的NE向F_{146}断层和小断层带对厂房位置选择及厂房稳定影响较大。

(4) 桩号1+200～1+400m段,上覆岩体厚度300～350m,围岩为安山岩,呈新鲜状态,以块状—次块状结构为主,岩体较完整—完整。该段发育6条NWW向小断层,与输水线路交角大,与厂房轴线交角小,且断层之间无大组合,对厂房位置选择及厂房稳定影响较小。

厂房位置选择对于F_{35}、F_{36}、F_{145}、F_{147}、F_{148}等规模较大断层采取了避让原则(图1、图2),根据地质探洞揭示的地质条件和地质单元划分,厂房洞室群宜选择在平洞桩号1+200～1+400m的范围内,上覆岩体度厚300～350m,为新鲜安山岩,以块状—次块状结构为主,岩体较完整—完整。主要发育规模较大的断层F_{146},其余断层规模较小,延伸较短。

地下厂房布置区域西侧有2条NE走向断层:F_{145}及F_{148}倾向NW,倾角75°,断层带宽3～6m,规模较大,若厂房向西侧移动,断层对地下厂房洞室顶拱围岩稳定有很大影响;厂房区域东侧为岭沟,结构面相对发育,厂房应尽可能避开冲沟地带,岭沟有2条走向NE的断层:F_{35}及F_{36}倾向NW,倾角60°～75°,断层带宽2～2.5m,规模较大,若厂房向东侧移动,断层对地下厂房洞室顶拱围岩稳定有一定影响;由此可见,厂房位置向西侧或东侧可调整范围不大。若地下厂房向北平移,断层F_{70}切割安装间左端墙。若地下厂房向南平移,断层F_{51}切割安装间左端墙(图2)。

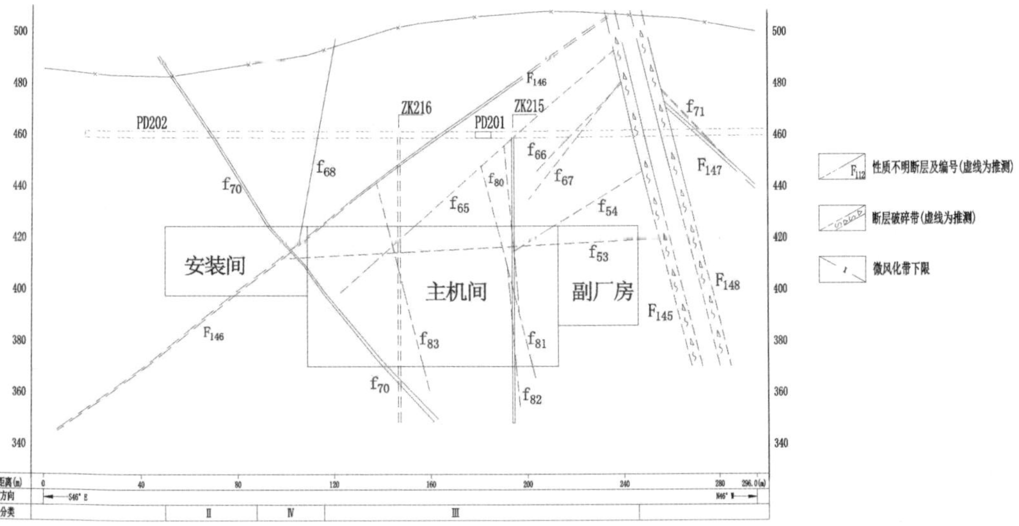

图2 地下厂房机组中心线工程地质横剖面图

地下厂房系统位于松树岭村所在山梁上,地下厂房洞室埋深为225～330m,岩性主要为微新安山岩夹凝灰熔岩透晶体,围岩为新鲜岩体,岩质坚硬,围岩较完整,岩体以块状结构为主。地下厂房围岩属Ⅲ类偏好,局部为Ⅱ类,断层部位为Ⅳ类。厂区岩体透水率一般在3Lu左右,属于弱透水岩体,局部属微透水岩体。根据地质探洞揭露,厂房位置主要发育规模较大的断层F_{146},其余断层规模较小,延伸较短。岩体节理以NE向节理为主,NWW次之,厂房区域地质条件相对较优。

5.2 地下厂房轴线方向选择

(1)选择原则。地下厂房纵轴线的方向是影响厂房洞室群及整个厂区布置的重要因素,选择厂房纵轴线方向时,主要考虑以下原则:① 主体洞室纵轴线方位宜与岩体主要结构面走向呈较大夹角,同时兼顾考虑次要构造面对洞室围岩稳定的不利影响;② 厂房纵轴线宜与最大主应力水平投影方向成较小夹角;③ 兼顾输水系统洞线布置。

(2)轴线方向选择。在确定厂房位置后,考虑结构面、地应力方向对洞室布置的影响,对厂房轴线方向进行选择。厂房区发育4组节理:① 走向NE50°～70°,倾向NW,倾角60°～75°;② 走向NW60°～80°,倾向NE或SW,倾角65°～85°;③ 走向NE15°～30°,倾向NW或SE,倾角40°～60°;④走向NW15°～30°,倾向SW,倾角70°～80°。厂房区节理走向见图3。

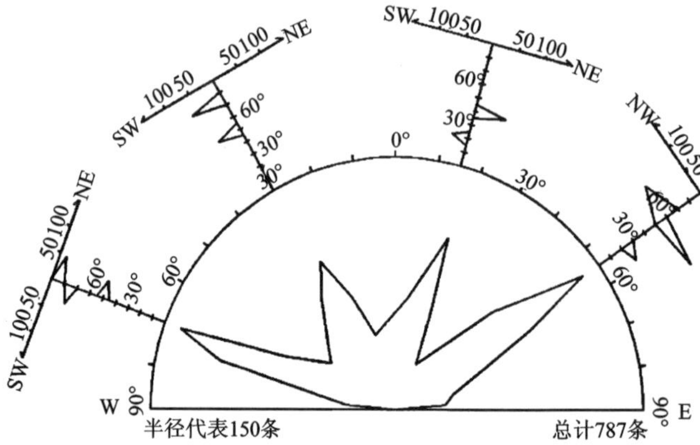

图3 厂房区节理走向玫瑰花图

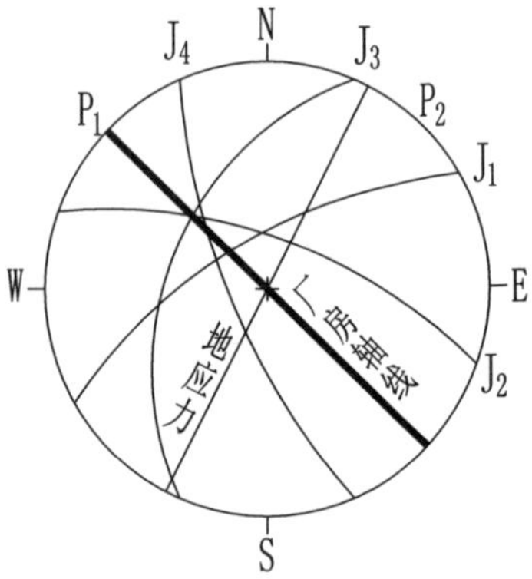

图4 地下厂房轴线与主要结构面、最大主应力关系图

根据地应力测试结果,最大主应力优势方位NE17.6°～36.8°,最小水平主应力(σ_h)值为5.35～9.35MPa,最大水平主应力(σ_H)值为7.71～16.04MPa,属中低等应力场。最大与最小应力差值较小,且围岩强度应力比值较大,地应力对厂房轴线方向的选择不起控制作用,厂房以NW314°方向布置,其轴向与水平最大主应力方向交角为64°～83°,交角较大,但对厂房稳定影响不大。

厂房轴线选取以结构面为主,从断层、节理等优势结构面分析,兼顾输水系统布置,厂房轴线选定方向NW314°,与主要断层及主要结构面NEE向节理结构面交角为64°～84°,与NWW向节理次要结构面交角为14°～34°,与优势结构面交角较大(图4)。

6 结语

选定的地下厂房区上覆岩体厚度225～330m,围岩为新鲜的安山岩夹凝灰熔岩,避开了F_{35}、F_{36}、F_{145}、F_{147}、F_{148}等规模较大的断层,厂房区断层规模多较小;围岩为块状—次块状结构,多较完整;轴线方向与构造方向夹角较大,对厂房稳定有利,厂房地应力属中低地应力,对厂房影响较小。厂房地质条件整体较好,以Ⅲ、Ⅱ类围岩为主,局部断层部位为Ⅳ类。

地质探洞底板高程约461m,厂房顶拱高程约425m,厂房底板高程约366.5m,地质探洞与地下厂房存在36～94.5m的高差,钻孔揭露的断层产状也不是固定不变的。建议施工详图阶段随着交通洞、通风洞及厂房导洞的开挖,应进一步复核地下厂房系统断层的性状等。

地下厂房系统是抽水蓄能电站的心脏,选择岩体完整性好的部位布置地下厂房,是抽水蓄能电站勘察设计的关键。地下厂房位置的选取,是抽水蓄能电站工程地质勘察的重点。山西垣曲抽水蓄能电站工程地质条件复杂,工程区断层、节理发育。综合各种因素,山西垣曲抽水蓄能电站地下厂房位置选取是合适的。

论山西垣曲抽水蓄能电站上水库全库盆防渗

余小光[1] 郑以宝[1] 吴桐雯[1] 景鹏云[2]
1. 中水东北勘测设计研究有限责任公司,吉林 长春 130021;
2. 山西垣曲抽水蓄能有限公司,山西 运城 043700

摘　要:垣曲抽水蓄能电站上水库地质年代古老,地层岩性复杂,水库区断层与节理较发育,地下水位埋藏较深,存在渗漏问题,而上水库多年平均径流量较小,为保证上水库的正常蓄水及正常运行,对上水库全库盆防渗必要性研究就显得迫在眉睫。上水库主要由6层砂岩(石英砂岩、长石砂岩、粉砂岩)及6层黏土岩(泥岩、页岩、黏土质砂岩)组成,且分布不均一;水库区断层与节理较发育,主要发育F_8、F_{11}、F_{12}、F_{21}、F_{25}、F_{51}、F_{56}等断层,约46条;分水岭地下水水位整体较低,均低于正常蓄水位,且岩体透水率整体上为中等透水,仅局部属弱透水。经分析研究上水库岩体相对隔水层透水率$q\leqslant 3$Lu的分布高程均低于水库库底高程。地下水分水岭水位多低于正常蓄水位,而且由于库盆开挖导致分水岭厚度进一步减少,库岸渗漏范围有所增加,导致部分分水岭地下水位会进一步有所下降,渗漏范围加大;上水库库内存在贯穿分水岭断层,库底存在垂直渗漏问题。因此,综合考虑建议上水库进行全库盆防渗处理。

关键词:全库盆　防渗　抽水蓄能电站　渗漏量　隔水层

1　工程概况

山西垣曲抽水蓄能电站位于山西省运城市垣曲县,站点距太原公路里程约420km,距运城150km,距垣曲县46km。上水库位于运城市垣曲县解峪乡板涧河下游关家沟沟首,下水库位于垣曲县解峪乡院后村下游0.5km清水河主河道上。电站工程主要建筑物由上水库、输水系统、地下厂房、地面开关站和下水库等组成,装机容量1200(4×300)MW。本电站为一等工程,规模为大(1)型,主要建筑物为1级。

2　上水库地形地貌

东坪上水库位于东坪村所在的关家沟沟首部位,东坪村位于一处堆积台地上,地形开阔,地势相对较为平坦,关家沟在东坪台地分成2条支沟,分别为1#和2#,呈"Y"形展布,而1#冲沟又分成3#和4#两条支沟。关家沟总体呈S20°E向展布,为板涧河支流。

正常蓄水位965m,库区两岸山顶高程984～1101m,分水岭垭口高程在968～1048m之间,高出正常蓄水位3～83m。北东侧库岸分水岭较单薄,自然分水岭最小宽度23m、96m和102m,分布有13#、5#、6#垭口;北侧库岸山体较雄厚,自然分水岭宽度大于500m;北西侧库岸段山体较雄厚,自然分水岭最小宽度大于250m,分布有7#～10#垭口;南侧库岸山体略显单薄,自然分水岭最小宽度118m。

作者简介
余小光(1980—),男,高级工程师,主要从事水电勘察设计工作。E-mail:369178450@qq.com

低矮垭口为13＃垭口，地形坡度为20°～25°，地面高程968m，正常蓄水位965m时分水岭宽度23m。库区总体地势为西北高东南低，山体分布于库区东、北和西三侧，为北、西、东三面环山的库盆，除北东侧13＃垭口位置地形略高于水库正常蓄水位，水库天然封闭条件较好。

3 地层岩性

上水库区出露地层为上元古界中震旦统云梦山组，下古生界下寒武统辛集组下部，第四系覆盖层堆积其上，地层由老至新分述如下。

3.1 中震旦统云梦山组

（1）云梦山组一段，岩性主要为紫红色中厚层中细粒石英砂岩夹细粒石英砂岩（图1），灰白色厚—巨厚层中粗粒石英砂岩，灰白色砂砾岩，砾石以白色石英岩为主，紫红色中厚层砂砾岩，砾石以安山岩为主，紫红色中厚层含砾砂岩夹红色砂质页岩、中细粒长石砂岩。主要分布在上水库西侧库岸外坡。

图1 云梦山组一段石英砂岩

（2）云梦山组二段，在上水库区由6层砂岩（石英砂岩、长石砂岩、粉砂岩）及6层黏土岩（泥岩、页岩、黏土质砂岩）组成，相间分布，构成上水库主要地层。

砂岩层：由石英砂岩、长石砂岩、粉砂岩组成，中厚层状，岩体较完整、坚硬（图2）。

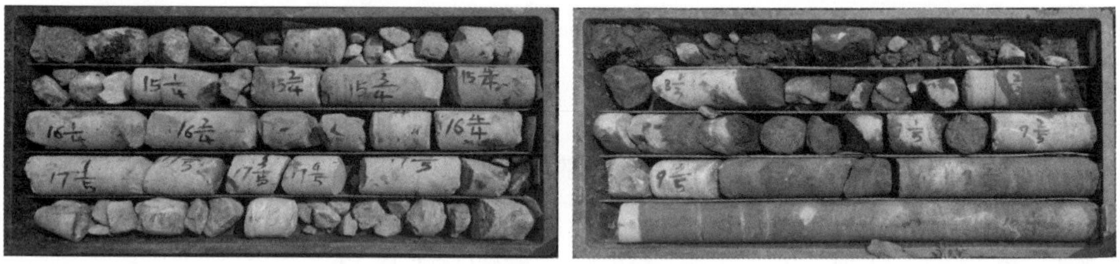

图2 石英砂岩和长石砂岩

黏土岩层：上水库区49个钻孔，有34个钻孔遇到黏土岩，约占钻孔总数的69%。黏土岩主要为泥岩、黏土质砂岩、粉砂质泥岩、页岩等，夹层不发育，多以互层为主（图3～图7）。

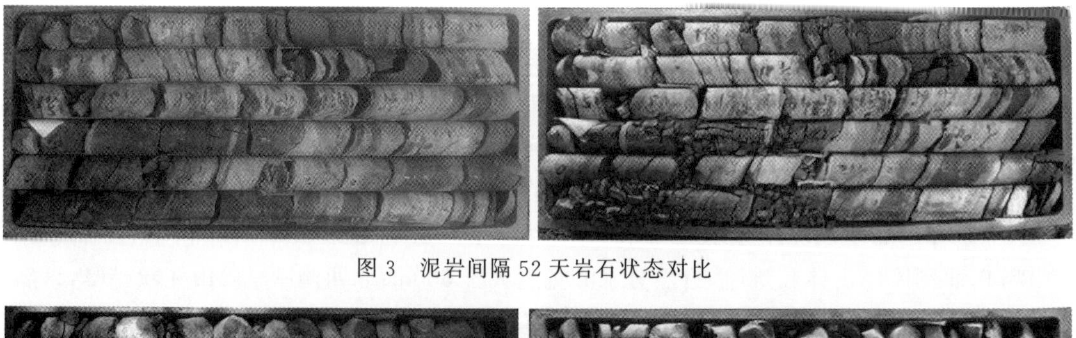

图3 泥岩间隔52天岩石状态对比

图4 粉砂质泥岩间隔18天岩石状态对比

图 5　云梦山组二段黏土质砂岩

图 6　云梦山组二段粉砂质泥岩

图 7　云梦山组二段黏土质砂岩

黏土岩强度低，总体抗风化能力较弱，岩体表部多呈全、强风化状态，分布于整个上水库（坝）区，冲沟两侧陡坡处多为弱风化基岩出露。

（3）云梦山组三段，岩性主要为灰白色中厚层中粗粒石英砂岩和灰紫色中厚、厚层中粗粒石英砂岩。主要分布在关家沟上水库区南侧（图 8）。

3.2 下寒武统辛集组下部

肉红色中厚层砂岩(石英砂岩、钙质砂岩)及黏土岩(泥岩、页岩)组成,相间分布。主要分布在上水库东侧分水岭及库外区域(图 9)。

图 8 上水库区出露的云梦山组三段石英砂岩

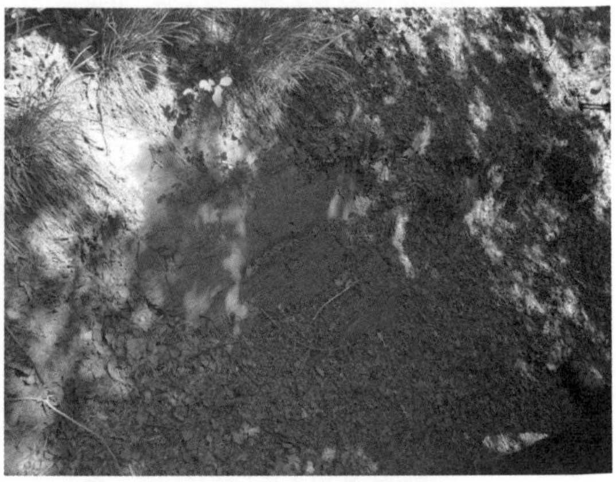

图 9 辛集组下部页岩

3.3 第四系覆盖层

(1)坡洪积物,主要为粉质黏土、碎石混合土和块石等,分布不均一,存在架空现象,厚度一般 1.70～23.70m。坡洪积物主要分布于堆积台地和山坡处。

(2)崩积物,主要由块石和碎石等物质组成,成分主要为石英砂岩、砾岩等,厚度一般 3～10m。崩积物主要分布于陡崖下部及陡坡坡脚处。

4 地质构造

层理发育,属优势结构面。上水库区层理产状比较稳定,产状:走向 N30°～31°E,倾向 SE,倾角 27°～30°,局部 33°～37°。

4.1 断层

水库区断层较发育,主要发育 F_8、F_{11}、F_{12}、F_{21}、F_{25}、F_{51}、F_{56} 等断层,约 46 条,其中 F_{11}、F_{12}、F_{25} 等为Ⅱ级结构面,断层宽度一般 1～3m,由断层角砾岩、碎块岩和碎裂岩组成,局部含有少量断层泥;F_8、F_{21}、F_{51}、F_{56} 等多为Ⅲ、Ⅳ级结构面,宽度一般 0.2～1m,由断层角砾岩、碎裂岩和断层泥组成。

4.2 节理

节理较发育,以中等倾角为主,陡倾角次之,延伸较长,近地表微张开,局部充填次生泥、岩屑,面附铁锈,主要发育 3 组:①走向 N20°～40°E,倾向 NW,倾角 40°～60°;②走向 N70°～85°E,倾向 NW,倾角55°～70°;③走向 N20°～40°W,倾向 NE(SW),倾角 75°～88°。其中①组节理最发育,②、③组次之。

5 水文地质条件

5.1 地下水类型

上水库区地下水类型主要为基岩裂隙水和第四系孔隙潜水。孔隙潜水主要埋藏于第四系覆盖层内，埋藏深浅不一，主要接受大气降水的补给；基岩裂隙水主要来自大气降水和地表径流补给，以泉水和潜流的形式排向邻近沟谷。

5.2 地下水位埋深

上水库分水岭地下水总体上随地势而变化，库周分水岭地下水位整体较低(表 1)。地下水位埋深差异较大，均低于正常蓄水位。库区分水岭地下水位埋深一般 60～170m。左岸分水岭地下水位埋深 74.4～80m(高程 891.36～923.48m)；库区右岸分水岭地下水位埋深 60～170m(高程 892.14～943.46m)。

表 1 上水库区钻孔地下水位观测资料统计表

孔号	孔口高程/m	正常蓄水位高程/m	最低水位		最高水位		水位最大变幅/m	最低水位埋深/m	地下水位与正常蓄水位关系/m
			水位/m	观测日期	水位/m	观测日期			
ZK110	986.29	965	911.89	2014.12.28	915.49	2015.10.04	3.60	74.40	−53.11～−49.51
ZK111	964.74	965	895.39	2015.07.03	898.34	2015.05.24	2.95	69.35	−69.61～−66.66
ZK113	959.55	965	899.55	2017.10.30	901.35	2015.07.18	1.80	60.00	−65.45～−63.65
ZK128	967.54	965	922.98	2018.03.30	926.54	2017.09.14	3.56	44.56	−42.02～−38.46
ZK143	1 010.90	965	938.76	2018.04.30	945.90	2017.09.14	7.14	72.14	−26.24～−19.10
ZK144	1 031.16	965	934.45	2017.09.14	936.41	2018.01.29	1.96	96.71	−30.55～−28.59
ZK145	995.50	965	920.90	2017.10.14	935.50	2017.09.14	14.6	74.60	−44.10～−29.50
ZK208	1 062.26	965	891.52	2017.11.15	892.49	2017.11.30	6.71	82.40	−73.68～−72.51

注：地下水位观测资料统计起止日期为 2014 年 3 月 12 日—2018 年 9 月 10 日。

5.3 岩体透水性

岩体透水性与构造发育程度、风化卸荷程度、结构面性状及节理连通情况等因素密切相关。东坪上水库共计进行常规压水试验 190 段(表 2、表 3)。

表 2 上水库区不同高程岩体钻孔压水试验成果统计表

高程/m	段数	透水率区间(Lu)					
		微透水		弱透水		中等透水	
		$q<1$		$1\leqslant q<10$		$10\leqslant q<100$	
		段数	%	段数	%	段数	%
1020～1010	2	—	—	—	—	2	100
1010～1000	6	—	—	—	—	6	100
1000～990	5		—	—	—	5	100

续表2

高程/m	段数	透水率区间(Lu)					
		微透水		弱透水		中等透水	
		$q<1$		$1\leqslant q<10$		$10\leqslant q<100$	
		段数	%	段数	%	段数	%
990～980	9	—	—	—	—	9	100
980～970	13	—	—	2	15	11	85
970～960	11	—	—	3	27	8	73
960～950	11	—	—	3	27	8	73
950～940	13	—	—	2	15	11	85
940～930	21	—	—	3	14	18	86
930～920	23	—	—	2	9	21	91
920～910	20	—	—	5	25	15	75
910～900	15	1	7	5	33	9	60
900～890	13	1	8	5	38	7	54
890～880	13	—	—	4	31	9	69
880～870	9	—	—	2	22	7	78
870～860	4	—	—	—	—	4	100
860～850	2	—	—	1	50	1	50
合计	190	2	1	37	19	151	80

表3 上水库区不同深度岩体钻孔压水试验成果统计表

孔深/m	段数	透水率区间(Lu)					
		微透水		弱透水		中等透水	
		$q<1$		$1\leqslant q<10$		$10\leqslant q<100$	
		段数	%	段数	%	段数	%
0～10	7	—	—	1	14	6	86
10～20	31	—	—	7	23	24	77
20～30	43	—	—	6	14	37	86
30～40	36	—	—	4	11	32	89
40～50	34	—	—	10	29	24	71
50～60	21	2	10	6	28	13	62
60～70	7	—	—	1	14	6	86
70～80	7	—	—	2	29	5	71
80～90	2	—	—	—	—	2	100
90～100	2	—	—	—	—	2	100
合计	190	2	1	37	19	151	80

钻孔压水试验成果表明：岩体透水率多大于10Lu，属中等透水岩体，局部属弱透水岩体，仅局部岩

体透水率小于1Lu。上水库区岩体透水性总体随深度增加而减弱,但表部弱风化岩体透水性减弱趋势不是很明显。上水库区岩体透水率整体上为中等透水,局部属弱透水。

5.4 相对隔水层埋深

东坪上水库区在设计孔深范围内,未揭示相对隔水层,故推测上水库岩体相对隔水层透水率 $q \leqslant$ 3Lu的上限埋深大于100m,分布高程均低于水库库底高程。

6 物理地质现象

(1)岩体风化。库区内全、强风化层主要分布在山坡顶部及缓坡处。全风化零星分布,厚度2～3m;强风化下限埋深一般3.10～22.6m,最大埋深位于4＃沟沟底,埋深达40m(ZK124),平均值为6.42m。沟谷多为弱风化基岩裸露,两岸弱风化下限埋深69.8～83m,沟谷大于40m。

(2)岩体卸荷。库区卸荷作用不强,卸荷节理总体不发育,规模不大,主要分布在库周分水岭及两岸坝肩高陡岸坡部位。上水库区岩体以弱卸荷为主,局部为强卸荷。水平卸荷深度一般6～8m,局部可达12m。

7 水库渗漏分析

7.1 库周渗漏分析

上水库正常蓄水位为965m,死水位为935m。上水库沿分水岭库周总长约2751m,按分水岭地下水位、正常蓄水位和山体厚度,将库岸划分成4段,论述如下。

(1)AB段(左岸东侧库岸)。AB段长约759m,为13＃、5＃和6＃垭口,分水岭较单薄,地面高程为968～1030m,高于正常蓄水位3～65m。正常蓄水位965m高程处,分水岭山体宽23～114m。F_{11}断层斜穿垭口,走向为NWW向,破碎带宽度2～3m,由断层角砾岩和碎裂岩组成,透水性较强。岩体相对隔水层($q \leqslant$3Lu)以上的岩石质量指标RQD平均值多为20%～36%,属较破碎岩体,局部属破碎岩体。5＃、6＃垭口长期观测地下水位高程911.89～920.9m,变幅3.6～14.6m,低于正常蓄水位44.10～53.11m,相对隔水层埋深低于高程886.29m。分水岭长期观测地下水位和岩体相对隔水层顶板均低于水库正常蓄水位965.00m,因此水库蓄水后存在库水渗漏问题。

(2)BC段(左岸北侧库岸)。BC段长约280m,为7＃垭口,分水岭雄厚,地面高程为1030～1100m,高于正常蓄水位65～135m。正常蓄水位965m高程处,分水岭山体宽大于500m。该段无较大断层通过,岩体透水性较弱。属完整性差—较完整岩体。该段地下水位高程926.90～928.90m,低于正常蓄水位(高程965m)16～38m,相对隔水层顶板低于水库正常蓄水位,岩体相对隔水层顶板部分低于水库正常蓄水位。因此,水库蓄水后存在库水渗漏问题。

(3)CD段(西侧库岸)。CD段长约1166m,为8＃、9＃和10＃垭口,分水岭较厚,地面高程1044～1100m,高于正常蓄水位79～135m。正常蓄水位965m高程处,分水岭山体最小厚度250～400m。有F_{11}断层斜穿垭口,走向为NW,破碎带宽度2～3m,由断层角砾岩和碎裂岩组成,岩体透水性较强。地下水位高程934.46～892.14m,岩石质量指标RQD平均值为11%～15%,相对隔水层低于正常蓄水位(高程965m)14～57m,相对隔水层顶板埋深均低于正常蓄水位,因此,水库蓄水后存在库水渗漏问题。

(4)EF段(右岸南侧库岸)。EF段长约546m,地面高程约980～1030m,高于正常蓄水位15～65m。

垭口在正常蓄水位965m高程处，分水岭山体最小厚度118m。F_{21}断层斜穿垭口，走向为SN，断层破碎带宽0.8～1.0m，由碎块岩、碎裂岩、角砾岩组成。分水岭地下水位高程943.06m，岩石质量指标RQD平均值为6%～15%，相对隔水层顶板低于正常蓄水位24m，相对隔水层顶板埋深均低于正常蓄水位，水库蓄水后存在库水渗漏问题，库岸渗漏段占整个库周约90%。

7.2 库底渗漏分析

上水库库底开挖高程为932m，支沟内只有雨季才有地表径流，如泉水Q_6出露高程为810m。相对隔水层顶板埋深大于100m，库盆内发育的F_{11}、F_{12}、F_{54}、F_{25}、F_{21}断层贯通库内外，为天然的渗漏通道，因此上水库库盆存在库底渗漏问题。

7.3 水库渗漏量估算

上水库左岸分水岭13#、5#、6#、8#、9#和10#垭口存在库水外渗问题，采用邻谷渗漏方式，按均质岩体向邻谷渗漏量估算：

$$Q=BK\frac{(h_1+h_2)}{2}\frac{H_1-H_2}{L} \tag{1}$$

式中：Q为渗漏量(m^3/d)；B为漏水段长度(m)；K为渗透系数(m/d)；L为渗径长(过水部分的平均距离)(m)；H_1为水库水位(m)；H_2为邻谷水位(m)；h_1为库边含水层厚度(m)；h_2为邻谷含水层厚度(m)。

计算得到水库渗漏量约11 240m^3/d。

8 结论

两岸地下水分水岭低出正常蓄水位的库段总长2471m，约占总库周的90%。而且由于库盆开挖导致分水岭厚度进一步减少，库岸渗漏范围有所增加，导致部分分水岭地下水位会进一步有所下降，渗漏范围加大。综上所述，上水库存在贯穿分水岭断层，库底存在垂直渗漏问题，天然状态下的库岸渗漏段长约2471m，占整个库周90%左右。库盆岸坡开挖会造成库周分水岭地下水位有所下降，使得渗漏范围有所增加。上水库蓄水后库周大部分存在水库渗漏问题，天然状态下最大渗漏量约11 240m^3/d。水库渗漏量较大，同时地下水位和相对隔水层顶板埋藏较深，存在库底渗漏问题，因此建议上水库进行全库盆防渗处理。

勘查新技术

遥感技术在长距离引调水深埋长隧洞工程地质勘察的应用与研究
——以引嫩济锡工程为例

刘刊　庞博　李占军　申林　李保方
中水东北勘测设计研究有限责任公司，吉林 长春　130021

摘　要：本文论述了遥感技术在引嫩济锡工程地质勘察中的应用。文中简述了遥感解译的工作方法，通过MapGIS平台进行图像处理，建立了地层岩性、断裂等地质现象解译标志。在Google Earth高清影像覆盖区，可对线路工程的地质条件进行精确的解译。遥感解译成果为认识工程地质条件打下了基础，并成为进一步的大比例尺填图的背景资料，及时配合并指导地质勘察工作。遥感解译的地质成果精度可满足工程勘察前期工作的要求，并具有省时省力、节省经费的特点。

关键词：遥感　地质测绘　前期勘察　引嫩济锡

1　引言

引嫩济锡引水工程位于内蒙古自治区兴安盟和锡林郭勒盟，为大型引调水工程，现处于规划设计阶段。其隧洞段位于兴安盟境内，长度约182km，缓冲区面积约1110km^2。线路沿途地貌类型多样，地层有沉积岩、侵入岩和第四系松散堆积物。

区内为内蒙古高原东部大兴安岭中段，海拔600～1300m的中低山区，地势西高东低的剥蚀和侵蚀地貌类型。工作区内水系属于嫩江流域洮儿河水系，洮儿河、归流河横穿工作区，穿越区内较宽缓的"U"形支流河谷有17条之多，从影像上看，河谷宽阔，蛇曲发育，普遍沼泽化，呈现为以侧向侵蚀为主的河谷地貌(图1)。

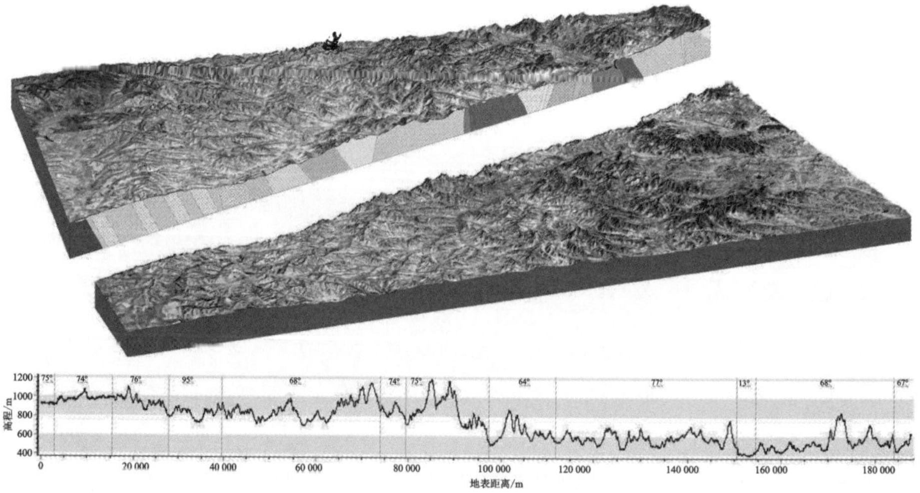

图1　研究区概况

作者简介

刘刊(1987—)，男，工程师，主要从事水利工程地质勘察与研究工作. E-mail:404210411@qq.com

规划阶段的长距离引调水工程，工期紧、线路变化多，为快速了解沿线的区域性工程地质特征以及各种地质现象的分布规律，尤其是地质构造的变化规律，并为下一步开展条带状大比例尺工程地质测绘以及各类勘探点的布置起到参考和指导作用，采用卫星遥感技术，结合常规方法和已有资料，快速的完成了引嫩济锡工程地质填图和分区评价，并对大比例尺遥感地质填图做出了有益的尝试。

2 遥感制图与地质解译方法

2.1 遥感数据源

遥感工作主要为输水线路隧洞段及缓冲区 1∶25 000 遥感地质解译。研究工作中选取 L8 多光谱数据，空间分辨率为 10m（全色波段 5m），为减少植被覆盖影响，选择植被落叶时相，数据时相分别为 2017 年 10 月 16 日、23 日，2017 年 9 月 3 日、28 日，满足解译要求。

2.2 影像制图

根据遥感数据特征和地质解译标志，选用冬季 L8 753/RGB 合成，投影方式变换为高斯-克吕格投影，6 度分带制，国家大地 2000 坐标系，并附以比例尺、坐标网格、注记等基础地理信息的图像作为解译底图，附输水线路及其缓冲区界线（图中白色框、绿色中线）。同时以 ETM＋432（RGB）、Google 高分影像以做解译参考图像。满足作业底图的校正、编制和最终成果质量要求。

2.3 遥感地质解译方法与流程

遥感地质工作遵循遥感地质解译方法与流程（图 2），参考已有资料图件，建立地层岩性和地质构造解译标志，由面-点-面的解译；基于 MapGIS、ArcGIS 平台进行解译，同时通过建立影像 DEM 制图和三维飞行漫游增强解译效果，尤其对地质构造的判别有很好的帮助。

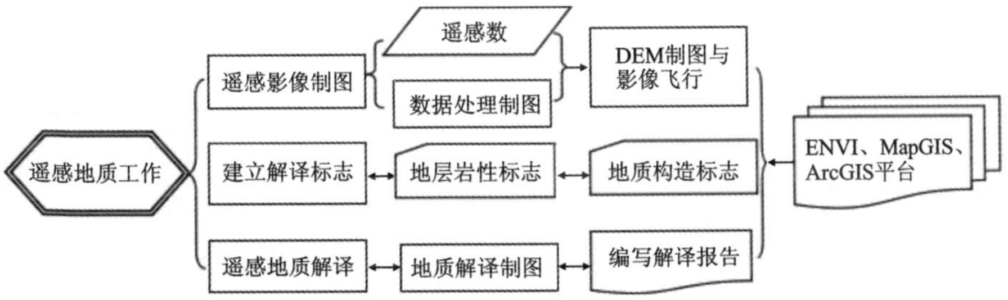

图 2 遥感解译方法与流程

3 影像标志与地质解译

以 L8 影像为底图，参考 Google 高分影像图，以图像色调、水系、地形（貌）、纹形图案等建立解译标志，划分遥感影像地质单元和地质现象，进行地质解译并制图。

3.1 地层岩性

根据区域地质资料所知，输水工程沿线发育第四系河流冲洪积层外，发育有白垩系梅勒图组（K_3m），上侏罗统白音高老组（J_3b）、玛尼吐组（J_3mn）和满克头鄂博组（J_3mk）。中二叠统大石寨组

(P_2ds)和哲斯组(P_2z)。白音高老组、玛尼吐组和满克头鄂博组陆相包含火山堆积的沉积岩地层和二叠纪晚期黑云母花岗岩($\gamma\beta P_3$)、晚侏罗世黑云母花岗岩($\gamma\beta J_3$)、早白垩世黑云母二长花岗岩($\eta\gamma\beta K_1$)和早白垩世石英二长闪长玢岩($\eta o\delta\mu K_1$)等侵入岩。发育的沉积岩和侵入岩的主要影像特征和分布见表1、表2。

表1　各地层主要影像特征和分布

地层及代号	岩性描述	遥感解译标志	遥感影像特征(ALOS432/RGB)
冲积(Qh^{al})	含砾黏性土、粉土，砂砾卵石层夹淤泥土	为现代河流、沟谷，高原湿地，高河漫滩。主河道为深蓝色弯曲条带。堆积物成分不同、堆积时间与含水量差异等原因引起色调、纹理不同	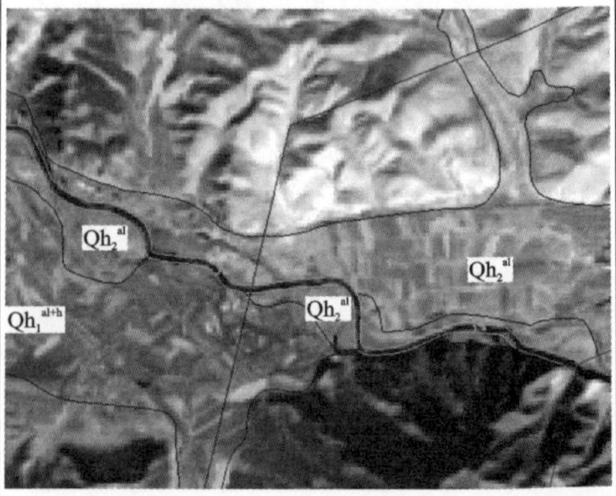
$Qh^{pal+edl}$	含砾黏土、粉质黏土，砂卵石，中下部常见冰水泥、砾岩	为现代河流、沟谷，高原湿地。可见牛轭湖。主河道为蓝色弯曲条带	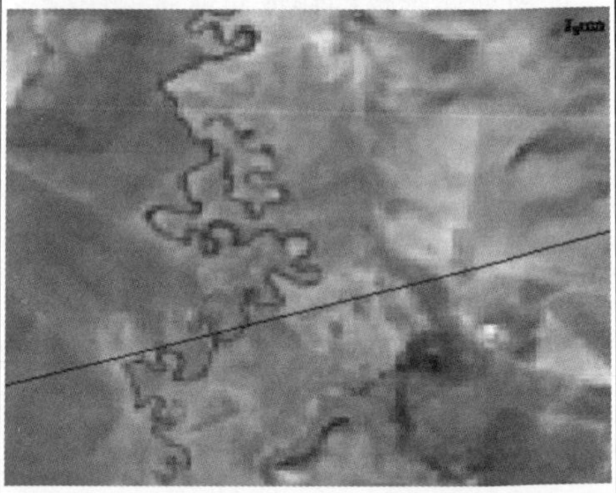
梅勒图组(K_1m)	安山岩、玄武安山岩、安山质凝灰岩	分布较少，地表较光滑，地形起伏小。冲沟有平行排列	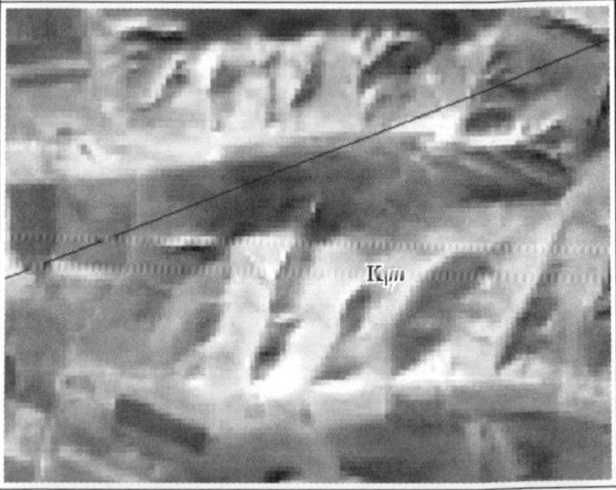
白音高老组(J_3b)	主要岩性为流纹质含角砾岩屑晶屑凝灰岩、熔结凝灰岩夹流纹岩	丘状地形，分布面积较大，沟谷切割中等。火山口发育，可见熔岩喷发相和岩相构成环形或半环形阶梯状微地貌影像特征。树枝状—放射状冲沟，草被发育	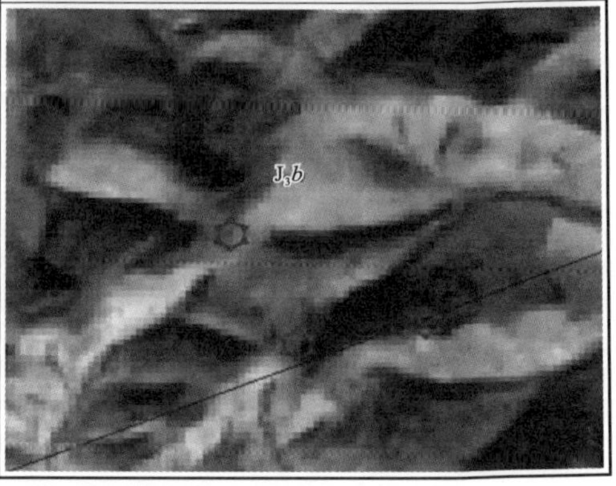

续表 1

地层及代号	岩性描述	遥感解译标志	遥感影像特征(ALOS432/RGB)
玛尼吐组(J_3mn)	安山岩、英安岩。安山质晶屑凝灰岩	地形起伏度高，地形切割深。火山口发育，放射状冲沟典型。植被发育	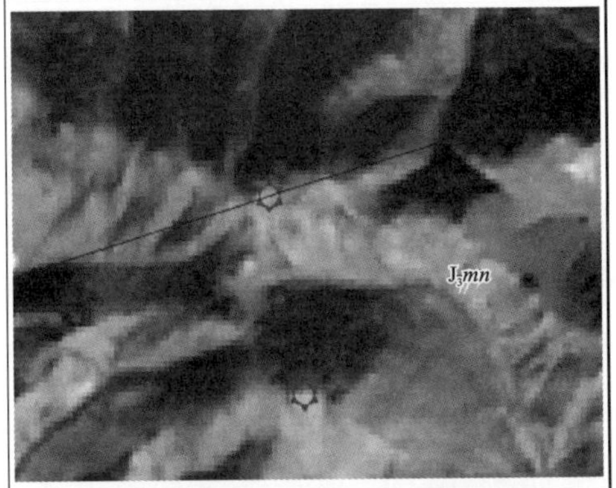
满克头鄂博组(J_3mk)	流纹质凝灰岩，熔结凝灰岩夹凝灰质细砂岩	在全区均有出露，与主要特征是地形低缓且平滑，冲沟不甚发育	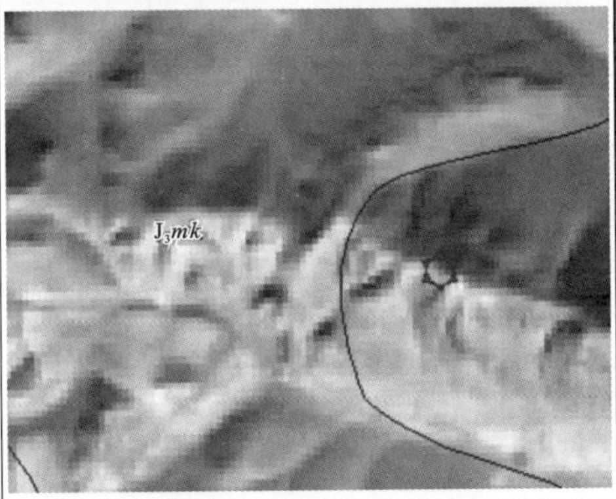
哲斯组(P_2zs)	砂岩，杂砂岩，粉砂岩，板岩夹生物碎屑灰岩透镜体	在东部地段分布。地形起伏度低缓平滑，似平行状冲沟，中等发育植被与其他区别	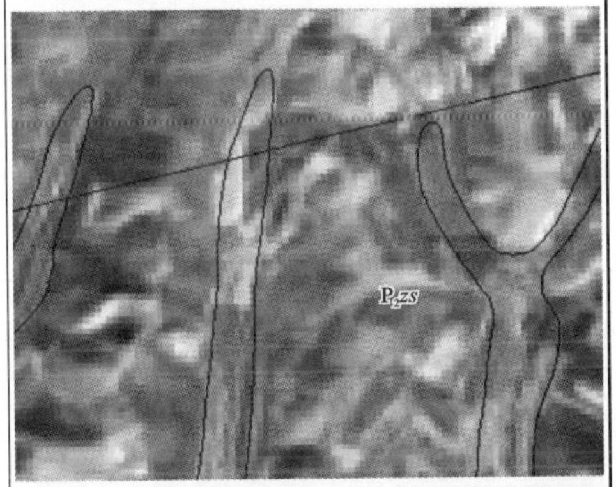
大石寨组(P_2ds)	灰绿色板岩夹灰岩、长石砂岩；含砾长石砂岩、砂岩、灰岩、板岩	山脊北东向，地形平缓，平行状沟谷	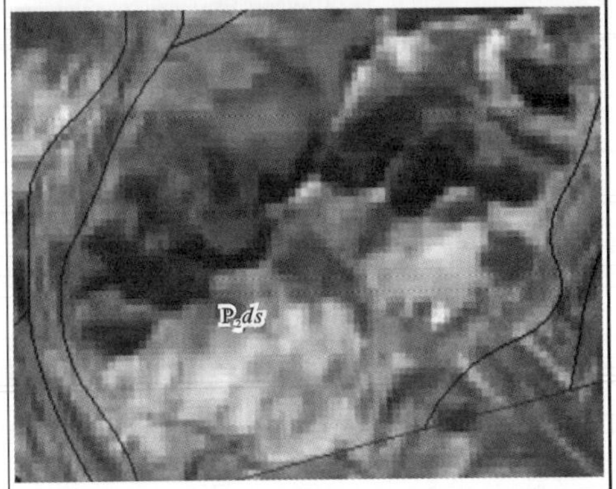

表 2 侵入岩主要影像特征和分布

岩性代号	岩性描述	遥感解译标志	遥感影像特征(ALOS432/RGB)
$\gamma\beta P_3$	黑云母花岗岩	典型的侵入岩地貌,任向水系,冲沟切割深,尖棱状山脊。植被发育	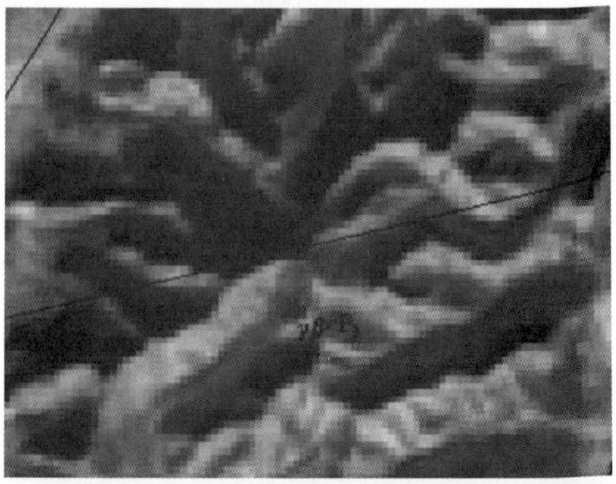
$\gamma\beta J_3$	黑云母花岗岩	地形低缓,沟谷切割成较团块状。山脊平滑	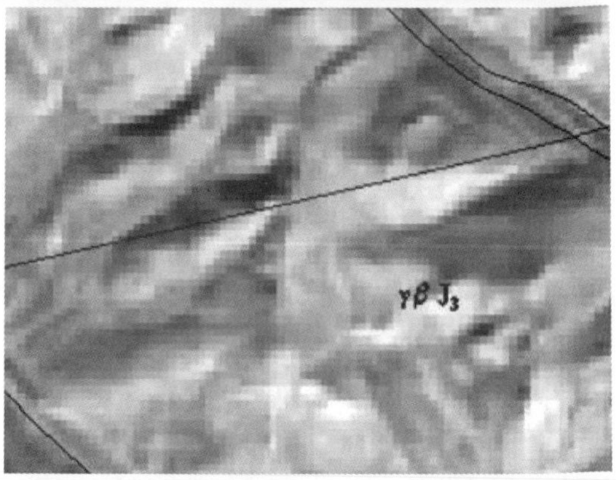
$\eta\gamma\beta K_1$	黑云母二长花岗岩	仅于上灰台和巴彦敖包一带。地形中等起伏,肋骨状山脊有别于其他	
$\eta o\delta\mu K_1$	石英二长闪长玢岩	分布很少,工作区仅在上灰台附近出露。以色调和地形差异与其他区分	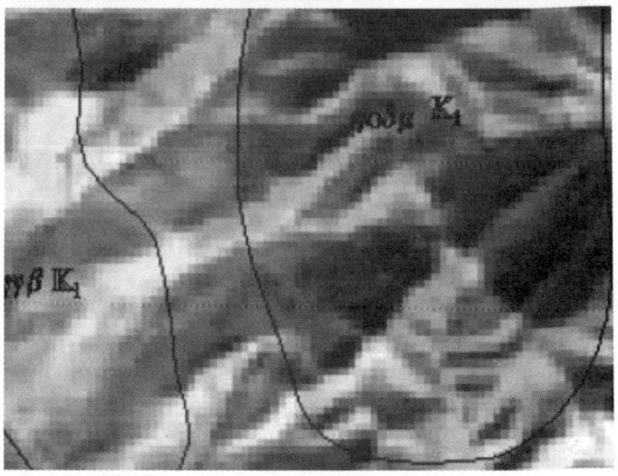

3.2 地质构造

工程区位于天山—兴安地槽褶皱区，斜跨大兴安岭古生代褶皱带与内蒙古自治区晚古生代褶皱带两个二级构造单元，处于三级构造单元阿尔山复背斜南东翼与乌兰浩特复向斜北西翼上。区内经历频繁的构造运动、火山活动、岩浆侵入，形成区内各方向断裂构造较发育。燕山期运动是本区表现最强烈的构造运动，发育北东和北西向断裂构造，沉积盆地以及基地断裂构造的继承性活动所引发的大规模多期次陆相火山活动、岩浆侵入。

对断裂构造的解译采用了 6 个方面的解译标志：①河流、冲沟直角拐弯（图 3）；②水系异常-倒钩状、直角状（图 4）；③直线沟谷两侧构造不连续（图 5）；④支流与主流直角相交（图 6）；⑤火山机构形成的环状与放射状断裂（图 7）；⑥控制岩性、地层形成分布（图 8）。

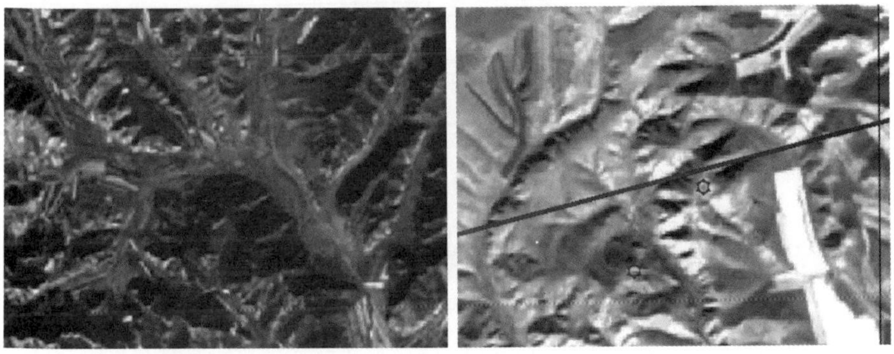

图 3 河流、冲沟直角拐弯

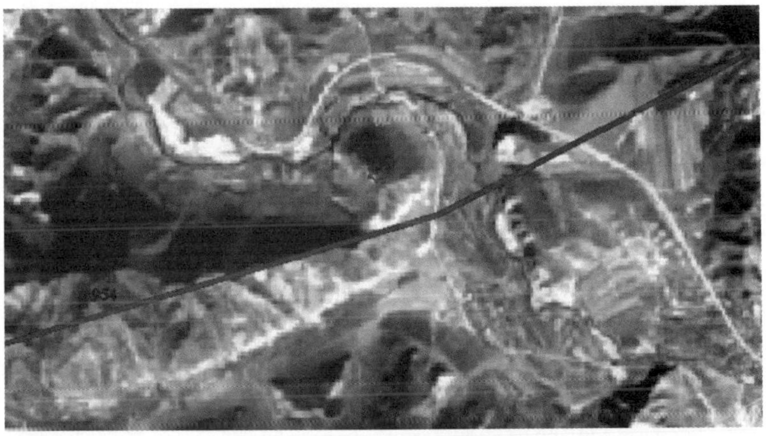

图 4 水系异常-倒钩状、直角状

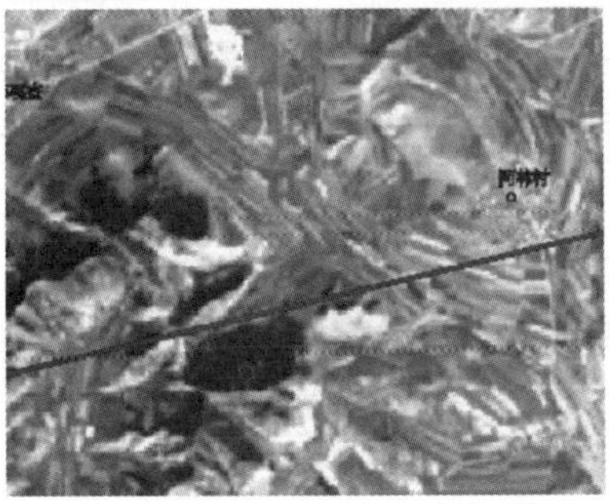

图 5 直线沟谷两侧构造不连续

图 6 支流与主流直角相交

图7　火山机构形成的环状与放射状断裂

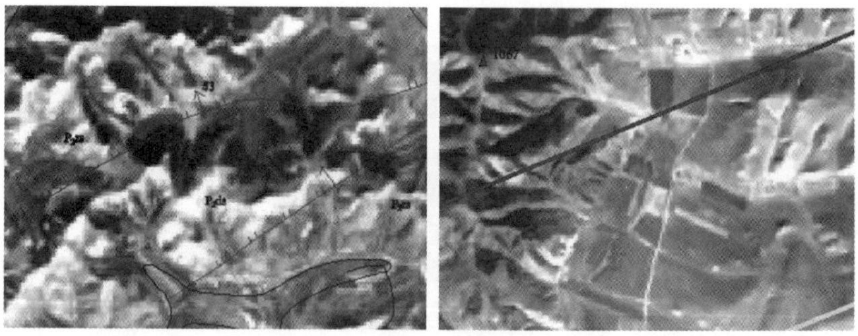

图8　控制岩性、地层形成分布

在狭长带状工作区范围，根据构造发育与穿越工程线路重点部位分段叙述，从东到西可分13个断裂构造（带）。现将主要断裂带分述如下。

F-1断裂带：影像上为一直线状宽阔的河谷，呈北北西320°展布，有多处其支流直角汇入或者直角拐弯，并且两侧地质体发育不对称，形成中生代火山（J_3mn和J_3b）不同期次喷发活动。

F-2坨凌河断裂带：近南北向沟谷两侧山脊有错断形成构造不联系。

F-3洮儿河断裂带：北西向展布，为古生代和中生代两个构造层分界，北东、南西两侧分别为（$\gamma\beta J_3$）和（$\gamma\beta P_3$）。

F-4猛鹫山村断裂带：北东向穿过路线，切割多个地质体成断层崖。

F-5断裂带：南北向直线沟谷，两侧构造不对称。

F-6阿拉坦浩特断裂带，呈北西300°展布，主要切割侵入岩体。宽谷西侧有断层三角面。

F-7归流河断裂带：位于线路中段，走向北西290°。据已知资料，该断裂南西侧为串珠状航磁异常异常带，河流两侧异常走向不同，断裂面倾向南西210°，北东盘出露的大石寨组与南西盘出露的满克头鄂博组沿走向相顶，表明该断裂为正断层。遥感影像上北西向展布的宽谷河流异常十分清楚。

F-8断裂带：为已知断裂，影像标志清晰。

F-9断裂带：为已知断裂，走向近南北，断层面倾向南东东，倾角56°。断裂控制巴尔扎拉河的发育，导致河谷西陡东缓，断层三角面沿河谷两侧线状排列。实地观测断裂带岩石破碎强烈，挤压破碎带产状为110°∠56°，可代表断层面产状。断裂切割了满克头鄂博组、玛尼吐组和白高音老组地层，显示西盘下降而东盘上升的逆断层。

F-10上灰台断裂带：扎拉格河谷，不同地质体直线分界，两侧构造不联系。

F-11断裂带：位于乌兰河断裂的南西端，该地段是多组方向断裂交会处，控制中生代火山口分布，导致乌兰河的水系的异常拐点——直角分叉。

F-12断裂带特征同F-11，为构造控制火山机构的发育，该地段既有直线型断裂，也有环状（弧形）断裂。

F-13乌拉盖断裂带：为区域性大断裂带，沿该断裂控制上新世基性火山喷发。

3.3 工程地质分段

输水线路的遥感地质调查，通过区内地形地貌、岩性层组分布、构造发育程度以及水文地质条件的推测分析，对输水线路工程地质条件进行分段初步评价。

Ⅰ区：主要在中生代白垩系火山岩区，区域上的火山机构导致测区发育一系列环状或放射状断裂，控制火山口和火山岩分布。

Ⅱ区：为引嫩济锡洮儿河横穿工作区，从形态看，河谷为宽阔的“U”形谷，由现代河床、漫滩、湿地组成。可见河谷主河床有改道痕迹，形成牛轭湖和典型河曲。表面堆积第四系松散砂砾石层。说明本区在第四纪仍有明显整体性升降运动。区域上为不同岩性（不同构造层）分界，断裂北西主要为白垩系火山岩区，南东部则以燕山期侵入岩为主，为北东北西向断裂交叉部位，对线路的工作影响较大。

Ⅲ区：发育在浩特阿拉、舍林扎拉格与佟宝屯之间，主要是古生代大石寨组和哲斯组地层分布区，地形起伏不甚明显，相对高差小。属于洮儿河水系网的多条支流近南北向穿过工作区。影像上为明显的河流直角拐弯，控制主流和支流的分布，河谷均为宽阔沟谷，表面堆积第四系松散砂砾石层，说明该断裂有继承性活动。

Ⅳ区：中生代白垩系火山机构导致测区发育一系列环状或放射状断裂，控制火山口和火山岩分布，同时控制冲沟的发育。

Ⅴ区：为中生代侵入岩发育区，断裂特点同Ⅳ区。

Ⅵ区：主要由古生代地层发育区形成的断裂构造，而且各方向都有发育，其中北北西和近南北为晚期构造，对测区路线的影响较大。

Ⅶ区：处于线路的南东终点处，为中生代的火山岩发育区。属于乌拉盖河与乌兰河断裂，该断裂造成地质体不连续，破碎带发育，断层陡崖发育，地形破碎。

4 小结

通过对引嫩济锡引水工程输水线路工程区遥感地质解译进行线路工程地质条件的初步分析，主要得到以下成果和认识。

（1）长距离引水线路穿越的地貌类型和地质单元复杂多变，地质勘察工作中首先采用遥感技术了解沿线区域性工程地质特征，比如岩土类型、地质现象、地质构造等，并为进一步地质勘察工作奠定了基础。

（2）将遥感的各种图像资料综合处理，进行从宏观到局部地段的综合解译，结合现有资料和野外实地查证，能更全面地了解区内的工程地质条件，同时配合了引嫩济锡工程规划阶段地质勘察工作。

（3）将遥感影像的地质解译系统地应用于工程地质勘察工作中，进行遥感工程地质填图和分区评价，既解决了现有地质资料研究程度的不足，又是一种经济、快速、高效的先进方法。

参考文献

武登云，谢宝瑜，张征河. 遥感技术在南水北调中线北京段工程地质勘察中的应用与研究[J]. 水利水电技术，2010(41)：87-91.

王润生，熊盛青，聂洪峰，等. 遥感地质勘查技术与应用研究[J]. 地质学报，2011(11)：1699-1743.

谈英武，崔荃，曹海涛，南水北调西线工程遥感应用[J]. 南水北调与水利科技，2006(1)：15-22.

朱亮璞. 遥感地质学[M]. 北京：地质出版社，2004.

赵英时. 遥感应用分析原理与方法[M]. 北京：科学出版社，2003.

覆盖层下底面的三维建模方法研究与优化

张必勇[1,2]　徐俊[1,2]
1.长江岩土工程有限公司,湖北 武汉　430010;
2.国家大坝安全工程技术研究中心,湖北 武汉　430010

摘　要:在三维建模过程中,覆盖层地质体由于其形态的复杂,其下底面的建模往往费时且效果不佳。通过研究覆盖层的成因和发育特征,可将其划分为风化残积型与侵蚀堆积型两类,按数据处理流程可分别对应厚度控制型与高程控制型。本文探索了狄洛尼三角插值法、反距离加权法以及线性插值法在上述两类覆盖层建模中的组合应用,并通过不断优化,极大地提高了建模效率。通过某水电站几种不同成因覆盖层的实际建模应用,表明该建模方法较为理想,可供工程技术人员参考并推广应用。

关键词:覆盖层　下底面三维建模　算法

1　研究背景

随着BIM技术的推广应用,工程技术人员对于创建地质体三维模型的效率与精度的要求日益提高。在覆盖层地质体的创建过程中,技术人员习惯于将其上表面向下偏移一个固定厚度,然后对其进行形态变形以通过已知点的方法来建立。但由于地表覆盖层形态的复杂、厚度的分布不均,该方法无法正确反映覆盖层发育的真实规律;且由于变形算法本身的不可控,其生成的下底面往往差强人意、精度较低;如果通过人工修改则极为费时,且效果不佳,无法进行动态更新。针对以上操作方法的严重不足,本次研究探索了不同覆盖层成因下下底面的插值方法,提高了地质体建模的效率与精度。

2　建模方法研究

2.1　建模思路

在岩土工程勘察中,可以获得与覆盖层有关的数据有:覆盖层上表面、边界(含地质点)、钻孔数据(覆盖层厚度)和剖面图,其相互关系如图1所示。其中边界处覆盖层厚度为0m,钻孔处厚度已知,剖面线可以通过取样转换为点(图2)。以上点的高程和厚度均已知,统称为已知点。相对于整个覆盖层范围而言,已知点的数量往往相当有限,需要编写插值算法对已知点之间的未知区域进行合理的推测计算,以获得连续完整的区域性数据,从而通过曲面转换获得覆盖层下底面模型。该建模的核心在于根据已知点对未知区域进行插值,因此可靠、快速的插值算法是下底面模型建立的关键。

作者简介

张必勇,男,高级工程师,主要从事水利水电工程地质勘察等方面的工作。E-mail:33022866@qq.com

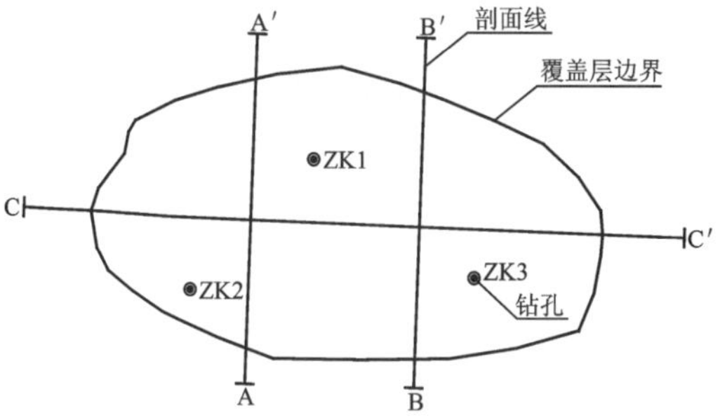

图 1　覆盖层边界与已知元素的关系

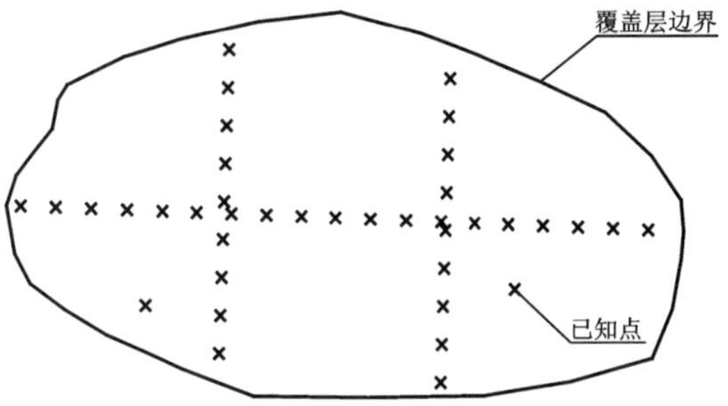

图 2　剖面图与钻孔数据均转换为已知点

2.2　覆盖层厚度变化规律分析与插值算法选择

自然成因的覆盖层常见的形式有残积、坡积、冲积、洪积、滑坡堆积等，不同成因的覆盖层按其厚度与地形的相互关系可以划分为风化残积型与侵蚀堆积型两类。

对于风化残积型覆盖层，岩石风化与原岩抗风化特性、区域地壳运动及气候条件等有关，其厚度受地面地形的影响较大，与地形坡度有较大联系。一般地形平缓处较厚，斜坡处较薄，当坡度大于 45°时一般极薄，陡坡处厚度几乎为 0m。因而其下底面一般随地表地形的起伏而波动。当存在已知点时，其厚度控制范围一般为 30～50m，局部可能会存在突变，距离越近影响越明显，但同一方向上只受到最近已知点的直接影响。如图 3 所示，在同一方向上点 3 的厚度只受点 1 的影响，点 2 的影响可以忽略。该类型覆盖层可以概括为厚度控制型。

对于侵蚀堆积型覆盖层，其厚度与地面地形的关联较少，一般较为稳定。其下底面平整连续，呈水平或缓倾状，表现为侵蚀停止时的原始特征。其厚度仅在沟槽处出现条状变薄，在前缘处随地形变薄，在后缘处自然尖灭。该类型覆盖层可以概括为下底面高程控制型。

上述两类覆盖层共有的变化规律：①边缘处厚度为 0m；②从边缘往中部逐渐变厚，但存在随机性。

针对覆盖层厚度分布的上述特点，在进行插值算法选择时应满足以下要求：①覆盖层边缘处厚度值应为 0m；②已知点处厚度值应保持不变；③与已知点距离越近，受其影响越大，且同一方向上应只考虑最近点的直接影响；④插值应连续、较光滑，不能出现随机性陡坎；⑤新增、删除、修改已知点时仅对修改点附近区域的计算产生影响，从而保证算法的稳定性；⑥算法应简洁实用，利于在工程技术人员中推广使用。

对此，可将需插值的区域划分为 3 部分：①为已知点控制的区域；②为边界附近渐变的区域；③为①与②之间的过渡区域（图 4）。

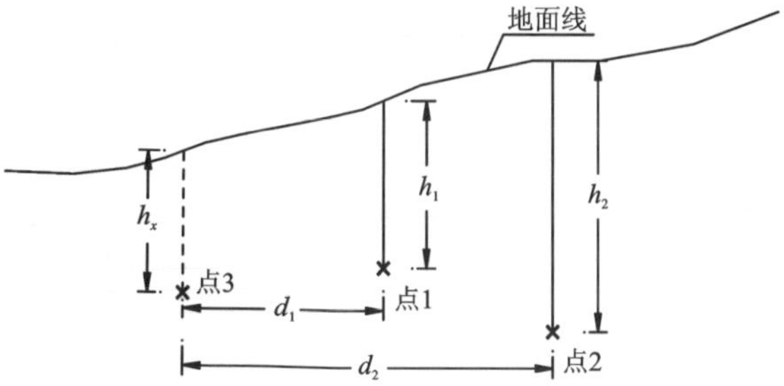

图 3　同一方向上不同点对插值点的影响

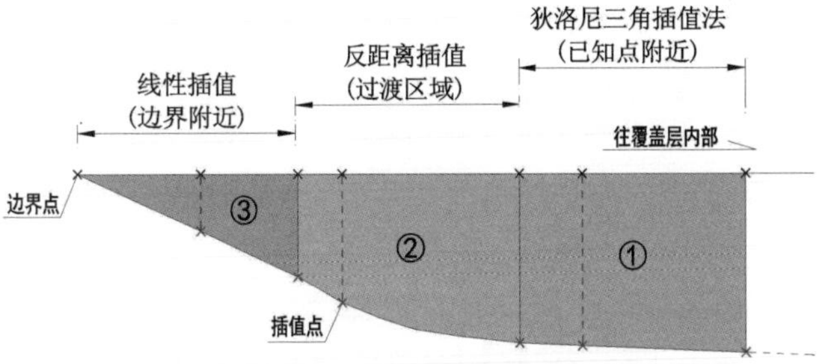

图 4　插值区域的划分及算法的选择

针对上述要求，对三维建模中曲面插值常用的算法进行了对比研究，如反距离加权法、线性插值法、最小曲率插值法、多元回归插值法、样条函数插值法、克里金法（Kriging）、狄洛尼三角插值法等，以针对不同的区域选择相应的算法。

对于厚度型覆盖层，其插值对象是厚度值。考虑到算法的简洁、高效，本研究针对核心部分（区域①）选择了狄洛尼三角插值法，该方法在计算时选择不在同一方向的对插值点影响最大的3个已知点进行插值计算，符合覆盖层发育的一般规律；对边界附近（区域②），覆盖层一般沿地表地形自然尖灭，可以采用线性插值法；对边界与已知点之间（区域③），为了保证插值数值的连续、光滑，则采用反距离加权法过渡。通过以上3种算法的组合运用，能很好是满足覆盖层插值计算中的上述需求。获得厚度值后，可以通过原地面高程与插值计算得到的厚度相减，即可得到所需下底面高程值。

对于下底面高程控制型覆盖层，其插值对象是高程值，区域①、②、③合并为一个区域，直接采用狄洛尼三角插值法，计算结果即为覆盖层下底面高程值。

3 插值算法的实现

厚度型插值计算需首先获得已知点处的厚度值，数据处理流程见图5(a)；高程插值计算数据处理流程见图5(b)。

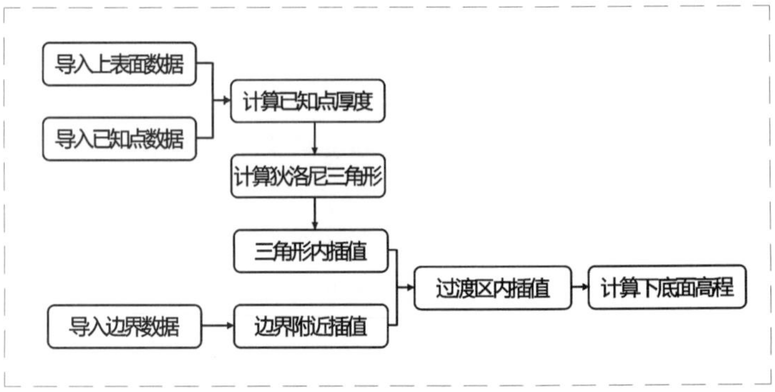

(a) 厚度插值计算

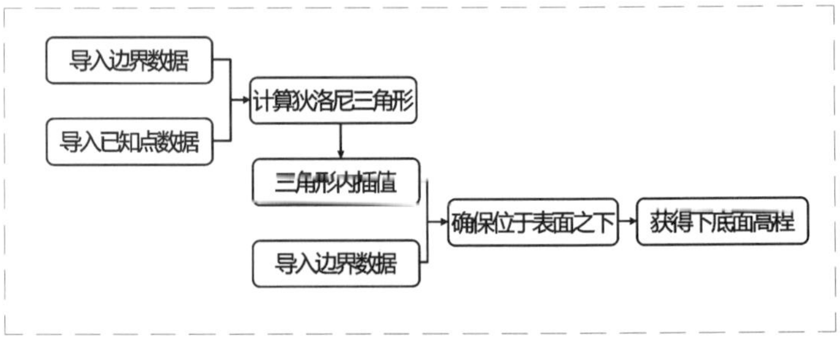

(b) 高程插值计算

图5 插值计算数据处理流程图

3.1 狄洛尼三角插值法插值

(1)狄洛尼三角剖分的原理(图6)。给定平面上的一组点，将平面细分成以这些点为顶点的多个三角形，该三角形满足条件：①任意一个三角形除了端点外，不包含其他任何点；②三角形的边互不相交。

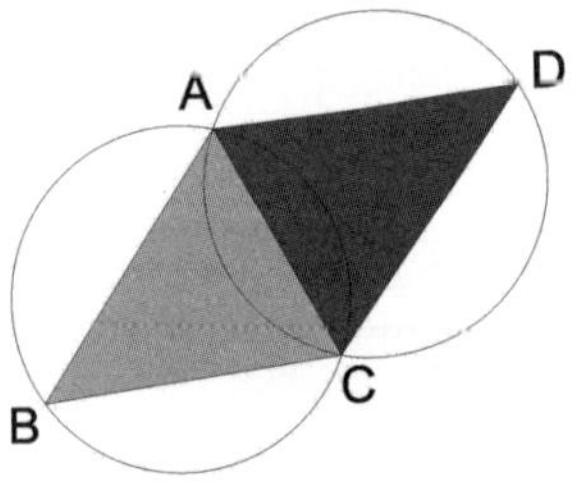

图6 狄洛尼三角形的生成

(2)剖分后三角形的特点(图7)。①最接近：以最接近的三点形成三角形。②最大化最小角特性：在可能形成的三角剖分中，狄洛尼三角剖分所形成的三角形的最小角最大。从这个意义上讲，狄洛尼三角网是“最接近于规则化的”三角网(在两个相邻的三角形构成凸四边形的对角线，在相互交换后，两个内角的最小角不再增大)。③唯一性：不论从区域何处开始构建，最终都将得到一致的结果。④区域性：新增、删除、移动某一个顶点只会影响邻近的三角形。

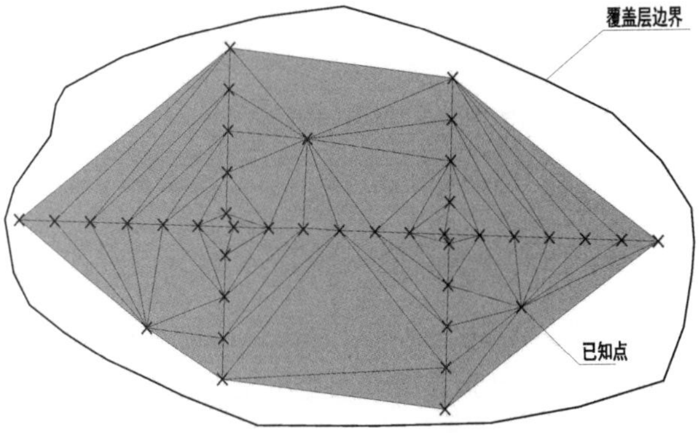

图7 典型覆盖层进行狄洛尼三角剖分后的效果

从以上特点可以看出，其剖分后的三角形完全满足2.2节中插值时对已知点的选择要求，同时形成的三角网最小角最大，既能保证采用的已知点能在插值点周围最大均匀化分布，亦能优先利用对插值点影响最大的3个已知点。且该算法具有计算唯一性、稳定性好的优点。

(3)三角剖分后三角形内插值。三角剖分完成后，即可对每个三角形网格内的值进行插值计算。选择插值算法时，要考虑到以下几点：①在3个已知点处的值应保持不变；②边界处与边界以外的值应保持连续性；③算法的简便性。对于已知点较多，且对精度要求不高时，可以选择简单实用的平面插值法，即直接计算出空间中通过3个已知点构成的平面，再通过插值点的平面位置即可计算出该该点的厚度值或高程值。该算法除满足以上3点要求外，计算出厚度后还能在计算高程时保证原始地面地形变化对下底面的影响，与实际地质情况非常接近。

3.2 边界处线性插值法插值

覆盖层的厚度往往会从边界处的0m往内部逐渐过渡，到一定距离处则不再受边界的影响，不同的岩层和区域影响范围各不相同，在缺少实测资料时该距离可取已知厚度最大值的一倍左右。在该范围内，直接采用线性插值的算法。

3.3 过渡区反距离加权法插值

对于三角形以外的插值点，当其与边界超过一定距离时，受边界的影响很小，可以全部利用已知点进行插值。选择插值算法时，需要考虑到以下几点：①距离已知点较近时应受已知点的影响；②各拟插值点与周围已插值点的值应保持连续性；③当离已知点较远时，可以综合考虑所有已知点的平均趋势。针对以上特点，本研究选择了通用的反距离加权法，该算法在距离已知点较近时，能与已知点保持较好的连续性，当距离逐渐变远时，则反映了整个区域所有已知点的平均厚度趋势，对于地质工作者来说，在勘探资料有限时，这也是能暂时接受的成果。

3.4 下底面三角网模型的建立

插值计算完成后，即可得到下底面高程点数据，通过点云处理，即可生成三角网并转化为曲面模型。

3.5 局部优化

对于三角形外离已知点较远的区域，其获得的高程值可以根据覆盖层在不同地貌处发育的特点进行平顺和优化(图8)。在山包处，覆盖层往往更厚，在冲沟处，则会变薄，总体表现为更平顺。

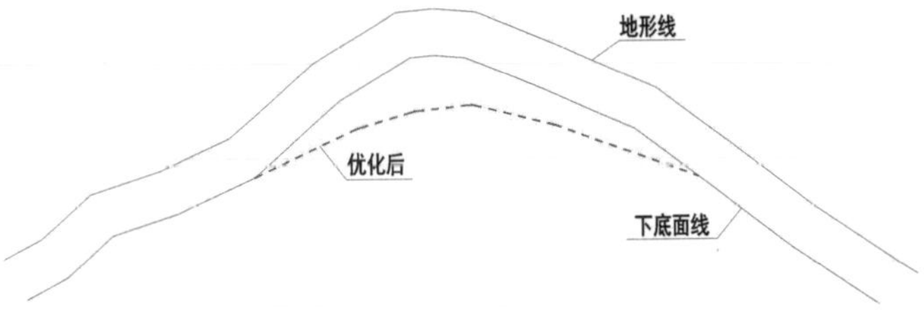

图8 山包处覆盖层下底面的平顺与优化

4 建模效果分析与迭代改进

4.1 建模效果分析

通过运用以上建模方法开发出计算机程序，在以上步骤完成后，对得到的下底面模型进行检查可见：①边界与已知点处均能与给定值保持吻合；②其余部分插值点均位于上表面之下，不需要人工处理；③得到的模型整体平顺，连接自然，符合覆盖层的发育规律；④算法高效简洁，对于面积为40万m^2的覆盖层计算时间在1min左右，能满足实际需求。

4.2 模型的迭代改进

在实际应用中，在已知点缺乏的区域，当计算成果与地质工程师的判断有出入时，可以在该部位添加虚拟剖面，将工程师的认识通过该剖面表达出来，并转化为点后添加到原数据中重新计算。通过以上步骤的迭代使用，不断优化下底面曲面，最终可获得较为理想的覆盖层地质体模型。

5 建模实例

对某水电站坝址区覆盖层进行了建模测试，生成的覆盖层地质体见图9，校核剖面图见图10。该坝址共分布有5处不同类型覆盖层，其中①和⑤为阶地堆积层，属于侵蚀堆积型；②为滑坡堆积层，属于风化残积型；③、④以残积堆积层为主，属于风化残积型。从图中可以看到，所有覆盖层模型边界清晰、层次分明，下底面连续完整，其形态符合地层发育的一般规律。实践表明该方法能较好地适用于地质体的建模。

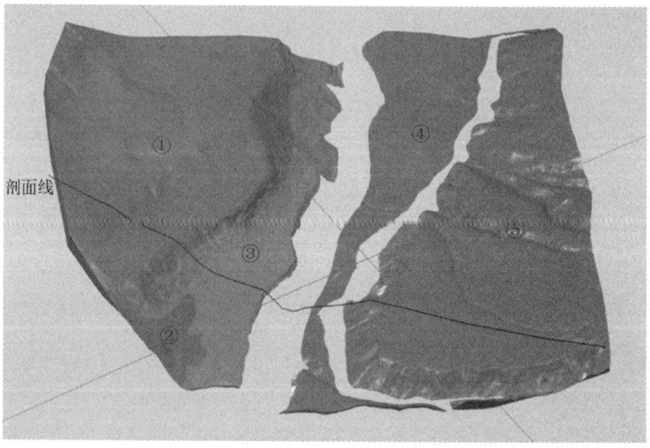

图9 某水电站坝址区覆盖层建模效果(空白处为基岩)

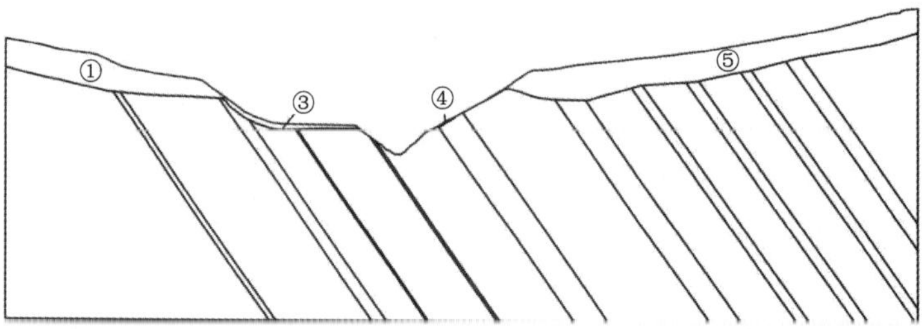

图10 某水电站坝址区覆盖层建模后剖面检查效果

6 结语

文中详细介绍了覆盖层下底面三维建模计算的一种全新方法的理论与实践。该方法通过对覆盖层分布规律与已知条件的分析，将覆盖层划分为风化残积型与侵蚀堆积型两类，通过研究选择了与之相适应的插值计算方法，在经过优化和迭代改进后，最终能获得效果极佳的下底面模型。该方法高效简洁，边界条件容易获得，程序易于实现，且对提高建模速度及提升模型质量效果显著。相信通过持续改进后，可以为覆盖层的三维地质建模带来本质的飞跃。

参考文献

姬广军，朱吉祥. 三维地质建模技术研究现状[J]. 科技风，2019(10)：109-110.

胡瑞华，胡迎松，李书. 复杂基岩覆盖层分界面建模算法研究和实现[J]. 人民长江，2018，49(15)：70-77.

赵意，吴坤占，甘龙，等. 三维地质建模在水利工程勘察中的应用[J]. 资源信息与工程，2019，34(2)：61-66.

高军，詹跃跃，刘凯，等. 郑万高铁不良地质三维建模与修正分析[J]. 隧道建设(中英文)，2018，38(S2)：25-33.

刘珊珊. 理正勘察三维地质软件对工程地质三维建模的实现[J]. 建筑工程技术与设计，2018(32)：160.

基于三维激光扫描技术的岩体结构面识别与块体分析

徐俊[1,2]　张必勇[1,2]　谢礼明[1,2]　刘宇[1,2]

1.长江岩土工程有限公司，湖北 武汉　430010；

2.国家大坝安全工程技术研究中心，湖北 武汉　430010

摘　要：以某项目勘探平硐中的岩体结构面为研究对象，利用三维激光扫描技术及工程地质分析相结合的研究手段，通过三维软件对三维激光扫描点云进行系统集成，采用产状面模板准确识别结构面信息，进而利用结构面空间模型互相切割形成定位或半定位三维块体，并对块体进行了简要分析。本文为结构面识别及块体定位提供了新方法，对工程支护设计具有重要的指导作用。

关键词：三维激光扫描技术　岩体结构面识别　块体分析

1　引言

三维激光扫描技术是测绘领域继GPS技术之后的又一次技术革命，它利用非接触式高速激光测量，以点云的形式获取地形或物体表面复杂几何图形的三维数据。该技术突破了传统的单点测量方法，最大特点就是采集密度高，速度快、精度高、逼近原形、扫描距离远。目前，将三维激光扫描仪采集的点云传输到专用的三维激光扫描后期数据处理软件中进行点云数据的拼接、缩减、抽稀及去噪，生成三角高程格网，再利用三角高程格网有效地建立立体模型，可以用于地形图测绘、土石方体积测量、地表边坡及地下洞室编录、边坡变形监测、桥梁变形监测、桥梁病害检测以及模型修正等方面。

工程岩体稳定性问题常表现为地质结构面相互切割形成的块体失稳，要评价块体稳定性需获得完整、可靠的岩体结构面信息。长久以来，国内外众多专家学者对于获取岩体结构面几何信息的方法进行了不同的尝试和研究探索。三维激光扫描技术成熟以后，国内外的一些专家学者已经将其应用在岩体结构面获取方面。Siekto等用激光扫描仪扫描了岩体边坡，得到了岩体表面三维激光点云数据，取得了一些初步成果。Slob等对激光扫描点云数据进行三角网格重建，认为每一个三角面片产状代表一个结构面产状，再使用模糊K均值法对结构面进行分组。Hummah等研究了如何利用模糊群聚方法实现结构面自动识别。何秉顺等和施星波通过手工选取扫描数据点，然后再根据数据点拟合平面，实现半自动识别岩体结构面。刘昌军等对三维激光点云数据进行三角形网格化重构，对岩体结构面进行拟合，并用模糊C平均群聚方法对其产状进行聚类，还用不同颜色表示结构面的聚类结果。Riquelme等提出了基于激光扫描三维点云的利用k最近邻算法（K-nearest neighbor，KNN）主成分分析（principal component analysis，PCA）识别和定义岩质边坡露头面不同平面代数方程的一种新方法，并进行了参数的敏感性分析。

作者简介

徐俊（1981—），女，高级工程师，主要从事三维地质建模及模型应用研究。E-mail：26953625@qq.com

以上利用三维激光扫描技术进行岩体结构面识别大多基于各类算法，过程复杂。本文采用“几何法”在已测得产状的情况下利用自主创建的产状面模板，未测得产状的情况下利用不共线的三点构建平面，实现了基于三维激光扫描数据的岩体结构面快速、精确识别，识别过程简单，一般地质工程师均可操作，实用性强。

2　三维激光扫描技术原理

三维激光扫描系统的工作过程是一个不断重复的数据采集和处理过程，它采用仪器坐标系下的三维空间点组成的点云图来表达对目标物体采样的结果。三维激光扫描系统通过内置伺服驱动马达系统精密控制多面反射棱镜的转动，使脉冲激光束沿横轴方向和纵轴方向快速扫描。通过测量扫描仪到目标点的距离值和激光束的水平方向值和竖直方向值计算激光脚点的三维坐标。

脉冲激光测距的原理是：扫描仪的发射器通过激光二极管向目标发射近红外波长的激光束。激光经目标物体的漫反射，部分反射信号被接收器接受。通过测量信号在仪器和目标物体表面的往返时间，计算仪器和点间的距离。

三维激光扫描系统通过数据采集获得测距观测值 S，激光脉冲横向扫描角度观测值 α 和纵向扫描角度观测值 β。激光扫描三维测量一般使用仪器内部坐标系统，X 轴在横向扫描面内，Y 轴在横向扫描面内与 X 轴垂直，Z 轴与横向扫描面垂直(图 1)。由此可得到三维激光脚点坐标的计算公式：$X = S \cdot \cos\beta\cos\alpha$ ，$Y = S \cdot \cos\beta\sin\alpha$ ，$Z = S \cdot \sin\beta$ 。三维激光扫描仪在记录激光点三维坐标的同时也将记录物体反射激光点的强度值；内置的数码相机在扫描过程中可以方便、快速地获取外界物体真实的色彩信息，因此，点云包含三维坐标值和强度信息，以及 RGB 信息，从而使精确获取岩体结构面信息成为可能。

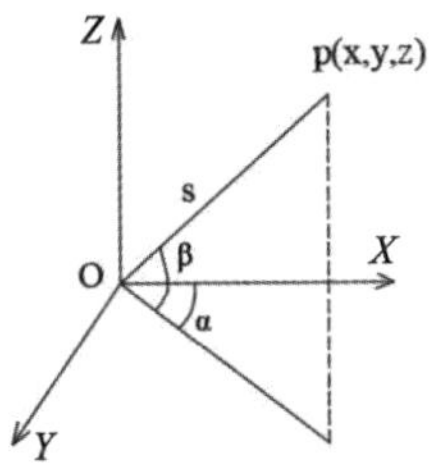

图 1　三维激光扫描系统测量原理

3　块体理论及 3DE 平台简介

目前岩体稳定性分析方法主要有极限平衡法、差分法、有限元、离散元、边界元、块体理论、非连续变形分析和数值流形法等。与大部分考虑岩体应力应变特征求解方程组的“数值法”分析不同，块体理论主要根据岩体结构面的产状等少量参数直接判断相应岩体的可动性，属于“几何法”。它由石根华在 20 世纪 70 年代提出，首先假定结构面为平面且贯穿整个研究区域，引出半空间的概念，视块体为几组结构面和临空面半空间的交集，建立块体分类体系见图 2。块体理论分析过程简洁快速，其计算完全是三维的，所得结果又能直接用于工程需求，因此，它已成为当前地下洞室、边坡和坝基等工程岩体稳定分析的一种有效方法，在世界各国和地区得到了广泛地研究和应用。

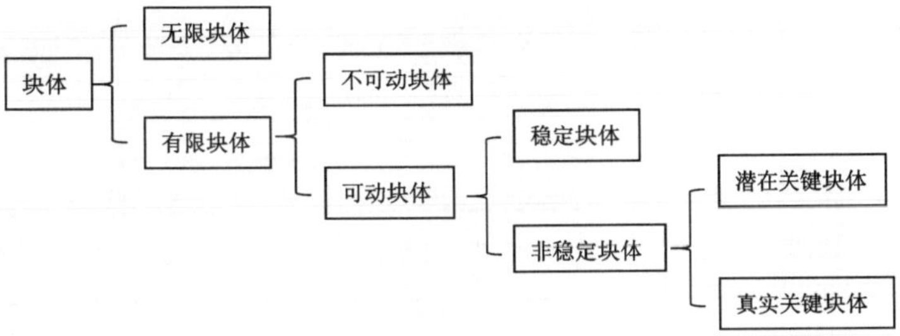

图 2　块体分类体系

4 基于3DE平台的岩体结构面识别及块体分析示例

某项目为查明拟建通航隧洞段岩体工程地质条件，实施了勘探平硐。平硐硐深579m，进口底板高程为191.85m，顶板高程为194.55m；桩号579m处底板高程为193.22m，顶板高程为196.09m；平硐开挖断面为城门洞，高约2.7m，宽约2.7m。

经常规地质编录，平硐共揭露断层（Ⅲ级结构面）4条，裂隙性断层（Ⅳ级结构面）15条。Ⅲ级结构面编号为F_1、F_2、F_3、F_4，走向以EW—NWW为主，倾角以陡倾角（≥60°）为主。裂面起伏粗糙或稍起伏粗糙，接触面多见擦痕，断层宽10～40cm，最大宽度80cm。断层带物质主要为断层泥、岩屑、花岗岩碎块，胶结差，断层面见渗水，断层在开挖中多有垮塌，性状整体较差（仅F_4性状略好）。Ⅳ级结构面（裂隙性断层）编号为F_1～F_{15}，走向以近EW为主，其次为NE—NEE、NW—NWW，倾角以陡倾角（≥60°）为主，少为中倾角。裂面平直粗糙或稍起伏粗糙，接触面多见擦痕，断层宽0.2～6cm，最大宽度10cm。断层带物质主要为绿帘石、钙膜及岩屑，胶结一般，断层面多滴水，局部渗水（F_3、F_9、F_{12}、F_{13}、F_{14}、F_{15}），性状整体一般，局部较差（F_9、F_{10}、F_{12}）。

4.1 岩体Ⅲ级结构面识别及块体分析

平硐采用FARO150激光扫描仪进行了扫描，扫描历时两天半完成。每4m设置一个站点，共进行145站扫描，距离扫描仪1m以内扫描精度为0.7mm。将激光扫描点云按30～40m分段导入达索3DE平台后，通过产状面模板对Ⅲ级结构面F_1、F_2、F_3、F_4分别进行了识别。图3为F_1、F_2三维激光扫描点云，图4为产状面模板，输入元素为一个点及XY平面，由倾向、倾角、长、宽4个参数控制。根据块体理论，假定断层面为平面且贯穿整个区域，利用产状面模板对断层面F_1及F_2分别进行了识别（图5）。其中断层面F_2产状不止一个，因此使用了两个产状面对其进行拟合。当结构面产状未知时，则可在结构面点云上提取不在同一直线上的3个点，亦可快速确定结构面。

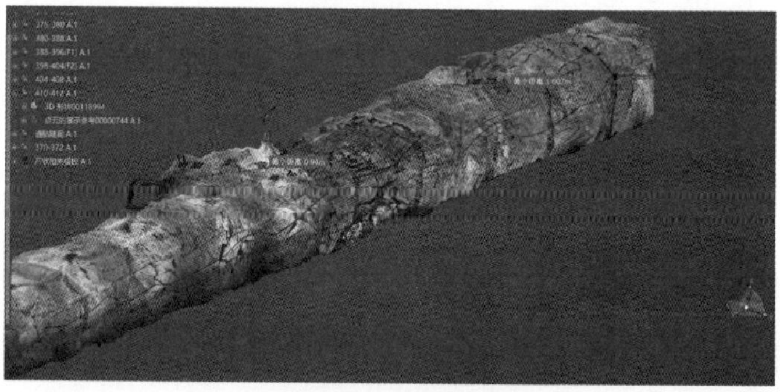

图3 断层F_1、F_2三维激光扫描点云

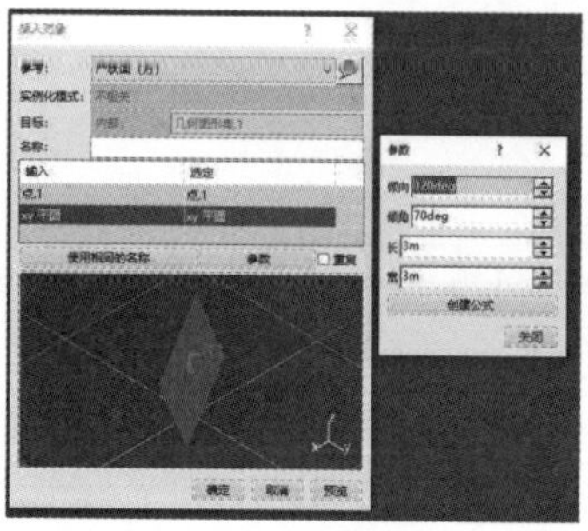

图4 产状面模板输入元素及参数

图5 断层面F_1、F_2识别

断层面 F_1、F_2、F_3 延伸之后相互切割将形成正三角锥形（上小下大）不稳定块体，块体与断层 F_3 段三维激光扫描点云不相交（图 6）。将块体拷贝至 F_1、F_2 断层段三维激光扫描点云内，与平硐相交于 387～397m支护段（图 7）。在通航隧洞顶拱将形成正三角锥形不稳定块体，体积约 772m^3，块体交线的最大高度 23m（图 8）。

图 6　块体与平硐 F_3 断层的位置关系

图 7　块体与平硐 F_1、F_2 断层的位置关系

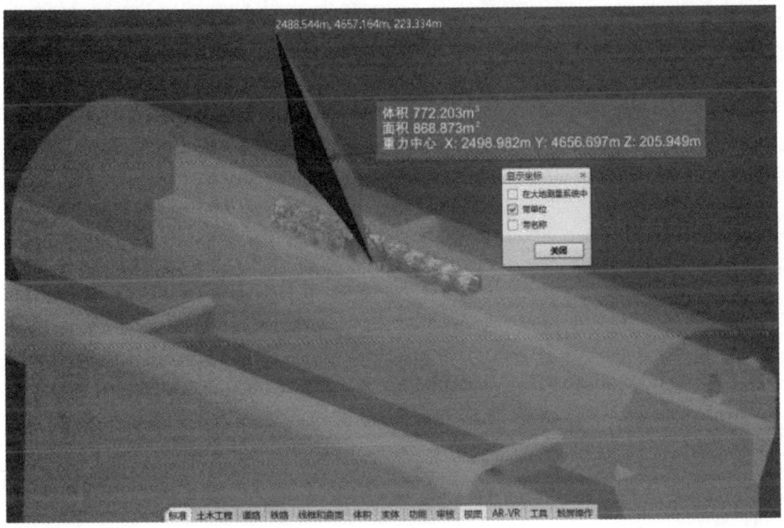

图 8　通航隧洞顶部块体

4.2　岩体Ⅳ级结构面识别及块体分析

平硐内 15 条Ⅳ级结构面（断层 F_1～F_{15}）也采用同样的方法进行了识别及组合块体分析。断层 F_1～F_{15} 三维激光扫描点云提取断层面和勘探平硐的位置关系总体如图 9 所示。经分析判断，仅断层 F_2、F_3、F_6 可组合形成块体，块体呈倒三角锥形（上大下小）如图 10 所示，稳定性较好。

图 9　断层 F_1～F_{15} 与勘探平硐的位置关系

图10　断层 F_2、F_3、F_6 组合形成块体特征图

5　结论

目前基于三维激光扫描数据，一般只限于利用各种算法对岩体结构面进行自动或半自动识别，结构面识别之后的相关应用涉及很少。本文根据块体理论将岩体结构面假定为平面且贯穿整个区域，采用"几何法"在快速、精确识别岩体结构面的基础上，利用达索3DE平台强大的建模功能，将结构面延伸后进行相互切割形成定位或半定位三维块体，从而确定了块体的空间位置及规模，可进行块体形态分析、体积计算及求解交线的最大高度等应用，为岩体稳定性计算分析提供了新方法，同时对工程支护设计也具有重要的指导作用。

参考文献

张文. 基于三维激光扫描技术的岩体结构信息化处理方法及工程应用[D]. 成都：成都理工大学，2011.

何秉顺，丁留谦，孙平. 三维激光扫描系统在岩体结构面识别中的应用[J]. 中国水利水电科学研究院学报，2007，5(1)：43-48.

施星波. 基于三维激光扫描数据的岩体结构面产状识别方法研究[D]. 北京：中国地质大学(北京)，2010.

刘昌军，丁留谦，孙东亚. 基于激光点云数据的岩体结构面全自动模糊群聚分析及几何信息获取[J]. 岩石力学与工程学报，2011，30(2)：358-364.

袁国志. 三维激光扫描技术原理及应用探讨[J]. 城市建设理论研究，2014(5)：1 4.

于永超. 基于块体理论的岩体稳定性实时分析系统研究[J]. 岩土工程技术，2014，28(2)：55-59.

Siekfo S, Robert H, Van Knapen B, et al. A method for automated discontinuity analysis of rock slope with 3D laser scanning. Proceedings of the 84th Annual Meeting of Transportation Research Board[J]. Washington, D. C.: Transportation Planning and Technology, 2005(3)：187-208.

Hammah R E, Curran J H. Fuzzy cluster algorithm for the automatic identification of joint sets[J]. International Journal of Rock Mechanics and Mining Sciences, 1998，35(7)：889-905.

Slob S, Knapen B V, Hack R, et al. Method for Automated Discontinuity Analysis of Rock Slopes with Three-dimensional Laser Scanning[J]. Transportation Research Record Journal of the Transpoetation Research Board, 2005，19(13)：187-194.

Hammah R E, Curran J H. On distance measures for the fuzzy K-means algorithm for joint data[J]. Rock Mechanics and Rock Engineering，1999，32(1)：1-27.

Riquelme A J, Abellán A, Tomás R, et al. A new approach for semi-automatic rock mass joints recognition from 3D point clouds[J]. Computer & Geosciences, 2014，68：38-52.

倾斜摄影在西藏某水库工程勘察中的应用

赵文超 陈建辉 滕光亮 张尧
中水北方勘测设计研究有限责任公司，天津 300222

摘 要：工程地质测绘是水库工程地质勘察的重要手段之一，传统的地质测绘工作在高寒、高海拔的西藏地区受恶劣的自然环境、复杂的地形地貌及艰苦的工作条件影响，存在勘察质量差、工作效率低及外业危险性大的问题。本文研究了倾斜模型在水库工程地质信息采集方面的应用，经工程实践，实现了数字化外业信息采集、简化了三维地质模型建立流程、提高了地质测绘效率和质量。西藏地区植被覆盖少、传统地质测绘工作限制因素多，倾斜模型可用性高，可为类似工程提供参考。

关键词：倾斜模型 西藏 地质测绘 信息采集

1 引言

近年来，国家十分重视西藏水利工程事业的发展，庞多、拉洛及湘河水利枢纽等重点水利项目的实施，将极大改善西藏地区水利基础设施条件，也有更多的水库项目在进行前期勘察工作。

西藏地区的水库工程多位于高山峡谷地区，高寒、高海拔及缺氧等恶劣的自然环境为工程地质测绘工作造成了极大的困难。

倾斜摄影技术是测绘领域近年来发展起来的一项新兴技术，它融合了正射和倾斜影像，通过在飞行平台搭载相机，获取多角度高分辨率影像数据，借助三维模型处理系统，自动生成DEM（数字高程模型）、DOM（数字正摄影像图）、DSM（数字表面模型）以及.osgb、.obj格式实景三维模型。

本文以西藏某水库工程为例，采用倾斜摄影测量技术对坝址区进行三维实景建模，以此模型为基础，进行地质信息采集，并将所采集的地质信息应用于地质三维模型中，简化地质三维模型建模流程，提高勘察质量及效率。

2 传统勘察存在的问题

传统的工程地质测绘工作以线状展开或追踪地质信息进行，工作开展前及进行过程中缺少对工程区地质信息的整体性、系统性把控，从而造成工作的目的性差、工作反复或漏项。

传统的工程地质测绘工作通常以2人一组展开，使用工具为全站仪和GPS等设备，根据测绘点精度要求，工作量大、效率低、周期长，人力成本高。

高原山区恶劣的自然环境、复杂的地形地貌及艰苦的工作条件等不利于勘察的限制条件较多，造成外业难度大、安全风险高。受地形陡峻、水系及民俗等因素影响，部分区域测绘难度大、精度低。

作者简介

赵文超（1983—），男，高级工程师，主要从事地质工程与岩土信息化研究. E-mail：157983533@qq. com

3 外业信息采集思路

外业信息采集遵循“查勘-信息采集-外业复核”的整体思路。在信息采集之前，对工程区进行查勘，建立信息采集标志，信息采集后对采集信息进行现场复核。

3.1 定义标志

信息采集标识应在充分收集和熟悉工程区地质资料的基础上，在查勘过程获得。现场查勘的目的是对现场情况有直观认识，定义信息采集标志，获得的信息是定性的，为地质信息采集做准备。信息采集标识是指能帮助识别目标物及其性质和相互关系的影像特征，如分布位置、相互关系、形状、大小、色调、阴影及纹理等，其内容主要包括工程区地形地貌、地层岩性、地质构造、地表水分布及不良物理地质现象等。

3.2 信息采集

数据采集软件为iData-3D，倾斜模型索引文件类型为.osgb，根据勘察阶段建立的信息采集标识，在倾斜模型上采集地形地貌、地层岩性及地质构造等信息。地质信息采集应从已知到未知、从大到小、从总体到个别、从定性到定量，按先易后难、循序渐进和逐步深化的方法进行。

采集方法以直判法为主，辅以对比法和逻辑推理法。直接判读法是利用图像中某些地质信息具有明显的色调与纹形特征，直接进行相应地质信息的判读；对比法是借用已知地质信息的影像特征，对未知地质信息进行判别和采集；逻辑推理法是借助地质信息相互之间的联系，用逻辑推理的方法，间接判断并采集地质信息的方法。

3.3 现场复核

现场复核工作是对信息采集的检查和核实，复核工作使用的工具为RTK和地质罗盘，复核内容主要为从倾斜模型提取的地质界线、裂隙产状及控制点坐标等。通过复核保证信息采集的精度和准确度。

3.4 成果应用

经复核的采集信息，可直接应用于工程地质平面图、剖面图的绘制。采集的地质信息为三维数据，可应用于三维地质模型建立，提高三维地质模型建立的效率和精度。

4 工程应用

4.1 工程概况

西藏某水库工程为大(2)型水利工程，位于西藏西南地区，海拔4330～4470m，属高原高山峡谷地貌，河谷两侧地形陡峻，局部近直立。坝址区地层多达9层，软硬相间，岩性复杂。受深大断裂带影响，岩石强烈错动、挤压变形，地层近于直立，坝址区发育Ⅲ级结构面多达30余条。

4.2 外业查勘

通过现场查勘，建立坝址区地质信息标志，包括各种地表地质信息的分布规律、颜色及性状等(表1)。

表1 信息采集标识

类型	信息采集标志
地形地貌	河道两岸分布多级阶地,左岸山体顶部变缓,右岸山体雄厚。植被不发育,以低矮草类为主。河道右岸分布民宅
地层岩性	覆盖层成因包括冲积、冲洪积、坡洪积、坡风积及坡残积等。冲积物分布于河道内,含漂卵砾石,灰白色;冲洪积物分布地形平缓,含漂卵砾石,深灰色;坡洪积分布坡脚附近,缓坡状,灰黑色;坡风积分布于右岸山体表层,土黄色;坡残积分布于山体上部表层,棕灰色。基岩岩性主要包括砂岩、细砂岩及粉砂岩,以粉砂岩为主,基岩出露部位地形较陡。粉砂岩为灰黑色,薄层状;细砂岩为深灰色,中厚层状,通常与粉砂岩互层分布;砂岩为灰白色,厚层—巨厚层状
地质构造	断层以Ⅲ级结构面为主,较发育,左岸发育程度大于右岸;破碎带呈直线影像,两侧岩性差异表现为色调不同。坝址区发育向斜。裂隙以层面裂隙为主
水文地质	河道右岸冲沟内季节性流水。查勘期间未发现泉水出露
不良物理地质现象	河道右岸坝址上游、下游各发育一条泥石流沟。左岸山体局部基岩较陡,发育危岩体。右岸山体覆盖层发育多条沟壑,地形完整性差。右岸覆盖层边坡局部较陡,存在塌滑隐患

4.3 倾斜模型制作及精度

倾斜模型作业流程为:现场踏勘—空域申请→制定飞行计划→布设相控点→设计飞行文件→选择合适的时间飞行→数据处理→制作三维模型→成果检查及模型输出。

西藏某水库工程坝址区航飞采用多旋翼M300无人机,考虑地形起伏较大,镜头采用WPE2云台相机。航飞面积为1.8km²,布置相控1天,飞行方式为仿地环绕(图1),相对飞行高180m,分辨率2.9cm,飞行时间1.5天。通过航飞获得照片数量1620张,处理软件为大疆智图,处理时间为1天。

航飞获得的实景三维模型检查点精度小于5cm,成果精度满足1∶500以上比例尺测绘要求。

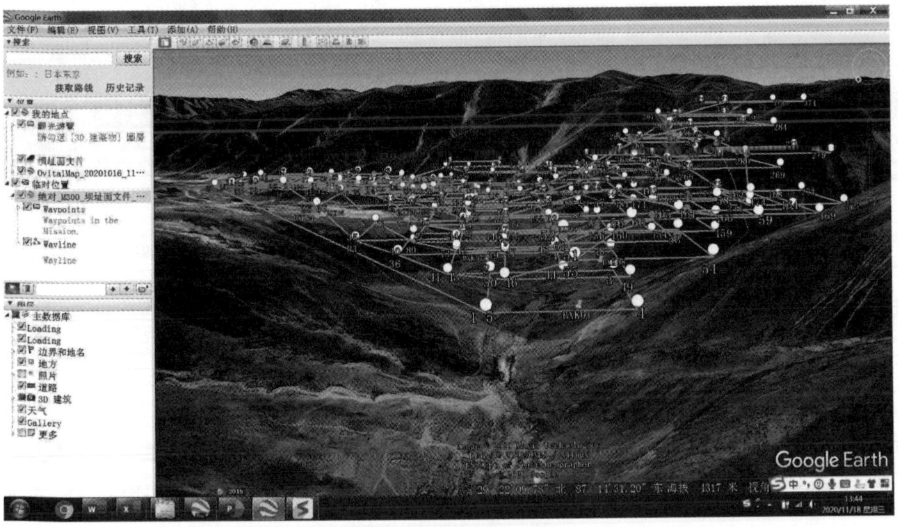

图1 环绕仿地飞行

4.4 地质信息采集

信息采集使用软件为iData-3D，倾斜模型索引文件格式为.osgb，采集地质信息格式为三维CAD线条。

通过倾斜模型，能够清晰识别工程区地物、地形地貌及滑坡、泥石流等不良物理地质现象，分析其分布规律、特征，并对其长度、面积、方量进行测量，为滑坡、泥石流评价及边坡稳定分析提供基础数据。

利用高分辨率影像数据，根据勘查阶段标识信息，在倾斜模型上可清晰识别岩性界线、断层等地质信息，采集方法以直判法为主。采集信息成果见表2及图2。

表2 信息采集表

类型	采集信息
地形地貌	坝址右岸上下游各发育一条泥石流沟，坝址右岸分布少量崩塌体。可获得泥石流发育形态、沟内松散堆积物分布特征、坡度、坡向及沟长等准确地形参数；可获得崩塌分布位置、方量及危害对象。坝址区植被不发育，以低矮草类为主；坝址右岸分布少量民宅。坝址区地形地貌采集效果100%
地层岩性	坝址区地层分为9层，其中第1层、第3层、第6层、第9层以粉砂岩为主，薄层状，第2层、第4层、第7层以砂岩为主，第5层、第8层为粉砂岩与砂岩互层；可获得地层界线、岩性界线。坝址区基覆界线、地层界线均采集到，采集效果95%～100%
地质构造	坝址区地层略扭曲，发育向斜；可获得向斜两翼产状、核部位置及延伸方向。坝址区地表共采集断层32条；可获的断层产状、断层与地层之间错动关系。坝址区地质构造采集效果90%
水文地质	坝址区未发育地表泉水点，可采集河水水边线

图2 地质信息采集及其应用

4.5 成果应用

将采集信息作为地质界线，生成工程地质平面图；利用高精度信息采集成果，可绘制工程地质剖面图的地表信息点。

利用倾斜模型测量料场储量，计算土石方平衡。地表信息采集成果为三维数据，其成果可导入Geostation地质三维软件，采集点、线及产状等信息，快速生成地质面、地质体，提高建模效率及准确度。倾斜模型可应用于项目汇报及成果展示，增强对项目的直观认识。

5 应用总结

使用倾斜模型进行地质信息采集增加了外业工作的整体性、系统性及目的性。

工程区面积 1.8km^2，按传统地质测绘工作，约需 15 天；倾斜模型航飞及信息采集用时约 3 天，极大地提高了工作效率。

受地形陡峻、高寒缺氧等客观条件影响，传统测绘工作精度较低；倾斜模型地质信息采集从整体出发，系统全面，避免漏项，测量精读可控。

采用倾斜摄影的编录方法，仅需航拍外业和少量外业复核工作，以内业工作为主，有效地避免了外业攀爬过程中的安全风险。

根据现场复核成果，各种地质信息采集效果为：地形地貌 100%、基覆界线 100%、地层岩性 95%、地质构造 90%、地表水 95%。未采集到信息主要受倾斜模型制作精度影响。

倾斜模型在工程地质平剖面图、地质三维模型及审查汇报中均可应用，应用范围广，且有继续探索的空间。西藏地区植被覆盖率低，光线充足，倾斜模型制作效果较好，提取地质信息质量优于内地。倾斜模型清晰度是制约地质信息采集效果的重要因素，后续可研究分区、分精度航飞及建立倾斜模型，即可提高精度，又可提高重点关注区域的清晰度。

6 结语

利用倾斜模型进行地质信息采集，能够有效解决传统地质测绘工作效率低、危险性大的问题。该应用加强了地表信息采集，成果可直接应用于工程地质平面图、剖面图及三维地质模型中，显著提高了工作效率和精度。西藏地区植被覆盖少，倾斜模型可用性高，该应用的研究可为类似工程提供参考。

参考文献

谭金石，黄正忠．基于倾斜摄影测量技术的实景三维建模及精度评估[J]．现代测绘，2015(12)：133-136.

杨帆，曾照明，张建芳．现代测绘地理信息技术在矿山治理中的应用[J]．地矿测绘，2019，35(3)：41-44.

董秀君，黄润秋．三维激光扫描技术在高陡边坡地质调查中的应用[J]．岩石力学与工程学报，2006，25(z2)：3625-3629.

Smart3D技术在输变电线路工程中的应用

陶顺勇　赖金富　陈锬　孔令兴　王建
长江三峡勘测研究院有限公司(武汉),湖北 武汉　430074

摘　要:当前,利用无人机航空摄影测量技术在各行业都有着非常广泛的应用,Smart3D Capture软件具有快速、简单、全自动获取实景三维模型的功能而被采纳于各领域的无人机摄影测量后续数据处理工作之中。本文运用无人机航空摄影测量和Smart3D技术,结合实际线路工程项目,利用Smart3D技术在输变电线路工程中的技术方法、处理流程及成果精度进行阐述分析,研究成果可对线路工程具有较强的借鉴意义和参考价值。

关键词:Smart3D　无人机　低空摄影测量

1　引言

随着国民经济和科学技术的迅速发展,无人机低空航空摄影测量技术凭借其机动性、灵活性和安全性,高分辨率,高精度,低成本、易操作和高效率等优势在应急测绘,数字城市,工程建设,地理国情监测,城乡规划等行业得到了广泛的应用。数据处理是摄影测量的核心之一,同时也是最重要的环节。数据处理成果的好坏直接决定着整个工程测绘任务的工期和效率,同时也对经济效益有着密切的联系。Smart3D Capture是目前国际上最先进的全自动三维建模处理软件,它可以通过简单的照片生成具有高分辨率的真实三维模型,整个过程不需要人工干预,通常可以在数分钟至数小时的时间内完成数据处理。具有快速、简单、全自动,身临其境的实景真三维模型,广泛的数据源兼容性和优化的数据格式输出等优势。本文利用Smart3D软件结合实际线路工程,从无人机低空摄影测量的外业到内业的数据处理工作流程、方法及相关技术进行探讨,最终对处理所得到的成果进行精度评定分析,阐述了Smart3D技术在线路工程应用的实用性、可靠性及可行性。

2　无人机航空摄影测量流程及方法

2.1　无人机航空摄影测量

传统摄影测量学是利用光学摄影机获取的像片,经过处理以获取被摄物体的形状,大小,位置,特征及其相互关系的一门学科。无人机航空摄影测量是利用无人机作为载体,在机体上放置航摄仪器(高分辨率数码相机),无人机在低空飞行的过程中连续的对地面进行拍摄影像,然后利用少量地面控制点的坐标,通过摄影测量原理与方法来获取地面上任意点的位置信息和高程信息,为满足工程建设需要,经过人工处理后可得到所需测区的地形图及其他所需地理信息。所获取影像及相关信息可用于4D数据

作者简介

陶顺勇,男,工程师,主要从事GIS、数字摄影测量与遥感、无人机航空摄影测量方面的工作. E-mail:taoshunyong@cjwsjy. com. cn

生产、灾害评估、应急测绘、林业、水利、国防等领域。近年来，无人机低空摄影测量在数字城市及智慧城市建设中还起到了举足轻重的应用，特别是倾斜摄影测量的兴起，对城市三维模型的建立而言更是不可或缺，也显得更加普遍而适用。

2.2 无人机航空摄影测量技术流程

基于无人机航空摄影测量和 Smart3D 技术的生产流程如图 1 所示。

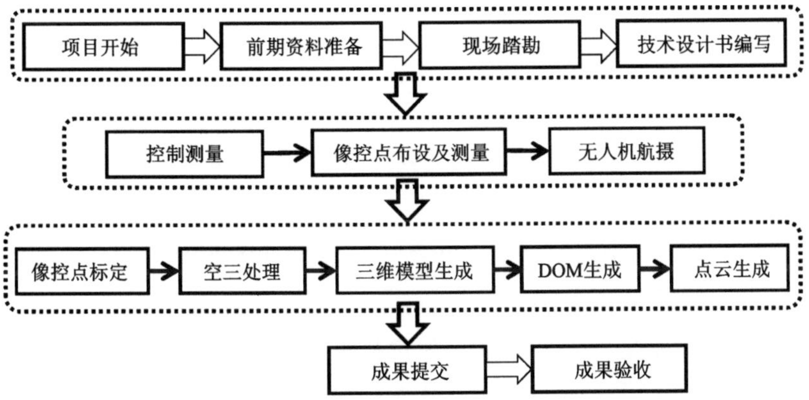

图 1 无人机航空摄影测量技术流程

2.3 无人机航空摄影测量的方法

无人机航空摄影测量的方法对不同领域来说皆大同小异，一般通过无人机航空摄影获取的高分辨率遥感影像进行预处理、在较大范围内的遥感影像通过少量控制点进行区域网平差，经过空三处理后自动生成 DEM、DSM、等高线以及高精度的 DOM 等摄影测量产品，通过人工处理及加工后得到满足用于各领域生产使用的相关成果。本文主要对输变电线路工程进行探索和研究，因而其方法也是主要对输变电线路工程阐述。

(1)控制测量

控制测量是工程测量的基础，一般控制测量的任务是建立工程控制网，工程控制网指针对某项工程建设的测图、施工或者管理需要，在工程施工范围内布设的平面控制网和高程控制网。控制测量也是实施无人机航空摄影测量工作的前提之一，其成果为后续的像控点测量提供了起算基准。控制测量工作采用全球定位系统(Global Position System，简称 GPS)静态测量技术来建立控制网，GPS 网观测的基本技术要求见表 1，精度指标必须满足表 2 中的要求。

表 1 GPS 网观测的基本技术要求

项目	级别			
	B	C	D	E
卫星截止高度角/(°)	10	15	15	15
同时观测有效卫星数	≥4	≥4	≥4	≥4
有效观测卫星总数	≥20	≥6	≥6	≥6
观测时段数	≥3	≥2	≥1.6	≥1.6
时段长度	≥23h	≥4h	≥60min	≥40min
采样间隔/s	30	10～30	5～15	5

表2 GPS测量精度要求

级别	相邻点基线分量中误差		相邻点间平均距离/km
	水平分量/mm	垂直分量/mm	
B	5	10	50
C	10	20	20
D	20	40	5
E	20	40	3

(2)像控点布设及测量

像控点指的是用于恢复立体模型而在航空影像上选取一定数量的点,该点在野外的实地位置和影像上都可以明确的辨认出来。首先在野外实地进行布设,然后通过测量来获取像控点的三维坐标。像控点的布设一般要按照整个航线全区进行,相邻像对和相邻航线之间的像控点应尽量公用,布设像控点应选择易于判刺,周围空旷而比较固定的位置。像控点为后续的空中三角测量加密和三维建模提供起算基准,像控点布设须满足数字航空摄影测量、控制测量规范的要求。

(3)无人机航摄

无人机航摄的主要目的是获取测区内地面的高分辨率遥感影像,为后续数据处理提供影像来源。其详细流程如图2所示。

①根据项目需求了解测区概况,收集相关资料。如气候、雨量分布、测区地形地貌、植被覆盖程度等。②无人机由于电量或油量限制,航程亦受限制。因此航摄规划时,应先实地踏勘,按测区形状和预计航程将任务区域进行分段,根据分段实地选择合适的起降地点,在此基础上进行航线布设规划。③为保证获取影像数据的清晰度,尽量选择晴朗天气,且风速不影响无人机的稳定性。抵达飞场后,根据风向及飞场海拔和周边地物的情况细化调整设计航线。做好飞前各项检查后即可实施航飞。对获取的数据进行检查,如航片清晰度、是否漏片等。④整理获取的影像数据,完成航摄成果提交。

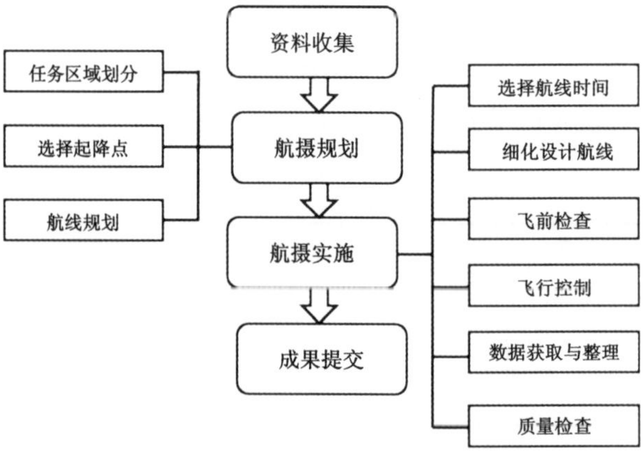

图2 无人机航摄流程

(4)数据处理与成果生成

利用Smart3D软件将实地布设和测量的像控点成果结合航摄影像进行数据处理，最终得到所需成果，包括实地三维模型、数字正射影像、点云、数字线划图等。

①像控点标定。利用Smart3D进行数据处理过程中，首先要对研究区域内所包含的像控点进行标定，即将外业实地测绘所得到的空间三维坐标和遥感影像所在的控制点位置进行关联，软件中实施人工刺点。像控点标定要求实测像控点坐标必须和影像上的像控点一一对应，以防止空中三角测量解算时由于位置关系的错误导致失败。

②空中三角测量加密。空中拍摄航测系统利用少量的测区中物方空间坐标的地面控制点，通过区域网平差计算，求解加密点的物方空间坐标与影像的外方位元素，称为区域网空中三角测量。利用空中三角测量可以使测区中加密点分布更均匀、航带间转点更密集、加密精度更可靠，在平差结算后系统自动生成每张影像的加密点坐标和外方位元素文件。Smart3D软件在进行空中三角测量时，只需简单设置即可提交空中三角测量解算，解算完成后，需要对空三处理成果进行检核，成果应满足空中三角测量的精度要求。

③成果生成。空中三角测量完成后，Smart3D软件根据空三处理出的不规则三角网TIN，并且在空三解算过程中已生成了白模3D模型，结合原始航拍影像，进行纹理贴图后可生成航测区域的实地实景三维模型。生成的三维模型也要进行精度检核，需要满足工程建设所需的精度要求才能完成后续的工作，包括正射影像的生产和点云文件的生成。所得到的成果经过人工后续处理及数据采集后，可得到工程生产建设中所需的成果，包括DLG(数字线划图)、断面图等。

3 实际应用研究

3.1 研究区域

本次实验研究区域选择非洲科特迪瓦电网改造项目，科特迪瓦能源部为了修复、发展和强化本国225kV、90kV和30kV电网，提出了“科特迪瓦电网建设和修复工程”计划，一共涉及3个不同区域的任务，分别是东北部区域、西北部区域和西部区域。根据涉及项目的实际需求，本项目采用宽度约为200m的带状地形，整个项目涉及的测区地形属于400m以下的平原，该地区为热带雨林气候，植被主要以雨林为主，地貌相对单一，所以进行无人机飞行时航摄方案基本一致。本文选用西北部区域MAN-DOUKUE段区域，位于(UTM坐标系下经度：−7°24′49.61″，纬度：6°50′43.31″)～(经度：−7°24′37.89″，纬度：6°50′13.28″)之间，航飞数据采集共飞行5个架次，每个架次两条航带，采用相对航高为300m，航向重叠度为75%，旁向重叠度为70%，地面分辨率优于0.05m，满足1∶2000地形图制作要求。外业航空摄影结束后，按照前文所介绍的流程和步骤进行内业数据处理。

3.2 成果生成

利用航拍影像数据，通过Smart3D进行空三加密后处理生成研究区域(部分)的三维模型(图3)和高程点点云、数字正射影像数据(图4)，将生成的DOM数据叠加高程点点云，在AutoCAD2006+Cass9.1软件中通过人工判读和解译绘制，可得到该区域1∶2000的数字线划图(图5)。

图3　三维模型

图4　DOM(数字正射影像)

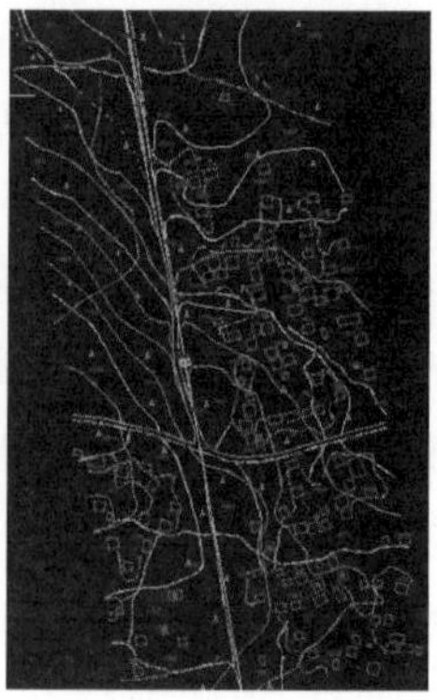

图5　DLG(数字线划图)

3.3　精度比对及分析

为了评估DLG数据的质量和精度，在利用已套合DOM的数字线划图上，随机选取比较明显的特征点，读取特征点的三维坐标并记录。同时，在野外用RTK实测相对应特征点的三维坐标。表3为内业采集的地形图检查点与RTK实测点的三维坐标对比数据，一共随机选取了17个检查点。

表3　内业采集与实测三维坐标对比表　　单位:m

检查点号	地形图检查点			RTK实测点(实际坐标)			误差			
	X	*Y*	*Z*	*x*	*y*	*z*	*Dx*	*Dy*	*Dxy*	*Dz*
1	756 781.318	756 781.318	266.875	756 781.362	756 781.375	266.686	−0.044	−0.057	0.072	0.189
2	757 049.446	675 254.643	260.226	757 049.482	675 254.585	260.136	−0.036	0.058	0.068	0.090
3	757 018.661	675 213.370	262.461	757 018.605	675 213.423	262.352	0.056	−0.053	0.077	0.109
4	756 938.224	675 299.940	262.624	756 938.168	675 300.036	262.605	0.056	−0.096	0.111	0.019
5	756 925.844	675 365.827	263.892	756 925.948	675 365.746	263.781	−0.104	0.081	0.132	0.111
6	756 878.096	675 352.364	265.669	756 878.091	675 352.486	265.548	0.005	−0.122	0.122	0.121
7	756 883.634	675 260.868	267.436	756 883.565	675 260.835	267.338	0.069	0.033	0.076	0.098
8	756 846.167	675 286.362	269.886	756 846.086	675 286.305	269.799	0.081	0.057	0.099	0.087
9	756 777.068	675 304.940	268.452	756 777.106	675 305.027	268.570	−0.038	−0.087	0.095	−0.118
10	756 784.237	675 399.163	265.936	756 784.144	675 399.215	266.035	0.093	−0.052	0.107	−0.099
11	756 713.804	675 421.431	267.547	756 713.760	675 421.325	267.483	0.044	0.106	0.115	0.064
12	756 721.257	675 325.489	269.225	756 721.193	675 325.423	269.307	0.064	0.066	0.092	−0.082
13	756 720.406	675 257.310	270.680	756 720.461	675 257.381	270.757	−0.055	−0.071	0.090	−0.077
14	756 663.532	675 258.695	269.663	756 663.581	675 258.646	269.594	−0.049	0.049	0.069	0.069
15	756 639.923	675 320.772	269.894	756 639.943	675 320.710	269.793	0.020	0.062	0.065	0.101
16	756 666.500	675 369.713	268.766	756 666.411	675 369.807	268.829	−0.089	−0.094	0.129	−0.063
17	756 637.491	675 407.470	268.003	756 637.602	675 407.407	267.911	−0.111	0.063	0.128	0.092

表 3 所选取的 17 个点的点位中误差为：

$$\sigma_{xy} = \pm \sqrt{[\Delta\Delta]/n} = \sqrt{[\Delta\Delta]/17} = \pm 0.10\text{m} \tag{1}$$

同理，高程中误差为：

$$\sigma_{z} = \pm \sqrt{[\Delta\Delta]/n} = \sqrt{[\Delta\Delta]/17} = \pm 0.09\text{m} \tag{2}$$

从以上所抽查的检查点误差来看，该区域利用无人机进行航空摄影后经处理的数据完全满足 1∶1000外业数字测图技术规程的要求。

4 结语

本论文主要运用摄影测量与遥感理论，结合无人机低空航空摄影和 Smart3D 技术对输变电线路工程进行实际应用，通过获取并处理的数据成果与实地测绘的结果进行比对与分析，可表明该研究区域利用无人机摄影测量与 Smart3D 技术在输变电线路工程中能够完全满足 1∶2000 地形图的要求，而其快速、高效、精确的特点相对于其他相关行业具有较强的借鉴意义。

参考文献

王洛飞. 无人机低空摄影测量在城市测绘保障中的应用前景[J]. 测绘与空间地理信息，2014(2):217-219.

王智尧，石晓宇，余福水，等. 无人机倾斜摄影测量在南昌智慧城市建设的应用举例[C]. 北京：中国数字管道技术大会，2015:113-115.

工程勘探

皂市水利枢纽工程河床覆盖条件下断裂构造的探查与分析

颜慧明[1,2]　罗仁辉[1,2]
1. 长江岩土工程有限公司，湖北 武汉　430010；
2. 国家大坝安全工程技术研究中心，湖北 武汉　430010

摘　要：河床断裂构造勘察历来是涉水工程勘察研究的重点和首要任务，从解放初期的丹江口到近期的金沙江向家坝大坝都有过沉痛的教训，由于构造分布区域地段特殊，较多手段方法受到限制，同时水上勘探又是水利水电工程的难点。针对这一难点，利用钻孔、过河平硐、斜孔、物探等一系列综合勘探手段对皂市水利枢纽坝址区河床覆盖条件下断裂构造进行了专门探查与分析研究，准确地确定了河床断裂构造的位置、规模、产状、性状等分布特征，为设计及施工处理提供了准确详实的资料，为水利水电工程河床断裂勘探提供了范例和经验。

关键词：水利枢纽　断裂构造　综合勘探　探查与分析　分布特征

1　引言

大坝工程的安全至关重要，因为它的失事不仅涉及其本身的经济损失，而且还威胁到下游千百万人民生命财产安危，甚至给下游造成了灾难性后果。国内外经验表明，坝工建设的成败在很大程度上取决于基础的稳定性。由于基础地质环境条件不良酿成大坝失稳，在国际上有很多惨痛的教训，如法国马尔帕塞拱坝（Malpasset Dam）、美国琼斯堂大坝（Johnstown Dam）、中国修文拱坝以及美国提堂坝（Teton Dam）等。而坝址区断层的发育，大大降低了地基岩体的强度及稳定性，断层破碎带力学强度低，压缩性大，给大坝的稳定性带来影响，因此查明坝址区断裂构造的发育情况，弄清断裂构造的分布特征，特别是河床断裂构造的分布，对工程建设意义重大。

皂市水利枢纽河床构造复杂，坝址区近顺河分布的断层多被河床覆盖，地质测绘难以甄别，而顺河向断层对大坝、厂房、消能等建筑物地基、边坡、渗控处理设计等有较大影响，特别是在厂房机组中心线—尾水渠—导流洞出口一带岩体受构造影响较为强烈，岩体完整性差，钻孔岩芯呈渣状，直接关系大坝、厂房、消力池基础岩体利用及两岸边坡稳定。

皂市水利枢纽工程各阶段对河床构造十分重视，运用了各种手段进行了详细的勘察研究，查明了河床断裂构造的分布情况，准确地确定了河床断裂构造的位置、规模、产状、性状，为设计及施工处理提供了准确详实的资料，避免了误判、漏判所造成的被动和损失。

2　坝址区工程地质概况

皂市水利枢纽是湖南澧水支流渫水上一座大（1）型水利工程，枢纽由河床泄洪坝段，左、右非溢流坝

作者简介

颜慧明（1975—），男，高级工程师，主要从事水利水电工程地质勘察与研究工作. E-mail：8965102@qq.com

段，引水式电站厂房组成。皂市水利枢纽勘察工作始于20世纪50年代后期，多家单位曾经先后对皂市水利枢纽进行勘察研究，并提交有相应的成果。皂市工程水库区处于东山峰复式背斜和桑植复式向斜间，正常蓄水位140m时，皂市水库长60余千米，工程地质条件较好，无重大工程地质问题。

皂市水利枢纽坝址位于皂市镇上游2km，渫水以SE165°流经坝址，最大坝高82m，坝顶长341m。枯水期水面高程74.4m，河床基岩面高程一般66.5～72.2m。皂市工程坝址区为"U"形河谷，两岸山体雄厚，左右岸地形不完全对称。坝基岩体主要为云台观组(D^2y)石英细砂岩，软弱夹层较发育。坝址位于磺厂背斜东段北翼，为单斜岩层，倾向上游，倾角40°～60°。坝址区共揭露断层40多条，一般规模较小，以中陡倾角为主，未见缓倾角断层，以近北北东向为主，在河床有分布。裂隙较发育，以陡倾角为主；缓倾裂隙大部分不切层，规模小，连续性差。

3 河床覆盖条件下断层的查证

自20世纪对皂市水利枢纽坝址区开展研究工作以来，对河床覆盖条件下的断层破碎带发育情况不断有了新的认识，其中机组中心线—尾水渠—导流洞出口一带北北东向河床断裂构造的查清，更是为设计及施工处理提供了准确详实的资料。

前期工作时，为了解河床岩体与构造发育情况，在苏联专家建议下，布置了过河勘探平硐PD9，因种种原因完成了约2/3，未能完全过河。平硐在河床中部揭露有近顺河向F_2断层，走向NE5°～24°，倾向SE，倾角65°～75°，为右行正平移断层。构造岩主要为角砾岩，硅质泥质胶结、一般胶结良好，断层面见擦痕，两侧伴有羽状张节理，断层破碎带宽4.0m，水平断距2～5m。

1993年10月在右岸钻孔ZK106高程62.66～68.14m、49.63～51.19m及ZK108高程69.44～71.34m、58.80～60.74m揭露4处破碎带异常点，破碎带岩体性状极差，泥化现象严重，风化加剧，钻孔岩芯呈渣状，岩芯获得率为0。研究发现小溪组岩体完整性主要受构造控制，除已知的F_1贯穿整个消力塘及二道坝以外，钻孔揭露数个破碎带异常点，如右岸厂房尾水出口ZK106、ZK108，破碎带岩体性状极差，在建筑物基础下存在这类破碎岩体时需要加大开挖深度或在结构上采取措施。

2001年7—9月在尾水渠下游侧进行导流洞进出口工程地质勘察时，发现出口洞脸左侧有约10m宽范围的岩体异常，劈理及发育，带内见构造角砾岩、碎裂岩，岩体破碎，岩层产状陡倾，局部还倾向下游，同时还在附近钻孔ZK440高程82.83～80.33m处揭露一破碎带。经综合分析编号为F_{30}断层破碎带，推测其延伸长度大于50m，并通过右岸沿江公路壁面测定其主断面产状为200°～215°∠43°～60°，认为断层走向与导流洞出口轴线近平行，并在设计出口洞脸附近会有分布，导流洞顶拱一带出露高程为78～84m。

2002年7月3日导流洞出口明硐高程85m以上进行了开挖，在洞脸附近明硐内外侧边坡揭露F_{30}断层破碎带及影响带，带内岩体挤压现象明显，破碎强烈。构造岩由构造角砾岩及碎裂岩、碎块岩组成，原岩为青灰色粉砂岩及泥质粉砂岩。角砾岩泥质胶结，泥化、软化强烈。破碎带在外侧边坡宽2.5～2.7m，内侧边坡底部宽0.4m，往下游方向逐渐变宽，约4m。断层两侧影响带宽约5～10m，带内岩体产状变陡，弯曲明显，局部反倾下游，岩体破碎。并测得主断面产状250°～8°∠20°～47°，同时受F_{30}断层影响明硐两侧边坡岩体十分破碎，边坡变形严重，难以直立成型。对F_{30}这组断层的性状及志留纪岩体完整性受构造的影响程度有了进一步认识。

2002年11月—2003年1月在进行右岸厂房高边坡稳定性专题研究外业工作时，机组中心线钻孔YK1在高程58.64～62.04m、45.14～47.24m揭露2处破碎带，带内见构造碎裂岩，岩石破碎，岩芯获得率多在10%以下。结合其下游尾水渠钻孔ZK106、ZK108及导流洞出口一带所揭露的构造情况，对断层破碎带在厂房机组中心线—尾水渠—导流洞出口一带的空间分布形态有了初步的判断。

2003年3月为进一步查明厂房机组中心线—尾水渠—导流洞出口一带断层破碎带的分布位置及

性状，分别在机组中心线又布置了钻孔ZK461、ZK462，尾水渠及厂闸导墙一带布置了ZK474、ZK463、ZK464、ZK469等钻孔。同年4月下旬，各钻孔均在不同高程揭露有破碎带的分布，充分分析前期与本次勘察资料的基础上，认为机组中心线—尾水渠—导流洞出口一带分布有一组小角度与河流斜交的北北东向断层破碎带，已有的勘察资料揭示共有F_{30}、F_{40}、F_{41}、F_{42}、F_{43}总计5条断层，并确定了在这一带的分布位置。各钻孔揭露的断层破碎带的宽度、出露高程等见表1。

表1　机组中心线—尾水渠—导流洞出口北北东组断层钻孔特征一览表

断层编号	钻孔号	破碎带厚度/m	破碎带分布高程/m	上、下盘影响带厚度/m	钻孔破碎带特征
F_{30}	ZK103	1.70	63.42～65.12	下盘铅直厚0.37	构造岩为断层泥及泥质胶结角砾岩，断层上下盘岩石破碎，裂隙发育
	ZK463	1.60	54.45～56.05	下盘铅直厚0.85	构造岩以碎裂岩为主，见断层泥，断层下部岩石破碎，上、下盘构造迹象明显，上盘受断层影响较轻微
	ZK82	2.04	64.14～65.28、57.40～58.80	铅直厚3.2～4.3 铅直厚0～0.10	构造岩为碎裂岩，其间夹少量断层泥，上盘受断层影响明显，下盘微弱
	ZK108	破碎带及影响带厚1.90	69.44～71.34		构造岩为碎裂岩，断层上、下部岩石裂隙发育，岩石破碎，取芯低，构造迹象不明显
F_{40}	YK1	2.10	45.14～47.24	铅直厚4.30 铅直厚1.10	构造岩为碎裂岩，上、下盘岩石裂隙发育，岩石破碎，多见构造挤压现象
	ZK461	0.90	55.02～55.92	铅直厚3.60 铅直厚0.70	构造岩以碎裂岩为主，见钙质胶结角砾岩及断层泥，上、下盘岩石破碎，下盘构造迹象明显
	ZK462	1.30	68.26～69.56	铅直厚0.10 铅直厚1.20	构造岩为碎裂岩，见断层泥
	ZK106	破碎带及影响带厚5.48	62.66～68.14		构造岩为碎裂岩及泥质胶结角砾岩，断层上、下部岩石裂隙发育，岩石破碎，取芯困难
	ZK474	破碎带及影响带厚0.20	67.22～67.42		构造岩为碎裂岩。该破碎带于钻孔覆盖层下部揭示，下部岩石见构造迹象，受断层影响轻微
F_{41}	YK1	破碎带及影响带厚3.40	59.64～63.04		构造岩为碎裂岩，断层上、下部岩石裂隙发育，岩石破碎，但构造迹象不明显
	ZK461	破碎带及影响带厚2.70	66.62～69.32		构造岩以碎裂岩为主，断层上、下部岩石裂隙发育，较破碎，构造迹象不明显
F_{42}	ZK464	0.30	59.14～59.44	下盘铅直厚0.83	构造岩为碎裂岩，下盘构造迹象明显，岩石破碎，裂隙发育
	ZK426	0.20	56.80～57.00	铅直厚0.60 铅直厚0.80	构造岩为碎裂岩，上、下盘岩石破碎，见构造迹象
F_{43}	ZK106	1.56	49.63～51.19	铅直厚1.43 铅直厚0.93	构造岩为碎裂岩及泥质胶结角砾岩，上、下盘岩石破碎，见构造迹象
	ZK474	1.10 3.20	50.12～51.22、57.62～60.82	铅直厚6.40	构造岩为碎裂岩，影响带内岩石破碎，裂隙密集发育，构造迹象明显。钻孔揭示上、下部为破碎带，中部为影响带

4 河床断层分布特征

前期利用钻孔、过河平硐、斜孔、物探等一系列勘探手段对坝址区河床断裂构造进行了专门探查与分析研究，可行性研究及初步设计阶段查明：坝址具有一定规模的断层 8 条，一般规模较小，以陡倾角为主，仅 F_3 倾角 35°～50°。近 NNE 走向断层相对发育，其性质多为平移或平移正断层。其中延伸长度 100m 以上、破碎带宽度大于 0.5m 的只有 F_1、F_2、F_3 三条，而对建筑物影响较大的断层仅 F_1、F_2 两条，其他均为裂隙性断层。其中 F_1、F_2 在河床有分布，F_3 分布在右坝肩。

在导流洞出口洞段开挖揭示后，厂房机组中心线—尾水渠—导流洞出口一带岩体受构造影响较为强烈，分析可能在右岸河床坡脚可能还分布有断裂构造，通过补充勘察新发现存在近顺河向发育一组小角度与河流斜交的北北东组断层破碎带（F_{30}、F_{40}、F_{41}、F_{42}、F_{43}），机组中心线—尾水渠—导流洞出口一带北东组断层特征见表 2。

表 2 机组中心线—尾水渠—导流洞出口一带北东组断层特征一览表

编号	产状			规模/m		断层破碎带特征
	走向/(°)	倾向	倾角/(°)	长度	破碎带宽度	
F_{30}	10～42	NW	37～60	270	1.5～3.0	构造岩主要为碎裂岩、角砾岩，泥质胶结。两侧影响带内岩体极破碎，影响带宽 8～12m
F_{40}	15～25	NW	40～55	107	0.5～2.0	构造岩以碎裂岩为主，见钙质胶结角砾岩及断层泥，上、下盘岩石破碎，下盘构造迹象明显，影响带宽 1～3m
F_{41}	20～30	NW	30～40	70	0.2～0.5	构造岩为碎裂岩，断层上、下部岩石裂隙发育，岩石破碎，但构造迹象不明显
F_{42}	20～25	NW	45～55	110	0.2～0.5	构造岩为碎裂岩，下盘构造迹象明显，岩石破碎，裂隙发育
F_{43}	20～25	NW	37～60	110	0.5～1.1	构造岩为碎裂岩及泥质胶结角砾岩，影响带内岩石破碎，裂隙密集发育，构造迹象明显

通过勘察深度的不断加深，最终查明了河床覆盖条件下的断裂构造的分布特征以及对建筑物的影响：坝区共揭露断层 40 多条，一般规模较小，以中陡倾角为主，未见缓倾角断层，以近北北东向为主，其性质多为平移或平移正断层。其中延伸长度 100m 以上、破碎带宽度大于 0.5m 的有 F_1、F_2、F_3、F_{30}、F_{40}、F_{42}、F_{43} 断层 7 条，其余大部分为裂隙性小断层，对大坝建筑物影响较大的断层为 F_1、F_2 两条，F_{30}、F_{40}、F_{42}、F_{43} 对厂房建筑物有影响，对两岸坝肩开挖边坡稳定有影响的断层主要为 F_3、F_9、F_{10} 三条。

5 结语

河床断裂构造勘察历来是涉水工程勘察研究的重点和首要任务，顺河向断层的发育情况又直接影响到水工建筑物的布置及两岸边坡稳定。从解放初期的丹江口到近期的金沙江向家坝大坝都有过沉痛的教训。由于构造分布区域地段特殊，较多手段方法受到限制，同时水上勘探又是水利水电工程勘察的难点。

皂市水利枢纽坝址区河床覆盖条件下断裂构造的勘察与分析，在国内外较早地提出并使用了河底平硐、孔内电视和声波、场区构造匹配和断裂预测等综合勘察技术，并准确地确定了河床断裂构造的位置、规模、产状、性状，为设计及施工处理提供了准确详实的资料，为水利水电工程河床断裂勘探提供了范例和经验。

河底平硐应是查清河床覆盖条件下断裂构造较好的勘探手段之一,但施工难度、成本及安全风险高,近十几年来很少采用。随着勘探技术的发展,两岸大角度斜孔对穿、取芯定向钻等技术在水利水电工程勘察中逐步进行了应用,这些勘探技术对查明河床的地质条件等也是较经济、安全风险易管控等有效的勘探手段之一。

参考文献

吴佩佩,闫金良.国内拱坝的建设及发展[J].西北水电,2006(4):4-7.

邹静娴.雅砻江杨房沟水电站复杂地质环境条件及其对大坝工程稳定的控制作用研究[D].成都:成都理工大学,2010.

魏勇,许开立,郑欣.常见溃坝模型综述[J].工业安全与环保,2009,35(4):45-46.

余永志,蔡耀军,颜慧明.湖南皂市水利枢纽泥化夹层工程地质特性[J].资源环境与工程,2006,20(5):519-523.

吴宏钧,颜慧明,何涛,等.皂市水利枢纽大坝建基面选择与验证[J].人民长江,2008,39(21):8-11.

浅谈南水北调东线二期穿黄河工程水上钻探

陈中和　范大友　夏帅
中水北方勘测设计研究有限责任公司，天津　300222

摘　要：文章结合南水北调东线二期穿黄工程地质勘察项目，详细介绍了在穿黄工程段黄河内开展水上钻进的平台搭建、现场施工应用及钻进工艺。对今后在水上开展钻进作业具有一定借鉴意义。

关键词：南水北调　黄河水上钻探　钻探工艺　钻探平台

1　工程概况

南水北调东线工程是我国水资源调配的重要一环，有助于缓解水资源分布不均衡的格局。工程从长江下游干流引水，向黄淮海平原东部和山东半岛供水，解决苏北、山东、河北、天津和北京等地区缺水问题。利用东线一期工程，扩大规模，向北延伸。南水北调东线二期工程地质勘察项目穿黄工程段在山东省聊城市东阿县及泰安市东平县境内，是南水北调东线工程从东平湖穿越黄河下游中段，至黄河以北输水干渠的一段输水工程，是南水北调东线的关键控制性项目。

勘探任务施工时间为4月初至5月底，确保在黄河进入汛期前完成钻进工作。因此，如何快速高效安全的完成水上钻进任务，是勘察项目整体的重点问题。本文依托南水北调东线二期工程穿黄段地质勘察项目，对黄河水上钻进进行阐述介绍。

2　水上钻探平台

2.1　钻探平台搭建

开工前，应搜集和掌握工区上下游的水文、气象、航运和施工管制信息，并制订有针对性的施工作业计划和应急预案。

图1为钻探平台示意图。钻探平台由1个承压舟组成，承压轴长21m，宽7m，满载吃水1.1m。钻探平台应结构牢靠，布置紧凑、重量均匀，钻场周边要求必须架设高度不低于1.2m的安全防护栏并配置足够的救生、消防设施。交通船应动力充足、状况良好，做好随时的准备。

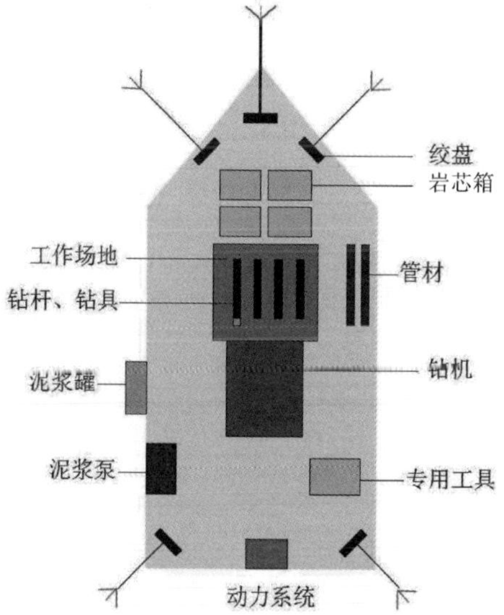

图1　钻探平台示意图

作者简介

陈中和(1971—)，男，高级工程师，主要从事钻探工程方面工作. E-mail:fujianglou@163.com

2.2 钻探平台定位

平台船体本身带有动力系统，可以实现移动和变向，但是其自身动力较小，因此需要配合拖轮拖动钻探船，进行钻探船的移动和定位。

施工水域为土质河床，河水流速不大，选用兔耳锚，数量5只。

抛锚时应先抛前、后主锚，再抛边锚，锚位应设置浮漂。钻探平台顶流逆水停泊。主锚方向应与水流方向一致，边锚一般与主锚夹角为35°～45°之间，锚绳长度一般为水深的7～9倍，锚绳与水面夹角应小于15°，流速过大时应适当加长锚绳长度。绞紧锚绳时，工作人员应在绞车后部工作。

起锚应按照平台移动位置确定起锚顺序。锚被淤埋时应间隔起拔或采用锚头捞绳使锚页顺向退出，不应强行起锚。起锚时交通船应保持稳定，徐徐加力。

2.3 钻探设备

钻进位置黄河河道地层主要为土砂层及灰岩，夹杂着砾石层和卵石层。钻进孔深不超过120m，钻机的选择为XY-2型钻机，根据勘探任务需要，现场配置4台。钻机位置位于钻探船中央，钻探船上部和底部进行挖空处理，并在中空部分安装焊接圆形套筒，防止钻探船发生漏水。

泥浆泵使用200/40型双缸双作用泵进行钻井液循环，并在船侧安装泥浆罐，水源从水箱里提供，在孔口安装三通管将钻井液导入泥浆罐，防止钻井液污染河水。

3 钻探工艺的选择

根据《水利水电工程地质勘察规范》和《水利水电工程钻探规程》要求，使用泥浆进行护壁，采用金刚石和硬质合金取芯钻具以及半合管钻具取芯钻进。回次进尺控制在1～3m。

3.1 钻具的选择

钻头采用了电镀金刚石钻头、复合片钻头以及小八角肋骨钻头等，钻头搭配如表1所示。开孔工艺为冲击管钻，钻进时下入8寸或6寸套管，使用吊锤向下砸入15m。然后使用φ150电镀金刚石钻头（或硬质合金钻头）搭配φ150单管钻具钻进，接入钻杆向下钻进。其中一部分钻孔钻进到40m的位置时，更换为半合管钻具，完成钻探任务。另一部分钻孔采用φ130及φ110钻具钻进，直至终孔。

表1 钻具选型

钻头规格	钻具长度/m	钻具类型	钻头
φ150	3	单管钻具	电镀金刚石钻头 硬质合金钻头 复合片钻头
φ130	3	单管钻具	电镀金刚石钻头 硬质合金钻头 复合片钻头
φ110	3	单管钻具	电镀金刚石钻头 针状肋骨合金钻头
φ94	2.5	半合管钻具	电镀金刚石钻头

土砂层钻进选择单管钻具，其优点有很多，如操作简单，便于更换维修，钻具不易发生泥浆堵塞等。但是单管钻具也有不足的地方，单管钻具起钻的时候，岩芯会由于上部水柱的压力过大发生掉落。因此，在提钻的时候需要放入锥阀(俗称“子弹头”)，隔断与水的接触，防止岩芯掉落。

基岩钻进在遇到软弱夹层或采取率要求较高的孔段时应使用半合管钻具，该钻具单动性能较好，岩芯采取率较高，采取岩芯的原状度较好，能够比较真实的反映岩芯的产状、裂隙情况、充填物等信息。半合管钻具加工工艺要求较高，建议购买正规厂家产品，尽可能购买内管长度不超过 1.5 米的钻具(过长会影响单动效果)。使用过程中要求经常拆开保养、更换过度磨损配件。

3.2 钻进工艺参数

钻进过程中使用 XY-2 型立轴式岩芯钻机，实际的钻探工艺参数如表 2 所示。

表 2 钻探工艺参数

地层	钻压	转速	泵量
土砂层	6～7	500～600	50～60
基岩层	8～10	500～600	50～60

3.3 钻杆及套管的使用

钻杆使用 φ50 钻杆，长度规格有 4.6m、3m、1m。钻杆受到船自身和水的波动，会发生松扣现象，造成脱落。在钻探现场，钻杆配有定位接头，下入接头后，可以确定钻杆的脱落位置，之后重新下入钻杆进行拼接和打捞。

根据河床覆盖层的深度，第一层套管分别选用 6 寸套管或 8 寸套管，防止浅部松散的淤泥质土和砂层坍塌，用于维持孔壁稳定，保证钻具垂直下放；同时第一层套管能够确保河水与钻孔内循环泥浆隔离有效，防止污染河水，也防止河水侵染孔内泥浆，造成泥浆性能下降。由于套管也存在着震动，被周围的土紧紧包围，起拔的过程较为困难。本文认为其主要原因有 3 点：①由于地层的原因，孔壁较难维持原状，土砂层易产生缩孔现象，给予套管斜向下的压力；②套管台阶处存在土砂层的填充，会受到向下的推力；③套管与孔壁接触密实，挤压力过大，受到的静摩擦力也比较大。

针对上述情况，提出 3 点建议：①泥浆材料选择质量较好的膨润土，防止在土砂层发生缩孔；②优化套管台肩设计，台肩处加工为弧型，减少凸出部分阻力；③钻进前对套管进行抛光处理，套管下入是外表面涂抹黄油润滑，减少表面的摩擦阻力。

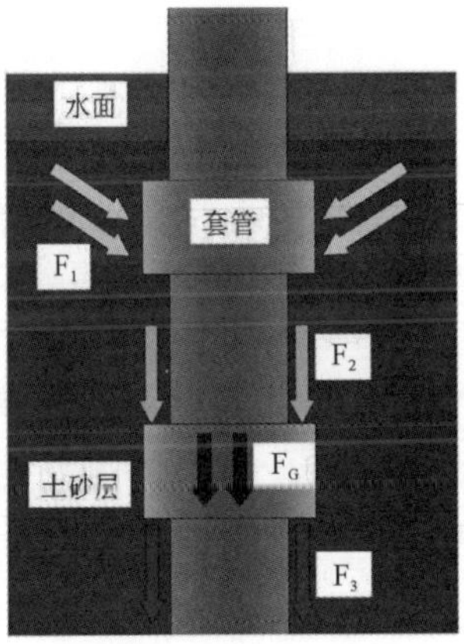

图 2 套管受力图

如图 2 所示，F_1 为套管受到土层的挤压力，F_2 为套管台肩受到的压力，F_3 为套管受到的静摩擦力，F_G 为套管自身的重力。

3.4 配合物探测试

钻探终孔后要求进行物探声波测试和孔内录像，孔内录像要求钻孔内部尽量置换为清水，由于孔内水中夹杂有大量泥沙，水质较为浑浊，无法完成。经过现场人员研究，首先下入透明套管(亚克力材质)，泵入清水充分置换孔内泥浆，并用软质毛刷刷洗套管内壁，最后投放明矾聚沉套管内部的杂质和泥沙，静置 24h 后孔内录像顺利完成。

4 终孔处理

本次勘察工程为穿黄河隧洞工程，岩洞线钻孔完成后必须进行有效的封孔处理。封孔主要原则采用以砂填砂，以土填土，基岩段水泥砂浆。

对于基岩部分使用水泥砂浆封孔，选用标号32.5的普通硅酸盐水泥，并加入适量速凝剂(水玻璃)，采用导管法自下而上，用砂浆泵封闭基岩段钻孔。

对于上部土层及土砂层封孔材料选用黏土球(图3)，黏土球采用天然黏土，黏粒含量在10%～35%之间，塑性指数大于17%。黏土球质量要求较高，因为一旦掺杂有植物根茎部分，对于封孔效果造成严重影响。黏土球封孔要分批均匀回填、分段起拔套管、分层夯实，封孔作业要求连续作业、中间不得间断，直至达到河床表面。实际黏土球使用数量应大于理论值。

图3 黏土球封孔图

5 钻进效率统计

本次地质勘察钻探项目黄河水上钻孔共计19个，部分钻孔结果如表3所示。

表3 钻探效率统计表

孔号	ZK1	ZK2	ZK3	ZK4	SHZK1	SHZK2	SHZK3	SHZK4	SHZK5	SHZK6
孔深/m	100	120	120	120	75	80	80	80	100	90
平均钻速/$(m \cdot d^{-1})$	7.7(单班)	9.2(单班)	10(单班)	12(单班)	18.7(双班)	20(双班)	16(双班)	20(双班)	20(双班)	18(双班)

参考文献

郭晓东. 南水北调中线工程勘察砂卵石层钻探护壁工艺分析[J]. 河北水利，2014(7)：35.

王先达，王峻峰. 对南水北调工程前期工作的回顾和初步认识[J]. 治淮，2020(1)：29-32.

刘晓翔，吴婷，陈平. 左江大桥水上钻探方法与管理浅谈[J]. 城市建设理论研究(电子版)，2018(27)：61-62.

郑长斌，张炼红. 常规工程勘察水上钻探实用安全技术[J]. 西部探矿工程，2016，28(4)：64-66+71.

吴成芬. 电镀钻头中金刚石的选用原则[J]. 探矿工程(岩土钻掘工程)，2013，40(7)：114-116.

西部某引水工程千米级深孔钻探技术

陈中和　甘杰　李军军

中水北方勘测设计研究有限责任公司，天津　300222

摘　要：结合西部某引水工程地质勘察千米级深孔钻探项目，详细介绍了深埋长隧洞勘探过程中钻探设备、绳索取芯工艺、泥浆工艺、深干孔压水试验、深孔测试的一些成功经验和成果，对今后深钻孔和超深钻孔施工具有一定的借鉴意义。

关键词：引水工程　千米级深钻孔　钻探工艺　泥浆工艺

1　钻孔概况

西部某引水工程输水隧洞地处海拔 4000m 以上，常年积雪覆盖，自然条件较恶劣，夏季多雨，冬季多雪，多发洪水、泥石流、滑坡等地质灾害，沿线地层多发育断层、蚀变带等不良地质构造，地质背景复杂。

本次输水隧洞 JDZK35 号钻孔终孔深度 1 002.1m，钻孔揭露地层主要为变质泥岩、砂质泥岩及细砂岩，终孔岩芯采取率达到 95%以上。该孔同时使用了中水北方勘测设计研究有限责任公司自主研发的水压式双胶囊压水栓塞进行压水试验，钻孔终孔后从下往上一次性连续完成压水试验，大大提高了工作效率，同时还完成了大量的孔内物探、地应力测试试验。

2　钻探设备选择

2.1　设备的选择

钻机：根据地质条件、钻孔深度和勘察技术要求，选择了 XY-5 型立轴式岩芯钻机。该钻机最大钻深为 1500m、最大开孔直径为 150mm、立轴最大加压力为 30kN、立轴最大提升力为 50kN、卷扬单速最大提升力为 25kN、钻机自重为 1800kg、柴油动力为 40kW；回转器转速有正转和反转，转速范围 87～1262r/min。

泥浆泵：由于钻杆柱与孔壁环状间隙小，冲洗液流通阻力较大，深钻孔液柱压力较大，泵压要求较高；同时绳索取芯钻头底唇较厚，孔底破碎岩粉较多，泵量要求较大，所以绳索取芯钻进应该使用具有较高泵压、较大泵量的变量泥浆泵。选用的是 BW250 型卧式三缸往复单作用变量泵，该泵裸重 500kg，易于拆卸，适用多种类型泥浆，皮实耐用，维修保养简单。

2.2　钻具及附属机具的选择

根据地质条件、钻探深度与钻孔测试要求，考虑钻材质量和材料性能指标，主要选用了无锡中地和

作者简介

陈中和(1971—)，男，高级工程师，主要从事勘察工程工作. E-mail：fujianglou@163.com

唐山金石两个厂家的绳索取芯钻具及钻杆。

绳索取芯绞车选用JSJ-1000型独立电驱动绞车，适用钢丝绳规格φ4.8mm、φ5.3mm；提升速度0.51～2.54m/min，提升能力141～990kg；夹持器选用木马夹持器，其特点是夹持钻杆牢固，夹持部件耐磨，操作简便；为了兼顾安全、高效钻孔升降工具在300m以内时使用球卡式提引器，超过300m时使用手搓式提引器。主要设备器材配置见表1。

表1　主要设备器材配置表

器材名称	规格	单位	数量	备注
工程钻机	XY-5	台	1	最大钻深1500m
钻塔	SG18	付		最大负荷20t
泥浆泵	BW250	套	1	带动力机
绳索取芯钻具	φ95	套	5	\
	φ75	套	5	\
绳索取芯绞车	JSJ-1000	套	1	带电动机

3　钻探准备工作

3.1　钻塔的安装

首先，清理表土至相对平整坚固的地坪，找平夯实，按照钻塔底层纵梁的位置敷设木板并找平；找平方法应使用局部水平尺找平和整体水管找平的方法，整体找平时要求透明塑料管内灌满水，在钻塔底座对角线拉线校正，以保证钻塔底座水平。其次，将钻塔底座的纵梁及横梁用夹板固定死，防止在钻进过程中由于设备的震动产生基础局部下陷。

在基台木及钻塔底座安装完毕后，从下往上逐层组装钻塔。开始安装时，各部件的连接螺栓不要拧的太紧，等安装完第三层后，以后每安装一层从下往上紧一层，确保钻塔安装的周正，钻塔全部安装完毕后，再从上往下逐层、逐个紧固螺栓。钻塔安装完毕后，要求天车中心与主动钻杆、孔位中心必须三点一线。

3.2　绳索取芯钻具的组装调试

首先检查钻具的主要零部件是否齐全、是否配套、是否质量可靠；然后按照装配图分别组装好内、外管总成和打捞器；最后把内管总成装入外管总成内，调整内外管的间隙配合，并用打捞器试捞内管总成，经确认抓紧、松脱可靠后，方能下入孔内使用。组装过程中应该注意的几个问题：①外管总成的上扩孔器外径应该略小于下扩孔器外径；②内管总成的所有轴销要装正，其开口方向都应一致朝上或朝下，保证其受力状态；③组装到位报信机构时，应根据钻孔深度调节工作弹簧的力量（一般浅孔预紧力要小）；④拧紧卡簧座并配好卡簧，一般卡簧的自由内径应比钻头内径小0.2～0.3mm；使用带有水口的卡簧座时，其水口深度应保持在4mm；⑤岩芯堵塞报警机构的蝶簧经多次使用，由于疲劳损坏或减少了弹性，应增加蝶簧片数或更换变形弹簧。

4 施工工艺

4.1 钻孔结构

该孔施工采用五开钻孔结构，根据钻机能力和地层特点实施变径，五开分别为 φ150mm、φ130mm、φ110mm、φ95mm、φ75mm；一开、二开、三开为普钻工艺，四开、五开为绳索取芯工艺。

4.2 绳索取芯钻进参数的选择

(1)钻压：钻压的确定应该根据岩石性质、钻头类型、金刚石品质等因素决定。施钻地层多为Ⅸ-Ⅹ级花岗岩，坚硬致密，研磨性强，进尺缓慢。一般对破碎、裂隙和非均质岩层应适当减小钻压；岩石越硬、钻头口径越大、壁越厚、胎体越软时钻压越大；金刚石质量越好、数量越多、粒度越大时钻压越大。绳索取芯钻进孔径 φ95mm 时参考钻压 14～18kN，孔径 φ75mm 时参考钻压 12～15kN。

(2)转速：在一定条件下，转速越快、钻速越高，所以只要地层完整稳定，钻孔弯曲较小且无超径现象，钻杆有足够的强度，冲洗液润滑良好，设备使用能力允许等条件下，应尽量采用高转速钻进。绳索取芯钻进孔径 φ95mm 时参考转速 350～700r/min，孔径 φ75mm 时参考转速 400～800r/min。

(3)泵量：由于钻头壁厚，产生的岩粉较多，所以选用的冲洗液量比普通双管钻具时稍大。同时由于钻杆与孔壁间隙小，泵压比普通小口径钻进时要高一些。绳索取心钻进孔径 φ95mm 时参考泵量 55～110L/min，孔径 φ75mm 时参考泵量 50～90L/min。

4.3 冲洗液的选择

在上部松散及易塌的孔段，使用低固相泥浆：水＋4%膨润土＋1%火碱，在完整孔段使用清水加皂化液。进入基岩后钻进初期用钠羧甲基纤维素(Na-CMC)作为无固相冲洗液的添加剂，但 Na-CMC 的溶解度会随温度的升高而增大，同时黏度下降；经过多次调整泥浆方案，最后确定采用优质膨润土＋聚丙烯酰胺＋钠羧甲基纤维素作为钻井护壁冲洗液，漏斗黏度 30s，相对密度 1.25。

聚丙烯酰胺与钠羧甲基纤维素每次使用必须提前用 40°左右的温水浸泡发酵。在遇到有承压水的地层时，在原浆液中加入适量的重晶石粉(硫酸钡 $BaSO_4$、密度为 4.20)或钒钛磁铁矿粉，增大浆液密度，有效平衡井壁侧压力以及地下水出水压力，有效防止孔壁坍塌和涌水。钻井液所需的加重剂的用量可按下式计算：

$$W_{加}=V_{原}\rho_{加}(\rho_{重}-\rho_{原})/(\rho_{加}\quad\rho_{重}) \tag{1}$$

式中：$W_{加}$为加重剂用量；$V_{原}$为原钻井液体积；$\rho_{加}$为加重剂密度；$\rho_{原}$为原钻井液密度；$\rho_{重}$为加重后钻井液的密度。

4.4 绳索取芯钻探操作注意事项

(1)绳索取芯钻具应使用专用的工具进行拆卸，比如橡胶锤、多触点自由钳、卡簧座扳手等工具，并及时进行钻具维护。

(2)要避免打“单管”现象(即不在内管未到底就抢先钻进)：除了根据钻具到位报信机构的报信外，还可根据内管每分钟约 20m 的下降速度进行经验估算，或观察内管到底后高压胶管和泵压表上的反映。

(3)钻具提升的活塞运动对孔壁会形成抽吸作用，不稳定地层会造成孔壁坍塌，为减小压力激动，及时向孔内回灌冲洗液，并适当控制起钻速度，防止孔壁坍塌。

(4)在易斜地层中钻进要注意防斜：因为绳索取芯钻杆壁较薄，轴压又比普通双管钻进时大25%左右，故钻杆的刚性变差，而传递的轴压反而大，钻杆更容易弯曲而导致孔斜。因此在坍塌空腔等容易产生孔斜的孔段，使用绳索取芯钻进应适当控制钻压和转速，并采取相应的防斜措施。

5 孔内测试情况

5.1 压水试验

水压式压水双栓塞一般可分为双回路和单回路两种(图1)。

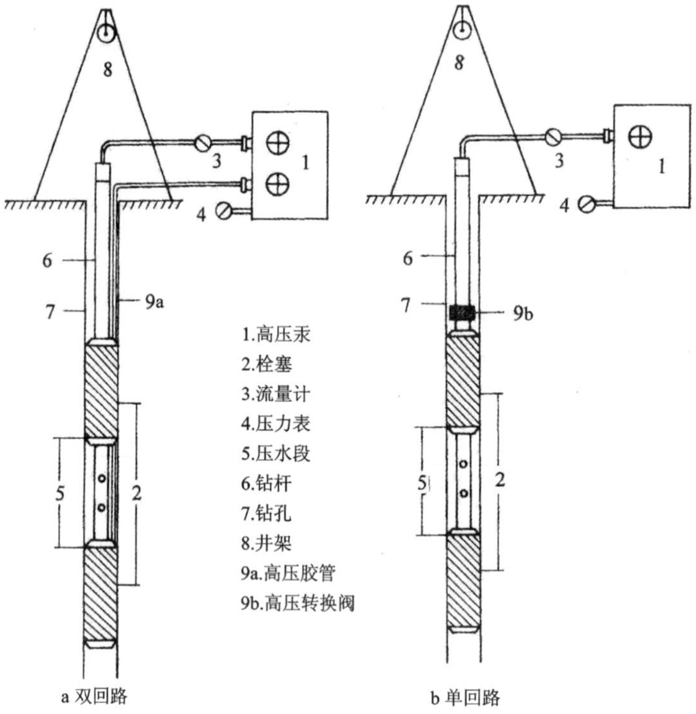

图1 双栓塞压水原理示意图

根据施工经验，我们采用了单回路式压水试验，并自主设计加工了水压式双胶囊压水栓塞、高压换向阀，高性能橡胶可承受30.0MPa压力，高压换向阀用于止水、压水、泄压三种工作状态的相互转换。通过此次的成功应用，证明水压式双胶囊压水栓塞止水优良、压水数据准确可靠、试验质量可控，可以实现高效连续压水作业，解决了深干孔的压水试验技术难题。其主要设备机具见表2。

表2 压水试验机具表

名称	规格	单位	数量	备注
高压水泵	YL-838	台	1	18MPa，22L/min
涡轮流量计	LWY-015	套	1	10～100L/min
压力表	防震	个	1	10MPa
止水栓塞	φ90、φ70	付	2	水压式双胶囊压水栓塞
推拉阀	φ90、φ70	套	2	

压水试验上部为吕荣压水，孔深 400～700m 采用单点高压 2.0MPa 压力，试段长 10m/段；孔深 700m 以下采用 2.0MPa、3.0MPa 两个单点压力，试验段长 10m/段，全孔共完成压水试验 79 段。

5.2 地应力测试与物探测井

为获得不同深度地层的地应力参数，终孔后选择了部分完整岩石孔段进行水压致裂法地应力测试，测试的 6 个位置分别为孔深 341.6m、430.5m、521.5m、594.9m、671.5m、721.5m 处；同时在孔深 341.6m、430.5m、594.9m 深度完成了 3 组应力方向测量(印模)。

该孔测试参数为井温、视电阻率、井径和流量，实测参数变化特征和规律。其中井温测试段 1.0～731.0m，井温从 2.85℃渐升至 13.89℃，其变化梯度为 1.51℃/100m，因该孔涌水对地温的扰动作用，全孔井温缓慢升高，未见井温突变段。井径测试孔段 52.5～730.7m，该孔 21 处可见较明显钻孔扩径现象，说明该孔存在多处裂隙或岩体破碎带。

6 对千米级深钻孔施工的认识和建议

(1)认真做好施工前的准备：做好设备机具、钻孔结构、钻探工艺、泥浆工艺等的技术策划；施工场地基础稳定坚固，并做好防渗施工，钻机安装周正。

(2)钻探施工人员要严格按照施工工艺要求作业，根据施工中出现的新变化，集思广益，及时分析风险、总结经验，研判后续地层的钻探工艺、泥浆工艺。

(3)钻探班组应时刻注意孔内变化，并进行详细的记录，包括进尺快慢、回水颜色、泵压变化、流量变化、冲洗液漏失量、掉块缩径位置等异常情况。

(4)绳索取芯钻探工艺对比普钻工艺，在断层破碎带(或挤压蚀变岩破碎带)其岩芯采取率分别约为 35%和 60%，品质和数量均有显著提高，同时在降低劳动强度和减少孔内事故具有较大优势，建议孔深超过 200m 的基岩钻孔使用绳索取芯钻探工艺。

参考文献

邢斌.水利水电工程地质钻探[M].北京：水利电力出版社，1974.

李世忠.钻探工艺学[M].北京：地质出版社，1992.

孙焕引，刘亚元.钻井液 [M].北京：石油工业出版社，2008.

可控源音频大地电磁测深法在水文地质调查中的应用

刘占兴

中水北方勘测设计研究有限责任公司,天津 300222

摘　要:为解决三河市山区缺水问题,查明该地区地下水赋存情况,布设了可控源音频大地电磁法(CSAMT)测线10条。CSAMT是电磁勘探方法中的一种,主要是以地壳中岩、矿石的电性差异为基础,通过探测了解地下不同电性地质体的分布情况。对工区的CSAMT测线数据进行了处理和二维反演,获得工区地下深部电性分布特征,并推测隐伏断裂破碎带和储水有利地段的空间展布,通过后期水井施工验证了物探成果的可靠性。依据本次CSAMT探测结果可见,CSAMT方法工作高效,横向分辨率高,对低阻体反映较为灵敏,具有较强的抗干扰能力,在查找深部隐伏断裂破碎带及评价储水有利地段中具有显著效果。

关键词:可控源音频大地电磁法　地下水　电阻率

1　引言

地下水资源在人们的生产生活和社会的发展中有着举足轻重的作用,中国目前有16个省人均水资源量低于严重缺水线,有6个省、区人均水资源量低于500m^3,为极度缺水地区。在社会经济发展和人民生活水平不断提高的背景下,地下水资源的合理利用和开发也不断受到人民的重视。

在地球物理方法中电法勘探已成为探测地下水的一种重要方法。常用于地下水探测的物探方法有可控源音频大地电磁法、音频大地电磁法、激发极化法、以及高密度电阻率法等。其中可控源音频大地电磁法(CSAMT)具有工作效率高、横向分辨率高、对低阻体反映较为灵敏、具有较强的抗干扰能力等特点,是人口稠密地区寻找地下水的有效探测手段。

为查明工区地下水赋存情况,解决该地区山区缺水问题,本次工作在工区内布设CSAMT测线10条。通过CSAMT探测查明工区地层典型特征、深部隐伏断裂破碎带位置及倾向、断裂破碎带含水情况等,并推测储水有利地段及空间展布,为水文地质调查提供评价依据。

2　工区地质及水文地质条件概况

2.1　地层

工区位于华北地层区的燕山分区,平谷-蓟县小区,发育地层主要为中元古界蓟县系雾迷山组(Jx*w*)。

作者简介

刘占兴(1985—),男,工程师,主要从事水利水电工程物探勘察与检测应用研究工作。E-mail:LZX_828@163.com

(1)蓟县系雾迷山组一段(Jxw^1),分布于调查区东北部,出露面积约 5km²。岩性为灰、深灰色含燧石条带白云岩、泥状含砂白云岩。地层产状 260°∠25°,地层厚度约 500m。

(2)蓟县系雾迷山组二段(Jxw^2),分布于调查区东部,面积约 11km²。岩性为灰、灰白色厚层粗晶燧石条带含钙白云岩为主,夹含叠层石白云岩、燧石层和灰白色泥状白云岩。地层产状 250°∠30°,厚度约 600m。

(3)蓟县系雾迷山组三段(Jxw^3),分布于西部,出露面积约 40km²,岩性为灰、深灰色中厚—巨厚层含燧石条带结核的含钙白云岩,夹泥质白云岩,含叠层石白云岩及紫红色泥质白云岩,含海泡石白云质泥岩,地层产状变化较大,在西部段甲岭以北山区为 15°～40°∠10°～20°,在东部八里沟一带为 240°∠30°～50°,地层厚度近千米。

(4)蓟县系雾迷山组四段(Jxw^4),分布于调查区中部,出露面积约 50km²。岩性:下部为灰、灰白色中厚及厚层状含燧石条带的含钙白云岩,豹皮状白云岩夹浙青质白云岩及泥质白云岩,底部夹钙质石英砂岩;上部为浅灰、灰白色、薄—中厚层状细粒含泥、钙质白云岩,海泡石泥岩,灰白、深灰色厚及中厚层状含钙质白云岩、含燧石条带的含钙白云岩,夹叠层石白云岩。地层产状变化较大,在蒋福山一带为 50°～60°∠15°～25°,在庄果峪一带为 230°～250°∠10°～20°,地层厚度约 800m。

(5)第四系(Q),出露全新统及上更新统,全新统分布在山区沟谷、蒋福山盆地和平原区,主要成因类型为冲洪积(Qh^{pl+al}),岩性为砂砾石、砂质黏土、粉细砂亚砂土,蒋福山盆地北部为湖淀沉积褐灰色黏土盐碱地(Qh^l),调查区西侧一带分布有沼泽堆积灰黑色腐殖质黏土亚黏土及泥炭层(Qh^f);上更新统主要分布于山前开阔地带及山间盆地,主要为坡洪积亚黏土及砂卵砾石(Qh^{pld}),在蒋福山盆地东南部、大旺务东侧分布有风积坡黄色亚砂土、亚黏土、粉砂、夹砾石碎石屑(Qp^{eold})。

2.2 水文条件

工区位于海河流域蓟运河水系,山前冲洪积平原与山麓丘陵交接地带,调查区西侧及北侧有洵河纵穿而过。地下水主要分布在白云岩地层中的断层构造裂隙破碎带、岩脉侵入接触裂隙带、浅层风化溶蚀裂隙带和第四系冲洪积砂层、砂卵砾石孔隙含水层中。主要的蓄水结构类型有 3 种。

(1)风化溶蚀裂隙带中的上层滞水蓄水构造。在山地丘陵地貌的区域侵蚀基准面以上,巨厚的蓟县系钙镁碳酸盐岩地层中,风化溶蚀裂隙不同程度的发育,由于雾迷山组地层中有多层粉砂质泥质白云岩和含海泡石黏土岩隔水层的存在,在山区的隔水层以上形成上层滞水。上层滞水含水层的地下水位高于区域地下水位 20 至上百米,并在山坡和沟谷中有泉水溢出。

(2)岩浆岩脉侵入接触裂隙蓄水构造。沿岩脉与围岩接触带呈带状分布,蓄水构造的规模与富水性,决定于岩脉的规模与产状。

(3)构造断裂裂隙带蓄水构造。为本区主要的地下水供水水源。富水性决定于断裂带规模与裂隙发育程度。在东西向构造裂隙带上庄果峪泉水涌出,北西向构造断裂带上有掘头山泉水涌出,东西向与北西向构造断裂带交汇处有灵山泉涌出。

2.3 构造

工区构造较为复杂,褶皱、断裂构造均十分发育,主断层为张性正断层。区域断裂以东西向为主,发育有段甲岭-邦均断裂、灵山-蒋福山断裂、马连口-掘山头断裂,次级构造较为发育,主要为北东东向、北西西向、东西向、北西向。

(1)段甲岭-邦均断裂为区域大断裂,位于工区南部,走向东西,倾向南,为逆断层。全长约 40km,该断裂西部与夏垫断裂相交,向东至蓟县邦均。

(2)灵山-蒋福山断裂位于工区中部山区，走向东西，属正断层，倾向北，倾角51°，断裂带宽约10m，断距约100m。

(3)马连口-掘山头断裂位于工区西部，走向北西，倾向南西，属正断层，断裂带东侧地层产状平缓，西侧地层倾角60°～70°，断层破碎带宽度约200m。

2.4 岩石电性特征

工区内地层岩性的电性差异特征是开展可控源音频大地电磁法(CSAMT)勘查的地球物理基础和依据(图1)。根据实测到的地层岩石电性特征(表1)可知，第四系整体电阻率较小，均值为1390Ω·m；迷雾山组一段和三段电阻率中等，均值分别为14 898Ω·m、6405Ω·m；迷雾山组二段和四段电阻率最大，均值分别为27 037Ω·m、26 529Ω·m。

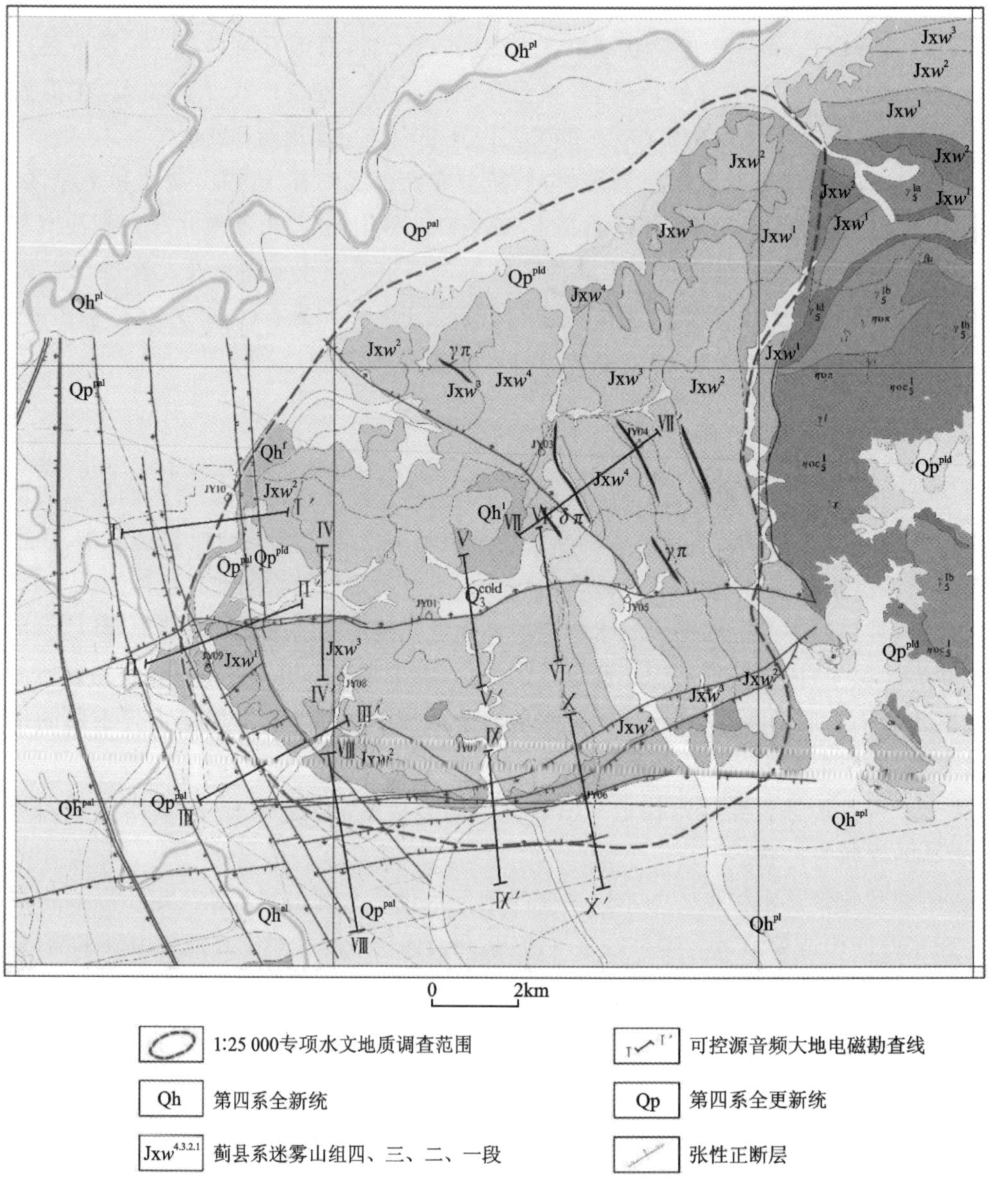

图1 工区地质及CSAMT测线布置图

表 1 地层岩石电性特征简表

地层	电阻率/(Ω·m)	平均电阻率/(Ω·m)
第四系	130～3073	1390
雾迷山组一段 Jxw^1	643～28 698	14 898
雾迷山组二段 Jxw^2	3786～74 949	27 037
雾迷山组三段 Jxw^3	463～14 300	6405
雾迷山组四段 Jxw^4	4444～62 560	26 529

基岩中若存在断裂破碎带，其主要地球物理特征为：①破碎带完全为破碎岩石和水填充，表现为强烈低阻特征；②破碎带只是岩石破碎而且未填充水，表现为高阻特性；③当深部破碎带被水填充，其含水越多，电阻率幅值越低、范围越大。

所以本次工作主要寻找低阻异常带，并根据异常形态推测出断层的空间位置、倾向及延伸特征。

3 工作方法与数据采集

3.1 方法原理

可控源音频大地电磁法是电磁勘探方法中的一种，主要是以地壳中岩、矿石的电性差异为基础，使用专门的仪器设备，观测工区内人工所激发的电磁场变化，经计算得到地下电阻率分布特征，进而了解地下不同电性地质体的分布情况。

可控源音频大地电磁法野外测量通常采用赤道偶极装置进行观测，观测点位于电偶源中垂线两侧各 30°角组成的扇形区域内，发电机通过接地电极 A、B 向地下供交变电流，在地下形成交变电磁场。在距发射源相当远的区域进行测量时，人工电磁场已接近平面波，从而可使用卡尼亚视电阻率计算公式并解释。

根据电磁波传播理论和麦克斯韦方程组导出卡尼亚电阻率计算公式：

$$\rho_S = \frac{1}{5f} \times \left| \frac{E_x}{H_y} \right|^2 \tag{1}$$

式中：f 为发射频率(Hz)，E_x 为与场源平行电场水平分量，H_y 为磁场分量。

根据电磁波传播原理可得其穿透深度即趋肤深度的数值方程，博斯蒂克深度作为有效研究深度，探测深度表达式为：

$$H = 365 \times \sqrt{\frac{\rho}{f}} \tag{2}$$

式中：ρ 为岩层或介质的电阻率(Ω·m)。

由以上两式，只要在地表从高频到低频逐个改变频率时，同时观测到 E_x 和 H_y 两个分量参数，就能计算出阻抗电阻率，进而求得其趋肤深度，经一维或二维反演后形成剖面图。

3.2 测线设计与装置参数

根据工作设计，本次可控源音频大地电磁法工作工布设测线 10 条，测点距为 50m，如图 1 所示。各测线均穿过区域断裂带。

可控源音频大地电磁法工作使用加拿大凤凰公司 V8 多功能电法工作站，它具有轻便、快速、受电流变化影响小、抗干扰力强等特点。工作站接收部分主要有 V8 主机盒子、RXU-3 辅助盒、磁探头和固体不极化电极等；供电部分主要有发电机、TXU-30发射机、RXU-T1MR控制盒以及电流传感器等。

采用赤道偶极扇形观测装置标量测量，保证扇形角控制在60°以内。场源根据实际地形、地物情况均布设在2km左右，由于本次工作测线方位角不同，因此选择了3个发射端，收发距R=10～13km。供电电极A、B采用铝箔并联深埋接地，浇灌盐水，压实埋土，保证接地条件，本次工作供电电流达到17A。

本次工作采用电性源CSAMT标量测量的工作方式。以测线方向为X方向，垂直测线方向为Y方向。电道E_x电极采用首尾相接的方式布设，磁道H_y磁探头垂直测线X方向。测量时接收机布置在电极排列的中间。电极采用的不极化电极，具有低噪音，低漂移等特点。测量时采用长80m的电偶极子（测量电极）来观测电场，偶极的两端连接在固体不极化电极上，电极埋于坑中，且用盐水将土坑浇透，保证电极与地接触良好。供电电缆、接收电缆在观测前均进行了漏电检查，绝缘电阻大于5kΩ。磁棒布置在测量电偶极子排列的中间。首先用森林罗盘仪使磁棒严格垂直场源的轴线，然后将磁棒水平埋入地下，用水平尺保持其水平并用土压实。

在地电结构固定的条件下，发射频率决定着勘探深度。根据工区地质及地球物理特征，本次勘查工作选用的发射接收频率全频段为41个频点，从9600Hz到1Hz，频点间隔分布均匀。

4 CSAMT资料处理与成果解译

4.1 资料处理与反演

通过对原始数据进行排列名称及坐标转换等预处理后，获得各测点的阻抗相位和视电阻率测深曲线。之后用MTSoft2D软件对各测点数据进行编辑圆滑、剔除干扰点、近场改正、静态校正等处理后，进行二维反演解译，绘出二维反演断面图。

静态校正：静态校正主要用于消除近地表局部导电性不均匀体引起的静态位移。首先需要识别数据中是否含有静态位移，可依据地质构造和地形起伏情况参考阻抗相位资料等进行判断；其次是若含有静态位移应注意与异常响应区分；最后是结合测区已知资料选择合适的方法对数据进行谨慎地静校正。

近场校正：由于可控源音频大地电磁法采用人工场源在大大增加信号强度的同时也带来了在近区产生非平面波效应的问题，其表现特征为在双对数坐标中卡尼亚电阻率曲线呈45°上升，在远区，卡尼亚视电阻率能够客观的反映出地电断面的垂向变化；但在过渡区和近区，卡尼亚视电阻率将发生严重的畸变，不能正确反映地电断面，这种现象称为近场效应。

为了使物探成果尽可能真实的反映地下介质的物性和实际地层、构造的位置、产状，对可控源音频大地电磁法测量数据进行反演计算时，均带地形数据反演计算。

分析频率-视电阻率等值线图和二维反演断面图，划分出异常段，结合地质资料对异常做出初步地质推断。

4.2 异常解译与推断

可控源音频大地电磁法的解释与推断是依据反演所得到的电阻率断面图划分剖面内地层的垂向分层、起伏变化情况以及断层的分布情况。断层反映在断面图中的特征主要是电阻率等值线的扭曲、不连续以及梯度带等。以下是结合工区内地质构造资料对各条剖面进行解释分析得到的结果。

在10条剖面的基础上，绘制了电阻率等值线平面图（图2），分别切取了高程为0m、－100m的2个平面图。对比平面图，工区内存在3个低阻条带异常，结合地质资料，推测3个低阻条带为3个断裂破碎带F_1、F_2、F_3。

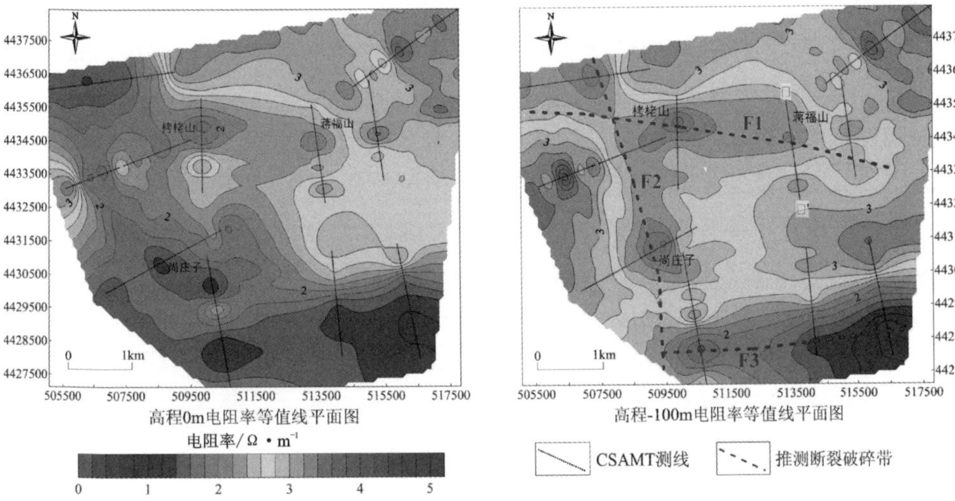

图 2　CSAMT 电阻率等值线平面图

F_1 断裂破碎带走向近东西，位于山区地带，属于张性正断层，为区域构造的灵山-蒋福山断裂。断层破碎带内裂隙很发育，并且富含裂隙水，为本区条件较好的富水构造。

F_2 断裂破碎带走向近南北，位于山前平原地带，属于张性正断层，为区域构造的马连口-掘山头断裂。断层破碎带内裂隙很发育，并且富含裂隙水，为本区条件较好的富水构造。

F_3 裂破碎带走向东西，位于山前平原地带，属于压性逆断层，为区域构造的段甲岭-邦均断裂。断层破碎带内裂隙很发育，并且富含裂隙水，为本区条件较好的富水构造。

蒋福山位于山区内，长期处于水资源紧缺状态，为解决实际用水问题，本次验证井计划布设在Ⅴ—Ⅴ′剖面上，所以本次工作重点解译Ⅴ—Ⅴ′剖面，并为钻孔选址提供依据。

根据Ⅴ—Ⅴ′线电阻率断面图（图 3），剖面呈现北侧低阻南侧高阻的形态。具体特征为：①0～0.5km段，上部为高阻区，下部为低阻区；②0.5～1.1km 段，电阻率小于 130Ω·m 的条带状低阻异常区；③1.1～2.8km 段，电阻率大于 130Ω·m 的高阻区。

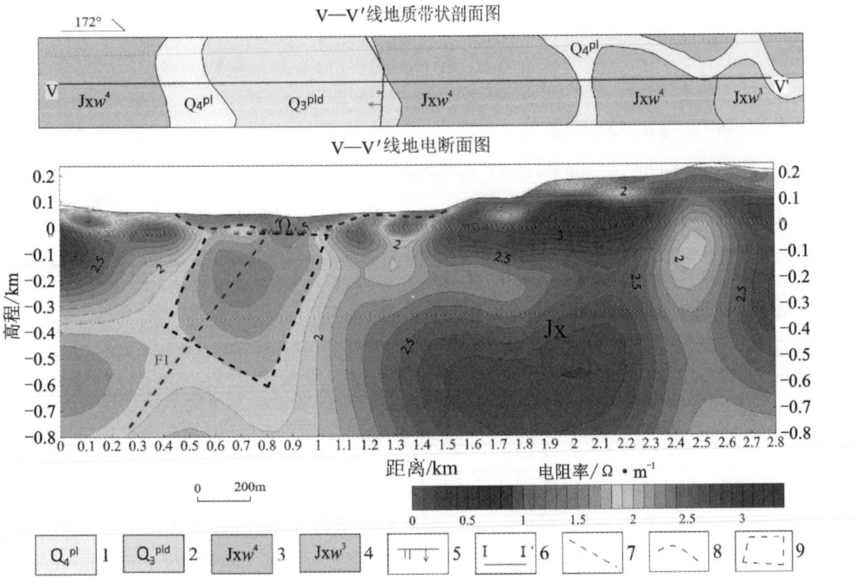

图 3　CSAMTⅤ—Ⅴ′线电阻率断面图

1.洪积砂卵石组砂；2.洪积坡亚砂土亚黏土；3.迷雾山组四段：燧石、泥质白云岩；4.迷雾山组三段：白云岩含燧石白云岩含海泡石白云质泥岩；5.断层；6.测线及编号；7.推测断裂带；8.推测地层分界线；9.储水有利地段

根据本条剖面的电阻率等值线在横向及垂向上的扭曲、不连续及等值线梯度变化特征，并结合该剖面的地质资料，可大致推测出基岩埋深情况和断裂破碎带位置及影响范围：①0～0.5km段，上部高阻为蓟县系迷雾山组，下部低阻为断裂破碎影响带；②0.5～1.1km段，条带状低阻异常为 F_1 断裂破碎带反应，倾向北，倾角50°左右，断裂破碎影响带宽约480m，其内裂隙很发育，并且富含裂隙水，为有利的储水构造。其断裂带内封闭的低阻异常区应为富水区；③1.1～2.8km段，高阻区为蓟县系迷雾山组。

综合分析：通过10条可控源音频大地电磁法剖面测量，共推测划定了3条断裂破碎带，分别为 F_1、F_2、F_3 断裂带，经野外查证均已被证实存在，且位置、走向均与本次推断成果基本吻合。其中 F_1 为正断层，走向近东西；F_2 为正断层，走向近南北；F_3 为逆断层，走向近东西。根据CSAMTⅤ—Ⅴ′线电阻率断面图进一步分析 F_1 断裂破碎带空间位置及性质，并圈定储水有利部位，认为其储水有利地段富水性较好，可进行下一步的钻探验证。

5 钻孔验证

通过水文地质调查，结合本次可控源音频大地电磁法测量成果，优选Ⅴ—Ⅴ′线储水有利地段施工了一口水文井ZK01，孔深450m，具体位置为Ⅴ—Ⅴ′线的0.7km处。钻孔柱状图如图4所示：地下水水位为70m；0～35.1m主要为第四系亚黏土、亚砂土夹砾石盖层；35.1～58.4m为蓟县系迷雾山组微晶灰质白云岩，岩石较完整，裂隙发育；58.4～88.9为蓟县系迷雾山组微晶灰质白云岩，岩石较破碎，富含裂隙水，为含水层；88.9～108.8m为蓟县系迷雾山组微晶白云岩，岩石较完整，局部裂隙发育；108.8～450m为蓟县系迷雾山组细晶白云岩，其中108.8～149m、186.3～247.7m两处为较大破碎带，为物探推测的 F_1 断裂破碎带，275.7～388.8m处岩石较破碎，为 F_1 断裂破碎影响带。

在79m深度进行了抽水试验，涌水量为320.49t/d，水量完全达到设计要求，完成了本次勘查的目的。

6 结语

(1)全区数据处理解释采取现场地质调查、定性解释和综合地质解释相结合的方式进行，而且数据处理、定性解释和综合地质解释是交叉和反复进行的，从而使本区数据处理与解释工作逐步深化。

(2)通过对全区10条测线的反演分析认为，可控源音频大地电磁法在断裂破碎带勘探中能很好地确定地下断裂赋存位置及空间展布，根据后期查证均被证实存在，其位置、走向、倾向基本吻合，由此可见可控源音频大地电磁法在寻找地下隐伏断层中具有显著效果。

(3)本次工作依据可控源音频大地电磁法成果圈定了储水有利地段，并在该富水区域布设了水井，其岩芯成果与物探推测结果一致，并且水井出水量达到了最初设计要求。由此可见依据可控源音频大地电磁法测量成果预测地下富水区域较为可靠。

参考文献

夏军，左其亭. 中国水资源利用与保护40年(1978—2018年)[J]. 城市与环境研究，2018，3(2)：18-32.

康小兵，许模，谯勉江，等. 物探方法在西藏阿里地区地下水资源调查中的应用[J]. 工程勘察，2007，35(9)：70-73.

鲍世才，马彪. 物探方法在基岩地下水勘查中的应用[J]. 地下水，2012，34(6)：121-122.

屈利军，李波，周佩. 综合物探方法在湘中贫水山区找水中的应用[J]. 物探与化探，2017，41(5)：835-839.

张威，王文国，孟银生，等. 可控源音频大地电磁测深在浅部地下水勘查中的应用[J]. 物探化探计算技术，2013，35(2)：142-146.

地层代号	岩层深度/m	岩层厚度/m	柱状图 水井结构	岩性描述
$Q3^{pld}$	35.1	35.1		表层4m为亚黏土，4m以下为亚砂土夹砾石。砾石砾径1～10不等，磨圆度好，砾石原岩以白云岩为主。隐晶质结构，块状构造，砾石含量约4%
Jxw^3	58.4	23.3		微晶灰质白云岩。较完整，局部有裂隙发育，裂隙处有铁染。局部有方解石脉填充
	88.9	30.5		微晶灰质白云岩。较破碎，隐晶质结构，块状结构，局部有裂隙发育。局部有方解石脉填充
	108.80	19.90		微晶白云岩。较完整，局部有裂隙发育，裂隙处有铁染或方解石脉填充
	149.00	40.20		细晶白云岩。整体较破碎，为一较大破碎带，局部存在少量完整岩芯
	186.30	37.30		细晶白云岩。较完整，隐微晶结构，块状构造。局部裂隙发育
	247.70	61.40		细晶白云岩。整体较破碎，为一较大破碎带，隐晶质构造，块状构造
	275.70	28.00		细晶白云岩。相对完整，局部破碎，隐晶质结构，块状构造
	388.80	113.10		细晶白云岩。相对破碎，局部完整，隐晶质结构，块状构造。局部有铁染现象
	450.00	61.20		细晶白云岩。相对完整，局部破碎，局部裂隙发育。裂隙处有方解石脉填充

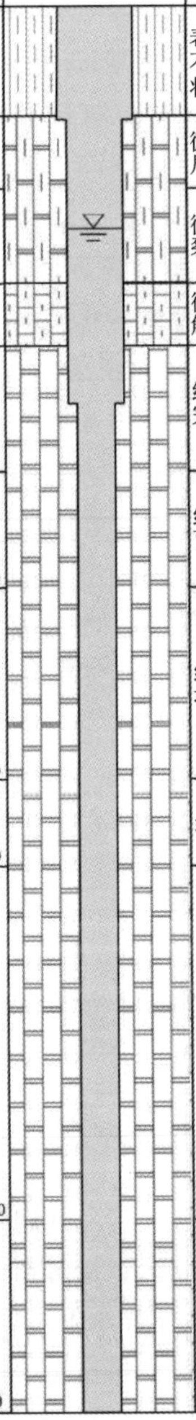

图 4　ZK01 钻孔柱状图

汤井田，何继善. 可控源音频大地电磁法及其应用[M]. 长沙：中南大学出版社，2005.

赵军，彭荣华，王思兵，等. CSAMT 在浙江武义县水文勘查中的应用[J]. 工程地球物理学报，2020，17(2)：225-229.

杨亚兵，孙鑫，何斌，等. 可控源音频大地电磁测深法在民勤北部干旱缺水区地下水找水中的应用[J]. 地下水，2017，39(3)：130-132.

AMT在大埋深引水隧洞探测中的应用研究

李建超[1,2]　刘栋臣[1]　张美多[1]　李跃强[1]

1.中国地质大学(武汉)地球物理与空间信息学院,湖北 武汉　430074;

2.中水北方勘测设计研究有限责任公司,天津　300222

摘　要:白龙江引水工程规划从白龙江干流引水,规划引水线路总长417.23km,设计最大输水流量45m³/s。工程地跨黄河、长江两大流域,穿越秦岭、六盘山两大分水屏障,属于长距离跨流域调水工程。由于该引水工程隧洞具有线路长、埋深大等特点,且工作区位于西秦岭造山带,属于晚古生代以来发育在秦岭微板块北缘被动陆缘智商的岷礼前陆盆地,经历了复杂的构造演化,构造性质复杂多变,加之工作区海拔高,地形起伏大,因此造成钻探、平硐勘探等手段耗时较长与成本都会大幅增加,很大程度上不能满足设计工期及设计成本的要求。AMT法利用不同岩性及相同岩性不同辅存结构间所反映的电性参数差异,高效快速地进行岩性划分和断裂破碎带判别,为大埋深条件下的隧洞勘察设计提供可靠的资料。本文通过1∶1万AMT法取得的电性成果,清晰的划出岩性分布及断层发育情况,很好的呈现了中生代晚期强烈隆起剥蚀,形成的“两隆一坳”的块体结构;为钻探、平硐勘探等工作的开展提供了很好的指导,极大地节约了工期并降低勘探成本。

关键词:大埋深隧洞　断层　岩性分布　基底发育　AMT

1　引言

白龙江引水工程是从甘肃省境内嘉陵江支流白龙江的上游引水至泾渭河流域,旨在解决天水、平凉、庆阳、陇南4个市、25县(区)城乡生活用水,保障“关中-天水经济区”和陇东能源基地建设和发展的供水安全,改善生态环境,是解决甘肃省泾渭河流域缺水问题的重大战略工程,也是国家172项重大水利工程建设项目之一。

依据技术要求,白龙江引水工程隧洞段部署多条大地电磁法测线,利用实测大地电磁法剖面数据结合地质资料综合解释,依据电性异常对地层及断裂进行系统划分,利用解释成果为本引水线路评价提供基础依据。具体工作目的为:①主要针对引调水线路输水隧洞复杂地质洞段或大断层破碎带进行探测;②探测引水隧洞洞线附近地层结构和物性特征,并根据物性特征进行分类和分组,了解岩性变化规律等;③了解引水线路洞线附近断层构造的宽度和走向及随深度变化规律等;④对断层等构造的赋水性进行评价。

音频大地电磁(AMT)是通过观测由远程天电引起的天然平面电磁波信号以确定地下的电阻率值的一种方法,通过反演,可获得由浅至深地层电阻率的大小变化情况,通过追踪反演深度电阻率断面纵横向变化,结合地质资料的标定,最终达到了解目的层纵横向展布、基底构造及断裂发育情况。自20世纪90年代在国内推广以来,大量实例已经证实该方法取得成果的可靠性。

作者简介

李建超(1986—),男,工程师,长期从事地球物理方法的应用及研究工作。E-mail:maxwell_06@126.com。

2 区域地质背景

2.1 区域地质概况

工作区位于青藏高原边缘和西秦岭、岷山两大山系支脉的交错地带，海拔在1138～4154m之间，平均海拔2300m。工作区位于西秦岭褶皱系，区内出露地层以泥盆系、二叠系、三叠系、白垩系为主。泥盆系到三叠系为海相与陆相沉积并存，三叠系后为陆相沉积地层。第四系分布较广，为多种成因的松散堆积物。其中白垩系、三叠系等地层存在多层泥岩、粉砂岩等软弱岩石，其强度低、抗变形能力差，并多有软弱结构面发育，工程地质性质不良。软弱岩体可能诱发深埋隧洞严重的挤压变形、塌方等工程地质问题。

2.2 区域构造发育情况

工作区位于西秦岭造山带，属于晚古生代以来发育在秦岭微板块北缘被动陆缘智商的岷礼前陆盆地，经历了复杂的构造演化，构造性质复杂多变。北侧以西秦岭北缘断裂（漳县-武山断裂段）为界与北秦岭造山带相连，南侧以东昆仑断裂带与西秦岭造山带南亚带相连。区域有临潭-宕昌断裂等多条深大断裂、活动断裂通过（图1）。地震活动频繁，最近一次较大地震发生在2013年7月22日，震级6.6级，震源深度20km。总体上，区域构造背景较为复杂，构造稳定性较差。其中部分隧洞穿越活动断裂，部分建筑场地的地震烈度高，整体施工难度大。

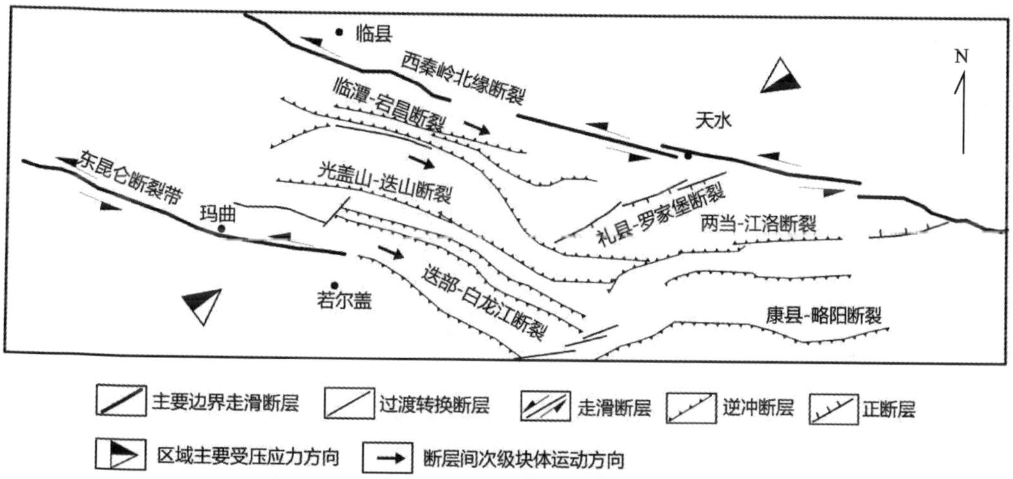

图1 工作区主要断裂构造示意图

2.3 水文地质情况

工作区内地下水按赋存条件可分为松散层孔隙水、基岩裂隙水和岩溶裂隙水等，部分地段沿大型断裂呈条带状分布，径流及补排形式多样，局部形成上升泉。

3 工程实例

3.1 工作布置及采集

本次野外数据采集工作采用的仪器是加拿大凤凰公司生产的具有GPS卫星时间同步功能的MTU-5A的大地电磁数据采集系统。该系统具有重复性好、仪器稳定等特点，一直是进行大地电磁法测量的常用仪器。

本次测点电极采用"+"字形张量观测方式,在地形不利时采用"L"形或"T"形。布极点位置采用GPS定点,采用森林罗盘布极,采用测绳量极距,极距 40 m,采用首尾相连 CEMAP 布极方式。测距误差小于 1%;不极化电极和磁传感器的方向用森林罗盘仪定位,方位误差小于 1°。每个测点有效采集时间不小于 40min。在干扰严重测线,延长观测时间至 50min,增加叠加次数,提高了数据质量。

3.2 电性特征分析

工作区主要岩体有三叠系的板状灰岩、砂岩夹砂质板岩、夹少量粉砂岩和泥岩等,白垩系的砂岩夹粉砂岩等。

根据实测物探成果,第四系黄土、碎石土、砂卵砾石的电阻率一般为 5～100Ω·m;白垩系砂岩夹粉砂岩等的电阻率一般为 20～500Ω·m,呈低阻特征。三叠系灰岩的电阻率一般为 500～4500Ω·m,呈高阻特征;三叠系砂岩夹砂质板岩、夹少量粉砂岩和泥岩的电阻率一般为 100～500Ω·m,呈较低阻特征。断层或岩体破碎带电阻率与完整围岩相比电阻率低 1 个数量级左右,差异较大。

3.3 资料处理与解译

数据的预处理是对原始资料的一种再认识过程,它是资料处理过程中必经的一步工作,后续的一切定性的与定量的解释工作都是建立在这一基础之上进行的。

数据预处理主要包括:去噪音处理,采用相位校正技术等,从多方面消除资料中的干扰噪声;静态校正采用阻抗分解的方法;将预处理后的数据绘制各种定性图件,结合测区内地质及介质电性分布特征进行定性分析判断。

野外观测数据为时间域的原始数据,AMT 应用加拿大凤凰公司 SSMT2000 软件通过 Robust 变化处理将观测原始时间序列文件转化为频率域功率谱文件。

此次反演采用 Winglink 进行数据反演计算,获取剖面控制范围内的地下电阻率信息。在构建模型时,进行精细的网格剖分。在 TE 和 TM 两种模式下分别设置不同反演参数值进行试验,由此确定最合适的反演结果。

根据反演后的二维电阻率剖面成果图,结合工作区地质测绘成果及岩(物)性的电阻率特征值,用电阻率的特征形态及电阻率值的高低进行岩性划分及构造带的圈定。

3.4 成果认识

(1)电阻率分析。剖面在垂向上电阻率变化表现为由上到下电阻率逐渐变大(图 2)。一般表层为第四系松散堆集物,层厚 5～100m,电阻率范围值 5～100Ω·m。

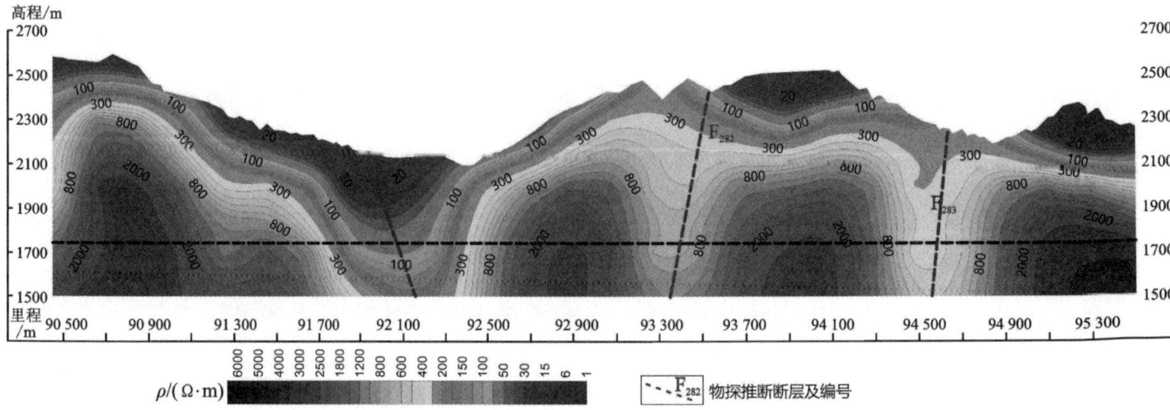

图 2 S段 8# 隧洞电阻率等值线成果图

剖面从小号到大号岩体（设计洞身附近）大致分为三段：第一段（90＋450～91＋800 段）表现为高阻异常体，其视电阻率范围值 300～2500 Ω·m，推测为三叠系灰岩在电性上的反映，岩体较完整；第二段（91＋800～92＋400 段）表现为低阻异常体，其电阻率范围值一般为 20～200 Ω·m，推测为白垩系砂岩夹粉砂岩在电性上的反映，岩体受断层发育影响较破碎，含水量高，有围岩大变形、涌突水、突泥和涌砂等多种复杂工程地质问题的可能；第三段（92＋400～95＋450 段）整体表现为高阻异常体，其电阻率范围值一般为 300～2500 Ω·m，推测为三叠系灰岩在电性上的反映，岩体较完整，局部受构造发育影响较破碎，可能富水。

（2）构造分析。针对 S 段 8＃大深埋隧洞取得的 AMT 资料对主要断裂构造进行了划分。解译主要断裂 3 条，均与洞身相交，3 条断裂性质见表 1。

表 1 8＃隧洞 90＋450～95＋450 段 AMT 成果推测构造特征表

序号	里程桩号	推测性质	倾向、倾角	洞身处宽度	推测富水性	暂命名
1	92＋060	推测为断层	倾下游、视倾角 65°	与洞线相交，约 400m	富水	F_{281}
2	93＋340	推测为断层	倾上游、视倾角 80°	与洞线相交，约 200m	可能富水	F_{282}
3	94＋560	推测为断层	倾上游、视倾角 85°	与洞线相交，约 200m	可能富水	F_{283}

测段内发育的 3 条断裂均对洞身产生影响，尤其是 F_{281}，发育在白垩系砂岩夹粉砂岩中，粉砂岩为软弱夹层，易发生变形，且含水量较高，有涌突水、突泥和涌砂等多种复杂工程地质问题的可能，应为重点监测对象。

（3）基底特征分析。结合电阻率界面成果对剖面穿越地区的地层进行推断。第四系电阻率界面较完整，层厚在 5～100m 之间，表明第四系普遍发育。地层整体表现出明显的三叠系隆起特点，三叠系灰岩界面不连续，白垩系“嵌式”沉积，表明中生代晚期强烈隆起剥蚀，形成“两隆一坳”的块体结构（图 3）。

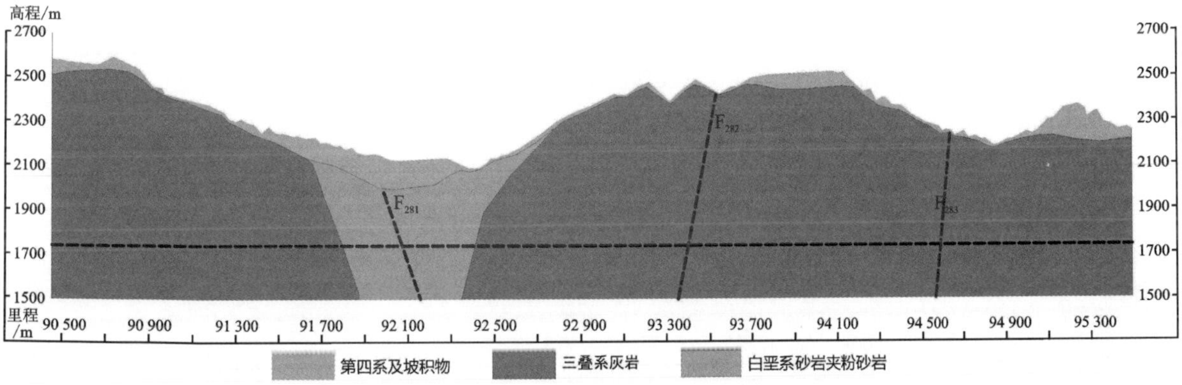

图 3 S 段 8＃隧洞地质推断成果图

3.5 小结

工作区主要受临潭-宕昌断裂影响，临潭-宕昌断裂从西端的合作以西开始，向东经过临潭、岷县至宕昌东南与礼县-罗家堡断裂交会，构成一个向北突出的弧形构造，由数条规模不等、相互平行或斜列的断裂组合而成，断裂全长大于 250 km。断裂西段南支晚更新世至全新世以来活动明显，次生构造发育。

AMT 探测成果清楚的揭示了测段内岩体富水性较好，区内发育的 3 条断层（F_{281}～F_{283}）及影响带范围内可能有围岩大变形、涌突水、突泥和涌砂等多种复杂工程地质问题，揭露了“两隆一坳”的块体格局。为本期勘察设计提供了可靠的基础资料，同时也为施工图阶段隧洞开挖的重点监控提供依据。

4 结语

鉴于当前大部分引水、道路隧洞具有埋深大、岩性多样、可能存在软弱岩体、构造发育等特征,其综合地质条件通常非常复杂,对隧洞工程安全、投资、进度影响显著。并且工作区通常地形复杂、交通条件较差,钻探、硐探开展困难,造成钻探、硐探费用高、周期长,严重影响成本与进度。

音频大地电磁测深(AMT)具有采集深度大、天然信号强、设备简便、工作效率高等特点,较大埋深下可以获取可靠资料,即使在复杂地质条件地区仍可有效揭示地层岩性、断裂展布、不良地质、地下富水情况及基底构造特征等。因此,该方法在当前勘察设计大环境下是非常具有优势的。利用其探测成果可以有目的、有针对性的指导钻探、硐探布设,对缩短工期,节约成本有重要作用。此外,亦可作为施工图阶段隧洞开挖超前预报的指导资料,有利于工程的安全、顺利推进。

参考文献

叶益信,杜家明,薛海军,等.高密度电法与音频大地电磁法在城市输水隧洞勘察中的应用[J].地球科学与环境学报,2020,42(6),767-775.

孙银行,胡文广,封绍武,等.音频大地电磁法勘查甘肃省高台隐伏隆起[J].科学技术与工程,2020,20(26):10611-10617.

李建超,王志豪.CSAMT法在复杂地质条件区探测中的应用研究[J].三峡大学学报,2019,41(S1):57-60.

武斌,曹俊兴,邹俊,等.音频大地电磁测深法在康定小热水地热勘查研究中应用[J].物探化探计算技术,2011,507-510.

闵刚,张予杰,张解成,等.大地电磁法磁反射系数在深埋含锰地层调查中的应用:以贵州松桃杨立掌锰矿床毗邻区的次级成锰槽盆为例[J].地质与勘探,2020,56(5):1005-1018.

彭炎,张小博,张健,等.地电磁测深法在滨北西部斜坡带油气地质调查评价中的应用[J]物探与化探,2020,44(3):656-664.

覃田赐,邓居智,陈辉,等.音频大地电磁三维反演在江西丰城地热勘查中的应用[J].科学技术与工程,2020,20(14):5489-5498.

朱自串,周丹,李德文,等.音频大地电磁测深法在老挝万象盆地钾镁盐矿产勘探中的运用效果[J].物探与化探,2019,43(6):1268-1276.

刘祖鉴,刘诗华,马 行,等.大地电磁法关于断裂分辨力的研究[J].地质论评,2020,66(S1),59-61

张鹏辉,张小博,方慧,等.地球物理资料揭示的嫩江-八里罕断裂中段深浅构造特征[J].吉林大学学报(地球科学版),2020,50(1):261-272.

郭进京,王凯旋,韩文峰,等.西秦岭临潭-岷县-宕昌断裂带新生代运动学历史及动力学分析[J].西北地质,2018,51(3):80-92.

任海东,王涛.东昆仑-西秦岭造山带对接处三叠纪花岗质岩石时空演化、物源特征对比及其大地构造意义[J].地球学报,2017,38(S1):59-63.

李光涛,程理,吴昊,等.临潭-宕昌主干断裂南东段晚第四纪活动的地质地貌证据[J].地震工程学报,2020,42(2):376-383.

杨立鹏.白龙江引水工程区域地壳稳定性评价[D].兰州:兰州大学,2019:1-82.

李淑贞.白龙江地区断裂构造与滑坡分布及发生关系研究[D].兰州:兰州大学,2014:1-67.

毛深秋,朱维娜,赵旭阳.白龙江引水工程区域地质环境[J].水利水电工程设计,2019,38(4):59-63.

郑文俊,袁道阳,何文贵.甘肃东南地区构造活动与2013年岷县—漳县M_S6.6级地震孕震机制[J].地球物理学报,2013,56(12):4058-4071.

CSAMT 在新疆某深埋长大隧洞探测中的应用研究

李建超[1,2] 王志豪[1] 赵吉祥[1]
1. 中水北方勘测设计研究有限责任公司,天津 300222;
2. 中国地质大学(武汉) 地球物理与空间信息学院,湖北 武汉 430074

摘　要:研究深埋长输水隧洞的地层结构、物性特征及构造发育的主要手段有硐探、钻探、物探等。最直观有效的是硐探和钻探,可以直观揭露地层岩性、构造发育情况等。但深埋隧洞洞线埋深动辄数百米,甚至上千米,且隧洞勘探区通常地形差,气候条件差、交通运输不便,这就使得硐探、钻探的时间成本、经济成本大幅增加。CSAMT 法是通过利用有限长接地导线电流源向地下发送不同频率的交变电流,在地面一定范围内测量正交的电磁场分量,依照趋肤深度原理计算卡尼亚电阻率及阻抗相位,达到探测不同埋深地质目标体的一种频率域电磁测深方法。此次对本工程最大埋深超过 1.8km 的隧洞 VI 段采用 1∶1 万 CSAMT 法,通过对电阻率的研究,对岩性分布及断层发育情况进行了划分,勾勒出受海西中、晚期板块俯冲的影响,地层呈现断块状,局部隆起,形成宽缓的向斜构造,形成"一隆一坳"的块体结构。为后期施工图阶段隧洞开挖提供了指导性的作业依据,在节约了工期、降低勘探成本的同时,最大程度确保工程的开挖安全。

关键词:深埋长隧洞　电阻率　CSAMT

1　引言

某深埋长隧洞是新疆维吾尔自治区的一项大型跨流域调水工程。工作区地处西北天山中高山区,远离海洋,属北温带大陆性干旱气候。气候主要特点是日、年温差大,夏季炎热,冬季寒冷;春季气温回升快且不稳定,秋季降温迅速;降水稀少、分布不均,蒸发量大,空气干燥,光照充足;夏季多雷阵雨和冰雹,春秋季多大风,冬季多连阴雾。工作区的年平均气温随海拔的升高而降低,海拔每上升 100m,年均气温下降0.3～0.4℃,工作区内山区最高海拔超过 4500m,平原区平均海拔 400m,高差极大,切割严重,雨雪冲沟极大,植被稀少,人迹罕至,自然条件险恶,勘察工作条件更恶劣。外业工作只能在每年 6—9 月开展,每年 10 月中旬至次年 5 月山区均可能出现强降雪,12 月中旬河道封冻,另外工作区不具备通信条件,且交通不便。

CSAMT 法自 20 世纪 80 年代末引入我国以来,该方法已经在工程、水文、地质灾害调查、油气、煤炭、金属与非金属等多个勘探领域得到广泛应用,并取得了很好的效果。CSAMT 法是通过同时对一系列当地电场和磁场波动的测量来获得地下介质的电阻抗,通过采用人工场源可以克服天然场源信号微弱的缺点。其高频数据受到浅部或附近的地质体的影响,而低频数据受到深部或远处地质体的影响。同一测点当观测频率由高到低进行数据采集时,可实现由浅部到深部的测深过程。CSAMT 法工作频

作者简介

李建超(1986—),男,工程师,长期从事地球物理方法的应用及研究工作. E-mail:maxwell_06@126.com

率在0.125～10 000Hz之间。探测深度与收发距、工作频率及大地电阻率有关，最大勘探深度可达2000m以上。

2 区域地质背景

2.1 区域地质概况

工作区地层可划分为中天山-马鬃山地层分区博罗科努山地层小区和南准噶尔-北天山地层分区依连哈比尔尕地层小区等多个小区（图1）。区域上出露的地层主要有：奥陶系（O）、志留系（S）、泥盆系（D）、石炭系（C）、二叠系（P）、新近系（N）和第四系（Q）。工作区经历了元古代古克拉通形成、震旦纪—寒武纪稳定盖层沉积、奥陶纪—志留纪古克拉通解体、志留纪—石炭纪拉张聚合交替阶段、石炭纪—二叠纪陆内拉张裂陷和晚二叠世陆内造山和前陆盆地形成等构造演化过程。演化历史漫长，过程复杂，特别是在泥盆纪—石炭纪期间，区内岩浆岩广泛发育，主要有海西中早期侵入二长花岗岩等，二长花岗岩胶结好。

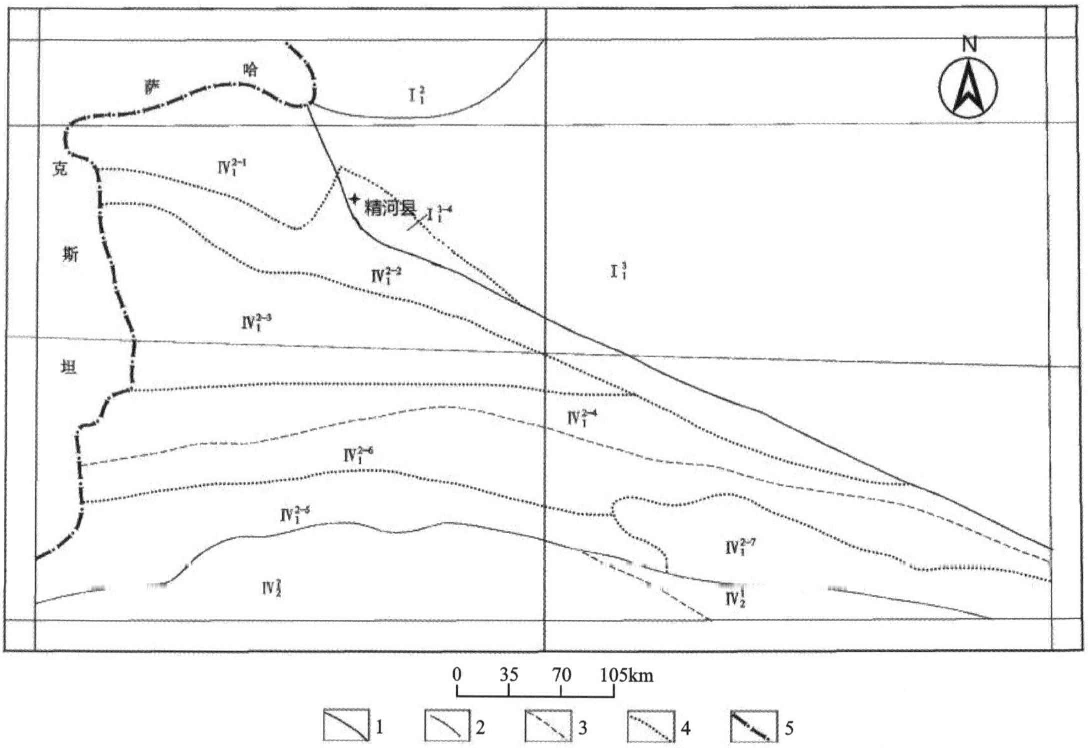

图1 工作区区域地层区划图

1.地层大区界线；2.地层区界线；3.地层分层界线；4.地层小区界线；5.国界线

$Ⅰ_2^1$北准噶尔地层分区；$Ⅱ_1^3$南准噶尔-北天山地层分区；$Ⅰ_1^{3-4}$依连哈比尔尕地层小区；$Ⅳ_1^{3-4}$温泉地层小区；$Ⅳ_1^{2-2}$博罗霍洛山地层小区；$Ⅳ_1^{2-3}$伊宁地层小区；$Ⅳ_1^{3-4}$巴仑地层小区；$Ⅳ_1^{2-4}$巴仑地层小区；$Ⅳ_1^{2-5}$哈尔克山地层小区；$Ⅳ_1^{2-6}$萨阿尔明地层小区；$Ⅳ_1^{2-7}$克孜勒塔格地层小区；$Ⅳ_2^1$塔北地层分区；$Ⅳ_2^2$塔里木盆地地层分区

2.2 区域构造发育情况

工作区大地构造上处于准格尔微型板块与博罗科努古生代复合岛弧带中间地块。主要断裂有：博罗科努山北坡大断裂、阿拉尔大断裂、察汗莫顿断裂、博罗科努南坡断裂等。其中博罗科努山北坡区域性大断裂控制了工作区主要岩浆岩。穿过博罗科努复背斜，汗吉尕复向斜南翼，已发现36条规模较大断层，以压性、压扭性为主，总体走向多为北西西，倾角较陡。次级断裂发育，并充填各类后期岩脉。断裂带岩石破碎成碎裂岩，局部糜棱岩化。整体上表现为，大区域构造背景演变复杂，构造稳定性较差。断层带涌突水、高外水压力及围岩变形等问题可能比较突出，奥陶系灰岩洞段不良工程地质问题需充分重视。高地应力环境下部分洞段具备发生弱、中、强岩爆的条件，断层破碎带、软岩及深埋洞段存在发生围岩较大变形的可能，整体施工难度大。

2.3 水文地质情况

工作区不同洞段气候条件、地形地质条件差异明显，造成不同洞段水文地质特征变化也甚大，从岩性、构造发育特征及以往少量勘探试验资料等方面判断，除构造带附近外，大部分洞段岩体渗透性较差。

3 工程实例

3.1 工作布置及采集

依据隧洞洞身埋深下100m为探测深度的要求，现场数据采用旁侧标量采集模式工作。此次工作采用一台V8主机采集模式，点距设置为40m，单个采集排列长度为120m，每个排列可同时采集3个物理点。本次共布设137个测深点，剖面长度5.48km，测线方向12°。采集采用TM观测模式，发射机发射频率范围为0.5～9600Hz，发射电极A、B间距2km。为保证远区数据采集的质量，收发距选最大探测深度的12倍，约为25km。

沿洞线勘探尽量靠近洞线位置，当洞线附近不具备探测条件时可适当偏离。由于本次勘探部分地段地形切割严重，采集工作开展前制定偏移距离不超过100m。

3.2 地球物理特征分析

一般来说，正常沉积岩主要表现为低密度、低磁、低极化—中等电阻率，且变化较小；侵入岩相对较高；火山岩物性变化较大，总体趋向于随岩石基性成分增加而增高；变质岩的物性取决于原岩岩性和变质程度，一般情况下，原岩相同物性参数随变质程度的提高而增大。

本次隧洞探测段所涉及的地层岩性有：石炭系凝灰质砂岩、志留系砂岩、泥盆系晚期海西期二长花岗岩、第三系（古近系＋新近系）黏土岩、第四系等。

据本次实测结果，并结合以往勘探成果，本区第四系松散堆积物的电阻率一般为10^1～$10^2\Omega\cdot m$；断层构造带的电阻率一般为围岩原岩的0.5～0.7倍，当构造带富水时可能会更低；泥岩的电阻率一般为10^1～$10^2\Omega\cdot m$；凝灰质砂岩的电阻率一般为10^2～$10^3\Omega\cdot m$；砂岩的电阻率一般为10^1～$10^3\Omega\cdot m$（干燥时电阻率要高）；二长花岗岩的电阻率一般为10^3～$10^5\Omega\cdot m$。由此可见它们之间存在较大电性差异。断层或岩体破碎带电阻率与完整围岩相比电阻率低1个数量级左右，差异较大。

3.3 资料处理与解译

依据工作区电性研究结果及电性地质分层规律，对本次完成的大地电磁测深剖面电性成果进行了地质推断解释，将地球物理模型转化为地质模型。本次CSAMT法反演选用Winglink软件。首先通过建立平滑一维模型，每次探测后会有一个光滑模型被存储，为分层反演提供了一个初步猜想模型，这些模型由程序展示剖面，地形文件在反演开始前带入，因此反演结果更精细、真实，但模型的建立对反演结果数值影响较大。

根据处理后的二维电阻率剖面最终成果图，结合本测区（段）各岩性层的电阻率特征值，用电阻率值的高低及分布形态来区分或判定岩性，并推断断层等构造的位置和宽度。具体解释原则如下。

（1）岩带划分：首先依据岩性与电阻率值的对应关系结合工程地质勘察要求对实测剖面电阻率值及其形态做出分析判断，并初步划分物性分段，推断各段的岩性分布，然后根据地质测绘校对，确定岩带的划分。由于电阻率值是岩层工程性质的综合反映，如矿物成分、厚度、裂隙、含水量等都会影响电阻率值的大小，因此只依据电性确定岩层名称具有一定的局限性，所以必须结合地质测绘进行地层岩性划分才能使解释结果符合客观地质实际。

（2）断层确定：根据电阻率剖面图中的电阻率变化形态并与地面地质调查相结合来确定断层位置和范围。当断层上下盘的岩性层一致或其电阻率（一般较高）相接近时，此时的断层带电阻率一般表现为低电阻特征；而当断层上下盘的岩性层不一致且两侧岩层电阻率相差较大，其中一侧岩层电阻率值相对较低又接近断层带的电阻率值时，此时的断层带电阻率等值线在电阻率剖面图中一般表现为密集型，即电阻率梯度变化较大的位置为断层带。

3.4 成果认识

（1）电阻率分析。整条测线的实测电阻率横向、垂向变化均较大，电阻率范围值 10～10 000Ω·m（图 2），主要受断裂构造和岩性影响。

剖面从小号到大号岩体（设计洞身附近）大致分为三段。第一段（28＋900～32＋260 段）表现为两层电性结构特征，第一层为较低阻体，其电阻率范围值 20～1000Ω·m，推测为石炭系凝灰质砂岩的反映，层厚在 700m 左右，较均匀；第二层为高阻体，其电阻率范围值 1000～10 000Ω·m，推测为泥盆系晚期海西期二长花岗岩的反映，多处存在低阻异常体，推测为断层构造带的反映。第二段（32＋260～33＋560 段）表现为低阻体，其电阻率范围值一般为 20～500Ω·m，推测为石炭系凝灰质粉砂岩的反映。第三段（33＋560～95＋450 段）整体表现为较低阻体，其电阻率范围值一般为 20～1000Ω·m，推测为石炭系凝灰质砂岩的反映，34＋100m 处存在一低阻异常体，推测为断层构造带的反映。

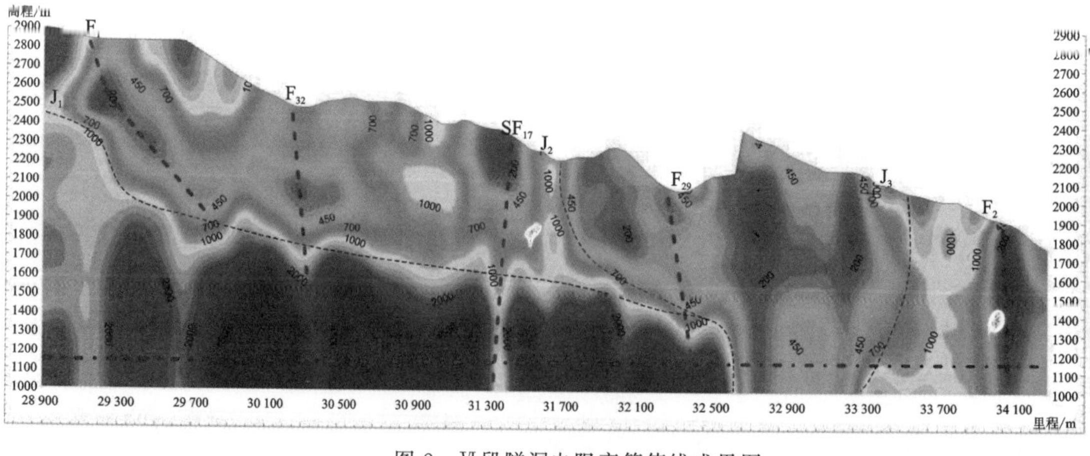

图 2 Ⅵ段隧洞电阻率等值线成果图

（2）构造分析。针对Ⅵ段大深埋隧洞取得的 CSAMT 资料对主要断裂构造进行了划分。解译主要断裂 5 条，其中 F_{32}、SF_{17}、F_{29} 为已知断层，F_1、F_2 为推测断层，推测 F_{32}、SF_{17}、F_2 与洞身相交，5 条断裂性质见表1。

表1 Ⅵ段CSAMT成果推测构造特征表

序号	地表里程桩号	性质	倾向、倾角	洞身处宽度	推测富水性	暂命名
1	29+140	推测断层	倾下游、视倾角48°	不相交	富水	F_1
2	30+240	已知断层	倾下游、视倾角84°	与洞线相交，约150m	可能富水	F_{32}
3	31+450	已知断层	倾上游、视倾角86°	与洞线相交，约100m	富水	SF_{17}
4	32+300	已知断层	倾下游、视倾角81°	不相交	不富水	F_{29}
5	34+100	推测断层	倾下游、视倾角88°	与洞线相交，约200m	富水	F_2

测段内发育的F_{32}、SF_{17}、F_{29}这3条断裂对洞身产生影响，尤其是F_2，F_2发育在石炭系凝灰质砂岩中，推测易发生变形，且含水量较高，有涌突水、涌砂等多种复杂工程地质问题的可能，应为重点监测对象。

(3)地质特征分析。依据电阻率等值线成果结合区域构造、地层资料，对剖面穿越地区的地层、地质特征进行推断。工作区侵入岩发育，以海西中期中深成相的酸性岩类为主，呈岩基状产出，延伸方向与区域构造线方向总体一致，呈近东西向、北西西向分布。受海西中、晚期板块俯冲的影响，地层呈现断块状，局部隆起，形成宽缓的向斜构造。石炭纪处于印支期—海西运动中晚期，海西运动形成的山脉就包扩天山山脉，普遍形成基底褶皱，地层上形成背斜构造。整体上表现为"一隆一坳"的块体格局。二长花岗岩产于海西中、晚期(即阿尔泰运动阶段)强烈造山运动，处于挤压体制，这类岩石具有高强度、高硬度等特点。地应力由于长期处于挤压机制，因此推测28+900～32+260段二长花岗岩存在岩爆的可能。凝灰质砂岩、粉砂岩是正常沉积的火山碎屑岩，受断层构造F_2影响，岩体破碎，存在涌突水、涌砂的工程地质问题的可能(图3)。

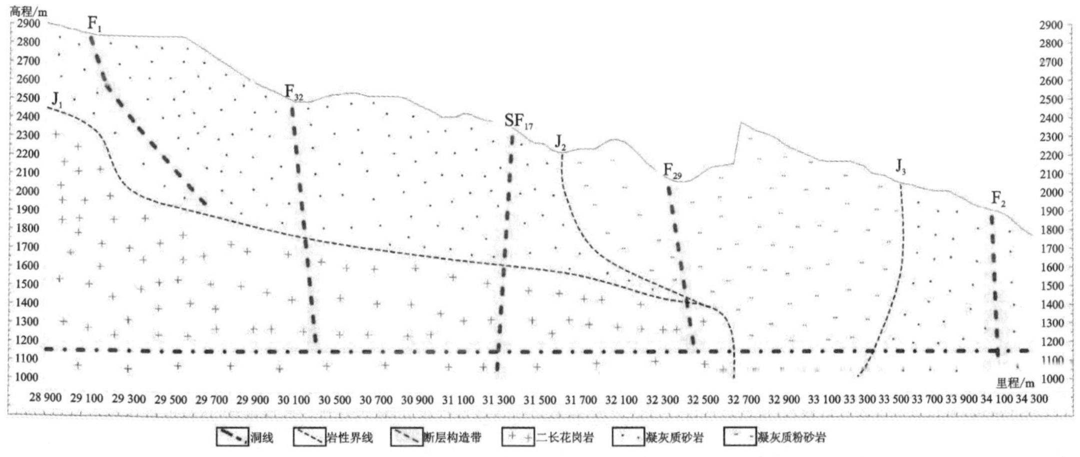

图3 Ⅵ段隧洞地质推断成果图

3.5 小结

工作区受海西中、晚期板块俯冲的影响，地层呈现断块状，局部隆起，形成宽缓的向斜构造，在隆起断块中常形成不完整的向斜和背斜构造。博罗科努山北坡区域性大断裂控制了工作区主要岩浆岩。二长花岗岩长期处于受压机制，强度高、硬度大，存在岩爆的可能。

本次探测成果清楚的揭示了部分测段内岩体富水的可能性，区内已知发育3条断层(F_{32}、SF_{17}、F_{29})，推测发育2条断层(F_1、F_2)。断层F_{32}、SF_{17}、F_2及影响带范围内可能有围岩大变形、涌突水等多种复杂工程地质问题，揭露了"一隆一坳"的块体格局。为本次地质勘测提供了较可靠的基础资料，同时也为施工图阶段隧洞开挖的重点监控部位提供依据。

4 结语

引调水线路输水隧洞、高速公路隧洞、铁路隧洞通常具有埋深大，穿越地层岩性多样，地质构造复杂等特征。隧洞的勘探精度直接影响施工图阶段的投资、安全、进度等。钻探、硐探等手段在埋深大、地形复杂、交通条件差地区周期长、费用高，通常只在重点部位进行，不会大范围开展。

可控源音频大地电磁测深（CSAMT）采用人工场源，具有采集深度大，信噪比高等特点，加之设备简便，又具有快速高效等优点，即使在复杂地质条件地区仍可有效揭示地层岩性、断裂展布、不良地质、地下富水情况等。自20世纪80年代以来，该方法已经在我国工程、水文、地质灾害调查、油气、煤炭、金属与非金属等多个勘探领域得到广泛应用。因此在深埋长大隧洞工程探测中CSAMT法仍是非常有效的手段。

参考文献

杨震，周美霞. 可控源音频大地电磁法在个旧西区深部地质结构探测中的应用[J]. 科学技术与工程，2020，20(26)：10 605-10 610.

毛承英，李祖能，杨先杰. 可控源音频大地电磁法在公路隧道勘察中的应用研究[J]. 现代隧道技术，2017，54(6)：32-37.

李建超，王志豪. CSAMT法在复杂地质条件区探测中的应用研究[J]. 三峡大学学报，2019，41(S1)：57-60.

雷晓东，李巧灵，李晨，等. 北京平原区西北部隐伏岩体的空间分布特征[J]. 物探与化探，2018，42(6)：1125-1133.

尚彦军，金维浚，王光杰，等. 大亚湾中微子试验隧道工程不同物探方法探测结果综合分析[J]. 地球物理学进展，2018，33(4)：1687-1699.

彭炎，张小博，张健，等. 地电磁测深法在滨北西部斜坡带油气地质调查评价中的应用[J]. 物探与化探，2020，44(3)：656-664.

李宏伟. 甘肃阳山金矿带安坝矿段深部电性特征及控矿断裂系统的识别[J]. 地球物理学进展，2018，33(5)：1919-1926.

何国丽，王光杰，周超，等. 音频大地电磁法在探测地下水中的应用：以湛江南木水为例[J]. 地球物理学进展，2019，34(1)：304-309.

刘祖鉴，刘诗华，马一行，等. 大地电磁法关于断裂分辨力的研究[J]. 地质论评，2020，66(S1)：59-61.

张鹏辉，张小博，方慧，等. 地球物理资料揭示的嫩江-八里罕断裂中段深浅构造特征[J]. 吉林大学学报(地球科学版)，2020，50(1)：261-272.

孟凡兴，乔勇，胡鉴，等. 可控源音频大地电磁测量在花岗岩型铀矿勘查中的应用[J]. 物探与化探，2016，40(3)：488-492+513.

李金，高原，王琼，等. 天山构造带上地壳介质各向异性分区特征[J]. 中国科学：地球科学，2021，51(4)：582-597.

徐盛林，陈宣华，李廷栋，等. 西准噶尔地区最晚期岩浆侵入活动：来自早二叠世—早三叠世接特布调岩体的证据[J]. 地质学报，2020，94(4)：1067-1090.

王清利. 天山及邻区古生代构造-岩浆-成矿事件年代学研究[D]. 北京：中国地质科学院，2008：1-143.

顾雪祥，章永梅，彭义伟，等. 西天山博罗科努成矿带与侵入岩有关的铁铜钼多金属成矿系统：成岩成矿地球化学与构造-岩浆演化[J]. 地学前缘，2014，21(5)：156-175.

舍建忠，朱志新，贾健，等. 新疆主要断裂的分布及其特征[J]. 新疆地质，2020，38(1)：9-20.

王宗秀，李春麟，Pak Nikolai，等. 西天山造山带构造单元划分及古生代洋陆转换过程[J]. 中国地质，2017，44(4)：1552-1568.

董连慧，王克卓，朱志新，等. 新疆大型变形构造特征与成矿关系研究[J]. 中国地质，2013，40(5)：1552-1568.

左国朝，张作衡，王志良，等. 新疆西天山地区构造单元划分、地层系统及其构造演化[J]. 地质论评，2008(6)：748-767.

湖北省河道管理范围钻探封孔质量控制与监督管理

王俊平　陈汉宝　熊友平　张著彬　张信
湖北省水利水电规划勘测设计院，湖北 武汉　430064

摘　要：在河道管理范围进行钻探工作时，其封孔质量对堤防安全影响很大。本文研究了封孔的基本要求和关键技术，分析了影响封孔质量的因素及对策，探讨了钻探封孔质量检查技术要求及判别标准。封孔质量检查与验收包括封孔资料检查、挖孔检查和套钻检查等方式。这些都是事后检查，检查的深度有限，而且只能进行抽查。封孔过程的质量控制是关键，要建立完善的质量保证体系。河道堤防管理机构对封孔质量监管应以预防为主，重视施工过程的质量监督。对于重要堤段险段和地质条件特别复杂的工程宜实行勘察及封孔监理制度。此外，还应广泛开展宣传教育，深刻认识封孔的重要性，掌握封孔的关键技术，提高封孔质量和效率。河道管理机构要提升封孔监管水平，确保江河堤防安全。

关键词：河道管理范围　封孔质量控制　封孔监督管理

1　引言

近几年来，湖北省在河道堤防管理范围内进行了较多的工程建设，如房屋深基坑勘察钻孔、公路铁路大桥、天然气管道、电缆线、通信线输油管、水厂取水建筑物勘察等。这些涉河建设项目都需要地质钻探，每年新增钻孔数量上千个。随着国民经济和城镇建设的发展，工程建设及勘察的需求会越来越大。由于种种原因，地质钻孔封堵不严，造成“管涌险情”。2017 年 7 月长江干堤监利白螺堤段距堤内 200m 发生管涌险情，原因是某工程钻孔施工封孔不合格。管涌险情对堤防安全威胁很大，尤其是近堤脚的管涌险情，不及时抢护会造成堤防溃口。

河道管理范围是指两岸堤防之间的水域、沙洲、滩地，两岸堤防及护堤地。其背水面距离为堤内平台脚起 500m，其中荆江大堤为 1000m。无堤防的河道，其管理范围根据历史最高洪水位或者设计洪水位确定。

湖北省对于河道堤防管理范围内封孔历来都有严格规定，目前是按照《湖北省河道管理范围内钻探及钻孔封堵管理规定》（鄂水利函〔2013〕206 号）执行。钻孔出险原因：一是个别钻探单位未严格按该规定操作，尤其是遇到特殊情况如缩孔、堵塞、承压水等未处理到位，导致封孔架空、空洞等质量问题，给堤防留下安全隐患；二是钻探单位对于封孔堵塞的处理技术不熟悉，效率不高，有的缺少专门的封孔工具或设备；三是监管有一定难度，管理单位不知道封孔质量监督检查的程序、内容和技术要求，抓不住重点；四是有的勘察单位不知道什么是河道管理范围，未办理申报手续，无监管，封孔质量难保证。

针对湖北省河道堤防钻探管理和钻孔封堵实际情况，有必要深入研究封孔关键技术，分析影响封孔

作者简介

王俊平，（1969—），男，副高级工程师，主要从事水利水电工程地质勘察. E-mail：1021815637@qq.com

质量的因素，提高封孔质量和效率，探讨钻探封孔质量检查及判别标准，提升封孔监管水平，达到减灾防灾确保江河堤防稳固安全的目的。

2 封孔过程的质量控制

2.1 封孔基本要求

(1)编制封孔施工方案。勘察单位应根据地质结构、水文地质条件、堤防现状及历史险情，结合周边环境、建(构)筑物要求、施工工法等条件编制钻探及封孔施工方案。施工方案包括下列内容：工程和地质概况，钻探目的，钻孔所在堤段的名称及桩号，勘探方法，钻孔平面布置图及一览表，并标明设计钻孔的编号、坐标、孔深、孔口高程及与堤防的关系，封孔材料、封孔设备及封孔方法，特殊情况的处理，封孔质量保证措施，施工时间安排，封孔质量验收、总结、资料归档与提交，勘察单位的资质证书，建设及勘察单位的行政、技术负责人、钻探封孔现场责任人及联系方式等。

(2)封孔材料和设备。钻孔封孔材料根据钻孔揭露地层岩性确定。土层孔段按照“以砂还砂，以土还土”的原则，即砂性土及砂卵石层孔段采用粗砂封孔，黏性土层孔段包括黏土、粉质黏土、壤土、淤泥质土、粉土、砂壤土层及黏性土为主的夹砂层等采用风干泥球封孔。对于多层结构的浅砂层，应采用泥球封孔。岩层孔段采用水泥浆或水泥砂浆封孔。

常用的封孔设备有封孔压实器(击实器)、花管锤或穿心锤、套管、量测工具等。对于岩层孔段封孔还需泥浆泵或砂浆泵、导管等。

(3)土层的封孔方法。钻孔封孔应不改变原堤基的渗流及稳定等地质条件，且不影响后续施工。钻探封孔分为封堵法与回填法。封堵法是指使用黏土球或水泥砂浆等材料按照规定的技术要求对钻孔进行的封堵；回填法是指将钻探取出的岩芯或其他材料再回填到钻孔内并压实。黏性土层和岩层孔段应采用封堵法封孔，砂性土及砂卵石层可采用回填法封孔。无堤防的河道钻孔，在不影响防洪安全的前提下，可按回填法简易封孔。

封孔施工程序一般为钻探终孔后，测量地下水位，立即封孔。首先根据钻探记录绘制钻孔柱状示意图，划分黏性土层孔段和砂性土及砂卵石层(或岩层)孔段，确定封孔工法和封孔材料。然后用清水冲孔，将孔中泥浆冲洗干净，使泥球能顺利下沉达到孔底。准确测量孔深，作为封孔起始孔深，分层封堵捣实，钻孔下部在砂层中，可采用粗砂回填，每次投入孔内的粗砂厚度不应超过1m，并等到其沉淀。如发生堵塞要用钻杆捣实，在黏性土层或夹砂层中应采用泥球封孔。泥球用量应根据钻孔孔径和单层封堵厚度按表1确定。上部土层厚度小于或等于10m时，或钻孔位于后期建筑物基坑内时，其土层下部的砂层回填应密实，第一回次封堵泥球的数量宜适当增加。最后每次投泥球后用压实器加穿心锤或花管锤分层压实，每层压实厚度0.2～0.6m。

表1 不同孔径单层(回次)封堵厚度泥球用量表 单位：kg

孔径/mm	单层封堵厚度				
	0.2m	0.3m	0.4m	0.5m	0.6m
91	4.6	7.0	9.0	11.4	13.7
110	6.7	10.0	13.3	16.6	20.0
130	9.3	14.0	18.7	23.3	28.0
150	12.4	19.0	24.7	31.0	37.1

在封孔过程中，应控制封孔速度和每回次投入泥球的数量，防止孔内泥浆变浓或上部堵塞架空而影响封孔质量。位于地下水位以上的孔段封孔时，可以在投入泥球时向孔内适当加水，便于将泥球捣实，避免泥球架空。封孔宜在终孔当天及时进行，当天封完。封孔时应随时记录封孔深度，如发现封孔不密实或出现架空、堵塞现象，应查明原因并及时处理。

(4)封孔记录。封孔记录应在封孔施工现场真实填写，随封随时记录。封孔记录表应包括以下内容：勘察单位、工程名称、钻孔位置(堤段)。钻孔编号、开钻及终孔日期、钻孔坐标、高程、孔径。钻孔柱状示意图(地层结构)。封孔日期、时间(进程)、封孔材料及数量、分层压实及孔口处理情况。封孔堵塞、缩孔、地下水涌水、施工事故及处理情况等。项目负责人、机组长、值班记录员均应在封孔记录表上签字。质量验收说明包括各封孔材料总数量与规定数量对比，堵塞等异常处理情况，孔口标记桩。封孔质量分为合格和不合格，对不合格返工情况要进行说明。钻孔封孔完毕后，应测量孔口坐标，并宜在孔口设混凝土标记桩，拍照存档，以便汛期观察。标记桩长宜为 0.5m，断面尺寸 0.1m×0.1m，埋入土中 0.4m，标记桩上应写明孔号、孔深、勘察单位等。

(5)特殊情况的处理。①孔内泥浆太浓。泥球封孔一段时间后，孔内泥浆太浓，致使泥球不能沉到孔底，应进行冲洗孔；在有砂层分布的孔内冲洗孔时可能造成塌孔，宜下套管保护孔壁。②钻孔缩孔、堵塞。由于局部孔段为淤泥或淤泥质土造成缩孔，使泥球堵在上部不能沉到孔底，或者是泥球投入太快造成堵塞，可采用静压法或冲击法穿过，严重时可采用钻具扫孔重新封孔。对于钻孔上部存在淤泥质土造成缩孔和严重堵塞，也可采用下套管隔离，使泥球能沉到孔底。③地下水位过高。遇承压水地下水位过高，甚至涌水出孔口，泥球不能沉到孔底影响封孔质量时，可接套管到一定高度，抑制地下水涌出，在静水条件下封孔。或者采用其他方法封堵地下水，尽量避免在动水条件下封孔，否则会影响封孔质量，甚至无法投泥球完成封孔。④水文观测孔。除按技术要求安装长期观测管外，在土层中应采用半环状压实器进行封孔。在观测一个水文年后或满足设计要求终止观测时，应拔出观测管，采用钻机扩孔，再按钻孔封孔要求封堵。封孔宜选择非汛期进行。⑤静力触探孔的封堵。位于一、二级堤防和堤身垂高大于 6m 的三级堤防管理范围内的静力触探孔或者钻孔深度范围内有砂层的静力触探孔，应采用钻机扩孔后，再按钻孔封堵要求封孔。扩孔深度宜按触探孔深范围的黏性土层厚度确定。其他堤段的静力触探孔，可采用灌注一定压力的水泥浆或黏土水泥浆封堵。

2.2　保证封孔质量的措施

为确保封孔质量，应采取控制措施：开钻前对钻探机组人员进行封孔技术培训和技术交底并留下记录。配备足够的技术人员现场监督和记录，机组记录员也是质量管理员，遇特殊情况应进行技术指导。各项施工记录应有专人在现场随着施工作业的进行使用墨水笔逐项填写，做到及时、准确、真实、齐全、整洁，符合归档要求。封孔记录应真实可靠，并应由当班人员签字确认。封孔过程中出现严重堵塞、缩孔、架空、地下水涌出孔口等影响封孔质量的特殊情况应按要求处理到位，并记录备查。封孔完成后，勘察单位应对封孔质量进行自检自查，对已封堵的钻孔进行质量抽查。施工单位应编写封孔质量自查报告，建立奖惩制度，发现封孔不合格的无条件返工，并扣除当班人员的质量和安全奖金。

2.3　影响钻孔封孔质量的因素分析

根据调研和分析，影响堤防钻孔封孔质量的因素有以下几点。

(1)中途堵塞及原因。①投泥球太快，一次投的泥球过多。②泥浆太浓，泥球不能沉到孔底。③泥球直径偏大，粒径不均。④淤泥质土容易缩孔。泥球容易堵塞在缩孔部位，下不到孔底。一般采用套管隔离。砂土、砂壤土则容易产生垮孔，形成“大肚”状。一定要填满击实。

(2)封孔工具的影响。封孔要求配用击实器(封孔器、压实器):平头的,长1.0～2.0m,也可用套管盖头做压实工具。对于110mm孔径的,采用直径100mm的击实器。配50kg的穿心锤,或花管锤。

(3)封孔材料的影响。泥球质量(物理力学性质)不符合要求;泥球直径偏大,粒径不均。

(4)钻孔方法的影响。采用泥浆固壁钻进的钻孔,封孔前宜采用冲洗孔,使泥球顺利沉到孔底,泥球柱与周围土间无泥皮夹层。

泥球堵塞的处理方法如下。

(1)轻微堵塞。可采用静压或冲击法穿过,静压即采用钻机油压,冲击法是采用花管锤或穿心锤冲击。

(2)较严重堵塞。可采用钻具扫孔重新封孔。

(3)孔内泥浆太浓。泥球不能沉到孔底,需进行冲洗孔;孔浅时也可以采用抽泥浆的方法。

(4)钻孔上部存在淤泥质土造成缩孔,每次投泥球都在此处堵塞,可采用下套管隔离,使泥球能沉到孔底。需要注意的是,下套管的钻孔投泥球时不能太多太快,否则堵塞在套管内十分麻烦,如果是轻微堵塞可用静压法,一般不能用锤击法,严重堵塞时也不能用“扫孔法”,因钻探“扫孔”容易将套管扫脱,此时只能把套管全部拔起来,将堵塞泥球掏干净再次下入套管。

当遇到承压水水位过高甚至涌出孔口,泥球封孔十分困难时,可尝试下列方法。方法一是接套管到孔口以上一定高度,抑制地下水涌出,在静水条件下封孔。方法二是采用一定压力(设备)灌注水泥浆堵水,并闭浆24小时以上。此方法需要用注浆设备,注意孔口及套管周边应封闭处理。方法三是采用木塞法堵水(或其他栓塞),取略小于孔径的木头(长1m左右),下部削尖,强行打入或压入孔内黏性土层底部一定深度,其上部采用泥球封孔。

根据以往经验,钻孔承压水涌水带砂属于“管涌”险情,在发生初期应及时处理,要快速果断,尽快封孔,否则“管涌”越来越大,水头压力变高,处理难度更大。勘察期间出现涌水的情况多发生在河床水上孔勘察,位置较低,因此,在钻孔之前应了解地下水情况,尤其是承压水水位是否高于地面或河水面。另外,在已经开挖的基坑内(较低的高程)钻孔也存在涌水风险,应尽量避免。

3 封孔质量检查验收与监督管理

3.1 封孔质量检查验收

封孔质量检查验收包括建设及勘察单位自检自查、堤防管理部门的检查验收和必要时的第三方检查。

工程项目封孔结束后,勘察单位应组织自检自查,编写自查报告。包括以下内容:勘察及封孔概况;自检时间、参检单位及人员、检查方式(套钻或挖孔等);受检钻孔所处堤段桩号及位置、受检孔孔深、数量;自检结果评价。必要时附以图表及照片说明。

河道专门管理部门组织封孔质量检查与验收。检查验收组成员由河道主管部门、勘察单位、监理或现场监督员组成,组长宜由所在地河道主管部门人员担任。必要时可邀请上级行政主管部门或由河道专门管理部门派员参加。

封孔质量检查与验收包括封孔资料检查、挖孔检查和套钻检查等方式。资料检查应全面,挖孔检查和套钻检查可采用抽查方式,抽查的钻孔由检查验收组确定。挖孔检查比例宜为钻孔总数的3%～5%,套钻检查比例宜为钻孔总数的1%～3%,不少于1孔。检查验收组应给出检查钻孔质量评价意见,填写钻孔封孔质量检查与验收记录表并签名。

3.2 封孔资料检查要求

封孔资料检查内容包括钻探申请材料、批复文件、钻探及封孔施工方案、封孔记录、封孔质量自检自查报告、资料检查质量评定、存在问题及处理意见。填写封孔资料检查与验收记录表。

资料检查重点应检查封孔记录、所花总时间是否合理、泥球用量是否符合规定、堵塞与架空是否处理到位等。

资料检查合格的标准：申报手续合规、孔位资料齐全；封孔记录内容齐全，真实可靠，格式规范；封孔过程的堵塞等情况处理符合规定；封孔材料用量符合规定；孔口埋置标记。经检查封孔记录资料，并宜结合钻探过程对封孔的巡查记录，判断封孔质量是否合格。

资料检查过程中发现封孔质量有问题的，在确定套钻检查或挖孔检查钻孔时宜优先考虑。

3.3 套钻检查技术要求

套钻检查孔的孔位由检查验收组确定。一般在全部钻孔完成后，查阅封孔记录资料，结合平时巡查记录，对质量有怀疑的钻孔可选作套钻检查孔。一般选堤内的钻孔或距离堤脚较近的钻孔。套钻检查孔施工时验收组成员应旁站监督，详细记录过程，及时鉴定封孔质量。

套钻检查孔的施工技术要求如下。

(1)根据受检钻孔标记和坐标现场确定孔位，套钻孔中心与受检钻孔中心偏心不大于 10mm。

(2)套钻检查孔孔径应大于或等于原钻孔，宜为 130mm 以上。

(3)套钻检查孔的孔深应通过查阅原钻孔记录的土层结构确定，主要检查钻孔上部土层的封孔质量。一般孔深宜钻穿土层至稳定砂层顶板，其有效孔深宜为 6～8m。

(4)套钻检查孔的钻孔方法以干钻为宜，应采用水压退心法退取岩芯，钻探回次进尺不大于 1.0m。

(5)套钻孔施工中应注意掉钻现象。如遇掉钻，应立即记录孔深和掉钻高度，分析掉钻原因。

(6)套钻孔施工中应严格防止偏孔。钻机就位前应对施工现场进行整平和压实，并把钻机调整到水平状态；在钻进过程中应经常检查，使钻机始终处于水平状态工作；每回次取芯应及时鉴定岩芯是否为封孔材料。发现偏孔应分析原因，及时纠正。统计鉴别有效的套钻深度。如偏孔严重，不能有效鉴别封孔质量时，应选择其他钻孔进行套钻。

(7)对岩芯拍照。钻孔岩芯按孔深依次摆放整齐并醒目标注钻孔孔号、孔深、位置、施钻时间、施钻机组等，拍照存档。

(8)套钻孔完成后应按钻孔封堵要求封孔，做好孔口标记并照相存档。

套钻检查的封孔质量分为合格和不合格。封孔质量合格的标准为钻进中没有掉钻、架空现象；采取的封堵泥球岩芯应均匀、致密、无空隙，泥球应当完全失去球状，允许局部因周围存在软土层导致泥球被挤入而继续残留球状，但其间不允许形成连通空隙。封孔质量不合格的表现为钻进中有明显的掉钻、架空现象；岩芯不连续，采取率低，岩芯中封堵泥球土质软硬不均、土柱松散、目视可见明显空隙，泥球大部分保留球状，未完全击实；存在地下水渗流的良好连通空隙。

套钻施工应按要求做好钻进记录、岩芯记录(拍照)和封孔记录。套钻检查发现封孔有架空等不合格的，应适当增加套钻检查孔的数量。存在多个孔套钻检查不合格的，应评估风险，研究处理方案或补救措施，必要时全部按封孔要求重新封孔。

3.4 挖孔检查技术要求

挖孔检查开挖深度宜根据现场实际情况确定，一般宜为 1～3m。在受检钻孔任意一侧开挖探坑，将封孔形成的黏土柱或水泥砂浆柱保留在坑壁上，以便观察和拍照。测量封孔土柱直径，观察封孔土柱中泥球变形情况、密实程度、与孔壁土体结合情况，并应填写封孔质量挖孔检查与验收记录表及拍照存档。

泥球封孔存在下列问题之一时可判定为不合格：①泥球之间空隙较大或存在架空现象；②在检查的孔段中，有1/3以上的泥球未发生变形；③泥球击实后形成的土柱与孔壁结合不好。

挖孔检查不合格的，应提出处理意见。检查结束后，应对开挖坑分层封堵夯实，分层封堵厚度宜为30cm。

3.5 封孔质量监督管理

钻探所在堤段的行政主管部门或河道专门管理机构负责封孔质量监督管理。主要监督内容包括：①受理钻探申请，按规定核对申请资料。②组织审核钻探及封孔施工方案。③与钻探施工单位签订钻孔施工防洪安全责任书或安全管理协议。④钻探单位进场后，应核对钻孔位置坐标是否与申请报告一致。⑤开钻前应督促钻探施工单位进行封孔技术培训和交底。⑥检查封孔设备、封孔材料质量和数量，要求开钻前备好。⑦指派专人进行旁站式监督，检查封孔记录是否真实，格式和内容是否符合本规程。利用拍照、微信视频录像等记录封孔过程。填写巡查记录。⑧负责人应至施工现场督促检查，发现问题及时处理。如问题严重应责令立即停工，并采取必要的补救措施，同时向上一级水行政主管部门或河道专门管理机构报告。⑨负责组织封孔质量检查与验收。填写钻孔封孔质量检查与验收记录表。⑩成果归档。

河道堤防管理机构对封孔质量监管应以预防为主，重视施工过程的质量监督。对于重要堤段、险段，地质条件特别复杂或勘察工程量大的情况，宜实行勘察及封孔监理制度，聘请有资质和技术能力的单位全程监督封孔质量。河道堤防管理机构应审核监理规划或监理工作方案，对封孔过程采取巡视和抽查方式检查，主持封孔质量验收等工作。

4 结语

(1)湖北省防洪工作是重中之重，在河道管理范围进行钻探和封孔应严格按规定操作，尤其是遇到特殊情况如缩孔、堵塞、承压水等应处理到位，否则将导致封孔架空、空洞等质量问题，给堤防留下安全隐患，汛期造成“管涌”险情。

(2)封孔是隐蔽工程，良心工程。河道管理机构对封孔质量监管应以预防为主，重视施工过程的质量控制。封孔质量要从源头抓起，不放过一处疑点，切实防微杜渐。质量监管要主动出击：复核钻孔位置(与申请资料核对)；检查勘察单位是否现场技术交底(第一批孔、技术指导)，并留记录；检查封孔设备、封孔材料质量和数量并记录。施工过程中可指派专人进行旁站式监督，河道管理负责人应到施工现场督促检查，采取巡视加突击检查或不定点的抽查等方式。每个孔位应拍照，也可利用手机的微信视频功能实时监控、定位、或录像等记录封孔过程。

(3)应广泛开展宣传教育，严格执行在河道管理范围钻探的申报制度，深刻认识封孔的重要性，同时要学习和掌握封孔的关键技术，提高封孔质量和效率。河道管理机构应提升封孔监管水平，确保江河堤防稳固安全。

电磁波CT技术在乌东德水电站河床覆盖层探测中的应用

周炳强[1,2] 郝文忠[1,2] 施炎[1,2] 李会中[1,2] 王团乐[1,2] 刘冲平[1,2]
1. 长江三峡勘测研究院有限公司(武汉),湖北 武汉 430074;
2. 长江勘测规划设计研究有限责任公司,湖北 武汉 430010

摘 要:乌东德水电站坝址区河床覆盖层深厚,成因类型复杂、组成物质多样、分层界线起伏不定,而且上游围堰堰基部位河床覆盖层中局部发育一层黏土,可能对堰基稳定不利。为准确查明坝址区河床覆盖层工程地质条件,特别是堰基局部黏土层分布范围,专门进行了电磁波CT在河床覆盖层的应用研究。通过调研比选、反复试验和理论分析,确定PU为理想套管材料,应用10W的电磁波CT发射机,确定工作频率16MHz、对穿孔距为20m左右效果最佳,实现电磁波CT探测在河床覆盖层的首次成功应用并取得良好效果。分析测试成果,电磁波衰减系数分布与河床覆盖层地层划分对应良好,从上至下电磁波的吸收系数总体呈递减趋势,黏土层呈透镜体状,不存在连续分布。本案例表明,电磁波CT对穿探测对有明显物性差异的覆盖层,有良好的敏感性和适用性,为类似工程提供了可行性方案和借鉴参考。

关键词:电磁波CT 河床覆盖层 乌东德水电站

1 引言

我国西南地区水电资源丰富,是水电开发建设的主战场。西南地区河床覆盖层普遍较厚(一般大于30m),且成因类型复杂、组成物质多样、工程特性不均,其物质组成和结构分层准确查明的难度大。物探剖面探测可实现钻孔间的有效控制,且经济效益可观,是地质勘察的重要技术手段。相比于地震波法、高密度电法、探地雷达等物探方法,电磁波CT探测具有分辨率更高、无需爆破发震的优点,近年来,在基岩地层不良地质体(岩溶、断层、岩体破碎带等)探测、帷幕灌浆效果检测、建筑物无损检测、混凝土检测等领域取得良好效果,但在公开资料中尚未见到在河床覆盖层中应用的案例。

乌东德水电站坝址区河床覆盖层深厚、组成复杂,准确查明其工程地质条件是深基坑、高围堰设计及稳定性评价的关键前提。本文旨在介绍电磁波CT测试在乌东德成功应用的典型案例,为电磁波CT应用发展积累宝贵经验,为类似工程提供可行性方案和借鉴参考。

2 工程概况及工程地质条件

2.1 工程概况

在建乌东德水电站是金沙江下游河段4个梯级中的第一个梯级电站,为一等大(Ⅰ)型工程,工程开

作者简介

周炳强(1987—),男,工程师,主要从事水利水电地质勘察与科研工作. E-mail:952294508@qq.com

发任务以发电为主，兼顾防洪。电站装机容量10 200MW，年发电量389.3亿kW·h。电站地处青藏高原东南边缘的川滇山地，呈典型“V”形峡谷。设计挡水建筑物为混凝土双曲拱坝，拱坝坝顶高程988m，建基面最低高程718m，最大坝高270m。施工期采用河床一次断流、围堰全年挡水、两岸导流洞泄流方式导流，按50年一遇标准、流量26 600m^3/s设计，围堰最大堰高分别为72m(上游)和45m(下游)。

2.2 工程地质条件

根据可研阶段钻孔勘察，乌东德坝址河床覆盖层厚度一般55～65m，最大可达80m。该河段河床覆盖层成因复杂，不同成因地层物性差异明显，且地层间界线起伏不定。从下至上、由老至新可整体划分为三层：Ⅰ层为河流冲积层，为卵砾石夹少量碎块石，一般厚2.50～16.44m，最厚20.9m；Ⅱ层为右岸基岩岸坡(白云岩、页岩)崩塌至河床的堆积体与河流冲积混合堆积层，为崩塌碎块石夹土及砾，该层厚度变化极大，一般11.23m～41.25m，最厚达58m；Ⅲ层为现代河流冲积物，为砂卵砾石夹少量碎块石，该层底部、上游围堰堰基附近局部发育一层黏土，Ⅲ层一般厚20.25～38.78m，最厚处可达43m，其中黏土层厚度不均，最厚4.56m，边缘尖灭。由于Ⅲ层的黏土层对上游围堰堰基稳定不利，需准确查明黏土分布范围(图1)。

a.Ⅰ层典型钻孔岩芯照片　b.Ⅰ层开挖揭露典型照片　c.Ⅱ层典型钻孔岩芯照片　d.Ⅱ层开挖揭露典型照片

e.Ⅲ层典型钻孔岩芯照片　f.Ⅲ层开挖揭露典型照片　g.Ⅲ层黏土透镜体典型钻孔岩芯照片　h.Ⅲ层黏土透镜体开挖揭露典型照片

图1　乌东德坝址河床覆盖层典型物质组成照片

3 电磁波CT原理

电磁波CT探测技术原理是电磁波在不同介质传播时，能量会发生不同程度的衰减，通过相应数学算法对探测结果进行反演层析成像，从而实现对地质异常的判读解释。

电磁波CT由发射端、接收端和主机组成，设发射端电磁波场强为E_0，接收端场强为E，两者间存在关系：

$$E = E_0 \frac{e^{-\beta r}}{r} f(\theta)\sin(\theta) \tag{1}$$

$$\beta = \omega\sqrt{\frac{\mu\varepsilon}{2}\left(\sqrt{\left(1+\frac{\sigma}{\omega\varepsilon}\right)^2}-1\right)} \tag{2}$$

式中：β为介质的电磁波吸收系数；r为收发点间距；$f(\theta)$为收发天线方向因子；θ为接收点天线与电场方向夹角；ω为电磁波角频率；μ为介质的磁导系数；ε为介质的介电常数；σ为介质的电导率(与电阻率ρ成反比)。

在工作频率确定后，β越小，表明介质性状愈好；反之，β越大，表明介质性状愈差。探测成果经层析成像后，可得到地质体的吸收系数二维图像，解译图像可分析具有电性差异的地质异常如断裂带、溶洞、矿体等的范围。目前最常用电磁波 CT 探测方式是孔间对穿探测。

4　电磁波 CT 在河床覆盖层探测中的应用研究

4.1　实用性分析

从必要性角度分析，河床覆盖层物质成分多样、分层界线复杂，而且需查明Ⅲ层中的粉质黏土透镜体范围，因此，应用分辨率较高的电磁波 CT 十分必要。

从适用性角度分析，应用电磁波 CT 探测的介质要有明显的物性差异。分析参考《工程地质手册》（第四版）和《水电水利工程物探规程》（DL/T 5010—2005）中常见介质的经验物性参数，表明河床覆盖层不同地层有较明显的物性差异，有利于电磁波 CT 成果的解译。

表 1　常见介质物性参数

介质	电导率 $\sigma/(s\cdot m^{-1})$	相对介电常数 ε	速度 $v/(m\cdot ns^{-1})$	吸收系数 $\beta/(dB\cdot m^{-1})$
灰岩（干）	10^{-9}	7	0.11	0.4～1
灰岩（湿）	2.5×10^{-2}	8	/	0.4～1
砂（干）	$10^{-7}\sim10^{-3}$	4～6	0.15	0.01
砂（湿）	$10^{-4}\sim10^{-2}$	30	0.06	0.03～0.3
黏土（湿）	$10^{-1}\sim1$	8～2	0.06	1～300
纯水	$10^{-4}\sim3\times10^{-2}$	81	0.033	0.1
海水	4	81	0.01	1000
空气	0	1	0.3	0

注：根据《工程地质手册》（第四版）。

表 2　常见介质电阻率

类别	名称	电阻率 $\rho/(\Omega\cdot m)$
松散层	黏土	$1\times10^{0}\sim2\times10^{2}$
	含水黏土	$2\times10^{-1}\sim1\times10$
	亚黏土	$1\times10^{0}\sim1\times10^{2}$
	砾石加黏土	$2.2\times10^{2}\sim7\times10^{3}$
	卵石	$3\times10^{2}\sim6\times10^{3}$
	含水卵石	$1\times10^{2}\sim8\times10^{2}$
沉积岩	石灰岩	$6\times10^{2}\sim6\times10^{3}$
	白云岩	$5\times10^{3}\sim6\times10^{3}$
	破碎含水白云岩	$1.7\times10^{2}\sim6\times10^{2}$
其他	地下水	$<10^{2}$
	河水	$1\times10^{-1}\sim1\times10^{2}$
	冰	$1\times10^{4}\sim1\times10^{8}$
	岩溶水	$1.5\times10^{1}\sim3\times10^{1}$
	海水	$1\times10^{-1}\sim1\times10^{1}$

注：根据《水电水利工程物探规程》（DL/T 5010—2005）附录 A；电阻率与电导率成反比，电阻率越小，电导率越大。

4.2 钻孔护壁研究

河床覆盖层在钻孔勘探时自稳能力差，需进行套管护壁。传统覆盖层钻探一般选用钢制套管，但钢制套管对电磁波有屏蔽作用，无法进行对穿探测，因此，需进行新型套管材料的比选分析。

根据电磁波CT探测原理，应选择绝缘性较好、电导率低的材料，电磁波衰减程度小，易于穿透。在此基础上考虑经济性和耐久性，选取了玻璃纤维、PVC(聚氯乙烯)、PU(聚氨酯)三种材料进行比选(表3)。经过比选研究，最终选择PU材料定制成专用护壁套管。

表3　几种材料参数比选

材料	性能特点		造价
	优点	缺点	
玻璃纤维管	抗拉强度高、弹性系数高、刚性佳	/	高
PVC管	强度满足要求	弹性低，易裂、易断	低
PU管	强度满足要求，弹性高	/	中等

4.3 对穿孔距和工作频率研究

电磁波CT对穿孔距由符合规范的勘探点间距和电磁波传播距离确定，而电磁波在介质的传播距离与发射机功率、工作频率和介质吸收系数β有关。发射机功率越大，传播距离越远。乌东德采用JCW4型电磁波CT仪进行试验研究，发射机功率为10W，工作频率0.5～32MHz。根据电磁波CT原理，在发射机功率和介质确定条件下，工作频率与电磁波透射距离成反比；工作频率还影响探测成果的精度，频率越高，电磁波波长约小，对地质异常体越不易产生绕射现象，对地质异常体的分辨率就越高。因此，在满足电磁波穿透距离和分辨精度两方面需求的同时，尽量采用高频试验。在理论计算的基础上，统筹分析发射机功率、工作频率和介质性状特征三方面因素，通过现场反复试验，最终选取工作频率为16MHz，确定电磁波CT孔间对穿探测有效孔距一般20m左右，探测效果最理想。

5 电磁波CT成果分析

为查明上游围堰堰基背水坡脚部位河床覆盖层中的黏土层是否连续分布，并为孔间地层划分提供科学依据，选取钻孔ZK79和ZK41进行了覆盖层孔间电磁波CT对穿。ZK79覆盖层厚度为70.69m，ZK41为75.44m，两孔水平间距19.77m，成果见图2。

从孔间电磁波成果图分析，CT扫描揭露的河床覆盖层结构、层位清晰，基本与钻孔勘探揭露一致，界线误差一般小于1m，主要是受CT扫描边界效应的影响。

从上至下电磁波的吸收系数总体呈递减趋势，表层吸收系数一般为0.20～0.28，局部大于0.28。吸收系数大于0.28的位置共有2处，一处位于ZK79钻孔下游，深21.5～27.7m处，长约8m，与钻孔揭露的黏土层透镜体($Ⅲ_1$层)对应；另外一处位于ZK41钻孔上游，深度小于15m，为表层($Ⅲ_3$层)河流松散堆积物。Ⅱ层吸收系数一般0.16～0.20，根据开挖揭露和钻孔勘探，局部小于0.12的位置与崩塌大块石相对应；局部大于0.20的位置，与该层中发育的粉土质砾透镜体相对应。Ⅰ层吸收系数一般小于0.16，分析为该层古河流冲积物总体结构密实，物理力学性质较高；在ZK41钻孔底部附近吸收系数大于0.2，与该处砂砾石含量略高有关。

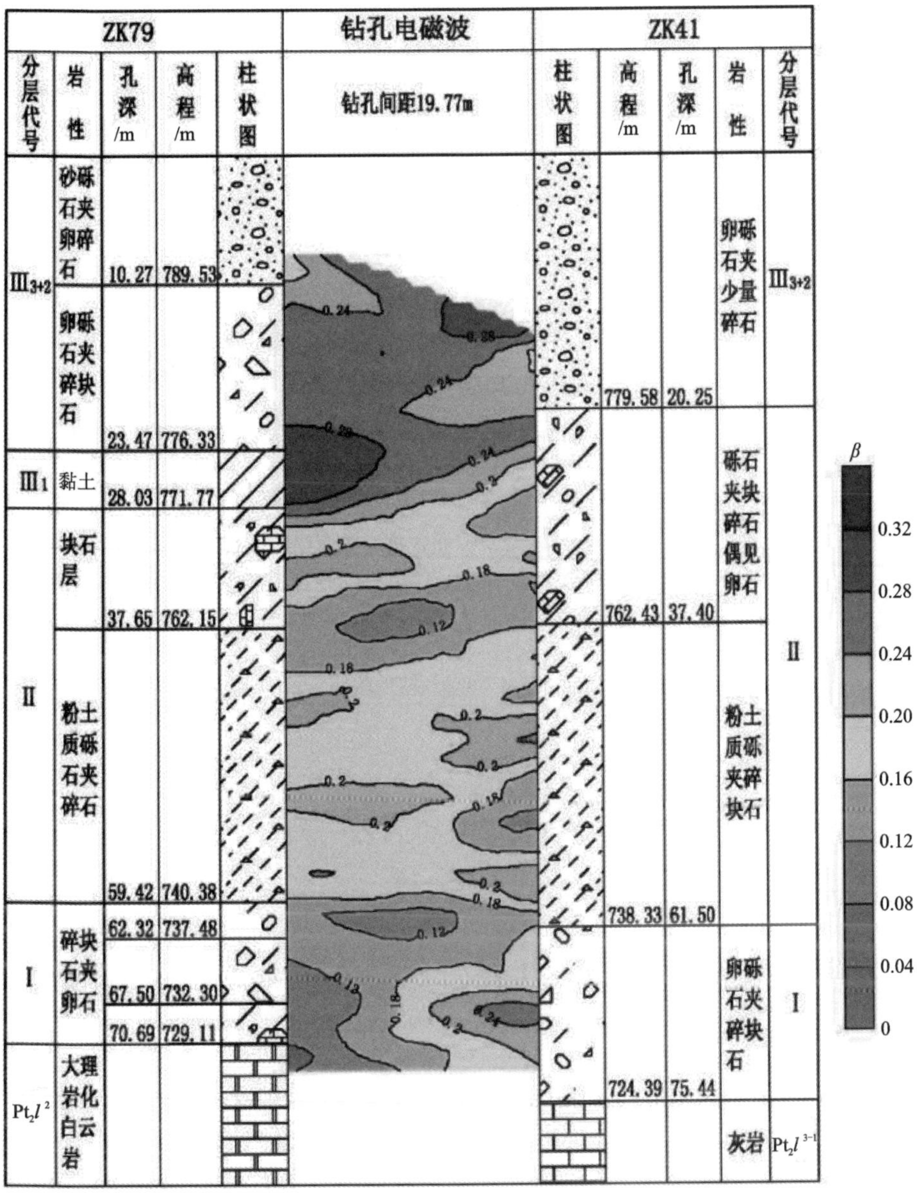

图 2 典型河床深厚覆盖层孔间电磁波 CT 测试成果图

6 结论

(1)通过调研比选、反复试验、效果对比和理论分析，确定 PU 为理想的钻孔护壁材料，在发射机功率为 10W、对穿介质为河床覆盖层条件下，统筹分析工作频率、穿透距离、分辨率等因素，确定电磁波 CT 工作频率为 16MHz，对穿孔距为 20m 左右效果最佳。

(2)乌东德水电站坝址区河床覆盖层分为三层，从上至下电磁波的吸收系数总体呈递减趋势。其中，Ⅲ层电磁波吸收系数一般为 0.20～0.28，黏土层吸收系数大于 0.28，呈透镜体状，不存在连续分布；Ⅱ层吸收系数一般 0.16～0.20，Ⅰ层吸收系数一般小于 0.16。

(3)首次成功在深厚河床覆盖层中进行孔间电磁波 CT 测试，并取得良好效果。电磁波衰减系数分布与河床覆盖层地层划分对应良好。测试成果表明，电磁波 CT 对穿测试对有明显物性差异的覆盖层，有良好的敏感性和适用性，本案例可为类似工程提供借鉴参考。

参考文献

顾孝同.国内工程CT技术的发展与应用[J].工程地球物理学报，2006，3(4)：278-282.

罗彩红，邢健，郭蕾，等.基于井间电磁波CT探测的岩溶空间分布特征[J].岩土力学，2016，6(37)增1:669-673.

李永涛，陶喜林，余建河，等.井间电磁波CT技术在长江大堤岩溶探测中的应用[J].CT理论与应用研究，2009，18(1):55-62.

邱恩喜，谢强，文江泉.电测深法和电磁波CT法在采空区注浆加固效果检测中的综合应用[J].工程地质学报，2007，15(6):834-839.

郑立宁，谢强，胡熠，等.电磁波CT岩溶路基注浆质量检测试验研究[J].水文地质工程地质，2010，37(6)：71-75.

李会中，黄孝泉，向家菠，等.金沙江乌东德水电站可行性研究报告第四篇:工程地质[R].武汉:长江勘测规划设计研究院有限责任公司，2015.

黄根生，刘东军，胡永健.电磁波CT技术探测溶洞的模拟分析与应用研究[J].岩土力学，2018，7(39)增:544-550.

杜兴忠，曹俊兴.电磁波层析成像在岩溶勘查中的应用研究[J].工程地球物理学报，2008，5(5):524-527.

胡熠，谢强，赵文，等.电磁波CT法岩溶路基注浆质量检测标准[J].西南交通大学学报，2013，48(3):441-447.

周炳强，王吉亮，施炎，等.物探技术在乌东德水电站特高拱坝施工期建基岩体评价中的应用研究[J].工程勘察，2019，(2)增:177-183.

综合物探方法在贵州小溪河水库岩溶探测中的应用

刘洁 赵洪鹏 谷剑英
中水北方勘测设计研究有限责任公司,天津 300222

摘 要:岩溶在水库设计施工过程中,经常发生岩溶塌陷、突水等地质灾害,严重威胁着人们的生命健康和财产安全。本文以贵州小溪河水库为例,采用高密度电阻率法和瞬变电磁法两种物探手段,以期查明岩溶分布。探测结果表明,岩溶在高密度电法剖面中多表现为低阻漏斗(凹槽)状,在瞬变电磁法反演剖面中表现为低阻团状体。综合应用高密度电法和瞬变电磁法对岩溶探测具有良好的效果,两种方法相互补充验证,一定程度上减少了物探资料解释中的多解性,并提高了探测精度。

关键词:岩溶探测 高密度电法 瞬变电磁法 综合应用

1 引言

贵州省是我国岩溶分布相对集中的地区,在水库设计施工过程中,经常发生岩溶塌陷、突水等地质灾害,严重威胁着人们的生命健康和财产安全。为了有效应对岩溶可能产生地地质灾害,采用快速有效手段查明溶洞的空间分布形态、规模和位置等是必不可少的。近些年来,高密度电阻率法、瞬变电磁法、地质雷达法等物探手段广泛地应用于地下溶洞的探测。聂兵其等采用高密度电法应用于贵州某场平的岩溶勘察中,通过对高密度电法结果分析,查明了场平中岩溶、岩体破碎带的发育情况。赵磊等采用高密度电法对某建设场地地下岩溶的发育规律及分布特征进行探测,并为进一步对该场地地下岩溶进行治理提供了一定的参考作用。薛国强等采用瞬变电磁法对某高速公路地下灰岩溶洞进行探测,并采用改进的阻尼最小二乘可行方向法对资料进行反演计算,查明了地下灰岩溶洞的赋存位置,经钻孔验证,效果较为明显。刘文峰等采用探地雷达对岩溶地基进行探测,快速有效地查明了岩溶裂隙的发育情况。冯坤伟等利用探地雷达技术对贵州省高速公路桥梁桩基底岩溶进行探测,结果表明,探地雷达对桩底溶洞、破碎带和裂隙发育具有良好效果。从前人的研究可以发现,这几种物探方法都可以解决特定的问题,但存在多解性。为了避免单一物探方法的缺点,在工程地质勘探中多采用综合物探方法。郭佳豪等将探地雷达用于千岛湖道路隐伏岩溶探测中,通过对雷达剖面电磁异常形态分析推测了地下垂向发育溶蚀通道平面分布特征。朱亚军等综合运用高密度电法和瞬变电磁法相结合的方法来探测岩溶分布与发育情况。刘志亮等、梁风等在综合物探方法探测岩溶方面做了更多的应用探索。

本文以贵州小溪河水库为例,采用高密度电阻率法和瞬变电磁法两种物探手段,查明研究区内岩溶的形体特征,包括位置、规模、影响范围等。

作者简介

刘洁,(1990—),女,主要从事物探专业工作. E-mail:282918593@qq.com

2 研究区地质概况

小溪河水库地处云贵高原中部，地势西高东低。区内海拔高程范围值一般为2300～2500m，相对高差范围值为100～300m。东部与南部切割较剧，海拔范围值一般为1700～2200m，相对高差范围值一般为300～500m，局部可达1000m。较大的河流谷地，海拔范围值一般为1500～1800m。

区内地势较高，山体多构成河流的分水岭。分布的河溪多属上游段，流域面积小，水量不大。属长江水系的有支流大河、连山河、阿勒河及六冲河、横江、哈拉河。六冲河五次潜入地下，伏流总长约为22km；属珠江水系的有北盘江的支流垮都河，绕经测区南部边缘。

区内地貌形态受岩性和构造控制明显，按成因类型分为溶蚀地貌、溶蚀-侵蚀地貌、剥蚀构造地貌、侵蚀构造地貌及堆积地貌五大类。溶蚀地貌组合形态主要有溶丘洼地、峰丛洼地和峰丛沟谷；溶蚀-侵蚀构造地貌呈带状展布于紧密褶皱带，构造复合部位及可溶岩与非可溶岩相间分布；剥蚀构造地貌主要为低中山缓丘坡地，分布于宽缓背斜区，地层倾角平缓，并有上二叠统碎屑岩及火山岩大面积分布；侵蚀构造地貌呈条带状展布于区内向斜轴部和翼部的上二叠统与上三叠统至侏罗系碎屑岩分布区，根据其切割深度分为浅切中山和中切中山；堆积地貌主要零星分布于河流两岸。

3 工作原理

3.1 高密度电法

采用温纳尔装置，单一排列选用120根分布式布极方式，基本电极距5～10m，电极隔离系数16～36，供电电压不小于360V。使用仪器为国产WDA-1高密度智能电法仪。

现场测试应遵循下列原则。

(1)测试前应对电极的接地电阻进行观测，一般接地电阻不大于5kΩ，且尽量使同一排列的电极接地电阻大体一致。

(2)电极排列布极方向尽量与其他勘探方法一致，并考虑地形、地物对测量数据的影响，使其达到最小。

(3)同一排列的电极必须成直线布设。

资料解释应在外业数据采集质量优良的基础上，采用RES2DIN软件实施计算处理，其步骤为：实测数据输入→拟合反演→电阻率剖面灰度或等值线图，然后按照电阻率分布特征并对比分析已知地质剖面、钻孔等资料进行解释基岩面起伏变化及断层的形状等状况。按照工程经验，一般高密度电法探测深度可按式(1)进行估算。

$$h \approx \left(\frac{1}{5} \sim \frac{1}{6}\right) AB \tag{1}$$

式中：h为深度(m)；AB为供电极距(m)。

3.2 瞬变电磁法

由发射机向铺设在地面的水平线圈Tx中发送阶跃脉冲电流，在其周围空间建立起一个稳定的(一次)磁场(图1)；电流突然中断时脉冲源在地下半空间中激励起感应涡流场以阻止一次场的衰减；脉冲电流关断瞬间，涡流主要集中在Tx附近的地表、随后扩散到地下半空间中；在切断电流后的任意晚期时间内，感应电流呈多层壳状的环带形，其在地表产生的磁场可以等效为一个水平环状线电流的磁场，发射电流刚关断时的环状线电流紧贴发射回线，随后该电流环向下、向外扩散，并逐渐变形为圆电流环，就像从发射线圈中“吹”出来的一系列“烟圈”，此即为地下涡旋电流向下、向外扩散的“烟圈效应”；通过观测地下电流环带构成的二次发射源在地表感应出的二次磁场（图2），并反演、成像即可解释得到地下介质的电性结构，进而结合地质资料综合分析确定地层结构、查明不良地质体的空间分布。

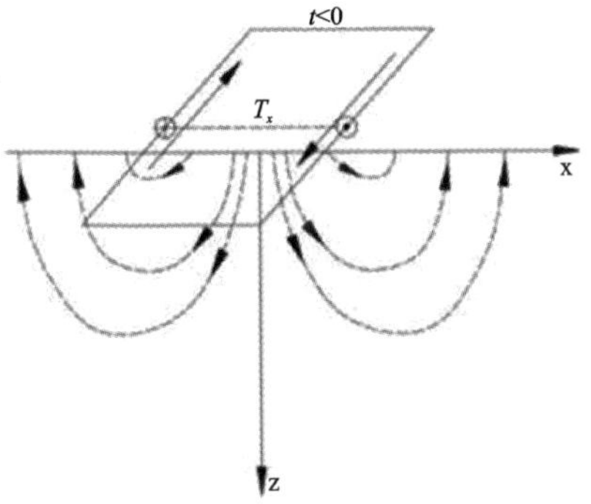

图1 脉冲源建立的磁场（一次场）

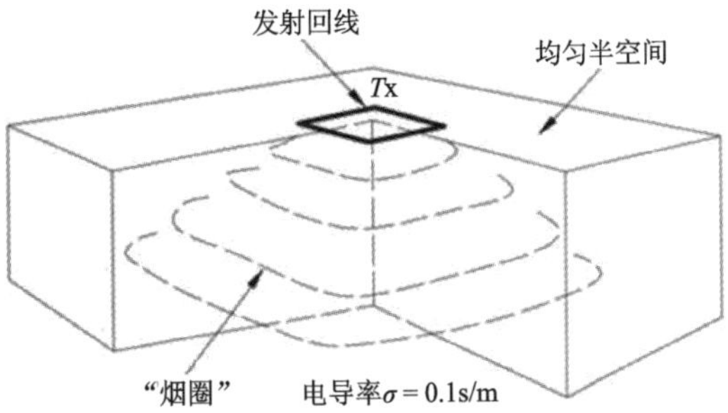

图2 瞬变电磁场烟圈

瞬变场有瞬间建立、较快消失的时间特性，此时间特性主要与地下不同深度、不同导电性的介质相关。瞬变电磁法与其他电法相比，具有以下特点：①观测断电后的纯二次场，克服了复杂的一次场补偿问题，受地形影响较小；②单脉冲激发就可得到多信息的整条瞬变电场衰减曲线，通过加大发射功率和多次叠加，可大幅度地提高信噪比，加大勘探深度；③采用不接地回线装置，适于各种地理环境下的野外工作；④探测深度仅取决于大地电阻率和仪器的采样时间，可通过调节发送功率、仪器采样时间控制探测深度；⑤采用不同的装置形式，可以相应地提高横、纵向分辨能力；⑥对发送回线的形状、方位和点位要求不严，测地工作简单，工作效率较高；⑦在高阻围岩地区不会产生地形起伏的假异常；在低阻围岩区，由于是多道观测，早期场的地形影响易分辨。

一般而言，瞬变电磁场的早、晚期特性分别是地下浅部和深部介质的响应；地下感应涡流向下、向外扩散的速度与大地导电率有关，瞬变场向下传播遇到低阻层时扩散速度变慢，良导层中产生的强涡旋电流能持续较长时间（即降低了向下传播的速度）；高阻层中瞬变场的建立和消失很快。“烟圈效应”表明，早期瞬变电磁场是由近地表的感应电流产生的，反映地下浅部的电性分布；晚期瞬变电磁场主要由深部感应电流产生，反映深部介质的电性分布。因此，观测和研究瞬变电磁场随时间的变化规律，即可探测不同导电性地层的空间分布。

瞬变电磁场的探测深度主要由测量时间和地下介质的电阻率来确定。当地下为均匀介质时，地面发射线圈中的电流被切断后，感应电流随时间向地下扩散，电流被关断后某一时刻地下最大涡流所在深度由下式计算：

$$h = \sqrt{\frac{2t\rho}{\mu_0}} \tag{2}$$

式中：h 为深度（m）；t 为测量时间（s）；ρ 为电阻率（Ω·m）；μ_0 为真空磁导率，为常数。

4 应用分析

4.1 高密度电法成果资料分析

（1）W1（0～454.4m）测线反演结果如图3所示。水平距离0～25m电阻率多小于400Ω·m，未见底；水平距离20.7、35.0m处，分别对应500、1000Ω·m的电阻率等值线近乎直立。结合钻探成果分析，水平距离0～25m为深厚覆盖层（耕植土、碎石土、砂质黏土和高液限黏土）或破碎带。推测大致在水平距离 25m 处为灰岩与玄武岩不整合接触带。

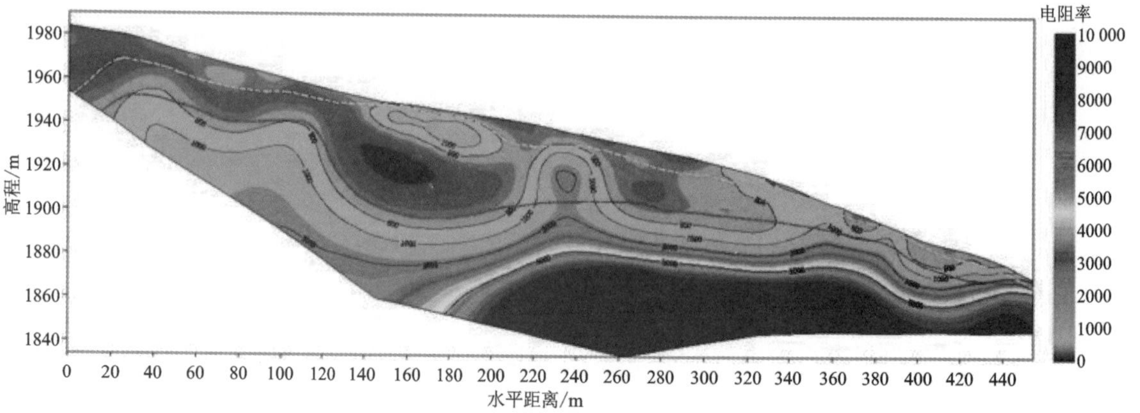

图 3　W1(0～454.4m)测线反演电阻率剖面图

水平距离 25～200m 处的电阻率从上到下基本呈递增分布。表层电阻率为 100～500Ω · m,为覆盖层反映,层厚多为 1～10m,且随水平距离的增加而变薄。中间层电阻率为 100～1000Ω · m,推测为灰岩溶蚀较发育或灰岩岩体呈完整性差—较破碎,层厚多为 10～50m。其中,水平距离 125～195m,厚度较大。底层电阻率为 1000～3000Ω · m,灰岩岩体呈较完整—较破碎。

水平距离 200～454.4m 电阻率从上到下基本呈递增分布。表层电阻率为 100～500Ω · m,为覆盖层反映,层厚多为 1～10m,且随水平距离的增加而变薄。中间层电阻率的范围值为 500～1000Ω · m,推测为灰岩溶蚀较发育或灰岩岩体呈较完整—较破碎,层厚多为 2～35m。底层电阻率为 1000～7000 Ω · m,灰岩岩体呈完整—较完整。

(2)W1(454.4～1037m)测线反演结果如图 4 所示。该段剖面电阻率多呈三层结构。表层电阻率为 100～500Ω · m,多为覆盖层(耕植土、碎石土和高液限黏土)反映,层厚多为 1～10m。水平距离 510～850m多有基岩出露,电阻率变化大。中间层电阻率为 100～1000Ω · m,推测灰岩溶蚀较发育或灰岩岩体呈较完整—较破碎,层厚多为 2～25m。底层岩体被两处低阻破碎带或溶蚀凹槽所分割,电阻率为 1000～7000Ω · m(图 4)。

水平距离 836m 和 911m 处的电阻率等值线均呈低阻漏斗(凹槽)状,推测为岩溶发育或灰岩岩体呈完整性差—较破碎;地表水平距离 676m 与底界面水平距离 735m 之连线两侧灰岩岩体电阻率基本呈高阻对称分布,推测为拱桥背斜的反映。

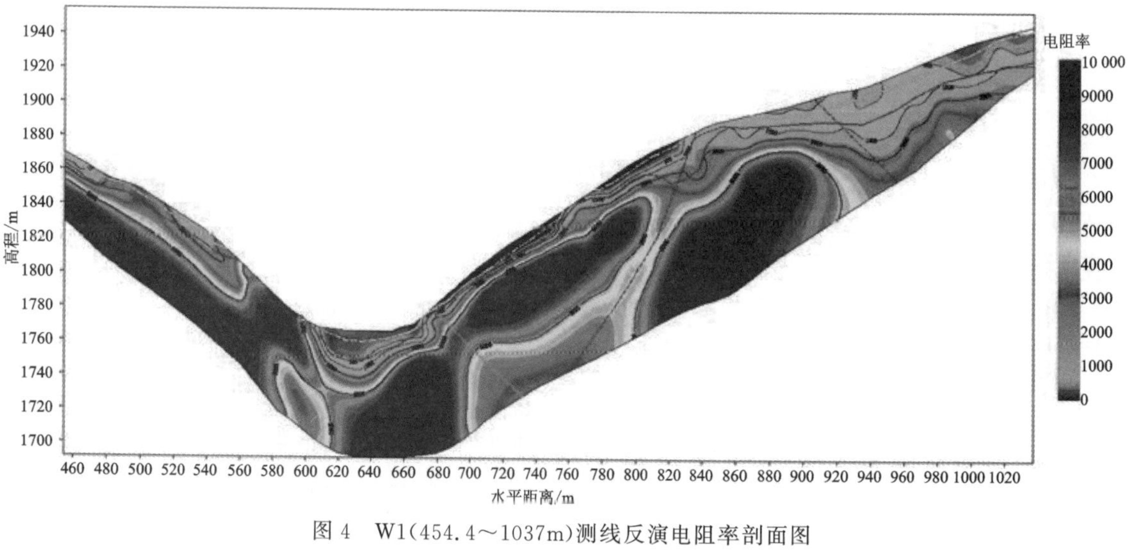

图 4　W1(454.4～1037m)测线反演电阻率剖面图

(3)W1(1037～1402m)测线反演结果如图5所示。水平距离1037～1326m电阻率从上到下呈递增分布。表层电阻率为100～500Ω·m,系覆盖层(耕植土、碎石土和高液限黏土)反映,层厚多为1～8m,局部有基岩出露。中间层电阻率为100～1000Ω·m,推测灰岩溶蚀较发育或灰岩岩体呈较完整—较破碎,层厚多为2～10m。底层电阻率为1000～7000Ω·m,灰岩岩体呈完整—较完整。水平距离1180m倾向大桩号段穿过上下两个高阻区的低阻区,推测为岩溶发育或灰岩岩体呈完整性差—较破碎。

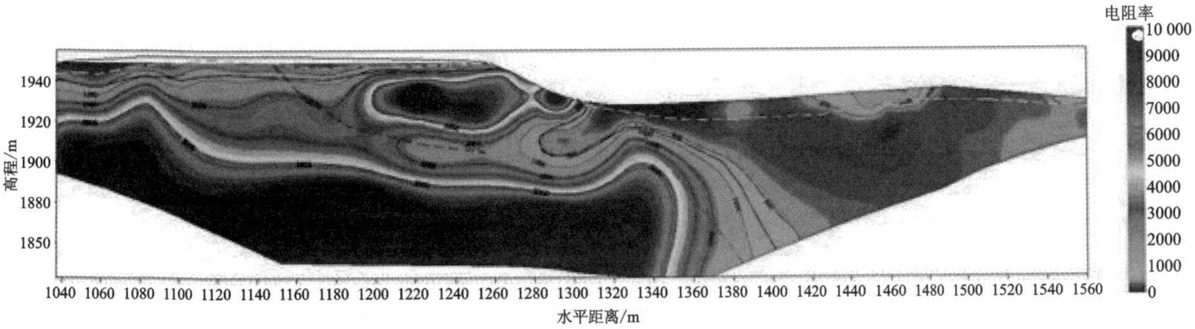

图5 W1(1037～1402m)测线反演电阻率剖面图

水平距离1326～1402m处,表层电阻率为100～500Ω·m,系覆盖层反映,层厚多为4～8m,局部有基岩出露;底层电阻率呈低阻特征,表明岩体完整性差—较破碎,未见底。水平距离1326m处左侧为高阻区,电阻率为500～7000Ω·m,右侧为低阻区,电阻率的范围值为100～1000Ω·m,推测为灰岩与玄武岩不整合接触带。

4.2 瞬变电磁法成果资料分析

W1测线水平长度为1.402km,测点为295个,测点间距为5m(图6)。

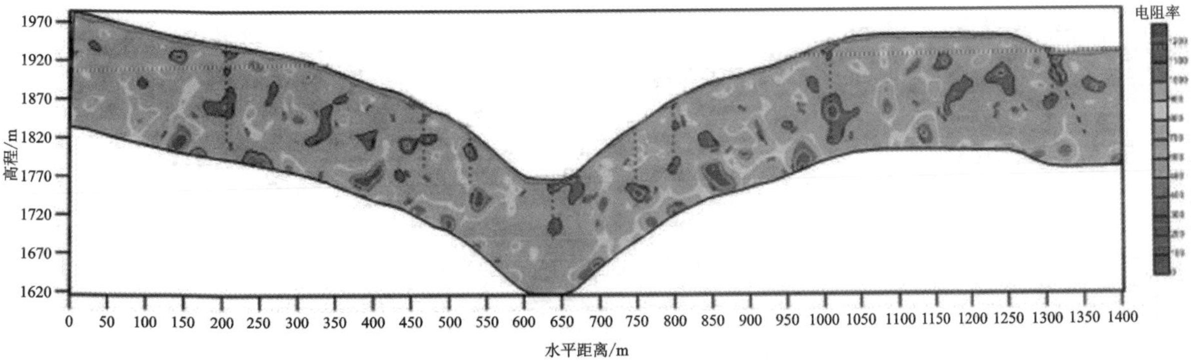

图6 W1(0～1402m)测线电阻率等值线剖面图

地层电阻率整体变化较大,垂向上可分为两层电性结构。第一层电阻率多低于400Ω·m,推测为第四系覆盖层(含部分强风化基岩)的反映,层厚为0～10.5m。第二层电阻率为400～1200Ω·m,推测为弱风化—微新岩体的电性反应。水平距离1326m推测为灰岩与玄武岩不整合接触带。

该剖面各处异常表述如下:

水平距离35m、高程1935m和水平距离95m、高程1890m,见低阻团状体,对应高密度电法剖面其视电阻率呈现相对高阻特征,推测为岩溶发育。

水平距离145m、高程1925m处,见低阻团状体,电阻率低于500Ω·m,结合高密度电法剖面,推测岩体较破碎。

水平距离208m,自上而下可见三层低阻团状体,浅部两处低阻体与高密度电法剖面推测破碎低阻区重合,推测岩体破碎。

水平距离270m、高程1880m处,见低阻团状体,电阻率低于500Ω·m,推测为岩溶发育。

水平距离312～367m,有一条带状低阻,推测岩体较破碎,溶蚀发育。

水平距离390m、高程1815m,水平距离435m、高程1770m和水平距离460m、高程1810m,发育低阻团状体,结合高密度电法,推测岩体溶蚀发育。

水平距离530m、高程1800m,发育低阻团状体,结合高密度电法,推测岩体较破碎。

水平距离640m、高程1715m,发育低阻团状体,结合高密度电法,推测该处发育溶洞,富水。

水平距离680m,见低阻团块状,结合高密度电法,推测岩体较破碎。

水平距离736～860m,发育多个低阻体,结合高密度电法剖面中低阻漏斗状,推测岩体较破碎,溶蚀严重。

水平距离755m、高程1810m,见相对低阻团状体,对应高密度电法剖面中表现为高阻特征,推测该处发育溶洞,无充填。

水平距离950m、高程1835m和水平距离985m、高程1885m,发育低阻团状体,结合高密度电法,推测岩体较破碎,溶蚀发育。

水平距离1010m、高程1925m,见低阻体,位于高密度电法剖面风化破碎低阻区内,推测岩体较破碎。

水平距离1010m、高程1845m,发育低阻团状体,电阻率低于500Ω·m,推测为岩溶发育。

水平距离1160m、高程1915m,水平距离1180m、高程1875m和水平距离1240m、高程1890m,发育一组低阻体,结合高密度电法,推测岩体较破碎,岩溶较发育。

水平距离1305～1375m,发育一组低阻体,结合高密度电法,推测为不整合接触带,岩体较破碎。

4.3 钻孔验证分析

为了验证综合物探成果的准确性,在W1线524.8m、754.7m处共布设2个钻孔,结果分别在深度13.60～18.59m和28.60～31.39m处发现溶洞,与物探解释成果基本吻合。

5 结语

本文针对贵州小溪河水库岩溶发育地区特点,利用高密度电法与瞬变电磁法对岩溶的空间分布进行预测,得到以下结论:

(1)针对水库不同部位探测深度要求不同,应采用不同的物探方法进行分析验证,高密度电法在浅部探测中效果显著,瞬变电磁法在深部探测中更具有优势。

(2)综合应用高密度电法和瞬变电磁法对岩溶探测具有良好的效果,两种方法相互补充验证,一定程度上减少了物探资料解释中的多解性,并提高了探测精度。

参考文献

冯国倍.简析岩溶地质的危害及处理措施[J].西部资源,2018(1):60-61.

聂兵其,谢永刚,张义,等.高密度电法在贵州某场平岩溶勘察中的应用[J].勘察科学技术,2020(6):53-55+64.

赵磊,马玉欢.某岩溶场地勘察方法及发育规律研究[J].山西建筑,2021,47(10):65-66+70.

薛国强,宋建平,马宇,等.用瞬变电磁法探测灰岩溶洞[J].长安大学学报(地球科学版),2003(2):50-53.

刘文峰,张振勇.探地雷达在岩溶地基探测中的应用[J].物探与化探,2014,38(3):624-628.

冯坤伟,龙斌,俞仁泉.探地雷达在贵州高速公路桥梁桩基底岩溶探测中的应用[J].中国水运,2017,17(8):294-295

+344.

郭佳豪,李俊杰,赵国军,等.探地雷达在地下岩溶探测中的应用[J].水利规划与设计,2020(4):164-166.

朱亚军,王艳新.高密度电法和瞬变电磁法在地下岩溶探测中的综合应用[J].工程地球物理学报,2012,9(6):738-742.

刘志亮,田江环,张诏飞.综合物探方法在岩溶探测中的运用分析[J].地下水,2021,43(2):129-130+156.

梁风,史文兵,李洪建,等.基于高密度电阻率法和瞬变电磁法的岩溶塌陷综合探测应用[J].贵州大学学报(自然科学版),2021,38(1):16-23.

折射层析技术在采砂规划勘察中的应用

朱瑞　任云峰　胡晓东　薛寒

河南省水利勘测设计研究有限公司,河南 郑州　450016

摘　要:折射层析成像技术是一种利用地震记录中的初至折射波走时进行全波场射线追踪和非线性迭代反演地下介质速度结构的勘探方法,其结果可用于分析查明覆盖层、隐伏构造、滑坡、风化卸荷等地质问题。本文通过介绍地震折射层析基本原理,数据采集和处理解译,将该方法应用于河道采砂规划勘察中。在前期地质测绘的基础上,布设多条地震勘探测线,反演结果能够对工区地层有较好分层。对部分测线进行钻探验证,揭露地层整体分为上砂卵石和下黏土岩。通过对砂卵石层厚度统计,发现钻探结果与地震勘探解译结果误差小于 0.8m,吻合度较高。地震勘探成果可以作为估算砂卵石储量的可靠依据。

关键词:地震　折射波　层析成像　采砂规划

1　引言

河道采砂规划是保护江河湖泊的重要内容。但是,随着经济社会飞速发展,工程所需砂石量居高不下,加之河流、湖泊总体沙量持续减少,一些地方河道无序开采、私挖乱采等问题时有发生,造成河床高低不平、河流走向混乱、河岸崩塌、河堤破坏等问题,严重影响河势稳定,威胁桥梁、涵闸、码头等重要涉河基础设施安全,影响防洪、航运和供水安全,危害生态环境。制定采砂规划是合理开发利用河砂资源的需要,对保证河势稳定、防洪和通航安全、保护良好水环境和水生态显得至关重要。为保证河砂有序开采,制定年度采砂规划,通过工程勘察手段对河道砂石储量进行勘探调查,查明砂石储量具有重要意义。

传统工程勘察主要依赖于钻探,成本高,效率低,近年来,物探技术作为一种快速无损的勘探方法被广泛应用于水文、工程、环境等地质工程中。地震折射层析技术(地震折射 CT)作为地震勘探的一个分支,通过对初至折射波走时进行反演从而获取地层速度信息,由速度信息可以进一步解译地下结构。关于该方法的应用,国内学者做了大量研究工作。在隧道围岩松动圈测试中,宁刚采用地震折射层析方法探测隧道松动圈,测试结果反映了隧道由于爆破施工引起的围岩松动范围,为围岩支护提供了科学依据;为查明嘉鱼断裂尾部隐伏段特征,林松等采用浅层反射和高分辨率折射层析联合探测,结果表明,利用高分辨率折射层析成像有效弥补了反射剖面浅部失真盲区。温建亮等将地震折射层析应用于芒硝矿区勘察,发现折射波层析解释结果能够有效识别工区地层,对芒硝矿中溶蚀、塌陷范围的划定具有极佳的效果。

为探索折射层析技术在采砂规划勘察中的应用,本文以澧河采砂规划工程项目为例,先后采用地震折射层析和钻探对拟采砂场进行探测,并结合野外地质测绘查明砂卵石厚度及空间分布情况,采用地质断面法估算砂卵石储量。该方法获得了良好的精度,为后续砂石开采年度规划提供了精确的数据;同

作者简介

朱瑞(1989—),男,工程师,主要从事地质工程和工程物探方面的研究工作。E-mail:huashuizhurui@163.com

时，该方法的成功应用也拓宽了地震折射层析方法的应用范围。

2 折射层析成像技术

地震折射层析技术是利用折射波初至走时通过射线追踪正演和非线性迭代逐层反演得到地下介质速度结构的一种地震勘探方法。与传统折射法相比，无需对时距曲线进行分层和拼接，对速度渐变、存在透射地形或下伏地层起伏变化较大、地层速度横向不均匀的地质情况均能得到合理精确的解释结果，是目前较先进的折射解释方法。随着地震折射层析理论的日渐成熟，折射层析在工程勘察、矿产普查等诸多领域得到研究与应用，例如查找浅地表低速带、断层构造、覆盖层分布等具有显著优势，可以快速精准获取地层速度结构，解决实际生产中的许多难题。

地震折射层析主要分为正演和反演。正演是利用射线追踪技术根据地震波的初始速度场计算地震波理论走时和传播路径的整个过程(图 1)。地震记录中的初至折射波双程走时 T，可表示为地下介质慢度(速度的倒数)函数 $S(x,z)$沿最短射线路径 dl 的线积分，即：

$$T=\int S(x,z)dl \tag{1}$$

将上式进行差分离散，可变成下面的矩阵形式：

$$T=AS \tag{2}$$

式中：T 为地震波走时矩阵；A 为最短射线距离矩阵；S 为地下介质的慢度矩阵。

如果已知初始速度模型即慢度矩阵 S 和地震波的类型，进行射线追踪正演，可求取最短路径 A 和初至走时 T。

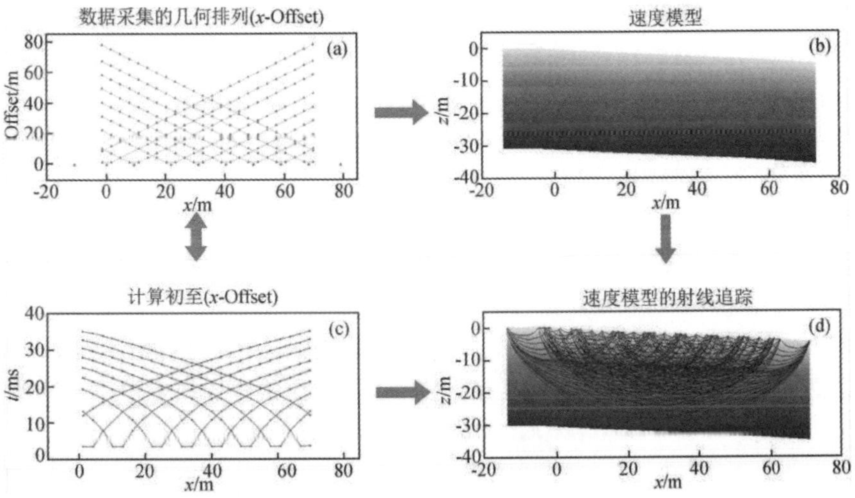

图 1 射线追踪示意图

折射层析成像的核心是反演，即根据地震记录中折射波初至时间 T，反推地下介质速度结构 S，反演公式表示如下：

$$T=GS \tag{3}$$

式中：T 为折射波初至时间矩阵；G 为 Frechet 偏微分矩阵；S 为未知的速度模型。该方程是折射层析成像的基础。该方程不能采用标准最小二乘法求解，为稳定该方程，需加入约束条件：

$$T=C_T^{1/2}(C_T^{-1/2}GC_S^{-1/2}+\lambda L_h+\lambda L_v+\alpha D)C_S^{-1/2}S \tag{4}$$

式中：C_T 为数据的协方差矩阵；C_S 为模型拉伸矩阵；L_v 与 L_h 为平滑矩阵；D 为阻尼矩阵；λ 与 α 为常系数。

沿射线的走时与模型的扰动是非线性变化的,故采取迭代方法(图2)。总的模型扰动是N次迭代结果之和,即:

$$S_L = S_0 + \sum_{i=1}^{N} \delta S_i \tag{5}$$

每次迭代之后,更新速度模型并重新计算初至,使得实测初至与计算初至之间的拟合误差逐渐达到最佳,拟合得到的最佳速度模型即为反演结果。本文数据处理采用加拿大骄佳技术公司的Geogiga Seismic Pro地震数据处理软件,该软件折射层析模块基于非线性走时迭代反演算法。

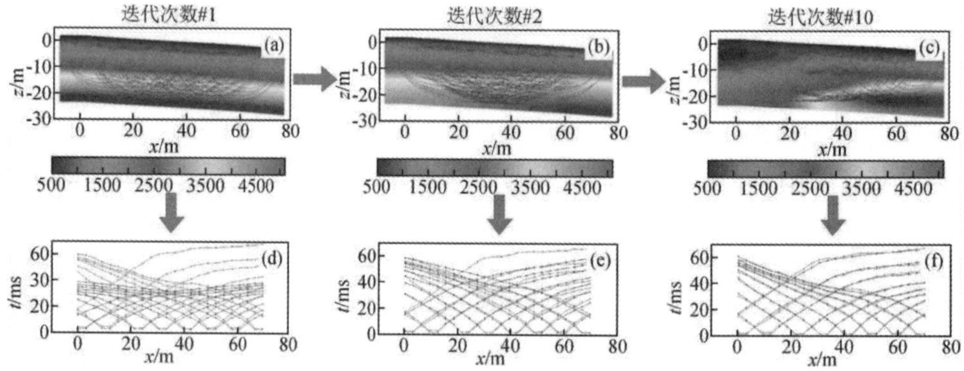

图2 迭代反演示意图

3 工区地质概述

工区为冲切河谷地貌,两岸对称。受人工采砂影响,河底最低处高程为102.88m,现开口宽386~800m,两岸高出河床3~6m,地面高程109.56~112.78m。河漫滩受人工采砂影响,现场分布大量采砂坑,大小不一,形状各异,地面高程104~109m,砂场位于左岸河漫滩,地势平坦。

据地质测绘与钻探揭示,在勘探深度范围内,河漫滩地层主要为第四系全新统冲积砂卵石,波速为700~1600m/s,磨圆较好,呈次棱角状到亚圆状,以石英砂岩为主,卵石粒径为3~10cm,含量30%~40%,充填细砂,局部夹砂壤土透镜体,该层厚度6~7m,均匀分布于整个场区。下部为新近系灰白色杂灰绿色黏土岩,岩芯坚硬呈长柱状,干燥易崩解,波速为1000~2500m/s。该层未揭穿,最大揭露厚度2.6m,该层均匀分布于整个场区,各地层速度参数详见表1。

经过调查发现上部砂卵石与下部黏土岩存在较明显速度差异,且下部黏土岩波速明显大于上部砂卵石,存在较理想波阻抗界面,场区地势平整,为开展地震折射层析勘探提供了良好的前提条件。

表1 工区地层速度参数

地层岩性	纵波速度/($m \cdot s^{-1}$)
湿砂	500~700
砂卵石	700~1000
黏土岩	1000~2500

4 数据采集与处理解译

4.1 采集参数设置

折射层析不同于传统折射,需要尽可能多的地震记录,故采用密集炮距和密集道距的观测系统,采用固定排列移动炮点作业方式。在拟采砂场布设多条地震测线,现就其中 4 条做分析。

为合理避开折射盲区,选取最佳接收时窗,根据现场多次试验,观测系统参数设置为:2m 道间距,4m 炮间距,32 道或 24 道接收,检波器排列长度 62m 或 46m,选取最大偏移距 10m,测线总长为 82m 或 66m。测线长度根据工区场地实际情况调整(图 3)。地震仪器系统采用国产国为电子有限公司 GS102 地震仪及主频 60 Hz 检波器,8 磅人工锤击震源。为提高原始单炮记录信噪比,每个炮点叠加三次以上,直至折射波初至清晰连续。

图 3 现场工作照

4 条测线遵循从上游到下游,自左岸到右岸的顺序布设,均采用固定排列观测。ZZ1 测线,炮点最小桩号为 0m,最大桩号为 62m;ZZ2 线炮点最小桩号为－8m,最大桩号为 72m。ZZ3 测线,炮点最小桩号为－8m,最大桩号为 72m;ZZ4 测线,炮点最小桩号为－8m,最大桩号为 72m。

图 4、图 5 为 ZZ1 测线某一典型地震单炮记录图,从该图可以看出,震源在排列尾部,地震记录上折射波清晰,初跳时间易识别,近激发点初至波类型为直达波,在第 24 道初至波出现明显跳跃拐点,第1～23道初至波为来自下部黏土岩的折射波,走时曲线为直线。记录中出现高频声波,走时曲线为直线,剖面图中面波发育,频率明显低于折射波。

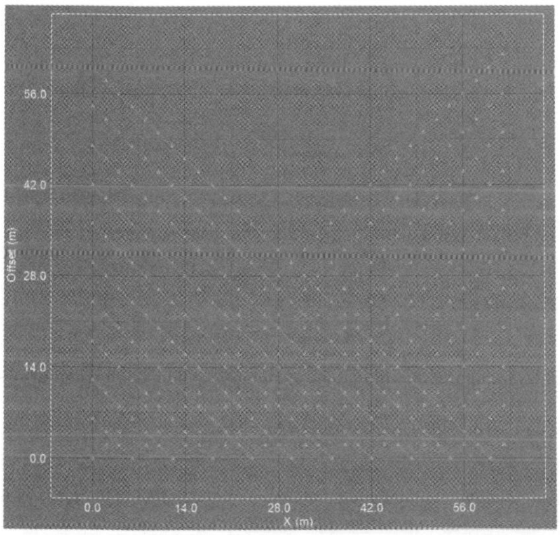

图 4 ZZ1 测线观测系统

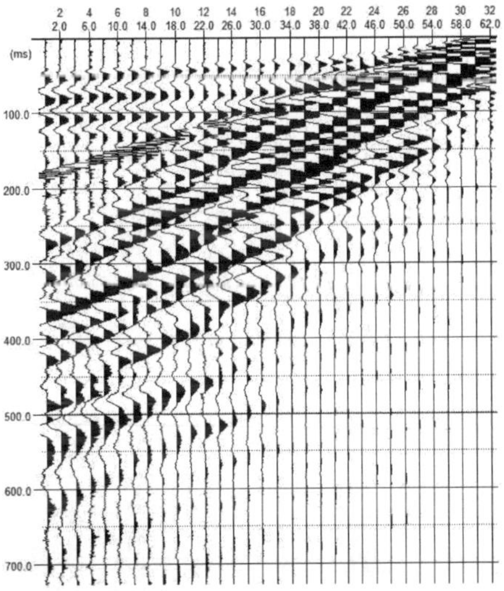

图 5 典型地震单炮记录

4.2 数据处理分析

本文数据处理采用加拿大骄佳技术公司的 Geogiga Seismic Pro 地震数据处理软件,数据处理流程包含:原始数据导入、定义观测系统参数、拾取初至、定义一维初始速度模型(图 6)、正演理论走时、非线性迭代反演、拟合误差稳定得到速度剖面。拾取初至时间并根据偏移距-时间时距曲线定义一维初始速度模型,经过反复试验发现,初始速度模型首先要满足射线所需路径深度范围,在不改变速度模型的条件下,模型深度对反演结果影响不大。

根据实验结果以及现场调查情况,选取 ZZ1 测线初始速度模型最大深度为 30m,梯度模型分为三层,速度分布在 700～4000m/s 之间。经过 21 次迭代反演,发现前 5 次迭代拟合误差变化较大,反演结果相应发生较大变化。第五次迭代之后,拟合误差基本稳定为 3ms(图 7),又经过多次反演,发现结果变化不大，选取第17次反演结果作为最终成果。图8为ZZ1测线折射层析反演结果以及射线路径。反演剖面整体分层较好，由深到浅，纵波速度逐渐变大。桩号14～50m射线覆盖密集，可信度较高，两侧射线稀疏，可信度较低。浅部速度小于1000m/s，推测为砂卵石层，剖面自左至右该层连续稳定，厚度范围3～6m。在高程98.3～101.3m之间，波速突变，推测为砂卵石与黏土岩分界面，清晰连续，稍有起伏。剖面下部速度逐渐变大，普遍分布在1000～3500 m/s之间，推测为黏土岩。

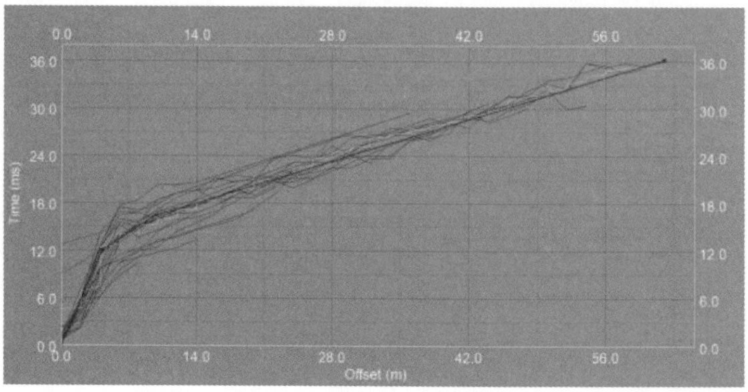

图6 创建初始速度模型

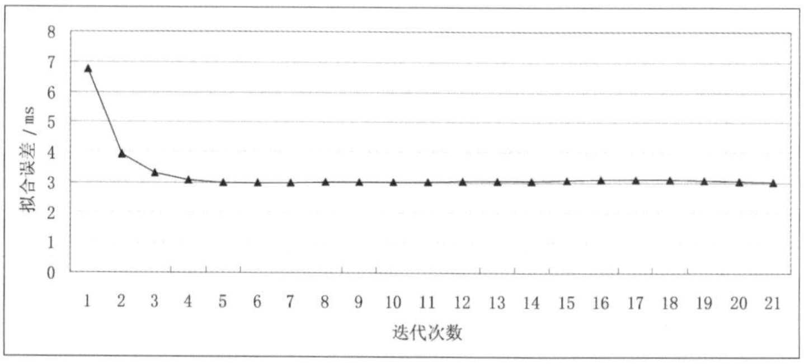

图7 初至波拟合误差

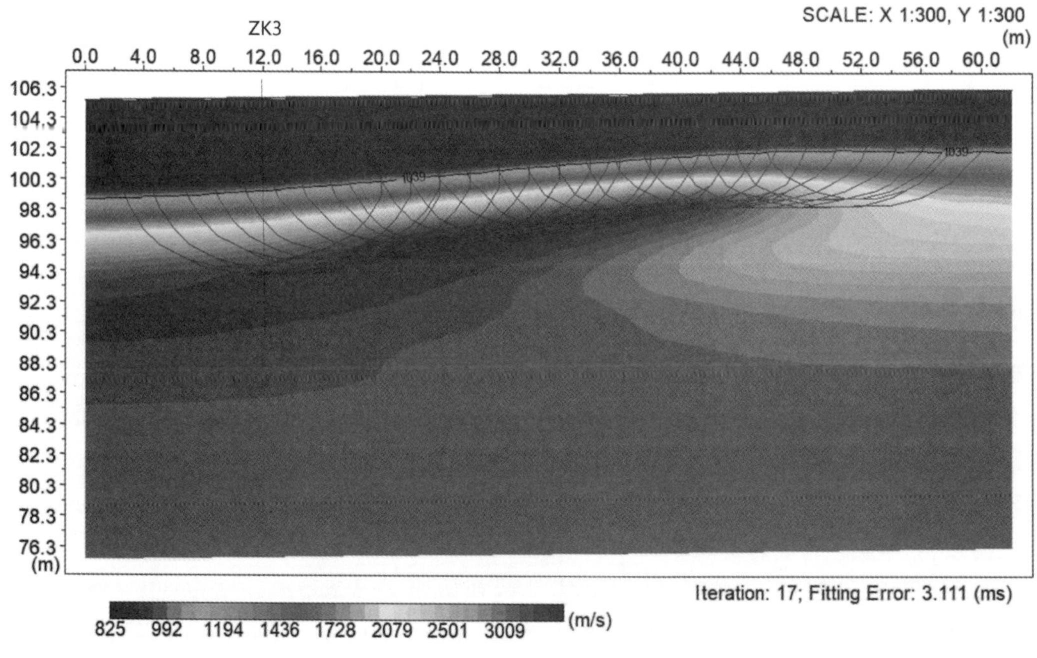

图8 ZZ1测线反演速度剖面

ZZ2 测线选取第 15 次反演结果作为最终成果，拟合误差为 1.415ms，速度剖面（图 9）整体分层较好，由深到浅，纵波速度逐渐变大。浅部速度小于 1035m/s，推测为砂卵石层，剖面自左至右该层连续稳定，厚度范围 3～6m。在高程 98.3～101.3m 之间，波速突变，推测为砂卵石与黏土岩分界面，清晰连续，稍有起伏。桩号 40m 之前速度分界面模糊不清，射线路径较分散，速度随深度均匀变化，推测为全风化黏土岩，风化程度不均，地层速度呈渐变状态。剖面下部速度逐渐变大，普遍分布在 1000～3500 m/s 之间，推测为黏土岩。

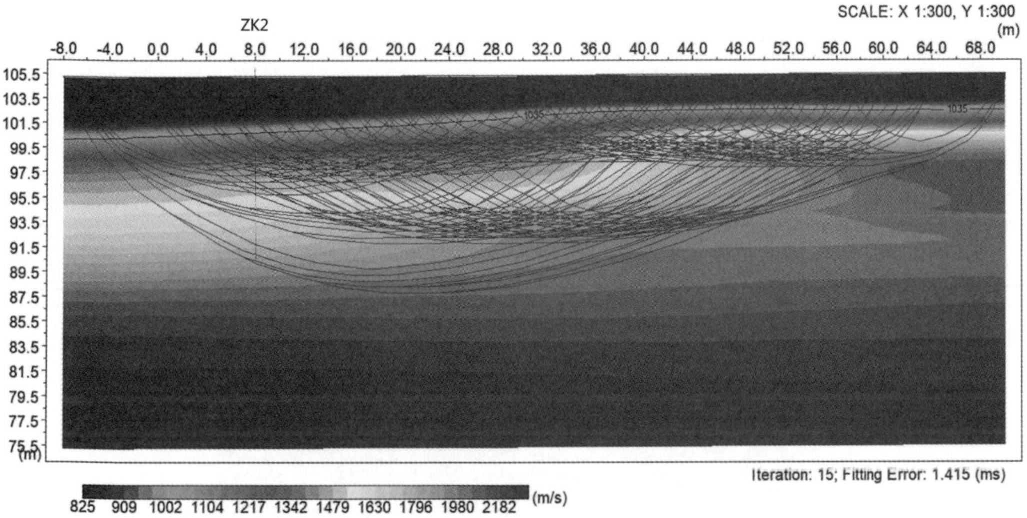

图 9　ZZ2 测线反演速度剖面

ZZ3 测线选取第 19 次反演结果作为最终成果，速度剖面整体分层较好（图 10），浅部速度普遍小于 1000m/s，厚度 7～10m，推测为砂卵石层，该层呈现中间薄两边厚的特征。剖面桩号 12～52m 之间射线覆盖密集两段稀疏，密集处速度分界面清晰，推测为砂卵石与黏土岩分界面。剖面下部速度逐渐增大，普遍分布在 1000～2500m/s 之间，速度剖面均匀稳定，无低速异常区，推测为黏土岩地层均一稳定且无不良地质构造。

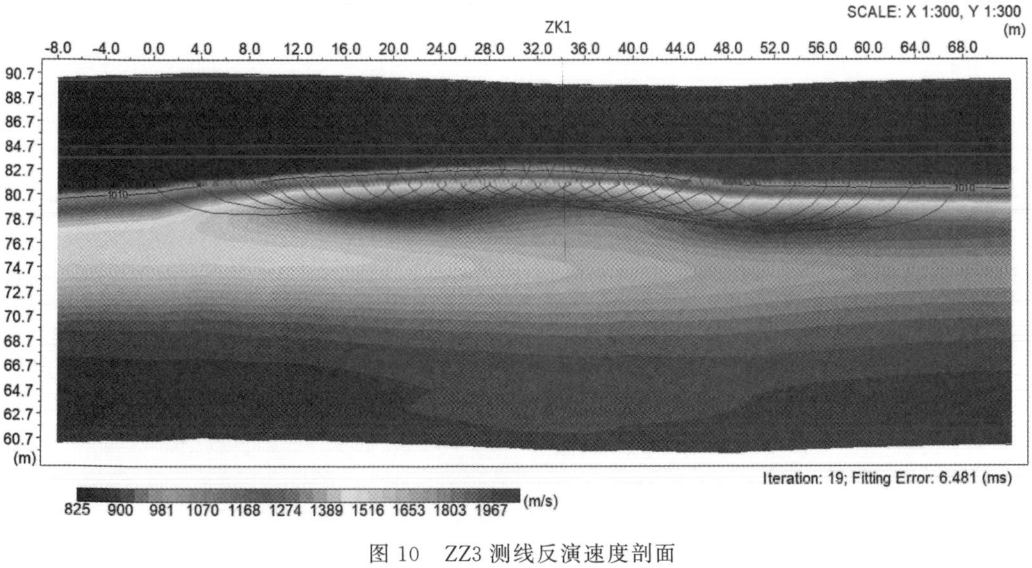

图 10　ZZ3 测线反演速度剖面

5 钻探验证及可采砂储量

5.1 钻探验证

在已知测线分别布设钻孔 ZK1、ZK2、ZK3，据钻孔揭露，工区地层主要是砂卵石和黏土岩（图 11），地层稳定连续，未发现淤泥、重壤土等透镜体，为准确估算砂卵石储量提供了良好的基础。根据钻孔验证，二者误差均小于 0.8m，统折射层析探测结果与钻探揭露地层吻合度较高（表 2）。

图 11　钻孔 ZK1 岩芯照片

表 2　钻探验证

钻孔编号	揭露砂卵石厚度/m	折射层析探测厚度/m	误差/m
ZK1	6.2	7.0	0.8
ZK2	5.6	4.8	0.8
ZK3	4.8	4.1	0.7

5.2 砂卵石储量计算

该段河流蜿蜒曲折，呈“S”形分布，规划砂层位于左岸河漫滩中，受人工采砂扰动较大，河床及漫滩已形成多个采砂坑。本砂场位于左岸河漫滩上，地面高程 104～109m，一般高程 104m，砂卵石平均厚度 3.8m。砂场形状不规则，宽度 221～480m，平均 350m，长 3361m，面积 101.8 万 m^2。根据钻孔验证和折射层析剖面解译结果，采用地质断面法计算本段场地砂卵石储量为 386.84 万 m^3。

6 结语

通过开展折射层析成像勘探的外业数据采集，室内数据处理与分析，以及与钻探和地质测绘成果的分析比较等工作，得出以下结论。

（1）在拟采砂场应用折射层析成像技术，探测结果显示砂卵石和黏土岩地层分界面清晰，经过钻探验证，二者吻合度较高，探测成果有效估算砂卵石储量。证明折射层析成像技术在采砂勘察中的应用是可行的，拓展了折射层析成像技术的应用范围。

（2）折射层析成像技术野外施工简单，可快速探明场区砂卵石储量，大大降低勘察成本，缩短勘察周期，同时也弥补了钻探“一孔之见”的不足，有效弥补孔间盲区。本例也可为类似工程提供借鉴经验。

（3）该方法对地层速度差异具有特殊敏感性，在地质分层方面具有一定优势，可作为工区详察的主要手段。

参考文献

李金铭.地电场与电法勘探[M].北京：地质出版社，2005.

罗延钟.电法勘探的某些进展[J].物探与化探，1989，13(5)：363-369.

宁刚.地震折射层析方法在隧道松动圈测试中的应用[J].地下空间与工程学报，2014，10(2)：398-401＋422.

林松，李媛，程邈，等.嘉鱼断裂西向延伸与第四系活动特征[J].吉林大学学报(地球科学版)，2018，48(5)：1501-1511.

温建亮，张富明，马玉龙，等.芒硝矿地下溶蚀区综合地球物理勘查效果比较[J].地球物理学进展，2020，35(2)：793-798.

王立会，梁久亮，彭刘亚.初至波层析成像技术在隐伏断裂探测中的应用[J].CT理论与应用研究，2015，24(1)：29-36.

刘江平，王莹莹，刘震，等.近地表反射和折射法的进展及应用[J].地球物理学报，2015，58(9)：3286-3305.

李满树，方伍宝，周腾，等.初至波走时信息在复杂地区近地表速度反演中的应用[J].石油物探，2004，43(1)：72-75＋3.

陈爱萍，梁波，邹文，等.初至波地震层析技术及其在四川复杂地区的应用[J].世界地质，2006，25(4)：440-444＋449.

[美]R.E.谢里夫，[加]L.P吉尔达特.勘探地震学(上下册)[M].(第二版).初英，李承楚，王宏伟，等译.北京：石油工业出版社，1999.

韩永琦，李来喜，昌彦君.地震折射层析法在隧洞围岩松动圈测试中的应用[J].工程地球物理学报，2004，1(5)：412-417.

顾勤平，康清清，许汉刚，等.薄覆盖层地区隐伏断层及其上断点探测的地震方法技术：以废黄河断层为例[J].地球物理学报，2013，56(5)：1609-1618.

方盛明，张先康，刘保金，等.探测大城市活断层的地球物理方法[J].地震地质，2002，24(4)：606-613.

其他

关于水生态治理修复工程地质勘察若干问题的思考

赵旭阳　赵文超　于文龙　武鹏飞

中水北方勘测设计研究有限责任公司，天津　302222

摘　要：当前和今后一个时期水利改革发展的总基调是“水利工程补短板、水利行业强监管”，其中生态修复工程是“补短板”内容之一，生态环境治理受到重点关注，相关治理工程逐渐增多，由于此类工程项目有其自身特点，在地质勘察工作中面临一些问题。本文结合工程实践对此类项目地质勘察主要技术原则进行了思考与总结，可供相关技术人员在工作中参考。

关键词：水生态修复　勘察　建议

1　引言

生态修复就是通过一系列措施，将已经退化或损坏的水生态系统恢复、修复，使其基本达到原有水平或超过原有水平，并保持其长久稳定。推进生态治理修复是实现水资源可持续利用的基本保障，是营造健康舒适的水生态环境的根本途径，是建设美丽中国、实现可持续发展的必然选择，因此具有十分重要的战略和现实意义。

水生态治理修复工程主要包括流域综合治理工程，湿地修复工程等，这类工程项目和传统的水利工程有所不同，有其自身的特点，该类工程一般点多面广，治理内容繁杂，在工作过程中如何执行规程规范以及勘察精度和深度如何把控，同时能够加快勘察进度，保证资料的真实与可靠是工程技术人员最为关心的问题。本文结合工程实践对此类工程地质勘察的相关问题进行了思考与总结。

2　水生态治理修复工程地质勘察主要问题思考与总结

2.1　勘察技术规范选择

“技术规范”是工程技术人员开展工作的基本依据，在工作开展前需要确定勘察工作执行的技术标准。生态治理修复类相关工程往往具有几种类型工程项目的特点，水利行业没有专门的技术标准，在技术标准选择问题上有时会存在“困难”，比如笔者参与的西北某省的一个生态治理修复工程，该工程根据其特点又拆分成水循环工程和湿地生态修复工程，其中水循环工程执行水利行业相关标准，湿地生态修复工程执行环境类行业相关标准，但结题报告是共同编制，这就导致同一个项目中执行两套标准，但是环境类行业又缺乏相关的勘察技术标准，在实际操作中可以根据建筑物的特点引用或参考其他行业的技术标准。

作者简介

赵旭阳(1987—)，男，工程师，主要从事水利水电工程、岩土工程等勘察研究工作. E-mail:1021949194@qq.com

需要明确的是工程地质勘察的任务和目的是查明工程地质、水文地质条件，评价工程地质问题，为工程设计提供地质资料。目前水利行业执行的相关地质勘察类规范主要包括《水利水电工程地质勘察规范》(GB 50487—2008)、《中小型水利水电工程地质勘察规范》(SL 55—2005)、《水闸与泵站工程地质勘察规范》(SL 704—2015)、《堤防工程地质勘察规程》(SL 188—2005)、《水利水电工程天然建筑材料勘察规程》(SL 251—2015)等；其他类参考或引用的标准主要为岩土类或市政类相关规范，例如《岩土工程勘察规范》(GB 50021—2001)、《建筑抗震设计规范》(GB 50011—2010)、《市政工程勘察规范》(CJJ 56—2012)等。针对中小河流治理工程，水利部下发了《中小河流近期治理工程初步设计指导意见》(水规计〔2001〕277 号)，在指导意见中提出了相关要求，是指导我们做好前期勘察的重要文件，需遵照执行。另外需要说明的一点是在执行规范的时候应根据工程的规模和等级区分出重点参考规范和次要参考规范，不能一概而论，这样在实际操作中才能够合理的指导勘察工作的开展，既能保证勘察工作深度和要求，保证勘察质量，又能加快进度。

2.2 勘察精度与深度

勘察精度是勘探工作量的多少，在很大程度上决定着勘察成果质量，勘察深度是对地质问题的研究程度和地质资料的可信度，其建立在勘察精度之上。水生态治理修复工程有自己的特点，单个工程的规模一般不大，建筑物等级一般较低，在执行规范的时候应做到“分门别类，分清主次，有所侧重，合理布置，解决问题”。

(1)分门别类，区别对待。水生态治理修复工程具有综合性工程的特点，其可能不仅涉及水利工程，还可能涉及环境工程或者岩土工程，因此应根据工程特点合理划分建筑物类别，根据建筑物所属类别合理选择执行或引用参考的行业规范。

(2)分清主次，有所侧重。在勘察工作开始之前一般都会收集与该工程相关的地质资料，对本工程的主要工程地质条件和工程地质问题有大概的了解，因此勘察工作应以查明主要工程地质问题为原则。对有前期勘察资料的部位可以适当引用，补充少量的勘察工作以验证资料的可靠性；对重点部位或者可能存在地质问题的地段应重点关注，这些部位应有勘探点和剖面控制；一般地段适量布置勘探点，把地质条件基本查清楚即可。

(3)合理布置，解决问题。在地质勘察的过程中应按相关技术规范的要求执行，但在勘察过程中应根据工程规模和等级合理布置勘探点，以查明工程地质条件和评价工程地质问题为目的。水生态治理工程的建筑等级一般较低，规范中对于勘探点间距的规定一般为一个范围值，在地质条件较简单的地段可适当放宽，而对于较复杂的地段适当加密。

对于规模和等级较小的建筑物，当场地条件较简单时，可以以场地控制为主，而不是以建筑物剖面控制。因为这些建筑物规模很小，如果按建筑物布置剖面，每个建筑物都需要勘探剖面控制，勘探点的间距小，密度大，比较浪费；按场地控制在布置勘探点时可以结合主要建筑物位置布置纵剖面和横剖面各一条，以查明场地的工程地质条件为指导原则，这样既能查明工程地质条件，保证勘察质量，又能节省勘察工作量，加快工程进度。

2.3 勘察方法

(1)前期资料收集。注重前期地质资料的收集和分析有助于我们认识工程区基本地质条件和主要工程地质问题，在前期策划时能够做到“心中有数”，在勘察布置时做到“有所侧重”，一些地质参数也可以类比得出，这样不仅可以提高勘察进度，还可以保证勘察的质量。

(2)地质测绘。地质测绘是地质勘察的主要手段和基本方法，具有十分重要的意义。在地质测绘中应该详细记录地形地貌、地层岩性、地质构造、水文地质以及不良物理地质现象等，有助于帮助我们进行工程地质单元划分，分析每一工程地质单元的主要工程地质问题。在地质勘察过程中使我们明确哪些是需要重点关注的，这样能够通过勘探点查明相关问题，做到勘察工作不遗漏内容。

对于测绘范围和精度应根据实际情况有所调整，而不是完全机械的照搬规范，应根据工程区地质条件的复杂程度以及建筑物的规模等级来决定测绘的范围和精度，地质条件简单或建筑物规模等级低的地段可以适当放宽测绘精度，地质条件复杂或建筑物规模等级高的地段应适当提高。

(3)勘探手段。在前期资料分析和地质测绘的基础上已基本明确工程区工程地质单元划分和主要的工程地质问题，由于生态治理修复工程的特点，在勘探手段选择时应该根据实际情况选择不同的勘探方法。对于有建筑物(例如泵站、倒虹吸、挡墙等)的地段应采用重型勘探，勘探深度应该达到基础底面一定深度，对于有特殊土层分布的位置应适当加深；对于一般地段，每一工程地单元可根据实际情况适当布置控制性钻孔，其余位置尽量采用坑探、背包钻机等轻型勘探手段，以查明地层结构和基本性状为目的。

(4)原位试验与取样。水生态治理修复工程地质勘察一般采用原位试验和室内试验相结合的方法，由于此类工程主要涉及土层，原位试验主要包括标准贯入和动力触探试验、孔内抽水试验或注水试验，同时在现场取土样和水样进行室内试验分析。

主要土层应进行原位试验和取样工作，但是应合理控制试验的数量。对于能够通过工程类比的方法提出地质参数的地段可以适当减少试验数量，进行适当试验，以验证为目的；对于没有试验数据的地段需要进行试验，在实际操作中可以原位试验和取样孔孔间隔分布，原位试验和取样的深度可以交错布置，这样每一主要土层都能够有代表性数据。

(5)天然建筑材料。此类项目对砂砾石料和块石料的需求一般不大，而且各地环境保护越来越严格，禁止开采，因此天然建筑材料以调查商品料源为主，确定料源位置、供应能力，可以根据需要适当取样做试验分析，对其质量进行评价。对于土料，需求量不大时，可结合主体工程的勘察工作进行，对其质量和储量进行评价；需求量较大时，应单独布置勘探试验工作，对料场的质量、储量和运距等进行评价。

3 结语

水生态治理修复是今后水利工程“补短板”的重要内容之一，在前期勘察工作中做到精心策划，依据工程特点“分门别类，分清主次，有所侧重，合理布置，解决问题”，提高勘察质量，加快勘察进度，为水利事业的发展贡献我们的力量。

水生态治理修复工程属于综合性水利工程，没有专门针对的规范或指导文件，建议相关主管部门可以把生态治理修复工程划分为若干工程类别，编制相关的指导文件，如《中小河流治理工程初步设计指导意见》类似的指导文件，使工程技术人员有据可依，使生态治理修复工程地质勘察工作更加规范。

参考文献

赵雯砚，杨建新，刘晶茹．水生态文明建设进展与思考[C]// 中国人口资源与环境2014年专刊，2014：1-5.
贺立新，左重辉．中小河流治理地质勘察与工程设计若干问题思考[J]．湖南水利水电，2011(6)：25-27.
范尧，赵正国，杨文成，等．中小河流治理工程地质勘察方法探讨[J]．水科学与工程技术，2015(6)：62-65.

新疆生产建设兵团地质勘察专业发展历程及思考

于为

新疆兵团勘测设计院(集团)有限责任公司,新疆 乌鲁木齐 830002

摘　要:地质作为基础学科,所涉及的行业领域广阔,与经济社会发展联系极为密切,地质勘察专业在新疆生产建设兵团的建设和发展过程中,也同样发挥着至关重要的作用。2021 年是国家"十四五"发展规划的开局之年,也是兵团落实国家"一带一路"合作倡议、"3060 目标"等重要举措,践行"两山理论"的关键时期,探索地质勘察专业发展方向,寻找转型升级的突破口,如何走专业化发展道路,提升专业价值,增加专业自信,是兵团地质勘察专业发展迫在眉睫的任务。本文以兵团地质勘察专业的发展历程和现状为背景,以地质勘察专业发展中存在问题为导向,提出了地质勘察专业发展的思考和展望。

关键词:地质　基础性　专业优势　拓展延伸　创新

1　引言

新疆生产建设兵团(以下简称兵团)承担着国家赋予的屯垦戍边职责,实行党政军企高度统一的特殊管理体制,在所辖垦区内,依照法律、法规自行管理内部行政、司法事务,是在国家实行计划单列的特殊社会组织,受中央政府和新疆维吾尔自治区双重领导,所属师、团场及企事业单位分布于新疆维吾尔自治区各行政区内,主要由兵团自上而下地实行统一领导和垂直管理。新疆兵团勘测设计院(集团)有限责任公司(以下简称兵团设计院)是在兵团体制下成长起来的一家综合性勘测设计单位,性质上属全资国有企业,兵团设计院伴随兵团的建设和发展,随着时代背景的变迁,发展战略的布局、产业结构的调整,也一直在成长和发展。

地质学属于自然科学的基础学科,其本质是研究地球的物质组成、内部构造、外部特征及其相互作用的一门科学,也有人把地质学理解为一门探讨地球如何演化的自然哲学。它起源于人类对煤炭、金属、石油等各类矿产资源的需求,矿产资源正是人类社会生存与发展的源泉,催生了地质矿产勘查的研究和发展。现代工业化的发展,促进西方国家逐渐开展了区域地质调查工作,并逐渐将地质研究方向从区域地质向全球地质构造发展,也因此推动了地质学理论及各分支学科的建立。随着工业和社会的发展,大型城市的建设、资源(特别是水资源)的开发利用、物质生活的追求,人类在改造地球、改变自然规律的同时,水文地质学和工程地质学陆续形成独立的学科。随着社会生产力的进一步的发展,人类活动对地球的影响越来越大,地质环境对人类的制约作用也越来越明显,地质学研究领域进一步拓展到人类与地球的相互关系,环境地质学逐渐突显,并得到持续关注。

综上,地质作为基础学科,涉及行业领域广阔,与经济社会发展联系极为密切,地质专业在兵团的建

作者简介

于为(1974—),男,高级工程师,主要从事工程地质、水文地质、环境地质相关工作. E-mail:392339446@qq.com

设和发展中也发挥着至关重要的作用。本文以兵团地质专业的发展历程和发展现状为背景，以地质专业发展中存在的问题为导向，提出兵团地质专业发展的一些思路和想法，抛砖引玉，期望能引起共同的思考，为兵团的发展贡献出一份专业力量。

2 发展历程

兵团设计院伴随着兵团的发展而成长，一直是兵团建设的先行者，兵团地质专业的发展历程，见证了兵团建设的发展史。根据新中国成立以来的历史时代背景、兵团发展背景、兵团地质专业的发展演化，将兵团地质专业的发展历程分为兵团建设初期(1952—1965)、兵团撤销恢复时期(1966—1983)、社会主义市场经济建立时期(1984—1999)、西部大开发建设时期(2000—2012)、新时代一带一路建设时期(2013—2020)5个时期。

2.1 兵团建设初期(1952—1965)

20世纪50年代，新中国成立初期百废俱兴，国家开始了全面的经济建设。1954年新疆生产建设兵团正式成立，以屯垦戍边为根本任务，在新疆开始社会主义经济建设。兵团成立初期，农业生产有了大的发展，同时工业生产也在蓬勃发展。

兵团设计院前身最早可以追溯到1952年成立的新疆军区司令部工程测量科。1958年1月，作为正式建制的勘测设计单位兵团勘测设计大队成立；1965年底，成立师级建制的兵团设计院。这个时期内，兵团设计院的行政系统里，与地质专业相关的行政机构有地质钻探大队，主要在工农业、水利水电、建筑及地矿行业开展相关的地质勘察工作，涉及相关专业包括：水文探采井的凿井施工，工程钻探、水文地质、工程地质、土工试验、固体矿产勘查，这支队伍后来逐渐发展成为地质勘察分院。1955年成立的新疆荒地勘测设计局是兵团农垦勘测设计大队的前身，其下设机构土壤分析室，主要开展土壤的化学成分分析测试，后来并入兵团设计院。

2.2 兵团撤销恢复时期(1966—1981)

受"文化大革命"的影响，我国的社会主义经济建设发展受到了严重阻碍，兵团在这个时期也经历了从撤销到恢复建制的过程。

1969年，兵团设计院缩编为团级单位；因为兵团撤销，1975年3月，兵团设计院更名为自治区农垦总局设计院，划归自治区农垦总局管理；1981年12月，农垦总局设计院改名为兵团设计院，隶属兵团司令部。在这个时期内，兵团农垦灌区主要开展了部分的场内外水利工程勘测设计，农场改建规划，玛纳斯河肯斯瓦特水库、哈熊沟水电站规划选点等各项工作，水文地质、工程地质、地质钻探、试验各专业发展基本停滞。

2.3 社会主义市场经济建立时期(1982—1999)

迎着改革开放的春风，中国经济开启高速发展的模式，社会主义现代化经济建设的步伐越走越快，大规模的基础设施建设在建筑、水利、交通领域如火如荼的开展。兵团恢复建制后，对兵团原有的管理体制和经济体制进行了改革，加强团场建设，搞活兵团经济，促进了兵团事业的发展。

1984年12月，兵团设计院、兵团勘测设计大队、兵团水文地质大队和农八师勘测设计队合并组成兵团勘测设计院。这个时期内，因为地矿行业管理逐渐规范以及资质限制，兵团不再涉及固体矿产勘查和基础性地质调查工作，业务范围主要在农业、水利水电和建筑行业开展相关的地质勘察工作。地质专业发展逐渐形成了水文地质、工程地质、凿井与工程钻探、土工试验与化学分析试验4个子项。

水文地质专业方面：围绕大量水源地建设项目，开展的供水水文地质勘察、地下水资源论证等相关工作，增加了专业积累，并培养出了专业技术人才梯队，专业发展状况较好，逐渐建立起了一定专业优势。工程地质专业方面：完成了玛纳斯河流域规划、阿克苏河流域规划、西藏"一江两河"农业综合规划等重要工作，但当时水利工程建设的规划阶段、前期立项阶段，对工程地质的专业价值不能充分体现，专业发展平平。试验专业方面：在土化学分析上试验能力较强，而土工试验能力较弱，岩石试验没有开展，不能满足对工程地质专业的支撑，专业发展缓慢。凿井钻探专业方面：成本消耗较大、安全风险大、专业门槛低的问题逐渐突显，专业发展日渐衰落。计算机应用方面：计算机逐渐普及，但仅在成果资料整理阶段的文字处理和工程制图中有所应用。

2.4 西部大开发建设时期(2000—2012)

21世纪初期，全国各行业的勘测设计单位都发展迅猛，西部大开发战略的实施，给新疆和兵团的勘测设计市场也带来了发展机遇，兵团充分发挥党政军企合一特殊体制的组织优势，在市场开拓、人才引进、财务核算等方面解放思想，大胆尝试，建立完善现代企业管理制度，促进了企业的高速发展。在这个时期里，兵团在农业、水利、电力、建筑、市政、交通、自然资源、环境等多行业发展，逐步形成了以地质勘察为主，岩土施工、岩土试验、地质灾害评估与治理为辅的专业格局。

水文地质方面：兵团农业建设的快速发展，使地下水的开发利用规模达到新的历史高度，伽师县下不土里农用水源地、农七师130团农业供水等特大型水源地的水文地质勘察支撑水文地质专业得以持续发展，专业稳定发展。工程地质方面：兵团大中型水利水电工程建设项目明显增多，工程地质专业得以迅速发展，培养出一批高水平技术人才，并成为地质专业发展的核心。计算机应用方面：地质勘察软件的应用对工作效率得到了一定改善，但勘察软件应用还仅限于平面设计，无法表达复杂、抽象的地质条件。

2.5 新时代"一带一路"建设时期(2013—2020)

兵团设计院提出了致力于推进农业全球化的发展战略，坚持"走出去"的布局。2013年，更名为新疆兵团勘测设计院(集团)有限责任公司，完成了事业单位向企业的转变，2014年2月，将内部与地质勘察专业相关的所有专业进行整合，成立工程勘察院。整合后，形成专业合力，促进了专业交流，建立了专业协同发展的平台，并逐渐打造出了一支以地质学为背景，多专业并存的技术服务团队。

水文地质方面：依托前期建立的水文地质专业优势，水文地质专业向地下水超采区划定及治理、地下水保护、水环境治理方向延伸。工程地质方面："走出去"的布局初见成效，积极参与云南的水环境综合治理、河湖底泥疏浚项目，实行了专业的延伸；积极尝试水工环综合地质勘察方式，建立了各专业互补、技术人员共享的工作模式，实现缩短外业工期、降低项目成本、提高工作效率目的，打造出覆盖新建市(镇)的水工环地质评价、地质灾害及矿产压覆评估、场内外水利工程勘察、灌区土壤调查、新建团(镇)部场地岩土勘察全专业、全阶段的技术服务体系。国土基础地质调查方面：以中国地质调查局对兵团建设的关注为契机，先后承接了阿拉尔-图木舒克-昆玉1：5万综合地质调查为代表的12项国土地质相关项目，特别是承接的兵团辖区地质灾害调查及防治规划、矿山地质环境调查这两个省级规划，为专业发展打下了坚实基础。岩土设计与施工方面：岩土施工基本维持上个时期的专业状况，以工程地质优势专业为依托，积极向岩土设计方向进行了延伸。岩土试验方面：工程地质的大发展，有效促进了岩土试验专业，积极承担工程地质勘察的试验任务，开展岩石试验、建材类试验、现场试验，提升试验检测能力，培养专业技术人员，努力拓展水利工程质量检测，岩土试验专业实现了一定发展。计算机应用方面：以

"兵团地质大数据智能化建设与应用示范"科研课题为依托，开展地质档案数字化，地质信息的数据化，地质数据的模型化，利用地质大数据平台挖掘有价值的核心信息和关键数据，形成浓缩的数据库，解决地质勘察工作中的认知、发现和评价等理论和实际问题。

3 发展现状

兵团地质专业简单归纳为水文地质、工程地质、环境地质三大类，也就是通俗说的"水工环"地质。其中，水文地质主要涉及城乡及工农业供水、地下水资源的调查评价、水资源论证、地下水利用保护等方面的业务工作；工程地质主要在水利、建筑、道路交通、市政等行业的基础设施建设上发挥作用；环境地质可以涉及的领域较广，业务范围也比较杂，在国土自然资源部门基础性的综合地质调查，地质灾害及矿产压覆的评估，在其他行业与环境工程相关的水土环境治理及修复、土壤调查、盐碱地改良等方面，均可覆盖。

参照地质学科划分及专业分类，根据兵团地质专业发展历程中形成的专业特点，考虑各行业勘察设计过程中，面临的行业主管和审批方式的差异，以及地质专业未来拓展和延伸的方向，通过兵团近年来地质专业的发展和探索，梳理出兵团地质专业发展现状，主要涉及水文地质、工程地质、国土地质与勘查、水土环境保护与治理、岩土设计与施工、岩土试验与检测六大专业板块，并进一步细分出各专业板块的16个专业子项(表1)。

表1 工程勘察院地质专业划分表

专业板块分类	各专业二级子项分类	涉及行业领域及工程分类
水文地质	供水水文地质勘察	工业、农业、城市供水、饮用水水源地水文地质勘察
	地下水资源调查评价	流域、区域水资源调查评价
	水资源论证	建设工程取水、用水水资源论证
工程地质	岩土工程勘察	工业民用建筑、市政行业
	水利水电工程地质勘察	水利、电力行业，含引调水、除险加固工程
	公路工程地质勘察	各种等级公路、包括桥梁及隧道
国土地质及勘查	基础地质调查	综合地质调查、矿产资源规划、固体矿产勘查
	城市地质	新建市(镇)水工环综合地质评价，城市地质
	地质灾害、矿产压覆评估及治理	各行业建设项目评估(含地质灾害的勘查、设计、施工)
水土环境保护与治理	地下水保护	地下水保护规划、地下水超采区划定、地下水动态监测
	水环境治理	湖泊、河流、水库水环境综合治理、底泥疏浚(含河道水环境整治)
	土壤调查及修复	土壤调查、污染评价、盐碱地改良
岩土设计与施工	岩土工程设计	建筑地基灌浆、基坑降水、基坑支护、边坡处理的设计
	岩土施工	特殊岩土体的处理、防渗墙、灌浆、深搅等，边坡加固施工
岩土试验与检测	岩土试验	各行业建设工程岩土试验
	施工质量检验检测	各行业建设工程施工质量检验检测

3.1 水文地质

水文地质是运用地质学理论，研究地下水的数量和质量随空间和时间变化规律的地质专业分支，主要是为查明地下水分布、运动、成因及其物理化学性质，采用水文地质测绘及调查、勘探及试验等方法，对一定区域范围内的地下水资源做出评价，提出合理开发及利用的地质意见及方案，并对工程建设的不利影响及其防治给出地质建议。

(1)供水水文地质勘察。主要工作内容是围绕供水目的，进行水文地质条件、地下水形成条件、分布及埋藏规律、水质及水量相关方面的评价，提出水源地合理开发利用的建设方案。代表性项目有新疆塔里木盆地灌溉与环保(二期)工程伽师县下不土里农用水源地、库车县兵团大化肥项目水源地、塔里木河油田淡水水源地等。

(2)地下水资源调查评价。主要工作内容包括对地下水时空分布规律的研究，计算地下水补给量、储存资源量、允许开采量，预报地下水动态，分析地下水开采潜力和开发利用前景，评价其对环境和社会经济产生的影响。代表性项目有兵团水资源调查评价、兵团地下水开发利用总体规划、玛纳斯河流域规划、焉耆盆地地下水开发利用规划等。

(3)水资源论证。主要工作内容是根据国家相关政策、法规以及当地发展规划、水功能区管理要求，采用水文比拟法对已有的数据进行径流计算，对建设项目取用水的可行性及其他取水户的影响进行分析评价。代表性项目有新疆天富南热电建设项目水资源论证、新疆天业 120 万 t PVC 联合化工项目水资源论证等。

(4)专业发展现状分析。从 20 世纪 50 年代开始的农垦建设、到 21 世纪初地下水的开发利用、再到现今的最严格水资源管理，兵团水文地质专业一直发挥着重要作用。当然，也存在专业人才老龄化、勘探设备落后，勘察的新技术新方法应用不够，水文地质数据库建设滞后等问题。将丰富的工程经验、大量的成果资料转化为数据资源，将抽象的地质条件转变为可视化的地质模型，实现水文地质大数据的应用，是该专业发展的重要方向。

3.2 工程地质

工程地质是地质学理论应用于工程实践的产物，通过研究工程活动与地质环境之间的相互作用，提出具体工程措施及地质建议，最终目的是要做出正确合理的工程地质评价，为工程设计提供基础依据。

(1)岩土工程勘察。主要工作内容是确定建筑物地基岩土体物理力学参数及其特性，提出地基的承载变形能力，判定水土腐蚀性，对建筑场地稳定性和适宜性进行评价，提供基础设计、地基加固所需的基础资料，并给出地质意见和建议。代表性项目有克拉玛依石油化工厂场地岩土工程勘察、兵团机关大楼岩土工程勘察、石河子飞机场岩土工程勘察等。

(2)水利水电工程地质勘察。主要工作内容是在查明水工建筑物工程地质条件的基础上，重点考虑在水的作用下，分析因为地质缺陷而产生的工程地质问题，进而对其危害范围、程度做出工程地质评价，并提出工程地质处理意见和建议。代表性项目有新疆玛纳斯河肯斯瓦特水利枢纽、兵团新建 38 团水利工程(一期)石门水库、叶尔羌河中游枢纽、云南省永胜县小米田水库、新疆奎屯河引水工程等。

(3)公路工程地质勘察。主要工作内容是查明路基的工程地质条件、确定岩土体承载变形参数，分析沿线不良地质的类型及规模，划分线路的工程地质分段，调查沿线建筑材料的分布，做出工程地质评价并提出地质建议。代表性项目有京新高速(G7)巴里坤至木垒段公路、G219 国道改扩建工程、下坂地水库移民公路及跨库大桥等。

(4)专业发展现状分析。工程地质勘察在兵团的基础设施建设过程中扮演了重要角色，特别是 2000 年以来，随着兵团大中型水利水电工程、山区枢纽工程的建设、疆外市场的开拓，工程地质已经在勘察主营业务中占据了主导地位。因此，积极调整工作思路和专业布局，通过积累的工程地质成果和工程经验，运用创新性思维，利用互联网技术，积极开展地质大数据的应用和建设，以促进生产管理、提高生产效率、夯实发展基础、促进专业升级，提升了服务能力和水平，工程地质正走在专业化发展道路之上。

3.3 国土地质与勘查

国土地质与勘查从严格意义上说不属于专业范畴，主要考虑所属行业行政管理的归口、项目立项审批及技术服务的差异情况，为便于专业总结分析，特将其单列。

(1)基础地质调查。主要工作内容是查明某行政区划和某区域范围的水工环地质情况，获取基础地质数据，为当地经济建设和社会发展需求提供地质支撑。代表性项目有新疆阿拉尔-图木舒克-昆玉1∶5万综合地质调查、兵团辖区地质灾害调查(数据库建设)及防治规划、新疆阿拉尔市1∶25万土地质量地球化学调查、第九师170团莫合台富锶水土环境调查评价。

(2)城市地质。主要工作内容是通过查明城市所在地的基础地质环境，研究在城市规划建设、运行、空间利用中面临的各种地质环境问题，建立地质信息管理系统，为城市建设和运行提供精准、可持续的地质评价体系。目前兵团体系内主要开展新建市(镇)规划的水工环综合地质评价工作。代表性项目有五师拟设市(双河市)城市规划总体规划阶段的工程地质勘察、二师拟设铁门关市城市规划的工程地质勘察、第十三师新星市城市规划工程地质水文地质评估等。

(3)地质灾害、矿产压覆评估及治理。主要工作内容是对某流域、行政区域、具体工程建设项目开展相关工作。代表性项目有奎屯河引水工程地质灾害危险性评估、第十四师一牧场——G315线(策勒县天津工业园区)公路项目地质灾害危险性评估。

(4)专业发展现状分析。2014年地质专业整合后，兵团以国土行业为依托，积极进行专业拓展，向环境地质、基础地质调查转型，国土地质与勘查专业逐渐发展起来。此类工作由原地矿系统延续下来，实行项目申报审批预算制度，项目不以营利为目的，利润率较低，突出公益性。近年来兵团国土部门的基础性调查工作日益增多，项目申报的类型也逐渐展开，特别是在兵团辖区内的矿产资源调查、地质灾害防治、矿山地质环境治理方面有较好的发展空间，还可以向国土空间规划、矿产资源规划、固体矿产勘查等方面继续拓展。

3.4 水土环境保护与治理

水土环境保护与治理是近年来从水文地质、工程地质延伸出来，逐渐形成的一个特色专业。

(1)地下水保护。主要工作内容是对某区域进行地下水超采区划定评价、地下水功能区划分、编制地下水利用保护规划，为该区域的地下水合理利用及有效保护提供技术支撑。代表性项目有兵团第八师石河子市地下水超采区划定及治理规划、喀什地区地下水利用保护规划、五家渠青格达湖城市集中饮用水水源地水环境保护规划等。

(2)水环境治理。主要工作内容是通过研究直接或间接影响人类生产生活的水体污染情况，进行污染物减排和水环境修复的治理活动，包括湖泊、河流、水库水环境综合治理、底泥疏浚、河道水环境整治。代表性项目有云南省个旧市大屯海水生态系统保护与修复工程、云南省杞麓湖国家湿地公园建设项目水环境综合治理、云南省杞麓湖南部底泥疏挖工程、云南省文山州砚山县回龙水库集中式饮用水源地污染治理。

(3)土壤调查及修复。主要工作内容包括各种类型的土壤普查、土壤调查、盐碱地改良、土壤污染评价及修复。代表性项目有阿图什市盐碱地改良利用规划土壤调查、兵团第十四师新建225团土壤调查、宁夏红寺堡区盐碱地重点危害区综合治理。

(4)专业发展现状分析。水土环境保护与治理，涉及领域广阔，在水利、市政、环保、农业等多行业均有极大的发展空间，可以努力解决水土污染控制与治理的重大技术瓶颈，研发水土污染防治技术及设备产品，促进技术升级和产业发展，提供水土污染防治工程建设的科学示范，参与编制兵团水土污染防治规划，为政府职能部门提升行政管理能力提供技术支撑和服务，为实现可持续绿色发展提供专业力量。

随着严格水资源管理制度的实施，三条红线的限制，如何在保护的同时，保障社会经济平稳发展，科学的解决开发和保护之间的矛盾，是该专业存在的价值。为相关政府职能部门建立地下水动态监测体系，建设地下水管理信息平台，是该专业发展考虑的方向。水污染是在一个长期过程里，因为人类水环境保护意识淡漠、水行政管理体制不健全、产业布局不合理等综合因素作用而产生的，水环境治理应有持续性投入，并需要建立一套完整的科学治理体系，因此该专业的发展和建设特别值得关注。

3.5 岩土设计与施工

岩土设计与施工通常是指在工程地质勘察完成后，为建筑地基，工程边坡等有关地基处理提供工程设计方案，并开展岩土工程施工。

(1)岩土工程设计。主要工作内容是基础工程选型与布置、地基工程处理技术方案设计、边坡工程稳定分析与支护防护设计、基坑工程(地下工程)稳定性分析与地下水控制等。代表性项目有新疆石河子化工新材料产业园天富发电厂一期、七师柳沟水库除险加固工程、十师北屯平顶山北缘矿区地质环境治理项目等。

(2)岩土施工。主要工作内容是针对建筑物地基、特殊岩土体存在地质缺陷的类型，选择适宜的地基处理技术方案，并开展工程实施。代表性项目有新疆防洪工程、石河子化工新材料产业园天富发电厂一期、石河子化工级工程项目等。

(3)专业发展现状分析。岩土设计与施工可以涉及的行业领域广阔，依托兵团优势、专业优势，向水工建筑物地基处理、工程边坡加固支护设计方面积极拓展，从配合参与，向主导和独立承担方面发展；基坑降水方面，要向场地降水方面发展，形成特色专业，建立专业优势；要依托国土地质的拓展，与地质灾害防治设计专业协作，实现协同发展。

3.6 岩土试验与检测

岩土试验泛指对岩、土、水进行的各类试验，是地质工作定量分析的常规手段。施工质量检测是在工程建设的施工过程中，评价建筑材料、施工质量是否达到工程设计标准的一种检验手段。

(1)岩土试验。主要工作内容是获取各行业建设工程、国土基础地质、环境影响评价所需的岩石(体)、土体及环境水的物理性、力学性、化学性试验检测参数。代表性项目有奎屯河引水工程岩土试验、西域砾岩抗力系数原位试验等。

(2)工程质量检验检测。主要工作内容是在工程建设过程中，运用各类试验检测方法，获取所需的建筑材料、单位工程施工质量的相关参数，评价其是否能达到工程设计标准。代表性项目有石河子机场道面质量检测及评定、第十三师八大石水库施工质量检测等。

(3)专业发展现状分析。岩土试验专业是兵团建设初期就存在的专业之一，但由于专业发展的定位和方向不明确，资金投入、能力建设和人才培养欠缺，造成专业发展缓慢、业务收入总量少的现状。摆脱困境的前提是要明确专业定位，要以兵团水利、公路施工质量检测为延伸方向；要进行水环境监测、工程安全监测业务的延伸；要利有互联网技术，进行检测数据的信息化管理，提升技术服务水平。

4 存在问题

4.1 地质专业特色不突出

兵团仅仅依靠水文地质勘察、工程地质勘察维持着专业发展，专业范围基本局限在为工程设计提供技术服务,与地质专业丰富的研究背景、兵团设计院深厚的历史底蕴、勘察市场广阔的服务领域很不匹配,具体表现形式是在疲于应付市场、应付设计,地质专业发展的动力源不足、专业建设缺少思考。

4.2 专业发展方向不明确

兵团现在的地质专业拓展力度不足、转型速度缓慢,地质专业缺少专业性、长期性、可操作性的总体发展规划,地质相关专业的发展方向、目标不明确,专业发展不平衡,没有形成合力,各专业之间的协作支撑欠缺。优势的水文地质、工程地质专业缺少工程总结和深入研究分析,拓展延伸不够,地质施工总承包业务的推动和开展欠缺;传统的岩土试验与检测专业受资质的制约,专业技术人员老化、专业能力建设不足;拓展的国土地质与勘查专业项目的推进力度欠缺,协助国土部门策划项目的能力不足;延伸的水土环境保护与治理、岩土设计与施工专业技术人才欠缺、相关资质等级较低,相关专业队伍的建设和培养力度不足。

4.3 科技创新意识不足

受到诸多因素的影响,兵团地质专业的创新意识不足,领导干部对创新的关注度不够,技术人员创新意识淡漠。日常生产中,对新技术、新方法的应用较少,现代信息化、数字化技术的应用不够,劳动效率及产品质量不能满足日新月异的发展需求,地质专业发展的前沿资讯了解甚少,缺少科研工作的必要投入,科研成果极度欠缺,科研成果的转化及实际应用较少。

4.4 人才培养力度不够

兵团地质专业技术人才的现状是人员年龄结构不合理、技术思维陈旧,缺乏专业自信,缺少专业权威或领军人物,专业价值不能充分体现。受专业人才选拔任用制度的局限,地质专业人才培养体系尚未形成,人才培养制度还不健全,各专业不同年龄的人才梯队没有形成,专业的可持续发展缺少人才支撑。

4.5 勘探队伍建设欠缺

兵团地质勘探的现状,存在自有勘探手段较少,甚至缺失现象,钻探作为劳务队伍已剥离不存在,地球物理勘探的设备单一、老化严重,试验仪器设备投入少,试验能力弱。受现有勘探手段的限制,在很多项目生产过程中,勘探均需要外部协作才能完成,直接影响到产品交付的效率和质量。

4.6 专业品牌建设的意识淡漠

兵团地质专业初步具备树立“兵团勘察”品牌价值的背景,但“兵团勘察”的专业品牌建设的意识淡漠,投入力度不足,品牌价值挖掘不够,品牌影响力的宣传力度欠缺,全国知名地质专家的培养仍需加强。

5 思考与展望

5.1 建立专业发展体系

制定兵团地质专业的发展规划,要围绕着专业发展方向、市场营销开拓、专业人才培养、科研工作推广、企业制度建设等方面开展建立专业发展体系。一是在优势的水文地质、工程地质专业应加强工程总结,明确向其他专业拓展延伸的方向,积极推进施工总承包业务的开展;二是在传统的岩土试验与检测专业应努力实现院内部试验任务完全承担、拓展水利和公路施工质量检测、向生态环境监测和工程安全监测业务延伸；三是在拓展的国土地质与勘查专业应加大经营力度，积极协助国土部门策划，提升项目运作的能力；四是在延伸的水土环境保护与治理、岩土设计与施工专业应重点加强专业技术人才队伍的建设和培训，对项目经理、施工组织设计和概预算的专业人才重点关注和培养。

5.2 推动技术创新

以“科学技术是第一生产力”重要论述为指导，兵团地质勘察专业科学技术研发工作应常态化开展。一是在科研课题方面：深入开展地下水演化运移规律、评价标准等基础性研究；工程地质专业在软岩坝基评价、软岩筑坝材料研究、西域砾岩工程特性研究、花岗岩风化壳工程特性研究等方面均具备开展科研工作的条件。如何将这些研究内容形成技术优势，转化为核心竞争力，应是兵团地质专业今后科技创新工作的重要方向；二是在地质信息化应用方面：地质工作中各类计算机软件的应用是大趋势，GIS系统、地质三维、BIM技术的应用是地质专业发展的必然道路，要引导专业技术人员主动运用勘察软件的意识，找到适合专业发展所需的软件类型，并积极推广应用；三是在勘察手段和方法建设方面：充分利用数字地形及卫星影像资料，开展遥感地质解译工作，提高地质测绘的精准率及工作效率，大力推广地质三维技术应用，提高地质成果的可视化率，更新勘察外业工作的仪器及设备，以达到效率转化和生产劳动方式的革新。

5.3 提升专业技术素养

将人才的培养列为兵团专业今后发展的首要任务，一要以“整体提升专业技术水平、专业归属感、荣誉感和专业自信”作为重点来落实；二要大力开展勘察软件的普及和推广，提高专业技术人员的分析计算能力；三要鼓励专利及软件著作权申报，促进高质量论文的发表；四要积极申报省部级、国家级优秀勘察项目，提高获奖级别和等级，开展评估申报的体系化建设，提升专业自信，要以全面提升专业技术人才素养为目标。

5.4 强化质量和品牌意识

要保持专业管理质量体系，加强生产过程控制和督导检查工作，提升质量意识。一是要多出优秀勘察成果、出“精品”，要树立“兵团勘察”品牌，提升品牌价值；二是要开展专业之间的协作和交流，推动专业互通、专业共建、专业共享，建立专业命运共同体的意识，并达到专业共同发展的目标；三是要在国土地质与勘查、水土环境保护与治理、岩土设计与施工等新拓展和延伸的专业领域，积极探索和尝试项目的质量管理方式，做到产品质量有效控制和有效管理。

5.5 健全制度保障体系

专业发展是一项复杂的系统工程，其时间跨度大、涉及面广，具有很强的专业性和综合性。一是要加强行业管理制度的研究和制定，构建保障专业发展的制度支撑体系；二是要根据国家、新疆和兵团的时代背景和政策体系，主动适应勘察专业发展的新常态，制订适合地质专业特色的发展纲要；三是要关注各项规章制度之间的衔接和协调，形成制度体系合力，提高专业发展的实施效果。

浅谈和田市城市供水替代水源地井群布置

李军辉

新疆水利水电勘测设计研究院，新疆 乌鲁木齐　830000

摘　要：和田市因城市扩容发展，需要寻找新的城市供水水源地，以替代挤占城市发展空间且无法实现保护的一水厂、二水厂供水水源地，通过施工3眼总计450m的探采结合孔及相应的勘察手段，选取了水源地位置，完成了和田市替代水源地的勘察工作，设计了水源地群井开采的井数及开采规模。

关键词：水源地　井群布置　群孔抽水试验　三维数值模型

1　引言

和田市是和田地区政治、经济、文化中心，地处喀喇昆仑山脉北麓，塔克拉玛干沙漠南缘玉龙喀什河绿洲区，是古丝绸之路上的南疆重镇，为维吾尔族聚居区。和田市城市供水依托于第一、二水厂的供给，两水厂供水水源为地下水，开采井数27眼。水厂水源地范围与市区融合，挤占了和田市城区的发展空间，按环境保护要求无法实现水源地的有效保护。本文依靠科学的勘察手段寻找替代水源地，解决和田市30.5万人每年2 460.8万 m^3 规模的生活用水成为和田市城市发展的节点。

2　勘探手段

通过满足精度要求的水文地质测绘(1∶1万)、水文地质钻探、水文地质物探、抽水试验及水质分析工作，为替代水源地地下水资源量、可开采量的计算和井群选择提供了技术手段。

3　工作难点

3.1　水源地位置的选择

由于和田市辖区范围较小，可供选择建设地下水水源地的位置满布耕地、村庄，和田市城市供水第一水厂、第二水厂就是因为挤占城市发展空间，按环境保护要求无法实施水源地一级保护而需要寻求替代水源地。如何在和田市辖区内选取水源地位置及水源地井群布置成为水源地选择的难点。

开采地段的主要选择原则为：根据地下水勘察成果，首先将水源地开采井群布置在勘察区水文地质条件较好的区域，有利于水源地一级保护区的建设，其次是考虑利于井群汇流、调水输水、架设线路等的原则；取水点位置高程应满足重力输水要求，工程干管末端为和田市第二水厂，根据各水厂的位置及高程，保证能重力输水、满足各水厂管网供水水头；取水点位置应尽可能依托于已建的引水工程，以减少取水首部工程投资。

作者简介

李军辉(1970—)，男，高级工程师，主要从事水利水电工程相关工作. E-mail:304796717@qq.com

依据拟定的选择原则，结合水文地质勘察成果，和田市南部距离城区 10km 的临河地段地形较为平坦，地表植被稀少，耕地及人口分布少。地下水含水层主要为全新统和上更新统冲积层，岩性为卵石、砾石、含砾中粗砂夹少量砂层透镜体，厚度 300～500m。抽水试验井单位涌水量为14.1～36.3m^3/(h·m)，抽水降深小，属极强富水性区。单井抽水量可满足 160～250m^3/h 的抽水规模。该区段地下水开采条件好，是和田市辖区内能建设中型城市供水水源地的较好地段。

3.2　水文地质钻探

由于科技的发展及新技术的应用，当前勘察方案实施较简单，但常规的难点依旧少有突破。特别是和田市城市供水替代水源地地处玉龙喀什河冲洪积平原上部，靠近河流出山口，地层岩性以卵石为主，颗粒粗大，所以水源地勘察方案中水文地质钻探的实施是无法回避的难点。

本次采用了不同类型的钻机进行了勘探孔的施工，工作中通过多种手段解决了大颗粒扰动地层钻探难点，成功完成了深度 150m，管径 377mm 的探采结合孔的施工，并进行了 250m^3/h 大流量群孔为期 15d 的抽水试验。群孔抽水试验结果见图 1。

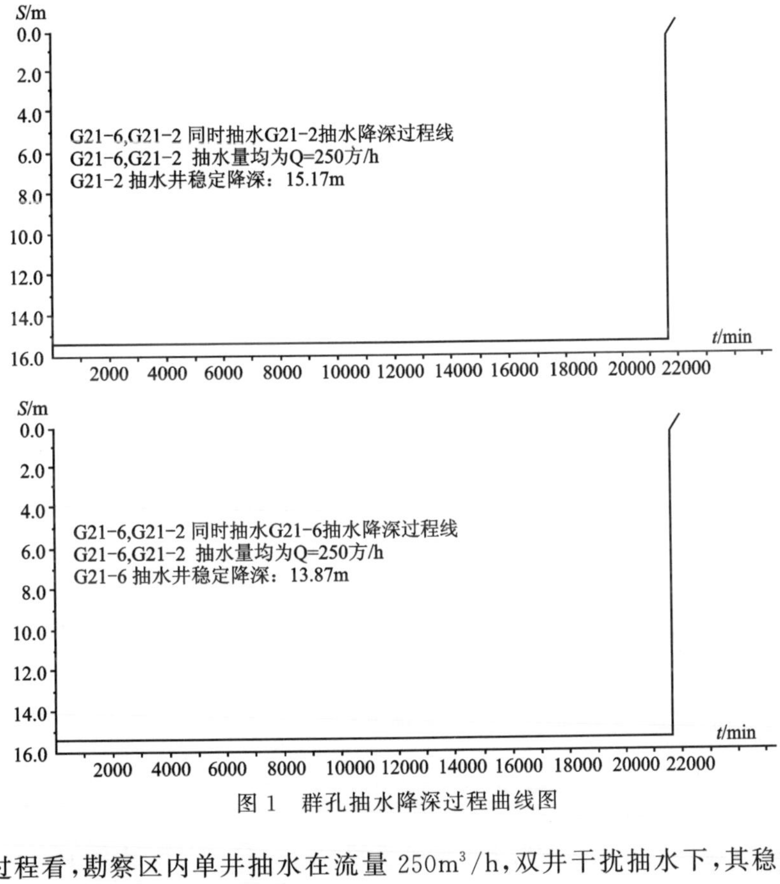

图 1　群孔抽水降深过程曲线图

从抽水降深过程看，勘察区内单井抽水在流量 250m^3/h，双井干扰抽水下，其稳定降深 15.17m 和 13.87m。区内地下水富水性强，补给条件好。该大流量干扰抽水试验的稳定降深为水源地开采井的井群布置及开采井工作水位的确定提供了合理依据。

3.3　勘察新技术的应用

水源地水文地质勘察中针对大面积测绘费时费力问题，采用了基于 GIS 平台相关软件，便捷快速高效的完成了测绘工作，充分利用中国资源卫星图，提高了测绘精度及效率，缩短了相应技术图件的成图时间。同时 MapGIS、Processing Modflow 等软件的应用，使短期内完成勘察成果成为了可能。

4 水源地群井布置

4.1 水源地供水保证程度

井群布置的基础资料为水源地地下水资源总量、地下水资源可开采量、水源地周边现状地下水开采量、地下水资源控制指标、机井单井开采量及供水规模等。

依据地下水资源均衡法计算及三维数值模型模拟计算确定的勘察区地下水总资源量7 157.03万m^3，可开采资源量3 354.42万m^3。勘察区内现状农业灌溉开采地下水量为175.28万m^3，生活用水开采地下水水量为254.42万m^3，和田市一水厂、二水厂水源地现状年开采地下水量2 191.00万m^3，勘察区现状地下水开采总量为2 620.70万m^3。拟建水源地供水量为2 460.8万m^3，加上现状勘察区内除去和田市第一水厂水源地、第二水厂水源地的开采量，勘察区规划年总开采量为2 889.7万m^3，小于地下水可开采量3 354.42万m^3，说明所选替代水源地供水保证程度高。

由于本供水工程为和田市一、二水厂的替代水源，所以其地下水可开采资源控制指标为和田市市区用水指标，即2030年和田市市区地下水控制指标为4158万m^3。在满足地下水可开采量、满足地下水控制指标的前提下，以城市生活用水优先为原则，采用高新节水为手段，在和田市灌区内由地表水和地下水两水统一调配，保障和田市经济社会的安全和可持续发展，所节约水量来支撑城市生活用水。因此，以地下水水源作为和田市城市供水的单供水水源，其水量是有可靠保证性的。

4.2 三维数值法模拟

(1)数值模型的建立

模拟范围：采用PMWIN-8.0建立三维有限差分地下水水流数值模型，模拟范围为水文地质勘察区域，近似于矩形，东临河道，面积161.2km^2。

模型概化：深度200m，含水层为单一潜水含水层三维均质稳定流模型。

数学模型：所建立的三维非均质非稳定流数学模型可表示为：

$$\begin{cases} K_{xx}\dfrac{\partial^2 H}{\partial x^2}+K_{yy}\dfrac{\partial^2 H}{\partial y^2}+K_{zz}\dfrac{\partial^2 H}{\partial z^2}+\dfrac{\varepsilon}{M}=\dfrac{S}{M}\dfrac{\partial H}{\partial t} & (x,y,z)\in\Omega \quad t>0 \\ -K_{xx}M\dfrac{\partial H}{\partial n}\Big|_{(x,y,z,t)\in\Gamma_1}=q_0(x,y,z,t) & t>0 \\ -K_{yy}M\dfrac{\partial H}{\partial n}\Big|_{(x,y,z,t)\in\Gamma_2}=0 & t>0 \\ -K_{zz}M\dfrac{\partial H}{\partial n}\Big|_{(x,y,z,t)\in B}=0 & t>0 \end{cases}$$

式中：K_{xx}、K_{yy}和K_{zz}分别为x、y和z方向上的渗透系数，$K_{xx}=K_{yy}$；H为水头值；ε为源汇项；μ为给水度；Ω为模拟范围；n为边界面的外法线方向；Γ_1为上游边界和下游边界；Γ_2为侧边界；B为底边界。

边界条件：模型东侧为玉龙喀什河，受河流补给影响，因此设置为定水头边界。采用General-head boundary程序包处理；模型南侧为地下水上游，接受山前侧向补给，上游多年平均补给量稳定，因此概化为定流量边界，采用WELL程序包处理，在南边界设置276眼补注井作为补给边界；模型西侧依据地下水等水位图，地下水流向近似平行于勘察边界，因此将边界设定为零流量边界；模型北侧为地下水下游，地下水在此径流出区，为地下水排泄边界，将北侧边界概化为定流量边界，采用WELL程序包处理，在北边界设置337眼抽水井作为补给边界。

在拟定的井群30眼机井和井群22眼机井两方案下，通过数值法计算模拟替代水源地开采地下水量2 460.8万 m^3 的水位变幅。

空间离散：采用等间距有限差分的离散方法，将含水层进行空间离散。

时间离散：根据两期（2011年和2021年）流场和长观井的数据，确定参数率定的过程为10年，以2011年3月作为初始时刻，2041年3月为终止时刻。模拟时间单位为天，时间步长为1个月，整个模拟时间分成240个时段。

初始条件：初始流场以2011年3月调查的地下水水位作为初始水位。生成网格文件加载到PM-WIN后自动生成初始水位等值线；选用的模型参数包括水平渗透系数、垂向渗透系数、有效孔隙度、给水度。依据抽水试验参数计算，对参数进行分区。垂直渗透系数取值按照水平渗透系数的1/5取值，本模型为一层含水层，垂向渗透系数可不赋值。给水度根据岩性取经验值。最终通过模型率定来对以上参数进行识别。

参数率定：为了使模型输出的水均衡项与输入的水均衡项在允许的误差范围内，需要对参数进行率定。需要率定的参数有水平渗透系数、垂直渗透系数、给水度、排渠导水系数、蒸发率、定水头边界导水系数、河床导水系数和覆盖层厚度、干支渠导水系数及渠水高程等。反复调试上述参数，使模型输出水均衡满足要求。

模型验证：流场的拟合将2011年3月调查流场作为初始流场，运行10年后，与2021年3月调查的地下水流场进行拟合，勘察区流场走向基本一致，水位整体高程基本相同，拟合程度较好，如图2所示。

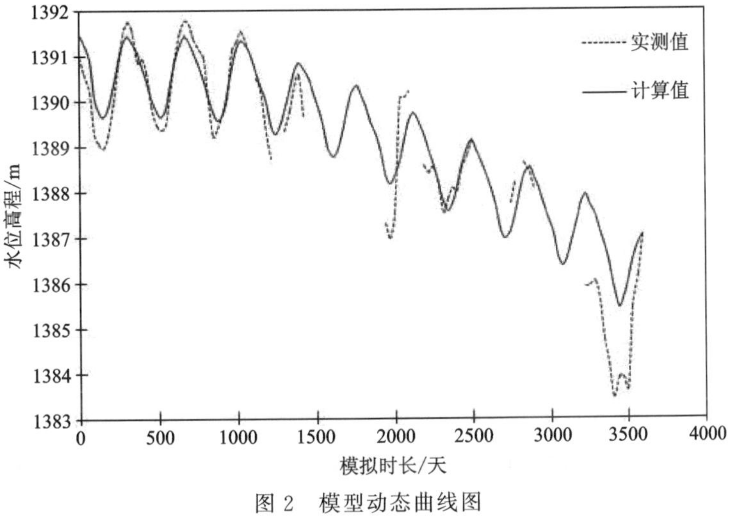

图2 模型动态曲线图

（2）开采方案预测

方案一（30眼机井）模拟水源地单井涌水量160 m^3/h 运行20年的累计降深在15.65～22.50m之间，井群干扰降深在0.25～7.10m之间，根据预测地下水位动态曲线，地下水位下降速率最快时段为水源地建成后第一年，第二至第五年地下水位降幅趋于稳定。机井开采一年后，在机井周边形成了2个降落漏斗。北侧漏斗近似椭圆形，东西宽约3.5km，南北约6.4km。南侧漏斗东西长3.6km，南北宽2.0km。随着开采时间推移，漏斗逐渐扩大，两个漏斗逐渐相连，至2025年6月，漏斗基本接近稳定。水源地运行未造成大的水位降落漏斗。

方案二（22眼机井）模拟水源地单井出水量225 m^3/h 运行前20年的累计降深在15.97～22.95m之间，井群干扰降深在0.57～7.55m之间，根据预测地下水位动态曲线，地下水位下降速率最快时段为水源地建成后第一年，第二至第五年地下水位降幅较为稳定。机井开采一年后，在机井周边形成了带状降落漏斗。漏斗近似椭圆形，东西宽约2.2km，南北约6.8km。随着开采时间推移，漏斗逐渐扩大，至2025年6月，漏斗基本接近稳定。水源地运行未造成大的水位降落漏斗。降深数据见表1。

表1　方案一和方案二水源地运行20年后降深统计表

项目	方案一(30眼机井)	方案二(22眼机井)
最大累积降深/m	22.50	22.95
最大抽水降深/m	18.27	18.64
最大干扰降深/m	4.23	4.31
平均累积降深/m	20.33	20.68
平均抽水降深/m	16.51	16.79
平均干扰降深/m	3.82	3.89
最小累积降深/m	19.63	15.97
最小抽水降深/m	15.94	12.97
最小干扰降深/m	3.69	3.00
最大影响距离/m	2.50	3.20
影响范围面积/km^2	49.23	31.51

4.3　水源地井群布置

三维数值模拟为水源地的井群布置及抽水扬程的计算提供了科学依据。方案二单井抽水量大，井群布置集中，抽水影响面积小，便于划设水源地一级保护区，且可以减少水源地机井建设数量、汇水池数量、汇水管长度及其他配套设施，故推荐方案二。总计布设22眼机井的水源地开采井群，来满足和田市规划年份的城市供水。井间距为330～430m，井深120～150m，开孔直径650mm，管径377mm，抽水扬程在60～90m之间。

5　结论

通过诸多勘探手段和新技术的应用，查清了水源地地下水的补给来源、地下水径流及排泄条件。探明了水源地的地层岩性、含水层厚度及地下水数位埋深。水源地范围地下水位埋深10～35m，150m勘察深度内含水层岩性为卵石、砂砾石，含水层厚度100～120m；通过大型群孔抽水试验，水源地内单井抽水流量250m^3/h时，其稳定降深15.17m；根据水源地地下水全分析资料评价了水源地地下水质量。其水质矿化度723mg/L，氟化物含量0.8mg/L。各微量元素均满足生活饮用水卫生标准，水源地地下水水质良好，适合建设集中供水水源地。据此成功设计了水源地开采井群，总计22眼机井，单井涌水量225m^3/h，井距330～430m，井深120～150m。年开采量可以满足和田市日供水90 000m^3/d，年供水2 460.8万m^3的开采规模。水源地的建成将极大的改善和田市城市供水的保障程度和市民的饮水安全，增强了市民的幸福感，取得了良好的社会效果。

参考文献

董新光，邓铭江. 新疆地下水资源[M]. 乌鲁木齐：新疆科学技术出版社，2005.
韦停，车巧慧，韩玉杰. 水源热泵井群布置方案对地下水流场影响分析[J]. 地下水，2014(3)，31-33.

大型矿坑回填土缓坡区城际铁路建设中的主要工程地质问题及对策研究

郭建强[1]　阎长虹[2]　娄志会[3]　赵连军[1]　万佳佳[3]　陈浩[1]　王大鹏[1]

1.南京地铁建设有限责任公司,江苏 南京　210005;

2.南京大学地球科学与工程学院,江苏 南京　210023;

3.北京城建中南土木工程集团有限公司,北京　100022

摘　要:南京某城际铁路青龙山段为大型矿坑回填区,呈缓坡地形,长度226m,填土最大厚度42m,矿坑南侧为采矿预留岩层构成的陡崖,坡度在50°～70°之间,局部达80°,最大高差70m,以此作为采矿边坡的天然岩层挡墙。矿坑回填主要采用采矿弃渣、建筑垃圾以及工程弃土等填料,其回填土边坡稳定性安全系数设定为1.25,以满足矿山生态环境修复安全要求,由于矿坑回填时其压实度控制不够严格,回填土边坡存在沉降特别是不均匀沉降及侧向变形问题。显然,在这一矿坑回填区进行铁路建设时应对其边坡稳定性作重新进行评价和必要的加固处理。为此,笔者对矿坑回填土边坡开展了工程地质研究,建议采用明洞隧道穿越,一方面可以有效防止山体一侧陡崖上的危岩对铁路工程的威胁,另一方面明洞桩基还可兼作抗滑作用以控制回填土边坡的沉降及侧向变形;在明洞周围进行覆土时尽量采用对称式填埋,减小偏压作用诱发填土边坡变形;同时对原排水系统进行修复重建,以防止降水入渗对回填缓坡稳定性的影响。通过这一处理可以有效保证城际铁路地基及边坡的稳定性。

关键词:城际铁路　大型废弃矿山　填土边坡　明洞　排水系统

1　引言

南京某城际铁路是南京都市圈的重要交通枢纽工程,按其线路设计铁路将从已完成的青龙山生态环境修复示范区的大型矿坑回填土缓坡上通过,在废弃矿山生态环境修复治理中,该矿坑回填土边坡稳定性安全系数按1.25设计。南侧为采矿预留天然岩层构成的岩壁陡崖,最大高差近70m,岩性为黄龙组巨晶厚层灰岩,以作为采矿边坡的天然岩层挡墙。不过,在这一陡崖顶部受断裂构造及风化作用的影响,岩体较为碎裂,局部存在崩塌破坏地质灾害隐患,为此,在矿山生态环境治理时,在矿坑中上部回填土边坡尚预留了一个宽阔缓坡平台,用来承接陡崖顶部崩塌下来的落石,防止危岩威胁坡下道路及其建筑物的安全。在矿坑回填治理时,主要采用采矿的弃渣、建筑垃圾以及工程弃土等杂填土进行填筑,对于矿坑回填中的杂填土压实度没有严格控制,同时对回填土边坡的变形也没有具体要求。显然,在这一复杂工程地质条件的场地上进行城际铁路建设,将涉及矿坑生态环境治理回填边坡稳定性、地基稳定性及地质灾害治理等多个方面的工程地质问题。

作者简介

郭建强(1965—),男,高级研究员,主要从事城市轨道交通建设管理工作.E-mail:1411087533@qq.com

近年来随着我国生态环境建设的不断推进和经济发展的转型，一些废弃矿山的生态修复列为我国生态文明建设的重要任务。在矿山生态环境治理中注重环境地质评价，地质灾害的治理和生态环境的修复工作，这些评价及研究的目的主要是为废弃矿山生态环境修复服务的。然而随着我国城市化进程的加快，土地资源越来越紧张，因此，在矿山生态环境修复中提出了矿区土地资源的合理开发利用问题，2016年江苏省率先提出“矿地融合”矿区可持续发展与产业转型的新理念，构建废弃矿山资源开发利用的新模式，有效促进矿产开发和土地利用的协调发展，目前江苏省废弃矿山开发利用主要以矿山公园、旅游开发以及复耕为主，很少涉及工程建设特别城际铁路建设工程问题。

我国在铁路工程建设中对其地基及边坡稳定性要求非常高，特别是高度重视地质灾害的危害性评估及治理工作，在其工程建设中需要查明建设区的地质环境条件、沿线地质灾害类型、规模及其危害程度，进而开展地质灾害的治理工作。但是目前在铁路工程建设中较少涉及矿坑回填边坡的情况，对于所涉及的诸多技术问题尚缺乏系统研究和认识。

南京某城际铁路青龙山段场地工程地质条件非常复杂，涉及拟建铁路荷载作用下矿山治理填土地基及边坡稳定性、地基变形和地质灾害防治等多个技术问题。因此，需要结合城际铁路工程特点和矿山治理区的实际情况，开展工程建设相关技术研究，为城际铁路工程设计与施工提供科学依据。

2 工程地质背景

2.1 修复矿山的基本地质情况

南京拟建的某城际铁路从江宁区青龙山段某大型山回填区通过，该矿区隶属南京市江宁区麒麟街道，位于麒麟镇东约3km，北侧紧邻S122省道(老宁杭公路)，距离北侧沪宁高速公路约500m、西侧距南京绕越高速公路(二环路)约3km。

青龙山大型矿山宕口在地质构造上位于孟家场-北尚庄复背斜的西北翼，核部由高家边组组成。青龙山山势呈南西-北东向延展，略成弧形，是典型的单斜山，地层走向与山体走向基本一致，地层岩性有软岩、硬岩。山体主要发育两组断裂，一组(走向75°)为压扭性断裂，另一组(走向335°)为张扭性断裂，其中后者切割前者，岩体常被切成棋盘格状。受背斜柔皱作用和断裂构造切割，岩体强度差异性大，地层产状变化也较大。

矿坑填埋区位于青龙山山脊以北山坡中下部，地形起伏较大，高程20～116m不等，该矿山原为开采石炭系、二叠系的石灰石及黏土岩，作为建筑用料、水泥及石灰生产原料，是南京市主要的建筑石料供应基地。该矿山到2000年经过近50年的开采，形成了一个巨大的矿坑，整个矿山占地面积328 640.37m^2，边坡面积149 886.50m^2，投影面积98 792.46m^2，矿坑南侧保留有石炭系、泥盆系陆相碎屑岩岩层没有开采，其面积49 010.63m^2，形成深大矿坑及陡崖，地形起伏很大，矿坑形态如图1所示。

该矿坑2012年被列入中央财政矿山地质环境治理示范工程项目，从矿坑治理设计资料来看，该矿山矿坑南侧及西侧均留有原始山体，矿坑中部开采深度最大，除北侧边坡坡度较缓外，其他三面矿坑坡度均较陡。治理措施包括对其矿坑采用杂填土进行回填，在填土区顶部预留一宽阔的缓坡平台，矿坑南侧紧靠山体一侧为开矿预留巨厚层的黄龙组灰岩，原采矿时作为天然岩层挡墙，用于保持南侧山体的稳定性，在治理中依然保留这一岩层陡崖挡墙。现场调查发现，在岩层陡崖上部，岩体破碎，存在崩坍落石地质灾害隐患，为此矿坑回填时利用其填土缓坡顶部的平台接住落石，有效防止对山下道路及建筑物造成危害，西侧为开矿形成的陡坡，采用削坡减载和抗滑桩及挡墙等工程措施进行加固，以保证西侧矿坑边坡的稳定。经过近 3 年的生态恢复与养护，缓坡区及挡墙台阶区植被基本恢复，仅南侧的陡崖地段基岩裸露，矿坑治理后的状况如图 2 所示。

矿坑卫星影像图　　矿坑治理前状况

图 1　未治理前矿坑状况

图 2　城际铁路穿越填土区

南京某城际铁路工程于 2019 年开始建设，按其设计线路将从这一矿坑回填区平台缓坡地带穿越，其长度约 226m。由于在当初矿山生态环境治理设计中并没有考虑城际铁路工程的建设问题，显然在这一复杂地质环境条件场地上进行城际铁路建设中，应对其进行专项工程地质勘察和技术对策研究。

2.2　矿坑回填区工程地质特征

为了有效保证城际铁路工程的施工及后期运营安全，城际铁路建设单位遵循"先勘察、后设计、再施工"的原则，在城际铁路建设前，首先对研究区进行了城际铁路专项工程地质勘察工作，以查明矿坑回填区岩土体的工程地质性质、环境地质条件及地下水特征，且对研究区的不良地质问题进行了评价。勘察资料显示，工程建设区为一大型矿坑回填区，城际铁路恰好从填土顶部缓坡上穿越，其工程地质条件非常复杂，在坡面上多处见有裂缝。其工程地质纵坡面及横剖面可以看出，矿坑填土厚度差异性很大，其填土岩性成分复杂，结构松散，密实度较差且差异性很大，各层工程地质层的岩性特征如表 1 所示。

从表 1 可以看出，矿坑杂填土厚度 0～41m，主要由风化岩碎屑、岩块、混凝土块、工程弃土(粉质黏土)等成分构成，其中粗颗粒含量大于 40%，粒径 3～50cm，个别大于 1m，填龄 3 年左右，局部采矿过程堆填层填龄达 5 年。

由于矿坑回填土成分复杂且不均匀，虽然通过钻探采集了试样，并进行了土工试验，但是由于取样难度大，而且试样的代表性差，为此，对其进行了现场重型动力触探试验，其试验结果显示矿坑回填土的密实度差异性很大，以此作为城际铁路的地基，容易发生不均匀沉降。

表1　填土边坡岩土体工程地质特征

时代成因	层号	地层名称	颜色	状态	特征描述	层底埋深/m	厚度/m
Qh	①-1a	杂填土	杂色	松散	由粉质黏土混碎砖、混凝土块和风化岩碎块等填积，粗颗粒含量约15%～40%，粒径3～20cm，个别大于0.5m，填龄3年左右	3.0～22.5	1.0～18.0
	①-1b	杂填土	杂色	松散	由风化岩碎屑、岩块和混凝土块等混粉质黏土填积，粗颗粒含量大于40%，粒径3～50cm，个别大于1m，填龄3年左右	4.0～42.2	0.4～32.2
	①-1c	杂填土	杂色	中密	主要由风化岩碎屑、岩块等填积，填龄大于5年	50.0	8.9
C_2	C_2-2	灰岩	灰色	强风化	岩石结构大部分破坏，手捏易散碎，层底部夹少量中风化岩碎块，遇水易软化，属极软岩，岩体基本质量等级分类为Ⅴ级	8.5～42.2	0.2～1.4
	C_2-3-1	灰岩	灰色	中风化	以较硬岩为主，节理裂隙发育，岩体破碎，岩体有溶蚀现象，发育有溶孔、溶隙。岩芯采取率65%，岩石质量指标RQD为30%～50%，岩体基本质量等级分类为Ⅳ～Ⅴ级	10.1～56.0	1.0～30.5
	C_2-3-2	灰岩	灰色	中风化	以较硬岩为主，岩体较完整，局部较破碎，岩体有溶蚀现象，发育有溶孔、溶隙。岩芯采取率80%，岩石质量指标RQD为50%～70%，岩体基本质量等级分类为Ⅲ～Ⅳ级	12.0～67.0	1.3～24.8
	C_2-3-d	溶洞充填物以黏土、粉质黏土为主	灰黄色	可塑	混少量风化岩屑及岩石碎块，为溶洞充填物，充填率80%～95%，其中DS6Q5G26号孔揭露为空洞	11.0～32.3	0.9～6.7

通过室内土工试验及原位重型动力触探试验，结合这一地区矿山回填土工程经验，给出城际铁路场区地基岩土体的物理力学性质设计参数值(表2)。由表2可以看出，填土的工程性质较差，力学强度很低，填土边坡作为城际铁路的路基必须进行加固处理。

表2　填土区各岩土层的物理力学性质指标建议值

层号	岩土层名称及状态	重度	直剪固快		岩体抗剪强度		结构面抗剪强度		静止侧压力系数	泊松比	渗透系数
		(kN·m^{-3})	kPa	(°)	kPa	(°)	kPa	(°)			$\times 10^{-6}$ cm·s^{-1}
①-1a	松散杂填土	19.5	5	2					0.75	0.45	500
①-1b	松散杂填土	19.6	4	14					0.73	0.42	800
①-1c	中密杂填土	20.0	4	17					0.60	0.38	1500
C_2-2	强风化灰岩	21.5	30	20					0.40	0.29	150
C_2-3-1	中风化灰岩(破碎)	26.9			110	34	90	27	0.33	0.25	200
C_2-3-2	中风化灰岩(较完整，局部较破碎)	27.0			200	38.8	110	31	0.25	0.20	20

2.3 矿坑回填区水文地质特征及边坡稳定性分析

地下水是诱发边坡失稳的最主要因素，特别是回填土边坡更是如此，由矿坑治理设计报告和勘探报告可知，矿坑回填土层自上而下岩性由细逐渐变粗，场地地下水主要为松散层孔隙潜水，矿坑底部及周边主要为基岩裂隙(岩溶)水。

(1)孔隙潜水。孔隙潜水含水层由人工填土构成，人工填土结构松散，有利于地下水的渗透及汇集，雨季时赋水，属弱透水地层。

(2)基裂隙(岩溶)水。拟建场地的基岩中构造裂隙发育，在雨季岩体中的构造裂隙和风化裂隙中分布有地下水。岩溶溶隙水赋存于 C_2-3-1、C_2-3-2 层灰岩溶蚀溶洞及其填充物中，渗透性较好。

从勘探孔的地下水位检测情况来看，虽然填土填筑时间仅 3 年时间，但是所有钻孔均见有地下水，说明填土的透水性较好，已具有统一的地下水位。

场区岩体中的裂隙水较为丰富，地下水位较高，将会补给矿坑填土中孔隙水，在汛期容易形成暂时性承压水，诱发矿坑回填土边坡失稳，发生滑坡地质灾害。

填土边坡稳定性设计时，按圆弧滑坡破坏类型进行填土边坡稳定性的计算，考虑工程荷载作用，边坡的安全系数 1.16，若考虑填土中承压水作用，边坡的安全系数 0.96，显然路基回填土边坡是不稳定的。经抗滑桩加固处理后，在降雨条件下其安全系数为 1.25，废弃矿山填土边坡处于稳定性状态。

2.4 矿山回填边坡区主要工程地质问题

由上述分析可以看出，城际铁路建设场地工程地质条件非常复杂，在城际铁路建设中存在以下潜在工程地质问题。

(1)矿坑回填土边坡稳定性设计的安全性要以满足矿山生态环境修复治理安全为前提，在人工边坡上进行城际铁路工程建设时，受工程荷载作用，其稳定性将会有所下降，需要进行重新评价和加固处理。

(2)矿坑回填区后缘岩层陡崖局部断裂构造发育，岩体破碎，存在崩塌地质灾害隐患。

(3)矿坑规模非常大，回填土土质复杂，厚度大，压实不均匀，存在垂直变形及不均匀沉降问题。

(4)在生态环境修复中对其边坡沉降变形没有要求，存在地基不均匀沉降问题，不能满足城际铁路变形控制的要求。

3 城际铁路穿越大型矿坑回填区处置对策研究

从上述分析可知，城际铁路工程场地宕口回填区在其施工及后期运营中存在诸多工程地质问题，在设计和建设中必须有效解决这些问题。

3.1 采用明洞穿越崩塌地质灾害区

根据矿山治理设计和城际铁路勘察资料可知，宕口回填区明洞段全长约 226m。在矿坑填土区南侧为一由天然岩层构成的陡崖，存在崩塌地质灾害隐患，如何消除地质灾害的威胁事关整个城际铁路施工及运营的安全。为此，施工单位进行了专门工程地质论证，提出采用明洞穿越该路段，有效地解决落石对铁路安全的危害性。

该明洞段将以宕口回填土为地基，其填土的厚度变化很大，工程性质较差，且差异性很大，轨面标高为 51.40～53.73m(1985 国家高程基准)，底板厚 1.0m。明洞标准断面宽度为 11.5m，高度为 8.79m。本工程采用明挖顺筑法施工，施工结构回填覆土厚为 1.5～3.0m。由于地基位于回填土边坡顶部，为了解决填土沉降及边坡变形对铁路路基稳定性的影响，将采用满堂布桩基础设方案，承担上部工程荷载及后期列车运行荷载，同时桩基兼顾抗滑作用。因此，城际铁路地基加固采用三排桩径1.2m的大直径桩，其桩距纵向5m，横向6m，嵌岩深度进入中风化岩1m。

3.2 明洞覆土方案及景观设计

根据城际铁路沿线景观设计及明洞防护要求，明洞外需要进行覆土处置，填土不仅会增加边坡上部荷载，而且会对明洞产生偏压，不利于边坡稳定性和明洞的稳定性。为此，对明洞覆土进行了设计优化，明洞覆土采用6%水泥土以明洞轴线为中心向两侧进行回填，即明洞段采用中间高两侧低的覆土形式，形成“八”字形，在明洞的内侧形成了凹地(图3)。

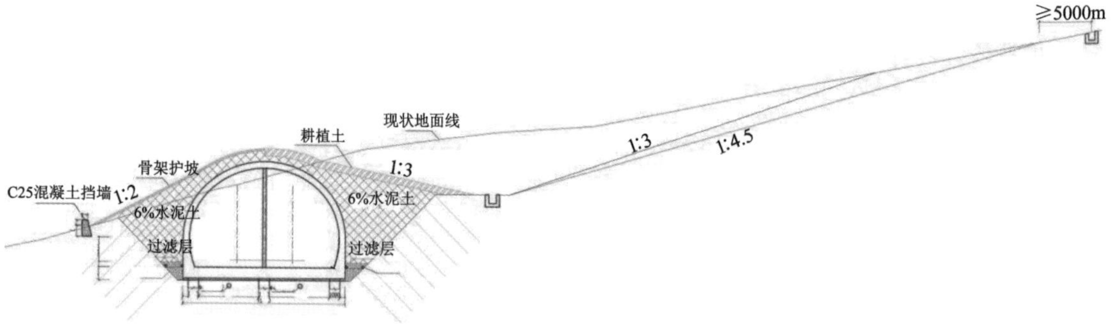

图3 明洞覆土方案示意图

明洞回填土边坡的坡比控制，明洞内侧为1∶3，外侧坡比为1∶2，山体凹地向山体一侧控制坡比为1∶4.5永久边坡。

覆土具体填筑方案：边坡坡脚底部回填1m厚素混凝土，在隧道两侧回填3m厚6%水泥土，水泥土上覆0.5m厚耕植土并在纵向形成0.3%自然排水坡；在素混凝土与水泥土之间设置0.5m过滤层，过滤层内埋设直径200mm打孔波纹管，1∶3临时边坡修整为1∶4.5永久边坡。

在明洞口外露结构顶部设置钢棚架，并种植攀爬类绿植。钢棚架由钢桁架＋桁架间支撑组成，隧道两侧设置1m×1m条形基础，钢桁架弦杆采用I16工字钢，腹杆采用I12工字钢，沿隧道纵向间距5m布置，桁架间设置交叉支撑，支撑采用I12工字钢。

该明洞覆土方案的景观形态良好，对边坡所增加的荷载较小，有利于边坡及明洞的稳定性。

3.3 明洞覆土边坡排水系统修复和重建

在明洞覆土内侧边坡坡顶设置截水沟，在坡脚洼地设置沿平行于隧道轴向的排水沟，填土中设置排水盲沟，为了保证施工质量，抵抗不均匀沉降的影响，加快施工进度，设计采用预制排水沟，在现场进行装配安装。

原宕口回填土边坡坡面排水沟多以砖砌混凝土抹面结构，填土边坡沉降、水平变形和铁路施工的影响，排水沟多处出现开裂、损坏，因此，在明洞施工完成后必须对其进行修复或重建。同时在宕口回填土边坡坡脚设置排水沟，将坡面坡顶的截排水沟及坡内排水盲沟的地表水及地下水汇入排水沟，排入山脚下的九乡河。

4 结论

本文以南京某城际铁路永平大型矿坑回填边坡区明洞段为研究对象，开展专项工程地质研究，结合铁路工程建设要求，确定城际铁路工程建设中存在的工程地质问题，给出了具体处置对策。主要研究成果如下。

(1)对崩塌地质灾害问题，通过工程地质论证提出采用明洞方式通过场区，可以有效防止崩塌地质灾害对城际铁路施工及运营安全的威胁。

(2)对于明洞及铁路荷载影响回填土边坡稳定性及不均匀沉降等问题，建议采用嵌岩桩作为明洞的基础，嵌岩桩长达到坑底的中风化岩，兼作抗滑桩。

(3)为了保证明洞隧道结构的耐久性和长期强度，同时考虑明洞覆土景观形态，在明洞外以轴线为中心向两侧进行对称覆土，同时在明洞外覆土表层填筑耕植土且在其端部设置钢棚架，便于绿化。

(4)由于明洞建设改变了回填土边坡的形态且排水系统遭到破坏，为此对整个明洞端的排水系统进行了重建，确保边坡地表水及地下水能够有效排放，以防止坡体出现暂时性承压水诱发边坡失稳。

参考文献

张进德，郗富瑞．我国废弃矿山生态修复研究[J]．生态学报，2020，40(21)：7921-7930.

李建中，张进德．我国矿山地质环境调查工作探讨[J]．水文地质工程地质，2018，45(4)：169-172.

张进德，郗富瑞．我国废弃矿山生态修复研究[J]．生态学报，2020，40(21)：7921-7930.

杨金中，聂洪峰，荆青青．初论全国矿山地质环境现状与存在问题[J]．国土资源遥感，2017，29(2)：1-7.

罗锋，柴波，周爱国．鄂东南大冶矿区地质环境影响性评价[J]．工程地质学报，2015，23(3)：580-589.

魏永耀，杭冰，黄敬军，等．浅谈“矿地融合”在城市地质调查中的重点与应用：以徐州城市地质为例[J]．四川地质学报，2019，39(3)：379-383.

闫玉茹，周竹军，梁飞刚．江苏南通矿地融合政策体系研究[J]．地质学刊，2019，43(4)：661-664.

彭钦．瓮马．铁路南北延伸线地质灾害危险性评估[J]．地下水，2020，42(1)：135-137.

苏丕辉，陈仕阔，赵晓彦，等．南昆铁路钢管格栅膨胀土挡墙边坡加固机理模型试验研究[J]．工程地质学报，2020，28(3)：658-666.

塔里木盆地西缘植被覆盖度遥感动态监测与分析——以莎车县为例

杨鹏　吕恒阳　丁国梁

新疆兵团勘测设计院(集团)有限责任公司,新疆 乌鲁木齐　830000

摘　要:地处西北干旱区塔克拉玛干沙漠边缘的莎车县,生态环境十分脆弱。本文基于2000年、2010年、2017年的Modis遥感数据,以RS为技术手段,借助GIS空间分析方法,植被指数法,分析研究区植被覆盖分布特征和空间分布变化情况,并结合气候、地形地貌等资料,对变化原因进行初步分析和研究。结果表明,2000年以来,研究区植被覆盖整体呈波动上升趋势,植被覆盖区占比面积由2000年的48%上升到2017年的53%,其中2010年达到60%。在植被覆盖率的转换方面,与气候及人类活动相关,降水量的变化是影响植被覆盖率最主要的因素;其次,人类大规模实施生态保护工程及农作区面积的扩大,也使得原灌区外围低植被覆盖率区向中等植被覆盖率区转变。

关键词:植被覆盖度　归一化植被指数　遥感解译　塔里木盆地西缘　莎车县

1　引言

植被是影响生态环境的敏感因素,地处西北干旱区塔克拉玛干沙漠边缘的莎车县,生态环境十分脆弱,监测本区植被覆盖状况,能为保护生态环境提供科学有效的数据,也为政府相关职能部门提供决策依据。

植被覆盖度指单位面积内植被的垂直投影面积所占百分比,是定量反映植被覆盖状况的重要指标。在遥感应用领域,植被指数能够反映地表植被信息,其经过模型即可以转化为植被覆盖度。目前植被指数已广泛用来定性和定量评价植被覆盖及其生长活力。通过对比监测区域内不同时期植被覆盖度的空间变化,可以获得荒漠和非沙地荒漠地带的发展趋势。

2　研究区概况

莎车县位于新疆维吾尔自治区西南部,地处昆仑山北麓、帕米尔高原南缘,喀什地区中部,塔克拉玛干沙漠的西缘。莎车县地域辽阔,地形由西南向东北倾斜,地形坡度较缓,全县南北长约190km,东西最宽为105km,总面积8 956.69km^2。县城距喀什市218km,315国道、南疆铁路穿越而过,交通较为便利。

3　资料的收集与分析

本次根据研究区水土资源开发利用实际,结合影像数据的适用性,综合选取2000年、2010年、2017年

作者简介

杨鹏(1990—),男,工程师,主要从事水文地质、工程地质、环境地质、调查、规划及其技术管理工作. E-mail:btksyp@qq.com

分别作为典型年；5～10 月为植被生长旺盛期，综合影像来源，选取 7 月数据作为解译数据源。通过计算 NDVI 值，提取工作区植被覆盖信息。研究区植被覆盖率共进行三期计算，根据选择 250m 分辨率 Modis 数据进行信息提取。Modis 数据共涉及 3 景，景号分别为 23-05、24-04、24-05，时相选取 2000 年 7 月，2010 年 7 月，2017 年 7 月数据。

4 遥感图像数据处理与制作

本次收集到的遥感数据已经过大气校正及去噪处理，因此直接选取模型进行几何矫正。研究区影像中包含 3 景遥感数据，选取中间影像为参考图像进行几何校正，配准影像重叠区域，进行拼接后再以 1∶10 万地形图作为整幅影像的参考图像进行几何校正。

研究区所选各期影像时相相同，故图像色调基本一致，仅需亮度调整后再进行拼接，拼接过程中对相邻影像进行平滑处理，再对研究区范围之外的影像进行裁剪去除。

5 遥感解译方法

植物叶面对红光波段有很强的吸收特性，对近红外波段有很强的反射特性，通过这两个波段测值的不同组合可得到不同的植被指数，通常采用 NDVI(归一化植被指数)来反映工作区的植物生长状况。

植被指数计算公式：

$$\mathrm{NDVI}=\frac{\rho_{\mathrm{nir}}-\rho_{\mathrm{red}}}{\rho_{\mathrm{nir}}+\rho_{\mathrm{red}}} \tag{1}$$

式中：NDVI 为归一化植被指数；ρ_{nir} 为近红外波段；ρ_{red} 为红光波段。

NDVI 的取值在[－1，1]，当 NDVI＜0，表示地面覆盖为云、水、雪等，对可见光高反射；NDVI＝0 表示有岩石或裸土等，NIR 和 R 近似相等；NDVI＞0 时，表示有植被覆盖，且随覆盖度增大而增大。

根据 NDVI 值将计算结果分为 6 类，其中 NDVI≤0.1 为无植被区；NDVI≤0.2 为极低植被覆盖率区；NDVI≤0.4 为低—中等植被覆盖率区；NDVI≤0.6 为中等—高植被覆盖率区；NDVI＞0.6为极高植被覆盖率区；NDVI＝0 为水域及冰川。

6 研究区植被覆盖解译结果分析

6.1 研究区植被覆盖率现状

经过解译，中等以上植被覆盖度（NDVI＞0.4）区域所占面积 1 733.59km²，占研究区总面积的 19.34％，主要分布在叶尔羌河与提孜那甫河的冲积平原，河道两岸约 20km 的范围内，主要为农业灌区。

低—中等植被覆盖度（0.2＜NDVI≤0.4）区域面积 1 465.24km²，占研究区总面积的 16％，一部分位于中高植被覆盖度区外围区域，以零星的农灌区及自然植被区为主；另一部分分布于山区，达木斯乡，以山区林地为主。

极低植被覆盖度区（0.1＜NDVI≤0.2）面积 1 531.43 km²，占研究区总面积的 17％，主要分布在莎车县北部，公安渠西北，苏库恰克水库以北区域和南部山区—达木斯乡。

无植被地带（0＜NDVI≤0.1）面积 4 216.65km²，约占研究区总面积的 47％，主要分布于西部沙漠区和喀尔苏乡东部的荒漠区，如表 1 所示。

表 1 研究区 2017 年植被覆盖情况

研究区 NDVI	无植被区	极低植被覆盖率	低—中等植被覆盖率	中等—高植被覆盖率	极高植被覆盖率	水域及冰川	总计
	≤0.1	≤0.2	≤0.4	≤0.6	>0.6	0	
面积(km^2)	4 216.65	1 531.43	1 465.24	1 637.42	96.17	16.75	8 963.66
占比	47%	17%	16%	18%	1%	0%	100%

6.2 研究区植被覆盖率变化分析

从解译结果来看，研究区 2000 年、2010 年、2017 年无植被覆盖区分别为 51%、40%、47%，说明研究区植被覆盖情况在变好，其中 2010 年植被覆盖情况最好。研究区典型年植被覆盖情况见表 2。

表 2 研究区典型年植被覆盖情况

单位：km^2

研究区 NVDI	无植被区(≤0.1)	极低植被覆盖率(≤0.2)	低—中等植被覆盖率(≤0.4)	中等—高植被覆盖率(≤0.6)	极高植被覆盖率(>0.6)	水域及冰川(0)
2017 年	4 216.65	1 531.43	1 465.24	1 637.42	96.17	16.75
	47%	17%	16%	18%	1%	0%
2010 年	3 623.39	2 023.61	1 273.86	1 651.81	367.76	23.23
	40%	23%	14%	18%	4%	0%
2000 年	4 584.04	1 487.46	1 307.44	1 442.52	105.08	37.12
	51%	17%	15%	16%	1%	0%

总体来看，植被覆盖区面积在增加，17 年间，平均每年以 22.8km^2 的速度增长；从植被覆盖率上看，低—高植被覆盖度(0.2<NDVI≤0.6)的面积有所增加，平均每年以 20.75km^2 的速度增长，且 2010 年以后的增长速率(25.28km^2/a)大于 2010 年以前的增长速率(17.70km^2/a)。空间分布上，所增加的范围主要分布在原中—高植被覆盖度区外围区域，在叶尔羌河与提孜那甫河的冲积平原，河道两岸约 20km 的范围内，主要为农业灌区。

解译结果表明，极高植被区和极低植被区在不同水平年面积变化较大，2000 年和 2017 年面积基本一致，变化不大，但与 2010 年相差较大。2010 年极高植被覆盖率(>0.6)区面积达到 367.76km^2，是 2000 年和 2017 年的 3.5 倍左右；极低植被覆盖度区(0.1<NDVI≤0.2)区面积达到 2 023.61km^2，是 2000 年和 2017 年的 1.3 倍左右。从空间分布上分析，本区变化地带集中在灌区与荒漠区的接壤地带。

解译结果表明，虽然研究区水域面积占整个研究区的面积较小，但是水域面积变化却较大，水域面积在持续变小，相比 2000 年，水域面积减少了 55%。

研究区 2010 年植被覆盖最好，初步分析主要是因为 2010 年研究区降水量较大(图 1)，尤其是山区降水量。山区降水量的增加导致研究区南部植被发育的面积扩大，而因山区降水量增加，导致河道径流量增大，也致使平原区水库蓄水饱满，地下水水位抬升，有力的促进了植被的生长发育。

因此，可以分析得出，2010 年部分的无植被区发展为植被区，部分高植被覆盖率区发展为极高植被覆盖率区，减少的水域面积转为农作物区或自然植被区。

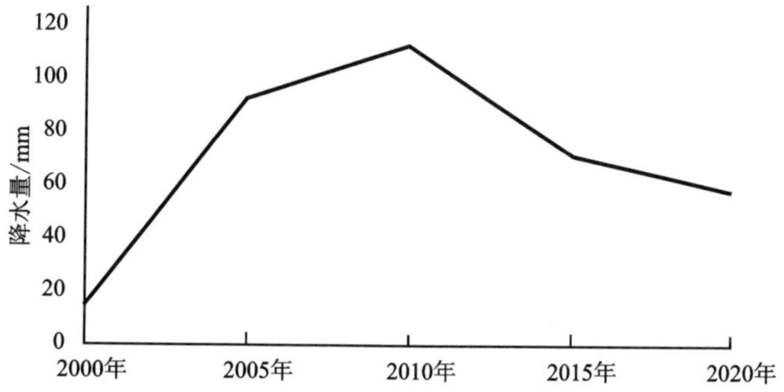

图 1　研究区降水量变化区域

7　结论

通过对研究区莎车县植被覆盖度研究分析，初步了解和掌握了近年来研究区植被覆盖的变化情况。总体来看，研究区植被覆盖情况在变好，由 2000 年的 48％上升到 2017 年的 53％，这与全球气候变暖，降水量增加，有效促进了植被的生长具有相关性。另外，在植被覆盖率的转换方面，与研究区人类活动相关，2010 年以后，随着南疆地下水资源的大力开发，有效缓解了研究区的水资源短缺问题，灌区面积逐步增大，使得原灌区外围低植被覆盖率区向中等植被覆盖率区转变。

但是，研究区水域面积（主要为河流及水库的面积）在持续变小，这与水资源的开发强度有关，随着灌溉面积的不断扩大，更多的水资源被渠系、水库等引走，使得河道水面面积减小。从保护生态环境环境方面考虑，此现象应值得注意。

参考文献

卫娇娇，弥沛峰，颉耀文．干旱区植被覆盖度遥感估算方法研究：以疏勒河中下游平原为例[J]．安徽农业科学，2015，43(32)：385-388.

万红梅，李霞，董道瑞，等．塔里木河下游植被覆盖变化遥感定量分析[J]．自然资源学报，2013，28(4)：668-677.

徐水师，谭克龙，闫正龙，等．塔里木河下游植被覆盖动态变化遥感分析[J]．西北大学学报(自然科学版)，2010，40(2)：323-326.

江洪．植被覆盖度遥感动态监测研究[J]．自然资源学报，2016(1)：126-132.

邓良基．遥感基础与应用[M]．北京：中国农业出版社，2000.

黄淑波、丁国梁、杨鹏，等．喀什地区地下水资源调查评价报告[R]．新疆兵团勘测设计院(集团)有限责任公司，2019.

水利部新疆维吾尔自治区水利水电勘测设计研究院简介

水利部新疆维吾尔自治区水利水电勘测设计研究院创建于 1956 年，是隶属于国家水利部和新疆维吾尔自治区的甲级勘测设计单位，具有江河流域规划、大中型水利水电工程的勘察、设计、咨询、监理、施工、水土保持、水文水资源论证、工程咨询、监理、测绘、地质灾害治理、岩土工程施工、工程招标代理以及工业与民用建筑工程、送变电、风力发电工程、对外承包工程与进出口企业等 50 余项资质，其中国家甲级资质 21 项。全院设有勘测、地质、水工、规划、机电等 10 余个专业队所，是一家专业配套齐全、勘察设计装备配置先进、知识密集、经验丰富、技术实力雄厚、市场信誉高的综合性勘测设计研究单位。

全院现有在职职工 1094 人，专业技术人员 773 人，占职工总数 71%。其中，教授级高级工程师 63 人，高级工程师 390 人，工程师 278 人，各类学科带头人 30 余人，国家注册执业师 179 人。

全院获得国家科技进步奖 4 项、国家优秀工程勘察设计奖 12 项、省部级科技进步奖 15 项、水利部优秀勘察设计奖 6 项、新疆维吾尔自治区优秀勘察设计奖 127 项、全国优秀工程咨询成果奖 5 项、新疆维吾尔自治区优秀工程咨询成果奖 8 项。新疆克孜尔水库工程获第三届詹天佑土木工程奖、中国工程建设鲁班奖，乌鲁瓦提水利枢纽获中国水利优质工程大禹奖。

地址：新疆维吾尔自治区乌鲁木齐市沙依巴克区黑龙江路 19 号

电话：0991-5850860　0991-5506566　网址：http://www.xjsdy.com.cn/

新疆兵团勘测设计院(集团)有限责任公司简介

新疆兵团勘测设计院（集团）有限责任公司（以下简称“兵团设计院”）成立于1952年10月，总部位于新疆乌鲁木齐，是新疆组建最早、专业最齐、规模最大的综合性甲级设计院。现拥有工程勘察综合、农业、林业、水利、建筑、公路、工程咨询综合、测绘、工程造价咨询等23个行业、专业甲级资质，电力、市政、环境工程、风景园林工程设计、城乡规划编制等14个行业、专业乙级资质，是目前国内设计资质涵盖面最广的设计单位之一。1999年取得ISO9001:1994质量体系认证证书，2011年通过环境、职业健康和安全管理体系认证，2019年被评为国家级高新技术企业，并入选全国“优秀勘察设计企业”。

经过近70年的发展，兵团设计院已成长为以工程咨询、勘察设计、工程总承包、工程监理、岩土工程、检验检测六大板块业务为主的综合性企业集团，下辖10个职能部门、16个生产单位（分院）和4户全资子公司，职工人数1240余人，现有各类专业技术人员1027人，其中享受国务院政府津贴专家14人，教授级高级工程师49人，高级工程师385人，各类执业注册人员333人次。近年来，兵团设计院坚持“立足新疆、放眼全国、走向世界”的发展战略，着力强化市场布局，先后在云南、四川、陕西、重庆、黑龙江等省市成立了分院。

长期以来，兵团设计院秉承“团结协作、开拓创新、科学严谨、追求卓越”的精神和“诚信、感恩、敬业、创新、和谐、分享”的核心价值观，先后在全国各地及世界30多个国家和地区完成勘测设计项目2万余项，其中百万亩以上大型垦区总体规划近50项、农牧团场及县乡规划500多个、大型灌区水利工程20余项、水库和电站150多座、大型输水干渠设计50余项，获得省部级以上优秀设计奖和科技进步奖500多项，“新疆玛纳斯河肯斯瓦特水利枢纽工程”“新疆乌鲁瓦提水利枢纽下游兵团第十四师皮墨垦区配套工程建设项目”被全国勘察设计协会评为新中国成立70周年“优秀勘察设计项目”。

站在新的起点，兵团设计院将以“做现代农业工程设计咨询领域的领导者和集成商”为愿景，牢固树立“内部以技术质量为中心，外部以市场客户为中心”的经营理念，不断深化改革，创新驱动发展，凝聚专业优势，拓展市场范围，提升综合能力，在推动兵团设计院高质量发展新征程的伟大实践中，竭诚为业主提供一流的咨询、勘测、规划、产品设计和服务。

地址：新疆维吾尔自治区乌鲁木齐市建设路36号光明大厦兵团设计院
电话：0991—2358803（传真0991—2311134）　　网址：http://www.btks.cn/